해설지의 사용법

이 해설지에서는 각 지문들·문제들을 읽으며 제가 했던, 그리고 여러분이 했어야 할 '생각들'을 제시합니다. 여러분은 이 해설지의 생각을 본인의 생각과 '비교'하며 생각의 힘을 키워나가셔야 합니다. 해설의 내용을 이해한 뒤에는 그것으로 그치지 마시고, 다시 스스로 해설해 보면서 본인 스스로 '필연적인' 사고 과정을 통해 해결할 수 있는지 확인하셔야 합니다. 다소 과할 정도로 깊이 들어가는 해설도 있고, 아주 실전적인 태도를 전하는 해설도 있을 것이에요. 이렇게 풍부한 해설들을 읽으며 저와 생각이 비슷해질 때, 여러분들의 국어 영역 실력은 몰라보게 올라와 있을 겁니다. 그 순간만을 기대하며 따라와 봅시다!

이 교재로 공부하셨으나 효과를 보지 못했던 학생들의 공통점 중 가장 대표적인 것으로 '해설지를 대충 읽었다'는 점을 꼽을 수 있습니다. 빠르게 읽어도 어느 정도 이해가 되고, 대충 무슨 말 하는지 알겠으니 휙휙 넘어가는 것이죠. '효율성'을 취한다는 미명하에 여러분의 '생각의 힘'을 기를 수 있는 기회를 놓치지 마시기 바랍니다. 문장 하나하나 많은 것을 배우고 익힐 수 있도록 최선을 다해서 작성했으니, 여러분도 문장 하나하나 열심히 읽고 따라와주세요.

스스로 고민해보고, 생각을 비교하며 체화한다. 간단하죠?

해설지 속에는 여러분의 공부를 돕기 위한 다양한 요소들이 포함되어 있습니다. 이들이 어떤 의미가 있는지를 아시면 훨씬 풍부하게 공부하실 수 있겠죠?

① 지문 정보

DAY 26 [25~28]
2023.06 [10~13] 과학 '비타민 K의 역할' ☆☆☆☆

➔ 순서대로 Day 정보와 본교재에서의 문제 번호, 그리고 시행년도 및 실제 시험지에서의 문제 번호, 제재와 작품 제목, 난이도가 표시되어 있습니다. 난이도의 경우, 별 한 개부터 다섯 개까지 부여되며 정답률, 학생들의 당시 체감, 집필진의 주관적 난이도 평가, 완벽하게 이해하는 데 드는 시간 등을 반영하여 표시했습니다. 사람마다 다르게 느낄 수 있는 부분이나, 대략적인 참고가 되었으면 하는 바람으로 표시했습니다.

② 지문 해설

2문단 (1)

> ①LFIA 키트를 이용하면 키트에 나타나는 선을 통해, 액상의 시료에서 검출하고자 하는 목표 성분의 유무를 간편하게 확인할 수 있다. ②LFIA 키트는 가로로 긴 납작한 막대 모양인데, 〈시료 패드, 결합 패드, 반응막, 흡수 패드가 순서대로 나란히 배열된 구조로 되어 있다.〉③시료 패드로 흡수된 시료는 결합 패드에서 복합체와 함께 반응막을 지나 여분의 시료가 흡수되는 흡수 패드로 이동한다.

➔ ①②③ … : 문장 번호
➔ 굵은 글씨 : 동그라미치는 부분(개념어, 핵심어)
➔ 밑줄 : 정의/주장, 주목해야 하는 부분
➔ 〈 〉 : 비례/증감 관계 및 납득해야 하는 부분

➔ 시험장에서 실제로 주목할 만한 부분에 표기되는 모습을 보여 드립니다. 저런 표시를 꼭 따라할 필요는 없지만, 어떤 부분에 주목하여 지문을 이해하는지 참고하시기 바랍니다. 이 표시와 해설을 따라가며, 저자의 사고과정을 훔쳐 보세요.

① #화제의 흐름 #재진술
이제 본격적으로 '거시 건전성 정책'의 목표를 ~

② #단어의 의미 살리기
'금융 시스템 위험 요인'은 '경기'에 '순응'하는 ~

➔ 해시태그(#)를 이용하여 각 문장 단위를 처리할 때 사용해야 하는 도구를 정리했고, 그 아래 자세한 지문 해설을 달아두었습니다. 단순히 어떤 내용인지를 구구절절 설명하는 게 아니라, 지문의 내용을 어떤 '생각'을 통해 이해하는지 그 과정을 상세하게 적어두었습니다. 여러분이 지문을 읽으며 했던 생각과 비교하면서, '생각의 힘' 자체를 키워주시면 됩니다.

③ 하이라이트 문장

하이라이트 문장

> ④개인 간 법률관계를 규율하는 민법에서 불확정 개념이 사용된 예로 '손해 배상 예정액이 부당히 과다한 경우에는 법원은 적당히 감액할 수 있다.'라는 조문을 들 수 있다.

법 제재의 지문에서 항상 나오는 ~

→ 문단마다 꼭 다시 짚고 넘어가야 할 문장들에서 해야 할 생각을 다시 설명하는 부분입니다. 문단 해설에서 했던 이야기를 다시 할 수도 있고, 새로운 이야기를 할 수도 있습니다. 이런 '하이라이트 문장'에 주목하며 글을 읽을 수 있어야 1등급이 나옵니다. 꼼꼼하게 확인해보세요.

④ 문제 해설

선지	①	②	③	④	⑤
선택률	2%	9%	11%	8%	70%

25 (가)의 '아도르노'의 관점을 바탕으로 할 때, ㉡에 대해 반박할 수 있는 말로 가장 적절한 것은? ⑤

> 즉 그 자신은 동일화의 폭력을 비판하지만, 자신이 추구하는 전위 예술만이 진정한 예술이라고 주장하며 ㉡전위 예술의 관점에서 예술의 동일화를 시도하고 있다.

– 역시 미리 답을 생각해놓고 들어가셔야 합니다. ㉡은 '아도르노'가 '전위 예술'로의 '동일화'를 시도한다는 점에서

→ 해당 문제의 실제 선택률(정답률 데이터가 없는 경우 예상 정답률)을 제시했습니다. 선택률을 통해 확인할 수 있는 다른 학생들의 반응을 바탕으로 나의 태도를 피드백할 수 있을 겁니다. 나는 쉽게 맞았는데 다른 학생들은 어려워한 선지나, 다른 학생들은 쉽게 넘어갔는데 나만 고민했던 그러한 선지들에 주목하세요. 여러분의 약점이 될 수 있는 부분들이니까요.

나아가 '발문'을 보고서 해야 하는 생각들이 있으면 역시 제시해두었습니다. 문제풀이의 시작은 '발문 독해'입니다. '발문'에서 필요한 정보를 확실하게 가져갈 수 있도록 합시다.

> 갑과 을은, 갑이 끼고 있었던 금반지의 소유권을 을에게 양도하기로 하는 유효한 계약을 했다. 갑과 을은, 갑이 이 금반지를 보관하다가 을이 요구할 때 넘겨주기로 합의했다. 을은 소유권 양도 계약을 할 때 양도인이 소유자라고 믿었고 양도인이 소유자인지 확인하기 위해 충분히 주의했다.

– 양도인인 '갑'과 양수인인 '을' 사이에 '소유권 양도' 계약이 ~

→ 〈보기〉가 있는 경우에는 해당 〈보기〉에서 주목해야 하는 부분, 해야 하는 생각 등을 정리해두었습니다. 〈보기〉 문제 해결의 첫 단추는 〈보기〉 정리입니다. 잘 배워서 제대로 써먹을 수 있도록 합시다.

> ① 동일론자들은 뇌가 존재하지 않으면 의식도 존재하지 않는다고 볼 것이다.

명시적 근거	(가) 1문단 1번 문장
실전에서의 판단 과정	뇌랑 의식은 같은 것이라고 했지.
해설	'동일론'은 '의식'이 '뇌'의 물질적 상태와 동일하다고 보는 입장이었습니다. 이들의 ~

→ 해당 선지를 그대로 제시하고, 아래 표를 통해 자세한 해설을 적어두었습니다. '명시적 근거'를 통해 지문의 어떤 내용이 선지 판단의 근거로 쓰이는지 확인할 수 있게 했고, '실전에서의 판단 과정'을 통해 만점을 받는 사람들의 실제 시험장에서의 사고과정을 엿볼 수 있게 했습니다. 나아가 지문 독해와 연결되어 완벽하게 납득되고 이해되는 해설까지 작성해두었습니다. 지문 해설을 읽을 때와 마찬가지로, 단순히 '왜' 답인지 체크하는 수준이 아니라 '어떻게' 생각하면 답에 도달할 수 있는지에 대해 고민하고 얻어가시기 바랍니다.

⑤ FAQ

> **FAQ**
> ⓠ 2문단의 '기차' 사례와 ~
> ⓐ 조금만 생각해보면 ~

→ 지난 몇 년간 '피램의 국어공작소'라는 카페에서 QnA 서비스를 운영했습니다. 해당 카페에서 몇 천 개 이상의 질문을 받았고, 답해드렸습니다. 덕분에 학생들이 헷갈려하는 부분에 대해 인식할 수 있었는데, 이를 교재에 반영했습니다. 여러분이 궁금해했던 그 내용, 미리미리 답변드립니다. 간혹 FAQ 부분에서 상당히 중요한 내용이 언급되는 경우가 있습니다. 그러니 별로 안 궁금한 내용이었다고 해도 꼭 읽어 보시는 걸 추천합니다.

⑥ 생각 심화

> **| 생각 심화 |**
> 조금 더 깊게 읽어낸다면, 여기서 ~

→ 여러분의 '생각의 힘'을 극대화할 수 있는 다양한 이야기를 녹인 부분입니다. 약간은 사후적인 해설부터, 굳이 시험장에서 생각할 필요는 없지만 한 번쯤 이해해보면 좋은 내용들에 대한 설명, 자잘한 팁 및 알아두면 좋은 배경지식 등이 적혀 있습니다. 나올 때마다 꼼꼼하게 읽고 넘어가주세요. '심화'라는 이름만 보고 겁 먹어 넘어가 버리기엔 너무나 아까운 내용들이 많습니다.

⑦ 몰랐던 어휘 정리하기

> **몰랐던 어휘 정리하기**
>
>
>
>
>
>
>

→ 한 지문의 마지막엔 항상 이런 칸이 있습니다. 교재 초반부에서 강조했듯이, 국어 공부의 시작은 어휘력입니다. 지문에서 처음 보는 단어들, 생소한 단어들은 모두 스스로 정리하

도록 합시다. 기출된 단어들은 평가원에서 여러분이 당연히 알고 있을 거라고 생각하는 '기본 수준의 어휘'에 해당하니까요!

참고로, 어휘 문제는 해설하지 않습니다. 어휘 문제가 해설할 가치도 없는 쉬운 문제라서 그런 것은 아니고, 어휘 문제의 유일한 해결법은 '감'이기 때문에 그렇습니다. 사전적 의미 같은 걸 쭉 적어주는 것도 큰 의미는 없고, 그저 평소에 어휘력을 열심히 키운 다음 수능날 맥락상 의미를 잘 따질 수 있기를 바라는 것이 유일한 어휘 문제 대비책이기 때문에, 따로 해설을 작성하지는 않습니다. 스스로 찾아보고 고민해보세요!

⑧ 핵심 point

> **| 핵심 point |**
> ① 화제 check : 독서 지문 독해의 처음이자 끝. 첫 문단에서 잡은 '화제의 틀'을 마지막 문단까지 놓지 않아야 합니다.
> ② 정의 인식 : 단어의 의미를 살린 상태로, 지문에 제시된 정의와 붙여서 이해할 수 있어야 합니다. 정의를 '기억'하는 게 아니라, '납득'해서 본인의 말로 정리할 수 있어야 해요.

→ 해당 지문에서 주목했어야 할 포인트들을 정리한 부분입니다. 본교재에서 배운 내용을 기반으로 작성한 것이므로, 가벼운 복습도 가능할 것입니다. 복습할 때 이 부분들에 주목하면 더 효과적인 공부가 가능할 것이에요.

⑨ 지문 내용 총정리

> **| 지문 내용 총정리 |**
> 물론 모든 정보를 '화제 중심'으로 모은다는 ~

→ 그 지문에서 배울 수 있었던 내용을 요약해둔 파트입니다. 많이 공부하다보면 반복된다는 느낌이 들 겁니다. 그 느낌이 들면 공부를 잘 하고 있다고 생각하셔도 좋을 것 같아요. 모든 지문이 똑같이 해결되는 느낌이 든다는 것이니까요!

이렇게 중요한 내용은 끊임없이 강조하고 복습할 수 있도록 다양한 요소들을 통해 해설을 작성했습니다. 정말 열심히 쓰고 검토한 해설들입니다. 여러분의 공부에 적극적으로 활용해주시기 바랍니다.

※ 본교재와 해설지 모두 맨 뒤쪽에는 '빠른 정답'이 있습니다. 해설지를 보기 전 채점을 하고 싶으시다면 활용하시기 바랍니다.

CONTENTS

본교재와 해설지 모두 맨 뒤쪽에는 '빠른 정답'이 있습니다. 해설지를 보기 전 채점을 하고 싶으시다면 활용하시기 바랍니다.

P.I.R.A.M 국어 생각의 전개 독서편

생각의 확장

제재별 독해 – 인문

> **DAY 20 [1~4]**
> 2022.06 [10~13] 인문 '베카리아의 형벌론' ☆☆☆

1문단

> ①1764년에 발간된 체사레 베카리아의 『범죄와 형벌』은 커다란 반향을 일으켰다. ②형벌에 관한 논리 정연하고 새로운 주장들에 유럽의 지식 사회가 매료된 것이다. ③자유와 행복을 추구하는 이성적인 인간을 상정하는 당시 **계몽주의 사조**에 베카리아는 충실히 호응하여, 이익을 저울질할 줄 알고 그에 따라 행동하는 존재로서 인간을 전제하였다. ④사람은 대가 없이 공익만을 위하여 자유를 내어놓지는 않는다. ⑤끊임없는 전쟁과 같은 상태에서 벗어나기 위하여 자유의 일부를 떼어 주고 나머지 자유의 몫을 평온하게 누리기로 합의한 것이다. ⑥저마다 할애한 자유의 총합이 주권을 구성하고, 주권자가 이를 위탁받아 관리한다. ⑦따라서 사회의 형성과 지속을 위한 조건이라 할 법은 지마디의 행복을 증진시킬 때 가장 잘 준수되며, 전체 복리를 위해 법 위반자에게 설정된 것이 **형벌**이다. ⑧이런 논증으로 베카리아는 형벌권의 행사는 양도의 범위를 벗어날 수 없다는 출발점을 세웠다.

①~③ #화제 제시 #주장 제시 #수식된 정의 제시 #재진술

'베카리아'의 '형벌'에 대한 지문입니다. '베카리아'는 당시의 '계몽주의 사조'에 호응하여 여러 가지 주장을 펼쳤다고 합니다. '계몽주의 사조'의 정의는 가볍게 체크하고 있죠? '자유와 행복을 추구하는 이성적인 인간'을 상정하는 것입니다. '자유, 행복, 이성적'이라는 키워드를 잡아놓고 연결하며 읽어보도록 합시다.

'베카리아'는 이러한 맥락 속에서, '이익'을 저울질할 줄 알고 그에 따라 행동하는 인간을 전제했다고 합니다. 여기서 '이익 저울질'은 곧 '이성적인 인간'과 같은 말이라는 걸 체크할 수 있어야 해요. 자신의 이익을 따지는 행위는 철저하게 이성적인 행동이라고 할 수 있으니까요. '베카리아'라는 한 사람의 주장이니, 결국 다 같은 말로 귀결될 거예요.

④~⑤ #주장 제시 #재진술

사람은 대가 없이 공익만을 위하여 자유를 내어놓지는 않는다고 합니다. 인간은 '이익'을 저울질하는 '이성적'인 존재이기 때문에, 당연한 말이라고 할 수 있겠습니다. '공익'을 위해서 굳이 '내' 자유를 내어줄 필요가 없는 거죠. 이익을 저울질하는 존재이므로, 자신에게도 이익이 있어야 해요.

사람들이 얻을 수 있는 '이익'은 바로 '전쟁과 같은 상태 극복'이었습니다. 이를 위해 자유의 일부를 떼어 주고 나머지 자유의 몫을 평온하게 누리기로 '합의'했다고 해요. 자유를 포기하는 '비이성적' 행위의 기저에는 나머지 자유를 누릴 수 있다는 '이익'이 내재한 것이죠! 그럼 여기서 중요한 건, '양보한 자유'가 도대체 무엇이냐는 것이겠습니다. 이 물음을 가진 채로 계속 읽어봅시다.

⑥~⑦ #주장 제시 #재진술 #수식된 정의 제시

이렇게 서로 할애한 자유의 총합은 '주권'이 되고, 주권자는 이를 위탁받아 관리하는 것입니다. 서로 조금씩 양보한 자유를 합치면 어마어마한 크기의 힘이 되겠죠? 이를 주권자가 관리한다는 거예요.

이런 상황에서 서로의 행복을 증진시키기 위해, 즉 사회의 형성과 지속을 위해 만든 것이 '법'이라고 합니다. 여기서 '법'이라는 것이 곧 '할애한 자유'의 총합에 해당하는 걸 생각할 수 있어야 합니다. 기본적으로 '법'이라는 것은 개인의 자유를 어느 정도 제한하는 것이니까요. 결국 사람들은 끊임없는 전쟁과 같은 상태에서 벗어나기 위해 자신들의 자유를 내어놓고, 이것이 '법'이라는 합의의 형태로 존재한다는 이야기를 하는 것으로 보이네요. 그렇다면 이러한 '법'을 어기면? '전쟁과 같은 상태'에서 벗어나려는 사람들의 합의를 어긴 것이기 때문에, '형벌'이라는 것을 받아야 하는 겁니다.

무언가 이런저런 말을 늘어놓는 것 같은데, 결국 다 같은 말입니다. 이 지문의 대전제인 '인간은 이익을 저울질하여 행동하는 이성적인 존재이다.'로 모두 모이는 정보들이에요. 공익만을 위해 자유를 내어놓지는 않는다거나, 자유의 일부라도 평온하게 누리도록 '합의'했다거나, 사회의 형성과 지속을 위해 '법'을 만들고 그 법을 위반한 자에게 '형벌'을 내린다는 것 등은 모두 인간이 자신의 '이익'을 지키기 위해 하는 행동(합의)들이죠. 이렇게 정보량을 확 줄인 상태로 읽어야 합니다.

⑧ #재진술 #주장 제시

한편, 베카리아는 '형벌권의 행사'는 '양도의 범위'를 벗어날 수 없다는 출발점을 세웠다고 해요. 생각을 좀 해 봐야 합니다. 일단 이 지문의 화제는 베카리아가 말한 '형벌권의 행사 범위'일 것입니다. 그리고 그 범위는, '양도의 범위'를 벗어나서는 안 됩니다. 그렇다면 여기서 '양도의 범위'는 무엇을 말하는 걸까요? 애초에 인간들은 무엇을 '양도'했나요?

그렇죠! 바로 '자유의 일부'입니다. '자유의 일부'를 내어놓고, 떼어 주고, 할애했다고 했는데 여기서 그러한 자유의 정체가 드러나는 것입니다. 인간은 법이라는 합의를 위반할 경우 '형벌'을 받겠다는, 즉 자신의 '자유'를 박탈당하겠다는 데 '합의'하고 자신의 자유를 양도한 것이에요. 따라서 베카리아가 보기엔, 사람들이 기꺼이 '양도'한 자신의 자유 이상으로 벌을 주는 것은 합당하지 못한 것입니다. 같은 말로 정리가 되시죠? 별개의 정보로 보면 어려워집니다. '결국 다 같은 말'이라는 대전제를 잊지 마세요.

하이라이트 문장

> ⑧이런 논증으로 베카리아는 형벌권의 행사는 양도의 범위를 벗어날 수 없다는 출발점을 세웠다.

이 지문의 진짜 화제는 베카리아가 말한 '형벌권 행사의 범위'라는 것을 알려 주는 문장입니다. 이걸 잡는 것은 기본이고, 여기서 말하는 '양도의 범위'가 앞에서 말한 '떼어 주고 할애한 자유'의 재진술임을 체크할 수 있다면 더욱 완벽한 독해가 가능하겠죠?

〔2문단〕

> ①베카리아가 볼 때, 형벌은 범죄가 일으킨 결과를 되돌려 놓을 수 없다. ②또한 인간을 괴롭히는 것 자체가 그 목적인 것도 아니다. ③**형벌의 목적**은 오로지 범죄자가 또다시 피해를 끼치지 못하도록 억제하고, 다른 사람들이 그 같은 행위를 하지 못하도록 예방하는 데 있을 뿐이다. ④〈이는 범죄로 얻을 이득, 곧 공익이 입게 되는 그만큼의 손실보다 형벌이 가하는 손해가 조금이라도 크기만 하면 달성된다.〉 ⑤그리고 이러한 손익 관계를 누구나 알 수 있도록 처벌 체계는 명확히 성문법으로 규정되어야 하고, 그 집행의 확실성도 갖추어져야 한다. ⑥결국 범죄를 가로막는 방벽으로 형벌을 바라보는 것이다. ⑦이 울타리의 높이는 살인인지 절도인지 등에 따라 달리해야 한다. ⑧공익을 훼손한 정도에 비례해야 하는 것이다. ⑨그것을 넘어서는 처벌은 폭압이며 불필요하다. ⑩베카리아는 말한다. ⑪상이한 피해를 일으키는 두 범죄에 동일한 형벌을 적용한다면 더 무거운 죄에 대한 억지력이 상실되지 않겠는가.

〔①~③ #주장 제시 #카테고리 나누기〕

베카리아가 생각하기에 형벌은 범죄의 결과를 되돌릴 수 없고, 괴롭히는 것 자체가 목적이 아닙니다. 정확한 형벌의 '목적'은 '억제 · 예방'입니다. 1문단에서는 형벌의 '범위'를 세웠고, 2문단에서는 형벌의 '목적'을 이야기하고 있네요. 일종의 카테고리로 정리하고 나눌 수 있겠죠?

〔④ #재진술〕

이러한 목적은 '범죄로 얻을 이득'보다 '형벌이 가하는 손해'가 조금이라도 크기만 하면 달성된다고 보네요. 이 부분이 조금 어려울 수 있으니 조금 속도를 늦춰서 이해해야겠죠? '범죄로 얻을 이득'은 '공익이 입게 되는 그만큼의 손해'로 재진술되어 있습니다. '범죄로 얻을 이득'이라고 한다면, 범죄를 저지른 사람이 범죄를 저질러서 얻는 이득이라고 할 수 있겠죠. 즉, 그 공동체가 범죄 행위로 인해 입게 되는 그만큼의 '손실'에 해당하는 것입니다.

그런데 이 '이득'(손실)보다 '형벌이 가하는 손해'가 더 커야 한다고 합니다. 다시 말해, 범죄자 역시 계몽주의가 말하는 '이성적인 인간', 즉 이익과 손해를 저울질할 줄 아는 존재이기 때문에 범죄를 저질러서 얻는 이득보다 형벌로 인해 얻게 될 손해가 더 크다면 범죄를 저지르지 않을 것이란 주장입니다. 이 지문의 대전제로 깔려 있는 '인간은 이익을 저울질하는 이성적인 존재이다.'라는 내용으로 다 모이고 있어요. 결국 다 같은 말이라는 대전제가 계속해서 지켜지는 모습입니다. '베카리아'는 이 조건이 조금이라도 만족되기만 하면 '억제 · 예방'이라는 형벌의 목적을 달성할 수 있다고 봅니다. 인간을 괴롭히는 게 목적이 아니기 때문에, 굳이 '형벌이 가하는 손해'가 훨씬 클 필요는 없는 것이죠. '조금이라도 만족'이라는 말에 민감하게 반응하면서 읽을 수 있겠죠?

〔⑤~⑥ #주장 제시 #재진술〕

나아가 이 '손익 관계'를 누구나 알 수 있도록 '성문법'의 형태로 법이 만들어져야 하고, 집행의 확실성도 갖추어져야 한다고 보네요. 당연한 말이죠? 누구든 '저울질'이라는 이성적인 행위를 할 수 있어야 저런 기제가 잘 작동할 테니까요. 베카리아는 이처럼 '형벌'을 통해 '범죄'를 억제할 수 있다고 보는 것입니다. 범죄를 바로막는 '방벽'이라는 말이 무슨 뜻인지도 확실하게 납득되시죠?

〔⑦~⑪ #주장 제시 #재진술〕

그런데 이때 이 '울타리의 높이', 즉 '처벌의 정도'는 공익을 훼손한 정도에 비례해야 한다고 합니다. 다시 말해, '범죄로 얻을 이득=공익이 입게 되는 그만큼의 손실'에 맞추어 형벌이 주어져야 한다는 것이죠. 그것을 넘어서면 불필요한 '폭압'이 된다고 해요. 상이한 피해를 일으키는, 즉 '공익을 훼손한 정도'가 다른 두 범죄에 동일한 형벌을 적용하면, 더 많은 피해를 일으킨 범죄를 '억제'하는 데 한계가 생긴다는 것이죠.

'형벌의 목적'이라는 카테고리로 시작해서, 다시 한번 '형벌의 범위'라는 첫 문단의 화제로 모이고 있습니다. 사실상 2문단은 1문단의 주장을 강화하는 근거 역할을 하는 것이었어요. 결국 베카리아는 '이성적 인간이 기꺼이 할애한 자유'를 고려하는 경우에도, 그리고 '형벌의 목적'을 고려하는 경우에도 형벌의 범위는 어느 정도 제한되어야 한다는 이야기를 하고 있는 것입니다. 1문단에서 상한선(양도의 범위 내에서)을 정했다면, 2문단에서는 하한선(훼손된 공익보다는 더 많게)을 정했다는 것 정도가 차이점이겠네요.

어려운 어휘도 많고, 전부 다른 말을 하는 것 같은 지문이지만 결국엔 '형벌의 범위'라는 큰 화제로 모이고 있습니다. 이걸 정확히 인식할 수 있어야 해요!

하이라이트 문장

> ⑦이 울타리의 높이는 살인인지 절도인지 등에 따라 달리해야 한다.

무수한 재진술을 통해 다시 한번 화제를 끄집어내고 있습니다. 이 지문에서 하고 싶은 말은, '베카리아가 생각하는 형벌권 행사의 범위'예요. 그리고 우리는 그 답이 '공익 훼손 정도 초과, 자유 양도 범위 미만'이라는 걸 잘 알고 있구요.

3문단 (1)

> ①그는 인간이 감각적인 존재라는 사실에 맞추어 제도가 운용될 것을 역설한다. ②가장 잔혹한 형벌도 계속 시행되다 보면 사회 일반은 그에 무디어져 마침내 그런 것을 봐도 옥살이에 대한 공포 이상을 느끼지 못한다. ③인간의 정신에 크나큰 효과를 끼치는 것은 형벌의 강도가 아니라 지속이다. ④죽는 장면의 목격은 무시무시한 경험이지만 그 기억은 일시적이고, 자유를 박탈당한 인간이 속죄하는 고통의 모습을 오랫동안 대하는 것이 더욱 강력한 억제 효과를 갖는다는 주장이다. ⑤더욱 중요한 것을 지키기 위해 희생한 자유에는 무엇보다도 값진 생명이 포함될 수 없다고도 말한다.

①~④ #주장 제시 #카테고리 나누기

이번엔 인간이 '감각적인 존재'라는 사실에 주목하고 있습니다. 새로운 카테고리로 잡으면서 읽어 주시면 되는데, 결국 '가장 잔혹한 형벌'을 굳이 시행할 필요가 없다는 말로 귀결되네요. 인간은 '감각적'인데, 이 감각은 금방 무디어지기에 가장 강하지 않은 형벌이 '지속'되는 것이 더 큰 억제 효과를 갖는다는 것이죠. 여기서 '죽는 장면의 목격'은 '사형'으로, '자유를 박탈당한 인간이 속죄하는 고통의 모습'

은 '감옥살이'로 이해할 수 있었으면 좋겠습니다. 이 지문의 핵심이 '형벌'이니, 이 정도는 충분히 해낼 수 있을 겁니다. 인간이 '감각적'이라는 것을 근거로 다시 한번 '형벌의 범위'에 대해 이야기하고 있는 것이죠.

⑤ #재진술

나아가, '더욱 중요한 것'을 지키기 위해 희생한 자유에는 '무엇보다도 값진 생명'이 포함될 수 없다고도 말했습니다. 바로 앞에서 '사형'에 대한 논의가 나왔다는 것을 파악했으니, 여기서도 '사형'을 떠올릴 수 있어야 합니다. 여기서의 '무엇보다도 값진 생명의 희생'은 곧 생명의 박탈, 즉 '사형'을 의미하고, '더욱 중요한 것'은 '평온한 자유'를 의미하겠죠. 이 지문의 핵심은 이성적인 인간들이 '평온한 일부의 자유'를 위해 어느 정도의 자유를 '희생'한다는 것인데, 여기서의 '희생'이 '무엇보다도 값진 생명의 박탈'이면 안 된다는 것이죠!

결국 다 같은 말이었던 것입니다. 처음부터 끝까지 '베카리아는 과한 형벌은 안 된다고 보았다.'라는 하나의 이야기만 하고 있었습니다. 베카리아의 입장에서, 사형은 공익을 훼손한 정도에 비해 너무나 과한 '폭압'에 해당한다는 것이죠. '인간은 이익을 저울질하는 이성적인 존재이다.'라는 대전제를 바탕으로 이해하면 어렵지 않게 받아들일 수 있을 것 같습니다.

하이라이트 문장

> ⑤더욱 중요한 것을 지키기 위해 희생한 자유에는 무엇보다도 값진 생명이 포함될 수 없다고도 말한다.

이 지문에서 하고 싶었던 한마디입니다. '형벌의 범위'라는 화제와 엮어서 받아들일 수 있어야 해요. '더욱 중요한 것', '희생한 자유', '무엇보다도 값진 생명' 등이 의미하는 것을 재진술할 수 있어야 합니다!

3문단 (2)

> ⑥이처럼 베카리아는 잔혹한 형벌을 반대하여 휴머니스트로, 최대 다수의 최대 행복을 말하여 공리주의자로, 자유로운 인간들 사이의 합의를 바탕으로 논의를 전개하여 사회 계약론자로 이해된다. ⑦형법학에서도 형벌로 되갚아 준다는 응보주의를 탈피하여 장래의 범죄 발생을 방지한다는 일반 예방주의로 나아가는 토대를 세웠다는 평가를 받는다.

마지막의 '휴머니스트', '공리주의자', '사회 계약론자', '일반 예방주의' 같은 정보도 전부 같은 말로 처리할 수 있겠죠? 핵심은 '적당한 형벌'이었습니다. 이들의 정의를 체크하는 것도 기본이구요.

선지	①	②	③	④	⑤
선택률	4%	13%	66%	7%	10%

01 윗글에서 베카리아의 관점으로 보기 <u>어려운</u> 것은? ③

– 이 지문의 화제인 '베카리아'의 주장을 묻고 있습니다. 간단하게 해결할 수 있겠죠?

① 공동체를 이루는 합의가 유지되는 데는 법이 필요하다.

명시적 근거	1문단 7번 문장
실전에서의 판단 과정	법이 사회 형성·지속에 중요하다고 했지.
해설	베카리아가 생각하는 '법'의 존재 이유는 '사회의 형성과 지속'입니다. 그리고 이 '사회'는 '이익'을 저울질하는 인간들이 서로의 자유를 양보하는 '합의'로 이루어져 있습니다. 이 '합의'를 유지하려면 당연히 '법'이 필요하겠죠.

② 사람은 이성적이고 타산적인 존재이자 감각적 존재이다.

명시적 근거	1문단 3번 문장, 3문단 1번 문장
실전에서의 판단 과정	이성적, 타산적, 감각적 모두 베카리아가 이야기하는 인간의 모습이지.
해설	'타산'이라는 어휘를 모르는 학생들은 살짝 헷갈릴 수도 있는 선지였네요. '수지타산', '이해타산'과 같은 단어들을 바탕으로 그 뜻을 유추할 수 있도록 합시다. 사람이 '이성적', '타산적'이라는 건 1문단에서부터 잡아 둔 대전제였고, '감각적'이라는 것은 3문단에서 새롭게 제시한 카테고리였습니다.

③ 개개인의 국민은 주권자로서 형벌을 시행하는 주체이다.

명시적 근거	1문단 6번 문장
실전에서의 판단 과정	국민이 형벌을 왜 시행해. 말도 안 되지.
해설	일단 국민은 '주권자'가 아닙니다. 여러분의 상식이 아닌 지문 속에서 근거를 잡아야 해요! 개개인의 국민이 양보한 자유의 총합이 모여 '주권'이

되고, 이를 '주권자'에게 위탁하는 것입니다. 따라서 형벌 시행과 같은 주권의 행사는 그 주권을 위탁받은 '주권자'가 할 수 있는 것이네요.

나아가, 이 지문의 핵심은 '형벌의 범위'이지, '형벌 시행의 주체'가 아닙니다. '베카리아의 관점'이라는 화제를 묻고 있으니, 화제와 어긋나는 내용은 맞는 말이 될 수 없겠죠.

④ 잔혹함이 주는 공포의 효과는 시간이 흐르면서 감소한다.

명시적 근거	3문단 2번 문장
실전에서의 판단 과정	그렇지.
해설	3문단의 '감각적인 존재'라는 카테고리에서, 가장 잔혹한 형벌(사형)도 계속 시행되다 보면 사회 일반이 그에 무감각해진다고 했습니다. 이는 곧 '공포의 효과'가 시간이 흐르면서 감소한다는 것과 같은 말이겠네요. 인간은 '감각적인 존재'라는 카테고리로 묶어 둔 정보이기 때문에 훨씬 쉽게 판단할 수 있었을 거예요.

⑤ 형벌권 행사의 범위는 양도된 자유의 총합을 넘을 수 없다.

명시적 근거	1문단 8번 문장
실전에서의 판단 과정	이게 이 지문의 화제지.
해설	이 지문의 화제입니다. 형벌권 행사의 범위는 양도된 자유의 총합, 즉 '양도의 범위'를 넘을 수 없다는 이야기 하나만 하고 있는 지문이었어요.

선지	①	②	③	④	⑤
선택률	3%	4%	6%	23%	64%

02 ㉠에 대한 설명으로 적절하지 <u>않은</u> 것은? ⑤

> 결국 범죄를 가로막는 방벽으로 형벌을 바라보는 것이다. 이 ㉠<u>울타리</u>의 높이는 살인인지 절도인지 등에 따라 달리해야 한다.

– '울타리'는 곧 '형벌'을 의미합니다. 베카리아가 이야기하는 '형벌'에 대한 설명 중 틀린 것을 골라봅시다.

① 재범을 방지하는 역할을 수행한다.

명시적 근거	2문단 3번 문장
실전에서의 판단 과정	범죄의 억제가 목적이었지.
해설	베카리아가 생각하는 '형벌의 목적'은 '억제 · 예방'이었습니다. '재범 방지'는 이 목적에 딱 들어맞는 내용이네요.

② 법률로 엮어 뚜렷이 알아볼 수 있도록 해야 한다.

명시적 근거	2문단 5번 문장
실전에서의 판단 과정	성문법으로 하라고 했지.
해설	'형벌의 목적 달성을 위한 조건' 카테고리에 속하는 정보 중 하나는 '성문법'이었습니다.

③ 범죄가 유발하는 손실에 따라 높낮이를 정해야 한다.

명시적 근거	2문단 7번 문장
실전에서의 판단 과정	범죄의 강도에 따라 형벌의 정도를 달리 해야 한다는 게 핵심이었지.
해설	베카리아가 이야기하는 형벌은 '공익을 훼손한 정도'에 비례하는 것입니다. 그것을 넘어서면 불필요한 '폭압'이 된다고 했어요.

④ 손익을 저울질하는 인간의 이성을 목적 달성에 활용한다.

명시적 근거	2문단 4번 문장
실전에서의 판단 과정	이익을 저울질하는 게 대전제였으니 당연하지.
해설	형벌의 목적 달성을 위해서는 '범죄로 얻을 이득'과 '형벌이 가하는 손해'를 비교해야 합니다. 이를 '손익을 저울질하는 인간의 이성'이라고 한다면, 쉽게 맞는 선지로 처리할 수 있겠네요. 지문 전체가 같은 말이라는 것을 인식하는 게 아주 중요했죠?

⑤ 지키려는 공익보다 높게 설정할수록 방어 효과가 증가한다.

명시적 근거	2문단 4번 문장
실전에서의 판단 과정	지키려는 공익보다 너무 높게 설정하면 그건 폭압이라고 했지.
해설	지키려는 공익(범죄로 인해 얻게 될 손실)보다 형벌의 강도가 더 높아야 하는 것은 맞지만, 더 높게 설정할수록 방어 효과가 증가하는 것은 아니죠? 이 지문의 핵심은 '베카리아'가 형벌의 정도를

범죄 정도에 비례하게 설정해야 한다고 보았다는 것이에요. 형벌의 정도를 무조건 강하게 한다고 좋은 게 아니었습니다. 지문의 화제를 집요하게 물어보는 선지였네요.

선지	①	②	③	④	⑤
선택률	11%	33%	10%	42%	4%

03 윗글을 바탕으로 베카리아의 입장을 추론한 내용으로 가장 적절한 것은? [3점] ④

– 또 베카리아의 주장을 묻고 있네요. 가볍게 답 골라봅시다.

① 형벌이 사회적 행복 증진을 저해한다고 보는 공리주의의 입장에서 사형을 반대한다.

명시적 근거	3문단 6번 문장
실전에서의 판단 과정	공리주의가 언제 사회적 행복 증진을 저해한다고 했냐.
해설	베카리아가 '공리주의'의 입장인 것은 맞지만, 공리주의가 '형벌이 사회적 행복 증진을 저해한다'고 본다는 건 헛소리죠. 지문에서는 분명히 '공리주의'를 '최대 다수의 최대 행복을 추구하는 사상'으로 정의했으니까요. 개념의 정의, 정말 중요하죠?

② 사형은 범죄 예방의 효과가 없으므로 일반 예방주의의 입장에서 폐지되어야 한다고 주장한다.

명시적 근거	3문단 7번 문장
실전에서의 판단 과정	사형을 반대한 이유가 저게 아니잖아.
해설	다 좋은데, 베카리아가 사형에 반대하는 이유가 무엇인가요? 바로 '양보한 자유'에 '무엇보다도 값진 생명'이 포함될 수는 없기 때문이죠. 즉, 사형을 시켜도 된다고까지는 합의가 되지 않았기 때문이에요. 이를 '범죄 예방의 효과'와 결부짓는 건 옳지 않겠습니다. 나아가 '일반 예방주의'는 '베카리아'의 주장이 아니기도 하죠? '일반 예방주의'로 가는 토대를 놓았을 뿐이에요.

FAQ

Q 3문단에선 분명히 '가장 잔혹한 형벌'도 계속 시행되면 그에 무디어진다고 하지 않았었나요? 즉, 사형이 예방에 큰 효과가 없다고 하지 않았었나요?

A 말씀하신 대로 '큰 효과'가 없는 것이지, 아예 없는 것은 아닙니다. 인간은 감각적이기에 그러한 공포에 무디어질 뿐이지, 공포심 자체는 느낀다는 것이죠.

③ 사형은 사람의 기억에 영구히 각인되는 잔혹한 형벌이어서 휴머니즘의 입장에서 인정하지 못한다.

명시적 근거	3문단 4번 문장
실전에서의 판단 과정	사형 같은 충격적인 경험의 기억은 일시적이라고 했지.
해설	사형은 기억에 일시적으로 남는 충격적인 경험이기 때문에 큰 효과가 없다는 것이 베카리아의 주장이었어요. 이 선지는 베카리아의 주장으로 보기는 어렵겠네요.

④ 가장 큰 가치를 내어주는 합의가 있을 수 없다는 이유로 사회 계약론의 입장에서 사형을 비판한다.

명시적 근거	3문단 5번 문장
실전에서의 판단 과정	'가장 큰 가치', 즉 '목숨'을 내어주는 합의는 있을 수 없다는 게 베카리아의 주장이지.
해설	사람들의 '합의'는 '자유'의 희생인데, 베카리아의 입장에서 이 희생에는 '무엇보다도 값진 생명'(=가장 큰 가치)이 포함될 수 없습니다. 베카리아는 이렇게 '합의'를 중시하는 '사회 계약론'의 입장에서 사형에 반대하는 것이라고 할 수 있겠습니다.

⑤ 피해 회복의 관점으로 형벌을 바라보는 형법학의 입장에서 사형을 무기 징역으로 대체하는 데 찬성하지 않는다.

명시적 근거	2문단 1번 문장
실전에서의 판단 과정	그럼 사형은 찬성한다는 거야? 말도 안 되네.
해설	일단 '피해 회복의 관점'으로 형벌을 바라보는 형법학은 지문에서 언급된 적이 없습니다. 억지로나마 베카리아의 주장과 엮어서 생각해볼까요? 베카리아는 형벌이 범죄가 일으킨 결과를 되돌릴 수 없다고 했습니다. 즉, 범죄로 인한 피해를 회복하는 건 불가능하다는 것이죠. 따라서 베카리아가 '피해 회복의 관점'으로 형벌을 바라보는 형법학의 입장에 따른다는 것은 맞는 말이 되기 어렵습니다.

나아가, 사형을 무기 징역으로 대체하는 데 찬성하지 않는다면 사형이 존재하는 걸 인정한다는 것이죠? 이는 절대 베카리아의 입장이 될 수 없겠네요. |

선지	①	②	③	④	⑤
선택률	34%	42%	3%	7%	14%

04 문맥상 ⓐ~ⓔ와 바꿔 쓰기에 적절하지 <u>않은</u> 것은? ②

① ⓐ: 향유(享有)하기로
② ⓑ: 단절(斷絕)하는
③ ⓒ: 둔감(鈍感)해져
④ ⓓ: 지대(至大)한
⑤ ⓔ: 수립(樹立)하였다는

몰랐던 어휘 정리하기

| **핵심 point** |

① **화제 check** : 독서 지문 독해의 처음이자 끝. 첫 문단에서 잡은 '화제의 틀'을 마지막 문단까지 놓지 않아야 합니다.
② **재진술 인식** : 같은 말이라도 다르게 표현되는 경우가 많습니다. 심지어 아예 똑같은 말이 반복되는 경우도 많아요. 이 '같은 말'에 민감하게 반응하면, '정보량'을 줄이면서 읽을 수가 있습니다.
③ **카테고리 나누기** : 정보들의 범주가 나뉠 때, 그들이 서로 다른 카테고리에 속한다는 것을 인지해야 합니다. 이렇게 각 카테고리에 맞춰 정보를 정리하면 훨씬 깔끔하게 정리할 수 있다는 것을 기억해 주세요.

| **지문 내용 총정리** |

비유적인 표현들도 많고, 무언가 정보가 많아 보이는 느낌이 드는 지문이었습니다. 하지만 '결국 다 같은 말'이라는 대전제를 벗어나지 못하고 있었네요. 능동적으로 정보를 줄이며 읽는 것의 쾌감을 느끼면서 정리해보도록 합시다.

1문단

> ①논리실증주의자와 포퍼는 지식을 수학적 지식이나 논리학 지식처럼 경험과 무관한 것과 과학적 지식처럼 경험에 의존하는 것으로 구분한다. ②그중 과학적 지식은 과학적 방법에 의해 누적된다고 주장한다. ③가설은 과학적 지식의 후보가 되는 것인데, 그들은 가설로부터 논리적으로 도출된 예측을 관찰이나 실험 등의 경험을 통해 맞는지 틀리는지 판단함으로써 그 가설을 시험하는 과학적 방법을 제시한다. ④논리실증주의자는 예측이 맞을 경우에, 포퍼는 예측이 틀리지 않는 한, 그 예측을 도출한 가설이 하나씩 새로운 지식으로 추가된다고 주장한다.

① #주장 제시 #비교/대조 #정의 제시

'논리실증주의자와 포퍼'는 지식을 두 가지로 구분한다고 합니다. 두 지식이 '경험'이라는 포인트를 바탕으로 구분되고 있다는 게 보이시죠? '수학적/논리학적 지식 = 경험 무관', '과학적 지식 = 경험 의존'이라는 내용은 충분히 '납득'하면서 읽을 수 있는 내용으로 보입니다. 이렇게 최대한 '납득'하는 태도를 갖춰 주셔야 해요!

② #비교/대조 #재진술

그중에서 '경험 의존'이라는 특징을 가진 '과학적 지식'에 대한 이야기로 이어지고 있습니다. 두 지식 중 '과학적 지식'에 대한 이야기를 더 중시한다는 것이겠죠? 이처럼 비교/대조되는 두 개념 중 하나의 개념에 중점을 두는 방식으로 전개되는 경우가 빈번합니다. 그 개념이 곧 지문의 화제와 직결되는 중심 개념이니, 제대로 인식할 수 있어야겠죠?

나아가, '과학적 지식 = 경험 의존'이라는 내용은 잊지 않고 끌고 내려올 수 있어야 합니다! '같은 말'은 끝까지! 이러한 '과학적 지식'은 '과학적/방법'에 의해 누적된다고 합니다. '과학적' 지식이니 '과학적' 방법으로 누적되는 것이겠죠. 그렇다면 '과학적 방법'은 무엇일까요?

③ #정의 제시 #재진술

먼저 '가설'의 정의가 제시되고 있습니다. '과학적 지식의 후보'라고 한다면, 이 '가설'이 어떤 과정을 거치면 '과학적 지식'이 될 수 있을 것이라는 점을 예상할 수 있겠습니다. '논리실증주의자와 포퍼'는 이러한 '가설'로부터 '예측'을 도출하고, 이를 관찰·실험 등의 '경험'을 통해 판단하여 그 '가설'을 시험하는 '과학적 방법'을 제시했다고 합니다. 앞 문장에서 체크했던 정보들(경험, 과학적 방법)이 이번 문장에서 새로 만난 정보(가설, 예측)들과 만나고 있습니다. 속도를 줄여서, 확실하게 이해하고 넘어갈 수 있어야겠죠? 주요 개념들이 만나한 개념을 정의하고 있는 것이니까요.

먼저 '가설'로부터 '예측'을 도출할 수 있다고 합니다. '과학적 지식'의 후보로부터 어떠한 '예측'을 만든다는 건 어렵지 않게 납득할 수 있을 것 같아요. 나아가 그 '예측'을 '경험'을 통해 맞는지 틀리는지 판단한다는 것도 너무나 당연합니다. '과학적 지식 = 경험 의존'이니까요! 이렇게 '경험'에 의존해서 어떠한 예측을 평가하고, 이를 바탕으로 그 예측을 만들었던 '가설'을 시험한다고 합니다. 여기서 긍정적인 결과가 나온다면 '후보'일 뿐이었던 '가설'이 '과학적 지식'이 될 수 있는 것이고, 부정적인 결과가 나온다면 '가설'이 '후보'로만 남는 것이겠죠.

그리고 이 과정을 '과학적 방법'이라고 부른다고 합니다. 결국 '과학적/방법'이란 '경험'을 바탕으로 '과학적 지식'을 만드는 것이었어요! 글로 쓰니 길어졌지만, 우리의 머릿속에선 아주 빠르게 처리되었을 생각들이죠? 특히 앞 문장에서 중요하게 처리했던 '과학적 방법'이라는 말을 본 순간, 올라가서 끌어오며 '과학적 지식'과 '경험'이라는 말을 다시 인식할 수 있었어야 합니다. 잘 하고 있죠?

④ #비교/대조 #재진술

'과학적 방법'을 통해 '가설'을 시험할 때의 기준을 설명해주는 문장이네요. '논리실증주의자'는 예측이 '맞을 경우'에, '포퍼'는 예측이 '틀리지 않는 한', '가설'을 '과학적 지식'으로 전환할 수 있다고 주장했습니다. 일단 같은 팀으로 보였던 '논리실증주의자와 포퍼'의 주장이 갈렸다는 점이 흥미롭습니다. 이들이 각각 뭐라고 주장했는지를 외우는 건 어렵겠지만, 일단 '비교/대조'가 이루어졌다는 건 확실하게 알 수 있겠네요.

어쨌든 '예측'을 '경험'을 통해 판단하고, 이로부터 '가설'의 '과학적 지식 전환 여부'를 시험하는 것이 '논리실증주의자와 포퍼'가 말한 '과학적 방법'이었습니다. 사실상 이 내용을 비교/대조의 형식으로 한 번 더 재진술한 것이네요. 인문 지문은 이처럼 같은 말로 이루어지는 경우가 많습니다. 잘 처리할 수 있겠죠?

하이라이트 문장

> ②그중 과학적 지식은 과학적 방법에 의해 누적된다고 주장한다.

첫 문장에서 제시한 정보들 중 '과학적 지식'이 주인공임을 선언하는 문장입니다. 수능 독서는 한 문장으로 이루어진 글이 아닙니다. 문장과 문장이 모여서 문단을 만들고, 결국 글을 이룹니다. 하나의 문장을 읽으면, 위아래 문장과 엮어서 지문의 흐름을 잡아낼 수 있어야 합니다. 여기선 '과학적 지식'이 주인공임을 확실하게 인식했어야 한다는 것이에요!

2문단

> ①하지만 **콰인**은 가설만 가지고서 예측을 논리적으로 도출할 수 없다고 본다. ②예를 들어 새로 발견된 금속 M은 열을 받으면 팽창한다는 가설만 가지고는 열을 받은 M이 팽창할 것이라는 예측을 이끌어낼 수 없다. ③먼저 지금까지 관찰한 모든 금속은 열을 받으면 팽창한다는 **기존의 지식**과 M에 열을 가했다는 **조건** 등이 필요하다. ④이렇게 **예측**은 가설, 기존의 지식들, 여러 조건 등을 모두 합쳐야만 논리적으로 도출된다는 것이다. ⑤그러므로 예측이 거짓으로 밝혀지면 정확히 무엇 때문에 예측에 실패한 것인지 알 수 없다는 것이다. ⑥이로부터 콰인은 개별적인 가설뿐만 아니라 기존의 지식들과 여러 조건 등을 모두 포함하는 전체 지식이 경험을 통한 시험의 대상이 된다는 **총체주의**를 제안한다.

① #주장 제시 #비교/대조

이번엔 '콰인'이라는 사람의 주장이 제시되고 있습니다. '가설'만 가지고서는 '예측'을 도출할 수 없다는 것이 핵심이에요. '하지만 콰인은'이라는 표현을 바탕으로, '콰인'이 '논리실증주의자와 포퍼'의 주장과 비교된다는 것을 잡아낼 수 있을 겁니다. 그럼 당연히 공통점과 차이점을 생각하며 정보를 처리해야겠죠? '논리실증주의자와 포퍼'는 '가설'을 통해 바로 '예측'을 도출했었습니다. 그런데 '콰인'은 '가설'만 가지고는 안 된다는 것이죠. '가설'을 활용해서 '예측'으로 나아가는 건 공통점이라고 할 수 있는데, 그 '예측'을 만드는 방법에 '가설' 외에도 +@가 있다고 하는 것이 큰 차이입니다. 이 +@가 무엇인지 당연히 설명되겠죠?

②~④ #사례 – 원리 연결 #주장 제시

'예를 들어'입니다! 콰인이 이야기한 +@가 무엇인지 예시를 들며 설명해주겠다는 것이죠? 그만큼 중요한 정보라는 소리겠네요. 먼저 ⓐ와 같은 '가설'만 가지고는 ⓑ라는 '예측'을 이끌어낼 수 없다고 합니다. ⓐ, ⓑ의 내용이 중요한 게 아니라, 이들이 각각 '가설'과 '예측'의 사례라는 게 중요한 것이에요. 앞에서 말해 준 '콰인'의 주장을 재진술하는 것이죠.

그렇다면 무엇이 필요할까요? '기존의 지식'과 '조건'입니다! 이게 바로 앞에서 봤던 +@에 해당하는 것이네요. '가설'만으로 바로 '예측'이 도출되는 게 아니라, '가설+기존의 지식+조건+…'이 '예측'을 만든다는 것이에요. 어렵지 않죠?

⑤ #재진술 #비교/대조

이 지문에서 가장 중요한 문장입니다. '그러므로'라는, '인과'를 활용한 재진술의 표지가 나타나고 있습니다. 앞 내용(사실상 '가설+@=예측'밖에 없었죠?)과 '같은 말'이므로, 충분히 납득할 수 있는 문장일 것이에요. '예측'이 거짓으로 밝혀지면, 정확히 무엇 때문에 예측에 실패한 것인지 알 수 없다고 합니다. 반드시 이해해야 합니다! '예측에 실패'가 의미하는 건 무엇일까요?

지금 우리가 읽고 있는 '콰인'은 '논리실증주의자와 포퍼'와 비교되고 있습니다. 그렇다면 '논리실증주의자와 포퍼'가 이야기한 '예측에 실패'가 무엇인지 떠올릴 수 있겠죠? 이들은 '예측'을 '경험'을 통해 판단했을 때, 만약 실패했다면 '가설'이 '과학적 지식'이 될 수 없다고 했습니다. 이를 지금 읽고 있는 문장의 내용으로 바꿔 이해하면, '가설' 때문에 '예측'에 실패한 것이라고 할 수 있겠죠. 그런데 '콰인'은 '예측'을 구성하는 요소 중에는 '가설' 외에도 +@가 있음을 밝혔습니다. 그렇다면 '예측'이 실패했을 때, '가설'이 아닌 +@가 문제일 확률도 존재한다는 거네요!

조금 어렵지만, 이렇게 '재진술'과 '비교/대조'를 이용하면 충분히 생각해낼 수 있는 내용입니다. 이 생각을 해야 뒤에 나오는 '총체주의'의 이해가 수월해질 것이에요.

⑥ #재진술 #수식된 정의 제시 #비교/대조

'콰인'은 이러한 주장을 바탕으로 해서, '총체주의'라는 개념을 제시합니다. 정의가 수식되어 제시되고 있으니 꼼꼼하게 체크해야겠죠? 간단합니다. '가설'뿐만 아니라 '기존의 지식', '여러 조건' 등의 '전체 지식'이 '경험'을 통한 시험의 대상이 된다는 것이에요. 여기서 '경험을 통한 시험'을 보자마자 '예측'이 떠올라야겠죠? 앞에서 말한 대로 '가설+@'가 곧 '예측'이 되고, 이는 '논리실증주의자와 포퍼'의 주장처럼 '경험'을 통해 시험하는 것입니다. '콰인' 역시 '과학적 지식=경험 의존'이라는 도식을 벗어나지 않은 채 주장하고 있네요!

'경험을 통한 시험'이라는 공통점, '예측의 구성 요소'라는 차이점을 정확하게 잡으면서 독해하는 것이 아주 중요했습니다. 그리고 사실상 1문단과 2문단은 각각 '같은 말'로 이루어진, 전형적인 인문 지문이네요. 나아가 비교/대조의 포인트가 '콰인' 쪽으로 기울어져 있다는 것도 볼 수 있으면 완벽하겠습니다. 사례와 재진술을 덕지덕지 붙여놓았다는 건, 그만큼 중요하다는 뜻일 테니까요.

하이라이트 문장

> ①하지만 콰인은 가설만 가지고서 예측을 논리적으로 도출할 수 없다고 본다.

이 문장의 내용 자체가 중요한 것이 아니라, 이 문장을 통해 우리가 내용 전개를 예측할 수 있기에 하이라이트 문장이라고 할 수 있습니다. '논리실증주의자와 포퍼', '콰인'의 차이점을 중심으로 문단이 전개될 것을 예측할 수 있다는 것이죠. 평가원이 이렇게 여러분께 '이 문단을 이렇게 전개하려고 해!'라고 표지를 주면 꼭 능동적으로 '생각'하시고 다음 문장을 읽어나가시길 바랍니다. 한발짝 먼저 생각하는 게 결국 궁극적인 시간 단축을 이루어내니까요.

하이라이트 문장

> ⑤그러므로 예측이 거짓으로 밝혀지면 정확히 무엇 때문에 예측에 실패한 것인지 알 수 없다는 것이다.

아무 생각없이 읽으면 새로운 정보지만, '그러므로'와 같은 재진술의 표지에 주목해서 읽으면 앞의 내용과 똑같은 말입니다. 한 번에 재진술이 잡히지 않더라도, 왜 '그러므로'를 사용했는지 생각해볼 수 있어야 합니다.

3문단

> ①**논리실증주의자와 포퍼**는 수학적 지식이나 논리학 지식처럼 경험과 무관하게 참으로 판별되는 **분석 명제**와, 과학적 지식처럼 경험을 통해 참으로 판별되는 **종합 명제**를 서로 다른 종류라고 구분한다. ②그러나 **콰인**은 총체주의를 정당화하기 위해 이 구분을 부정하는 논증을 다음과 같이 제시한다. ③논리실증주의자와 포퍼의 구분에 따르면 "총각은 총각이다."와 같은 동어 반복 명제와, "총각은 미혼의 성인 남성이다."처럼 동어 반복 명제로 환원할 수 있는 것은 모두 분석 명제이다. ④그런데 후자가 분석 명제인 까닭은 전자로 환원할 수 있기 때문이다. ⑤이러한 환원이 가능한 것은 '총각'과 '미혼의 성인 남성'이 동의적 표현이기 때문인데 그게 왜 동의적 표현인지 물어보면, 이 둘을 서로 대체하더라도 명제의 참 또는 거짓이 바뀌지 않기 때문이라고 할 것이다. ⑥하지만 이것만으로는 두 표현의 의미가 같다는 것을 보장하지 못해서, 동의적 표현은 언제나 반드시 대체 가능해야 한다는 필연성 개념에 다시 의존하게 된다. ⑦이렇게 되면 동의적 표현이 동어 반복 명제로 환원 가능하게 하는 것이 되어, 필연성 개념은 다시 분석 명제 개념에 의존하게 되는 순환론에 빠진다. ⑧따라서 **콰인**은 종합 명제와 구분되는 분석 명제가 존재한다는 주장은 근거가 없다는 결론에 도달한다.

① #주장 제시 #재진술

이렇게 '콰인'의 주장을 체크하며 잘 읽고 있었는데, 이번엔 '논리실증주의자와 포퍼'의 주장이 나오고 있습니다. 이들은 또 한 번 '구분'을 하고 있어요. '분석 명제'와 '종합 명제'라는 새로운 개념이 나오기는 했지만, 모두 '경험'이라는 포인트와 관련된 앞에서 봤던 정보들이죠? '수학적/논리학적 지식=경험 무관=분석 명제', '과학적 지식 = 경험 의존 = 종합 명제'와 같은 느낌으로 재진술을 잡아줄 수 있겠네요. 사실상 1문단의 재진술이죠? 인문 지문은 결국 다 같은 말만 합니다.

② #주장 제시 #재진술

그런데 갑자기 '콰인'의 주장이 또 나오고 있습니다. '콰인'은 '총체주의'를 정당화하기 위해 이 구분을 부정한다고 해요. 시험장에선 그냥 그렇구나... 하고 넘어가도 무방한 내용이지만, '생각'의 힘이 제대로 키워진 상태라면 이해할 수 있어요! 왜 이 구분을 부정하는 게 총체주의의 정당화로 이어지는 걸까요? 아래 '생각 심화'를 통해 정리해 보도록 합시다.

| 생각 심화 |

명제의 구분을 부정하는 것이 왜 '총체주의'의 정당화로 이어지는 것일까요? 이렇게 '숨겨진 재진술'에 민감하게 반응하려면, 인문 지문은 결국 다 같은 말을 한다는 것을 믿어야 합니다. 그렇다면 앞에서 봤던 '총체주의'의 정의를 다시 한번 끌어 올 생각을 할 수 있겠죠. 앞에서 봤던 개념은 계속해서 끌어오는 게 핵심이라고 했으니까요. 2문단에 따르면, '총체주의'의 정의는

〈개별적인 가설뿐만 이니라 기존의 지식들과 여러 조건 등을 모두 포함하는 전체 지식이 경험을 통한 시험이 대상이 되는 것〉입니다.

포인트는 '가설' 외에도 '전체 지식'을 '경험'을 통한 시험의 대상으로 삼았다는 점입니다. 그런데 '논리실증주의자와 포퍼'에 따르면, '전체 지식' 중 '분석 명제'에 해당하는 지식들은 '경험'을 통한 시험의 대상이 될 수 없습니다. 이들은 '경험'과 무관하게 참으로 판별되니까요! 하지만 '콰인'이 이야기하는 '총체주의'가 정당화되려면 일단 모든 명제, 즉 '전체 지식'이 '경험'과 관련된다는 전제가 필요합니다. 이에 '콰인'은 이러한 명제의 구분을 부정하려고 한 것이에요.

어렵지만, 개념의 '정의'를 끌고 와 '납득'한다는, 지극히 기본적인 태도를 바탕으로 할 수 있는 생각이었습니다. 납득되지 않는 문장을 납득하는 방법은, 앞에서 봤던 개념의 정의ㆍ같은 말 등을 끌고 내려 오는 것이라고 했어요. 문장 간의 연결을 잘 해 내는 것! 수능 독서 지문 정복의 시작이자 끝입니다.

③~⑦ #정보의 역할

이 지문에서 가장 어려운 문장들입니다. 결론부터 말씀드리자면, 이 내용은 순수하게 지문의 논리만으로는 이해하기 어려워요. 애초에 이해를 바라고 낸 문장도 아니구요.

우리가 시험장에서 할 수 있는 건, '동의적 표현', '필연성 개념', '동어 반복 명제' 등의 논리로 인해 '분석 명제' 개념에 대한 설명은 순환론에 빠진다는 '팩트'를 정리하는 것입니다. 나아가, 최소한 지문의 '흐름'은 잡아내야겠죠? 이를 위해 가장 좋은 방법은, '정보의 역할'을 생각하는 것이라고 했습니다. 이 정보는 '콰인의 총체주의 정당화를 위한 명제 구분 부정'을 위한 논증에 해당해요. 결국 '콰인의 주장'에 대해 설명하는 역할을 하고 있던 것입니다. 우리는 이를 바탕으로 '콰인의 주장'이라는 지문의 흐름을 다시 한번 인식하고 갈 수 있겠습니다. 이해가 되지 않으면, '팩트'만 정리하고 그 정보의 '역할'을 생각하며 흐름을 잡아낸다! 이 태도를 잊지 않으시기 바랍니다.

| 생각 심화 |

그렇다면, 콰인의 논증 과정을 다시 하나하나 따라가 보면서 왜 위와 같은 논증을 거치면 〈분석 명제와 종합 명제의 구분이 사라지는지〉 이해해봅시다. 여러분이 먼저 생각해보고 오면 더 좋을 것 같아요. 많이 어렵기는 합니다.

1. '콰인'은 '총체주의'를 정당화하고 싶어서 '지식의 구분'(=분석 명제vs종합 명제)을 부정하고 싶어합니다. 그래서 어떠한 논증을 제시하죠.

2. '논리실증주의자와 포퍼'에 따르면 "총각은 총각이다."라는 동어 반복 명제와 "총각은 미혼의 성인 남성이다."처럼 동어 반복 명제로 '환원' 가능한 것은 둘 다 분석 명제(=경험과 무관)라고 한다네요.

3. 그런데 후자가 '분석 명제'인 까닭은 전자로 '환원'할 수 있기 때문이라고 합니다. 전자, 즉 '동어 반복 명제'는 '경험'하지 않고도 참임을 알 수 있는 '분석 명제'인데, 후자를 그렇게 '경험'과 무관한 명제로 '환원'할 수 있다면 후자 역시 '분석 명제'라고 할 수 있다는 것이죠.

4. 이러한 환원이 가능한 이유는 '총각'과 '미혼의 성인 남성'이 '동의적 표현'이기 때문이네요. '동의', 즉 '같은 의미'를 가지고 있다면 '환원'이 가능하다는 건 너무나 당연하겠습니다.

5. "이게 왜 동의적 표현이야?"라고 물어보면, '논리실증주의와 포퍼'는 〈둘을 바꾸어도 명제의 참, 거짓이 바뀌지 않아서〉라고 대답할 것이라네요. 얼핏 듣기에는 그럴듯한 내용인 것 같습니다.

6. 하지만 위의 대답으로는 두 표현의 의미가 같다는 것을 보장할 수 없습니다. 지문에서는 위 대답이 부족하다는 이야기만 있고 왜 부족한지는 서술되어 있지 않습니다. 이런 부분이이해가 어려운 것이죠. 지문 외에서 '콰인'이 한 이야기를 가져오면 이해할 수 있어요. '어떤 동물은 심장이 있다.'와 '어떤 동물은 신장이 있다.'라는 명제는, 둘을 바꾸어도 명제의 참, 거짓에 변화가 없습니다. 하지만 '심장'이 있으면서 '신장'은 없거나, 그 반대의 경우를 떠올리는 것은 너무나 쉽습니다. 즉, '심장'과 '신장'을 '동의적 표현'으로 볼 수는 없다는 것이죠.

7. 그래서 동의적 표현은 〈언제나 반드시 대체 가능해야 한다는 필연성 개념〉에 의존해야 합니다. '어떤 동물이 심장이 있다면 **반드시** 신장도 있다.'와 같은 문장을 만들어야만 '대체 가능성'으로부터 '동의적 표현'이라는 개념을 끌어낼 수 있는 것이죠. 결국 '총각'과 '미혼의 성인 남성'을 '필연성 개념'을 통해 '총각이면 **반드시** 미혼의 성인 남성이다.'처럼 정의하면, '총각은 미혼의 성인 남성이다.'라는 '동의적 표현'이 '총각은 총각이다.'라는 '동어 반복 명제'로 환원할 수 있게 되는 겁니다.

8. 하지만 '콰인'은 이들의 주장이 〈필연성 개념이 분석 명제 개념에 의존하게 되어〉 순환론에 빠진다고 합니다.

그 이유는 다음과 같습니다. '논리실증주의자와 포퍼'는 '총각= 미혼의 성인 남성'처럼 '동어 반복 명제'로 바꿀 수 있는 것은 모두 '분석 명제'임을 증명하기 위해서 '동의적 표현'이라는 것을 가져오는데, '동의적 표현'은 또 '필연성' 개념에 의존합니다. 여기가 가장 중요한 포인트입니다. **필연성 개념이 뭐였죠?** 〈언제나! 반드시! 대체 가능!〉**하다는 것입니다. 즉, '경험'과 관계없이 항상 대체 가능하다는 것이죠. 결국 '필연성' 개념도 곧 '분석 명제'였던 것입니다.** '논리실증주의자와 포퍼'는 자신들의 주장인 '동어 반복 명제'로 바꿀 수 있는 것은 모두 '분석 명제'라는 것을 입증하기 위해서 '분석 명제(필연성 개념)'에 의존한 것이죠.

다시 정리하자면, 분석 명제에 해당하는 명제를 입증하기 위해 분석 명제를 가져왔으니 결국 '순환론'에 빠진 것이 된 겁니다. 따라서 콰인이 주장한 것처럼 분석 명제는 존재하지 않는 것이 됩니다. 분석 명제를 입증하려면 분석 명제를 가져와야 하니까요. 어떤 개념을 설명하기 위해 다시 그 개념에 의존해야 한다면, 그 개념이 정말 존재한다고 하기는 어려울 것입니다.

다시 한번 천천히 읽으면서 생각해봅시다. 아주 어렵습니다. 절대로 실전에서 이렇게 해야 한다고 말씀드리는 게 아닙니다. 실전에서는 조금만 고민해보고, 도저히 길이 보이지 않으면 앞에서 한 것처럼 '정보의 역할'만 생각하고 넘어가는 것이에요. 공부할 때는 꼭 이 해설의 내용처럼 '생각'하는 과정을 거쳐 보는 겁니다. 지금 우리 공부의 목적은 '똑똑해지기'니까요.

마지막 문장은 그냥 앞에서 봤던 내용과 같은 말이죠? '분석 명제'라는 것은 존재하지 않고, 모든 지식은 '경험'과 관련된 '종합 명제'라고 할 수 있는 겁니다. 여기서 '경험'과 관련되어 있다는 내용을 떠올릴 수 있어야 합니다. '과학적 지식 = 경험 의존 = 종합 명제'라는 도식을 잊으면 안 돼요! 결국 다 같은 말이라구요.

하이라이트 문장

> ⑧따라서 콰인은 종합 명제와 구분되는 분석 명제가 존재한다는 주장은 근거가 없다는 결론에 도달한다.

'순환론' 관련 논증의 역할을 잡아주면서 지문의 흐름을 잡아주는 문장입니다. 중요할 수밖에 없죠? 나아가 '콰인'의 주장을 재진술하는 문장이기에, 왜 하필 '분석 명제'가 존재하지 않는다는 결론으로 나아가는지 생각할 수 있어야 합니다. 만약 이 문장이 없었다고 해도 스스로 추론할 수 있을 정도라면 더할 나위가 없겠구요.

4문단

> ①**콰인**은 분석 명제와 종합 명제로 지식을 엄격히 구분하는 대신, 경험과 직접 충돌하지 않는 **중심부 지식**과, 경험과 직접 충돌할 수 있는 **주변부 지식**을 상정한다. ②경험과 직접 충돌하여 참과 거짓이 쉽게 바뀌는 주변부 지식과 달리 주변부 지식의 토대가 되는 중심부 지식은 상대적으로 견고하다. ③그러나 이 둘의 경계를 명확히 나눌 수 없기 때문에, **콰인**은 중심부 지식과 주변부 지식을 다른 종류라고 하지 않는다. ④수학적 지식이나 논리학 지식은 중심부 지식의 한가운데에 있어 경험에서 가장 멀리 떨어져 있지만 그렇다고 경험과 무관한 것은 아니라는 것이다. ⑤그런데 주변부 지식이 경험과 충돌하여 거짓으로 밝혀지면 전체 지식의 어느 부분을 수정해야 할지 고민하게 된다. ⑥주변부 지식을 수정하면 전체 지식의 변화가 크지 않지만 중심부 지식을 수정하면 관련된 다른 지식이 많기 때문에 전체 지식도 크게 변화하게 된다. ⑦그래서 대부분의 경우에는 주변부 지식을 수정하는 쪽을 선택하겠지만 실용적 필요 때문에 중심부 지식을 수정하는 경우도 있다. ⑧그리하여 **콰인**은 중심부 지식과 주변부 지식이 원칙적으로 모두 수정의 대상이 될 수 있고, 지식의 변화도 더 이상 개별적 지식이 단순히 누적되는 과정이 아니라고 주장한다.

그렇다면 '콰인'은 지식을 어떻게 구분할까요? '중심부 지식'과 '주변부 지식'으로 구분하네요. '경험'과 직접 충돌하는 '주변부'와, 가운데에서 '경험'과 직접 충돌할 일이 없는 '중심부'로 쉽게 납득할 수 있겠습니다. 핵심은 이들 모두 '경험'과 관련된 지식이라는 것이죠? 콰인의 주장을 놓치면 안 돼요! 나아가 각 지식의 '정의'를 기반으로 하면, '참과 거짓이 쉽게 바뀜' / '견고함'이라는 내용도 가볍게 납득이 되겠죠. '중심', '주변'이라는 단어의 의미를 살려 주시는 겁니다!

'중심'과 '주변'의 의미로부터 나타나는 다양한 차이점에도 불구하고, '콰인'은 두 지식을 다른 종류라고 하지는 않습니다. 이는 뭐 계속해서 강조하던 내용이니 어렵지 않게 '같은 말'로 잡아낼 수 있겠네요. 4번 문장에서 이야기하는 것처럼, '중심부 지식'도 '경험'과 무관한 것은 아니니까요. '경험'과 무관한 명제는 없다는 것, 계속해서 재진술되던 내용이죠?

먼저 '수정 가능성'이라는 이야기로 카테고리가 바뀌었다는 걸 잡아낼 수 있어야 합니다. 만약 '경험'과 충돌하여 (총체주의의 정의를 잊지 마세요!) '주변부 지식'이 '거짓'으로 밝혀졌다면, '전체 지식'(중심부 지식+주변부 지식) 중 어느 부분을 수정해야 할지 고민하게 된다고 합니다. '주변부'만 살짝 긁어낼 것이냐, '중심부'까지 화끈하게 수정할 것이냐 하는 문제가 나타나는 것이죠. 대부분은 안전하게 '주변부'를 긁이네겠지만, '실용적 필요'로 인해 '중심부'를 수정하는 경우도 있다고 해요. 충분히 납득할 수 있겠죠?

이런 맥락에 따르면, '중심부 지식'과 '주변부 지식' 모두 '수정'의 대상이 된다고 할 수 있겠습니다. 둘은 다른 종류가 아니기 때문에, '수정 가능'이라는 점에서는 같은 성질을 가지는 것이죠. 결국 '중심부 지식'과 '주변부 지식'을 합한 '전체 지식'은 '수정'의 대상이 될 수 있는 것이에요.

> **| 생각 심화 |**
> '전체 지식'이 '수정'의 대상이 된다는 내용도 앞 문단과 '같은 말'입니다. '총체주의'의 핵심은 '가설+@=예측'이고, '예측'이 잘못된 경우 '가설' 외에 +@가 문제일 경우가 있다는 것이에요. 따라서 +@에 해당하는 '전체 지식', 즉 '중심부 지식'과 '주변부 지식'은 모두 수정이 가능해야 하는 것입니다. 인문 지문은 결국 다 같은 말을 한다는 것, 확실하게 이해되시죠?

나아가 지식의 변화는 더 이상 '개별적 지식'이 단순히 누적되는 과정이 아니라고 주장합니다. 지금까지 이해한 '콰인'의 주장에 맞춰서, 이 내용도 확실하게 납득할 수 있어야 합니다. '논리실증주의자와 포퍼'에 따르면 '과학적 지식의 후보'인 '가설'이 하나씩 '과학적 지식'이 되는 건데, '콰인'에 따르면 '중심부 지식'의 변화 등으로 인해 '과학적 지식' 전체에 엄청난 변화를 낳을 수도 있겠죠. 모든 정보가 '콰인의 총체주의'가 가진 정의 속으로 모이고 있습니다. 결국, 다 같은 말입니다!

하이라이트 문장

> ⑧그리하여 콰인은 중심부 지식과 주변부 지식이 원칙적으로 모두 수정의 대상이 될 수 있고, 지식의 변화도 더 이상 개별적 지식이 단순히 누적되는 과정이 아니라고 주장한다.

마치 새로운 정보처럼 보였지만, 사실은 다 같은 말이었던 문장입니다. 인문 지문은 결국 다 같은 말이라는 믿음 속에서, 이러한 '재진술'에 민감하게 반응할 수 있도록 합시다.

5문단

> ①총체주의는 특정 가설에 대해 제기되는 반박이 결정적인 것처럼 보이더라도 그 가설이 실용적으로 필요하다고 인정되면 언제든 그와 같은 반박을 피하는 방법을 강구하여 그 가설을 받아들일 수 있다. ②그러나 총체주의는 "A이면서 동시에 A가 아닐 수는 없다."와 같은 논리학의 법칙처럼 아무도 의심하지 않는 지식은 분석 명제로 분류해야 하는 것이 아니냐는 비판에 답해야 하는 어려움이 있다.

① #재진술

마지막으로 '총체주의'의 의의를 정리하고 있습니다. 새로운 정보로 보이면 안 됩니다! 앞에서 계속 이야기하던 내용의 재진술이에요. '가설'에 대한 반박이 결정적이더라도, 즉 '가설'을 바탕으로 도출된 '예측'이 '경험'과 충돌하여 거짓으로 판단되더라도 '가설'이 '실용적으로 필요'하다고 인정되면, 언제든 '반박을 피하는 방법'을 강구하여 그 가설을 받아들일 수 있다고 합니다. 여기서 '반박을 피하는 방법'이 무엇인지 납득할 수 있어야 합니다!

이를 위해 앞에서 분명히 본 적이 있던 '실용적 필요'에 대한 내용을 끌고 오도록 합시다. 4문단에서는, '실용적 필요' 때문에 '중심부 지식'을 수정하는 경우도 있을 수 있다고 했어요. 이때의 '실용적 필요'

가 바로 '가설'을 살리는 것이라고 할 수 있겠네요. 이 경우에는 '가설'이 아닌 '중심부 지식', 즉 '전체 지식'을 수정하면서 '예측'을 재조정할 수 있다는 게 핵심이네요. 이렇게 되면 '가설'은 그대로 둔 채 '예측'이 '경험'과 충돌하지 않도록 조절하는 게 가능하겠죠?

조금 어렵긴 해도, '결국 다 같은 말'이라는 원칙에 맞추어 읽어내려 간다면 충분히 뚫어낼 수 있습니다. 생각하고 또 생각하는, 간단하고 강력한 태도를 잊지 맙시다.

② #재진술

역시 재진술입니다. '비판'의 내용을 받아들이면서도, 결국 '분석 명제'가 존재하지 않는다고 하는 '콰인'의 주장을 한 번 더 상기시켜주시면 됩니다. 결국 다 같은 말이다!!

선지	①	②	③	④	⑤
선택률	12%	56%	15%	11%	6%

05 윗글을 바탕으로 할 때, ㉠과 ㉡이 모두 '아니요'라고 답변할 질문은? ②

> ㉠논리실증주의자와 포퍼 / ㉡콰인

– 발문이 조금 특이하긴 하지만, 결국 두 주장의 '공통점'을 찾으라고 하는 문제입니다. 두 주장의 공통점은 간단합니다. '예측'을 '경험'을 통해 시험하는 방식으로 '가설'을 판단한다! 이를 바탕으로 선지 판단해보도록 합시다.

① 과학적 지식은 개별적으로 누적되는가?

명시적 근거	1문단 4번 문장, 4문단 8번 문장
실전에서의 판단 과정	논리실증주의자와 포퍼는 맞다고 하겠지?
해설	4문단의 마지막 문장을 읽으면서, 왜 콰인이 '개별적 지식의 누적'이 아니라고 했는지 납득했던 기억이 있죠? 이 과정을 잘 거쳤다면, 자연스럽게 '논리실증주의자와 포퍼'는 '가설' 하나가 '과학적 지식'이 되는 방식으로 '개별적 누적'된다고 주장했을 것이라는 점을 생각할 수 있었을 것이에요. 4문단의 마지막 문장 이면에 있는 내용을 추론해야 하는 어려운 선지였습니다! 물론 1문단의 마지막 문장에서 명시적인 근거를 찾을 수는 있겠지만요.

② 경험을 통하지 않고 가설을 시험할 수 있는가?

명시적 근거	1문단 3번 문장, 2문단 6번 문장
실전에서의 판단 과정	'경험' 중시하는 건 둘 다 똑같았는데?
해설	이 지문은 '경험'에 의존하는 '과학적 지식'이 만들어지는 방법에 대해 소개하는 글입니다. '논리실증주의자와 포퍼'든 '콰인'이든 모두 '과학적 지식'이 만들어지는 '과학적 방법'에 대해 이야기하고 있으므로, '경험'을 통하지 않고 '가설'을 시험할 수 있다는 말에는 둘 다 '아니요'라고 대답할 것입니다. ('과학적 지식=경험 의존') 물론 1문단과 2문단에서 어렵지 않게 근거를 잡을 수는 있지만, 이 해설의 과정처럼 너무 당연하게 답으로 골라낼 수 있었으면 좋았을 것 같아요.

③ 경험과 무관하게 참이 되는 지식이 존재하는가?

명시적 근거	1문단 1번 문장, 4문단 3번 문장
실전에서의 판단 과정	논리실증주의자와 포퍼는 맞다고 하겠지?
해설	'콰인'은 모든 지식이 '경험'과 관련되어 있다고 했지만, '논리실증주의자와 포퍼'는 '경험과 무관'한 지식이 있음에 동의했습니다. 가장 중요한 비교 포인트 중 하나였죠. 2번 선지와 비슷한 내용이네요.

④ 예측은 가설로부터 논리적으로 도출될 수 있는가?

명시적 근거	1문단 3번 문장, 2문단 4번 문장
실전에서의 판단 과정	이건 둘 다 맞다고 하는 거 아니야?
해설	'예측'이 '가설'로부터 논리적으로 도출된다는 건 '논리실증주의와 포퍼'뿐 아니라 '콰인'도 동의하겠네요. '콰인'은 +@(전체 지식)가 있어야 하긴 하지만, 가설을 바탕으로 예측을 도출하는 것 자체에는 동의했으니까요. 공통점이긴 하지만, 발문이 요구하는 대로 '아니요'라고 답할 물음이 아니라서 틀린 선지가 되었네요.

사실 정확한 해설은 '예, 아니요'입니다. 즉, '콰인'은 위의 선지에 대해 '아니요'라고 답할 것이에요. '~로부터'라는 표현은 꽤나 강한 표현이라서, '유일한' 원인을 지칭하는 것으로 쓰이기도 하거든요. 이에 따르면 이 선지는 '가설'만 있어도 예측이 도출되는지 물어보는 것이 됩니다. '콰인'은 가설에 전체 지식을 합쳐야 예측이 도출된다고 했으니, 아니요라고 대답을 하겠죠? 평가원은 이렇게 논리학적 지식이 있어야만 엄밀하게 지울 수 있는 선지를 가끔씩 출제하기는 하지만, 절대 답의 근거로 삼지는 않습니다. 이 선지도 콰인이 '예'라고 하든 '아니요'라고 하든 답 고르는 데는 상관없잖아요! 어떻게 보셨어도 상관없어요.

⑤ 수학적 지식과 과학적 지식은 종류가 다른 것인가?

명시적 근거	1문단 1번 문장, 4문단 3번 문장
실전에서의 판단 과정	논리실증주의와 포퍼는 동의하겠지.
해설	'논리실증주의자와 포퍼'가 가지는 '콰인'과의 가장 큰 차이점인 '지식의 구분'에 대해서 묻고 있네요. '논리실증주의자와 포퍼'는 지식을 구분했지만, '콰인'은 그렇지 않았죠?

선지	①	②	③	④	⑤
선택률	19%	8%	12%	53%	8%

06 윗글에 대해 이해한 내용으로 가장 적절한 것은? ④

① 포퍼가 제시한 과학적 방법에 따르면, 예측이 틀리지 않았을 경우보다는 맞을 경우에 그 예측을 도출한 가설이 지식으로 인정된다.

명시적 근거	1문단 4번 문장
실전에서의 판단 과정	그랬었나? 다시 확인해보니 반대로 써놨네.
해설	같은 팀으로 보였던 '논리실증주의자'와 '포퍼'가 의견 차이를 보이면서 흥미롭게 읽었던 부분입니다. 물론 정확히 누가 그랬는지는 기억이 안 나겠지만, 비교/대조된다는 것을 인식하는 것만으로도 해당 부분으로 돌아갈 수 있는 힘이 생겼을 것이에요. 돌아가서 확인해보면 반대로 써 놨다는 걸 쉽게 확인할 수 있죠?

② 논리실증주의자에 따르면, "총각은 미혼의 성인 남성이다."가 분석 명제인 것은 총각을 한 명 한 명 조사해 보니 모두 미혼의 성인 남성으로 밝혀졌기 때문이다.

명시적 근거	3문단 1번 문장, 3문단 3번~4번 문장
실전에서의 판단 과정	분석 명제인 까닭은 동의적 표현이기 때문이라며.
해설	선지에선 '분석 명제'인 것으로 볼 수 있는 이유를 묻고 있습니다. 우리는 당연히 '분석 명제'의 정의부터 확인을 해야겠죠. 분석 명제는 알다시피 '경험과 무관한 것'이었습니다. 경험..? 이 생각을 가지고 선지를 조금만 읽어 보니, '조사'라는 말이 눈에 확 들어오네요. 한 명 한 명 조사하는 건 '경험'에 해당하죠? 경험과 관련된 순간 분석 명제의 이유로는 탈락이 되겠습니다. 물론, 분석 명제인 까닭은 '동의적 표현'이기 때문이었죠? 완벽하게 이해하진 못했어도 이런 내용이 나왔다는 건 체크를 했기에, 답으로 고르지는 않았을 것입니다.

③ 콰인은 관찰과 실험에 의존하는 지식이 관찰과 실험에 의존하지 않는 지식과 근본적으로 다르다고 한다.

명시적 근거	4문단 3번 문장
실전에서의 판단 과정	콰인은 지식이 엄격하게 구분되는 건 아니라고 했지.
해설	선지에서 묻고 있는 '콰인'의 주장을 생각해 봅시다. 콰인은 지식을 어떻게 구분했었죠? 네 그렇죠. '주변부 지식'과 '중심부 지식'으로 나누었습니다. 그리고 또 다른 핵심 주장은? '분석 명제'라는 건 없고, 지식은 구분되지 않는다! 지식이 '근본적으로 다르다'부터 헛소리라고 생각하시면 베스트였네요. 추가적으로 '관찰과 실험'은 경험을 의미한다는 걸 1문단에서도, 우리의 직감에서도, 2번 선지의 '조사'를 판단하는 과정 속에서도 알 수 있습니다. 그럼 '관찰과 실험에 의존하는 지식'은 포퍼가 말하던 과학적 지식 같은 '종합 명제', '관찰과 실험에 의존하지 않는 지식'은 포퍼가 말하던 수학적 지식 같은 '분석 명제'에 해당하는 걸 알 수 있겠네요. 이는 콰인의 주장과 무관하고, 콰인은 이 둘이 구분되지 않는다고 주장하기까지 했으니 틀린 선지입니다. 후자가 조금 더 엄밀한 풀이이죠? 지문을 잘 읽었다면 머릿속에 생생하게 남아 있는 주장이었을 겁니다. 결국 핵심은 '주장 체크'였어요!

④ 콰인은 분석 명제가 무엇인지는 동의적 표현이란 무엇인지에 의존하고, 다시 이는 필연성 개념에, 필연성 개념은 다시 분석 명제 개념에 의존한다고 본다.

명시적 근거	3문단 3번~7번 문장
실전에서의 판단 과정	뭐... 그렇다고 했지.
해설	동의적 표현... 필연성... 오 이거 3문단에 나왔던, 콰인의 주장을 뒷받침하는 역할을 하던 '순환론'에 대한 내용이네요. 이렇게 이해를 못했더라도 정보의 역할을 생각하며 읽었다면 기억할 수 있습니다. 바로 3문단으로 돌아가서 확인해보니, 지문에 적힌 말을 그대로 요약한 게 4번 선지네요. 무슨 말인지는 모르겠지만, 정답인 건 알겠어요. 이렇게 평가원이 굳이 우리를 이해시키려 노력하지 않은 정보는, 선지에서도 표면적인 것만 물어봅니다. 시험장에서 이해가 안 되는 내용이 나오더라도 우리가 당황할 필요가 없는 이유예요. 그 정보가 왜 나왔는지, 그 '역할'만 생각해주시면 됩니다. 이해되지 않는 것을 억지로 이해하면서 시간을 허비하는 것보다 '지문의 흐름'을 잡아내는 것이 훨씬 중요해요. 물론 '생각 심화'의 내용처럼 완벽하게 이해할 수 있다면 더할 나위 없겠죠? 그 경지에 오를 수 있도록 열심히 고민하는 연습을 합시다.

⑤ 콰인은 어떤 명제에, 의미가 다를 뿐만 아니라 서로 대체할 경우 그 명제의 참 또는 거짓이 바뀌는 표현을 사용할 수 있으면, 그 명제는 동어 반복 명제라고 본다.

명시적 근거	3문단 4번~5번 문장
실전에서의 판단 과정	참/거짓이 바뀌면 안 된다며.
해설	'동어 반복 명제'의 정의를 묻고 있네요. 역시 3문단의 순환론 부분으로 돌아가서 확인하면 되겠죠? 쭉 읽으며 '동어 반복 명제'라는 말만 찾아보니, '동어 반복 명제'는 '분석 명제'이고, 이것이 분석 명제인 이유는 총각과 미혼의 성인 남성이 '둘을 서로 대체하더라도 명제의 참 또는 거짓이 바뀌지 않는' '동의적 표현'이기 때문이라고 했습니다. 역시 무슨 말인지 이해는 안 되지만, 동어 반복 명제가 되려면 참 거짓이 바뀌면 안 되는 건 알겠네요.

선지	①	②	③	④	⑤
선택률	6%	10%	17%	17%	50%

07 윗글을 바탕으로 총체주의의 입장에서 ⓐ~ⓒ에 대해 평가한 것으로 적절하지 <u>않은</u> 것은? [3점] ⑤

> ⓐ새로 발견된 금속 M은 열을 받으면 팽창한다는 가설
> ⓑ열을 받은 M이 팽창할 것이라는 예측
> ⓒ기존의 지식들과 여러 조건 등을 모두 포함하는 전체 지식

‒ ⓐ, ⓑ, ⓒ를 각각 '가설', '예측', '전체 지식'으로 생각하면 어렵지 않을 것 같네요. '총체주의'의 입장에서 이들을 평가하라고 했으니, '총체주의'의 주장들 머릿속에 세팅해놓고 선지 판단해보도록 합시다.

① ⓑ가 거짓으로 밝혀지더라도 그것이 ⓐ 때문이라고 단정하지 못하겠군.

명시적 근거	2문단 5번 문장
실전에서의 판단 과정	제일 중요한 말이었지.
해설	'총체주의'의 입장에서 봐야 해요. 총체주의의 핵심은 가설뿐만 아니라 '전체 지식'까지 모두 '경험'을 통한 시험의 대상이라는 것이고, 그렇다면 그 전체 지식으로부터 나온 예측이 거짓이라고 해도 가설 때문이라고 단정할 수는 없겠네요. 기존의 지식, 조건 등 전체 지식을 구성하는 다른 요소 때문일 수도 있으니까요. 이 지문을 한 문장으로 요약한 것과 같은 선지네요. 모든 정보가 이 말을 중심으로 제시되고 있었죠?

② ⓑ가 거짓으로 밝혀지면 ⓒ의 어느 부분을 수정하느냐는 실용적 필요에 따라 달라지겠군.

명시적 근거	4문단 6번~7번 문장
실전에서의 판단 과정	주변부/중심부 지식 전부 수정 가능하다고 했지.
해설	예측이 거짓으로 밝혀지면 보통 '주변부 지식'을 수정하겠지만, '실용적 필요' 때문에 '중심부 지식'을 수정하는 경우도 있다고 했습니다. 그리고 그 '실용적 필요'는 바로 '가설 살리기'였죠? 경험과 충돌해 거짓으로 판단된 예측을 만드는 재료였던 가설을 살리고 싶을 때는, '중심부 지식'을 수정하는 방식으로 가설을 살릴 수도 있다고 했어요.

③ ⓑ는 ⓐ와 ⓒ로부터 논리적으로 도출된다고 하겠군.

명시적 근거	2문단 6번 문장
실전에서의 판단 과정	가설 + 전체 지식 = 예측이었지.
해설	'논리실증주의자와 포퍼'의 주장과 비교할 때 가장 큰 차이점이었던 주장입니다. '예측'이 만들어지기 위해선 '가설' 외에 '전체 지식'도 필요하다고 했어요!

④ ⓑ가 거짓으로 밝혀지면 ⓑ는 ⓒ의 주변부에서 경험과 직접 충돌한 것이라고 하겠군.

명시적 근거	2문단 6번 문장, 4문단 5번 문장
실전에서의 판단 과정	예측이 거짓이 되려면 경험과 직접 충돌해야지.
해설	'예측'이 거짓으로 밝혀졌다는 건 '경험'과의 충돌이 있었다는 것입니다. '경험'을 통해 '예측'을 만든 '가설+@'를 시험하는 것이 '총체주의'의 핵심이니까요. 그런데 이렇게 '경험'과 직접적으로 충돌하는 것은 '주변부 지식'입니다. 따라서 '예측'이 거짓으로 밝혀졌다면 '주변부 지식' 쪽에서 '예측'이 경험과 직접 충돌한 것이라고 할 수 있겠죠.

⑤ ⓑ가 거짓으로 밝혀지면 ⓒ를 수정하는 방법으로는 ⓐ를 받아들일 수 없다고 하겠군.

선지 유형	4문단 5번 문장, 5문단 1번 문장
실전에서의 판단 과정	전체 지식 수정하는 방법으로 가설 받아들일 수 있지. 왜 안 돼?
해설	'예측'이 거짓으로 밝혀졌다는 것은 '경험'을 통한 시험의 결과가 잘못되었다는 것이고, 이는 결국 '예측'을 이끌어낸 '가설'이나 '전체 지식' 중 하나가 잘못된 것이라고 할 수 있죠. 그런데 총체주의는 '가설'을 지키기 위한다는 '실용적 필요'가 있으면 '전체 지식'을 수정하는 방법으로 '가설'을 받아들일 수 있다고 했습니다. 이 해설 속에만 10번은 넘게 한 말인 것 같아요. 간단하게 답으로 골라낼 수 있겠죠?

선지	①	②	③	④	⑤
선택률	18%	12%	15%	14%	41%

08 윗글의 총체주의에 대한 비판으로 가장 적절한 것은? ⑤

– 이번엔 '총체주의'에 대한 '비판'을 고르라고 합니다. 비판 문제의 포인트는 크게 2가지라고 했습니다. '옹호하는 것', '한 적 없는 말을 비판하는 것'. 이 두 가지가 아니면 적절한 비판이라고 볼 수 있겠죠? 각 선지가 어디에 해당하는지 봅시다.

① 가설로부터 논리적으로 도출된 예측이 경험과 충돌하더라도 그 충돌 때문에 가설이 틀렸다고 할 수 없다.

명시적 근거	2문단 5번 문장
실전에서의 판단 과정	이건 총체주의의 주장 아니야?
해설	'예측'이 '거짓'과 충돌하더라도 '가설' 때문이 아닐 수 있다는 것. 지문과 앞 문제들에서 주구장창 확인했던 '총체주의'의 주장이죠? '총체주의'를 비판하라고 했는데 오히려 주장을 다시 말해주며 '옹호'하고 있네요. 적절한 비판이라 할 수 없습니다.

▎생각 심화 ▎

5번 문제 4번 선지와 관련해서 생각해보면, '가설로부터 논리적으로 도출' 자체가 총체주의에 대한 내용이 아니니 '한 적 없는 말'을 비판했기 때문에 틀린 선지로도 볼 수 있겠네요.

② 논리학 지식이나 수학적 지식이 중심부 지식의 한가운데에 위치한다고 해서 경험과 무관한 것은 아니다.

명시적 근거	4문단 4번 문장
실전에서의 판단 과정	이것도 총체주의의 주장이잖아.
해설	논리학 지식, 수학적 지식 등은 콰인의 주장에 따르면 '중심부 지식'에 해당하는 것들이라고 할 수 있습니다. 이들이 경험과 무관하지는 않다고 한 건 역시 콰인의 주장이죠? 비판하랬더니 자꾸 옹호하고 있네요.

③ 전체 지식은 어떤 결정적인 반박일지라도 피할 수 있기 때문에 수정 대상을 주변부 지식으로 한정하는 것은 잘못이다.

명시적 근거	4문단 8번 문장
실전에서의 판단 과정	콰인이 언제 수정 대상을 주변부 지식으로 한정했냐.
해설	수정 대상을 '주변부 지식'으로 한정한다구요? '콰인'이 언제 이런 말을 했나요? '콰인'은 분명히 '주변부 지식'뿐 아니라 실용적으로 필요하다면 '중심부 지식'도 수정할 수 있다고 했습니다. '수정 가능'은 주변부와 중심부의 가장 큰 공통점 중 하나였어요. '한 적 없는 말'을 비판하고 있네요.

④ 중심부 지식을 수정하면 주변부 지식도 수정해야 하겠지만, 주변부 지식을 수정한다고 해서 중심부 지식을 수정해야 하는 것은 아니다.

명시적 근거	4문단 6번 문장
실전에서의 판단 과정	주변부 지식 수정하면 별 일 없다면서.
해설	'콰인'은 중심부 지식을 수정하면 주변부 지식도 수정해야 한다고 본 것은 맞습니다. 하지만 주변부 지식을 수정하면 그 부분만 살짝 수정될 뿐, 중심부 지식까지 수정해야 한다고 보지는 않겠죠? '콰인'의 생각을 그대로 읊어 주는 선지이므로, 비판이 아닌 옹호하는 선지라고 할 수 있겠습니다.

⑤ 중심부 지식과 주변부 지식 간의 경계가 불분명하다 해도 중심부 지식 중에는 주변부 지식들과 종류가 다른 지식이 존재한다.

명시적 근거	5문단 2번 문장
실전에서의 판단 과정	지문에서도 이야기했던 비판 내용이네.
해설	'중심부 지식과 주변부 지식 간의 경계가 불분명'하다는 건 누구도 부정할 수 없는 '콰인'의 주장이네요. 이 주장을 '꼭 그런 건 아냐~'라는 식으로 비판하고 있으니, 완벽한 정답 선지입니다. 물론 마지막 문단에서 언급했던 비판 내용이기도 하죠? 마지막 문단까지 잘 잡고 내려오면서 읽었다면 5번 선지의 내용을 미리 생각할 수도 있었겠네요. 마지막 문단에서 힘이 빠지는 학생들이 많은데, 지문의 마지막 글자까지 정독하는 집중력을 가지도록 합시다!

선지	①	②	③	④	⑤
선택률	5%	78%	10%	3%	4%

09 문맥상 ㉢과 바꿔 쓰기에 가장 적절한 것은? ②

① 잇따른다
② 다다른다
③ 봉착한다
④ 회귀한다
⑤ 기인한다

몰랐던 어휘 정리하기

| 핵심 point |

① **화제 check** : 독서 지문 독해의 처음이자 끝. 첫 문단에서 잡은 '화제의 틀'을 마지막 문단까지 놓지 않아야 합니다.

② **재진술 인식** : 같은 말이라도 다르게 표현되는 경우가 많습니다. 심지어 아예 똑같은 말이 반복되는 경우도 많아요. 이 '같은 말'에 민감하게 반응하면, '정보량'을 줄이면서 읽을 수가 있습니다.

③ **비교/대조** : '공통점'과 '차이점' 중심으로 읽어나가면 됩니다. 이때, 비교되는 두 대상 중 필자가 조금 더 중점을 두고 서술하는 대상에게 주목하면서 읽으면 화제를 체크하는게 수월해집니다.

| 지문 내용 총정리 |

아무 생각없이 읽었다면 정보량 폭탄의 어려운 지문이었겠지만, '결국 다 같은 말'이라는 명제에 맞춰 재진술을 잡고 이면의 내용을 추론해냈다면 명쾌하게 뚫리는 지문이었을 겁니다. 대부분의 인문 지문이 이렇게 해결되니 계속해서 연습해보도록 합시다.

(가) 1문단

①심리 철학에서 **동일론**은 의식이 뇌의 물질적 상태와 동일하다고 본다. ②이와 달리 **기능주의**는 의식은 기능이며, 서로 다른 물질에서 같은 기능이 구현될 수 있다고 주장한다. ③이때 **기능**이란 어떤 입력이 주어졌을 때 특정한 출력을 내놓는 함수적 역할로 정의되며, 함수적 역할의 일치는 입력과 출력의 쌍이 일치함을 의미한다. ④실리콘 칩으로 구성된 로봇이 찔림이라는 입력에 대해 고통을 출력으로 내놓는 기능을 가진다면, 로봇과 우리는 같은 의식을 가진다는 것이다. ⑤이처럼 기능주의는 의식을 구현하는 물질이 무엇인지는 중요하지 않다고 본다.

① #정의 제시 #단어의 의미 살리기 #비교/대조

'동일론'을 정의하면서 시작하고 있습니다. '동일론'은 2014학년도 수능 B형, 2022학년도 예시문항 등에서 등장했던 개념이기 때문에 그 정의가 아주 친숙하게 느껴져야 합니다. 단어의 의미 그대로, '의식'(기존 기출에선 '정신'이라는 표현으로 등장했죠.)이 뇌의 '물질'적 상태와 '동일'하다고 보는 이론입니다. 처음부터 등장하는 중요 개념의 정의이니, 확실하게 체크할 필요가 있겠습니다.

다음은 '기능주의'입니다. 단어의 의미 그대로, '의식'을 '기능'으로 정의하는 입장이네요. 그러면서 서로 다른 '물질'에서 같은 '기능'(= 의식)이 구현될 수 있다고 주장하고 있습니다. 그런데 '동일론'에 따르면 '물질'이 다를 경우 그와 '동일'한 것으로 존재하는 '의식'도 달라야 할 것입니다. '기능주의'는 '동일론'과는 달리 '의식'이 그저 '물질'과 같은 것으로만 존재하지 않고, '기능'이라는 별도의 역할을 가진다고 생각하는 것이죠. 이렇게 차이점을 정확하게 인식한 채로 계속 읽어 봅시다.

③ #정의 제시 #단어의 의미 살리기 #재진술

'기능주의'가 강조하는 '기능'에 대해 정의하고 있습니다. '기능'은 '함수적 역할'로 정의된다고 합니다. 우리가 알고 있는 '함수'라는 단어의 의미를 살리면, '어떤 입력이 주어졌을 때 특정한 출력을 내놓는 것'이라는 정의가 확실하게 납득되겠죠? '입력→출력'이라는 '기능'의 역할을 '의식'이 한다는 것입니다. '물질'이 무엇이든 '입력→출력'이라는 '기능'을 할 수 있는 것은 크게 다르지 않기 때문에, '기능주의'는 서로 다른 '물질'에서 같은 '기능'이 구현된다는 이야기를 한 것이죠.

④~⑤ #사례-원리 연결 #재진술

'기능주의'라는 중요 개념의 정의를 확실하게 이해시키기 위해, 예를 들어 주고 있습니다. 실리콘 칩으로 구성된 로봇이 찔림이라는 '입력'이 주어지면 고통이라는 '출력'을 내놓는 '기능'을 가질 수 있다고 합니다. 따라서 로봇과 우리는 같은 '의식'을 가진다고 해요. 우리가 가지고 있는 '의식'도 결국 찔림이라는 '입력'이 들어올 때 고통이라는 '출력'을 내놓는 '기능'이기에, 로봇의 '의식'과 우리 인간의 '의식'은 같다는 것이죠. 여기서 나아가 로봇의 '실리콘 칩'이 인간의 '뇌'에 대응한다는 것을 생각할 수 있으면 좋겠습니다. 결국 '기능'이라는 '의식'이 구현되는 곳은 '물질'이라고 했는데, '실리콘 칩'과 '뇌'가 그러한 역할을 하고 있으니까요. 이 정도로 확실하게 사례를 활용할 수 있겠죠?

5번 문장은 이에 대한 재진술이네요. '기능'을 하는 '의식'을 구현하는 것은 '실리콘 칩'이나 '뇌'와 같은 '물질'인데, 그 '물질'이 무엇인지는 크게 중요하지 않다는 것이죠. 앞 문장에서 '실리콘 칩'과 '뇌'가 같은 개념이라는 걸 생각하지 못했다면, 이 문장에서라도 생각할 수 있어야 합니다. '의식을 구현하는 물질'이 의미하는 게 무엇인지 생각하는 습관이 필요하다는 것이죠!

하이라이트 문장

④실리콘 칩으로 구성된 로봇이 찔림이라는 입력에 대해 고통을 출력으로 내놓는 기능을 가진다면, 로봇과 우리는 같은 의식을 가진다는 것이다.

'사례-원리 연결'이라는 독해 태도를 이용하면서, '기능'이라는 개념에 대해 확실하게 이해하는 것은 기본입니다. 여기에 나아가 '실리콘 칩'과 같은 말이 왜 나온 것인지까지 생각할 수 있어야 해요. '사례-원리 연결'은 조금의 빈틈도 없이 완벽하게 이루어져야 합니다.

(가) 2문단

①**설(Searle)**은 기능주의를 반박하는 사고 실험을 제시한다. ②'중국어 방' 안에 중국어를 모르는 한 사람만 있다고 하자. ③그는 중국어로 된 입력이 들어오면 정해진 규칙에 따라 중국어로 된 출력을 내놓는다. ④설에 의하면 방 안의 사람은 중국어 사용자와 함수적 역할이 같지만 중국어를 아는 것은 아니다. ⑤기능이 같으면서 의식은 다른 사례가 있다는 것이다.

① #주장 제시

'설'이라는 사람은 이러한 '기능주의'를 반박하는 사고 실험을 제시했다고 합니다. '기능주의'를 반박한다고 했으니, '기능주의'의 주장을 정확하게 체크하고 읽을 필요가 있겠네요. '기능주의'는 '물질'이 달라도 '의식'(=기능)은 같다는 주장이었습니다. '설'이 어떻게 반박할지 궁금해하면서 읽어 봅시다.

②~⑤ #사례-원리 연결 #재진술

'중국어 방'이라는 곳을 상정하고 있습니다. 단어의 의미 그대로 '중국어'만 쓰는 '방'(room)인 것 같은데, 이곳에 중국어를 모르는 한 사람만 있는 상황이에요. 그리고 그 사람은 중국어로 된 '입력'이 들어오면 정해진 규칙에 따라 중국어로 된 '출력'을 내놓는다고 해요. 이 사람은 중국어를 모르지만, '입력→출력'이라는 '함수적 역할'(=기능) 자체는 중국어를 아는 사람과 똑같이 하고 있습니다. '설'이 비판하고 있는 '기능주의'의 입장에 따르면, 이렇게 '기능'이 같은 경우 이들이 '의식' 상태도 모두 같아야 합니다. '의식=기능'이니까요! 그런데 '설'의 사고 실험에 따르면, '입력→출력'이라는 '기능'은 같지만 중국어를 안다/모른다는 '의식'은 다른 사례가 존재하게 됩니다. 결국 '의식=기능'이라는 '기능주의'의 입장을 멋지게 반박하는 사례가 되는 것이네요.

이렇게 '기능주의'의 입장을 가져와서 '설'의 비판을 이해할 수 있어야 합니다. 비판은 결국 해당 입장의 '주장'을 공격하는 것이니까요.

하이라이트 문장

> ①설(Searle)은 기능주의를 반박하는 사고 실험을 제시한다.

어떠한 주장을 반박하려면, 일단 그 주장이 무엇인지 정확히 체크해야 합니다. 이 문장을 읽고, '기능주의'의 주장이 무엇이었는지 한 번 더 생각했어야 해요.

(가) 3문단

> ①동일론, 기능주의, 설은 모두 의식에 대한 논의를 의식을 구현하는 몸의 내부로만 한정하고 있다. ②하지만 의식의 하나인 '인지' 즉 '무언가를 알게 됨'은 몸 바깥에서 일어나는 일과 맞물려 벌어진다. ③기억나지 않는 정보를 노트북에 저장된 파일을 열람하여 확인하는 것이 한 예이다. ④로랜즈의 확장 인지 이론은 이를 설명하는 이론이다.

① #비교/대조 #카테고리 나누기

지금까지 나온 '동일론', '기능주의', '설'의 주장을 하나로 묶어 주고 있습니다. 바로 '의식'에 대한 논의를 '몸의 내부'로만 한정하고 있다는 것이죠. 우리가 생각하지 못했던 세 주장의 '공통점'에 해당하니, 정확하게 체크하는 것이 중요하겠죠? 나아가 앞으로는 '몸의 외부'까지 고려하는 입장이 나올 것이라고 생각하며 카테고리를 나눠 주는 것이 중요하겠습니다.

②~④ #카테고리 나누기 #사례-원리 연결 #단어의 의미 살리기

우리의 예상대로, '몸 바깥'과 관련해서 '의식'을 설명하는 입장이 나오고 있습니다. 정확히는 '의식'의 하나인 '인지'에 대한 설명이네요. 3번 문장에서는 '노트북 파일 열람'이라는 '몸 바깥'에서 일어나는 일을 바탕으로 '기억나지 않던 정보 확인'이라는 '인지' 과정이 나타나는 사례를 제시하고 있습니다. 충분히 납득 가능한 내용이죠?

어쨌든, 이렇게 '몸 바깥'에서 일어나는 '인지' 과정에 대해 다룬 이론이 '로랜즈'의 '확장 인지 이론'이라고 합니다. 단어의 의미 그대로, '몸 바깥'으로 '확장'해서 '인지'를 설명하는 '이론'인 것 같네요. 기대하면서 읽어 보도록 합시다.

하이라이트 문장

> ①동일론, 기능주의, 설은 모두 의식에 대한 논의를 의식을 구현하는 몸의 내부로만 한정하고 있다.

공통점을 체크하게 해 주고, 카테고리를 나눠 주는 문장입니다. 능동적으로 정보를 받아들이면서 이와 같은 생각을 할 수 있어야 합니다.

(가) 4문단 (1)

> ①그에 따르면 인지 과정은 주체에게 '심적 상태'가 생겨나게 하는 과정이다. ②기억이나 믿음이 심적 상태의 예이다. ③심적 상태는 어떤 것에도 의존함이 없이 주체에게 의미를 나타낸다. ④예를 들어, 무언가를 기억하는 사람은 자기의 기억이 무엇인지 알아보기 위해 아무것에도 의존할 필요가 없다. ⑤이와 달리 '파생적 상태'는 주체의 해석에 의존해서만 또는 사회적 합의에 의존해서만 의미를 나타내는 상태로 정의된다. ⑥앞의 예에서 노트북에 저장된 정보는 전자적 신호가 나열된 상태로서 파생적 상태이다. ⑦주체에 의해 열람된 후에도 노트북의 정보는 여전히 파생적 상태이다. ⑧하지만 열람 후 주체에게는 기억이 생겨난다.

'로랜즈'는 '인지 과정'을 주체에게 '심적 상태'가 생겨나게 하는 과정으로 설명합니다. 당장 무슨 말인지는 모르겠지만, '인지 과정'이라는 중요 개념의 정의이니 확실하게 체크할 수 있어야 합니다.

'기억'이나 '믿음'이 '심적 상태'의 예라고 하는데, '심적 상태'는 단어의 의미 그대로 주체의 '심적'인 '상태'를 의미하는 것 같습니다. 어떤 것에도 의존함이 없이 주체에게 의미를 나타낸다는 것은, 다른 무엇도 아닌 주체의 '심적'인 '상태'로 그 의미가 존재한다는 것이니까요. 4번 문장에서도 이야기하듯이, '기억'이라는 '심적 상태'를 가지고 있다면 무엇에도 의존하지 않고 본인의 '심적'인 '상태'로 그 '기억'이라는 '의미'를 떠올릴 수 있겠죠?

핵심은, 이렇게 주체의 '심적'인 '상태'로 존재하는 의미를 생성하게 하는 과정이 바로 '로랜즈'가 말하는 '인지 과정'이라는 것입니다. 이 정의를 확실하게 잡아 놓은 상태로 계속 읽어 봅시다.

다음은 '파생적 상태'입니다. 이 개념은 단어의 의미 그대로, 주체의 해석 혹은 사회적 합의에 의존해야만 의미가 나타나는 '파생적'인 '상태'를 뜻합니다. 3문단에 제시되었던 '노트북' 사례를 끌고 와서 자세히 설명하고 있는데, '노트북'에 저장된 정보는 '파생적 상태'라고 합니다. 노트북 사용자와 같은 '주체의 해석'이 있어야만 비로소 그 의미가 만들어지는 것이니까요! 그런데 이렇게 '주체의 해석'을 거친 뒤에도, 노트북의 정보는 여전히 '파생적 상태'라고 합니다. '주체의 해석'을 거치면 주체에게 '기억'이라는 '심적 상태'가 생겨날 뿐, 노트북의 정보가 '심적 상태'로 변환되는 것은 아니라는 것이죠. 이 정도의 사례-원리 연결은 충분히 납득할 수 있겠죠?

그런데 '로랜즈'가 말한 '인지 과정'은 주체에게 '심적 상태'가 생겨나게 하는 과정이었습니다. 도대체 '파생적 상태'라는 정보가 왜 나온 것인가 했더니, '심적 상태'는 '몸의 내부'에서만 생겨나는 것이 아니라 '파생적 상태'와 같은 '몸 바깥'에서도 생겨날 수 있다는 식으로 이해할 수 있네요. 결국 우리가 읽고 있는 '로랜즈'의 '확장 인지 이론'은 '몸 바깥'에서 일어나는 일과 엮어서 '의식'을 설명한다는 카테고리 속의 정보였기 때문에, '파생적 상태=몸 바깥'과 같은 방식으로 이해할 수 있는 것이죠. 이런 식으로 '화제의 흐름'을 생각하며 '파생적 상태'와 같은 정보의 '역할'을 생각할 수 있어야 합니다.

하이라이트 문장

> ① 그에 따르면 인지 과정은 주체에게 '심적 상태'가 생겨나게 하는 과정이다.

'확장 인지 이론'이라는 새로운 카테고리에서의 핵심 개념을 정의하고 있습니다. '심적 상태'가 무엇인지, 그리고 '심적 상태'가 생겨나게 하는 과정이 무슨 뜻인지 궁금해하면서 읽어야겠다는 생각을 했어야 해요.

(가) 4문단 (2)

> ⑨로랜즈에게 **인지 과정**은 파생적 상태가 심적 상태로 변환되는 과정이 아니라, 파생적 상태를 조작함으로써 심적 상태를 생겨나게 하는 과정이다. ⑩심적 상태가 주체의 몸 외부로 확장되는 것이 아니라, 심적 상태를 생겨나게 하는 인지 과정이 확장되는 것이다. ⑪이러한 확장된 인지 과정은 인지 주체의 것일 때에만, 다시 말해 환경의 변화를 탐지하고 그에 맞춰 행위를 조절하는 주체와 통합되어 있을 때에만 성립할 수 있다. ⑫즉 로랜즈에게 주체 없는 인지란 있을 수 없다. ⑬확장 인지 이론은 의식의 문제를 몸 안으로 한정하지 않고 바깥으로까지 넓혀 설명한다는 의의를 지닌다.

'로랜즈'의 '인지 과정'을 한 번 더 설명하고 있습니다. 우리가 이해한 바에 따르면, '로랜즈'의 '인지 과정'은 '파생적 상태'에서 '심적 상태'가 만들어지는 것이었습니다. 9번 문장은 이를 정확하게 짚어주고 있네요. 핵심은 노트북 속 정보와 같은 '파생적 상태'가 '심적 상태'로 변환되는 것이 아니라, '파생적 상태'로부터 '심적 상태'라는 새로운 요소가 만들어지는 것이라는 점입니다. 10번 문장에서 이야기하는 것처럼, '심적 상태'가 '몸 외부'로 확장되는 것이 아니라 '심적 상태'를 생겨나게 하는 '인지 과정' 자체가 '몸 외부'(=파생적 상태)로부터도 일어날 수 있는 것으로 확장되는 것이죠.

결국 '로랜즈'는 '인지 과정'이 '심적 상태'가 생겨나게 하는 과정이라는 말만 반복하고 있는 것입니다. 다만 '심적 상태'가 생겨나게 하는 과정에 '파생적 상태'라는 '몸 외부'도 관여할 수 있다는 말을 덧붙인 것이죠. 이렇게 결국 다 같은 말을 하고 있었다는 것을 확실하게 인식할 수 있으면 좋겠습니다.

계속해서 같은 말입니다. '로랜즈'는 '인지 과정'을 '몸 바깥'의 상황까지 '확장'한 것인데, 어쨌든 이러한 '인지 과정'은 '인지 주체'의 것일 때에만 성립할 수 있겠죠. '인지 과정'은 '심적 상태'를 만드는 것인데, '심적 상태'는 '인지 주체'가 무엇에도 의존하지 않고 의미를 만들 수 있는 것이니까요.

'환경의 변화를 탐지 ~ 주체와 통합'이라는 역시 어렵게 생각할 필요 없이, 다 같은 말로 처리하면 됩니다. '환경의 변화를 탐지하고 그에 맞춰 행위를 조절'하는 것이 곧 '주체'이고, 이러한 '주체'와 '인지 과정'이 통합되어 있을 때에만 '심적 상태'라는 것을 만들 수 있다는 것이죠. 굉장히 현학적인 말들을 하는 것처럼 보이지만, 결국 하고자 하는 말은 다 같다는 것! 인문 지문의 기본 독해 포인트라고 했죠?

이렇게 읽어 주시면, 12번 문장 역시 너무나 당연한 재진술입니다. '주체'가 없으면 '심적 상태'도 없고, '인지 과정'이라는 것도 존재할 수 없는 것이에요. 어쨌든 이 '인지 과정'에 '몸 바깥'이 관여할 수 있다는 식으로 '확장'한 것이 '로랜즈'의 이론이 가진 의의였습니다.

하이라이트 문장

> ⑪이러한 확장된 인지 과정은 인지 주체의 것일 때에만, 다시 말해 환경의 변화를 탐지하고 그에 맞춰 행위를 조절하는 주체와 통합되어 있을 때에만 성립할 수 있다.

무언가 복잡한 이야기를 하는 것처럼 보여도, 인문 지문에서는 결국 다 같은 말만 한다고 했습니다. '로랜즈'가 말한 '인지 과정'의 정의를 생각하며 읽으면 다 같은 말로 뚫어낼 수 있어요! 이러한 태도를 계속해서 갈고 닦도록 합시다.

(나) 1문단

> ①일반적으로 **'지각'**이란 몸의 감각 기관을 통해 사물에 대해 아는 것을 의미한다. ②이러한 지각을 분석할 때 두 가지 사실에 직면한다. ③첫째, 그 사물과 내 몸은 물질세계에 있다. ④둘째, 그 사물에 대한 나의 의식은 물질세계가 아닌 다른 세계에 있다. ⑤즉 몸으로서의 나는 사물과 같은 세계에 속하는 동시에 의식으로서의 나는 사물과 다른 세계에 속한다.

① #정의 제시 #재진술

'지각'이라는 개념을 정의하면서 시작하고 있습니다. 우리가 알고 있는 내용처럼, 몸의 '감각 기관'을 통해 사물에 대해 아는 것이 '지각'의 정의예요. '로랜즈'가 말한 '인지'와 비슷한 개념인 것 같습니다. '인지'라는 것은 '심적 상태'라는 의미를 만들어내는 것인데, 어떠한 사물에 대해 아는 것도 그 사물에 대한 '기억'이나 '믿음' 같은 '심적 상태'를 만드는 것이라고 할 수 있으니까요. 나아가 '파생적 상태'를 조작하는 것도 눈과 같은 '감각 기관'을 이용하는 것이니, 여러모로 '인지'와 '지각'이 비슷하다는 생각을 할 수 있겠습니다. 이렇게 (가)와 (나)를 최대한 엮어 가면서 독해하는 습관이 필요합니다.

②~⑤ #주장 제시 #재진술 #비교/대조

(나)의 글쓴이에 따르면, '지각'을 분석할 때 두 가지 사실에 직면한다고 합니다. 먼저 '사물'과 내 '몸'이 '물질세계'에 있다는 것이에요. (가)에서 '물질'을 '실리콘 칩'이나 '뇌'처럼 눈으로 볼 수 있고 만질 수 있는 것으로 설명했다는 걸 생각하면 충분히 납득할 수 있는 내용입니다.

두 번째 사실은 나의 '의식'은 '물질세계'가 아닌 다른 세계에 있다는 것입니다. 이는 '동일론'과 같은 입장에서는 도저히 인정할 수 없는 내용이겠죠? '동일론'은 '의식'과 '물질'이 '동일'하다고 했으니까요. 뭐 어쨌든 '의식'이 '물질'과 다른 곳에 존재한다는 건 상식적으로 납득이 가능하니, 그렇다고 칩시다.

이에 따르면, '몸으로서의 나'는 사물과 같은 세계(물질세계)에 속하게 되지만, '의식으로서의 나'는 사물과 다른 세계에 속하게 된다고 해요. 두 사실을 요약한 것에 불과하니, 어렵지 않게 납득할 수 있겠습니다. '로랜즈'가 말한 '인지'와 거의 같은 말로 제시된 '지각'에 대한 내용입니다. 이러한 화제 정확하게 인식하고 계속 읽어 봅시다.

하이라이트 문장

> ①일반적으로 '지각'이란 몸의 감각 기관을 통해 사물에 대해 아는 것을 의미한다.

단순히 '지각'의 정의를 체크하는 것을 넘어서, 그 정의가 (가)에 제시된 '인지'의 정의와 비슷하다는 것을 생각할 수 있어야 합니다. (가)와 (나)는 사실상 한 지문이니, 엮어 읽는 태도를 절대 잊으면 안 돼요!

(나) 2문단

> ①이에 대한 객관주의 철학의 입장은 두 가지로 나뉜다. ②의식을 포함한 모든 것을 물질로 환원하여 의식은 물질에 불과하다고 주장하거나, 의식을 물질과 구분되는 독자적 실체로 규정함으로써 의식과 물질의 본질적 차이를 주장한다. ③**전자에 의하면 지각**은 사물로부터의 감각 자극에 따른 주체의 물질적 반응으로 이해되며, **후자에 의하면 지각**은 감각된 사물에 대한 주체 즉 의식의 판단으로 이해된다. ④이처럼 양자 모두 주체와 대상의 분리를 전제하고 지각을 이해한다. ⑤주체와 대상은 지각 이전에 이미 확정되어 각각 존재한다는 것이다.

①~③ #주장 제시 #재진술

'객관주의 철학'의 입장 두 가지를 설명하고 있습니다. 여기서 (가)에 나온 개념들의 정의를 생각하면, '의식은 물질에 불과하다고 주장'하는 전자의 입장은 '동일론'으로, '의식과 물질의 본질적 차이를 주장'하는 후자의 입장은 '기능주의'로 읽어낼 수 있겠죠? 결국 '동일론'과 '기능주의'는 '객관주의 철학'의 입장이라는 새로운 정보를 얻을 수 있겠네요.

어쨌든, '동일론'과 같은 입장에 따르면 '지각'이란 '감각 자극'에 따른 '주체의 물질적 반응'입니다. '의식'도 결국 '물질'에 불과하기 때문에, '감각'이라는 '의식'의 작용은 '물질적 반응'과 다름없다는 것이죠. 한편 '기능주의'와 같은 입장에 따르면, '지각'이란 '감각'된 사물에 대한 '주체 즉 의식의 판단'입니다. 중요한 것은 '판단'이라는 단어겠죠? '기능주의'는 '의식'이 '기능'의 역할을 하면서, 입력이 들어오면 출력을 내놓는 방식으로 '판단'하는 함수적 역할을 한다고 주장했으니까요.

| 생각 심화 |

이때, '동일론'은 1문단에서 말한 '몸으로서의 나'를 주체로 설정했고, '기능주의'는 1문단에서 말한 '의식으로서의 나'를 주체로 설정했다는 것을 읽어낼 수 있으면 좋겠습니다. '동일론'은 '나'라는 주체와 사물이 '물질세계'라는 같은 세계에 속하니 '지각'을 '물질적 반응'을 하는 것으로 이해하는 것이고, '기능주의'는 '나'라는 주체의 '의식'이 서로 다른 세계에 속하는 사물에 대해 '판단'하는 것으로 '지각'을 이해하는 것이죠. 서로 다른 세계에 있으니, 물질적으로 직접 '반응'하지 못하고 멀리서 '판단'할 수밖에 없다는 것입니다. 시험장에서 생각하기 어려운 부분이기는 하지만, 인문 지문의 재진술이 얼마나 지독하게 엮여 있는지 느껴보시기 바랍니다.

④~⑤ #화제의 흐름 #재진술

이렇게 '동일론'과 '기능주의'의 차이점에 다시 주목하면서 글을 읽고 있는데, 화제의 흐름을 정확하게 설정하고 있습니다. 양자 모두 '주체와 대상의 분리'를 전제하고 '지각'을 이해했다는 이야기를 하고 있어요. 이 문장을 읽기 전에는 생각하지 못했던 내용인데, 가만히 생각해 보니 전자와 후자 모두 '주체'가 '사물'을 '지각'한다는 이야기를 하고 있었습니다. 5번 문장에서 말하는 것처럼, '지각'을 하기 전에 '주체'와 '대상'(=사물)이 이미 확정되어 각각 존재하는 것이고, '주체'는 그 '대상'을 '감각'한다는 것이죠.

사실 이게 당연한 이야기처럼 느껴지는데, (나)의 글쓴이는 이러한 내용을 인정하지 않을 것입니다. 즉, '주체'와 '대상'이 '지각' 이전에는 각각 존재하는 것이 아니라는 주장을 펼치는 것입니다. 이러한 흐름을 정확하게 체크하고, 이 주장을 어떻게 이어가는지 궁금해하면서 읽어 보도록 합시다.

하이라이트 문장

> ④이처럼 양자 모두 주체와 대상의 분리를 전제하고 지각을 이해한다.

화제의 흐름을 정확하게 잡아 주는 문장입니다. (나)의 글쓴이는 '주체와 대상의 분리'를 부정한다는 것을 생각하면서 읽어야 합니다. 인문 지문이니만큼, 다음 문단에서도 이 말만 할 것이니까요.

(나) 3문단

> ①하지만 **지각**은 주체와 대상이 각자로서 존재하기 이전에 나타나는 얽힘의 체험이다. ②예를 들어 다른 사람과 손이 맞닿을 때 내가 누군가의 손을 만지는 동시에 나의 손 역시 누군가에 의해 만져진다. ③감각하는 것이 동시에 감각되는 것이 되는 얽힘의 순간에, 나는 나와 대상을 확연히 구분한다. ④지각이라는 얽힘의 작용이 있어야 주체와 대상이 분리될 수 있다. ⑤다시 말해 주체와 대상은 지각이 일어난 이후 비로소 확정된다. ⑥따라서 지각과 감각은 서로 구분되지 않는다.

①~③ #주장 제시 #사례-원리 연결

다시 한번 '지각'에 대해 설명하고 있습니다. (나)의 글쓴이가 보기에, '지각'은 '주체'와 '대상'이 각자로서 존재하기 이전에 나타나는 '얽힘'의 경험이라고 해요. 우리가 앞서 생각한 내용과 똑같이 흘러가고 있죠? 결국 (나)의 글쓴이는 이 한마디를 하고 싶었던 것입니다.

2번~3번 문장의 사례를 이용하면, 추상적이기만 했던 (나)의 글쓴이의 주장을 조금은 구체적으로 이해할 수 있을 것 같습니다. 우리가 다른 사람의 손을 만지는 순간, 우리는 '나'라는 '주체'가 '다른 사람'이라는 '대상'을 감각했다고 생각합니다. 하지만 그 사람이라는 '주체' 입장에서는 '나'라는 '대상'을 감각한 것이죠? 이는 '감각하는 것이 동시에 감각되는 것이 되는 얽힘의 순간'인데, 이 순간이 일어나야만 비로소 '주체'와 '대상'이 분리될 수 있는 것입니다. '얽힘'이 일어나기 전에는 '나'와 '다른 사람' 중에 누가 '주체'이고 누가 '대상'인지 정해져 있는 것이 아니라는 거예요!

④~⑤ #재진술

계속해서 똑같은 말로 이해시키고 있습니다. 3번 문장에서는 '얽힘'을 '감각하는 것이 동시에 감각되는 것이 되는 순간'으로 정의했는데, 4번 문장에서는 '얽힘'을 '지각'으로 정의하고 있어요. 결국 '지각=감각 기관을 통해 사물에 대해 아는 것=감각하는 것이 동시에 감각되는 것이 되는 순간=얽힘=주체와 대상이 구분되기 시작하는 순간'

이라는 엄청난 재진술이 만들어지는 것이네요. 5번 문장에서 이야기 하는 것처럼, 누가 '주체'이고 누가 '대상'인지는 '지각'이라는 '얽힘' 이 일어난 이후에나 확정된다는 것이죠.

⑥ #재진술

지금까지 (나)의 글쓴이는 '지각을 해야 비로소 주체와 대상이 구분 된다.'는 이야기만 하고 있었습니다. 다시 말해, '얽힘'의 순간인 '지 각'은 곧 '감각'이 만나는 순간이기에, '지각'과 '감각'은 서로 구분되 지 않는다는 것입니다.

여기서 그냥 넘어가면 안 됩니다. 이에 따르면, 이전에는 '지각'과 '감 각'을 구분된다고 보았다는 것을 알 수 있습니다. 실제로 '동일론'과 '기능주의'의 입장을 보면, '지각'은 '주체'의 것으로, '감각'은 '대상' 에 대한 것으로 이분화하고 있는 것을 알 수 있어요. 심지어 (나)의 첫 문장에서도 '일반적'으로 '지각'을 '감각 기관'을 통해 하는 것으로 정의하면서, '지각'과 '감각'을 구분하는 모습을 보였음을 밝히고 있 죠. (나)의 글쓴이는 이러한 통념에 도전하면서, '지각'과 '감각'이 사 실은 하나의 과정이라는 이야기를 하는 것입니다. 애초에 '지각=감 각=얽힘'의 순간 전에는 '주체'와 '대상'이 무엇인지 확정되지 않으니 까요! 끝까지 똑같은 말만 하고 있다는 게 느껴지시죠?

하이라이트 문장

> ⑥따라서 지각과 감각은 서로 구분되지 않는다.

이 문장을 읽자마자 당연한 말로 납득할 수 있어야 합니다. (나)의 글 쓴이의 주장은 결국 디 같은 말로 이루어져 있는데, 그 흐름을 잘 체 크하면서 읽었다면 '지각'과 '감각'이 왜 구분되지 않는다고 하는지 한 번에 생각할 수 있었을 거예요!

(나) 4문단

> ①지각은 물질적 반응이나 의식의 판단이 아니라, 내 몸의 체험이다. ②지각은 나의 몸에 의해 이루어지는 것 이고, 지각이 이루어지게 하는 것은 모두 나의 몸이다.

①~② #재진술

'지각'은 '물질적 반응'(동일론의 주장)이나 '의식의 판단'(기능주의의 주장)이 아니라, '내 몸의 체험'이라고 합니다. 여기서 '내 몸의 체험' 은 곧 '감각'을 의미한다고 할 수 있겠죠? '지각'이라는 과정은 결국 '감각'에 의해 이루어지는 것이고, '지각'이 이루어지게 하는 것은 '감 각'밖에는 없다는 이야기를 하면서 마무리하고 있습니다. '감각'이 만 나는 '얽힘'의 순간이 '지각'이고, 그때서야 비로소 '주체'와 '대상'이 구분된다는 주장을 정확히 체크한 채로 마무리할 수 있어야 합니다.

선지	①	②	③	④	⑤
선택률	65%	5%	9%	19%	2%

10 다음은 윗글을 읽은 학생이 정리한 내용이다. ㉮와 ㉯에 들어갈 말로 가장 적절한 것은? ①

> (가)는 기능주의를 소개한 후 ㉮ 은/는 같지 않 다는 설(Searle)의 비판을 제시하고 있다. 그리고 인지 과정이 몸바깥으로까지 확장된다고 주장하는 확장 인지 이론을 설명하고 있다. (나)는 인지 중에서도 감각 기관 을 통한 인지, 즉 지각을 주제로 하고 있다. (나)는 지각 에 대한 객관주의 철학의 입장을 비판하고, ㉯ 으 로서의 지각을 주장하고 있다.

– 지문의 내용을 전체적으로 정리하는 문제입니다. ㉮와 ㉯에 들어 갈 말이 무엇일지 하나하나 생각해 봅시다.

㉮ : ㉮에 들어갈 말은 '설'의 비판 내용입니다. '설'은 '기능주의'를 비판했는데, 그 내용은 '입력→출력'이라는 '기능'이 같으면서 중국어 사용 능력과 같은 '의식'은 다른 사례가 있다는 것이었어요. 즉, '기 능'과 '의식'이 같지 않다는 비판인데, 여기서 '기능'은 곧 '함수적 역 할'과 같은 말이었습니다. 따라서 ㉮에 들어갈 말은 '의식과 함수적 역할'이 되겠네요.

㉯ : ㉯에 들어갈 말은 (나)가 주장하는 '지각'입니다. (나)의 글쓴이 는 '지각'을 '감각', 즉 '내 몸의 체험'이라고 주장했어요. 그러면서 다 른 선지에 있는 '물질적 반응'(동일론의 주장)이나 '의식의 판단'(기 능주의의 주장)은 '지각'이 아니라고 주장했죠? 따라서 ㉯에 들어갈 말은 '내 몸의 체험'이 되겠네요.

'설'과 (나)의 글쓴이의 주장을 정확하게 이해하고 있는지 묻는 문제 였습니다. 인문 지문에서 한 인물은 결국 하나의 주장만 한다는 것을 생각하면서 가볍게 해결할 수 있도록 합시다.

선지	①	②	③	④	⑤
선택률	7%	6%	60%	15%	12%

11 (가)에서 알 수 있는 내용으로 적절하지 않은 것은? ③

> ① 동일론자들은 뇌가 존재하지 않으면 의식도 존재하지 않는다고 볼 것이다.

명시적 근거	(가) 1문단 1번 문장
실전에서의 판단 과정	뇌랑 의식은 같은 것이라고 했지.

해설	'동일론'은 '의식'이 '뇌'의 물질적 상태와 동일하다고 보는 입장이었습니다. 이들의 입장에서는 '뇌'가 존재하지 않으면 그와 '동일'한 '의식'도 존재하지 않는 것이겠죠.

② 설(Searle)은 '중국어 방' 안의 사람과 중국어를 아는 사람의 의식이 다르다고 볼 것이다.

명시적 근거	(가) 2문단 5번 문장
실전에서의 판단 과정	의식이 다르다는 게 핵심이지.
해설	'설'의 사고 실험의 핵심은 '중국어 방' 안의 중국어를 모르는 사람과 아는 사람의 '의식'은 다르지만 '기능'은 같다는 것입니다. 가장 중요한 내용을 선지화시킨 모습이네요.

③ 로랜즈는 기억이 주체의 몸 바깥으로 확장될 수 있다고 볼 것이다.

명시적 근거	(가) 4문단 2번 문장, (가) 4문단 10번 문장
실전에서의 판단 과정	심적 상태가 몸 외부로 확장되는 건 아니라며.
해설	'로랜즈'가 한 주장의 핵심을 묻고 있습니다. '로랜즈'는 '기억'과 같은 '심적 상태'가 '파생적 상태'와 같은 '몸 외부'로부터 생겨날 수 있다는 식으로 '인지'를 '확장'한 것이지, '기억'과 같은 '심적 상태'가 '몸 외부'로 '확장'된다는 이야기를 한 것이 아니었어요. 끝없는 재진술을 바탕으로 '로랜즈'의 주장을 완벽하게 이해할 것을 요구한 선지였습니다.

④ 로랜즈는 인지 과정이 파생적 상태를 조작하는 과정을 포함한다고 볼 것이다.

명시적 근거	(가) 4문단 9번 문장
실전에서의 판단 과정	이게 확장이었지.
해설	'로랜즈'는 '파생적 상태'와 같은 '몸 외부'를 조작하여 '심적 상태'를 만드는 '확장'된 '인지 과정'이 있음을 주장했습니다. 3번 선지와 비교해서 확실하게 이해할 수 있어야 해요.

⑤ 로랜즈는 노트북에 저장된 정보가 그 자체로는 심적 상태가 아니라고 볼 것이다.

명시적 근거	(가) 4문단 6번 문장
실전에서의 판단 과정	노트북에 저장된 정보는 파생적 상태지.

해설	'로랜즈'에 따르면, 노트북과 같은 '몸 외부'에 저장되어 '주체의 해석'에 의존해야만 의미가 생성되는 것들은 '파생적 상태'입니다. 주체가 이를 해석해서 '심적 상태'를 만들어 내는 것일 뿐이죠.

선지	①	②	③	④	⑤
선택률	37%	13%	16%	20%	14%

12 (나)의 필자의 관점에서 ㉠을 평가한 내용으로 가장 적절한 것은? ①

> ㉠확장된 인지 과정은 인지 주체의 것일 때에만, 다시 말해 환경의 변화를 탐지하고 그에 맞춰 행위를 조절하는 주체와 통합되어 있을 때에만 성립할 수 있다.

– 일종의 비판 문제입니다. 비록 '평가'를 하라고 했기 때문에 '옹호'하는 것인지 '비판'하는 것인지는 생각해 보아야겠지만, 핵심은 (나)의 글쓴이의 주장과 ㉠을 이야기한 '로랜즈'의 주장을 정확하게 이해하고 정답을 주관식으로 생각할 수 있어야 한다는 것이에요.

일단 ㉠의 내용부터 이해해 봅시다. ㉠의 핵심은 '확장된 인지 과정', 즉 '몸 외부'로부터 '심적 상태'를 만들 때 '주체'가 그 과정에 통합되어 있어야 한다는 내용입니다. '심적 상태'를 만들려면 그 상태가 들어갈 '주체'가 필요하다는 것이었죠.

그런데 (나)의 글쓴이에 따르면, '인지'라는 '지각' 과정은 '주체'가 결정되기 전에 일어나는 것입니다. 즉, '주체'를 전제해야만 '인지'(=지각)를 설명할 수 있다는 ㉠에 대해서 '비판'적인 입장이라는 것이에요. 결국 주관식으로 답을 찾으면, "'인지'의 과정 전에 '주체'를 전제하고 있으니 잘못된 것이야!"라는 내용이 되겠습니다. 이와 같은 말을 하는 선지를 답으로 고르면 됩니다!

① 확장된 인지 과정이 인지 주체의 것일 때에만 성립할 수 있다는 주장은, 지각 이전에 확정된 주체를 전제한 것이므로 타당하지 않다.

명시적 근거	(가) 4문단 11번 문장, (나) 3문단 5번 문장
실전에서의 판단 과정	미리 생각한 내용이네.
해설	우리가 주관식으로 생각한 내용과 똑같은 말을 하고 있습니다. 핵심은 '지각'(=인지) 이전에 '주체'를 전제하고 있다는 것이에요!

② 확장된 인지 과정이 인지 주체의 것일 때에만 성립할 수 있다는 주장은, 의식이 세계를 구성하는 독자적 실체라고 규정하는 것이므로 타당하다.

명시적 근거	(가) 4문단 11번 문장, (나) 2문단 2번 문장
실전에서의 판단 과정	타당하다고 하면 안 되지.
해설	일단 (나)의 글쓴이는 ㉠을 비판해야 하기 때문에, '타당하다'고 평가한 선지들은 모두 틀렸다고 해야 합니다. 나아가 이 선지에서는 '의식이 세계를 구성하는 독자적 실체라고 규정'하는 '기능주의'의 입장을 가지고 ㉠을 평가하고 있죠? 총체적으로 틀린 선지네요.

③ 주체와 통합된 경우에만 확장된 인지 과정이 성립할 수 있다는 주장은, 의식은 물질에 불과하다고 본 것이므로 타당하다.

명시적 근거	(가) 4문단 11번 문장, (나) 2문단 2번 문장
실전에서의 판단 과정	타당하다고 하면 안 되지.
해설	2번 선지와 거의 똑같은 선지죠? 일단 '타당하다'고 평가한 데에서 틀린 선지인데다, 이번엔 '기능주의'가 아니라 '동일론'의 입장을 가지고 ㉠을 평가하고 있네요.

④ 주체와 통합된 경우에만 확장된 인지 과정이 성립할 수 있다는 주장은, 외부 세계에 대한 지각이 이루어질 수 없다고 보는 것이므로 타당하지 않다.

명시적 근거	(가) 4문단 11번 문장, (나) 전체
실전에서의 판단 과정	지각이 왜 안 이루어져.
해설	일단 '타당하지 않다'고 평가한 것은 좋은데, 외부 세계에 대한 지각이 이루어질 수 없다고 한 것은 ㉠의 주장을 잘못 이해한 것이죠? ㉠을 주장한 '로랜즈'는 '지각'이 어떻게 이루어지는지 계속 설명하고 있었어요. 비록 (나)의 글쓴이의 주장과 달리 '주체'가 전제되어야 한다고 본 것이지만요. 나아가 선지 자체도 모순입니다. 주체와 통합된 경우에 확장된 '인지' 과정이 성립할 수 있다면, 주체와 통합된다는 특정 조건하에서는 외부 세계에 대한 지각이 이루어질 수 있다는 이야기가 되니까요. 여러모로 틀린 선지네요.

⑤ 주체와 통합된 경우에만 확장된 인지 과정이 성립할 수 있다는 주장은, 주체와 대상의 분리를 통해서만 지각이 이루어질 수 있다고 보는 것이므로 타당하다.

명시적 근거	(가) 4문단 11번 문장, (나) 3문단 5번 문장
실전에서의 판단 과정	타당하다고 하면 안 되지.
해설	'타당하다'를 '타당하지 않다'로 바꾸면 맞는 선지가 될 수 있었던 선지입니다. (나)의 글쓴이는 '주체와 대상의 분리'를 통해서만 '지각'이 이루어진다는 의견에 동의하지 않았으니까요. 실전에서는 '타당하다.'만 보고 지울 수 있어야 합니다!

선지	①	②	③	④	⑤
선택률	4%	69%	9%	13%	5%

13 ㉡의 이유로 가장 적절한 것은? ②

> ㉡지각과 감각은 서로 구분되지 않는다.

– 이번에도 미리 답을 생각하고 가야 합니다. '지각'은 '주체'에, '감각'은 '대상'에 대응되면서 구분되는 개념이 아니라, '감각'이 만나는 '얽힘'의 순간에 '지각'이 일어나는 식으로 구분되지 않는 개념이었습니다. 결국 "지각과 감각은 동시에 일어나기 때문이다."와 같은 내용을 답으로 고르면 되겠네요.

① 감각과 지각 모두 물질세계에서 이루어지기 때문에

명시적 근거	(나) 2문단 2번 문장
실전에서의 판단 과정	이건 동일론 생각이지.
해설	물질세계에 존재하는 대상을 '감각'하는 주체의 반응이 '지각'이라는 것, '동일론'의 주장이었습니다. ㉡의 이유는 결국 (나)의 글쓴이의 주장과 관련되기 때문에 틀린 선지네요.

② 감각하는 것이 동시에 감각되는 것이 되는 얽힘의 작용이 지각이기 때문에

명시적 근거	(나) 3문단 전체
실전에서의 판단 과정	미리 생각한 내용이네.
해설	'감각'이 만나는 '얽힘'이 작용이 '지각'이라는 것. (나)의 핵심적인 주장이었습니다. 우리가 미리 생각한 ㉡의 이유와 일맥상통하네요.

③ 지각은 몸에 의해 이루어지지만 감각은 몸에 의해 이루어지지 않기 때문에

명시적 근거	(나) 3문단 6번 문장, (나) 4문단 전체
실전에서의 판단 과정	지각이랑 감각은 같은 건데?
해설	(나)의 글쓴이에 따르면 '지각'과 '감각'은 구분되지 않는 개념입니다. 이는 '지각'이 '감각'이라는 '내 몸의 체험'이라고 재진술한 4문단에서도 반복되는 내용이었죠? (나)의 글쓴이의 주장을 무시한 것이기 때문에 ⓒ의 이유로 적절하지 않습니다.

④ 지각은 의식으로서의 주체가 외부의 대상을 감각하여 판단한 결과이기 때문에

명시적 근거	(나) 3문단 5번 문장
실전에서의 판단 과정	주체와 대상의 분리는 지각 이후에 일어나는 거지.
해설	(나)의 화제를 정반대로 이해한 선지입니다. (나)의 글쓴이는 '지각'을 해야 비로소 '주체'와 '대상'이 분리된다고 했어요. 의식으로서의 '주체'가 외부의 '대상'을 '감각'한 '결과'가 '지각'이라는 건 이 주장을 정반대로 써 놓은 것이죠.

⑤ 주체와 대상이 분리되기 이전에 감각과 지각이 분리된 채로 존재하기 때문에

명시적 근거	(나) 3문단 5번 문장
실전에서의 판단 과정	주체와 대상의 분리는 지각 이후에 일어난다고!
해설	4번 선지와 똑같은 선지죠? (나)의 글쓴이의 주장을 정반대로 이해한 내용입니다.

선지	①	②	③	④	⑤
선택률	7%	9%	57%	17%	10%

14 (가), (나)를 바탕으로 〈보기〉의 상황을 이해한 내용으로 적절하지 않은 것은? [3점] ③

──────[보기]──────

　빛이 완전히 차단된 암실에 A와 B 두 명의 사람이 있다. A는 막대기로 주변을 더듬어 사물의 위치를 파악한다. 막대기 사용에 익숙한 A는 사물에 부딪친 막대기의 진동을 통해 사물의 위치를 파악할 수 있다. B는 초음파 센서로 탐지한 사물의 위치 정보를 '뇌-컴퓨터 인터페이스(BCI)'를 사용하여 전달받는다. 이를 통해 B는 사물의 위치를 파악할 수 있다. BCI는 사람의 뇌에 컴퓨터를 연결하여 외부 정보를 뇌에 전달할 수 있는 기술이다.

– A와 B에게 어떤 차이가 있는지 이해하셔야 합니다. A는 막대기로 주변을 더듬어 사물의 위치를 파악하고 있고, B는 BCI라는 기술을 통해 사물의 위치를 파악하고 있습니다. 이는 (가)의 '로랜즈'의 입장에서는 '파생적 상태'였던 사물의 위치로부터 그것을 알게 된다는 '심적 상태'가 생겨나는 '인지 과정'이겠죠? 나아가 (나)의 글쓴이의 입장에서는 막대기, BCI 등을 통해 사물과 만나는 '얽힘'의 순간이 일어났고, 이에 따라 '내 몸의 체험=감각=지각'을 하면서 A라는 '주체'와 사물이라는 '대상'이 구분된 상황이라고 할 수 있겠습니다.

물론 (나)의 글쓴이의 입장에서 B가 겪은 것이 '지각=감각'의 과정이라고 하기는 애매할 수도 있을 것 같습니다. '지각=감각'은 '내 몸의 체험'인데, BCI를 이용하는 것은 '내 몸'이 직접 '체험'한 것은 아니니까요. 일단 〈보기〉를 통해 미리 생각할 수 있는 건 이 정도일 것 같습니다. 나머지는 선지를 판단하면서 알아 보도록 합시다.

① (가)의 기능주의에 따르면, A와 B가 암실 내 동일한 사물의 위치를 묻는 질문에 동일한 대답을 내놓는 경우 이때 둘의 의식은 차이가 없겠군.

명시적 근거	(가) 1문단 2번~5번 문장
실전에서의 판단 과정	입력과 출력이 같으면 의식도 같은 거라고 하겠지.
해설	'기능주의'의 입장에서 〈보기〉를 이해할 것을 요구하고 있습니다. A와 B가 암실 내 동일한 사물의 위치를 묻는 질문을 받으면, 즉 '입력'이 들어오면 동일한 대답, 즉 동일한 '출력'을 내놓는 경우를 생각해 보자고 합니다. 이렇게 '입력'과 '출력'의 쌍이 일치하는 것은 둘의 '함수적 역할'이 일치했다는 것입니다. '함수적 역할'이 일치한다는 것은 '기능'에 차이가 없다는 것이고, 이는 '의식'을 곧 '기능'으로 보는 '기능주의'의 입장에서 '의식'에 차이가 없다는 것과 같은 말이 되겠네요.

② (가)의 확장 인지 이론에 따르면, BCI로 암실 내 사물의 위치를 파악하는 것이 B의 인지 과정인 경우 B에게 사물의 위치에 대한 심적 상태가 생겨나겠군.

명시적 근거	(가) 4문단 9번 문장
실전에서의 판단 과정	미리 생각한 내용이네.
해설	이 정도는 〈보기〉를 분석하면서 미리 생각할 수 있는 내용이죠? BCI로 암실 내 사물의 위치를 파악하는 것을 B의 '인지 과정'이라고 한다면, 이는 곧 B에게 사물의 위치에 대한 '심적 상태'가 생겨나는 과정을 의미합니다. '로랜즈'가 말한 '인지 과정'의 정의를 정확하게 이해할 것을 요구한 선지네요.

③ (가)의 확장 인지 이론에 따르면, 암실 내 사물에 부딪친 막대기의 진동이 A의 해석에 의존해서만 의미를 나타내는 경우 그 진동 상태는 파생적 상태가 아니겠군.

명시적 근거	(가) 4문단 5번 문장
실전에서의 판단 과정	주체의 해석에 의존해야만 하는 건 파생적 상태지.
해설	'막대기의 진동'을 A라는 '주체의 해석'에 의존해서만 의미를 나타내는 것으로 정하고 있습니다. 이는 곧 '파생적 상태'의 정의가 되겠죠? 이게 아니라고 하고 있으니 틀린 선지네요.

④ (나)에서 몸에 의한 지각을 주장하는 입장에 따르면, 막대기에 의해 A가 사물의 위치를 지각하는 경우 막대기는 A의 몸의 일부라고 할 수 있겠군.

명시적 근거	(나) 4문단 전체
실전에서의 판단 과정	지각은 곧 내 몸의 체험이니까 맞는 말이네.
해설	(나)의 글쓴이는 '지각'을 '내 몸의 체험'으로 정의합니다. 이에 따르면 A가 '막대기'를 사용하여 사물의 위치를 '지각'했을 때 '막대기'를 A의 몸의 일부라고 할 수 있겠죠. A가 '막대기'라는 몸의 체험을 한 것이니까요.

⑤ (나)에서 의식을 물질로 환원하는 입장에 따르면, BCI를 통해 입력된 정보로부터 B의 지각이 일어난 경우 BCI를 통해 들어온 자극에 따른 B의 물질적 반응이 일어난 것이겠군.

명시적 근거	(나) 2문단 2번 문장
실전에서의 판단 과정	동일론은 지각을 물질적 반응이라고 했지.
해설	(나)에서 의식을 물질로 환원하는 입장은 '동일론'이었습니다. '동일론'은 '지각'을 '주체의 물질적 반응'으로 정의했어요. 그 내용을 그대로 읊어 주고 있는 선지네요.

선지	①	②	③	④	⑤
선택률	5%	2%	11%	81%	1%

15 문맥상 ⓐ~ⓔ의 단어와 가장 가까운 의미로 쓰인 것은? ④

① ⓐ: 그간의 사정을 봐서 그를 용서해 주었다.
② ⓑ: 이사 후에 가난하던 살림살이가 일어났다.
③ ⓒ: 개발에 따른 자연 훼손 문제가 심각해졌다.
④ ⓓ: 단어의 뜻을 알아보기 위해 사전을 펼쳤다.
⑤ ⓔ: 그는 컴퓨터 프로그램을 제법 만질 줄 안다.

몰랐던 어휘 정리하기

| 핵심 point |

① 화제 check : 독서 지문 독해의 처음이자 끝. 첫 문단에서 잡은 '화제의 틀'을 마지막 문단까지 놓지 않아야 합니다.
② 재진술 인식 : 같은 말이라도 다르게 표현되는 경우가 많습니다. 심지어 아예 똑같은 말이 반복되는 경우도 많아요. 이 '같은 말'에 민감하게 반응하면, '정보량'을 줄이면서 읽을 수가 있습니다.
③ 사례-원리 연결 : 모든 사례는 어떠한 추상적인 원리를 구체화하는 역할을 합니다. 둘을 연결지으며 확실하게 이해하고 가는 태도가 중요합니다.
④ 정의 인식 : 단어의 의미를 살린 상태로, 지문에 제시된 정의와 붙여서 이해할 수 있어야 합니다. 정의를 '기억'하는 게 아니라, '납득'해서 본인의 말로 정리할 수 있어야 해요.

| 지문 내용 총정리 |

정보량이 많은 지문처럼 느껴지지만, 결국 다 똑같은 말만 한다는 인문 지문의 대원칙으로 쉽게 해결할 수 있는 지문이었습니다. 현학적인 표현들이 반복되는 느낌이 들면서 지문 이해에 실패했다면, '결국 다 같은 말'이라는 인문 지문의 대원칙을 상기하면서 복습해 보도록 합시다.

1문단

> ①『한비자』는 중국 전국 시대의 한비자가 제시한 사상이 담긴 저작이다. ②여러 나라가 패권을 다투던 혼란기를 맞아 엄격한 법치를 통해 부국강병을 꾀한 한비자는『노자』에 대한 해석을 통해 자신의 법치 사상을 뒷받침했고, 이러한 면모는『한비자』의「해로」,「유로」등에서 확인할 수 있다.

①~② #화제 제시 #주장 제시

'한비자'라는 사람의 주장이 소개되고 있습니다. '한비자'는 중국 전국 시대의 사람인데, 이러한 혼란기를 맞아 '엄격한 법치'를 통한 부국강병을 꾀했다고 합니다. 이는 '한비자'라는 사람의 주장이자, 이 지문의 '화제의 틀' 역할을 할 수 있는 것이기에 확실하게 체크해야겠죠?

'한비자'는 이러한 법치 사상을 뒷받침하기 위해 '노자'라는 책을 해석했다고 합니다. 그 내용은 '엄격한 법치'와 관련되겠죠? '엄격한 법치'를 강조했다는 '한비자'의 주장을 계속 생각하면서 읽어보도록 합시다.

(가) 2문단

> ①『노자』에서 '도(道)'는 만물 생성의 근원으로 묘사된다. ②도를 천지 만물의 존재와 본질의 근거라고 본 한비자의 이해도 이와 다르지 않다. ③그는 자연과 인간 사회의 모든 현상은 도의 영향을 받지 않을 수 없다고 보고, 인간 사회의 일은 도에 따라 제대로 행했는가의 여부에 따라 그 성패가 드러나는 것이라고 이해했다.

①~② #정의 제시 #주장 제시

'한비자'가 해석을 한 '노자'라는 책에서 '도'는 '만물 생성의 근원'으로 정의되었다고 합니다. 그런데 '한비자'도 '도'를 '천지 만물의 존재와 본질의 근거'라고 봤다고 해요. 이 지문 속에서 '도'라는 개념은 '근원·본질의 근거'와 같은 개념으로 볼 수 있는 것이겠죠?

③ #재진술

이처럼 '도'를 '천지 만물의 존재와 본질의 근거'로 보았기 때문에, '한비자'는 3번 문장과 같은 주장을 합니다. '도'라는 개념은 만물의 근거이기 때문에, 자연과 인간 사회의 모든 현상은 '도'의 영향을 받는다는 것이죠. 나아가 인간 사회의 일은 그 근거인 '도'에 따라 제대로 행했는가의 여부에 따라 그 성패가 드러나는 것이라고까지 말합니다. 당연하게 납득할 수 있겠죠? '도'라는 개념을 정의한 뒤로 계속 같은 말만 하고 있다는 느낌을 받으셔야 합니다.

하이라이트 문장

> ③그는 자연과 인간 사회의 모든 현상은 도의 영향을 받지 않을 수 없다고 보고, 인간 사회의 일은 도에 따라 제대로 행했는가의 여부에 따라 그 성패가 드러나는 것이라고 이해했다.

인문 지문의 핵심은 '결국, 다 같은 말'임을 인지하는 것입니다. '한비자'가 '도'라는 개념을 어떻게 정의했는지 체크했다면, 어렵지 않게 납득할 수 있는 당연한 문장이었습니다.

(가) 3문단

> ①한비자는『노자』에 제시된 영구불변하는 도의 항상성에 대해 도가 천지와 더불어 영원히 존재한다는 것을 의미하는 것이지, 도가 모습과 이치를 일정하게 유지하는 것은 아니라고 이해했다. ②그리고 도는 형체가 없을 뿐 아니라 일정하게 고정되어 있지 않기 때문에 때와 상황에 따라 유연하게 변화하는 것이라고 파악했다. ③도가 가변성을 가지고 있어야 도가 일정한 곳에만 있지 않게 되고, 그래야만 도가 모든 사물의 존재와 본질의 근거가 될 수 있다고 파악한 것이다. ④그는 도가 가변적이기 때문에 통치술도 고정되어서는 안 된다고 주장했다.

① #주장 제시

계속해서 '한비자'의 주장입니다. '노자'에는 '도'가 영구불변하는 항상성을 가진 것으로 제시되는데, '한비자'는 이것이 '도'가 천지와 더불어 영원히 존재한다는 의미일 뿐, 모습과 이치를 일정하게 유지하는 것은 아니라고 봅니다. '항상성'이라는 개념을 단순히 '존재'와 관련된 것으로 이해하고 있네요.

그리고 '한비자'는 '도'가 형체가 없을 뿐 아니라 일정하게 고정되어 있지 않다고 봅니다. 상황에 따라 유연하게 변화할 수 있다는 것이죠. 이는 '도'가 모습과 이치를 일정하게 유지하는 것은 아니라는 1번 문장의 내용을 재진술한 것에 불과합니다. 결국 다 같은 말만 하고 있죠?

이처럼 '도'가 가변성을 가지고 있어야, '도'가 여기저기 돌아다니며 여러 사물의 존재와 본질의 근거가 될 수 있다는 것입니다. 충분히 납득할 수 있겠죠? 결국 '한비자'는 '도'라는 개념이 만물의 존재와 본질의 근거라고 보면서, 이러한 특성을 실현하기 위해서는 가변성을 가지고 있어야 한다는 이야기만 하고 있는 것입니다.

'한비자'는 이렇게 '도'가 가변적이기 때문에, '통치술'도 고정되어서는 안 된다고 주장합니다. 일단 '도'가 가변적이라는 내용이 재진술되었다는 걸 인지하는 건 기본이고, '통치술'을 보자마자 '엄격한 법치'를 떠올릴 수 있으면 좋겠습니다. 1문단에서 인식한 '화제의 틀'을 인식하는 것이죠. 그렇다면 '도'가 가변적이라는 것과 '통치술'도 고정되어서는 안 된다는 말은 어떤 식으로 연결될까요?

하이라이트 문장

> ④그는 도가 가변적이기 때문에 통치술도 고정되어서는 안 된다고 주장했다.

'도'가 가변적이라는 앞의 주장을 계속해서 인식하면서, '통치술'을 보자마자 화제의 흐름 속으로 귀환할 수 있어야 합니다. 결국 하고자 하는 말은 '엄격한 법치'와 관련될 것이니까요.

(가) 4문단

> ①한편, 한비자는 도를 구체적인 사물과 사건에 내재한 개별 법칙의 통합으로 보고, 『노자』의 도에 시비 판단의 근거라는 새로운 의미를 부여했다. ②항상 존재하는 도는 개별 법칙을 포괄하기 때문에 다양한 개별 사건의 시비를 판단하는 기준이 될 수 있고, 이러한 도에 근거해서 입법해야 다양한 사건을 판단할 수 있다고 본 것이다. ③이러한 이해를 바탕으로 그는 만족을 모르는 인간의 욕망을 사회 혼란의 원인으로 지목한 『노자』의 견해에 동의하면서도, 『노자』에서처럼 욕망을 없애야 한다고 주장하지 않고 인간은 욕망을 필연적으로 가질 수밖에 없음을 지적하며 욕망을 제어하기 위해 법이 필요하다고 강조했다.

'한비자'는 '도'를 구체적인 사물과 사건에 내재한 개별 법칙의 통합으로도 보았다고 합니다. 계속 강조하지만, 결국 다 같은 말만 할 것입니다. 앞에서 '한비자'는 '도'를 가변성을 가지고 있으면서 만물의 존재와 본질의 근거라고 했어요. 이 말은 '도'가 곧 사물과 사건에 따라 변할 수 있는 개별 법칙의 근거가 된다는 것이고, 따라서 '도'라는 개념은 모든 개별 법칙을 통합한 것으로 이해할 수 있는 것이죠. 정말 다 같은 말이죠?

나아가, '한비자'에게 있어서 '도'라는 개념은 다양한 개별 사건의 시비를 판단하는 기준이 될 수 있다고 합니다. 이 역시 '도'를 개별 법칙의 통합으로 보는 '한비자'의 입장에서 당연하겠죠? 이처럼 다양한 개별 사건의 시비를 판단할 수 있으니, '도'에 근거해서 입법해야 한다는 것 역시 당연하게 받아들일 수 있겠습니다. 이것이 바로 앞문단에서 이야기했던, '통치술'이 고정되어서는 안 된다는 말의 재진술이라고 할 수 있겠죠? 결국 '한비자'는 '도'에 근거한 입법을 통해 '엄격한 법치'를 세우는 것을 주장한 것입니다.

'노자'에서는 만족을 모르는 인간의 욕망을 사회 혼란의 원인으로 지목하고, 그 욕망을 없애야 한다고 주장합니다. 반면 '한비자'는 인간의 욕망이 문제라는 점에는 동의하지만, 욕망을 없애는 것에 대해서는 부정적이네요. 인간은 욕망을 필연적으로 가질 수밖에 없으니, 이 욕망을 제어하기 위해 법이 필요하다는 것이 '한비자'의 주장입니다. 나아가 '화제의 틀'을 고려하면, 이때의 법은 아주 엄격하겠죠? 이것이 결국 '한비자'가 주장하고자 하는 한마디라고 할 수 있으니까요.

하이라이트 문장

> ①한편, 한비자는 도를 구체적인 사물과 사건에 내재한 개별 법칙의 통합으로 보고, 『노자』의 도에 시비 판단의 근거라는 새로운 의미를 부여했다.

새로운 정보처럼 등장했지만, 결국 '한비자'가 계속 하던 말의 재진술일 뿐입니다. 모든 인물은 같은 말만 한다는 대전제를 잊지 맙시다.

(나) 1문단

①유학자들은 도를 인간 삶의 올바른 길을 의미하는 것이라고 보았다. ②중국 송나라 이후, 유학자들은 이러한 유학의 도를 기반으로 현상 세계 너머의 근원으로서 도가의 도에 주목하여 『노자』 주석을 전개했다.

① #주장 제시

이번엔 '유학자'들이 바라본 '도' 개념에 대해 소개하고 있습니다. 이는 인간 삶의 올바른 길을 의미하는 것이었어요. '노자'와 '한비자'가 주장한 내용과 크게 다르지 않다고도 볼 수 있겠죠? 이렇게 (가)의 내용을 끌고 와서 연결지으며 읽는 습관이 필요해요.

② #주장 제시 #재진술 #화제 제시

중국 송나라 이후, '유학자'들은 이러한 '유학의 도'를 기반으로 '도가의 도'에 주목했다고 합니다. 이때 '도가의 도'는 '현상 세계 너머의 근원'으로 정의되어 있네요. 이때 '현상 세계 너머의 근원'이라는 정의는 '만물 생성의 근원'이라는, (가)에서 정의된 '노자의 도'와 같은 말이라고 할 수 있겠죠? '현상 세계'는 우리가 경험할 수 있는 현실 세계를 의미하는데, 이를 넘어 만물을 생성하는 근원이 된다는 것이니까요. 계속 같은 말만 하고 있습니다.

나아가 이때 '노자의 도'의 정의가 '도가의 도'의 정의와 같다는 점, '도가의 도'에 주목하며 '노자'라는 책에 대한 주석을 전개했다는 점 등을 바탕으로 하면 '노자=도가'라는 것까지도 생각할 수 있겠습니다. '유학자'들은 '도'를 '인간 삶의 올바른 길'로 보았는데, 그렇다면 이를 통해 '현상 세계 너머의 근원'으로서 '노자의 도=도가의 도'를 어떻게 바라보았을까요? 기대하면서 읽어봅시다.

하이라이트 문장

②중국 송나라 이후, 유학자들은 이러한 유학의 도를 기반으로 현상 세계 너머의 근원으로서 도가의 도에 주목하여 『노자』 주석을 전개했다.

'현상 세계 너머의 근원'이라는 말이 (가)에 제시된 '노자의 도'의 정의와 거의 같다는 것을 인식하면서, '도가의 도=노자의 도'라는 도식을 인식할 수 있어야 합니다. 같은 말이 반복된다는 것을 느끼며 정보량을 줄일 수 있어야 이런 지문을 빠르게 해결하고 갈 수 있습니다.

(나) 2문단

①혼란기를 거친 송나라 초기에 중앙집권화가 추진된 이후 정치적 갈등이 드러나면서 **개혁의 분위기가 조성**됐다. ②이러한 분위기하에서 유학자이자 개혁 사상가인 왕안석은 『노자주』를 저술했다. ③그는 『노자』의 도를 만물의 물질적 근원인 '기(氣)'라고 파악하고, 현상 세계에 앞서 존재하는 기의 작용에 의해 사물이 형성된다고 보았다. ④그는 기가 시시각각 변화하듯 현상 세계도 변화한다고 이해했다. ⑤인위적인 것을 제거해야만 도가 드러나고 인간 사회가 안정된다는 『노자』를 비판한 그는 자연과 달리 인간 사회의 안정을 위해서는 제도와 규범의 제정과 같은 인간의 적극적인 개입이 필요하다고 주장했다. ⑥지혜와 덕이 뛰어난 사람이 제정한 사회 제도와 규범도 현실 사회의 변화에 따라 새롭게 해야 한다고 주장한 것이다. ⑦『노자』의 이상 정치가 실현되려면 유학 이념이 실질적 수단으로 사용되어야 한다고 주장하는 등 왕안석은 『노자』를 유학의 실천적 측면과 결부하여 이해했다.

①~③ #주장 제시 #재진술

송나라 초기, 개혁의 분위기가 조성되면서 등장한 '유학자'이면서 '개혁 사상가'인 '왕안석'의 주장을 소개하고 있습니다. 그는 '노자의 도'를 만물의 물질적 근원인 '기'라고 파악했어요. 원래 '노자의 도'는 만물 생성의 근원이었는데, 여기서 '물질적'인 것에 대해서만 근원의 역할을 하는 것이 '기'이고 '왕안석'은 이것이 '노자의 도'와 같다고 본 것이죠. 어찌 되었든 '기'는 만물의 근원이기 때문에, 현상 세계에 앞서 존재하는 것입니다. 따라서 사물을 형성하는 작용을 할 수 있는 것이죠. 여기서 '현상 세계에 앞서 존재'라는 말이 반복된다는 것도 느끼실 수 있겠죠? (나)에 제시되는 모든 인물들은 '도가의 도=노자의 도=현상 세계 너머의 근원'이라는 대전제를 공유하고 있음을 잊으면 안 됩니다. (나)의 1문단에서 만들어준 일종의 '화제의 틀'이니까요.

④ #재진술

'왕안석'은 '기'가 시시각각 변화하는 것이라고 보았습니다. 이렇게 '기'가 시시각각 변화하기 때문에, 그것이 만들어내는 현상 세계 역시 계속 변화한다는 것이 '왕안석'의 주장입니다. 이는 '도'가 가변성을 가진다는 '한비자'의 주장과도 비슷하죠? 지문을 읽는 과정에서 굉장한 집중력을 요구하기는 하지만, 이렇게 시간을 쓰면서 최대한 같은 말들을 끌고 오며 연결시켜야 선지 판단이 빨라집니다.

'왕안석'은 여기서 멈추지 않고, 인위적인 것을 제거해야만 '도'가 드러나고 인간 사회가 안정된다는 '노자'의 주장을 비판합니다. 자연과 달리 인간 사회의 안정을 위해서는 제도와 규범의 제정과 같은 인간의 적극적인 개입(=인위적인 것)이 필요하다는 것이죠. 이것도 '한비자'와의 공통점이죠? 계속해서 같은 말들이 보이면서 재미를 느끼시면 좋겠어요.

이때의 '개입'은, 지혜와 덕이 뛰어난 사람에 의해 제정된 제도와 규범이라고 해도 현실 세계의 변화, 즉 현상 세계의 변화에 따라 새롭게 해야 한다는 의미입니다. 우리는 이를 '기'라는 핵심 개념과 엮어 생각할 수 있겠습니다. '기' 역시 시시각각 변화하는 것이기 때문에, 이에 맞춰 변화하는 현상 세계에 적용되는 제도와 규범 역시 변화해야 한다는 것이죠. 결국 끝까지 '기'가 시시각각 변화하는 만물의 근원임을 강조하고 있는 거예요.

계속해서 같은 맥락의 이야기입니다. '왕안석'은 '노자'의 이상 정치가 실현되려면, 즉 '도'가 제대로 작동하기 위해서는 '유학 이념'이 실질적 수단으로 사용되어야 한다고 주장했어요. 이는 '유학자'인 '왕안석'의 입장에서 당연한 말이기도 하면서, 앞에서 이야기한 제도와 규범의 변화가 '유학'을 베이스로 이루어져야 한다는 주장이라고 생각할 수 있어야 합니다. 즉, '왕안석'은 '노자'를 '유학의 실천적 측면'과 결부하여 이해한 것이죠. 이때 '유학의 실천적 측면'이 바로 제도와 규범의 변화 등을 이끄는 것을 의미하는 것입니다.

정리하면, '왕안석'은 결국 시시각각 변화하는 만물의 근원인 '기'에 따라 현상 세계가 변하니, 그에 따라 '유학의 실천적 측면'을 살려 제도와 규범을 개정해 나가야 한다는 한마디를 하고 싶었던 것입니다. 이 주장을 뽑아낼 수 있어야 선지 판단이 쉬워져요.

하이라이트 문장

> ⑦『노자』의 이상 정치가 실현되려면 유학 이념이 실질적 수단으로 사용되어야 한다고 주장하는 등 왕안석은『노자』를 유학의 실천적 측면과 결부하여 이해했다.

앞에서 '왕안석'의 주장을 잘 쌓아 올렸다면, '유학의 실천적 측면'이 무엇을 의미하는지 생각할 수 있습니다. 결국 한 인물은 하나의 주장만 한다는 대전제를 절대 잊지 마세요.

(나) 3문단

> ①송 이후 원나라에 이르러 성행하던 도교는 유학과 불교 등을 받아들여 체계화되었지만, 오징에게는 주술적인 종교에 불과했다. ②유학자의 입장에서 그는 잘못된 가르침을 펴는 도교에 사람들이 빠지는 것을 경계했다. ③그는 도교의 시조로 간주된 노자의 가르침이 공자의 학문과 크게 다르지 않음을 밝히고자『도덕진경주』를 저술했다. ④그는 도와 유학 이념을 관련짓는 구절을 추가하는 등『노자』의 일부 내용을 바꾸고 기존 구성 체제를 재편했다. ⑤『노자』의 도를 근원적인 불변하는 도로 본 그는 모든 이치를 내재한 도가 현실화하여 천지 만물이 생성된다고 이해했다. ⑥이런 관점에서 그는 유학의 인의예지가 도의 쇠퇴 때문에 나타난 것이라는『노자』와 달리 도가 현실화하여 드러난 것으로 해석하고, 인간이 마땅히 따라야 할 사회 규범과 사회 질서 체계도 도가 현실화한 결과로 파악했다.

송 이후 원나라에 이르자, 도교는 유학과 불교 등을 받아들여 체계화되며 성행했다고 합니다. 그런데 '오징'이라는 사람에게 도교는 그저 주술적인 종교에 불과했다고 해요. 이렇게 마음에 들지 않으니, 사람들이 도교에 빠지는 것을 경계했겠죠? 이에 '오징'은 '노자'의 가르침이 '공자'의 학문, 즉 '유학'과 크게 다르지 않음을 밝히고자 했네요. 이에 '도'와 유학 이념을 관련짓는 구절을 추가하는 등 '노자'의 내용을 수정한 것이라고 할 수 있겠죠? 이제부터 '오징'의 모든 주장은 이 한마디로 모일 것입니다. 기대하면서 읽어봅시다.

'오징'은 '노자의 도'를 근원적이고 불변하는 것으로 봤다고 합니다. 이는 '도' 혹은 '기'가 변화하는 것이라고 본 '한비자' 및 '왕안석'과는 다른 주장이죠? 나아가 모든 이치를 내재한 '도'가 '현실화'하여 천지 만물이 생성된다는 것이 '오징'의 주장입니다. '도'는 근원적인 것이라는 앞의 내용을 가져 오면 어렵지 않게 납득할 수 있겠죠?

이런 관점에서 '오징'은 '유학의 인의예지' 및 '사회 규범·사회 질서 체계' 역시 '도'가 '현실화'하여 드러난 것으로 해석합니다. 이 두 가지도 결국 천지 만물의 일부이니, 당연한 말이라고 할 수 있겠죠? 결국 '오징'은 사람들이 좋아하는 '노자의 도'가 '현실화'되어 '유학'에서 강조하는 여러 가치들이 만들어진 것이니, 주술적인 '도교'에 빠질 것이 아니라 결과물에 해당하는 '유학'을 받아들이라는 주장을 하는 것입니다. 이렇게 한마디로 정리하고 갈 수 있겠죠?

하이라이트 문장

> ③그는 도교의 시조로 간주된 노자의 가르침이 공자의 학문과 크게 다르지 않음을 밝히고자 『도덕진경주』를 저술했다.

'오징'의 첫 번째이자 마지막 주장입니다. 첫 번째 주장을 체크한 순간, 모든 주장이 이 한마디로 모일 것이라는 점을 생각하면서 읽을 수 있어야 합니다. 이 지문은 이 태도 하나만 강조하고 있어요.

(나) 4문단

> ①원이 쇠퇴하고 명나라가 들어선 이후 유학과 도가 등 여러 사상이 합류하는 사조가 무르익는 가운데, 유학자인 **설혜**는 자신의 학문적 소신에 따라 『노자』를 주석한 『노자집해』를 저술했다. ②그는 공자도 존중했던 스승이 노자이므로 노자 사상에 대한 오해를 불식해야 한다고 보았다. ③그는 기존의 주석서가 『노자』의 진정한 의미를 제대로 밝히지 못했기 때문에 유학자들이 노자 사상을 이단으로 치부했다고 파악한 것이다. ④다양한 경전을 인용하여 『노자』를 해석하면서 그는 『노자』의 도를 인간의 도덕 본성과 그것의 근거인 천명으로 이해하고, 본성과 천명의 이치를 탐구한다는 점에서 노자 사상과 유학이 다르지 않다고 보았다. ⑤또한 그는 『노자』에서 인의 등을 비판한 것은 도덕을 근본으로 삼게 하기 위한 충고라고 파악했다.

①~③ #주장 제시 #재진술

'오징'이 활약하던 원이 쇠퇴하고 명나라가 들어섭니다. 이 시기에는 '유학'과 '도가' 등 여러 사상이 합류하는 사조가 무르익었다고 해요. 그렇다면 이 시기 활약한 유학자인 '설혜' 역시 여러 사상이 합류하는 사조 속에서 주장을 펼치겠죠? '설혜'는 이러한 학문적 소신에 따라, '노자' 사상에 대한 오해를 불식해야 한다고 보았습니다. '공자도 존중했던 스승이 노자'라는 이야기를 하는 것을 보니, 당대 유행하던 사조처럼 '유학'과 '도가'를 분리하지 않으려는 시도를 한 것이라고 이해할 수 있겠죠? 따라서 기존의 주석서가 '노자'의 진정한 의미를 제대로 밝히지 못했기 때문에 '유학자'들이 '노자' 사상을 이단으로 치부했다는 것은, 사실 '노자'의 '도교'와 '유학'은 다르지 않은데 이걸 다르게 보아서 잘못된 해석을 했다는 의미일 것입니다. '오징'과 비슷한 맥락의 주장을 하는 것 같네요.

④~⑤ #주장 제시 #재진술

'설혜'는 '노자의 도'를 인간의 도덕 본성과 그것의 근거인 '천명'으로 이해합니다. 그리고 이렇게 본성과 '천명'의 이치를 탐구한다는 점에서, '노자 사상=도교'와 '유학'이 다르지 않다고 보았다고 해요. 우리가 생각한 내용 그대로죠? 결국 '설혜' 역시 여러 사상이 합류하는 사조에 편승한 것입니다.

나아가, '설혜'는 '노자'에서 '유학'의 '인의' 등을 비판한 것은 도덕을 근본으로 삼게 하기 위한 충고라고 파악합니다. 이 역시 '도교'와 '유학'이 다르지 않다는 말의 재진술이라고 할 수 있겠죠? '노자'의 '도교'가 '유학'을 비판한 것처럼 보이지만, 사실 이건 '도'라는 개념과 관련된 도덕을 근본으로 삼게 하기 위해 '충고'한 것에 지나지 않는다는 것이죠. 계속해서 '도교'와 '유학'은 다르지 않다는 주장만을 이야기하고 있네요.

하이라이트 문장

> ①원이 쇠퇴하고 명나라가 들어선 이후 유학과 도가 등 여러 사상이 합류하는 사조가 무르익는 가운데, 유학자인 설혜는 자신의 학문적 소신에 따라 『노자』를 주석한 『노자집해』를 저술했다.

'여러 사상이 합류하는 사조'라는 표현이 괜히 나온 것은 아닐 것입니다. 이를 바탕으로, '설혜'의 '학문적 소신'이 이 사조와 관련된 것임을 추론해놓고 모든 정보를 모아주셔야 합니다. 마지막까지, 지겹도록 한 인물은 하나의 주장만 한다는 태도를 요구하는 지문이었네요.

선지	①	②	③	④	⑤
선택률	4%	8%	73%	10%	5%

16 (가), (나)에 대한 설명으로 가장 적절한 것은? ③

> ① (가)는 『한비자』의 철학사적 의의를 설명하고 『한비자』와 『노자』의 사회적 파급력을 비교하고 있다.

명시적 근거	-
실전에서의 판단 과정	사회적 파급력이 어딨어.
해설	(가)에서는 '한비자'라는 책이 '한비자'라는 사람의 법치 사상을 뒷받침했다는 이야기를 했으니, 이를 '철학사적 의의'라고 할 수도 있겠습니다. 하지만 '한비자'라는 책과 '노자'라는 책의 '사회적 파급력'을 비교한 적은 없죠? 애초에 화제와 너무 무관하기 때문에 답으로 고를 수가 없겠습니다.

② (가)는 한비자가 추구한 이상적인 사회를 소개하고 그 실현을 위해 『노자』를 수용한 입장의 한계를 설명하고 있다.

명시적 근거	–
실전에서의 판단 과정	한계가 나오지는 않았지.
해설	(가)는 '한비자'가 추구한 이상적인 사회, 즉 가변적인 '도'를 기반으로 '엄격한 통치'를 위한 법을 만드는 사회를 소개하고 있었습니다. 이는 '한비자'가 '노자'라는 책의 주장을 수용한 입장이라고 할 수 있겠죠? 하지만 이에 대한 한계를 설명한 적은 없습니다. (가)는 그저 '한비자'의 주장을 소개하고 있을 뿐이에요.

③ (나)는 특정 개념을 중심으로 『노자』에 대한 여러 학자의 견해를 시간의 흐름에 따라 제시하고 있다.

명시적 근거	(나) 전체
실전에서의 판단 과정	도라는 개념을 중심으로 여러 학자의 견해를 여러 나라의 쇠퇴 과정에 따라 제시했지.
해설	(나)에서는 '도가의 도'라는 특정 개념을 중심으로, '노자'라는 책에 대한 여러 유학자들의 견해를 제시하고 있었습니다. 나아가 '송 → 원 → 명'이라는 시간의 흐름도 나타났었죠? (나)의 내용을 완벽하게 요약한 것 같은 선지네요.

④ (나)는 여러 유학자가 『노자』를 해석한 의도를 각각 제시하고 그 차이로 인해 발생한 학자 간의 이견을 절충하고 있다.

명시적 근거	–
실전에서의 판단 과정	절충을 언제 했어.
해설	(나)는 여러 유학자가 '노자'를 해석한 의도와 주장을 쭉 설명했을 뿐, 그들의 이견을 절충하거나 한 적은 없어요. 애초에 '절충'이라는 표현이 정답 선지에 사용된 적이 거의 없다는 것도 알아갑시다.

⑤ (가)와 (나)는 모두, 『노자』에 대해 다양한 시각에서 제시된 비판이 심화되는 과정을 구체적 사례와 함께 설명하고 있다.

명시적 근거	–
실전에서의 판단 과정	(가)는 한 가지 시각만 나왔지.
해설	(가)는 철저하게 '한비자'의 입장만 소개하고 있었기 때문에, '노자'에 대해 '다양한' 시각에서 제시된 비판이 심화되는 과정을 설명했다고 보기는 어렵겠습니다. 한편 (나)의 경우에는 '다양한 시각'은 나왔지만, '구체적 사례'와 함께 설명했다고 보기는 어렵겠죠? 딱히 '사례'라고 할 만한 내용을 인식한 적은 없으니까요.

선지	①	②	③	④	⑤
선택률	42%	11%	10%	22%	15%

17 (가)에 제시된 한비자의 견해로 적절하지 <u>않은</u> 것은? ①

① 사건의 시비에 따라 달라지는 도에 근거하여 법이 제정되어야 한다.

명시적 근거	(가) 4문단 1번 문장
실전에서의 판단 과정	도가 시비 판단의 근거였는데?
해설	'한비자'의 주상을 한마디로 정리하면, 모든 '시비 판단의 근거'가 되는 '도'에 따라 입법하여 '엄격한 법치'를 이룩하자는 것이었습니다. 즉, '도'는 '시비 판단의 근거'이기 때문에 '사건의 시비에 따라 달라지는' 개념이 아닌 것이죠. 단순히 치사한 내용일치 문제라고 치부하지 마시고, 결국 '한비자'의 핵심 주장을 묻고 있다는 것을 생각해주셔야 합니다.

FAQ

Q 그런데 '한비자'는 어쨌든 '도'가 가변적이라고 하지 않았나요? 이렇게 '달라지는 도'에 근거하여 법이 제정된다고 하면 틀린 선지기 아닌 것 같아요.

A (가) 3문단에 따르면, '한비자'의 입장에서 '도'는 '때와 상황'에 따라 유연하게 변화하는 것입니다. 한편 (가) 4문단에 따르면, '한비자'는 '도'에 '시비 판단의 근거'라는 새로운 의미를 부여했어요. '도'는 '개별 법칙을 포괄'하기 때문이죠. 다시 말해, '도'는 '때와 상황'에 따라 달라지는 것이지 사건의 '시비'(옳고 그름)에 따라 달라지는 것이 아닙니다. '시비'라는 단어에 대한 정확한 이해와 함께 '한비자'의 주장에 대한 디테일한 이해가 되어 있는지 물어보는 선지였네요.

② 인간은 무엇을 가지거나 누리고자 하는 마음에서 벗어날 수 없다.

명시적 근거	(가) 4문단 3번 문장
실전에서의 판단 과정	욕망을 필연적으로 가질 수밖에 없다고 했지.
해설	'한비자'는 '노자'의 주장과 달리, 무엇을 가지거나 누리고자 하는 마음인 '욕망'을 가질 수밖에 없다고 했습니다. 이를 제어하기 위해서 '도'에 근거한 '엄격한 통치'가 필요하다고 본 것이었죠?

③ 도는 고정된 모습 없이 때와 형편에 따라 변화하며 영원히 존재한다.

명시적 근거	(가) 3문단 1번~2번 문장
실전에서의 판단 과정	한비자가 이해한 도 그 자체네.
해설	'한비자'는 '도'가 영원히 존재하는 '항상성'을 가지면서 때와 상황에 따라 유연하게 변화하는 것이라고 이해했습니다. 이렇게 가변적인 성질 덕분에 '도'는 여러 사물과 사건에 대한 개별 법칙이 될 수 있었던 것이었죠?

④ 인간 사회의 흥망성쇠는 사람이 도에 따라 올바르게 행하였는가의 여부에 좌우되는 것이다.

명시적 근거	(가) 2문단 3번 문장
실전에서의 판단 과정	한비자는 도를 천지 만물의 존재와 본질의 근거로 보았지.
해설	'한비자'는 '도'를 천지 만물의 존재와 본질의 근거로 파악하면서, 인간 사회의 일은 '도'에 따라 제대로 행했는가의 여부에 따라 그 성패가 드러난다고 했습니다. 그만큼 '한비자'가 '도'의 영향력을 높게 보고 있다는 식으로 생각하며 납득했던 내용이니, 가볍게 지워낼 수 있겠네요.

⑤ 도는 만물의 근원이면서 동시에 현실 사회의 개별 사물과 사건에 내재한 법칙을 포괄하는 것이다.

명시적 근거	(가) 2문단 2번 문장, (가) 4문단 1번 문장
실전에서의 판단 과정	한비자가 이해한 도 그 자체네.
해설	'한비자'는 '도'를 '만물의 근원'으로 봄과 동시에, 사물과 사건에 내재한 '개별 법칙의 통합'으로 보았습니다. 이렇게 중요한 '도'에 근거하여 '엄격한 통치'를 해야 한다는 것이 '한비자'의 주장이었는데, 이 주장을 체크하는 과정에서 확실하게 납득했던 내용이었죠?

선지	①	②	③	④	⑤
선택률	7%	26%	13%	46%	8%

18 ㉠과 ㉡에 대한 이해로 가장 적절한 것은? ④

> ㉠유학자의 입장에서 오징은

> 유학자인 설혜는 자신의 ㉡학문적 소신에 따라

– ㉠과 ㉡은 각각 '오징'과 '설혜'의 주장 그 자체입니다. 먼저 '오징'은 사람들이 좋아하는 '도가의 도'가 현실화하여 드러난 것이 '유학'의 인의예지와 같은 천지 만물이니 '유학'을 따르자는 주장을 했어요. 나아가 '설혜'는 여러 사상이 합류하던 명나라의 사조에 편승하여 '도가'가 '유학'과 다르지 않음을 이야기하며 기존에 '유학'에서 이단으로 치부하던 '도가'에 대한 오해를 불식시키려 했습니다. 결국 이 주장이 그대로 선지화된 것을 정답으로 고르면 될 것입니다.

① ㉠은 유학 덕목의 등장을 긍정적으로 평가한 『노자』의 견해를 수용하는, ㉡은 유학 덕목에 대한 『노자』의 비판에 담긴 긍정적 의도를 밝히려는 것으로 표출되었다.

명시적 근거	(나) 3문단 6번 문장, (나) 4문단 5번 문장
실전에서의 판단 과정	노자는 애초에 유학 덕목의 등장을 긍정적으로 평가하지 않았지.
해설	'노자'는 유학 덕목인 '인의예지'가 자신이 강조하는 '도'의 쇠퇴 때문에 나타난 것이라고 이야기했습니다. 이는 유학 덕목의 등장을 부정적으로 평가한 것이라고 할 수 있겠죠? 나아가 '유학자'인 '오징'은 '노자'의 이러한 견해를 부정했기 때문에, ㉠ 부분에서 전체적으로 틀린 선지라고 할 수 있겠습니다. 한편, '설혜'는 '인의'와 같은 유학 덕목에 대한 '노자'의 비판을 도덕을 근본으로 삼게 하기 위한 '충고'라고 파악하며 그 속에 담긴 긍정적 의도를 밝히려고 했죠? 이는 여러 사상이 합류하는 사조에 따른다는 자신의 '학문적 소신'이 표출된 것으로 볼 수 있었기에, ㉡ 부분은 맞는 말이라고 할 수 있겠습니다.

② ㉠은 유학에 유입되고 있는 주술성을 제거하는, ㉡은 노자 사상이 탐구하는 대상에 대한 이해를 근거로 노자 사상과 유학의 공통점을 제시하려는 것으로 표출되었다.

명시적 근거	(나) 3문단 1번 문장, (나) 4문단 전체
실전에서의 판단 과정	유학에 주술성이 유입된 게 아니라 도교 자체가 주술성을 띠고 있는 것이었지.
해설	'오징'은 자신이 활약하던 원나라에 이르러 성행하던 '도교'를 '주술적인 종교'에 불과한 것으로 파악했습니다. 이에 사람들에게 '도교'가 아닌 '유학'을 따르라는 이야기를 하며 '유학자의 입장'을 표출했죠? 주술성이 '유학'에 유입된 것이 아니기 때문에 이번에도 ㉠ 부분이 틀렸다고 할 수 있겠습니다. 한편, '설혜'는 '노자' 사상이 탐구하는 대상인 '도'에 대한 이해를 근거로 '노자' 사상과 '유학'의 공통점을 제시하는 '학문적 소신'을 보였습니다. ㉡ 부분은 적절하네요.

③ ㉠은 유학의 가르침을 차용한 종교가 사람들을 현혹하는 상황에 대응하는, ㉡은 『노자』를 해석한 경전들을 참고하여 유학 이론의 독창성을 밝히려는 것으로 표출되었다.

명시적 근거	(나) 3문단 1번 문장, (나) 4문단 전체
실전에서의 판단 과정	설혜는 통합을 강조했지.
해설	'오징'이 활약하던 시기, '도교'라는 종교는 유학 및 불교를 받아들여 체계화되었습니다. '오징'은 이러한 '도교'는 그저 '주술적인 종교'이기 때문에, 사람들이 현혹되지 않게 하는 것이 중요하다고 생각하는 '유학자의 입장'을 보였죠. 이번에는 ㉠ 부분이 적절하네요. 한편 '설혜'의 '학문적 소신'은 '도교'와 '유학'을 통합해서 이해해야 한다는 것입니다. '유학 이론의 독창성'을 밝히려고 한다는 것은 이러한 주장과 정면으로 배치되는 것이기 때문에, ㉡ 부분이 틀렸다고 볼 수 있겠네요.

④ ㉠은 유학을 노자 사상과 연관 지어 유교적 사회 질서의 정당성을 확인하는, ㉡은 유학에서 이단으로 치부하는 사상의 진의를 밝혀 오해를 바로잡으려는 것으로 표출되었다.

명시적 근거	(나) 3문단 전체, (나) 4문단 전체
실전에서의 판단 과정	오징과 설혜의 주장 그 자체네.
해설	'오징'은 '유학'을 '노자' 사상과 연관 지으면서, 결국 '유학'을 따라야 한다는 정당성을 확인하는 '유학자의 입장'을 보였습니다. 나아가 '설혜'는 '유학'에서 이단으로 치부하는 '도교'라는 사상의 진의가 '유학'과 다르지 않다는 것을 밝히며 오해를 바로잡으려는 것으로 자신의 '학문적 소신'을 표출했죠. 결국 '오징'과 '설혜'의 주장을 묻는 문제였습니다. 시험장에서는 다른 선지를 판단하기도 전에 이 선지가 답으로 보였으면 좋겠습니다. 인문 지문에서 가장 중요한, 인물의 '주장'을 묻고 있으니까요.

⑤ ㉠은 특정 종교에서 추앙하는 사상가와 유학 이론의 관련성을 제시하는, ㉡은 유학의 사상적 우위를 입증하여 다른 학문을 통합할 수 있는 근거를 제시하려는 것으로 표출되었다.

명시적 근거	(나) 3문단 전체, (나) 4문단 전체
실전에서의 판단 과정	설혜는 유학의 사상적 우위에는 관심이 없지.
해설	'오징'은 '도교'라는 특정 종교에서 추앙하는 사상가인 '노자'와 '유학' 이론의 관련성을 제시하는 방식으로 '유학자의 입장'을 드러냈기 때문에, ㉠ 부분은 적절한 진술입니다. 그런데 '설혜'는 '유학'의 '사상적 우위'를 입증하려는 것이 아니라, 그저 '도교'와 '유학'이 다르지 않다는 '학문적 소신'을 표출한 것이죠? 여러 학문을 '통합'하는 것은 좋은데, 특정 학문을 우위에 세우는 방식을 이야기한 적은 없으니 ㉡ 부분이 적절하지 않다고 할 수 있겠습니다.

선지	①	②	③	④	⑤
선택률	12%	26%	13%	30%	19%

19 (나)의 왕안석과 오징의 입장에서 다음의 ㄱ~ㄹ에 대해 판단한 것으로 가장 적절한 것은? ④

– '왕안석'과 '오징'의 주장을 직접적으로 묻고 있습니다. '왕안석'은 시시각각 변화하는 만물의 근원인 '기'에 따라 변하는 현상 세계에 맞춰, '유학의 실천적 측면'을 살려 제도와 규범을 개정해 나가야 한다, 주장을 했습니다. 한편 '오징'은 사람들이 좋아하는 '도가의 도'가 현실화하여 드러난 것이 '유학'의 인의예지와 같은 천지 만물이니 '도교' 같은 주술적 종교가 아니라 '유학'을 따르자는 주장을 했어요. 이렇게 한마디로 정리해놓지 않으면 굉장히 헷갈리는 문제입니다.

> ─────────[보기]─────────
> ㄱ. 도는 만물을 통해 드러나는 것이지 만물에 앞서서 존재하는 것은 아니다.

– '왕안석'은 '도=기'를 만물의 근원으로 보았고, '오징'은 '도'를 근원적인 불변하는 것으로 보면서 이것이 '현실화'될 때 천지 만물이 생성된다고 보았습니다. 그런데 ㄱ은 '도'가 만물을 통해 드러나는 것이라는 이야기를 하고 있으니, '왕안석'과 '오징' 모두 동의하지 않는 진술이 되겠습니다.

> ─────────[보기]─────────
> ㄴ. 인간 사회의 규범은 이치를 내재한 근원적 존재인 도가 현실에 드러난 것이다.

– 이는 '오징'의 주장 그 자체죠? '도'가 '현실화'되면 사회 규범과 같은 천지 만물이 생성된다고 했습니다. 한편 '왕안석'은 '도=기'가 작용하여 사물이 형성된다고 했을 뿐, '도=기'가 '현실화'되어야 인간 사회의 규범과 같은 것들이 만들어진다고 하지는 않았습니다. 이에 ㄴ은 '오징'만 동의하는 진술이 되겠습니다.

> ─────────[보기]─────────
> ㄷ. 도는 현상 세계의 너머에만 머물러 있지 않고 세상일과 유기적으로 관련되는 것이다.

– '도'가 현상 세계의 너머에만 머물러 있지 않고 세상일과 유기적으로 관련된다고 합니다. '왕안석'과 '오징'은 모두 '도'가 현상 세계 속 만물의 생성에 기여할 수 있다고 했어요. 이는 '도'가 세상일과 관련된다는 의미라고 할 수 있겠죠? 이에 ㄷ은 '왕안석'과 '오징' 모두 동의하는 진술이 되겠습니다.

> ─────────[보기]─────────
> ㄹ. 도가 변화하듯이 현상 세계가 변하니, 현실 사회의 변화에 따라 인간 사회의 규범도 변해야 한다.

– 이는 우리가 미리 생각한 '왕안석'의 주장 그 자체입니다. 한편 '오징'은 '도'를 불변하는 것으로 보았기 때문에, 이에 동의하지 않을 거예요. 결국 ㄹ은 '왕안석'만 동의하는 진술이 되겠습니다.

① 왕안석은 ㄱ에 동의하지 않고 ㄴ에 동의하겠군.
② 왕안석은 ㄴ과 ㄹ에 동의하겠군.
③ 왕안석은 ㄷ에 동의하고 ㄹ에 동의하지 않겠군.
④ 오징은 ㄱ과 ㄹ에 동의하지 않겠군.
⑤ 오징은 ㄴ에 동의하고 ㄷ에 동의하지 않겠군.

선지	①	②	③	④	⑤
선택률	8%	11%	22%	23%	36%

20 〈보기〉를 참고할 때, (가), (나)의 사상가에 대한 왕부지의 평가로 적절하지 않은 것은? [3점] ⑤

– 지문에 나온 인물들만 해도 감당하기 어려웠는데, '왕부지'라는 새로운 인물의 주장까지 체크해야 합니다. 조금만 집중력을 더 발휘해서, '왕부지'의 주장도 정리해봅시다.

> ─────────[보기]─────────
> 청나라 초기의 유학자 **왕부지**는 『노자』의 본래 뜻을 드러내어 노자 사상을 비판하고자 『노자연』을 저술했다.

– '왕부지'의 첫 번째 주장입니다. 그는 '노자'의 본래 뜻을 드러내는 방식으로 '노자' 사상을 비판했다고 합니다. 결국 '왕부지'도 지문 속 인물들처럼 '노자' 사상을 비판했던 것이네요.

> ─────────[보기]─────────
> 노자 사상의 비현실성을 드러내어 유학의 실용적 가치를 부각하고자 했던 그는 기존의 『노자』 주석서가 노자 사상이 아닌 사상을 기준으로 삼았기 때문에 『노자』뿐만 아니라 주석자의 사상마저 왜곡했다고 비판했다.

– 또한 '왕부지'는 '노자' 사상의 비현실성을 드러냈다고 합니다. 나아가 '유학'의 실용적 가치를 부각하려고 했다고 해요. 이는 '오징'처럼 '유학자의 입장'에서 '노자' 사상을 바라본 모습이라고 할 수 있겠죠?

여기에 그는 기존의 '노자' 주석서가 '노자' 사상이 아닌 사상(지문에 제시된 것은 '유학'이었죠?)을 기준으로 삼았기 때문에, 즉 '노자'의 본래 뜻을 드러내지 못했기 때문에 '노자'와 주석자의 사상 모두가 왜곡되었다고 비판합니다. 도대체 '왕부지'가 생각하는 '노자'의 본래 뜻이 무엇인지는 모르겠지만, '노자'뿐만 아니라 다른 주석자들까지 비판하는 모습이네요.

---[보기]---

『노자』에서 아무런 행동을 하지 않아도 천하가 다스려진다고 한 것 등을 비판한 그는, 『노자』에서처럼 단순히 인간의 이기적 욕망을 없애는 것이 아니라 사회 질서 유지를 위해 유학 규범을 활용해야 한다고 강조했다.

– 나아가 '왕부지'는 아무런 행동을 하지 않아도, 즉 인위적인 것을 제거하여도 인간 사회가 안정된다고 보는 '노자'의 입장을 비판합니다. 이는 '유학' 이념을 바탕으로 사회 제도와 규범에 적극적으로 개입해야 한다는 '왕안석'의 주장과 유사하다고 할 수 있겠습니다.

여기에 '왕부지'는 단순히 인간의 이기적 욕망을 없앨 것이 아니라 사회 질서 유지를 위해 '유학' 규범을 활용해야 한다고 강조했네요. '유학' 규범이 아닌 '도'에 근거한 입법을 해야 한다는 내용을 제외하면, '한비자'의 입장과 유사하다고 할 수 있겠죠?

전반적으로 하나의 주장을 소개하기보다는 지문과 관련된 여러 가지 주장을 파편적으로 제시하는 형태의 〈보기〉였습니다. 이런 경우 보여 드린 것처럼 최대한 지문에 제시된 정보와 엮어서 정리해야 합니다. 그러면 꽤 많은 선지들을 바로 처리할 수 있을 거예요.

① 왕부지는 인간의 욕망에 대한 『노자』의 대응 방식을 부정적으로 보았으므로, (가)의 한비자가 『노자』와 달리 사회에 대한 인위적 개입이 필요하다고 한 것에 대해서는 수긍하겠군.

명시적 근거	〈보기〉, (가) 4문단 3번 문장
실전에서의 판단 과정	미리 생각한 내용이네.
해설	미리 생각한 것처럼, '왕부지'와 '한비자'는 모두 '노자'가 인간의 욕망을 없애야 한다고 주장한 것을 비판하며 사회 질서 유지를 위한 인위적 개입이 필요하다는 주장을 했습니다.

② 왕부지는 『노자』에 제시된 소극적인 삶의 태도를 부정적으로 보았으므로, (나)의 왕안석이 사회 제도에 대한 『노자』의 견해를 비판하며 유학 이념의 활용을 주장한 것은 긍정하겠군.

명시적 근거	〈보기〉, (나) 2문단 5번~7번 문장
실전에서의 판단 과정	미리 생각한 내용이네.
해설	미리 생각한 것처럼, '왕부지'와 '왕안석'은 모두 '유학' 이념을 바탕으로 사회 제도와 규범에 적극적으로 개입해야 한다는 주장을 펼쳤습니다. 〈보기〉 정리를 잘하면 이렇게 빠른 선지 판단이 가능합니다.

③ 왕부지는 『노자』의 본래 뜻을 파악해야 한다고 보았으므로, (나)의 오징이 『노자』를 주석하면서 자신의 이해에 따라 원문의 구성과 내용을 수정한 것이 잘못이라고 보겠군.

명시적 근거	〈보기〉, (나) 3문단 4번 문장
실전에서의 판단 과정	자신의 이해에 따라 수정한 건 본래 뜻을 파악한 게 아니니까 잘못이라고 보겠다.
해설	'왕부지'는 '노자'의 본래 뜻을 파악하지 못했다는 것을 바탕으로 여러 주석자들을 비판했습니다. 도대체 그 본래 뜻이 무엇인지는 제시되지 않았지만요. 어쨌든 '오징'은 '유학자의 입장'에서 자신의 이해에 따라 '노자'의 구성과 내용을 수정했는데, 이는 본래 뜻을 파악하려는 시도가 아니기 때문에 '왕부지'의 입장에서는 비판할 만한 포인트라고 할 수 있겠습니다.

④ 왕부지는 주석자가 유학을 기준으로 『노자』를 이해하면 주석자의 사상도 왜곡된다고 보았으므로, (나)의 오징이 유학의 인의예지를 『노자』의 도가 현실화한 것으로 본 것을 비판하겠군.

명시적 근거	〈보기〉, (나) 3문단 6번 문장
실전에서의 판단 과정	노자 사상이 아닌 사상을 기준으로 하면 주석자의 사상마저 왜곡된다고 했지.
해설	'왕부지'는 주석자가 '노자' 사상이 아닌 사상, 이를테면 '유학'을 기준으로 '노자'를 이해하면 '노자'뿐만 아니라 주석자의 사상도 왜곡된다고 보았습니다. 그런데 '오징'은 철저하게 '유학자의 입장'에서 '노자'를 해석했고, 이에 '유학'의 인의예지를 '노자'의 '도'가 '현실화'한 것으로 파악했죠. 이는 '왕부지'의 입장에서는 '오징' 자신의 사상마저 왜곡시키는 잘못된 해석이라고 할 수 있겠죠?

⑤ 왕부지는 『노자』에 담긴 비현실성을 드러내야 한다고
  보았으므로, (나)의 설혜가 기존의 『노자』 주석서들을
  비판하며 드러낸 학문적 입장이 유학의 실용적 가치
  를 부각한다고 보겠군.

명시적 근거	〈보기〉, (나) 4문단 전체
실전에서의 판단 과정	설혜는 유학의 가치를 부각하는 게 아니라 도교의 오해를 불식시키려고 했는데?
해설	'왕부지'가 '노자'에 담긴 비현실성을 드러내어 '유 학의 실용적 가치'를 부각하고자 했습니다. 그런 데 '설혜'는 기존의 '노자' 주석서들이 '도교'를 이 단으로 치부했다고 지적하며 사실은 '도교'도 '유 학'과 같다는 주장을 펼쳤어요. 즉, '설혜'는 '유학' 의 가치를 부각하기보다는 '도교'에 대한 오해를 불식시키기 위해 기존의 '노자' 주석서들을 비판 한 것이기 때문에 적절하지 않은 선지네요. 결국 '설혜'라는 인물의 주장을 정확히 이해하고 있는 지 묻는 선지였습니다.

선지	①	②	③	④	⑤
선택률	1%	4%	2%	92%	1%

21 ⓐ와 문맥상 의미가 가장 가까운 것은? ④

① 과일이 접시에 예쁘게 담겨 있다.
② 상자에 탁구공이 가득 담겨 있다.
③ 시원한 계곡물에 수박이 담겨 있다.
④ 화폭에 봄 경치가 그대로 담겨 있다.
⑤ 매실이 설탕물에 한 달째 담겨 있다.

몰랐던 어휘 정리하기

| 핵심 point |

① **화제 check** : 독서 지문 독해의 처음이자 끝. 첫 문단에서
   잡은 '화제의 틀'을 마지막 문단까지 놓지 않아야 합니다.
② **재진술 인식** : 같은 말이라도 다르게 표현되는 경우가 많습
   니다. 심지어 아예 똑같은 말이 반복되는 경우도 많아요. 이
   '같은 말'에 민감하게 반응하면, '정보량'을 줄이면서 읽을 수
   가 있습니다.

| 지문 내용 총정리 |

모든 인물은 같은 말만 한다는 인문 지문의 대원칙을 바탕으로
글을 읽고 있는지 물어본 지문이었습니다. 다만 인물의 수나 그
주장의 겉보기 정보량이 너무 많아 상당히 부담스러웠을 거예
요. 다만 대부분의 선지들이 결국 그 인물의 핵심 주장을 묻고
있다는 점을 또 한 번 느낄 수 있는 지문이기도 했죠? 어렵지만
핵심적인 내용을 묻고 있으니, 확실하게 복습하여 자기 것으로
만들어봅시다.

(가) 1문단

①아도르노는 문화 산업에 의해 양산되는 **대중 예술**이 이윤 극대화를 위한 상품으로 전락함으로써 예술의 본질을 상실했을 뿐 아니라 현대 사회의 모순과 부조리를 은폐하고 있다고 지적했다. ②아도르노가 보는 대중 예술은 창작의 구성에서 표현까지 표준화되어 생산되는 상품에 불과하다. ③그는 대중 예술의 규격성으로 인해 개인의 감상 능력 역시 표준화되고, 개인의 개성은 다른 개인의 그것과 다르지 않게 된다고 보았다. ④특히 모든 것을 상품의 교환 가치로 환원하려는 자본주의 사회에서, 대중 예술은 개인의 정체성마저 상품으로 전락시키는 기제로 작용한다는 것이다.

① #주장 제시 #카테고리 나누기

'아도르노'라는 사람은 '대중 예술'을 굉장히 부정적으로 보고 있습니다. 구체적으로 '예술의 본질을 상실'하고 '현대 사회의 모순과 부조리를 은폐'하고 있다고 생각하네요. '이윤 극대화를 위한 상품'이기 때문에 이러한 결과가 일어난다는 것인데, 일단 '예술의 본질 상실'과 '현대 사회 모순·부조리 은폐'라는 두 가지 카테고리를 '화제의 틀'로 잡아 두고 읽을 수 있어야 합니다. '예술의 본질'은 도대체 무엇이며, '모순·부조리'는 왜 은폐된다고 보는 것일까요?

②~③ #주장 제시 #재진술

'아도르노'는 '대중 예술'을 '표준화되어 생산되는 상품'으로 봅니다. '이윤 극대화'를 위해서는 '표준화'가 필요하다는 점에서 당연하게 나올 수 있는 주장이라고 할 수 있겠네요. 중요한 것은 이로 인해 '개인의 감상 능력', '개인의 개성'까지도 '표준화'된다고 보는 것이에요. '표준화'라는 하나의 포인트로 모든 정보를 재진술시킬 수 있겠죠?

④ #주장 제시 #재진술

나아가 '자본주의 사회'에서 '대중 예술'은 '개인의 정체성'마저 '상품'으로 전락시킨다고 합니다. 1번 문장에서 '대중 예술'이 '이윤 극대화를 위한 상품'이라고 했는데, 그 내용의 연장선상이라고 할 수 있겠죠? 앞의 두 문장을 바탕으로, '아도르노'가 '대중 예술'과 '개인'이 긴밀한 관계를 맺고 있다고 생각한다는 것을 알 수 있었습니다. '대중 예술'이 '표준화'되니 '개인'도 '표준화'되었다고 했으니까요. 여기서도 마찬가지의 논리로, '대중 예술'이 '상품'이니 '개인'도 '상품'으로 전락했다는 식으로 납득해 주시면 되겠습니다. 결국 다 똑같은 말이었어요.

'표준화'와 '상품'이라는 말을 핵심 키워드로 해서 '아도르노'의 주장을 설명하고 있습니다. 여기서 '예술의 본질 상실'과 '현대 사회의 모순·부조리 은폐'라는 '화제의 틀'을 잊으면 안 돼요. 이 개념들이 서로 어떻게 연결되는 것인지 확실하게 체크할 수 있어야 합니다.

하이라이트 문장

①아도르노는 문화 산업에 의해 양산되는 대중 예술이 이윤 극대화를 위한 상품으로 전락함으로써 예술의 본질을 상실했을 뿐 아니라 현대 사회의 모순과 부조리를 은폐하고 있다고 지적했다.

첫 문단에서 '화제의 틀'을 만들어주고 있습니다. '예술의 본질 상실', '현대 사회의 모순·부조리 은폐'라는 두 가지 카테고리에 맞춰서 정보를 정리하려고 하셔야 해요.

(가) 2문단

①아도르노는 서로 다른 가치 체계를 하나의 가치 체계로 통일시키려는 속성을 동일성으로, 하나의 가치 체계로의 환원을 거부하는 속성을 비동일성으로 규정하고, 예술은 이러한 환원을 거부하는 비동일성을 지녀야 한다고 주장한다. ②그렇기 때문에 **예술**은 대중이 원하는 아름다운 상품이 되기를 거부하고, 그 자체로 추하고 불쾌한 것이 되어야 한다는 것이다. ③그에게 있어 예술은 예술가가 직시한 세계의 본질을 감상자들에게 체험하게 해야 한다. ④예술은 동일화되지 않으려는, 일정한 형식이 없는 비정형화된 모습으로 나타남으로써 현대 사회의 부조리를 체험하게 하는 매개여야 한다는 것이다.

① #수식된 정의 제시 #단어의 의미 살리기
#주장 제시 #재진술

'아도르노'는 '동일성'과 '비동일성'이라는 개념을 제시합니다. 단어의 의미 그대로, 가치 체계를 '동일'하게 만드는지 '비동일'하게 만드는지라는 정의를 가지고 있네요. 그러면서 '예술'은 '비동일성'을 지녀야 한다고 주장합니다. 이 말을 보자마자, 1문단에서 이야기했던 '표준화'가 떠올라야 합니다. '아도르노'는 '비동일성'을 강조하는데, '대중 예술'은 '표준화'라는 '동일성'의 방향으로 작용하고 있어 문제라는 것이죠. 이렇게 재진술시키면 정보량이 확 줄어들 수 있겠죠?

②~③ #주장 제시 #재진술

이러한 이유로, '아도르노'는 '예술'이 그 자체로 추하고 불쾌한 것이 되어야 한다고 봅니다. '아도르노'는 '비동일성'을 강조하기 때문에, 여기서 말하는 '대중이 원하는 아름다운 상품'이란 '동일성'(=표준화)과 관련된 것이라고 생각할 수 있겠죠? 이렇게 모든 주장들을 최대한 붙여서 정보량을 줄일 수 있어야 합니다.

이와 더불어, '아도르노'는 '예술'이 '세계의 본질'을 감상자들에게 체험하게 해야 한다고 주장합니다. '세계의 본질'이 정확히 무엇인지는 몰라도, 1문단에서 말한 예술의 '본질' 혹은 '현대 사회'의 모순과 부조리에 대한 내용이 아닐까 추측할 수 있겠습니다.

④ #주장 제시 #재진술

이런 생각을 가지고 4번 문장을 읽었더니, 앞의 내용을 총정리해주고 있네요. 결국 '예술'은 '비정형화'(=비동일성)된 모습으로 '현대 사회의 부조리'(=세계의 본질)를 체험하게 하는 매개여야 한다는 것입니다. 이렇게 앞 문장과의 재진술을 잡아주는 것은 물론이고, 1문단에서 제시한 두 가지 카테고리까지 끌고 올 수 있어야 합니다. '아도르노'가 말한 '예술의 본질'은 '비동일성'이고, 이를 바탕으로 불쾌한 것이 되어 '현대 사회의 모순·부조리'를 은폐하지 않고 드러내야 한다는 것이죠. 이렇게 '아도르노'의 주장이 확실하게 정리되어야 합니다.

하이라이트 문장

> ④예술은 동일화되지 않으려는, 일정한 형식이 없는 비정형화된 모습으로 나타남으로써 현대 사회의 부조리를 체험하게 하는 매개여야 한다는 것이다.

1문단과 2문단의 내용을 모두 포괄하는 재진술 문장입니다. '비정형화'와 '부조리'라는 포인트를 바탕으로 '아도르노'의 주장을 일목요연하게 정리할 수 있어야 해요.

(가) 3문단

> ①아도르노는 쇤베르크의 음악과 같은 **전위 예술**이 그 자체로 동일화에 저항하면서도, 저항이나 계몽을 직접적으로 드러내지 않는다는 것을 높게 평가한다. ②저항이나 계몽을 직접 표현하는 것에는 비동일성을 동일화하려는 폭력적 의도가 내재되어 있다고 보기 때문이다. ③불협화음으로 가득 찬 쇤베르크의 음악이 감상자들에게 불쾌함을 느끼게 했던 것처럼 예술은 그것에 드러난 비동일성을 체험하게 함으로써 동일화의 폭력에 저항해야 한다는 것이다.

① #주장 제시 #재진술

'아도르노'는 '비동일성'과 '부조리 체험'이라는 두 가지 키워드를 중심으로 '예술'의 목적을 정의했습니다. '전위 예술'을 높게 평가했다는 것으로 보아, '전위 예술'은 이러한 목적을 잘 달성한 것 같아요. 일단 '동일화에 저항'했다는 것은 '비동일성'을 추구했다는 점에서 높게 평가하는 게 이해가 되는데, '저항이나 계몽'을 직접적으로 드러내지 않는다는 것은 왜 높게 평가되는 것일까요? '현대 사회의 부조리'를 드러내고 그에 '저항'해야 한다고 '계몽'하는 것은 '아도르노'가 참 좋아할 것 같은 내용인데 말입니다.

② #재진술

그 이유가 제시되고 있습니다. '저항이나 계몽'은 '비동일성'과 관련된 것인데, 이걸 직접 표현하면 '비동일성'을 '동일화'하는 결과로 이어지기 때문이었어요. 이는 결국 또 '동일성'을 추구하는 '폭력적 의도'의 결과가 될 수 있기 때문에 바람직하지 않은 것이죠. '동일성'을 거부하는 '아도르노'의 생각이 너무나 잘 드러나고 있습니다.

③ #사례 – 원리 연결

'쇤베르크'의 '전위 예술'은 감상자들에게 '불쾌함'을 느끼게 했습니다. 이는 앞에서 이해한 대로 감상자들에게 '비동일성'을 체험하게 하는 것인데, '아도르노'가 무엇보다 중요시한 것은 이런 체험을 바탕으로 '동일화의 폭력'에 저항하게 하는 것이었어요. 따라서 '저항이나 계몽'을 직접적으로 드러내 '비동일성'이라는 요소에 주목하지 못하게 하는 것은 잘못된 것이라 생각하는 것이죠. 인문 지문답게, 계속해서 똑같은 말만 하고 있습니다.

하이라이트 문장

> ③불협화음으로 가득 찬 쇤베르크의 음악이 감상자들에게 불쾌함을 느끼게 했던 것처럼 예술은 그것에 드러난 비동일성을 체험하게 함으로써 동일화의 폭력에 저항해야 한다는 것이다.

'아도르노'의 주장을 더욱 강화시켜 주는 사례가 제시되고 있습니다. 이를 통해 '비동일성'에 대한 '아도르노'의 강박을 확실하게 이해할 수 있어야 합니다.

(가) 4문단

> ①아도르노에게 있어 예술은 <u>사회적 산물</u>이며, 그래서 미학은 작품에 침전된 <u>사회의 고통스러운 상태를 읽기 위해 존재한다.</u> ②그는 비동일성 그 자체를 속성으로 하는 전위 예술을 예술이 추구해야 할 바람직한 모습으로 제시했다.

①~② #주장 제시 #재진술

'아도르노'의 주장을 총정리해주고 있습니다. '예술'은 '사회적 산물'이기 때문에, 현대 사회가 가지고 있는 '고통스러운 상태'를 예술로부터 읽어낼 수 있어야 한다는 것이죠. 그리고 이러한 '고통스러운 상태'는 '비동일성 그 자체를 속성'으로 하는 '전위 예술'에서 읽어내기가 가장 쉬울 것입니다. 이에 '아도르노'는 '전위 예술'을 바람직한 모습으로 제시한 것이죠. 처음부터 끝까지 '표준화·동일화'를 배척하고 '비동일성'을 추구하여 '현대 사회의 모순·부조리'를 끌어내야 한다는, '아도르노'가 생각하는 '예술의 본질'을 이야기하고 있었습니다.

(나) 1문단

> ①아도르노의 미학은 예술과 사회의 관계를 통해 <u>예술의 자율성을 추구했다</u>는 점에서 긍정적으로 평가된다. ②예술은 사회적인 것인 동시에 사회에서 떨어져 <u>사회의 본질을 직시하는 것</u>이어야 한다고 보기 때문이다. ③그의 미학은 기존의 예술에 대한 비판적 관점을 제공한다. ④가령 사과를 표현한 세잔의 작품을 아도르노의 미학으로 읽어 낸다면, 이 그림은 사회의 본질과 유리된 '아름다운 가상'을 표현한 것에 불과할 것이다.

①~④ #재진술 #사례 - 원리 연결

1문단 전체를 아주 빠르게 읽어낼 수 있어야 합니다. 사실상 (가) 내용의 요약에 해당하는 부분이에요. '아도르노'의 미학에 따르면 '예술'이 '사회의 본질'을 직시해야 합니다. 4번 문장에서 들어 준 사례처럼, '세잔'의 사과를 표현한 작품은 그저 '동일성'의 성질을 가진 하나의 '아름다운 상품'일 뿐이에요. 이를 통해 1번 문장에서 이야기하는 '예술의 자율성'이 추구되었다는 점에서, '아도르노'의 미학은 긍정적으로 평가될 수 있다고 합니다. 여기서 '예술의 자율성'이란 '비동일성'이라는 예술 고유의 성질이 발현된 상태와 관련되어 있겠죠?

(나) 2문단

> ①하지만 세잔의 작품은 예술가의 주관적 인상을 붉은색과 회색 등의 색채와 기하학적 형태로 표현한 미메시스일 수 있다. ②**미메시스**란 <u>세계를 바라보는 주체의 관념을 재현하는 것, 즉 감각될 수 없는 것을 감각 가능한 것으로 구현하는 것</u>을 의미한다. ③다시 말해 세잔의 작품은 눈에 보이는 특정의 사과가 아닌 예술가의 시선에 포착된 세계의 참모습, 곧 자연의 생명력과 그에 얽힌 농부의 삶 그리고 이를 응시하는 예술가의 사유를 재현한 것이 된다.

① #주장 제시 #화제의 흐름

그저 '아도르노'의 주장을 되풀이하는 방향으로 흘러가지는 않습니다. 앞에서 이야기했던 '세잔'의 작품의 경우, '아도르노'의 관점에서는 높게 평가되기 어렵겠지만 '예술가의 주관적 인상'을 표현한 '미메시스'일 수도 있다고 합니다. '미메시스'가 뭔지는 모르겠지만, 이 경우에는 '세잔'의 작품도 높게 평가될 여지가 있다는 것이겠죠?

②~③ #정의 제시 #사례 - 원리 연결

그렇다면 '미메시스'는 도대체 무엇일까요? 앞 문장에서 이야기한 것처럼, '세계를 바라보는 주체의 관념'이라는 '감각될 수 없는 대상'을 표현하는 것을 의미한다고 해요. 즉, '세잔'이라는 주체의 관념을 표현했다면 그 자체로 의미가 있지 않겠냐는 것이겠죠.

'미메시스'라는 추상적인 개념이 제시되었으니, 당연히 사례를 통해 구체화시켜야겠죠? '세잔'의 작품에서는 단순히 '사과'의 모습을 그린 게 아니라, 그 '사과'를 통해 '세잔'(=주체)이 포착한 '세계의 참모습'(=관념)을 표현한 것이 되는 겁니다. 자연의 생명력, 농부의 삶 같은 '관념'들은 원래 '감각될 수 없는 것'인데 이것을 '사과'의 이미지로 '감각'할 수 있게 했다는 것이죠. 즉, (나)의 글쓴이는 '예술가의 주관적 인상 = 주체의 관념 = 감각될 수 없는 것'을 감각 가능한 것으로 구현하는 '미메시스'의 존재를 강조하는 것입니다. 이렇게 하면 '아도르노'의 생각과 달리 '세잔'의 작품도 무언가 의미가 있다고 할 수 있겠죠?

하이라이트 문장

> ③다시 말해 세잔의 작품은 눈에 보이는 특정의 사과가 아닌 예술가의 시선에 포착된 세계의 참모습, 곧 자연의 생명력과 그에 얽힌 농부의 삶 그리고 이를 응시하는 예술가의 사유를 재현한 것이 된다.

'주체'와 '관념'이라는 '미메시스' 개념의 핵심 키워드를 바탕으로 사례와 엮어주시고, 이로부터 '미메시스'라는 추상적 개념을 구체적으로 이해할 수 있어야 합니다. 추상적인 개념의 정의는 사례, 재진술 등을 통해 확실하게 이해하고 넘어가야 해요!

(나) 3문단

> ①아도르노는 예술이 예술가에게 포착된 세계의 본질을 감상자로 하여금 체험하게 하는 것이어야 한다고 본다. ②그러나 그는 이러한 미적 체험을 현대 사회의 부조리에 국한시킴으로써, 진정한 예술을 감각적 대상인 형태 그 자체의 비정형성에 대한 체험으로 한정한다. ③결국 아도르노의 미학에서는 주관의 재현이라는 미메시스가 부정되고 있다.

①~③ #주장 제시 #재진술

2문단의 내용을 구체적으로 설명하고 있습니다. '아도르노'는 '세계의 본질'을 체험하게 하는 것을 '예술'의 중요한 역할로 이야기하기는 했지만, 사실 이 체험은 '현대 사회의 부조리'에 국한되어 있었습니다. 그리고 이를 잘 드러내기 위해 '형태 그 자체의 비정형성'을 강조했죠. (나)의 글쓴이가 보기에, 이는 '미메시스'를 부정하는 형태가 됩니다.

이렇게만 읽으면 반쪽짜리 독해를 한 것입니다. 일단 '미메시스'라는 말이 반복되었다는 것을 바탕으로, 2문단의 내용을 끌고 와야겠다는 생각을 하셔야 합니다. 2문단에 따르면, '세잔'의 작품은 '미메시스'를 통해 '세계의 참모습'을 표현한 작품으로 볼 수 있습니다. 이에 '아도르노'의 생각과 달리 '세잔'의 작품도 의미를 가진다고 볼 수 있었던 것이에요. 하지만 '아도르노'의 미학에서는 '현대 사회의 부조리'를 드러내는 '비동일성'만 강조하기에, 그리고 이를 드러내기 위한 '형태 그 자체의 비정형성'은 '미메시스'의 대상이 아닌 '감각적 대상'이기 때문에, 결국 '아도르노'의 미학은 '미메시스'를 부정하는 결과로 이어진다는 것입니다. 이처럼 '미메시스' 및 '감각적 대상'이라는 '진짜로' 같은 말을 바탕으로 앞 문단과 엮어 이해하고 넘어갈 수 있어야 합니다!

| 생각 심화 |

그렇다면 '세잔'의 작품이 가지는 의미는 구체적으로 무엇일까요? 1문단에서 (나)의 글쓴이는 '아도르노'의 미학이 '예술'을 통해 '사회의 본질'을 직시하려 했다는 점에서 긍정적으로 평가할 수 있다고 했습니다. 즉, '예술'이 '사회의 본질'을 표현해야 한다는 것에는 (나)의 글쓴이도 동의한다고 할 수 있는 것이에요. 이에 따르면, '세잔'의 작품은 '미메시스'를 통해 '세계의 참모습'이

라는 '사회의 본질'을 표현한 것으로 이해할 수 있는 것입니다.

결국 (나)의 글쓴이는 단순히 '아도르노'와 다른 방식으로 생각한 것이 아니라, '아도르노'가 '사회의 본질'을 표현하는 방식에 대해 너무 좁게 생각했다고 지적하는 것입니다. '미메시스'와 같은 방식을 놓친 것이라고 말이죠. 물론 (나)의 글쓴이는 '모순과 부조리'에만 주목했던 '아도르노'에 비해 '사회의 본질'을 조금 더 넓게 정의하는 모습이지만, 아예 다른 생각을 하는 것은 아니었던 것입니다.

1문단의 '사회의 본질'처럼 '같은 말'이 반복되는 것을 인식하고, 이를 통해 정확하게 두 대상을 비교/대조할 수 있다면 정말 훌륭하겠습니다.

하이라이트 문장

> ③결국 아도르노의 미학에서는 주관의 재현이라는 미메시스가 부정되고 있다.

'미메시스'라는 말이 반복되었다는 것을 바탕으로, 앞 문단의 내용과 엮어 (나)의 글쓴이가 '아도르노'에 대해 비판하고자 하는 점이 무엇인지 정확하게 파악해야 합니다. 인문 지문에서는 결국 어떤 사람의 '주장'을 정확히 이해하는 것이 관건이니까요.

(나) 4문단

> ①한편 **아도르노의 미학**은 예술의 영역을 극도로 축소시키고 있다. ②즉 그 자신은 동일화의 폭력을 비판하지만, 자신이 추구하는 전위 예술만이 진정한 예술이라고 주장하며 전위 예술의 관점에서 예술의 동일화를 시도하고 있다. ③특히 이는 현실 속 다양한 예술의 가치가 발견될 기회를 박탈한다. ④실수로 찍혀 작가의 어떠한 주관도 결여된 사진에서조차 새로운 예술 정신을 발견하는 것이 가능하다는 베냐민의 지적처럼, 전위 예술이 아닌 예술에서도 미적 가치를 발견할 수 있다. ⑤또한 대중음악이 사회적 저항의 메시지를 전달하는 사례도 있듯이, 자본의 논리에 편승한 대중 예술이라 하더라도 사회에 대한 비판적 기능을 수행하는 경우도 있다.

①~② #주장 제시 #카테고리 나누기 #재진술

계속해서 '아도르노의 미학'을 비판하고 있습니다. 지금까지는 '미메시스'처럼 예술 작품을 평가할 수 있는 좋은 수단을 부정했다는 점에서 비판했는데, 이번에는 '예술의 영역 축소'라는 카테고리를 바탕으로 비판하려는 것 같아요.

조금 더 자세히 알아봅시다. '아도르노'는 '동일화'를 비판하고 있어요. 하지만 그러면서도 '비동일성' 그 자체를 속성으로 하는 '전위 예술'의 관점에서 '예술의 동일화'를 시도하고 있습니다. 이렇게 예술을 '전위 예술'이라는 영역으로만 축소시켰다는 것이 (나)의 글쓴이가 주장하는 바라고 할 수 있네요.

③~④ #재진술 #사례 – 원리 연결

이렇게 '예술의 영역'이 축소되면, 다양한 예술의 가치가 발견될 기회가 박탈되는 것은 당연하겠죠? '베냐민'이라는 사람이 '사진'에서도 예술 정신을 발견할 수 있다고 한 것처럼 다른 분야의 예술도 가치가 있을 수 있는데, '아도르노'의 미학에 따르면 이러한 예술들이 주목받을 기회가 박탈된다는 것입니다. 당연하게 납득할 수 있겠죠?

⑤ #재진술

심지어는 '대중 예술'까지도 사회에 대한 비판적 기능을 수행하는 경우가 있음을 밝히고 있습니다. '대중 예술' 역시 앞 문장에 나온 '다양한 예술'의 일부라고 할 수 있겠죠? '아도르노'의 주장을 따르면 '예술의 영역'이 지나치게 축소된다는 하나의 이야기로 모아주면서 마무리하면 되겠습니다.

하이라이트 문장

> ①한편 아도르노의 미학은 예술의 영역을 극도로 축소시키고 있다.

비판의 포인트가 확실히 달라졌다는 것을 느껴야 합니다. 카테고리를 정확하게 나누고 정보 정리를 하는 것, 문제 풀이 과정에서 시간을 정말 많이 아껴줄 거예요.

선지	①	②	③	④	⑤
선택률	1%	7%	76%	12%	4%

22 다음은 (가)와 (나)를 읽고 수행한 독서 활동지의 일부이다. Ⓐ~Ⓔ 중 적절하지 <u>않은</u> 것은? ③

– 늘 나오는 내용 전개 방식 문제의 다른 형태입니다. 지문을 완벽하게 이해하고 있으니, 가볍게 답을 골라봅시다.

	(가)	(나)
글의 화제	아도르노의 예술관 ······················ Ⓐ	

명시적 근거	지문 전체	
실전에서의 판단 과정	이건 뭐...	
해설	굳이 설명하지 않아도 되겠죠? '아도르노'의 미학에 대한 내용이 두 지문의 화제였습니다.	

	(가)	(나)
서술 방식의 공통점	구체적인 예를 제시하고 그것에 담긴 의미를 설명함. ························· Ⓑ	

명시적 근거	(가) 3문단, (나) 2문단	
실전에서의 판단 과정	쇤베르크랑 세잔 나왔었지.	
해설	(가)에서는 '쇤베르크'의 음악을 사례로 제시하며 '전위 예술'의 우수성을 강조했고, (나)에서는 '세잔'의 그림을 바탕으로 '미메시스'를 간과한 '아도르노'를 비판했었죠. 지문을 읽으면서 사례를 바탕으로 원리를 이해하려는 노력을 기울였으니 어렵지 않게 지울 수 있겠습니다.	

	(가)
서술 방식의 차이점	<u>(가)는 (나)와 달리 화제와 관련된 개념을 정의하고 개념의 변화 과정을 제시함.</u> ··················· Ⓒ

명시적 근거	–
실전에서의 판단 과정	개념의 변화 과정은 나온 적이 없지.
해설	(가)에서는 '동일성', '비동일성', '전위 예술'과 같은 개념들을 정의하기는 했지만, 이들의 '변화 과정'은 언급한 적이 없습니다. 애초에 (가)의 화제와 너무 동떨어진 내용이죠?

	(나)
서술 방식의 차이점	(나)는 (가)와 달리 논지를 강화하기 위해 다른이의 견해를 인용함. ·········· ⓓ

명시적 근거	(나) 4문단 4번 문장
실전에서의 판단 과정	(나)에서는 베냐민 이야기했지.
해설	(나)에서는 '베냐민'이라는 사람의 견해를 바탕으로 '아도르노'를 비판했습니다. (가)에서는 그런 적이 없죠? 애초에 '베냐민'의 주장이 왜 나왔는지 생각하면서 일어냈다면 충분히 쉽게 지워낼 수 있는 선지였을 겁니다.

	(가)	(나)
서술된 내용 간의 관계	(가)에서 소개한 이론에 대해 (나)에서 의의를 밝히고 한계를 지적함. ·········· ⓔ	

명시적 근거	지문 전체
실전에서의 판단 과정	아도르노 주장을 비판하는 구성이었지.
해설	'아도르노'의 미학을 (가)에서 소개하고, (나)에서 긍정적 평가가 가능하다며 의의를 밝힌 뒤 비판하는 방식으로 구성된 지문이었습니다.

선지	①	②	③	④	⑤
선택률	64%	5%	5%	23%	3%

23 아도르노가 보는 대중 예술 에 대한 이해로 적절하지 않은 것은? ①

– '아도르노가 보는 대중 예술'은 두 가지 키워드로 요약할 수 있습니다. '표준화'와 '상품'이죠. '아도르노'에게 이는 현대 사회가 가지고 있는 모순과 부조리를 은폐하는 부정적인 대상이었습니다. 이 내용을 바탕으로 선지를 판단해보도록 합시다.

① 문화 산업을 통해 상품화된 개인의 정체성과 대립적 관계를 형성한다.

명시적 근거	(가) 1문단 2번~4번 문장
실전에서의 판단 과정	대중 예술도, 정체성도 모두 상품이지.
해설	몇 번이고 이야기한 내용이지만, '아도르노'는 대중 예술이 '표준화'된 '상품'이어서 '개인의 정체성'마저도 그렇게 만든다고 했습니다. 애초에 같은

말로 모두 엮어 처리했던 내용이었는데, '대립적 관계'는 절대 맞다고 할 수 없겠네요.

② 일정한 규격에 맞춰 생산될 뿐 아니라 대중의 감상 능력을 표준화한다.

명시적 근거	(가) 1문단 2번~3번 문장
실전에서의 판단 과정	표준화가 핵심이었지.
해설	'아도르노'가 보는 대중 예술은 '표준화'되어 있어서, '개인의 감상 능력' 역시 '표준화'된다고 했어요. '표준화'라는 핵심 키워드를 바탕으로 재진술했다면 너무나 쉬운 선지죠?

③ 자본주의의 교환 가치 체계에 종속된 것으로서 예술로 포장된 상품에 불과하다.

명시적 근거	(가) 1문단 전체
실전에서의 판단 과정	정리하면 이 말이네.
해설	'자본주의'는 '교환 가치 체계'를 가진 것으로, '아도르노'는 대중 예술이 이러한 체제 아래에서 '표준화'되어 만들어진 '상품'에 불과하다는 이야기를 했습니다. (가)의 1문단을 요약한 것과 같은 선지네요.

④ 모든 것을 상품의 교환 가치로 환원하려는 자본주의 사회의 속성을 은폐한다.

명시적 근거	(가) 1문단 1번 문장, 4번 문장
실전에서의 판단 과정	예술이 현대 사회의 부조리를 은폐하고 있다고 했지.
해설	'아도르노'는 대중 예술이 현대 사회의 모순과 부조리를 은폐하고 있다고 봤습니다. 그리고 선지에서 물어보는 '자본주의 사회'의 속성은 '모든 것을 상품의 교환 가치로 환원하려는 것'입니다. 대중 예술은 이러한 모순과 부조리를 드러내려고 하기보다, 개인의 정체성까지 상품화시켜버리면서 '은폐'하고 있네요. 맞는 선지로 처리할 수 있겠습니다. 시험장에서는 '실전에서의 판단 과정'처럼 당연하게 맞다고 생각하고 넘어갈 수 있어야 합니다. 하지만 디테일하게 따져보면 결국 지문에 있는 말들을 조합해 지문에 없는 말을 '추론'해내는 고난도 선지의 속성을 가지고 있었네요. 언제든지 발전할 여지가 있는 선지이므로, 확실하게 지울 수 있다는 생각이 든 뒤에 넘어가도록 합시다.

⑤ 문화 산업의 이윤 극대화 과정에서 개인들이 지닌 개성의 차이를 상실시킨다.

명시적 근거	(가) 1문단 1번~3번 문장
실전에서의 판단 과정	이윤 극대화를 위한 표준화된 상품이 되었지.
해설	대중 예술은 '문화 산업'에 의해 양산되는데, 이들은 '이윤 극대화'를 위해 '표준화된 상품'으로 전락했다고 했습니다. 그리고 이는 '개인의 개성'까지 '표준화'시키는 결과를 낳았죠. 2번 선지에 이어 또 한번 '표준화'라는 핵심 키워드로 재진술하며 읽었는지를 물어보고 있습니다.

선지	①	②	③	④	⑤
선택률	11%	9%	12%	22%	46%

24 ⊙의 이유를 추론한 내용으로 가장 적절한 것은? ⑤

> 그러나 그는 이러한 미적 체험을 현대 사회의 부조리에 국한시킴으로써, 진정한 예술을 감각적 대상인 형태 그 자체의 비정형성에 대한 체험으로 한정한다. 결국 ⊙아도르노의 미학에서는 주관의 재현이라는 미메시스가 부정되고 있다.

– 최근 평가원이 늘 출제히고 있는 전형적인 '추론' 문제입니다. 지문을 읽으면서 그 이유를 미리 납득하고 있었어야 합니다. '아도르노'의 미학에서는 '현대 사회의 부조리'에만 주목해서 형태 그 자체의 '비동일성'을 체험하는 것만을 강조합니다. 이에 '미메시스'라는 표현 방법은 신경을 쓰지 않는 것이죠. '현대 사회의 부조리' 혹은 '비동일성'(=비정형성)이라는 키워드를 중심으로 선지를 판단해봅시다.

① 비정형적 형태뿐 아니라 정형적 형태 역시 재현되기 때문이다.

명시적 근거	(나) 3문단 2번 문장
실전에서의 판단 과정	정형적 형태랑 무슨 상관이야.
해설	'정형적 형태'를 재현할 수 있기 때문에 '미메시스'를 부정하는 게 아니라, '비정형적 형태'만을 강조하기에 '미메시스'를 부정하는 결과가 나온 것입니다.

② 재현의 주체가 예술가로부터 예술 작품의 감상자로 전환되기 때문이다.

명시적 근거	(나) 3문단 2번 문장
실전에서의 판단 과정	주체랑 무슨 상관이야.
해설	주체가 중요한 게 아니라, '비정형적 형태'에 대한 집착 때문입니다.

③ 미적 체험의 대상이 사회의 부조리에서 세계의 본질로 변화되기 때문이다.

명시적 근거	(나) 3문단 2번 문장
실전에서의 판단 과정	부조리가 곧 세계의 본질이라고 생각했지.
해설	'아도르노'는 '사회의 부조리'를 드러내는 것이 곧 '세계의 본질'을 체험하는 것이라고 했습니다. 따라서 이 선지는 'A에서 A로 변화되기 때문'이라는 헛소리가 되네요. 이렇게 해결하지 못하더라도, 최소한 '사회의 부조리'가 곧 '아도르노'의 관심사라는 생각은 할 수 있어야겠죠?

④ 미적 체험의 과정에서 비정형적인 형태가 예술가의 주관으로 왜곡되기 때문이다.

명시적 근거	(나) 3문단 2번 문장
실전에서의 판단 과정	예술가의 주관 자체를 무시한 것이었는데?
해설	'아도르노'는 그저 '비정형적인 형태'에만 주목했기 때문에 '미메시스'(= 예술가의 주관)를 부정한 것입니다. '미메시스'가 '비정형적인 형태'를 왜곡한다고 생각해서 비판을 한 게 아니라, '미메시스'와 같은 것의 존재 가능성 자체를 생각하지 못한 게 핵심이었어요. 추론 문제는 최대한 주관식으로 답을 생각해두어야 이런 선지에 낚이지 않습니다.

⑤ 예술가의 주관이 가려지고 작품에 나타난 형태에 대한 체험만이 강조되기 때문이다.

명시적 근거	(나) 3문단 2번 문장
실전에서의 판단 과정	미리 생각한 내용이네.
해설	예술가의 주관, 즉 '미메시스'와 같은 것들은 무시하고, 작품에 나타난 '비정형성'이라는 형태에 대한 체험만이 강조되기 때문에 '아도르노'의 미학에서는 '미메시스'가 부정된 것이었습니다. 미리 생각한 내용 그 자체였어요.

추론 문제에서 선택률이 높은 4번 선지와 같은 '매력적인 오답'의 경우, '비정형적인 형태'처럼 핵심적인 단어를 선지에 그대로 사용하는 경우가 많습니다. 지문을 완벽하게 이해하지 못한 학생들 입장에서는 지문에서 봤던 단어이니 아무래도 눈길이 갈 수밖에 없거든요. 반면 정답인 5번 선지에서는 가장 중요한 단어인 '비정형성'이 빠져 있습니다. 역시 지문을 제대로 이해하지 못한 학생들에게는 낯설게 느껴지기 때문에, 답으로 고르기 부담스러운 선지가 되는 것이죠.

기본적으로 '지문에서 본 말'을 찾는 게 아니라, 지문에 있는 말을 바탕으로 '떠올린 생각'을 기준에 놓고 선지 판단을 하셔야 합니다. 약간의 소소한 팁을 드리자면, 추론 문제에서 핵심 단어가 대놓고 들어가 있는 선지는 의심을 해보는 태도를 갖추는 것이 좋습니다. 물론 그런 선지들이 100% 틀린 것은 아니니, 말 그대로 '의심' 수준에서 이용하시면 되겠습니다.

선지	①	②	③	④	⑤
선택률	2%	9%	11%	8%	70%

25 (가)의 '아도르노'의 관점을 바탕으로 할 때, ㉡에 대해 반박할 수 있는 말로 가장 적절한 것은? ⑤

> 즉 그 자신은 동일화의 폭력을 비판하지만, 자신이 추구하는 전위 예술만이 진정한 예술이라고 주장하며 ㉡전위 예술의 관점에서 예술의 동일화를 시도하고 있다.

– 역시 미리 답을 생각해놓고 들어가셔야 합니다. ㉡은 '아도르노'가 '전위 예술'로의 '동일화'를 시도한다는 점에서 그의 주장과 모순된다는 비판입니다. 그렇다면 '아도르노'는 어떻게 반박할 수 있을까요? 일단 '아도르노'가 이야기하는 '전위 예술'의 정의를 살피니, '비동일성 그 자체를 속성으로 하는 예술'입니다. 이를 바탕으로 하면, "'전위 예술'이 곧 '비동일성'이므로 전위 예술로 동일화를 한다는 건 말이 안 된다." 정도를 생각할 수 있겠네요. 이 말을 찾아보도록 합시다.

① 동일화는 애초에 예술과 무관하므로 예술의 동일화는 실현 불가능하다.

명시적 근거	(가) 1문단 2번 문장
실전에서의 판단 과정	동일화가 실현되는 대중 예술을 비판했잖아.
해설	'아도르노'는 대중 예술이 '표준화 · 동일화'되는 경향을 비판하며 '비동일성'을 강조했습니다. '예술의 동일화'가 실현 불가능하다는 것은 완전 헛소리죠.

② 전위 예술의 속성은 부조리 그 자체를 폭로하는 것이므로 비동일성은 결국 동일성으로 귀결된다.

명시적 근거	(가) 전체
실전에서의 판단 과정	비동일성이 왜 동일성으로 귀결되냐.
해설	일단 '비동일성'이 '동일성'으로 귀결된다는 건 '아도르노'의 주장 그 어디에서도 찾아볼 수 없는 내용입니다. 나아가 이 문제는 결과적으로 '예술의 동일화'를 부추기는 '아도르노'의 주장을 비판하는 것인데, '아도르노'가 전부 '동일성'으로 귀결된다고 해 버리면 그 비판 내용을 수긍하는 것이 되겠죠?

③ 동일성으로 환원된 대중 예술에서도 비동일성을 발견할 수 있으므로 예술의 동일화는 무의미하다.

명시적 근거	(가) 1문단 2번 문장
실전에서의 판단 과정	대중 예술에서 비동일성을 어떻게 발견해.
해설	'아도르노'는 대중 예술을 '표준화 · 동일화'된 상품으로 간주했습니다. 여기서 '비동일성'을 발견했다는 것은 말도 안 되는 내용이죠.

④ 전위 예술은 동일성과 비동일성의 구분을 거부하므로 전위 예술로의 동일화는 새로운 차원의 비동일성으로 전환된다.

명시적 근거	(가) 1문단 2번 문장
실전에서의 판단 과정	전위 예술도 동일성 / 비동일성 구분하는데?
해설	아도르노에 따르면, '전위 예술'은 '비동일성' 그 자체입니다. 그런데 '비동일성'이라는 말을 쓴다는 것부터 '동일성'과 '비동일성'의 구분을 하고 있다는 것을 알 수 있겠죠. 나아가 아도르노의 주장에 따르면 '전위 예술로의 동일화'라는 것도 불가능한 작업임을 알 수 있습니다. 아도르노가 반박할 내용이 전혀 아니네요.

⑤ 동일화를 거부하는 속성이 전위 예술의 본질이므로 전위 예술을 추구하는 것은 동일화가 아니라 비동일화를 지향하는 것이다.

명시적 근거	(가) 4문단 2번 문장
실전에서의 판단 과정	미리 생각한 내용이네.
해설	'전위 예술'의 정의로부터 ㉡에 반박하는 것, 미리 생각한 내용 그 자체입니다. 가볍게 답으로 골라낼 수 있겠습니다.

선지	①	②	③	④	⑤
선택률	6%	9%	57%	19%	9%

26 다음은 학생이 미술관에 다녀와서 작성한 감상문이다. 이에 대해 (가)의 '아도르노'의 관점(A)과 (나)의 글쓴이의 관점(B)에서 설명한 내용으로 적절하지 <u>않은</u> 것은? [3점] ③

> 주말 동안 미술관에서 작품을 관람했다. 기억에 남는 세 작품이 있었다. 첫 번째 작품의 제목은 「자화상」이었지만 얼굴의 형상을 전혀 찾아볼 수 없는 <u>기괴한 모습</u>이었고, 제각각의 형태와 색채들이 이곳저곳 흩어져 있어 <u>불편한 감정</u>만 느껴졌다. 두 번째 작품은 사회에 비판적인 유명 연예인의 얼굴을 묘사한 그림으로, <u>대량 복제되어 유통</u>되는 작품이었다. 그리고 사용된 색채와 구도가 TV에서 본 상업 광고의 한 장면같이 <u>익숙하게 느껴져서 좋았다.</u> 세 번째 작품은 시골 마을의 서정적인 풍경을 사실적으로 묘사한 그림으로 <u>색감과 조형미가 뛰어나</u> 오랫동안 기억에 잔상으로 남았다.

– 밑줄 친 부분을 중심으로 정리하면 되겠습니다. 첫 번째 작품의 경우, '불편한 감정'으로부터 '아도르노'가 의도한 바가 이루어졌음을 생각할 수 있겠습니다. 또한 (나)의 글쓴이와 같은 사람들은 '미메시스'를 발견할 수 있다고 말하겠네요.

나아가 두 번째 작품은, '대량 복제되어 유통'된다는 점에서 '대중 예술'의 일부분이라고 할 수 있습니다. 이는 '아도르노'에게는 '표준화'된 '상품'으로 부정적인 대상이겠지만, (나)의 글쓴이는 이것이 사회에 대한 비판적 기능을 수행하는 것도 가능하다고 말할 겁니다.

마지막 세 번째 작품의 경우, (나)에 제시된 '세잔'의 작품처럼 '아도르노'에게는 '아름다운 가상'으로 저평가되겠지만 (나)의 글쓴이와 같은 사람들은 그곳에서 첫 번째 작품의 경우와 마찬가지로 '미메시스'를 발견할 수도 있겠네요.

이 정도로는 정리할 수 있어야 합니다. 〈보기〉의 내용을 지문과 대응시키는 것이 선행되어야 선지 판단이 쉬워져요.

① A: 첫 번째 작품에서 학생이 기괴함과 불편함을 느낀 것은 부조리한 사회에 대한 예술적 체험의 충격 때문일 수 있습니다.

명시적 근거	(가) 1문단 1번~2번 문장
실전에서의 판단 과정	미리 생각한 내용이네.

해설	'기괴한 모습', '불편한 감정' 등을 바탕으로 미리 생각했어야 하는 내용입니다. 애초에 '추하고 불쾌한 것'을 예술의 조건으로 이야기한 '아도르노'의 주장이 꽤나 충격적이기 때문에 머릿속에 오래 남았을 것 같아요.

② A: 두 번째 작품에서 학생이 느낀 익숙함은 현대 사회의 모순에 대한 무감각과 같은 것일 수 있습니다. 이는 문화 산업의 논리에 동일화되어 감각이 무뎌진 결과라 할 수 있습니다.

명시적 근거	(가) 1문단 3번 문장
실전에서의 판단 과정	아도르노 입장에서 학생이 익숙함을 느끼는 것은 표준화된 감상 능력 때문이라고 할 수 있겠다.
해설	학생은 두 번째 작품을 보면서 '익숙하게 느껴져서 좋았다.'라는 평을 남겼습니다. 이는 '아도르노'가 계속 이야기했던 '표준화'의 사례라고 할 수 있겠죠? '표준화'된 대중 예술을 자주 접하다 보니, 학생 개인의 감상 능력도 거기에 맞게 '표준화'된 것이라는 논리죠. 충분히 맞다고 할 수 있겠습니다.

③ A: 세 번째 작품에 표현된 서정성과 조형미는 부조리에 대한 저항과는 괴리가 있습니다. 사회에 대한 저항을 직접적으로 드러낸 예술이어야 진정한 예술이라고 할 수 있습니다.

선지 유형	(가) 3문단 1번~2번 문장
실전에서의 판단 과정	저항 직접적으로 드러내지 말라며;
해설	앞 문장은 '아도르노'의 주장 그 자체라고 할 수 있겠습니다. 다만 뒷 문장은 완전 헛소리죠? '아도르노'는 '사회에 대한 저항'을 직접적으로 드러내는 것은 '비동일성을 동일화하려는 폭력적 의도'라고 말하면서, 이를 직접적으로 드러내지 않는 '전위 예술'을 높게 평가했습니다. 가볍게 답으로 골라주시면 되겠습니다. 이처럼 인문 지문의 〈보기〉 문제는 어떠한 사람의 '주장' 그 자체가 정답과 직결되는 경우가 많다는 점까지 확실하게 챙겨두도록 합시다.

④ B: 첫 번째 작품의 흩어져 있는 형태와 색채가 예술가의 표현 의도를 담고 있지 않더라도 그 작품에서 예술적 가치를 발견할 수 있습니다.

명시적 근거	(나) 4문단 4번 문장
실전에서의 판단 과정	주관이 결여되어도 예술 정신을 발견할 수 있다고 했었지.
해설	(나)의 글쓴이는 '베냐민'의 주장을 가져오면서, '작가의 주관'이 아예 결여된 '사진'조차 예술적 가치를 가질 수 있다는 점을 강조했습니다. '아도르노'의 미학은 이러한 가능성을 차단한다는 점에서 비판받아야 한다고 했구요. 이러한 맥락에서, (나)의 글쓴이는 첫 번째 작품의 경우에도 예술가의 표현 의도와 상관없이 예술적 가치를 발견할 수 있다고 볼 것입니다.

⑤ B: 두 번째 작품은 대량 생산을 통해 제작된 것이지만 그 연예인의 사회 비판적 이미지를 이용해 현대 사회의 문제점을 고발하는 것일 수 있습니다.

명시적 근거	(나) 4문단 5번 문장
실전에서의 판단 과정	대중 예술도 사회 비판할 수 있다고 했지.
해설	마지막 문장까지 집중하고 재진술했다면 어렵지 않게 떠올릴 수 있는 내용이죠? (나)의 글쓴이는 두 번째 작품과 같은 '대중 예술'의 경우에도 '사회에 대한 비판적 기능'을 수행할 수 있다고 보았습니다.

선지	①	②	③	④	⑤
선택률	80%	13%	1%	5%	1%

27 문맥상 ⓐ~ⓔ와 바꿔 쓰기에 적절하지 <u>않은</u> 것은? ①

① ⓐ: 맞바꾸는

② ⓑ: 동떨어진

③ ⓒ: 바라보는

④ ⓓ: 빼앗는다

⑤ ⓔ: 찾아내는

몰랐던 어휘 정리하기

| 핵심 point |

① **화제 check** : 독서 지문 독해의 처음이자 끝. 첫 문단에서 잡은 '화제의 틀'을 마지막 문단까지 놓지 않아야 합니다.

② **재진술 인식** : 같은 말이라도 다르게 표현되는 경우가 많습니다. 심지어 아예 똑같은 말이 반복되는 경우도 많아요. 이 '같은 말'에 민감하게 반응하면, '정보량'을 줄이면서 읽을 수가 있습니다.

③ **카테고리 나누기** : 정보들의 범주가 나뉠 때, 그들이 서로 다른 카테고리에 속한다는 것을 인지해야 합니다. 이렇게 각 카테고리에 맞춰 정보를 정리하면 훨씬 깔끔하게 정리할 수 있다는 것을 기억해 주세요.

| 지문 내용 총정리 |

인문 지문의 정석과도 같은 지문이었습니다. 결국 다 같은 말만 한다는 원칙하에 재진술을 최대한 잡아주시면서 읽었다면 어렵지 않게 이해할 수 있었을 거예요. 나아가 최근 평가원의 트렌드인 '추론'과 관련된 문항들이 많았다는 점에 주목하면서, 추론 문제에 대한 대처법을 확립하도록 합시다. 언제든 이것보다 진화된 형태로 출제될 수 있으니까요.

(가) 1문단

> ①정립-반정립-종합. ②**변증법의 논리적 구조**를 일컫는 말이다. ③변증법에 따라 철학적 논증을 수행한 인물로는 단연 **헤겔**이 거명된다. ④변증법은 대등한 위상을 지니는 세 범주의 병렬이 아니라, 대립적인 두 범주가 조화로운 통일을 이루어 가는 수렴적 상향성을 구조적 특징으로 한다. ⑤헤겔에게서 변증법은 논증의 방식임을 넘어, 논증 대상 자체의 존재 방식이기도 하다. ⑥즉 세계의 근원적 질서인 '**이념**'이 내적 구조도, 이념이 시·공간적 현실로서 드러나는 방식도 변증법적이기에, 이념과 현실은 하나의 체계를 이루며, 이 두 차원의 원리를 밝히는 철학적 논증도 변증법적 체계성을 지녀야 한다.

①~③ #정의 제시

정립-반정립-종합. 첫 문장이 무시무시한 포스로 시작되고 있습니다. 이는 '변증법'이라는 개념의 논리적 구조라고 해요. 당황하지 않고, '정립-반정립-종합'이라는 '논리적 구조'를 머릿속에 확실하게 인식할 수 있어야 합니다. 이러한 '변증법'의 대표 인물은 '헤겔'이라고 해요.

④ #수식된 정의 제시 #단어의 의미 살리기

#재진술

'변증법'을 다시 정의하고 있습니다. 그만큼 중요한 정보라는 뜻이겠죠? 이는 '대등한 위상'을 지니는 세 범주의 병렬이 아니라고 해요. 여기서 '세 범주'라고 하면 자연스럽게 '정립-반정립-종합'이 떠올라야 합니다. 이들은 '대등한 위상'을 가진 게 아니라, '대립적'인 두 범주(정립-반/정립)가 조화로운 '통일'(종합)을 이루어 가는 '수렴적/상향성'을 특징으로 한다고 합니다.

여기서 '정립'에 '반'하는 '반정립', '통일'을 이루는 '종합'이라는 단어의 의미를 살리면서 세 범주를 이해할 수 있어야 합니다. 나아가 '종합'으로 '수렴'하는 '상향성'을 지닌다는 것으로부터 '변증법'을 다시 한번 이해할 수 있어야 해요. 사용된 어휘가 상당히 어렵기는 하지만, 결국 '다 같은 말'을 하고 있다는 점에서 전형적인 인문 지문처럼 읽어낼 수 있어야 해요!

⑤~⑥ #카테고리 나누기 #수식된 정의 제시

#재진술

'헤겔'에게 변증법은 논증의 '방식'이자 논증 대상의 '존재 방식'이라고 합니다. 무슨 말인지 알 수가 없지만, '논증 방식'과 '존재 방식'이라는 두 가지 카테고리로 나눌 수 있으면 좋겠습니다. 평가원이 자주 사용하는 문장 형태라고 했어요!

6번 문장에서는 '즉'을 이용하여 저 카테고리들을 재진술하고 있습니다. 이때 '이념'이라는 개념을 '세계의 근원적 질서'로 은근슬쩍 정의하고 있네요. 수식된 정의에 민감하게 반응한다면 충분히 잡아낼 수 있겠죠? '이념'이라는 어휘의 뜻을 생각하면 '근원적 질서'라는 말은 쉽게 납득할 수 있겠네요.

아무튼, 이러한 '이념'의 '내적 구조'와 '시·공간적 현실로서 드러나는 방식'이 모두 '변증법'적이라고 합니다. 어려운 말이라고 해도 집중해야 합니다. 우리는 지금 '즉'이라는 퓨지를 활용한 재진술을 처리하고 있어요. 그렇다면, '내적 구조'라는 말과 '시·공간적 현실로서 드러나는 방식'이라는 말은 모두 앞에 나왔던 말과 '같은 말'이라는 걸 생각할 수 있습니다. 최대한 붙여서 이해해야 해요. 무려 1문단의 중요 정보니까요.

살짝 고개를 들어 5번 문장을 보니, 이들이 각각 '논증의 방식'과 '논증 대상 자체의 존재 방식'에 대응된다는 걸 잡아낼 수 있습니다. 변증법은 '정립-반정립-종합'이라는 논리적 '구조'를 활용하는 '논증 방식'이므로, 이념이라는 '근원적 질서(논증이라는 행위를 통해 밝히고자 하는 '근원적인 목적'이라고 할 수 있겠죠?)'의 '내적 구조'는 '변증법적 구조'에 대응되는 것이죠. '수렴적 상향성'의 구조 말이에요!

한편 논증의 '대상'이 되는 '이념'이 '존재하는 방식', 즉 '시·공간적 현실로서 드러나는 방식'도 변증법적이라고 합니다. '이념'은 시·공간적 현실에 '정립-반정립-종합'의 구조로 존재한다는 거죠. 완벽하게 납득하진 못해도, 우리가 지금 재진술을 인식하여 정보량을 줄였다는 점에 주목해야 합니다.

이렇기에 '이념'과 '현실'은 하나의 체계, 즉 '변증법적 체계'를 이루며, '철학적 논증' 역시 '변증법적 체계성'을 지녀야 한다고 합니다. '헤겔'에 따르면 그냥 처음부터 끝까지 '변증법'의 구조를 따라야 하는 것이네요. 여기서 '철학적 논증'의 수식된 정의인 '이념과 현실, 두 차원의 원리를 밝히는 것'까지 놓치지 않아야겠죠?

정말 어려운 문장입니다. '수렴적 상향성'이라는 변증법의 구조를 이해하더라도 '논증 방식'과 '존재 방식'이라는 두 가지 카테고리를 정확히 이해하는 건 거의 불가능에 가까워요. 우리가 할 수 있는 최선은 두 카테고리가 재진술되면서 '이념'이라는 개념이 강조되고 있다는 것을 파악하는 것입니다. 이제부터 '이념', 즉 '세계의 근원적 질서'를 '변증법'의 구조로 파헤치는 방식으로 지문이 전개될 거예요. 이 정도는 확실하게 체크할 수 있어야 합니다!

하이라이트 문장

> ④변증법은 대등한 위상을 지니는 세 범주의 병렬이 아니라, 대립적인 두 범주가 조화로운 통일을 이루어 가는 수렴적 상향성을 구조적 특징으로 한다.

다소 생소한 개념인 '변증법'을 확실하게 정의해주는 문장입니다. '대등한 위상'이 아니라 '대립적 범주의 통일'이라는 내용을 '정립-반정립-종합'이라는 말에 붙여 이해할 수 있어야 하고, '수렴적/상향성'이라는 단어의 의미를 살려 한 번에 확실하게 인식해야 해요. 제재에 상관없이 1문단에 제시되는 주요 개념은 그 정의를 거의 외우다시피 완벽하게 납득하는 게 중요합니다.

(가) 2문단

> ①헤겔은 미학도 철저히 변증법적으로 구성된 체계 안에서 다루고자 한다. ②그에게서 미학의 대상인 예술은 종교, 철학과 마찬가지로 '절대정신'의 한 형태이다. ③절대정신은 절대적 진리인 '이념'을 인식하는 인간 정신의 영역을 가리킨다. ④예술·종교·철학은 절대적 진리를 동일한 내용으로 하며, 다만 인식 형식의 차이에 따라 구분된다. ⑤절대정신의 세 형태에 각각 대응하는 형식은 직관·표상·사유이다. ⑥'직관'은 주어진 물질적 대상을 감각적으로 지각하는 지성이고, '표상'은 물질적 대상의 유무와 무관하게 내면에서 심상을 떠올리는 지성이며, '사유'는 대상을 개념을 통해 파악하는 순수한 논리적 지성이다. ⑦이에 세 형태는 각각 '직관하는 절대정신', '표상하는 절대정신', '사유하는 절대정신'으로 규정된다. ⑧헤겔에 따르면 직관의 외면성과 표상의 내면성은 사유에서 종합되고, 이에 맞춰 예술의 객관성과 종교의 주관성은 철학에서 종합된다.

① #주장 제시 #화제의 흐름

헤겔은 '미학' 역시 '변증법'의 체계로 다루어야 한다고 주장합니다. '헤겔'의 주장이기도 하지만, 더욱 중요한 건 이 지문의 흐름이 제시되었다는 거예요. 이제부터는 '미학'을 '변증법'의 구조, 즉 '정립-반정립-종합'에 맞추어 설명할 겁니다. 집중하고 읽어봅시다.

②~③ #정의 제시 #재진술 #단어의 의미 살리기

'미학'의 대상은 '예술'입니다. '미학'이라는 어휘의 뜻을 알고 있다면 당연한 건데, 이는 '종교·철학'과 마찬가지로 '절대정신'의 한 형태라고 해요. '절대/정신'이라는 단어의 의미를 살리면서 그 정의를 체크해보니, '이념'을 인식하는 인간 정신의 영역이라고 합니다. '이념'은 '절대'적인 진리인데, 이를 인식하는 '정신'이니 '절대/정신'이라고 부르는 것이네요. '절대정신=이념을 인식하는 정신'으로 확실하게 체크하고 가야 합니다. '이념'이라는 것 역시 1문단부터 강조되고 있는 핵심 개념이니까요. 정리해보면, '예술·종교·철학'은 '이념'을 인식할 수 있는 정신의 형태들인 것입니다.

④ #재진술 #비교/대조 #카테고리 나누기

이러한 '예술·종교·철학'은 '절대적 진리'를 동일한 내용으로 한다고 합니다. 여기서 '절대적 진리'를 보자마자 '이념'이 떠올라야 해요. 이 셋은 모두 '절대정신'의 한 형태이기에, 당연히 '이념'이라는 똑같은 내용의 '절대적 진리'에 주목할 것입니다. 이렇게 '같은 말'이 나오면 끌어오며 재진술을 인식할 수 있어야 해요.

다만 이 셋은 '인식 형식의 차이'에 따라 구분된다고 합니다. 카테고리가 생성되었습니다. '인식 형식의 차이'라는 카테고리를 만들어주시고, 어떤 차이가 있을지 생각하면서 읽어봅시다.

⑤~⑦ #정의 제시 #재진술 #단어의 의미 살리기

절대정신의 세 형태, 즉 '예술·종교·철학'은 각각 '직관·표상·사유'라는 형식으로 '이념'을 인식한다고 합니다. 앞에서 잡았던 카테고리가 제시된 거예요. '예술=직관', '종교=표상', '철학=사유'로 잡아놓으면서 읽어야 합니다.

세 형식의 정의 역시 단어의 의미를 살리면 쉽게 납득할 수 있습니다. '감각적 지각', '심상 떠올리기', '논리적 지성'이라고 하는 정의들을 정확하게 체크하시면 됩니다. 이에 따라 세 형태는 '직관하는 절대정신', '표상하는 절대정신', '사유하는 절대정신'으로 규정된다고 합니다. '세 형태=절대정신'이었고, 이들은 각각 '직관·표상·사유'라는 '형식'으로 절대정신을 발동하니 저런 이름이 붙은 것도 납득이 되네요. 어려울 수 있지만, 정신 차리고 '절대정신'의 세 가지로 '예술=직관', '종교=표상', '철학=사유'가 있다는 걸 잡아내야 합니다!

⑧ #재진술

계속해서 헤겔의 주장입니다. '직관', 즉 '예술의 형식'은 '외면성'을 가지고 있다고 해요. '외면'에 있는 것을 '감각'하는 것이니 그렇다고 할 수 있겠습니다. 한편 '표상', 즉 '종교'의 형식은 '내면성'을 가지고 있네요. '표상'은 '내면'에서 떠올리는 것이니 역시 납득할 수 있겠어요. '예술=직관=외면', '종교=표상=내면'으로 재진술하면서 읽어낼 수 있어야 합니다!

그런데 이들은 '사유'에서 '종합'이 된다고 해요! 여기서 '종합'을 보자마자 '변증법'을 떠올릴 수 있어야 합니다. '종합'은 '변증법'의 구조에서 마지막 단계이기도 했고, 애초에 이 지문은 '변증법'을 바탕으로 전개되는 내용이기도 했으니까요. 조금 더 확실한 행동양식을 정해드리자면, '종합'이라는 앞에서 본 말을 확인한 순간 앞 문단으로 돌아가서 당겨올 수 있어야 한다고 했어요. 인문 지문은 결국 '다 같은 말'만 하니까요.

아무튼, '예술·종교·철학'의 세 형태는 결국 '변증법'의 구조로 설명이 가능했습니다. 나아가 '예술'의 '객관성'과 '종교'의 '주관성'까지 '철학'에서 '종합'된다는 이야기가 나오고 있어요. 이 지문의 흐름을 하나로 정리하면, 다음과 같은 것이죠.

정립 : '예술=직관=외면=객관'
반정립 : '종교=표상=내면=주관'
종합 : '철학=사유'

이렇게 '같은 말'들을 나열하면서 강조한 '헤겔' 주장의 핵심은 '미학'의 대상인 '예술'을 '정립'의 자리에 올렸다는 것입니다. 정말 어려웠지만, '결국 다 같은 말'이라는 인문 지문의 대원칙이 지켜지고 있는 모습이었어요.

하이라이트 문장

> ⑧헤겔에 따르면 직관의 외면성과 표상의 내면성은 사유에서 종합되고, 이에 맞춰 예술의 객관성과 종교의 주관성은 철학에서 종합된다.

'종합'이라는 말을 보자마자 '변증법'을 떠올리면서, '정립-반정립-종합' 구조에 '예술·종교·철학'을 넣을 수 있어야 합니다. 나아가 '예술', '종교'와 같은 말로 쓰이고 있는 '외면=객관', '내면=주관'도 체크해야겠죠? 재진술의 진수를 보여 주고 있습니다.

| 생각 심화 |

1문단 마지막 문장에서 이야기한 '이념'과 '현실'이 각각 '예술-종교-철학', '직관-표상-사유'에 대응한다는 것까지 볼 수 있으면 좋겠습니다. 일단 '예술-종교-철학'은 그 자체로 '절대정신'의 세 형태라고 했습니다. 이는 '이념'이라는 내용 자체에 대응하는 것이겠죠.

한편 '직관-표상-사유'는 그 '절대정신'의 '형식'이라고 했습니다. '형식'은 곧 '현실에 나타나는 방식'을 의미하기에, 이것이 바로 '이념이 시·공간적 현실로서 드러나는 방식'에 해당한다는 겁니다.

상당히 어려운 내용이지만, 어쨌든 1문단에서 제시된 카테고리가 지문 전개에 제대로 사용되는 모습을 보인다는 것을 분석할 수 있었습니다. 1문단에서 제시하는 카테고리를 지문을 읽어나가면서 적극적으로 활용해야겠다는 생각을 할 수 있겠죠?

(가) 3문단

> ①형식 간의 차이로 인해 내용의 인식 수준에는 중대한 차이가 발생한다. ②헤겔에게서 절대정신의 내용인 **절대적 진리**는 본질적으로 논리적이고 이성적인 것이다. ③이러한 내용을 예술은 직관하고 종교는 표상하며 철학은 사유하기에, 이 세 형태 간에는 단계적 등급이 매겨진다. ④즉 예술은 초보 단계의, 종교는 성장 단계의, 철학은 완숙 단계의 절대정신이다. ⑤이에 따라 예술-종교-철학 순의 진행에서 **명실상부한 절대정신**은 최고의 지성에 의거하는 것, 즉 철학뿐이며, 예술이 절대정신으로 기능할 수 있는 것은 인류의 보편적 지성이 미발달된 머나먼 과거로 한정된다.

① #카테고리 나누기

이러한 '형식 간의 차이'로 인해, '내용의 인식 수준'에 차이가 발생한다고 합니다. 다시 한번 카테고리를 설정해주는 모습이네요. '예술·종교·철학'은 '내용의 인식 수준'에서 차이를 보입니다. 수준이 어떻게 다르다는 걸까요?

② #주장 제시 #재진술

헤겔에 따르면, '절대적 진리'는 '논리적이고 이성적'인 것이라고 합니다. 여기서 '절대적 진리'를 보자마자 '이념'을 끌고 와야 하고, '논리적·이성적'을 보자마자 '철학'을 끌고 올 수 있어야 합니다. 다 앞에서 봤던 말들이잖아요! 그렇다면 '이념' 자체가 애초에 '철학'과 직결되는 것이기에, 1번 문장에서 언급했던 '인식 수준 차이'는 '철학이 최고'라는 말로 연결된다고 추측할 수 있겠습니다. 정말로 그러한지 확인해보도록 합시다.

③~⑤ #재진술

'예술 · 종교 · 철학'은 '절대적 진리=이념'이라는 내용을 각각 '직관', '표상', '사유'하기 때문에, 그들 사이엔 단계적 등급이 매겨집니다. '초보-성장-완숙'이라는 등급이네요! '헤겔'이 보기에는 '직관'하는 것은 '표상'하는 것에 비해, '표상'하는 것은 '사유'하는 것에 비해 수준이 낮은 인식 형식이라는 겁니다. 앞에서 예상했던 것과 똑같은 흐름입니다. 이에 따르면 명실상부한 절대정신은 오직 '철학'이고, '예술'이 활약하려면 '보편적 지성', 즉 '철학'을 향유할 만한 능력이 부족하던 머나먼 과거로 돌아가야 한다는 것이죠.

2문단에서 잡아둔 화제의 흐름에 따르면, 이 지문은 '미학', 즉 '예술'이 주인공이었습니다. 주인공인 '예술' 중심으로 다시금 화제를 잡아보면, '변증법적으로 보니 예술은 이념을 인식하기에 부족하다.'라는 결론이 도출되네요. 이걸 조금 더 확장시키면, '정립-반정립-종합'이라는 구조 자체가 미학에 적용될 때는 일종의 '단계적 등급'을 전제하고 있다는 것까지 생각할 수 있겠습니다. 결국 이 구조에서 '예술'은 가장 낮은 단계에 속하기에 '이념의 인식'에 있어서 '초보' 등급을 받을 수밖에 없다는 것이죠.

하이라이트 문장

> ⑤이에 따라 예술-종교-철학 순의 진행에서 명실상부한 절대정신은 최고의 지성에 의거하는 것, 즉 철학뿐이며, 예술이 절대정신으로 기능할 수 있는 것은 인류의 보편적 지성이 미발달된 머나먼 과거로 한정된다.

'미학'이라는 이 지문의 화제를 '변증법'의 구조에 맞춰 정리하는 모습입니다. 결론적으로 '미학'의 대상인 '예술'은 현대에 와서는 '절대정신'의 진정한 인식 형태가 될 수 없다는 것이네요.

(나) 1문단

> ①변증법의 매력은 '종합'에 있다. ②종합의 범주는 두 대립적 범주 중 하나의 일방적 승리로 끝나도 안 되고, 두 범주의 고유한 본질적 규정이 소멸되는 중화 상태로 나타나도 안 된다. ③**종합**은 양자의 본질적 규정이 유기적 조화를 이루어 질적으로 고양된 최상의 범주가 생성됨으로써 성립하는 것이다.

①~③ #주장 제시 #재진술

(가)에서 이야기했던 '변증법'의 매력을 설명하고 있습니다. 그 매력은 바로 '종합'에 있다고 해요. '종합'은 세 단계 중 마지막 단계로, 헤겔도 가장 높은 등급을 부여했던 단계였는데 이번에도 그 단계를 긍정적으로 묘사하고 있네요.

이러한 '종합'은 '일방적 승리'나 '중화 상태'가 되면 안 된다고 합니다. '정립'과 '반정립' 중 하나가 확실하게 이겨버리거나, 둘 모두의 본질적 규정을 사라지게 하는 방식으로는 진정한 '종합'이 일어날 수 없다는 것이죠. '종합'은 두 범주의 본질적 규정이 '유기적 조화'를 이루고 그것으로부터 '최상의 범주'가 생성될 때 비로소 성립합니다. 다 똑같은 말이니 확실하게 납득할 수 있겠죠? '조화'와 '최상의 범주'가 핵심입니다!

나아가 여기서 말하는 '본질적 규정'이 (가)의 내용에 대입되었을 때 '직관 · 표상 · 사유'를 의미한다는 것도 생각할 수 있으면 좋겠습니다. 시험장에서 해내기 굉장히 어렵기는 하지만, '도대체 본질적 규정이 뭐지?'와 같은 궁금증을 가지면서 읽었다면 충분히 (가)에서 끌어올 수 있었을 거예요. (가)와 (나)가 아주 끈끈한 유기성을 가지고 있다는 걸 생각해주셔야 합니다!

아무튼, (나)에서는 '종합'의 조건에 대해 언급하고 있는데, 어떤 식으로 전개될까요? 기대하면서 읽어봅시다.

(나) 2문단 (1)

> ①헤겔이 강조한 변증법의 탁월성도 바로 이것이다. ②그러기에 변증법의 원칙에 최적화된 엄밀하고도 정합적인 학문 체계를 조탁하는 것이 바로 그의 철학적 기획이 아니었던가. ③그런데 그가 내놓은 성과물들은 과연 그 기획을 어떤 흠결도 없이 완수한 것으로 평가될 수 있을까? ④미학에 관한 한 '그렇다'는 답변은 쉽지 않을 것이다.

①~② #재진술

'헤겔' 역시 이러한 부분, 즉 '종합' 단계에서 질적으로 고양된 범주를 만들 수 있다는 점에 주목하여 '변증법'을 강조한 것이라고 합니다. 이에 '변증법' 구조를 따르는 정합적인 학문 체계를 만들어내려고 한 것이구요. 이는 (가)에서 '미학'의 사례로 이미 확인했던 내용이죠?

③~④ #화제의 흐름

도대체 무슨 말을 하고 싶어서 '종합' 단계에 꽂힌 건가 했는데, 물음의 형태로 지문의 방향을 확실하게 제시하고 있네요. 4번 문장을 보니, (나)의 글쓴이는 '미학'에 대한 헤겔의 주장을 비판하고 있습니다. '미학'의 대상인 '예술'을 무시했던 헤겔의 주장은 '변증법'을 활용한 '철학적 기획'을 흠결 없이 따른 것은 아니라는 것이죠. 이 주장 정확히 잡으면서, 글쓴이는 왜 그렇게 생각하는지 알아보도록 합시다.

(나) 2문단 (2)

> ⑤지성의 형식을 직관-표상-사유 순으로 구성하고 이에 맞춰 절대정신을 예술-종교-철학 순으로 편성한 전략은 외관상으로는 변증법 모델에 따른 전형적 구성으로 보인다. ⑥그러나 실질적 내용을 보면 직관으로부터 사유에 이르는 과정에서는 외면성이 점차 지워지고 내면성이 점증적으로 강화·완성되고 있음이, 예술로부터 철학에 이르는 과정에서는 객관성이 점차 지워지고 주관성이 점증적으로 강화·완성되고 있음이 확연히 드러날 뿐, 진정한 변증법적 종합은 이루어지지 않는다. ⑦직관의 외면성 및 예술의 객관성의 본질은 무엇보다도 감각적 지각성인데, 이러한 **핵심 요소**가 그가 말하는 종합의 단계에서는 완전히 소거되고 만다.

⑤ #재진술

'헤겔'의 주장을 다시 요약해주고 있습니다. 이 문장이 새로운 정보가 아닌 (가)의 요약이라 생각하면서 정리할 수 있어야 해요. '지성의 형식'은 '직관-표상-사유'로, 이를 바탕으로 '이념'을 인식하는 '설내정신'의 세 형태는 '예술-종교-철학'으로 구성되며, 각각 '정립-반정립-종합'의 구조를 따르고 있음을 강조했습니다. 이는 외관상으로는 '변증법' 모델을 이용한 전형적인 구성이죠. 하지만 앞 문장에서 글쓴이는 이러한 '헤겔'의 주장에 회의적이라는 것을 밝혔습니다. 어떤 부분이 마음에 안 드는 것일까요?

⑥ #재진술 #주장 제시

'직관'으로부터 '사유'에 이르는 과정, 즉 '직관-표상-사유'에서는 '외면성'이 점차 지워지고 '내면성'이 강화된다고 합니다. '외면'과 '내면'은 각각 '직관'과 '표상'이라는 형식이 가지고 있는 성질이었습니다. 이에 따르면 당연한 내용이죠? '직관'이 '표상'을 거쳐 '사유'까지 나아가는 것이니까요.

한편 '예술'로부터 '철학'으로 이어지는 과정, 즉 '예술-종교-철학'에서는 '객관성'이 점차 지워지고 '주관성'이 강화된다고 합니다. '객관성'과 '주관성' 역시 각각 '예술', '종교'가 가진 성질로 제시되었기 때문에, 이 역시 당연한 내용이라고 할 수 있어요.

이러한 과정의 결과가 '진정한 변증법적 종합'이 아니라는 것이 (나)의 주장입니다. 계속해서 일관된 주장을 펼치고 있습니다. '헤겔'의 주장에 조목조목 반박하는 모습이에요. 핵심은 '외면성'과 '객관성'이 점차 지워진다는 것입니다. 1문단에서는 분명히 제대로 된 '종합'을 위해선 '일방적 승리'가 아닌 '유기적 조화'가 필요하다고 했는데, '헤겔'의 주장에 따르면 '예술'과 '종교' 중 '종교'의 일방적 승리가 일어나므로 '종합'이 이루어지지 않는다는 것이죠. 결국 또 같은 말만 하고 있었습니다.

⑦ #재진술

'직관의 외면성', '예술의 객관성'은 모두 (가)에서 잡아두었던 '재진술'입니다. 이것이 가지고 있는 '감각적 지각성'이 헤겔이 말한 '종합' 단계, 즉 '철학' 단계가 되면 완전히 소거된다고 해요. 앞에서 미리 생각했던 대로, '완전히 소거'라는 말이 곧 '일방적 승리'와 같은 말임을 생각할 수 있어야 합니다. '예술=직관=외면=객관'이 일방적으로 소거되었는데, 어떻게 그것이 '최상의 범주'를 생성하는 '종합'이 될 수 있냐는 것이죠. '결국 다 같은 말'이라는 믿음을 가지고 정보 처리를 했다면 이렇게 읽어낼 수 있었을 겁니다.

하이라이트 문장

> ⑦직관의 외면성 및 예술의 객관성의 본질은 무엇보다도 감각적 지각성인데, 이러한 핵심 요소가 그가 말하는 종합의 단계에서는 완전히 소거되고 만다.

(나)의 한 줄 요약입니다. 이 문장을 이해하려면 (가)의 내용이 완벽하게 머릿속에 들어 있어야 하고, (나) 1문단에서 이야기한 '진정한 종합의 조건'도 확실하게 체크가 되었어야 해요. 결코 쉽지 않았지만, '결국 다 같은 말'이라는 믿음이 배신하지 않았음을 보여주는 것이라고도 볼 수 있겠네요.

(나) 3문단

> ①변증법에 충실하려면 헤겔은 철학에서 성취된 완전한 주관성이 재객관화되는 단계의 절대정신을 추가했어야 할 것이다. ②예술은 '철학 이후'의 자리를 차지할 수 있는 유력한 후보이다. ③실제로 많은 예술 작품은 '사유'를 매개로 해서만 설명되지 않는가. ④게다가 이는 누구보다도 풍부한 예술적 체험을 한 헤겔 스스로가 잘 알고 있지 않은가. ⑤이 때문에 방법과 철학 체계 간의 이러한 불일치는 더욱 아쉬움을 준다.

① #주장 제시

단순한 비판에서 그치지 않고, 대안까지 제시하고 있습니다. '변증법'에 충실하기 위해서는, '철학'에서 성취된 완전한 '주관성'이 '재객관화'되는 단계를 추가해야 한다고 합니다. '철학'에서 '객관성'을 완전히 배제한 것이 문제의 원인이었으니, 그 원인을 제거하여 문제를 해결하자는 것이네요. '재객관화'의 방법이 무엇인지는 명확히 알 수 없지만, 어쨌든 '철학'에 '객관성'을 부여해야 한다는 내용 정도는 잡아낼 수 있겠습니다.

②~④ #화제 제시 #주장 제시 #재진술

글쓴이는 '예술'이 바로 그 '재객관화'의 자리를 차지할 수 있는 유력 후보라고 말합니다. '철학 이후=재객관화'로 읽어내고 있죠? 많은 예술 작품들은 '사유', 즉 '철학'의 형식으로 설명되기 때문에, '철학'을 '객관적'으로 설명할 수 있는 방법이 존재한다는 것이죠. 헤겔 역시 이를 잘 알고 있다고 합니다. 결국 이 지문도 '예술의 위상'에 대한 이야기를 하는 지문이었던 것이네요! 단순히 (가)를 비판하고 있다는 차원을 넘어서, '변증법'의 체계를 바탕으로 '예술'의 위상을 조정하고 있음을 인지할 수 있어야 합니다. (가)에서도 '예술'이 주인공이었기도 하구요.

⑤ #주장 제시 #재진술

글쓴이가 보기에 '헤겔'의 주장은 '방법'과 '철학 체계'의 불일치성을 가지고 있다고 합니다. 여기서 '방법'과 '철학 체계'가 의미하는 것을 다시 한번 정확히 체크할 필요가 있겠습니다. '방법'은 당연히 '변증법'을 의미할 것입니다. '정립-반정립-종합'의 구조로 이루어지는 이 방법에 '철학 체계'를 대입했더니 '정립'에 해당하는 '예술'의 속성이 소거되는 결과가 나타났어요. 그렇다면 '철학 체계'는 헤겔이 말한 '예술-종교-철학'의 체계를 의미하겠네요. '변증법'이라는 방법과 저 체계가 서로 '불일치'했기 때문에, 제대로 된 변증법적 미학이 이루어지지 않은 것입니다.

결국 똑같은 말이었네요. 핵심은 '변증법에 따르면 예술이 소거되는데, 예술은 소거될 만큼 수준 낮은 것이 아니다.'라는 거예요. '종합' 단계인 '철학' 이후에 다시 '예술'이 언급되어야 하니까요.

사용한 어휘의 수준이 높아 내용을 파악하는 데 애를 먹었겠지만, 결국 '변증법'을 바탕으로 '예술'의 위상에 대해 논하는 지문들이었습니다. 다 똑같은 말로 이루어져 있었음에 주목하세요!

하이라이트 문장

> ②예술은 '철학 이후'의 자리를 차지할 수 있는 유력한 후보이다.

진짜 하고 싶었던 이야기를 제시하고 있습니다. 이 지문은 '변증법'을 '철학 체계'에 적용했을 때 나타나는 모순점을 바탕으로 '예술'의 위상을 재조정하는 것이 목적이었어요. 이렇게 '화제'가 제시될 때 정확히 잡아낼 수 있어야 합니다.

선지	①	②	③	④	⑤
선택률	36%	16%	31%	12%	5%

28 (가)와 (나)에 대한 설명으로 가장 적절한 것은? ①

– 늘 나오는 내용 전개 방식 문제입니다. 주관식으로 답을 생각해야 해요. 핵심은, 두 지문 모두 '변증법'을 바탕으로 '예술'의 위상에 대한 이야기를 하고 있었다는 겁니다. 이 내용을 찾아볼까요?

① (가)와 (나)는 모두 특정한 철학적 방법에 기반한 체계를 바탕으로 예술의 상대적 위상을 제시하고 있다.

명시적 근거	(가), (나) 전체
실전에서의 판단 과정	생각한 내용 그대로네.
해설	두 지문 모두, '변증법'이라는 철학적 방법에 기반한 체계를 바탕으로 '예술'의 상대적 위상을 제시하고 있었습니다. 미리 생각한 내용 그대로죠? 지문이 어려웠지만 화제는 명확했습니다.

② (가)와 (나)는 모두 특정한 철학적 방법에 대한 상반된 평가를 바탕으로 더 설득력 있는 미학 이론을 모색하고 있다.

명시적 근거	(가), (나) 전체
실전에서의 판단 과정	변증법 자체는 둘 다 인정하지.
해설	특정한 철학적 방법이라면 '변증법' 정도만 떠오르는데, 이에 대해서는 (가)와 (나) 모두 긍정적으로 평가했습니다. 더 설득력 있는 미학 이론을 모색하지도 않았구요.

③ (가)와 달리 (나)는 특정한 철학적 방법의 시대적 한계를 지적하고 이에 맞서는 혁신적 방법을 제안하고 있다.

명시적 근거	(가), (나) 전체
실전에서의 판단 과정	시대적 한계가 있지는 않았지.
해설	지문을 제대로 이해하지 못한 학생들에게는 상당히 헷갈리는 선지였을 겁니다. (나)가 (가)를 비판한다 정도의 느낌은 오니까요. 하지만 핵심은 (가)를 공격하는 (나)의 주장이 '시대적 한계'를 가지고 있는 것도 아니고, '혁신적 방법'을 제안한 것도 아니라는 겁니다. '변증법'을 충실하게 따르는 방안을 제시했을 뿐, 또 다른 혁신적 방법을 제안한 건 아니었어요! 대충 비슷해보인다고 답으로 고르면 안 됩니다. 선지에 대응하는 내용을 정확히 언급할 수 있어야 해요. 즉, '시대적 한계'라면 어떤 한계인지, '혁신적 방법'이라고 하면 그 방법은 어떤 것인지 대답할 수 있어야 합니다. 최근 내용 전개 방식 문제의 난이도가 절대 낮지 않기 때문에, 감으로 고르면 틀릴 확률이 매우 높아집니다.

④ (가)와 달리 (나)는 특정한 철학적 방법에서 파생된 미학 이론을 바탕으로 예술 장르를 범주적으로 유형화하고 있다.

명시적 근거	(가), (나) 전체
실전에서의 판단 과정	예술 장르를 언제 유형화했어.
해설	일단 '변증법'에서 파생된 '미학 이론'이라는 것이 나타나지 않았고, 예술 장르를 유형화했다는 것도 말이 안 되네요. 이 선지를 설명할 만한 내용을 지문에서 찾을 수가 없습니다.

⑤ (나)와 달리 (가)는 특정한 철학적 방법의 통시적인 변화 과정을 적용하여 철학사를 단계적으로 설명하고 있다.

명시적 근거	(가), (나) 전체
실전에서의 판단 과정	철학사가 핵심이 아니잖아.
해설	'변증법'의 통시적인 변화 과정이 나오지도 않았고, '철학사'를 설명하는 지문도 아니었습니다.

선지	①	②	③	④	⑤
선택률	18%	14%	46%	13%	9%

29 (가)에서 알 수 있는 헤겔의 생각으로 적절하지 <u>않은</u> 것은?

③

– 나름대로 잘 이해하고 있는 '헤겔'의 주장에 대한 문제입니다. 차근차근 해결해봅시다.

① 예술·종교·철학 간에는 인식 내용의 동일성과 인식 형식의 상이성이 존재한다.

명시적 근거	(가) 2문단 4번 문장
실전에서의 판단 과정	인식 내용은 전부 이념이고 인식 형식은 다르지.
해설	세 범주 간에는 '인식 내용'이 동일합니다. 바로 절대적 진리인 '이념'이죠. 다만 이 '이념'을 인식하는 형식이 각각 '직관·표상·사유'로 구분될 뿐이었습니다. 공통점/차이점이라는 비교 포인트를 정확하게 잡았다면 쉽게 지울 수 있는 선지였네요.

② 세계의 근원적 질서와 시·공간적 현실은 하나의 변증법적 체계를 이룬다.

명시적 근거	(가) 1문단 6번 문장
실전에서의 판단 과정	이념과 현실은 하나의 체계라고 했지.
해설	'세계의 근원적 질서'는 곧 '이념'을 의미합니다. '이념'과 '현실'은 모두 '변증법'의 구조로 설명될 수 있고, 이를 '변증법'의 체계 속에서 설명하는 것이 '철학적 논증'이었습니다. '변증법'의 중요성을 강조하는 1문단에서 비중있게 다뤄진 정보였죠?

③ 절대정신의 세 가지 형태는 지성의 세 가지 형식이 인식하는 대상이다.

명시적 근거	(가) 2문단 4번~6번 문장
실전에서의 판단 과정	절대정신 자체가 이념은 아니지 않나?
해설	'절대정신의 세 가지 형태'는 '예술·종교·철학'이었습니다. 그리고 '지성의 세 가지 형식'은 '직관·표상·사유'였죠. 이 형식들이 인식하는 '대상'은 바로 '이념'이었습니다. 이러한 사고과정을 거쳐 해당 선지를 재구성하면 '절대정신은 이념이다.'가 되는데, 엄밀하게 말하면 이는 틀린 말이죠? '절대정신'은 '이념'을 인식하는 주체이지, '이념'과 같은 말이 아니니까요.

선지 판단을 정말 정밀하게 할 것을 요구하는 선지였습니다. 최근에는 이렇게 디테일한 판단을 요구하는 선지들이 정말 많이 나오고 있어요. 선지에서 이야기하는 내용들이 지문의 어떤 내용과 대응되는지 차분하게 따지면서 문제를 푸는 태도가 필요합니다. '세 가지 형식이 인식하는 대상=이념'을 잡아내는 것이 중요했어요.

④ 변증법은 철학적 논증의 방법이자 논증 대상의 존재 방식이다.

명시적 근거	(가) 1문단 5번 문장
실전에서의 판단 과정	논증 방식이자 존재 방식! 중요한 말이었지.
해설	'변증법'이 '논증의 방식'이자 논증 대상의 '존재 방식'이라는 말은 재진술될 정도로 중요하게 다뤄졌습니다. 모든 '철학적 논증'이 '변증법'적 체계를 갖춰야 한다는 이야기로 이어지는 내용이었으니까요.

⑤ 절대정신의 내용은 본질적으로 논리적이고 이성적인 것이다.

명시적 근거	(가) 3문단 2번 문장
실전에서의 판단 과정	그래서 철학이 최고였던 것이지.
해설	'절대정신'의 내용은 '절대적 진리', 즉 '이념'입니다. 이는 '논리적·이성적'인 것으로 생각했기에, 헤겔은 이런 성질을 가진 '철학=사유'를 최고 등급으로 설정한 것이죠?

선지	①	②	③	④	⑤
선택률	5%	9%	13%	61%	12%

30 (가)에 따라 직관·표상·사유의 개념을 적용한 것으로 적절하지 않은 것은? ④

– '절대정신'의 세 형태가 '이념'을 인식하는 '형식'에 대한 내용입니다. 각 개념의 정의를 '적용'하라는 문제예요. '감각적 지각', '내면에서 심상 떠올리기', '논리적 지성'이라는 정의를 생각하면서 해결해 보도록 합시다.

① 먼 타향에서 밤하늘의 별들을 바라보는 것은 직관을 통해, 같은 곳에서 고향의 하늘을 상기하는 것은 표상을 통해 이루어지겠군.

명시적 근거	(가) 2문단 6번 문장
실전에서의 판단 과정	별을 지각하니 직관, 하늘을 떠올리니 표상이지.
해설	'밤하늘의 별'이라는 대상을 '감각적으로 지각'하는 행위는 '직관'의 일종이라고 할 수 있겠습니다. 한편 '타향'이라는 공간에서 '고향의 하늘'을 내면에서 '심상'으로 떠올리는 건 '표상'하는 것이라 할 수 있겠죠? 개념의 정의를 바탕으로 생각하면 됩니다.

② 타임머신을 타고 미래로 가는 자신의 모습을 상상하는 것과, 그 후 판타지 영화의 장면을 떠올려 보는 것은 모두 표상을 통해 이루어지겠군.

명시적 근거	(가) 2문단 6번 문장
실전에서의 판단 과정	상상하고 떠올리는 것이니 표상이지.
해설	둘 다 '상상'하고 '떠올려' 보는, 대상이 실제로 존재하는지에 상관없이 내면에서 심상을 떠올리는 과정들입니다. 모두 '표상'의 정의에 부합하네요.

③ 초현실적 세계가 묘사된 그림을 보는 것은 직관을 통해, 그 작품을 상상력 개념에 의거한 이론에 따라 분석하는 것은 사유를 통해 이루어지겠군.

명시적 근거	(가) 2문단 6번 문장
실전에서의 판단 과정	보는 건 직관, 분석하는 건 사유!
해설	묘사된 그림을 '보는' 것은 감각적 지각에 해당하는 '직관'이고, 그 작품을 '이론'에 따라 '분석'하는 것은 '논리적 지성'을 활용하는 '사유'라고 할 수 있겠네요.

④ 예술의 새로운 개념을 설정하는 것은 사유를 통해, 이를 바탕으로 새로운 감각을 일깨우는 작품의 창작을 기획하는 것은 직관을 통해 이루어지겠군.

명시적 근거	(가) 2문단 6번 문장
실전에서의 판단 과정	창작 기획이면 논리적 지성 아닌가?
해설	새로운 개념 설정, 작품의 창작 기획 모두 '논리적 지성'을 활용해야 하는 행위라고 할 수 있겠죠? 이들은 모두 '사유'에 해당하는 내용이라고 봐야 하겠습니다. 물론 더욱 확실한 풀이는 '창작 기획'이 '감각적 지각'은 아니라는 것을 바탕으로 해결하는 것이겠네요.

⑤ 도덕적 배려의 대상을 생물학적 상이성 개념에 따라 규정하는 것과, 이에 맞서 감수성 소유 여부를 새로운 기준으로 제시하는 것은 모두 사유를 통해 이루어지겠군.

명시적 근거	(가) 2문단 6번 문장
실전에서의 판단 과정	규정하고 기준 제시하는 건 논리적 지성을 활용하는 것이지.
해설	도덕적 배려의 대상이라는 주제에 대해 '생물학적 상이성 개념', '감수성 소유 여부' 등을 제시하는 행동은 모두 '논리적 지성'을 활용하는 '사유'의 사례라고 할 수 있겠습니다. 최소한 이들이 '감각적 지각', '내면에서 심상 떠올리기'는 아니니까요.

그렇게 어려운 문제는 아니었지만, 지문에서 어떠한 사례도 주지 않고 정의만으로 사례에 대응시키라고 하는 무서운 문제였습니다. 이런 부분도 난이도를 높이는 요소로 작용할 수 있어요. 핵심은 개념의 '정의'를 정확하게 잡아내는 거예요. 결국 묻는 건 똑같습니다!

선지	①	②	③	④	⑤
선택률	13%	15%	43%	19%	10%

31 (나)의 글쓴이의 관점에서 ㉠과 ㉡에 대한 헤겔의 이론을 분석한 것으로 적절하지 <u>않은</u> 것은? ③

> ㉠ 정립-반정립-종합 / ㉡ 예술-종교-철학

– (나)의 글쓴이는 ㉠을 '방법'으로, ㉡을 '철학 체계'로 부르면서 둘 사이의 '불일치'가 있어 '헤겔'의 주장이 옳지 않다는 주장을 펼쳤습니다. ㉠은 '제대로 된 변증법' 정도로 명명할 수 있는데, 여기서의 '종합'은 '정립'과 '반정립'의 '유기적 조화'를 통해 만들어진 '최상의 범주'여야 합니다. 그런데 ㉡에서 '종합'의 자리를 차지하고 있는 '철학'은 그저 '예술'의 속성을 소거시켰을 뿐, 제대로 된 '종합'의 결과는 아니라고 했어요. 이런 내용을 확실하게 체크한 상태로 문제를 풀어보도록 합시다.

① ㉠과 ㉡ 모두에서 첫 번째와 두 번째의 범주는 서로 대립한다.

명시적 근거	(나) 1문단 2번 문장, (나) 2문단 5번 문장
실전에서의 판단 과정	변증법의 핵심이지.
해설	첫 번째와 두 번째 범주는 서로 '대립'합니다. (나)의 글쓴이가 보기에는 ㉡에서 이 '대립'되는 범주를 종합하는 과정이 잘못되었을 뿐, 두 범주가 대립한다는 것 자체는 '외관상으로는 변증법 모델에 따른 전형적 구성'이라는 말로 인정하고 있죠.

② ㉠과 ㉡ 모두에서 두 번째와 세 번째 범주 간에는 수준상의 차이가 존재한다.

명시적 근거	(나) 1문단 3번 문장, (나) 2문단 6번 문장
실전에서의 판단 과정	질적으로 고양된 최상의 범주!
해설	(나)의 글쓴이가 보기에, '종합'은 질적으로 고양된 '최상'의 범주입니다. 두 번째와 세 번째 범주 간에는 당연히 수준상의 차이가 존재하겠죠. 나아가 ㉡의 과정에서도 세 번째 범주로 갈수록 '내면성'과 '주관성'이 점증적으로 강화되는 방식으로 수준 차이가 발생한다는 것을 인정하고 있죠.

③ ㉠과 달리 ㉡에서는 범주 간 이행에서 첫 번째 범주의 특성이 갈수록 강해진다.

명시적 근거	(나) 1문단 3번 문장, (나) 2문단 6번 문장
실전에서의 판단 과정	첫 번째 범주의 특성이 약해진다는 게 핵심이잖아.
해설	일단 ㉠의 경우, 범주 간 이행에서 '첫 번째 범주'의 본질적 규정은 소멸되지 않고 살아 있어야 합니다. 하지만 ㉡의 경우 이 '첫 번째 범주'에 속하는 '예술'의 특성이 소거되는 식으로 범주 이행이 이루어졌다고 했어요. 그렇기에 잘못된 변증법 적용이라는 게 핵심이었죠? '첫 번째 범주의 특성'이 갈수록 강해진다는 건 이와 정반대로 이야기하는 것이네요.

④ ㉡과 달리 ㉠에서는 세 번째 범주에서 첫 번째와 두 번째 범주의 조화로운 통일이 이루어진다.

명시적 근거	(나) 1문단 3번 문장, (나) 2문단 6번 문장
실전에서의 판단 과정	이게 주장의 핵심이었지.
해설	계속 이야기하고 있는 내용입니다. ㉠은 '종합' 단계에서 '유기적 조화'가 이루어지지만, ㉡에서의 '철학'은 그렇지 않고 두 번째 범주의 '일방적 승리'일 뿐이라고 했습니다.

⑤ ⓛ과 달리 ㉠에서는 범주 간 이행에서 수렴적 상향성이 드러난다.

명시적 근거	(가) 1문단 4번 문장, (나) 1문단 3번 문장, (나) 2문단 6번 문장
실전에서의 판단 과정	수렴적 상향성이 제대로 이루어진 건 ㉠뿐이지.
해설	'수렴적/상향성'은 (나)의 글쓴이가 이야기하는 ㉠의 특징 그 자체였습니다. 조화로운 통일 쪽으로 '수렴'하는 '상향성'을 가지는 것이 '변증법'의 핵심이었어요. 이를 ㉠과 달리 ⓛ에서는 제대로 이행하지 못했고, 그렇기에 헤겔의 주장이 잘못되었다는 것이 (나)의 핵심이었습니다.

선지	①	②	③	④	⑤
선택률	11%	30%	14%	33%	12%

32 〈보기〉는 헤겔과 (나)의 글쓴이가 나누는 가상의 대화의 일부이다. ㉮에 들어갈 내용으로 가장 적절한 것은? [3점]
②

– '헤겔'과 (나)의 글쓴이가 나누는 대화입니다. 결국 지문의 내용을 적용하는 방식일 거예요. 두 사람의 주장은 우리가 너무 잘 알고 있으니, 가볍게 해결해보도록 합시다.

━━━━━━[보기]━━━━━━

헤겔 : 괴테와 실러의 문학 작품을 읽을 때 놓치지 않아야 할 점이 있네. 이 두 천재도 인생의 완숙기에 이르러서야 비로소 최고의 지성적 통찰을 진정한 예술미로 승화시킬 수 있었네. 그에 비해 초기의 작품들은 미적으로 세련되지 못해 결코 수준급이라 할 수 없었는데, 이는 그들이 아직 지적으로 미성숙했기 때문이었네.

– '괴테'와 '실러'라는 작가들의 작품을 읽을 때 주의할 점을 이야기하고 있습니다. 핵심은 인생의 '완숙기'에 이르러서야 진정한 예술을 달성했다는 거예요. 초기의 작품들은 '지적 미성숙'이라는 이유로 인해 진정한 '예술미'를 달성하지 못했다는 것이죠. '예술'을 '지적'인 내용과 연결짓는 모습입니다. 헤겔의 주장에 따르면 '지적 능력'은 곧 '사유'와 연결될 수 있는데, 자신의 주장과 다르게 '예술'을 '사유'와 연관시키고 있는 헤겔의 모습이네요. 이는 (나)의 글쓴이에게 좋은 먹잇감이 되겠죠?

━━━━━━[보기]━━━━━━

(나)의 글쓴이 : 방금 그 말씀과 선생님의 기본 논증 방법을 연결하면 ㉮ 는 말이 됩니다.

– 아니나 다를까 바로 헤겔을 공격하고 있습니다. 결국 이 글쓴이의 '주장' 자체를 답으로 골라내면 돼요. 헤겔의 주장과 연관지으면, '너도 예술을 사유와 연관짓고 있잖아! 그럼 예술도 꽤 높은 위상 가지는 거 인정하지?'가 되겠습니다. 이 내용과 똑같은 말을 한 번 찾아봅시다.

① 이론에서는 대립적 범주들의 종합을 이루어야 하는 세 번째 단계가 현실에서는 그 범주들을 중화한다

명시적 근거	(나) 2문단, 〈보기〉
실전에서의 판단 과정	두 범주를 중화한다고 한 적은 없는데?
해설	(나)가 지적하는 '헤겔' 주장의 문제점은 '중화'가 아닌 '일방적 승리'였습니다. 그리고 이건 지금 〈보기〉의 내용과 관련되어 있지도 않죠. '예술의 위상'에 대한 이야기를 해야 해요!

② 이론에서는 외면성에 대응하는 예술이 현실에서는 내면성을 바탕으로 하는 절대정신일 수 있다

명시적 근거	(나) 2문단, 〈보기〉
실전에서의 판단 과정	헤겔의 주장은 결국 예술이 이론에서는 직관이었는데 현실에서는 사유와 연관된다는 비판이 되네.
해설	헤겔의 '이론'에 따르면, '예술'은 '외면성'에 대응하는 '직관'을 그 특성으로 가집니다. 그런데 〈보기〉에서 헤겔은 그 '예술'이 '사유의 내면성'을 특성으로 가진다고 하고 있어요. (나)의 글쓴이는 이 점을 파고들어 '예술 역시 사유의 특성을 가진다.'라는 주장을 한 것이죠? 우리가 미리 생각한 내용 그대로네요.

③ 이론에서는 반정립 단계에 위치하는 예술이 현실에서는 정립 단계에 있는 것으로 나타난다

명시적 근거	(나) 2문단, 〈보기〉
실전에서의 판단 과정	애초에 예술은 정립 단계지.
해설	애초에 이론에서 '예술'은 '정립' 단계에 대응되는 것이고, 〈보기〉 속 '헤겔'의 주장에 따르면 현실에서는 '예술'이 '사유'와 연결되는 '종합' 단계에 있는 것이라고 할 수 있겠죠?

④ 이론에서는 객관성을 본질로 하는 예술이 현실에서는 객관성이 사라진 주관성을 지닌다

명시적 근거	(나) 3문단, 〈보기〉
실전에서의 판단 과정	예술의 객관성이 사라지면 안 되지.
해설	이론에서 '예술'이 '객관성'을 본질로 하는 것은 맞는데, 〈보기〉의 사례에서 '예술'에 '객관성'이 사라졌다고 하는 건 말이 안 되겠죠. 이렇게 되면 (나)의 글쓴이가 주구장창 비판하던 '일방적 승리'가 또 일어나게 되는 것이니까요. '예술'이 가지고 있는 '객관성'은 살린 채로 '재객관화'가 되어야지, 단순히 '주관성'을 주입하면 안 됩니다. 꽤 어려운 선지였네요. 주장을 정확하게 이해할 수 있었어야 해요!

⑤ 이론에서는 절대정신으로 규정되는 예술이 현실에서는 진리의 인식을 수행할 수 없다

명시적 근거	–
실전에서의 판단 과정	뭔 헛소리야.
해설	'예술'이 이념의 인식을 수행할 수 없다는 건 '예술'을 낮게 보는 헤겔마저도 동의하지 않는 내용이에요. 핵심은 '예술'에 '사유'의 특성이 있음을 언급하는 것이지, '예술'이 '절대정신'의 역할을 할 수 없다는 것이 아니었습니다.

선지	①	②	③	④	⑤
선택률	13%	5%	55%	6%	21%

33 문맥상 ⓐ~ⓔ와 바꾸어 쓰기에 가장 적절한 것은? ③

① ⓐ : 소지(所持)하여야
② ⓑ : 포착(捕捉)한다
③ ⓒ : 귀결(歸結)되어도
④ ⓓ : 간주(看做)하면
⑤ ⓔ : 결성(結成)되지

몰랐던 어휘 정리하기

| 핵심 point |

① 화제 check : 독서 지문 독해의 처음이자 끝. 첫 문단에서 잡은 '화제의 틀'을 마지막 문단까지 놓지 않아야 합니다.
② 정의 인식 : 단어의 의미를 살린 상태로, 지문에 제시된 정의와 붙여서 이해할 수 있어야 합니다. 정의를 '기억'하는 게 아니라, '납득'해서 본인의 말로 정리할 수 있어야 해요.
③ 재진술 인식 : 같은 말이라도 다르게 표현되는 경우가 많습니다. 심지어 아예 똑같은 말이 반복되는 경우도 많아요. 이 '같은 말'에 민감하게 반응하면, '정보량'을 줄이면서 읽을 수가 있습니다.

| 지문 내용 총정리 |

굉장히 어려운 어휘, 개념들을 사용했지만 결국 인문 지문의 기본 원리를 그대로 지키는 모습이었습니다. 다 같은 말입니다. 화제를 잡고, 모든 정보의 역할을 그 화제 중심으로 모아 주는 태도를 갖추도록 합시다.

1문단 (1)

①심신 문제는 정신과 물질의 관계에 대해 묻는 오래된 철학적 문제이다. ②정신 상태와 물질 상태는 별개의 것이라고 주장하는 **이원론**이 오랫동안 널리 받아들여졌으나, 신경 과학이 발달한 현대에는 그 둘은 동일하다는 동일론이 더 많은 지지를 받고 있다. ③그러나 똑같은 정신 상태라고 하더라도 사람마다 그 물질 상태가 다를 수 있고, 인간과 정신 상태는 같지만 물질 상태는 다른 로봇이 등장한다면 동일론에서는 그것을 설명할 수 없다는 문제가 생긴다.

① #화제 제시 #정의 제시 #단어의 의미 살리기

'심신 문제'라는 개념에 대해 소개하고 있습니다. '심(心)'과 '신(身)'이라는 단어의 의미 그대로, '정신'과 '물질'의 관계에 대해 묻는 것이네요. 이 지문은 '정신'과 '물질'이 어떤 관계를 맺고 있느냐에 주목하여 전개될 것입니다. 기대하면서 읽어봅시다.

② #수식된 정의 제시 #단어의 의미 살리기
#비교/대조

'심신 문제'에 대한 답으로 먼저 '이원론'이 제시됩니다. 단어의 의미 그대로, '정신'과 '물질'을 '이원'적으로 바라보는 것이네요. 그런데 현대에는 이들이 '동일'하다는 '동일론'이 더 많은 지지를 받고 있다고 합니다. 신경 과학이 발달하여 '정신'이 사실 '물질'에 의해 조절되는 것임이 밝혀졌기 때문이겠죠. 단어의 의미를 살리며 두 개념의 정의를 정확하게 체크해주시면 되겠습니다.

③ #재진술

이렇게 각광받는 '동일론'이지만, 이는 두 가지 문제점을 가지고 있습니다. 어떤 문제가 있는지 최대한 납득해야 합니다. 하나는 '정신' 상태가 동일하더라도 '물질' 상태는 다를 수 있다는 점이에요. '정신'과 '물질'이 '동일'하다고 주장하는데, 같은 '정신' 상태를 가져도 다른 '물질' 상태를 가질 수 있다면 '동일론'의 주장은 완전히 무너질 수밖에 없겠죠?

나아가 인간과 '정신' 상태는 같지만 '물질' 상태는 다른 로봇이 등장한다면 설명할 수 없다는 점에서도 문제가 있다고 합니다. '사람'의 경우에도, '로봇'의 경우에도 '정신'이 같을 때 '물질'이 다를 수가 있

다는 거예요! 결국 똑같은 말을 두 번 해준 것이죠? 두 가지 문제가 아니라, 동일한 '정신' 상태인데 다른 '물질' 상태를 가지는 경우를 설명하지 못한다는 한 가지 문제점으로 재진술되었음을 파악해야 합니다. '동일론'의 정의를 생각하면 너무나 당연한 내용이겠죠.

하이라이트 문장

①심신 문제는 정신과 물질의 관계에 대해 묻는 오래된 철학적 문제이다.

'심신'이라는 단어의 의미를 살리면서, '정신과 물질의 관계'라는 정의를 확실하게 납득할 수 있어야 합니다. 나아가 이것이 곧 지문 전체를 관통하는 화제라는 것도 생각할 수 있겠죠? 특히 인문 지문에서, 첫 문단의 첫 문장은 화제와 직결되는 경우가 매우 많으니까요.

1문단 (2)

④그래서 어떤 입력이 들어올 때 어떤 출력을 내보낸다는 기능적·인과적 역할로써 정신을 정의하는 **기능론**이 각광을 받게 되었다. ⑤기능론에서는 정신이 물질에 의해 구현되므로 그 둘이 별개의 것은 아니라고 주장한다는 점에서 이원론과 다르면서도, 정신의 인과적 역할이 뇌의 신경 세포에서든 로봇의 실리콘 칩에서든 어떤 물질에서도 구현될 수 있음을 보여 준다는 점에서 동일론의 문제점을 해결할 수 있기 때문이다.

④ #수식된 정의 제시 #단어의 의미 살리기

과거에 이미 쇠퇴한 '이원론', 그리고 치명적인 문제점을 안고 있는 '동일론'에 대한 대안으로 '기능론'이 제시됩니다. 단어의 의미를 살리면서 수식된 정의를 정확하게 체크할 수 있어야 해요! '입력'이 들어올 때 '출력'을 내보내는 '기능적·인과적' 역할로 '정신'을 정의하는 것입니다. '입력'을 '출력'으로 내보내는 '기능'적인 역할을 강조하기에 '기능/론'이라는 이름이 붙은 것이네요. 중요한 것은 여기서 '기능'적인 역할을 하는 것이 '정신'이라는 걸 인식하는 것입니다. '기능론'은 '정신'을 정의하고 있다는 것이 핵심이에요! 이런 걸 체크해야 진짜 정의를 확인했다고 할 수 있는 겁니다.

⑤ #재진술

이러한 '기능론'에서는 '정신'이 '물질'에 의해 구현된다고 해요. '물질'이 있어야 '정신'이 '기능적·인과적' 역할을 수행할 수 있다는 것이겠죠? 이렇게 되면 '정신'과 '물질'이 아예 '별개의 것'은 아니라는 점에서 '이원론'과의 차별점이 생기네요.

나아가 '정신'의 이러한 인과적 역할이 어떤 '물질'이든 구현될 수 있다는 점에서, '동일론'이 설명하지 못한 '같은 정신, 다른 물질'의 문제를 해결할 수 있네요. '같은 정신, 다른 물질'의 상황이 존재한다고 해도, 그저 '정신'의 역할을 제시했을 뿐인 '기능론'의 입장과 모순되지 않으니까요. 결국 '기능론'이라는, '정신'의 '기능적·인과적' 역할을 통해 '심신 문제'에 접근하려는 이론이 떠오르고 있다는 이야기를 하고 있습니다. 그렇다면 '기능론'의 주장과 관련된 내용을 화제로 삼아서 전개할 것이라는 예측을 할 수 있겠죠? 이렇게 기대하면서 계속 읽어보도록 합시다.

2문단 (1)

> ①그래도 정신 상태에는 물질 상태와 다른 무엇인가가 있다고 생각하는 **이원론**에서는 '나'가 어떤 <u>주관적인 경험을 할 때 다른 사람에게 그 경험을 보여줄 수는 없지만 나는 분명히 경험하는 그 느낌</u>에 주목한다. ②잘 익은 토마토를 봤을 때의 빨간색의 느낌, 시디신 자두를 먹었을 때의 신 느낌, 꼬집힐 때의 아픈 느낌이 그런 예이다. ③이런 질적이고 주관적인 감각 경험, 곧 현상적인 감각 경험을 철학자들은 '**감각질**'이라고 부른다.

① #화제의 흐름

'기능론'이 주인공이 되어서 지문을 이끌어 갈 것이라고 예측했는데, 다시 '이원론'의 주장이 제시되고 있습니다. 이렇게 되더라도, '동일론'과 '기능론'을 잊으면 안 돼요. 언제 어디서 튀어나와 지문을 불친절하게 만들지 모르니까요. 일단 '이원론'에서는 '주관적'인 경험을 할 때의 '느낌'에 주목한다고 합니다. 천천히 이해해봅시다.

②~③ #사례-원리 연결 #수식된 정의 제시
#단어의 의미 살리기

한 번에 이해하기가 어렵다고 생각했는지, 친절하게 사례를 들어주고 있습니다. 빨간색의 '느낌', 신 '느낌', 아픈 '느낌' 등은 모두 '다른 사람에게 보여줄 수는 없지만 나는 분명히 경험하는 것'이죠? '이원론'은 이러한 '느낌'에 주목하는데, 철학자들은 이러한 '느낌'을 경험하는 것을 '감각질'이라고 부릅니다. '감각'하는 '질'적인 경험이기에 '감각/질'이라는 이름이 붙은 것이죠? 도대체 무슨 이야기를 하려고 '감각질'을 가져온 것일까요?

하이라이트 문장

> ③이런 질적이고 주관적인 감각 경험, 곧 현상적인 감각 경험을 철학자들은 '감각질'이라고 부른다.

'감각질'이 정의되고 있습니다. 단순히 '주관적·현상적인 감각 경험'이라는 것을 넘어서, '다른 사람에게 보여줄 수는 없지만 나는 분명히 경험하는 감각 경험'이라고 말할 수 있어야 합니다. '감각질'의 정의를 '재진술'을 바탕으로 불친절하게 제시하고 있는 거예요!

2문단 (2)

> ④이 감각질이 뒤집혔다고 가정하는 사고 실험을 통해 기능론에 대한 비판이 제기된다. ⑤나에게 빨강으로 보이는 것이 어떤 사람에게는 초록으로 보이고 나에게 초록으로 보이는 것이 그에게는 빨강으로 보인다는 사고 실험이 그것이다. ⑥다만 각자에게 느껴지는 감각질이 뒤집혀 있을 뿐이고 경험을 할 때 겉으로 드러난 행동과 하는 말은 똑같다. ⑦예컨대 그 사람은 신호등이 있는 건널목에서 똑같이 초록 불일 때 건너고 빨간 불일 때는 멈추며, 초록 불을 보고 똑같이 "초록 불이네."라고 말한다. ⑧그러나 그는 자신의 감각질이 뒤집혀 있는지 전혀 모른다. ⑨감각질은 순전히 사적이며 다른 사람의 감각질과 같은지를 확인할 수 있는 방법이 없기 때문이다. ⑩그렇다면 나와 어떤 사람의 정신 상태는 현상적으로 다르지만 기능적으로는 같으므로, 현상적 감각 경험은 배제하고 기능적·인과적 역할만으로 정신 상태를 설명하는 <u>기능론은 잘못된 이론이라는 논박이 가능하다.</u>

④ #화제의 흐름

'감각질' 이야기를 왜 하는 것인가 했더니, 이것이 뒤집혔다고 가정하는 '사고 실험'(실제로 실험하는 것이 아니라, 머릿속에서 '생각'으로 진행하는 실험)을 통해 '기능론'에 대한 비판을 하기 위한 것이었습니다. 여기서 기억이 정확히 나지 않는다면, 1문단으로 돌아가서 '기능론'의 정의를 다시 체크하고 와야 해요. '정신'의 '기능적·인과적' 역할에 주목하는 이론이었습니다. 이를 다시 인지하고 읽어나갈 수 있어야 해요.

⑤~⑥ #정의 제시

'뒤집힌 감각질 사고 실험'은 '빨강'과 '초록'의 '감각질'이 뒤집힌 상황을 '사고'하여 만든 '실험'입니다. 그런데 '감각질'이 뒤집혀 있을 뿐, 경험을 할 때 겉으로 드러난 '행동'과 '말'은 똑같다고 합니다.

⑦~⑨ #사례-원리 연결 #재진술

이게 도대체 무슨 소리인가 했는데, 친절하게 사례를 들어주고 있네요. 여기서 신호등을 '건너는' 것, 그리고 "초록 불이네."라고 '말하는' 것이 바로 앞에서 말한 '행동'과 '말'에 해당하겠죠? '초록 불'과

'빨간 불'을 바라볼 때의 '감각질'은 뒤집혀 있지만, '행동'과 '말' 자체는 똑같다는 거예요. 이렇게 사례와 원리를 일대일로 대응하면서 이해할 수 있겠죠?

하지만 이런 상황에서도, 이들은 서로 '감각질'이 뒤집혀 있다는 사실을 모른다고 해요. 9번 문장에 따르면, 그 이유가 '감각질'이 순전히 사적이며 다른 사람의 감각질과 같은지 확인할 수 없기 때문이라고 해요. 이 말을 보자마자 1번 문장의 재진술이라는 생각을 할 수 있으면 좋겠습니다. 다른 사람에게 보여줄 수 없어서 '사적'인 것이고, 다른 사람의 감각질을 내가 경험할 수도 없기에 다른 사람의 감각질과 같은지 확인할 수 없는 것이죠. '감각질'의 정의 그 자체이므로, 확실하게 납득할 수 있어야 합니다.

⑩ #재진술 #화제의 흐름

이렇게 되면, 나와 어떤 사람의 '정신' 상태는 '현상적'으로 다르지만 '기능적'으로는 같게 됩니다. 여기서 '현상적=감각질=입력', '기능적=행동과 말=출력'으로 재진술할 수 있어야 합니다. '정신'은 두 가지 종류가 있는데, 두 종류 중 하나는 다르고 하나는 같다면 모순적이라는 것이죠. 이번에도 '재진술'에 대한 '생각'을 통해 불친절한 지문을 친절하게 만들었습니다.

핵심은, 우리가 지금 읽고 있는 '뒤집힌 감각질 사고 실험'이 '기능론'을 비판하기 위해 제시되었다는 점을 생각하는 것입니다. 이렇게 '현상적'인 감각 경험, 즉 '정신' 상태도 존재하는데, '기능적'인 부분에만 초점을 맞추는 '기능론'은 잘못되었다는 것이 비판의 요지입니다. 이 흐름을 잡을 수 있어야 합니다. 지문이 조금만 더 불친절해진다면, 여기서 '기능론'이라는 이름을 빼버릴 거예요. 그때도 '기능적'이라는 말을 바탕으로 '기능론 비판'이라는 흐름을 생각할 수 있어야 합니다. '생각'을 통해 불친절함을 제거하는 과정, 최근의 어려운 지문 독해의 핵심입니다.

하이라이트 문장

> ⑩그렇다면 나와 어떤 사람의 정신 상태는 현상적으로 다르지만 기능적으로는 같으므로, 현상적 감각 경험은 배제하고 기능적·인과적 역할만으로 정신 상태를 설명하는 기능론은 잘못된 이론이라는 논박이 가능하다.

'뒤집힌 감각질 사고 실험'을 사례를 바탕으로 완벽하게 이해하는 것은 기본이고, '기능론 비판'이라는 큰 흐름까지 가져올 수 있어야 합니다. 정보의 역할을 생각하는 것이 '불친절함'을 해소하는 데 있어서 핵심이 된다는 점, 잊지 맙시다.

3문단 (1)

> ①뒤집힌 감각질 사고 실험에 의한 기능론 논박이 성공하려면 감각질이 뒤집힌 사람이 그렇지 않은 사람과 색 경험이 현상적으로는 다르지만 기능적으로 다르지 않다는 조건이 성립해야 한다. ②두 경험이 기능적으로 다르지 않다면 두 사람의 색 경험 공간이 대칭적이어야 한다. ③다시 말해서 색들이 가지는 관계들의 구조는 동일한 패턴을 가져야 하는 것이다. ④예를 들어 나의 빨간색 경험과 노란색 경험 사이의 관계를 보여 주는 특성들이 다른 사람의 빨간색 경험(사실은 초록색 경험)과 노란색 경험 사이의 관계를 보여 주는 특성들과 동일해야 한다. ⑤그래야 두 사람이 현상적으로 다른 경험을 하더라도 기능적으로 동일하기에 감각질이 뒤집혔다는 것이 탐지 불가능하다.

① #재진술

이러한 '뒤집힌 감각질 사고 실험에 의한 기능론 논박'이 성공하려면, 두 사람의 색 경험이 '현상적'으로는 다르지만 '기능적'으로는 다르지 않아야 합니다. 이는 앞 문단의 내용을 요약한 것과 같죠? 이 조건이 만족되는 순간, 정신의 '현상적' 측면을 무시하는 '기능론'에는 비판의 여지가 생길 수 있는 것입니다. 당연한 말이네요.

②~③ #재진술

그런데 여기서 '기능적'으로 다르지 않다는 조건이 성립하기 위해서는, 색 경험 공간이 '대칭적'이어야 한다는 조건이 필요하다고 합니다. 무슨 말인지 모르겠는데, 이를 '색들이 가지는 관계들의 구조는 동일한 패턴'을 가져야 한다는 말로 재진술하고 있어요. 연결해보면, '색 경험 공간=색들이 가지는 관계들의 구조', '대칭적=동일한 패턴'이라고 할 수 있겠죠? 색으로부터 경험하는 관계들이 대칭적으로 나타나야 한다는 것 같은데, 아직까지도 무슨 말인지 잘 모르겠습니다.

④~⑤ #사례-원리 연결 #재진술

출제자도 이걸 알았는지, 사례를 들어주고 있습니다. '빨간색 경험'과 '노란색 경험' 사이의 관계를 보여 주는 특성이 두 사람에게 모두 동일해야 한다고 해요. 앞 문장들과 최대한 엮어서 이해해보면, 정상적인 사람이 '빨간색'과 '노란색'으로부터 경험하는 관계들이 감각질이 뒤집힌 사람이 '초록색'과 '노란색'으로부터 경험하는 관계들과 대칭적으로 나타나야 한다는 것이에요. 이들은 사실 실제로는 서로 다른 색(빨간색/초록색)의 관계를 경험한 것인데, 이로부터 얻게 되는 관계들의 구조가 같다면 같은 '행동이나 말', 즉 '기능적'으로 동일한 '출력'을 하게 된다는 것입니다. 서로 다른 색을 경험하고도 동일한 출력을 내보낸다면, 서로 다른 '현상적 경험'을 했다는 것을 알 수 없겠죠. 앞에서 계속 이야기했듯이 '현상적 경험', 즉 '감각질'은 지극히 사적이니까요. 따라서 상대의 '감각질'이 뒤집혔다는 것을 알 방법이 없게 되고, 이 경우에는 '이원론의 기능론 비판'이 성공적이게 됩니다.

사실 말은 굉장히 어려웠지만, 2문단의 '기능론 비판'과 똑같은 말을 하고 있었어요. '현상적'으로는 달라도 '기능적'으로만 같다면, '현상적'으로 다르다는 사실, 즉 '감각질'이 뒤집혔다는 사실을 감지할 방법이 없다는 것이죠.

조금 더 확실하게 이해시켜드리면, '감각질'이라는 '입력'이 들어왔을 때 정신은 다른 '출력', 즉 '기능'을 내보내기에, '감각질'은 다르지만 '행동'은 같은 경우는 존재할 수 없다는 거예요. 따라서 서로 다른 '기능=행동과 말'을 출력한다면 그것은 곧 '현상=감각질'이 다르다는 것을 의미하므로, '뒤집힌 감각질'은 정신의 '기능적' 역할만으로도 판별이 가능한 것이었습니다. 따라서 '이원론'의 주장은 틀린 것이 되는 거죠. '기능론'의 정의를 바탕으로 생각하면 이렇게 엮어 읽을 수 있습니다. 비록 그 정의를 다시 써 주지 않는 '불친절함'을 이용하고 있기는 하지만, 우리가 가진 '생각의 힘'으로 이 지문을 친절하게 만든 모습이네요.

3문단 (2)

> ⑥그러나 색을 경험한다는 것은 색 외적인 속성들, 예컨대 따뜻함과 생동감 따위와도 복잡하게 관련되어 있는데, 그것 때문에 <u>색 경험 공간이 비대칭적</u>이게 된다. ⑦빨강-초록의 감각질이 뒤집힌 사람은 익지 않은 초록색 토마토가 빨간색으로 보일 것인데, 이 경우 그가 초록이 가지는 생동감 대신 빨강이 가지는 따뜻함을 지각할 것이기 때문에 <u>감각질이 뒤집히지 않은 사람과 다른 행동을 보일 것이다.</u>

⑥ #사례-원리 연결 #화제의 흐름

하지만 '색 경험'은 '따뜻함, 생동감' 같은 '색 외적인 속성'들과도 관련되어 있기에, 색 경험 공간이 '비대칭적'이게 된다고 합니다. 이것이 '대칭적'이어야만 '기능론 비판'이 성공적으로 수행될 수 있는데, 사실은 그렇지 않다는 거예요. 화제의 흐름이 '기능론 비판'에서 '기능론의 재반박'으로 이어지고 있다는 게 느껴지시죠? '이원론'에서 주장한 '현상적으로는 다르지만 기능적으로 다르지 않은 경우'는 존재할 수 없는 상황이 되는 것이었어요. 색 경험 공간이 '비대칭적'이기 때문이죠!

⑦ #사례-원리 연결 #재진술

이를 확실하게 이해시키기 위해, 사례를 들어주고 있습니다. '감각질'이 뒤집힌 사람은 '초록색' 토마토를 보고서 '빨간색'의 '따뜻함'을 지각한다고 해요. 색 경험 공간은 '비대칭적'이기에, '초록색'의 특성과 '빨간색'의 특성은 다를 수밖에 없고, 따라서 '현상적 경험'을 다르게 한다면 다른 '특성'을 인식하게 된다는 것이죠. 나아가 '특성'을 다르게 인식했다면, 당연히 '행동'도 다르게 보이겠죠? 이때의 '행동'은 '기능적=출력'과 같은 말이었습니다. 따라서 이 문장을 다르게 표현하면, '현상적으로 다르다면 기능적으로도 다르므로, 현상적으로는 다르지만 기능적으로는 같은 상황은 있을 수 없다.'가 되겠습니다. 결국 '이원론'에 대한 '기능론'의 재반박이 되는 것이죠!

4문단

> ①뒤집힌 감각질 사고 실험은 색 경험 공간이 대칭적이어야 성공하지만, 앞에서 제시한 문제점을 안고 있어서 비판을 받기도 한다. ②그런 까닭에 이 사고 실험에 의한 <u>기능론 논박은 성공하지 못한다</u>고 평가할 수 있다.

①~② #재진술 #화제의 흐름

결국 하고 싶은 이야기는 이 내용이었습니다. 색 경험 공간이 '비대칭적'이기에 '이원론'의 주장은 무의미하고, 따라서 '기능론 비판'은 실패한다는 거예요. '기능론'의 정의를 바탕으로 '뒤집힌 감각질 사고 실험'을 이해하는 것이 핵심이었던 지문이었습니다.

선지	①	②	③	④	⑤
선택률(예상)	9%	16%	46%	19%	10%

34 윗글의 내용과 일치하는 것은? ③

> ① 동일론에서는 물질 상태가 같으면 정신 상태도 같다는 것을 설명할 수 없다.

명시적 근거	1문단 2번~3번 문장
실전에서의 판단 과정	이건 동일론의 주장 그 자체 아니야?
해설	'물질' 상태가 같으면 '정신' 상태도 같다는 것, '동일론'의 주장 그 자체죠? '동일론'이 설명할 수 없는 건 '정신' 상태는 같은데 '물질' 상태가 다른 경우였습니다.

② 이원론에서는 어떤 사람의 행동과 말을 통해서 그 사람의 감각질이 어떠한지 확인한다.

명시적 근거	2문단 10번 문장
실전에서의 판단 과정	행동과 말은 같다고 했지.
해설	'행동과 말'은 정신을 '기능적'인 측면에서 바라본 것입니다. '이원론'에서는 '현상적'인 경험이 달라도 이러한 '기능적'인 내용은 같을 수 있다는 논리로 '기능론'을 비판했어요. 즉, '행동과 말'은 '현상적' 경험이 달라도 같을 수 있으니 이를 바탕으로 그 사람의 감각질이 어떠한지 확인하는 것은 어렵다는 것이죠.

③ 기능론에서는 인간과 로봇이 물질 상태는 달라도 정신 상태는 같을 수 있음을 설명할 수 있다.

명시적 근거	1문단 5번 문장
실전에서의 판단 과정	기능론은 동일론의 문제를 해결할 수 있었지.
해설	'기능론'은 '정신'을 '기능적·인과적' 역할을 하는 것으로 정의하면서, 같은 '정신' 상태를 가질 때 서로 다른 '물질' 상태를 가지는 상황을 설명할 수 있었습니다. 이는 '동일론'이 설명할 수 없는 부분이었는데 그 부분을 해결해준 것이었죠. '기능론'의 정의를 체크하면서 자연스럽게 했어야만 하는 생각이었습니다.

④ 뒤집힌 감각질 사고 실험은 기능론으로는 정신의 인과적 측면을 설명할 수 없다는 것을 보여 주려고 한다.

명시적 근거	2문단 10번 문장
실전에서의 판단 과정	기능적·인과적 측면에만 주목한다는 걸 비판하는 것이지.
해설	'뒤집힌 감각질 사고 실험'이 비판하고자 하는 '기능론'의 포인트를 정확하게 이해했는지 묻는 선지입니다. 핵심은 '기능론'이 정신의 '현상적'인 측면, 즉 '감각질'을 고려하지 않는다는 것이었어요. '기능론'은 단어의 의미 그대로 정신의 '기능적·인과적' 측면을 강조하는 이론이고, 이곳에만 집중하는 것이 문제라며 비판하는 게 '이원론'의 주장이었죠.

⑤ 이원론과 기능론은 정신 상태를 갖는 존재의 물질 상태를 인정하지 않는다는 점에서 일치한다.

명시적 근거	1문단 2번 문장, 1문단 5번 문장
실전에서의 판단 과정	이원론이랑 기능론이 물질 상태를 인정하지 않는다는 게 말이 되냐.
해설	일단 '이원론'에서는 '정신' 상태를 갖는 존재의 '물질' 상태를 인정할 것입니다. '정신'과 '물질'을 '이원적'이라고 주장하니까요. 나아가 '기능론' 역시 '정신'이 '물질'로부터 구현된다고 이야기하면서, '물질' 상태를 인정하는 모습을 보였어요. 각 개념의 정의를 정확하게 체크하고 있는지 물어보는 선지였습니다.

선지	①	②	③	④	⑤
선택률(예상)	14%	54%	12%	13%	7%

35 비판의 내용으로 가장 적절한 것은? ②

> 뒤집힌 감각질 사고 실험은 색 경험 공간이 대칭적이어야 성공하지만, 앞에서 제시한 문제점을 안고 있어서 비판을 받기도 한다.

– 미리 답을 골라놓고 가야 하는 문제입니다. 여기서 말하는 '비판'은 "색 경험 공간이 비대칭적이기에 현상적으로 다르고 기능적으론 같은 경우는 존재할 수 없다."예요. 이 말과 똑같은 말을 찾아봅시다.

① 색 경험 공간은 대칭적이어서, 감각질이 뒤집힌 사람이 그렇지 않은 사람과 현상적으로 동등하고 기능적으로 다를 경우는 발생할 수 없다.

명시적 근거	3문단 6번~7번 문장
실전에서의 판단 과정	색 경험 공간은 비대칭적이지.
해설	일단 색 경험 공간은 '비대칭적'이라고 말해야 합니다. 바로 틀린 선지로 처리할 수 있겠네요. 나아가 '현상적'으로 '동등'하고 '기능적'으로 '다를' 경우를 이야기하는 것도 틀린 말이죠? 반대로 써야 합니다.

② 색 경험 공간은 비대칭적이어서, 감각질이 뒤집힌 사람이 그렇지 않은 사람과 현상적으로 다르고 기능적으로 동등할 경우는 발생할 수 없다.

명시적 근거	3문단 6번~7번 문장
실전에서의 판단 과정	생각한 내용 그대로네.
해설	미리 생각한 내용 그대로죠? 이 선지를 보기 전부터 떠올릴 수 있어야 합니다. 지문의 내용을 제대로 파악했다면 말이죠.

③ 감각질이 뒤집히지 않은 사람은 입력이 같으면 출력도 같으므로, 그의 감각질이 뒤집히지 않았다는 사실은 탐지할 수 없다.

④ 감각질이 뒤집힌 사람은 입력이 같아도 출력이 다르므로, 그의 감각질이 뒤집혔다는 사실은 탐지할 수 없다.

명시적 근거	3문단 6번~7번 문장
실전에서의 판단 과정	색 경험 공간 이야기 안 하면 틀린 거지.
해설	일단 '색 경험 공간'에 대한 이야기를 하지 않는다는 점에서 답이 될 수는 없는 선지들입니다. 다만 '입력'과 '출력'에 대한 내용은 볼 만하죠? 여기서 말하는 '입력'은 '현상적=감각질'에, '출력'은 '기능적=행동과 말'에 대응됩니다. 따라서 '감각질'이 뒤집히지 않은 사람끼리는 '입력'이 같으면 '출력'도 같고, 뒤집힌 사람은 뒤집히지 않은 사람과 '입력'이 같아도 '출력'이 다르다는 4번 선지의 내용은 맞는 말이 되는 거예요. 이러한 이유 때문에 '출력', 즉 '기능적'인 것만 가지고도 '입력', 즉 '감각질'이 뒤집혔다는 것을 파악할 수 있는 것이었죠.

⑤ 정신 상태의 현상적 감각 경험을 배제할 수 없으므로, 기능적 역할만으로 정신 상태를 설명할 수 없다.

명시적 근거	3문단 6번~7번 문장
실전에서의 판단 과정	색 경험 공간 이야기 안 하면 틀린 거지.
해설	이번에도 '색 경험 공간'에 대한 이야기를 하지 않는다는 점에서 답이 될 수는 없는 선지입니다. 나아가 이 문제에서 말하는 '비판'은 '기능론'의 입장이기에, '기능적' 역할만으로 부족하다고 하는 것도 정답과는 크게 어긋난 내용이죠? 이는 '이원론'의 주장이라고 하는 게 맞을 거예요.

선지	①	②	③	④	⑤
선택률(예상)	6%	15%	18%	51%	10%

36 윗글과 〈보기〉를 바탕으로 ㉠과 ㉡을 설명할 때, 적절하지 않은 것은? ④

> ㉠ 뒤집힌 감각질 사고 실험에 의한 기능론 논박
> ㉡ 빨강-초록의 감각질이 뒤집힌 사람

[보기]

빨강과 초록의 감각질이 뒤집힌 사람이 따뜻한 물로 손을 씻으러 세면대로 갔다. 세면대에는 따뜻한 물이 나오는 꼭지는 빨간색으로, 차가운 물이 나오는 꼭지는 파란색으로 되어 있었다.

– 〈보기〉부터 확실하게 정리해봅시다. ㉡이 '따뜻한' 물을 이용하기 위한 '행동'을 의도하고 세면대로 간 상황입니다. 이때 '따뜻한' 물은 '빨간색'으로, 차가운 물은 파란색으로 되어 있었다고 합니다. ㉡은 이때 '빨간색' 꼭지를 '초록색' 꼭지로 파악하겠네요. '기능론'에 따르면 ㉡은 이로부터 빨간색 꼭지를 '생동감 있는' 색으로 인식하는 '현상적 경험'을 하고, 결국 따뜻한 물이 나오는 꼭지가 없다는 생각에 아무런 꼭지도 틀지 않는 '행동=기능'으로 이어진다고 할 수 있겠습니다.

참고로 〈보기〉에서 차가운 물이 나오는 것은 '파란색'이에요. '파란색'에 대한 감각질은 뒤집히지 않았기 때문에, '파란색'에 대해서는 '차가움'이라는 색 경험 공간을 그대로 경험할 수 있을 겁니다. 이 정도 정리해놓고 선지 판단해봅시다!

① ㉠이 성공한다는 측은 ㉡에게는 빨간색 꼭지가 초록색으로 보인다고 설명하겠군.

명시적 근거	2문단 5번 문장
실전에서의 판단 과정	빨강과 초록의 감각질이 뒤집혔으니 당연하지.
해설	㉠이 성공한다는 측은 ㉡의 '감각질'이 뒤집혔다는 것을 가정할 것입니다. ㉡은 '빨강'과 '초록'의 감각질이 뒤집혔기 때문에, '빨간색' 꼭지를 '초록색' 꼭지로 지각한다고 이야기할 거예요.

② ㉠이 성공한다는 측은 ㉡이 빨간색 꼭지를 보고 "이게 빨간색이구나."라고 말한다고 설명하겠군.

명시적 근거	2문단 6번 문장
실전에서의 판단 과정	기능적인 측면은 똑같다고 하지.
해설	㉠이 성공한다는 측은 ㉡의 '감각질'이 뒤집혔을 뿐, '행동과 말'이라는 '기능적' 측면은 '감각질'이 뒤집히지 않은 사람과 동일하다고 주장할 것입니다. ㉠이 성공한다는 측, 즉 '이원론'의 주장을 완벽하게 이해하고 있었다면 어렵지 않게 지울 수 있었을 거예요.

③ ㉠이 실패한다는 측은 ㉡이 빨간색 꼭지를 보고 따뜻함을 지각하지 못할 것이라고 설명하겠군.

명시적 근거	3문단 6번~7번 문장
실전에서의 판단 과정	따뜻함이 아니라 생동감을 지각하겠지.
해설	'빨간색' 꼭지를 보고 '따뜻함'이 아닌 '생동감'을 지각할 것이라는 점, 〈보기〉를 정리하면서 미리 생각했던 내용입니다. '색 경험 공간'에 대한 이해를 요구하는 선지였네요.

④ ㉠이 성공한다는 측과 실패한다는 측 모두 ㉡이 빨간색 꼭지를 틀지 않을 것이라고 설명하겠군.

명시적 근거	2문단 6번 문장, 3문단 7번 문장
실전에서의 판단 과정	이원론에서는 튼다고 하겠지.
해설	㉠이 성공한다는 측, 즉 '이원론'의 입장에 따르면 '빨간색'을 '초록색'으로 지각한다고 해도, 그에 따른 '기능=행동'은 달라지지 않습니다. 따라서 '이원론'에서는 ㉡이 '감각질'이 뒤집히지 않은 사람과 마찬가지로 빨간색 꼭지를 틀 것이라고 생각하겠죠. 바로 정답으로 고를 수 있네요. 한편 ㉠이 실패한다는 측, 즉 '기능론'의 입장에서는 ㉡이 빨간색 꼭지를 틀지 않을 것이라고 생각할 겁니다. 〈보기〉를 정리하면서 미리 생각한 내용이죠?

⑤ ㉠이 성공한다는 측과 실패한다는 측 모두 ㉡이 빨간색 꼭지와 파란색 꼭지를 구별할 수 있다고 설명하겠군.

명시적 근거	〈보기〉
실전에서의 판단 과정	빨간색과 파란색의 감각질은 뒤집히지 않았지.
해설	㉡은 '빨강'과 '초록'의 감각질이 뒤집힌 것이지, '파랑'과 관련된 감각질에는 문제가 없습니다. 당연히 '빨간색' 꼭지와 '파란색' 꼭지는 잘 구별하겠죠. 〈보기〉의 내용을 디테일하게 체크하고 있는지 물어보는 선지였습니다. '파란색'을 '초록색'으로 읽고 시간을 낭비하는 일이 없었길 바라요.

몰랐던 어휘 정리하기

| 핵심 point |

① 화제 check : 독서 지문 독해의 처음이자 끝. 첫 문단에서 잡은 '화제'를 마지막 문단까지 놓지 않아야 합니다.
② 정의 인식 : 단어의 의미를 살린 상태로, 지문에 제시된 정의와 붙여서 이해할 수 있어야 합니다. 정의를 '기억'하는 게 아니라, '납득'해서 본인의 말로 정리할 수 있어야 해요.
③ 재진술 인식 : 같은 말이라도 다르게 표현되는 경우가 많습니다. 이 '같은 말'에 민감하게 반응하면, '정보량'을 줄이면서 읽을 수가 있습니다.

| 지문 내용 총정리 |

'뒤집힌 감각질 사고 실험'이라는 다소 추상적이고 생소한 내용을 바탕으로 전개되는 지문이었지만, '기능론'의 정의를 바탕으로 재진술시키고, 사례를 원리와 적절하게 연결시키며 읽었다면 정보량을 확실히 줄일 수 있는 지문이었습니다. 그리고 이 과정에서 '불친절'한 지문을 '친절'하게 만드는 여러 가지 생각이 사용되었다는 것도 정리해야겠죠?

1문단

①벤야민은 폭력이 모든 합법적 권력의 탄생과 구성 과정에 개입함을, 그리고 그것이 금지하고 처벌하는 방식뿐만 아니라 법 자체를 제정하고 부과하며 유지하는 방식으로도 작동함을 밝히고자 했다. ②『폭력 비판을 위하여』에서 그는 목적의 정의로움과 수단의 정당성에 대한 자연법론과 법실증주의의 입장 차이를 논의의 출발점으로 삼았다.

① #주장 제시 #화제 제시

'벤야민'의 주장으로 시작하고 있습니다. '폭력'에 대해 이야기를 하고 있네요. 문장이 조금 길지만, 1문단의 첫 문장이기 때문에 끊어서 확실하게 이해해보도록 합시다.

일단 '폭력'이 모든 합법적 권력의 탄생과 구성 과정에 개입한다고 합니다. 여기서 말하는 '폭력'이 우리가 생각하는 그 의미가 맞다면, 조금은 과격한 주장일 수도 있겠다는 생각이 듭니다. 하지만 또 세계 여러 나라의 역사를 보면 크게 틀린 말은 아니라는 생각도 할 수 있겠죠. 이런 과정을 거쳐 납득하면서 읽어보도록 합시다.

나아가, '벤야민'은 '폭력'의 작동에 대해 밝히고자 했다고 합니다. 내용이 조금 어렵습니다. 일단 '금지하고 처벌하는 방식'부터 확인해 봅시다. 무언가를 금지하고, 어떤 행동에 대해 처벌하는 것은 충분히 '폭력'적이라고 할 수 있겠습니다. '폭력'이라고 하는 것이 이렇게 작동한다는 건 당연한데, '벤야민'은 '폭력'이 '법 자체를 제정하고 부과하며 유지하는 방식'으로도 작동한다고 생각했어요. 즉, '폭력'이 '법'과 긴밀한 관계를 가진다는 것이죠. 정확히 무슨 말인지 이해하기는 어렵지만, '벤야민'이 후자를 더 강조한다는 점에서 이 지문은 '폭력과 법 사이의 관계'에 대해 이야기하겠다는 예상을 할 수 있겠습니다.

② #카테고리 나누기

'벤야민'은 '폭력 비판을 위하여'라는 책을 쓰면서, '자연법론'과 '법실증주의'의 입장 차이에 주목했다고 합니다. 이들은 각각 '목적의 정의로움'과 '수단의 정당성'이라는 부분에서 입장 차이를 보였다고 해요. 첫 문단부터 두 가지 카테고리를 제시하고 있기 때문에, 이들을 정확하게 구분할 준비를 하면서 읽어주셔야 합니다.

하이라이트 문장

①벤야민은 폭력이 모든 합법적 권력의 탄생과 구성 과정에 개입함을, 그리고 그것이 금지하고 처벌하는 방식뿐만 아니라 법 자체를 제정하고 부과하며 유지하는 방식으로도 작동함을 밝히고자 했다.

첫 문단의 첫 문장입니다. 아무리 문장이 길어도, 끊어 읽으면서 그 내용을 정확하게 파악하시는 게 중요합니다. 이 문장에서는 결국 '벤야민'이 생각한 '폭력과 법의 관계'가 화제일 것이라는 점을 잡아내는 게 핵심이었죠?

2문단

①벤야민에 따르면, 고전적인 자연법론은 법 창출과 존속의 근거를 신이나 자연, 혹은 이성과 같은 형이상학적이고 외부적인 실체의 권위로부터 구한다. ②또한 합당한 자격을 부여받은 외적 실체의 정당한 목적을 위해 사용되는 폭력은 문제가 되지 않는다고 본다. ③반면 법실증주의는 폭력을 수단으로 사용하기 위한 절차적 정당성이 확보되었는지 여부에 주목한다. ④벤야민은 자연법론보다는 법실증주의가 폭력 비판의 가설적 토대로 더 적합하다고 판단했다. ⑤근본규범으로 전제된 헌법으로부터 법 효력의 근거를 도출하는 법실증주의는 법체계의 자기정초적 성격을 강조함으로써 법 제정 과정의 폭력을 읽어낼 단서를 제공해 주어, 폭력 보존의 계보에 대한 비판적 탐색을 가능케 하기 때문이다.

①~② #정의 제시 #재진술

먼저 '자연법론'에 대해 설명하고 있습니다. 이는 '법'을 창출하고 존속하는 근거로 '형이상학적·외부적'인 실체의 권위를 든다고 해요. '고전'이라는 이름답게 종교적 색채가 강한 모습입니다. 서양 철학과 관련된 지문이 나올 때마다 비슷한 내용이 반복되기 때문에 당연하게 받아들일 수 있어야 해요!

나아가 '자연법론'에서는 이렇게 '권위'를 가지고 있는 외적 실체의 '정당한 목적', 즉 '법의 창출과 존속'이라는 것을 위해 사용되는 '폭력'은 문제가 되지 않는다고 보네요. 이때 '목적'이라는 말을 보고서 1문단에서의 카테고리가 떠올라야겠죠? 1문단에서는 '목적의 정의로움'과 '수단의 정당성'이라는 카테고리가 제시되었는데, '자연법론'에서는 외적 실체를 근거로 행해지는 '법'이라는 '목적'은 정의롭기에, 그 목적을 위해 '수단'으로 활용하는 '폭력' 역시 '정당'하다는 이야기를 하는 것입니다. 이렇게 1문단의 카테고리를 바탕으로 가볍게 납득해 주시면 되겠죠?

③ #정의 제시 #재진술 #비교/대조

한편 '법실증주의'에서는 '절차적 정당성'에 주목합니다. '법'이라는 목적이 '절차적'으로 '정당'하게 만들어졌다면, 즉 '정의롭게' 만들어졌다면 '폭력'을 '정당한 수단'으로 사용할 수 있다는 것입니다. 이번에도 '목적의 정의로움'과 '수단의 정당성'이라는 카테고리를 바탕으로 재진술하면 쉽게 납득할 수 있을 것 같습니다.

나아가, 어쨌든 '자연법론'과 '법실증주의'가 비교되고 있기 때문에, 그 비교 양상을 정확하게 체크하는 것이 중요하겠습니다. 일단 둘의 공통점은 '목적의 정의로움'과 '수단의 정당성'이 엮여 있다고 보는 것입니다. 목적이 정의롭다면 수단도 정당하고, 수단이 정당하게 쓰일 만하다면 목적도 정의롭다는 것이죠. 하지만 이들은 목적이 정의로운 이유에 대해서 차이점을 보입니다. 이에 대해 '자연법론'에서는 '외적 실체의 권위'를, '법실증주의'에서는 '절차적 정당성'을 들고 있는 것이에요. 이런 차이점까지 확인할 수 있다면 정말 훌륭하다고 할 수 있겠죠?

④~⑤ #주장 제시 #재진술 #화제의 흐름

'벤야민'은 이 중에서 '법실증주의'가 자신의 주장을 설명하는 데 더 적합하다고 생각했네요. 그 이유가 무엇일까요? '법실증주의'는 '헌법'이라는 근본규범의 개념으로부터 법 효력의 근거를 도출한다고 합니다. 그런데 앞에서 '법실증주의'는 '절차적 정당성'으로부터 '목적(법 효력)의 정의로움'을 얻을 수 있다고 했습니다. 이를 끌고 내려오면, 여기서 말하는 '헌법'이란 '절차적 정당성'을 가진 것으로 바꿔 이해할 수 있겠네요. 애초에 '헌법' 자체가 대부분 '절차적 정당성'을 거쳐 만들어진 것이기에, 충분히 납득할 수 있는 내용이겠습니다.

아무튼, 이러한 '법실증주의'는 법체계의 자기정초적 성격을 강조한다고 합니다. 여기서 '정초'라는 것은 '기초를 만드는 것' 정도의 의미로, 법체계가 스스로 만들어지는 과정(=절차적 정당성을 얻는 과정)을 강조하기에 그 속에서 '폭력'과 어떻게 관계를 맺는지 더 잘 탐색할 수 있다는 의미가 되겠습니다. '자연법론'에 따르면 법이 아닌 '외적 실체'를 가져와야 하는데, '법실증주의'에서는 철저히 '법체계' 안에서 논의할 수 있다는 것이죠. '벤야민'이 탐구하고자 한 것은 '법과 폭력의 관계'이기 때문에, 이것을 논하기에는 '법실증주의'를 활용하는 것이 더 좋다는 내용입니다. 이렇게 당연하게 납득하면서 계속 읽어봅시다.

하이라이트 문장

> ⑤근본규범으로 전제된 헌법으로부터 법 효력의 근거를 도출하는 법실증주의는 법체계의 자기정초적 성격을 강조함으로써 법 제정 과정의 폭력을 읽어낼 단서를 제공해 주어, 폭력 보존의 계보에 대한 비판적 탐색을 가능케 하기 때문이다.

앞 문장에 제시된 '법실증주의'의 정의와 엮어 재진술을 잡아내는 것은 물론이고, '법과 폭력의 관계'라는 화제로 그 정보들을 넣을 수 있는 능력을 요구하는 어려운 문장입니다. 이렇게 어려운 지문이라도 요구하는 능력 자체는 변하지 않는다는 것을 생각하면서, '생각의 힘'을 계속해서 키워보도록 합시다.

3문단

> ①그렇지만 **벤야민**은 법실증주의가 목적과 수단의 관계에 대한 잘못된 전제를 자연법론과 공유한다고 보았다. ②정당화된 수단이 목적의 정당성을 보증한다고 보는 경우든 정당한 목적을 통해 수단이 정당화될 수 있다고 보는 경우든, 목적과 수단의 상호지지적 관계를 전제로 폭력의 정당성을 판단한다. ③그러나 **법의 관심**은 이러저러한 목적 혹은 수단을 평가하는 데 있는 것이 아니라 법의 폭력 자체를 수호하는 데 있다고 파악했다. ④또한 법이 스스로 저지르는 폭력만을 정당한 '강제력'으로 상정하고 다른 모든 형태의 폭력적인 것들은 '폭력'으로 치부하는 문제에 관해 양편 모두 충분한 관심을 두지 않아 왔음을 지적했다.

①~② #주장 제시 #재진술 #단어의 의미 살리기

이렇게 '법실증주의'를 좋게 보는 것 같더니, '목적과 수단의 관계에 대한 잘못된 전제'의 측면에서 '자연법론'과 다를 바 없다는 비판을 하고 있습니다. 여기서 '목적'과 '수단'이라는 말은 각각 '법 체계'와 '폭력' 정도로 생각할 수 있는데, 이들은 서로 엮여 있다는 '관계'를 가지고 있다는 건 이미 '자연법론'과 '법실증주의'의 공통점으로 생각해둔 내용이었어요. '벤야민'은 이 부분이 마음에 안 드는 것 같아요.

2번 문장은 우리가 생각한 그대로여야 합니다. '정당화된 수단이 목적의 정당성을 보증'한다고 보는 것은 '법실증주의'의 주장이고, '정당한 목적을 통해 수단이 정당화'될 수 있다고 보는 것은 '자연법론'의 주장일 것입니다. '벤야민'은 이러한 '목적'과 '수단'의 '관계'를 '상호지지적'으로 명명하네요. '목적'과 '수단'이 '상호'적으로 '지지'해주는 관계를 가지고 있다는 것이죠? 지문 내용의 재진술이자, 여러분 머릿속에 정리된 정보들의 재진술이니 어렵지 않게 납득할 수 있어야 해요.

③ #주장 제시 #재진술

'벤야민'이 생각한 법의 관심에 대한 이야기가 나오고 있습니다. 말이 조금 어려운데, 일단 '목적 혹은 수단을 평가'한다는 것은 앞에서 계속 이야기한 내용들의 재진술이라고 할 수 있겠습니다. 즉, '벤야민'이 보기에 법은 '법 체계'라는 목적이 정의로운지, 혹은 '폭력'이라는 수단이 정당한지 등을 밝히는 데에는 관심이 없다는 것이에요.

법이 관심을 가지는 것은 오로지 '법의 폭력 자체의 수호'라고 합니다. 사실 이것 역시 1문단에서 제시한 '벤야민'의 주장을 재진술한 것에 불과하네요. 1문단에서 '벤야민'은 폭력이 '법 자체를 제정·부과·유지하는 방식'으로도 작동한다고 했는데, 이는 '법'과 '폭력'이 아주 긴밀한 관계를 가진다는 뜻이니까요. 즉, '법의 폭력'이라는 말을 쓸 정도로 '법'에는 '폭력'의 요소가 포함되어 있다는 것입니다.

④ #주장 제시 #재진술 #화제의 흐름

여기서 끝이 아닙니다. '벤야민'이 보기에 법은 스스로 저지르는 폭력, 즉 '법의 폭력'만을 정당하다고 보고 나머지 모든 폭력적인 것들은 '폭력'으로 치부하는 문제를 가지고 있다고 해요. '벤야민'이 보기에는 법이 하는 것도 똑같이 '폭력'인데, 법은 그것을 인정하지 않는다는 것이죠. '자연법론'과 '법실증주의' 모두 이 문제를 제대로 다루지 않았기 때문에, 즉 이들도 '법'이라는 목적 속의 '폭력'이라는 수단을 정당하게 봤기 때문에 문제가 된다는 이야기를 하는 것입니다. 그렇다면 이제부터 '벤야민'이 어떻게 이 문제를 해결하려 하는지 알아보면 되겠죠? 기대하면서 읽어봅시다.

하이라이트 문장

> ③그러나 법의 관심은 이러저러한 목적 혹은 수단을 평가하는 데 있는 것이 아니라 법의 폭력 자체를 수호하는 데 있다고 파악했다.

'목적'과 '수단'이라는 단어를 바탕으로 앞문장의 내용을 끌고 오는 것은 기본이고, 1문단에서부터 잡아 둔 대전제를 바탕으로 '법의 폭력'이라는 말의 속뜻을 이해할 수 있어야 합니다. 인문 지문은 이렇게 결국 다 같은 말만 하는 겁니다.

4문단(1)

> ①벤야민은 자연법과 법실증주의가 감추어 온 법의 내재적 폭력성을 설명하기 위해 **법정립적 폭력**과 **법보존적 폭력**을 새롭게 개념화했다. ②전자의 사례로 무정부적 위력이나 전쟁 등을, 후자의 사례로 행형제도와 경찰제도 등을 제시한 점에서 이들이 각각 근대 국가의 입법 권력과 행정 권력에 대응하는 한정된 개념으로 사용되었다고 보기 어렵다. ③**법정립적 폭력은 법 목적을 위한 강제력이 정당화된 폭력의 위치를 독점하는 과정**을 보여 준다. ④여기서 폭력은 법 제정의 수단으로 복무하지만, 목적한 바가 법으로 정립되는 순간 퇴각하는 것이 아니라 자신의 도구적 성격을 넘어서 힘 자체가 된다. ⑤그렇기에 법과 폭력의 관계는 목적과 수단의 관계 또는 선후관계로 편입될 수 없다.

①~② #주장 제시 #단어의 의미 살리기

'벤야민'의 관심은 '법의 폭력'이라는 개념을 정확하게 규명하는 것입니다. 이를 위해 '법정립적 폭력'과 '법보존적 폭력'을 새롭게 개념화했어요. 이 두 가지 개념의 정의를 정확하게 체크하는 게 중요하겠습니다. 비교/대조될 것이니 공통점과 차이점을 정확하게 인식해야겠죠?

일단 2번 문장의 내용부터 이해해봅시다. 두 개념의 단어의 의미를 살리면, 전자는 '법'을 '정립'하는 과정에서 일어나는 '폭력'을, 후자는 '법'을 '보존'하는 과정에서 일어나는 '폭력'을 의미한다고 할 수 있겠습니다. '정립'과 '보존'이라는 말은 각각 '입법'과 '행정'이라는 말로 대응될 수 있는데, (이게 왜 그런지는 '제재별 독해 - 법' 파트를 공부하시면 알게 될 것입니다.) '벤야민'이 제시한 각 개념의 예시를 보면 단순히 '입법'과 '행정'에 한정된 것으로 보이지는 않는다고 해요. '무정부적 위력 / 전쟁', '행형제도 / 경찰제도'는 '입법', '행정'에 정확하게 대응되는 개념은 아니니까요. 즉, 기존의 '입법', '행정'보다 훨씬 넓은 개념이라는 뜻인데, '벤야민'의 정확한 주장은 무엇일지 궁금해하면서 읽어봅시다.

③ #정의 제시 #단어의 의미 살리기

먼저 '법정립적 폭력'은 정의롭다고 여겨지는 '법 목적'을 위해 사용하는 '강제력'이 '정당화된 폭력'의 위치를 독점하는 과정을 보여 주는 것이라고 해요. '법 목적'을 달성하기 위해서는 구속, 벌금 등 국가의 '강제력'이 필요한데, 이것이 결국 '정당화된 폭력'으로 취급된다는 것이죠. 이처럼 '법'을 '정립'하기 위해, 혹은 '법'을 '정립'하는 과정에서 사용되는 강제력도 '폭력'이라는 점에서 '법정립적 폭력'이라는 이름을 붙인 것으로 보입니다. 단어의 의미를 살리며 충분히 납득할 수 있겠죠?

④~⑤ #재진술

이때 '폭력'은 법 제정, 즉 '법정립'의 수단으로 그 역할을 하지만 목적한 바(강제력=법의 폭력)가 법이 되는 순간 힘 자체가 된다고 합니다. '폭력'을 단순히 '수단'으로 취급했던 '자연법론', '법실증주의'의 주장과 달리, '벤야민'이 보기에 '폭력'은 '법의 힘' 그 자체라는 것이죠.

이러한 생각을 하면서 5번 문장을 읽어봅시다. '벤야민'이 보기에 '법'과 '폭력'의 관계는 '목적·수단' 혹은 '선후관계'가 아니라고 해요. '법의 폭력'이라는 말에서도 알 수 있듯이, '법'과 '폭력'은 누가 목적이고 누가 먼저 등장하는 것인지를 따질 필요도 없이 사실상 같은 말이라는 뜻이죠.

이렇게 이해하는 것은 기본이고, '법'과 '폭력'이 사실상 같은 말이라는 이야기는 1문단에서도 했다는 것을 떠올릴 수 있으면 좋겠습니다. 첫 문단, 첫 문장에서부터 '벤야민'은 '폭력'이 '법'의 모든 과정에서 작동한다는 이야기를 하면서 '폭력'이 '법'과 사실상 같은 말임을 주장한 적이 있던 것입니다. 첫 문단에 제시된 대전제는 지문 전체를 구속한다는 것, 확실하게 이해할 수 있겠죠?

하이라이트 문장

> ⑤그렇기에 법과 폭력의 관계는 목적과 수단의 관계 또는 선후관계로 편입될 수 없다.

앞문장들과 재진술시키며 '법정립적 폭력'의 진짜 의미를 이해하는 것도 중요하지만, 1문단과 사실상 같은 말을 하고 있다는 것을 인식하는 것도 매우 중요한 문장이었습니다. 앞에서도 말했지만, 첫 문장에서 제시하는 대전제, 즉 '화제의 틀'은 확실하게 인식하는 습관을 들이도록 합시다.

4문단(2)

> ⑥한편 <u>법보존적 폭력</u>은 <u>이미 만들어진 법을 확인하고 적용하고자 하는, 그리고 이로써 법의 규율 대상에 대한 구속력을 유지하고자 하는 반복적이고 제도화된 노력들이다.</u> ⑦법은 구속적인 것으로 확언됨으로써 보존되며, 그 보존을 통한 재확언이 다시금 법을 구속하는 것이다. ⑧더 나아가 그는 <u>법 정립과 법 보존의 이러한 순환 회로</u>를 <u>**신화적 폭력**</u>이라 명명하면서 그것을 신적 폭력과 구별 짓는다. ⑨**신적 폭력**은 법을 허물어뜨리는 순수하고 직접적인 폭력이다. ⑩벤야민은 이것이 신화적 폭력의 순환 회로를 폭파하고 새로운 질서로 나아가게끔 하는 적극적 동력임을 주장한다.

⑥~⑦ #정의 제시 #단어의 의미 살리기 #재진술

다음은 '법보존적 폭력'입니다. 이는 단어의 의미 그대로, '법'을 '보존'하기 위한 반복적이고 제도화된 노력이라고 해요. '폭력' 그 자체가 된 '법'을 '정립'했으면 그 법을 확인·적용하며 '법의 폭력'이 가지고 있는 구속력을 유지, '보존'할 필요가 있는 것이죠. 이런 노력을 통해 '법'은 구속력을 가진 '폭력'의 일종으로 '보존'되고, 그 '보존'을 통해 '법의 폭력'이 가진 구속력을 다시금 재확언하는 것입니다. '법보존적 폭력'에 대해 설명하는 6번 문장과 7번 문장은 사실상 같은 말로 재진술되고 있으니 어렵지 않게 이해할 수 있겠어요.

⑧ #재진술 #수식된 정의 제시

'벤야민'의 주장은 여기서 그치지 않습니다. 그는 '법 정립'과 '법 보존'이 '순환 회로'를 가지고 있다고 했어요. 앞에서 법을 '정립'한 후에는 그 법을 '보존'하게 되고, 이는 다시 법을 새롭게 '정립'하는 과정으로 이어진다고 했는데, 이를 '순환 회로'로 부르는 모습이네요. 결국 다 같은 말만 하고 있는 모습입니다.

나아가, '벤야민'은 이러한 '순환 회로'를 바탕으로 한 '법의 폭력'을 '신화적 폭력'으로 명명했다고 합니다. 왜 '신화'인지는 이해하기 어렵지만, 지금까지 사실상 같은 말의 반복으로 강조했던 '법의 폭력'을 곧 '신화적 폭력'이라고 한다는 것만 제대로 체크해주시면 되겠죠? 이는 '신적 폭력'이라는 것과 구별된다고 하는데, '신적 폭력'은 무엇일지 기대하면서 읽어봅시다.

⑨~⑩ #정의 제시 #비교/대조 #주장 제시

'신적 폭력'은 법, 즉 '신화적 폭력'을 허물어뜨리는 순수하고 직접적인 폭력이라고 합니다. 법이 가지고 있는 '순환 회로'를 직접 타격할 수 있다는 점에서 '신화적 폭력'과 구별되는 것이네요. 이렇게 '기존의 질서'에 해당하는 '신화적 폭력'의 '순환 회로'를 폭파할 수 있다면, '새로운 질서'로 나아갈 수 있다는 건 당연한 말이 되겠습니다. 결국 '벤야민'이 하고 싶었던 말은 '법의 폭력', 즉 '신화적 폭력'의 '정립-보존-정립-…'이라는 '순환 회로'를 폭파해야 한다는 것이었네요.

하이라이트 문장

> ⑧더 나아가 그는 법 정립과 법 보존의 이러한 순환 회로를 신화적 폭력이라 명명하면서 그것을 신적 폭력과 구별 짓는다.

'신화적 폭력'의 정의를 체크하는 것은 기본이고, '순환 회로'라는 말이 어떤 내용의 재진술인지 생각할 수 있어야 합니다. 단어 하나하나에 민감하게 반응하는 것이 자연스러워질 때 비로소 독서 실력이 최고조에 올랐다고 할 수 있습니다.

5문단

①출간 당시엔 크게 주목받지 못한 『폭력 비판을 위하여』가 반세기 넘게 지나 **법과 폭력의 관계**를 규명하려는 연구자들의 관심을 끌게 된 데에는 **데리다의 비판적 독해**가 주요한 계기를 제공했다. ②데리다는 『법의 힘』에서 합법화된 폭력을 소급적으로 정립하는 **법의 발화수반적 힘**을 분석했다. ③그는 법 언어 행위를 통해 적법한 권력과 부정의한 폭력 사이의 경계가 비로소 그어진다고 설명했다. ④또한 법보존적 폭력은 법정립적 폭력에 이미 내재되어 있다고 보았다. ⑤정립은 자기보존적인 반복에 대한 요구를 내포하며, 자신이 정립했다고 주장하는 것을 보존하기 위해 재정립되어야 하기 때문이다. ⑥더 나아가 그는 법을 정립하고 보존하는 신화적 폭력과 법을 허물어뜨리는 신적 폭력이 뚜렷이 구분될 수 없으며, 만일 후자를 벤야민이 지지했던 방식으로 이해할 경우 자칫 메시아주의*로 귀결되거나 전체주의에 복무하는 것으로 해석될 여지가 있음을 지적했다.

* 메시아주의 : 세상이 사탄의 힘으로 지배되고 있다는 전제하에, 사탄을 물리칠 메시아의 도래를 기다리는 신앙.

①~③ #주장 제시 #단어의 의미 살리기
#비교/대조 #재진술

이렇게 '벤야민'이 '법과 폭력의 관계'를 이야기했지만, 이는 '데리다'가 비판적 독해를 하기 전까지는 크게 주목받지 못했다고 합니다. 그렇다면 '데리다'는 무슨 이야기를 했을까요? 일단 '비판적 독해'라는 말로부터 '데리다'의 주장에는 '벤야민'과는 다른 점이 있을 것임을 생각할 수 있겠죠? 이들의 주장이 무엇이 다른지 생각하면서 읽어야 합니다.

'데리다'는 자신의 책에서 '법의 발화수반적 힘'을 분석했다고 합니다. '합법화된 폭력', 즉 '법'이 가지고 있는 힘을 '발화'에 '수반'되는 것으로 구체화시킨 것이죠. 이는 3번 문장에서 '법 언어 행위'라는 말을 통해 재진술되는데, 쉽게 말해서 '법'을 통해 '발화'하면 적법한 권력과 부정의한 폭력 사이의 경계가 만들어진다는 것이에요. '벤야민'이 말한 것처럼 '법'이 '폭력'의 요소를 가지고 있다는 것을 인정하면서, 그 '폭력'이 '언어 행위'라는 구체적인 행동을 통해 합법화된다는 주장입니다. 이렇게 '벤야민'의 주장과 자연스럽게 비교하면서 읽을 수 있어야 해요.

④~⑤ #주장 제시 #비교/대조 #재진술

여기서 끝이 아닙니다. '데리다'가 보기에 '법보존적 폭력'은 이미 '법정립적 폭력'에 내재되어 있다고 해요. 5번 문장의 내용처럼 '정립'은 '보존'을 요구하고, '보존'을 위해서는 '재정립'이 필요하기 때문이죠. 다시 말해, '정립'과 '보존'의 관계를 '벤야민'처럼 단순한 '순환 회로'로 본 것이 아니라 사실상 '같은 말'로 본 것입니다. 이러한 차이점을 체크할 수 있어야겠죠?

⑥ #주장 제시 #비교/대조

마지막입니다. 그는 '신화적 폭력'과 '신적 폭력'을 구분했던 '벤야민'과 달리, 둘을 뚜렷이 구분할 수 없다고 했어요. '법의 폭력'이든 그것을 깨부수든 폭력이든 다르지 않다는 것이죠. 만약 '신적 폭력'을 '벤야민'이 지지한 방식대로 정당화할 경우, '메시아주의'나 '전체주의'라는 부적절한 결과로 이어질 수 있다는 것이 그 내용이네요. 마치 '신화적 폭력'(=법)이라는 기존의 질서를 깨부수는 것을 정당화하여 극단적인 사상으로 번질 수 있음을 경계하는 것이겠죠.

이처럼 '데리다'와 '벤야민'의 주장을 비교하면서 읽어주시면 됩니다. 이때 마지막 문단을 읽으면서 어렵다는 생각이 들면 안 됩니다. 사실상 앞에서 열심히 이해했던 '벤야민'의 주장을 그대로 활용하고 있기 때문에, 다 똑같은 말들로 구성되어 있다는 생각을 하면서 가볍게 납득할 수 있어야 해요.

하이라이트 문장

①출간 당시엔 크게 주목받지 못한 『폭력 비판을 위하여』가 반세기 넘게 지나 법과 폭력의 관계를 규명하려는 연구자들의 관심을 끌게 된 데에는 데리다의 비판적 독해가 주요한 계기를 제공했다.

'데리다'라는 사람의 주장이 나올 것이라는 점을 생각하는 것은 기본이고, '비판적 독해'와 같은 말을 바탕으로 '데리다'와 '벤야민'의 주장이 비교될 것이라는 점을 생각할 수 있어야 합니다. 이렇게 단어 하나하나의 의미에 민감해지는 것에도 익숙해지려고 하면서 공부하는 습관을 들여보도록 하세요.

선지	①	②	③	④	⑤
선택률(예상)	4%	7%	8%	10%	71%

37 윗글의 내용과 일치하는 것은? ⑤

① 벤야민은 법정립적 폭력을 신화적 폭력에, 법보존적 폭력을 신적 폭력에 각각 속하는 것으로 규정한다.

명시적 근거	4문단 8번 문장
실전에서의 판단 과정	신화적 폭력이랑 신적 폭력은 다른 것이었지.
해설	'벤야민'은 '법정립적 폭력'과 '법보존적 폭력'이 보여 주는 '순환 회로'를 '신화적 폭력'으로 명명하고, 이 '순환 회로'를 파괴할 수 있는 힘으로 '신적 폭력'을 제시했습니다. '벤야민'의 핵심 주장에 대해 묻고 있으니 쉽게 지워낼 수 있어야겠죠?

② 벤야민은 신적 폭력이 도래함으로써 법 정립과 법 보존의 순환 회로가 더 강고해질 수 있음을 우려한다.

명시적 근거	4문단 9번 문장
실전에서의 판단 과정	신적 폭력은 순환 회로 부수는 것이었지.
해설	1번 선지와 같은 맥락이죠? '신적 폭력'은 '순환 회로'를 파괴하는 것이 목적이었습니다. '강고하다'의 뜻을 몰랐다고 해도, 이 정도의 단어는 '강'과 같은 단어의 뉘앙스로 그 뜻을 유추할 수 있으면 좋겠어요. (굳세고 튼튼하다.)

③ 벤야민은 법의 수단으로 사용되는 폭력은 자신의 목적을 달성하는 순간 힘을 상실하여 소거된다고 주장한다.

명시적 근거	4문단 4번 문장
실전에서의 판단 과정	법과 폭력은 사실상 같은 말이라는 것이 핵심이지.
해설	'벤야민'은 '법정립적 폭력'에 대해 설명하면서, 수단이었던 '폭력'이 법 제정이라는 목적을 달성하는 순간 힘 자체가 된다고 이야기했습니다. 이처럼 '법'과 '폭력'은 사실상 같은 것이라고 보는 게 '벤야민'의 주장이었죠? 어렵지 않게 지울 수 있어야 합니다.

④ 데리다는 폭력의 적법성이 법 언어 행위를 통해 사후적으로 정립되지 않는다고 본다.

명시적 근거	5문단 2번 문장
실전에서의 판단 과정	법의 발화수반적 힘이 폭력의 적법성을 소급적으로 정립한다고 했지.
해설	'데리다'의 주장을 묻고 있습니다. '데리다'는 '법'이 가지고 있는 '발화수반적 힘'을 분석했는데, 이에 따르면 '법 언어 행위'가 '폭력의 적법성'에 대한 경계를 '소급적'으로 정립한다고 했어요. 여기서 '소급'이라는 것은 '과거로 거슬러 올라가는 것'이라는 뜻으로, '데리다'는 과거에 있었던 특정 폭력 행위가 적법한 것인지를 '법 언어 행위'를 통해 거슬러 올라가 판단할 수 있다는 이야기를 한 것입니다. 4번 선지에서는 이를 '사후적'이라는 말로 재진술한 것이네요. 어휘력만 있었다면 어렵지 않게 지워낼 수 있는 선지였습니다.

⑤ 데리다는 법을 보존하기 위한 반복적이고 제도화된 폭력들이 법정립적 폭력에 포함되어 있다고 이해한다.

명시적 근거	4문단 6번 문장, 5문단 4번 문장
실전에서의 판단 과정	법보존적 폭력은 법정립적 폭력에 이미 내재되어 있다고 했지.
해설	선지에서 말하는 '법을 보존하기 위한 반복적이고 제도화된 폭력들'이 곧 '법보존적 폭력'의 정의라는 것은 어렵지 않게 생각할 수 있겠죠? 이러한 '법보존적 폭력'이 사실 '법정립적 폭력'에 내재되어 있다는 것, '데리다'가 '벤야민'의 책을 '비판적 독해'하며 주장한 내용 중 하나였습니다. '벤야민'과 비교하며 확실하게 이해했던 기억이 있죠?

선지	①	②	③	④	⑤
선택률(예상)	5%	4%	16%	10%	65%

38 윗글을 바탕으로 ㉠과 ㉡을 이해한 것으로 적절하지 않은 것은? ⑤

㉠자연법론 / ㉡법실증주의

– '벤야민'이 비판의 대상으로 삼았던 입장들입니다. 둘은 '법=목적', '폭력=수단'이라는 점에서는 동의하지만, '법'이라는 목적이 정의로운 이유를 각각 '외부적 실체'와 '절차적 정당성'으로 이야기한다는 점에서 차이점을 보였어요. '벤야민'은 이들의 공통점 자체가 잘못된 전제

라고 비판함과 동시에, 이들이 법이 저지르는 폭력만을 '강제력'이라는 이름으로 정당하다고 보는 것에 문제를 제기했습니다. 이러한 흐름을 정확하게 파악한 채로 선지를 판단해보도록 해요.

① ㉠은 정당성 판단의 준거가 될 법적 권위를 법 바깥에서 구한다.

명시적 근거	2문단 1번~2번 문장
실전에서의 판단 과정	자연법론에서는 외부적 실체를 강조했지.
해설	'벤야민'에 따르면, '자연법론'에서는 '정당한 목적'을 위해 사용되는 수단은 정당하다고 보았습니다. 그리고 이렇게 목적과 수단이 정당하다고 판단할 수 있는 이유는, 그 목적이 '외적 실체'로부터 합당한 자격을 부여받기 때문이었죠. 발문을 보자마자 미리 생각한 내용이었어야 해요.

② ㉡은 수단의 절차적 정당화 여부에 따라 법의 폭력성을 판단해야 한다고 주장한다.

명시적 근거	2문단 3번 문장
실전에서의 판단 과정	법실증주의는 절차적 정당성을 중시했지.
해설	역시 미리 생각한 내용이어야 합니다. '벤야민'이 보기에, '법실증주의'에서는 '법의 폭력성'이라는 목적이 정당하다고 판단하기 위해 '폭력'이라는 수단이 절차적으로 정당성을 부여받아야 한다는 것을 강조합니다. '자연법론'과의 차이점이기도 했죠?

③ ㉠과 ㉡은 목적이나 수단 중 어느 한쪽이 정당화되면 다른 쪽의 정당성도 보증된다고 전제한다.

명시적 근거	3문단 2번 문장
실전에서의 판단 과정	둘 다 목적과 수단의 상호지지적 관계를 전제했지.
해설	'벤야민'에 따르면, '자연법론'과 '법실증주의'는 모두 '법'이라는 목적과 '폭력'이라는 수단이 서로 정당하기 때문에 '법의 폭력성'이 정의롭다고 주장했어요. '벤야민'은 이를 '목적과 수단의 상호지지적 관계'라는 잘못된 전제를 바탕으로 폭력의 정당성을 판단한 사례라고 이야기했구요. '벤야민'의 주장을 중심으로 지문의 흐름을 잘 따라가는 것이 아주 중요했죠?

④ ㉠보다 ㉡이 법의 정립과 보존 과정에 내재된 폭력을 발견하는 데 더 유용하다.

명시적 근거	2문단 4번~5번 문장
실전에서의 판단 과정	벤야민은 법실증주의를 폭력 비판의 가설적 토대로 삼았지.
해설	'법의 정립과 보존 과정에 내재된 폭력'은 곧 '벤야민'이 말한 '법의 폭력'입니다. '벤야민'은 이러한 폭력을 비판하기 위한 가설적 토대로 '법체계의 자기정초적 성격'을 강조하는 '법실증주의'가 적절하다고 했어요. 물론 '법실증주의' 역시 3번 선지에서 말한 것과 같은 한계가 있었지만요.

⑤ ㉠과 달리 ㉡은 법적으로 승인된 폭력이 자신을 법 바깥의 폭력들과 차등화하는 문제에 주목한다.

명시적 근거	3문단 4번 문장
실전에서의 판단 과정	여기에 자연법론과 법실증주의 모두 주목하지 않았다는 게 벤야민의 주장이잖아.
해설	'자연법론'이든 '법실증주의'든, 법이 스스로 저지르는 '법의 폭력'만을 정당하다고 보면서 다른 폭력들과 차등화하는 문제에 주목하지 않았다는 것이 '벤야민'의 비판이었습니다. 역시 발문을 읽자마자 미리 생각한 내용이었죠? 가볍게 답으로 고를 수 있어야 합니다.

선지	①	②	③	④	⑤
선택률(예상)	6%	20%	54%	8%	12%

39 윗글을 바탕으로 〈보기〉를 평가한 것으로 가장 적절한 것은? ③

[보기]

A : 민주적 정치체제에서 법 제정 권력을 다룰 때, 논의 대상은 의회의 입법권으로 좁혀져야 한다. 정치적 자유의 행사를 통해 구성된 권력이 아닌 강제적 힘에 의해 정초된 법은 처음부터 불법이다. 따라서 국가법이 제정되고 유지되는 과정에 폭력이 난입할 여지는 없다.

— 밑줄 친 두 부분을 바탕으로 '벤야민'의 주장과 정반대되는 말을 하고 있다는 것을 알 수 있습니다. '벤야민'은 '법정립적 폭력'에 대해 다루면서 '법정립'이라는 것이 단순히 '입법권'에 국한되지 않는다고 했어요. 나아가 '법'이라는 것 안에 '폭력'이 내재해 있다는 것이 주장의 핵심이었죠. A는 이 두 가지 주장에 정면으로 맞서고 있는 것이죠.

─────[보기]─────

B : 국가법은 불법체류자 등을 법적 보호로부터 배제하는 동시에 바로 그 배제를 통해 규율 대상으로 포획한다. 이때 법과 폭력은 안과 바깥이 구분되지 않는 '뫼비우스의 띠' 안에서 무한히 순환한다. 우리는 더 나은, 혹은 덜 나쁜 법의 정립을 입법권의 자장 안에서 고민하기보다는 신화적 폭력을 넘어서 국가법 자체를 탈정립할 신적 폭력을 지지할 필요가 있다.

– '불법체류자'와 같은 포인트에 주목할 필요가 없습니다. 핵심은 '법과 폭력은 순환'과 '신적 폭력을 지지'네요. 이는 '벤야민'이 주장한 내용 그 자체라고 할 수 있죠? B는 A와 달리 '벤야민'과 같은 주장을 하고 있는 것입니다.

① A는 법 정립 과정에 폭력이 개입하지 않는다고 본 데서, 벤야민과 관점을 같이한다.

명시적 근거	〈보기〉, 지문 전체
실전에서의 판단 과정	벤야민과 정반대되는 말을 한 거지.
해설	A가 '법 정립 과정'에 폭력이 개입하지 않는다고 본 것은 맞는데, 이는 '벤야민'의 주장에 정면으로 맞서는 것이죠? 〈보기〉를 정리하면서 미리 생각한 내용이기 때문에 가볍게 지울 수 있겠습니다.

② A는 적법한 강제력과 적법하지 않은 폭력이 처음부터 다른 기원을 가진다고 주장한 데서, 벤야민과는 견해를 달리하고 데리다와는 견해를 같이한다.

명시적 근거	〈보기〉, 3문단 4번 문장, 5문단 2번~3번 문장
실전에서의 판단 과정	데리다는 저 구분을 소급적으로 정립한다고 했지. 그럼 애초에 기원은 같다는 소리 아니야?
해설	일단 A가 '적법한 강제력'과 '적법하지 않은 폭력'이 처음부터 다른 기원을 가진다고 한 것은 맞습니다. '강제적 힘에 의해 정초된 법'은 '처음부터 불법'이라고 했으니까요. 이는 둘 사이가 다르다고 보는 것을 '문제'라고 하며 '자연법론'과 '법실증주의'를 비판했던 '벤야민'과는 견해를 달리하는 것이라고 할 수 있겠습니다. 한편 '데리다'의 경우, '적법한 강제력'과 '적법하지 않은(=부정의한) 폭력'에 대해 '법의 발화수반적 힘'이라는 개념과 엮어서 이야기했습니다. 이에 따르면, '법'은 '발화수반적 힘'을 통해 합법화된 폭력을 '소급적'으로 정립합니다. 이는 그것이 적법한지 그렇지 않은지를 나중에야 결정한다는

것으로, 그들의 기원 자체는 같을 것이라는 추론이 가능하겠습니다. 기원 자체는 '폭력'으로 같지만, '법 언어 행위'를 통해 '소급적·사후적'으로 적법성이 판단된다는 것이에요. 그렇다면 A는 '데리다'와 견해를 달리한다고 해야겠네요.

'데리다'의 주장을 바탕으로 '폭력의 기원'에 대해 추론해야 하는 어려운 선지였습니다. 하지만 결국 지문에 적혀 있는 말을 바탕으로 한다는 점에서, 수능 수준에서도 충분히 출제될 수 있는 선지였어요. 이러한 추론적 사고과정에도 충분히 익숙해지도록 합시다.

③ B는 법과 폭력의 순환 고리를 끊어낼 순수하고 직접적인 폭력을 지지한 데서, 벤야민과 입장을 같이한다.

명시적 근거	〈보기〉, 4문단 9번~10번 문장
실전에서의 판단 과정	B도, 벤야민도 신적 폭력을 지지했지.
해설	〈보기〉를 읽으면서 미리 생각한 내용 그 자체입니다. '신적 폭력을 지지'한다는 것은 B와 '벤야민'의 공통점이었어요.

④ B는 신적 폭력과 신화적 폭력의 구분을 전제한 데서, 벤야민과는 견해를 달리하고 데리다와는 견해를 같이한다.

명시적 근거	〈보기〉, 4문단 8번 문장, 5문단 6번 문장
실전에서의 판단 과정	벤야민과는 같이하고 데리다와는 달리하는 것이지.
해설	B가 '신적 폭력'과 '신화적 폭력'의 구분을 전제한 것은 맞지만, 이는 '벤야민'의 주장과 같고 '데리다'의 주장과는 반대되는 것이죠? '벤야민'과 '데리다'의 주장을 정확하게 비교했다면 어렵지 않게 지워낼 수 있는 선지였습니다.

⑤ A와 B는 모두 법 정립 권력을 입법 권력에만 한정 지은 데서, 벤야민과 입장을 같이한다.

명시적 근거	〈보기〉, 4문단 2번 문장
실전에서의 판단 과정	이건 벤야민의 입장이 아니지.
해설	일단 A처럼 '법 정립 권력'을 '입법 권력'에만 한정 지은 것은 '벤야민'의 주장과 정반대되는 내용이죠? 나아가 B에서는 '법의 정립'을 '입법권의 자장'을 넘어서 고민해야 한다고 했지, '입법 권력'에만 한정 지은 적이 없습니다.

| 핵심 point |

① **화제 check** : 독서 지문 독해의 처음이자 끝. 첫 문단에서 잡은 '화제'를 마지막 문단까지 놓지 않아야 합니다.

② **재진술 인식** : 같은 말이라도 다르게 표현되는 경우가 많습니다. 이 '같은 말'에 민감하게 반응하면, '정보량'을 줄이면서 읽을 수가 있습니다. 나아가 정말로 '똑같은 말'이 반복되는 경우에는 앞에서 나온 정보를 끌고 내려올 수 있어야 합니다.

③ **비교/대조** : 비교되는 대상이 나오면, '공통점'과 '차이점' 중심으로 읽어나가면 됩니다.

| 지문 내용 총정리 |

어려운 어휘와 논리 전개 등으로 인해 쉽게 이해하기 어려운 지문이었지만, 한편으로는 '결국 다 같은 말'을 한다는 인문 지문의 대원칙을 철저하게 지키는 지문이었습니다. '벤야민'의 주장이 정확히 무엇인지 생각하면서, 모든 정보를 하나의 흐름 속으로 모을 수 있어야 합니다. 나아가 추론을 요구하는 선지들에도 주목하면서 정리할 수 있다면 더욱 완벽히겠네요.

생각의 확장

제재별 독해 – 과학 · 기술

DAY 24 [1~3]
2014.11A [28~30] 기술 'CD 드라이브' ☆☆☆

1문단

①CD 드라이브는 디스크 표면에 조사된 레이저 광선이 반사되거나 산란되는 효과를 이용해 정보를 판독한다. ②CD의 기록면 중 광선이 흩어짐 없이 반사되는 부분을 랜드, 광선의 일부가 산란되어 빛이 적게 반사되는 부분을 피트라고 한다. ③CD에는 나선 모양으로 돌아나가는 단 하나의 트랙이 있는데 트랙을 따라 일렬로 랜드와 피트가 번갈아 배치되어 있다. ④피트를 제외한 부분, 즉 이웃하는 트랙과 트랙 사이도 랜드에 해당한다.

① #화제 제시 #기술의 목적

'CD 드라이브'에 대한 글이네요. CD 드라이브는 디스크 표면에 조사된 레이저 광선의 효과를 이용해서 '정보를 판독'한다고 합니다. 특정한 기술은 반드시 그 '목적'을 생각하며 읽자고 했습니다. CD 드라이브의 목적은 레이저 광선을 활용한 '정보 판독'이죠? 모든 정보를 여기로 모아야 합니다. 어떻게 정보를 판독하는지 알아보러 갑시다.

②~③ #수식된 정의 제시 #비교/대조 #고정값
#기술의 구성 요소

일단 CD 드라이브의 구조부터 설명해주고 있네요. 기록면은 '랜드', '피트'로 구성되는데 그 랜드, 피트가 번갈아 배치된 부분을 또 '트랙'이라고 합니다. '트랙'은 단 하나라고 해요. 일종의 '고정값'으로 체크하면서, '랜드', '피트'의 수식된 정의도 체크하셔야겠죠? '반사율'을 기준으로 비교되고 있네요. 이들의 차이점은 숨 쉬듯이 체크할 수 있어야겠습니다. 나아가, 이 '반사율'은 '레이저 광선'의 반사/산란을 이용하는 CD 드라이브의 특성상 정말 중요한 정보라는 생각까지 할 수 있겠습니다. 기술의 '목적'을 달성하는 데 있어 가장 중요한 부분인 것이니까요!

④ #기술의 구성 요소 #재진술

그런데 '피트'를 제외한 부분은 모두 '랜드'라고 합니다. '즉'을 통해 이를 강조하고 있는데, '이웃하는 트랙과 트랙 사이' 역시 '랜드'라고

해요. 그렇다면 최소한 '이웃하는 트랙과 트랙 사이=피트를 제외한 부분' 정도는 읽어낼 수 있겠죠? 이 말을 완벽하게 이해하는 건 쉽지 않지만, 이렇게 '같은 말'을 잡아 둔 상태로 읽어내려갈 수 있을 정도로는 연습이 되어야 합니다!

| 생각 심화 |

사실 CD 드라이브의 구조에 대해서 아무 것도 모른 상태에서 이 구조를 머릿속에 떠올리는 것은 매우 어렵습니다. 그림으로 아주 간략화시키면 아래와 같은 모양입니다.

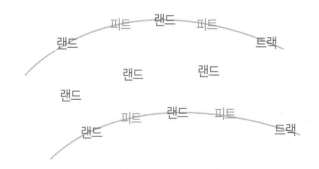

CD의 기록면은 하나의 긴 '트랙'이 펼쳐진 '나선' 모양이라고 했습니다. 그리고 그 '트랙' 하나에는 '랜드'와 '피트'가 번갈아 배치되어 있죠. 따라서 트랙과 트랙 사이에는 트랙이 없는 빈 공간이 발생하는데, 이곳도 빛이 흩어짐 없이 반사되는 '랜드'인 것입니다. 저 부분이 바로 4번 문장에서 이야기한 '피트'를 제외한 부분이죠? 사실 이걸 시각화하지 못해도 지문을 이해하고 문제를 푸는 데 큰 지장은 없지만, 100% 완벽한 이해를 위해 한 번 설명해봤습니다.

하이라이트 문장

①CD 드라이브는 디스크 표면에 조사된 레이저 광선이 반사되거나 산란되는 효과를 이용해 정보를 판독한다.

기술 지문에서 가장 중요한 것은 그 기술의 '목적'이라고 했습니다. '정보 판독'이라는 목적을 놓치지 않은 채로 읽을 준비가 되어야 해요. 나아가 '정보 판독'을 위해 '레이저 광선'의 반사/산란을 이용한다는 것까지 잡아주시면 완벽하겠죠?

2문단

> ①〈CD 드라이브는 디스크 모터, 광 픽업 장치, 광학계 구동 모터로 구성된다.〉②디스크 모터는 CD를 회전시킨다. ③CD 아래에 있는 **광 픽업 장치**는 레이저 광선을 발생시켜 CD 기록면에 조사하고, CD에서 반사된 광선은 광 픽업 장치 안의 **광 검출기**가 받아들인다. ④광선의 경로 상에 있는 **포커싱 렌즈**는 광선을 트랙의 한 지점에 모으고, **광 검출기**는 반사된 광선의 양을 측정하여 랜드와 피트의 정보를 읽어 낸다. ⑤이때 CD의 회전 속도에 맞춰 트랙에 광선이 조사될 수 있도록 **광학계 구동 모터**가 광 픽업 장치를 CD의 중심부에서 바깥쪽으로 서서히 직선으로 이동시킨다.

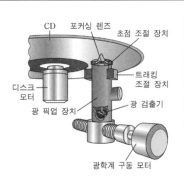

① #기술의 구성 요소

많은 정보량에 압도되기 쉬운 문단입니다. 일단은 그림을 보면서 하나하나 체크해봅시다. 평가원이 굳이 그림을 그려준 데는 이유가 있겠죠? 글만 있으면 이해하기 힘들 테니까, 그림을 그려주고 '한 번 이해해 볼래?'라고 하는 것이죠. 일종의 '사례'에 해당하는 것이니, 적극적으로 활용하며 이해해 봅시다.

먼저 CD 드라이브의 구성 요소를 더 자세하게 소개하고 있습니다. 기술 지문의 전형적인 구성이죠? 이제 저 요소들이 하나하나 자세하게 소개되는 식으로 전개될 것입니다. 초반부의 정보량을 견딜 수 있어야 해요!

②~④ #정의 제시 #단어의 의미 살리기 #재진술

먼저 '디스크 모터'입니다. 단어의 의미 그대로 CD를 회전시키는 '모터'네요. 그림을 보니 CD 바로 아래에 달려 잘 돌릴 수 있게 생겼습니다. 다음은 '광 픽업 장치'입니다. 그림을 보니 '디스크 모터'처럼 CD 아래에 있는데, 광선을 발생시키고 나아가 CD에 반사된 광선을 받아들이는 '광 검출기'를 가지고 있기도 합니다. '광'을 '검출'하는 부분이라는 식으로 정의 체크가 가능하겠죠? '정보 판독'이라는 목적 달성에서 굉장히 중요한 역할을 했던 '광선'을 다루는 부분이 바로 '광 픽업 장치'였습니다.

다음은 '포커싱 렌즈'입니다. '포커싱'이라는 의미를 살리면, 광선을 '모아준다'는 정의를 쉽게 납득할 수 있겠죠? 그림을 봐도 CD 바로

아래에서 빛을 모아줄 수 있도록 생긴 모습이네요. 이렇게 빛을 모은 뒤 CD에 반사되면 그것을 '광 검출기'가 양을 측정하고 '정보'를 읽어내네요. 여기에 주목할 수 있어야 합니다. 결국 '광 픽업 장치' 안의 '광 검출기'가 핵심이었습니다. 여기서 기술의 목적이 달성되니까요. 이렇게 정보의 중요도를 판별하면서 읽을 수 있어야 해요!

다음으론 '광학계 구동 모터'입니다. 그림을 봐도, '광학계'(물체의 상을 만드는 것을 목적으로 하는 장치)와 '구동 모터'라는 단어의 의미를 봐도 '광 픽업 장치'를 움직이게 한다는 내용을 쉽게 납득할 수 있습니다. 초반에 정보량이 상당히 많아 보였지만, 어렵지 않게 정리할 수 있을 것 같네요.

계속해서 '광선 반사를 통한 정보 판독'이라는 목적으로 정보를 모으면서 읽어줄 수 있어야 합니다. 잘 하고 있죠?

| 생각 심화 |

'광학계 구동 모터'가 '광 픽업 장치'를 이동시킨다는 건 알겠는데, 왜 하필이면 '직선'으로 이동시키는 것일까요? 이는 CD의 트랙이 '나선' 모양인 것과 관련이 되어 있습니다. '광학계 구동 모터'가 이동시키는 '광 픽업 장치'는 CD의 '트랙'에 맞춰 이동해야만 합니다. '광 픽업 장치'는 '광선'을 다루는 곳이니까요! 따라서 '광 픽업 장치'는 '나선' 모양으로 이동해야 합니다. 그런데 CD 자체는 그냥 '회전'을 하고 있어요. '회전'하는 물체에 '나선' 모양을 그리기 위해선, '직선'으로 바깥으로 뻗어나갈 필요가 있습니다. 종이가 돌아가는데 그 위에 직선을 그리면, 시작점을 중심으로 '나선' 모양이 만들어지는 것을 확인하실 수 있습니다.

하이라이트 문장

> ①CD 드라이브는 디스크 모터, 광 픽업 장치, 광학계 구동 모터로 구성된다.

전형적인 기술 지문의 전개 방식입니다. 각 구성 요소의 정의와 역할을 정확하게 잡으면서 읽어나갈 수 있어야 합니다.

3문단

> ①CD의 고속 회전 등으로 진동이 생기면 광선의 위치가 트랙을 벗어나거나 초점이 맞지 않아 데이터를 잘못 읽을 수 있다. ②이를 막으려면 트래킹 조절 장치와 초점 조절 장치를 제어해 실시간으로 편차를 보정해야 한다. ③편차 보정에는 **광 검출기**가 사용된다. ④광 검출기는 가운데를 기준으로 전후좌우의 네 영역으로 분할되어 있는데, 트랙의 방향과 같은 방향으로 전후 영

역이, 직각 방향으로 좌우 영역이 배치되어 있다. ⑤이때 각 영역에 조사되는 빛의 양이 많아지면 그 영역의 출력값도 커지며 네 영역의 출력값의 합을 통해 피트와 랜드를 구별한다.

① #문제 제시 #화제의 흐름

이러한 CD 드라이브는 진동으로 인해 광선의 위치가 트랙을 벗어나거나 초점이 맞지 않을 수 있고, 이로 인해 데이터를 '잘못' 읽는 '문제'가 생길 수 있다고 합니다. 그냥 문제가 아닙니다. '데이터를 잘못 읽을 수 있다'는 문제점이에요. 이 기술의 목적 자체를 달성하지 못하게 하는 커다란 문제라는 것이죠. 모든 문제는 '원인'이 존재할 것입니다. 이 문제의 원인은 무엇인가요? 그렇죠. '광선의 위치가 트랙을 이탈' 혹은 '초점이 맞지 않음'이 되겠습니다! 그렇다면 자연스럽게, 트랙을 이탈하지 않게 하거나 초점을 맞게 하면 이 문제가 해결될 것이라고 생각할 수 있겠네요. 모든 문제는 '원인'을 제거하면 '해결'되니까요! 이런 내용도 알아두시면 좋겠습니다.

② #해결책 제시 #단어의 의미 살리기
#카테고리 제시

그리고 이런 원인을 제거하기 위한 해결책으로 '트래킹 조절 장치'와 '초점 조절 장치'가 제시됩니다. 단어의 의미를 살리면, 각각 '트랙 이탈' 문제와 '초점 맞지 않음'이라는 문제를 해결할 수 있겠다고 할 수 있겠죠? 카테고리 이쁘게 나눠 놓고, 각각 어떻게 해결책이 되는지 알아보도록 합시다.

③~⑤ #기술의 구성 요소 #재진술

이렇게 각 장치를 통한 편차 보정에는 '광 검출기'가 쓰이는데, ('반사된 광선'을 이용하는 부분이므로, '편차 보정'에 쓰이는 것 역시 너무나 당연한 것이겠죠?) 이에 대해서 더 자세히 설명해줍니다. 일단 전후좌우의 네 영역으로 분할되어 있고, 각 영역에 빛의 양이 더 많이 조사될수록 출력값이 커진다고 합니다. 빛을 많이 받을수록 '출력'되는 값이 커진다는 건 쉽게 납득할 수 있겠죠? 이렇게 '출력값'을 합했을 때, 큰 값이 나온다면 빛이 많이 반사되었다는 뜻이니 '랜드'에 반사된 것이고, 작은 값이 나온다면 '피트'에 반사되었다는 뜻이겠죠. '랜드와 피트의 구별'을 보자마자 그 정의를 끌고 내려오면서 이렇게 생각할 수 있었어야 해요. CD 드라이브는 이런 방식으로 '정보 판독'이라는 목적을 달성하는 것이었습니다!

이제 대부분의 초반 정보는 모두 견딘 것 같습니다. 이제 우리가 이해한 걸 제대로 활용하러 가볼까요? '트래킹 조절 장치'와 '초점 조절 장치'는 어떻게 각각의 원인을 제거할까요?

하이라이트 문장

①CD의 고속 회전 등으로 진동이 생기면 광선의 위치가 트랙을 벗어나거나 초점이 맞지 않아 데이터를 잘못 읽을 수 있다.

문제점을 제시하면서 화제의 흐름을 뒤바꾸는 문장입니다. 각각의 문제들이 가진 '원인'을 생각하면, 뒤에 나오는 '트래킹 조절 장치'와 '초점 조절 장치'라는 정보가 아주 편안하게 받아들여집니다.

4문단

①레이저 광선이 트랙의 중앙에 초점이 맞은 상태로 정확히 조사되면 광 검출기 네 영역의 출력값은 모두 동일하다. ②그런데 광선이 피트에 해당하는 지점에 조사될 때 트랙의 중앙을 벗어나 좌측으로 치우치면, 피트 왼편에 있는 랜드에서 반사되는 빛이 많아져 광 검출기의 좌 영역의 출력값이 우 영역보다 커진다. ③이 경우 두 출력값의 차이에 대응하는 만큼 트래킹 조절 장치를 작동하여 광 픽업 장치를 오른쪽으로 움직여서 편차를 보정한다. ④우측으로 치우쳐 조사된 경우에도 비슷한 과정을 거쳐 편차를 보정한다.

① #재진술

레이저 광선이 '트랙의 중앙'에 '초점'이 맞은 상태로 조사되면, 광 검출기 네 영역의 출력값은 모두 동일하다고 합니다. 새로운 정보처럼 받아들이면 안 돼요! '트랙의 중앙'에 조사된다는 건 '광선의 트랙 이탈'이라는 문제의 원인이 발생하지 않았다는 것이고, '초점이 맞다'는 것 역시 '초점 맞지 않음'이라는 문제의 원인이 발생하지 않았다는 것이니까요. 이 경우엔 별 문제가 없는 것이니, 당연히 네 영역에 조사되는 빛의 양도 같을 것이고 이에 비례하는 '출력값'도 똑같이 나오겠죠. 앞에서 열심히 정리한 정보를 끌어오면서 받아들일 수 있어야 합니다.

②~④ #문제점 제시 #해결책 제시 #재진술

그런데 광선이 '트랙의 중앙'을 벗어나 좌측으로 치우친 경우를 설명하고 있습니다. '트랙 이탈'이라는 문제의 원인이 발생했습니다! 이렇게 되면 '데이터 오독'이라는 어마어마한 문제가 생기게 되는 것이죠? 반드시 해결해야 하는 겁니다. 이렇게 되면 좌 영역에 더 많은 빛이 반사되는 결과가 나타나 좌 영역의 출력값이 더 크게 나오겠네요. 앞에서 일반적인 상황을 '네 영역의 출력값이 모두 같음'으로 제시했으니, 좌 영역만 출력값이 크게 나오는 것이 문제 상황인 것은 너무나 쉽게 납득이 되겠죠?

이 경우에는 '트래킹 조절 장치'를 통해, 광선이 '트랙'에서 '이탈'하지 않도록 하면 문제가 해결된다고 합니다. 충분히 납득할 수 있겠죠?

| **생각 심화** |

2번 문장에서는 '피트에 해당하는 지점에 조사될 때'로 상황을 특정하고 있습니다. 왜 하필 '피트'에 해당하는 지점에 대해서 다루는 것인지 생각해볼까요?

답은 첫 문단에서 그림으로 보여드렸던 '트랙'의 구조와 관련이 있습니다. '피트'의 좌우에는 '트랙과 트랙 사이', 즉 '랜드'가 존재합니다. 따라서 광선이 트랙의 좌측으로 치우치면, 빛을 적게 반사하는 '피트'가 아닌 '랜드' 쪽에 조사되는 것이 되어 '출력값'이 갑자기 확 커지는 것이죠! 만약 '랜드'에 해당하는 부분에 조사할 때를 가정하면 그 좌우에도 '랜드'가 있을 가능성이 높기 때문에, 즉 '출력값'에 큰 변화가 없을 가능성이 높기 때문에 굳이 설명하지 않은 것이었습니다. 반면 '피트'에 조사하는 경우를 가정하면, 좌우에는 반드시 '랜드'가 존재하겠죠? 만약 여기까지 생각할 수 있다면 정말 대단하겠습니다.

하이라이트 문장

> ③이 경우 두 출력값의 차이에 대응하는 만큼 트래킹 조절 장치를 작동하여 광 픽업 장치를 오른쪽으로 움직여서 편차를 보정한다.

우리가 예상했던 흐름 그대로 가고 있습니다. '트랙 이탈'이라는 문제의 원인을 '트래킹 조절 장치'가 해결하는 모습이에요. 나아가 해결이 되는 메커니즘 자체도 확실하게 납득할 수 있어야 합니다!

5문단

> ①한편 광 검출기에 조사되는 광선의 모양은 초점의 상태에 따라 전후나 좌우 방향으로 길어진다. ②CD 기록면과 포커싱 렌즈 간의 거리가 가까워져 광선의 초점이 맞지 않으면, 조사된 모양이 전후 영역으로 길어지고 출력값도 상대적으로 커진다. ③반면 둘 사이의 거리가 멀어지면, 좌우 영역으로 길어지고 출력 값도 상대적으로 커진다. ④이때 광 검출기의 전후 영역 출력값의 합과 좌우 영역 출력값의 합을 구한 후, 그 둘의 차이에 해당하는 만큼 초점 조절 장치를 이용해 포커싱 렌즈의 위치를 CD 기록면과 가깝게 또는 멀게 이동시켜 초점이 맞도록 한다.

①~③ #카테고리 나누기 #해결책 제시 #재진술

이번엔 '초점의 상태'에 대해서 이야기하고 있습니다. '초점 맞지 않음'이라는 문제의 원인을 제거해 줄 '초점 조절 장치'에 대해 이야기를 하겠죠? 이번엔 '전후나 좌우 영역'이네요. 아까는 '좌측, 우측'에 대한 이야기였는데 확실히 달라진 모습입니다. 왜 이런 차이가 생기는지 잠깐만 생각해봅시다. 먼저 '트랙 이탈'은 광선 '자체'의 움직임에 대한 이야기였죠? 광선 자체는 트랙을 따라 움직이는 것이니, '전후'로 치우치는 건 그냥 말 그대로 트랙을 따라가는 것밖에 되지 않습니다. 하지만 '좌우'로 치우치는 건 정해진 '트랙'이라는 경로를 벗어나는 게 되는 것이죠!

한편 지금 우리가 읽고 있는 카테고리는 '초점'입니다. 초점이 정확하게 맞지 않으면 광선의 '모양'이 변할 수 있는 것이에요. 2번 문장과 3번 문장에서 이야기하는 것처럼, CD의 기록면과 '포커싱 렌즈' 사이의 거리가 달라짐에 따라 '포커싱'된 광선의 모양이 달라질 수 있다는 것이죠! 이 생각을 하면 2번 문장과 3번 문장을 쉽게 납득할 수 있습니다. 거리가 가까워지면 '트랙' 근처에 지나치게 '포커싱'되므로 전후로 길쭉해질 것이고, 거리가 좀 멀어지면 '포커싱'이 덜 된 것이므로 좌우로 살짝 퍼진 모양이 된다는 것이죠. 조금 어려운 생각이지만, 최대한 '납득'하려는 태도가 있다면 충분히 해 낼 수 있을 것이에요.

④ #해결책 제시

아무튼 이러한 '문제'는 우리의 '초점 조절 장치'가 해결해줍니다. '초점 맞지 않음'이라는 문제는 '포커싱 렌즈'의 위치 때문에 발생하는 것이었습니다. 그럼 '전후 영역'과 '좌우 영역'의 차이를 계산하고, 그 차이를 보정할 수 있도록 '포커싱 렌즈'의 위치를 움직여주면 되겠죠. 이것이 바로 '초점 조절 장치'의 역할이었습니다. 충분히 납득할 수 있겠죠?

하이라이트 문장

> ④이때 광 검출기의 전후 영역 출력값의 합과 좌우 영역 출력값의 합을 구한 후, 그 둘의 차이에 해당하는 만큼 초점 조절 장치를 이용해 포커싱 렌즈의 위치를 CD 기록면과 가깝게 또는 멀게 이동시켜 초점이 맞도록 한다.

이번에는 '초점 조절 장치'가 '초점이 맞지 않음'이라는 문제의 원인을 멋지게 제거하고 있네요. 나아가 '광선 모으기', 즉 초점을 맞추는 역할을 하는 '포커싱 렌즈'를 이동시킨다는 점까지 생각한다면 금상첨화겠죠?

선지	①	②	③	④	⑤
선택률	8%	14%	18%	50%	10%

01 윗글에 나타난 여러 장치에 대한 설명으로 적절하지 않은 것은? ④

– 단어의 의미를 살리면서 완벽하게 납득했던 각 장치들에 대한 설명입니다. 가볍게 해결해봅시다.

① 초점 조절 장치는 포커싱 렌즈의 위치를 이동시킨다.

명시적 근거	5문단 4번 문장
실전에서의 판단 과정	포커싱 렌즈 이동시켜서 초점을 조절하는 것이었지.
해설	방금 읽었던 내용이기에 기억에 선명하게 남아 있을 겁니다. '초점 조절 장치'는 '포커싱 렌즈'를 이동시켜 '초점'을 맞추는 것이었어요. 왜 하필 '포커싱 렌즈'를 이동시켜야 하는지 납득했다면 더욱 빨리 지워낼 수 있었겠죠?

② 포커싱 렌즈는 레이저 광선을 트랙의 한 지점에 모아 준다.

명시적 근거	2문단 4번 문장
실전에서의 판단 과정	모아 주니까 포커싱 렌즈였지.
해설	'포커싱'이라는 단어의 의미를 살렸으면, 광선을 한 지점에 '모아 준다'라는 정의는 쉽게 납득했을 겁니다.

③ 광 검출기의 출력값은 트래킹 조절 장치를 제어하는데 사용된다.

명시적 근거	4문단 3번 문장
실전에서의 판단 과정	광 검출기를 이용해서 편차를 보정하는 거잖아.
해설	'광 검출기'는 CD의 고속 회전 등으로 인해 생길 수 있는 편차들을 보정할 때 사용하는 것이었습니다. 당연히 '트래킹 조절 장치'를 제어하는 데에도 사용되겠죠. 실제로 '트래킹 조절 장치'에 대해 자세히 이야기하는 4문단에서도 '광 검출기'의 좌/우 출력값 차이를 활용하고 있구요.

④ 광학계 구동 모터는 광 픽업 장치가 CD를 따라 회전할 수 있도록 해준다.

명시적 근거	2문단 5번 문장
실전에서의 판단 과정	광 픽업 장치를 중심부에서 바깥쪽으로 직선으로 이동시킨다고 했는데?
해설	'광학계 구동 모터'에 대해 묻고 있습니다. 만약 '생각 심화'에서 이야기한 것처럼 '나선형'의 생성 원리를 알고 있었다면 광학계 구동 모터가 광 픽업 장치를 '직선'으로 이동시켜야 한다는 걸 바로 생각할 수 있겠죠? 이걸 생각하지 못했다고 해도, 2문단에 '광학계 구동 모터'의 정의가 제시되어 있으니 돌아가서 확인하면 쉽게 해결할 수 있는 선지였습니다.

⑤ 광 픽업 장치에는 레이저 광선을 발생시키는 부분과 반사된 레이저 광선을 검출하는 부분이 있다.

명시적 근거	2문단 3번 문장
실전에서의 판단 과정	그렇지.
해설	'광 픽업 장치'는 광선을 발생시키기도 하고, '광 검출기'를 통해 반사된 광선을 검출하기도 한다고 했습니다. '광 픽업 장치'의 역할이 중요했으니 그 정의도 확실하게 체크가 되었겠죠?

선지	①	②	③	④	⑤
선택률	4%	20%	27%	31%	18%

02 윗글을 이해한 내용으로 적절하지 않은 것은? ④

① CD에 기록된 정보는 중심에서부터 바깥쪽으로 읽어야 하겠군.

명시적 근거	1문단 1번 문장, 2문단 3번 문장, 2문단 5번 문장
실전에서의 판단 과정	정보는 광선에 있을 것이고, 광선 경로 따라가려면 광 픽업 장치 경로를 따라가야 하겠네.
해설	앞 문제의 정답 선지를 판단했던 기억이 있기 때문에 감으로 쉽게 지워낼 수 있는 선지입니다. '광학계 구동 모터'가 광 픽업 장치를 '중심부에서 바깥쪽으로' 이동시킨다고 했으니 그럴 것 같다는 생각이 드는 것이죠. 하지만 제대로 지우면 꽤 어려운 선지입니다. 해설의 사고과정에 주목해보세요. 먼저 이 선지는 CD에 기록된 '정보'를 읽는 방법에 대해 묻고 있습니다. '정보'는 이 기술의 '목적'에 해당하는 부분으로, 우리는 그 '정보'가 '레이저 광선' 속에 담겨 있다는 걸 알고 있습니다. '정보'를 읽는 방법에 대해 알아내려면, 필연적으로 '레이저 광선'의 경로에 대해 알아야 할 것입니다. 그리고 이러한 '레이저 광선'의 경로는 '광 픽업 장치'가 관장합니다. 그렇다면 우리는 '광 픽업 장치'의 경로를 따라가

면 '정보'의 경로도 따라갈 수 있는 것이에요! '광 픽업 장치'를 이동시키는 것은 '광학계 구동 모터'인데, 이는 '광 픽업 장치'를 '중심부에서 바깥쪽으로' 이동시킵니다. 그렇다면 이 경로가 곧 '정보'의 경로이고, 결국 우리는 '정보'를 중심에서부터 바깥쪽으로 읽어야 하는 것이네요.

이해되시나요? 단순히 근거가 어디에 있는지 확인하는 것으로 공부를 끝내면 안 됩니다. 선지에서 묻는 것에서 시작하여 '필연적'인 사고과정을 거쳐 선지를 판단할 수 있도록 연습해야 해요!

② 레이저 광선은 CD 기록면을 향해 아래에서 위쪽으로 조사되겠군.

명시적 근거	2문단 3번 문장
실전에서의 판단 과정	광 픽업 장치는 CD 아래에 있네.
해설	레이저 광선을 발생시키는 건 '광 픽업 장치'였다는 것을 몇 번이고 확인하고 있습니다. 그림을 보면 이는 CD 아래에 위치하고 있죠? 2문단 3번 문장에서도 'CD 아래에 있는'으로 특정하고 있구요. 그렇다면 레이저 광선은 아래에서 위쪽으로 조사되겠네요.

③ 광 검출기에서 네 영역의 출력값의 합은 피트를 읽을 때보다 랜드를 읽을 때 더 크게 나타나겠군.

명시적 근거	1문단 2번 문장, 3문단 5번 문장
실전에서의 판단 과정	출력값은 빛의 양에 비례하니까 당연하네.
해설	역시 선지에서 묻는 걸 생각해 봅시다. '피트'와 '랜드' 중 무엇의 '출력값'이 더 크냐고 물어보고 있습니다. 일단 '피트'와 '랜드'의 차이점은 정확히 알고 있습니다. '피트'는 빛이 적게 반사되고, '랜드'는 많이 반사됩니다. 그럼 우리가 찾아야 할 정보가 확실해졌네요. '빛의 양'과 '출력값' 사이의 관계였어요. 이들이 '비례'한다는 건 '편차 보정'과 관련된 내용을 읽으면서 이미 납득했었습니다. 그렇다면 이 선지는 맞는 말이네요.

'선지에서 묻는 것 생각 → 찾아야 할 정보 생각 → 알고 있는 정보와의 간극 메우기.' 문제 풀이의 기본이죠? 3번 선지를 대부분 감으로 지우셨을 텐데, '빛의 양'과 '출력값' 사이의 관계를 묻고 있다는 걸 확실하게 생각하셨어야 합니다. 어떻게 이 관계를 잡아야겠다는 생각을 할 수 있는지, 위의 문제풀이의 사고과정을 집요하게 체크해 봅시다! |

④ 렌즈의 초점이 맞지 않으면 광 검출기의 전 영역과 후 영역의 출력값의 차이를 이용하여 보정하겠군.

명시적 근거	5문단 4번 문장
실전에서의 판단 과정	전후랑 좌우를 비교하는 거지.
해설	'초점'이 맞지 않을 때는 '초점 조절 장치'가 나서야 합니다. '초점 조절 장치'는 CD 기록면과 포커싱 렌즈 사이의 거리 때문에 빛이 '전후'나 '좌우'로 길어지는 것을 보정하는 장치였습니다. 빛이 길어지면 '전후'나 '좌우'로 모두 길어져야지, '전'이나 '후'로만 길어지는 건 말이 안 되겠죠? 그렇다면 '전 영역'과 '후 영역'의 차이를 보정한다는 건 틀린 말이 되겠습니다. 지문 속에서 '전 영역'과 '후 영역'을 비교한 적이 없다는 것으로 지워내도 되지만, '초점 조절 장치'의 작동 원리를 완벽하게 이해해서 지울 수 있으면 더 좋았을 것 같아요.

⑤ CD의 고속 회전에 의한 진동으로 인해 광 검출기에 조사된 레이저 광선의 모양이 길쭉해질 수 있겠군.

명시적 근거	3문단 1번 문장, 5문단 1번 문장
실전에서의 판단 과정	초점이 안 맞으면 광선 모양이 길어질 수 있었지.
해설	고속 회전에 의한 진동으로 광선의 '초점'이 맞지 않을 수 있다고 했고, 이러한 경우 광선이 '전후'나 '좌우' 방향으로 길어지는 문제가 있다고 했습니다. '초점 소설 장치'의 작농 원리를 이해했다면 쉽게 지워낼 수 있네요.

선지	①	②	③	④	⑤
선택률	5%	25%	13%	17%	40%

03 윗글을 바탕으로 〈보기〉에 대해 설명한 내용으로 적절한 것은? [3점] ⑤

[보기]

다음은 CD 기록면의 피트 위치에 레이저 광선이 조사되었을 때 〈상태1〉과 〈상태2〉에서 얻은 광 검출기의 출력값이다.

영역	전	후	좌	우
상태1의 출력값	2	2	3	1
상태2의 출력값	5	5	3	3

– 〈보기〉부터 정리해야 합니다. 이 상황은 '피트' 위치에 레이저 광선이 조사된 상황입니다. '피트'에 조사되었을 때 오차가 생기면 '랜드' 쪽으로 가기 때문에 출력값에 차이가 생기겠죠?

먼저 '상태 1'입니다. '좌 영역'과 '우 영역'에 차이가 있는 모습입니다. 이는 광선이 트랙의 좌측으로 살짝 치우쳤기 때문에 일어나는 일이겠죠? '트래킹 조절 장치'를 사용해서 '광 픽업 장치'를 오른쪽으로 살짝 밀어주면 되겠습니다. 한편, '전후 영역'과 '좌우 영역'의 출력값의 합은 일정하기 때문에 '초점'은 잘 맞춰진 상태라고 할 수 있겠네요.

다음은 '상태 2'입니다. 이번엔 '좌 영역'과 '우 영역'에 차이는 없는 것으로 보아 '트랙 이탈'은 일어나지 않았는데, '전후 영역'의 출력값 합이 '좌우 영역'보다 훨씬 크게 나타나고 있습니다. 이는 CD 기록면과 포커싱 렌즈 사이의 거리가 너무 가까워서 광선이 '전후 방향'으로 길어진 결과라고 할 수 있겠죠? 그렇다면 '초점 조절 장치'를 활용해 포커싱 렌즈를 CD 기록면에서 조금 더 멀게 이동시키면 문제가 해결되겠습니다.

이 정도는 할 수 있어야 합니다! 〈보기〉에서 얻을 수 있는 정보는 최대한 얻어낸 채로 선지 판단에 나설 수 있어야 해요. 이렇게 하면 선지는 아주 쉽게 해결이 되겠네요.

① 광 검출기에 조사되는 레이저 광선의 총량은 〈상태1〉보다 〈상태2〉가 작다.
② 〈상태1〉에서는 초점 조절 장치가 구동되어야 하지만, 〈상태2〉에서는 구동될 필요가 없다.
③ 〈상태1〉에서는 트래킹 조절 장치가 구동될 필요가 없지만, 〈상태2〉에서는 구동되어야 한다.
④ 〈상태1〉에서는 레이저 광선이 트랙의 오른쪽에 치우쳐 조사되고, 〈상태2〉에서는 가운데 조사된다.
⑤ <u>〈상태1〉에서는 포커싱 렌즈와 CD 기록면의 사이의 거리를 조절할 필요가 없지만, 〈상태2〉에서는 멀게 해야 한다.</u>

명시적 근거	3문단~5문단 전체
실전에서의 판단 과정	〈상태 1〉에서는 트래킹 조절 장치를, 〈상태 2〉에서는 초점 조절 장치를 써야하네.
해설	〈보기〉를 정리한 내용 그대로 판단하면 되겠죠? 출력값의 합은 〈상태 2〉가 더 크기 때문에 레이저 광선의 총량도 더 많을 것이고, 〈상태 1〉에서는 '트래킹 조절 장치'를, 〈상태 2〉에서는 '초점 조절 장치'를 써야 합니다. 나아가 〈상태 1〉에선 '좌 영역'의 출력값이 더 큰 것으로 보아 트랙의 좌측에 치우쳐 조사되고 있고, 〈상태 2〉에서는 〈상태 1〉과 달리 포커싱 렌즈와 CD 기록면 사이의 거리를 멀게 해야 합니다. 〈보기〉 정리만 잘 했다면 어렵지 않게 답을 골라낼 수 있겠죠?

| 핵심 point |

① **화제 check** : 독서 지문 독해의 처음이자 끝. 첫 문단에서 잡은 '화제의 틀'을 마지막 문단까지 놓지 않아야 합니다.
② **기술의 목적** : 기술은 인간의 필요에 의해 만들어진 것이므로, 반드시 어떠한 '목적'이 있습니다. 이 목적을 생각하며 읽으면 훨씬 쉽게 이해할 수 있습니다.
③ **초반 정보 견디기** : 과학 · 기술 지문에서는 초반부에 정보를 잔뜩 던지고, 후반부에는 그 정보를 활용해서 어떤 논의를 이어가는 경우가 많아요. 초반부의 정보만 잘 견디면 뒤에서 편해집니다.
④ **문제해결형 지문** : 결국, 문제의 원인을 제거하는 것이 해결책입니다. '원인'을 생각하고, 그 원인을 제거하려면 어떻게 해야 하는지 미리 생각하면 해결책을 훨씬 쉽게 이해할 수 있습니다.

| 지문 내용 총정리 |

아무 생각없이 읽으면 너무나 어려운 정보량 폭탄 지문이었겠지만, '기술의 목적'과 '문제의 원인'을 생각하며 읽는 태도가 잡혀 있었다면 모든 정보가 이쁘게 정리되는 간단한 지문이었을 겁니다. 이제 과학 · 기술 지문에 조금 익숙해지는 느낌이 드시죠? 생각보다 할 만하다는 생각이 드셨으면 좋겠습니다.

1문단

①DNS(도메인 네임 시스템) 스푸핑은 인터넷 사용자가 어떤 사이트에 접속하려 할 때 사용자를 위조 사이트로 접속시키는 행위를 말한다. ②이는 도메인 네임을 IP 주소로 변환해 주는 과정에서 이루어진다.

① #정의 제시

'DNS 스푸핑'이라는 것에 대한 지문이네요. 정의는 어렵지 않습니다. '위조 사이트 접속'이 핵심이에요. 우리도 한 번쯤은 당해본 일이죠? 평범한 사이트에 들어가려고 했는데, 갑자기 성인 사이트나 도박 사이트로 연결되는 그런 일들 말이죠.

② #화제 제시

이건 '도메인 네임'이라는 것을 IP 주소로 변환해 주는 '과정'에서 이루어진다고 합니다. 지문 독해의 목적을 설정할 수 있게 해 주는 문장입니다. 우리는 이제 '도메인 네임'과 'IP 주소'가 무엇인지 체크해야 할 것이고, '도메인 네임 → IP 주소'라는 과정에 주목해야만 합니다. 이렇게 방향성을 설정해두고 본격적으로 읽어보도록 합시다.

하이라이트 문장

②이는 도메인 네임을 IP 주소로 변환해 주는 과정에서 이루어진다.

이 문장의 지시어가 'DNS 스푸핑'임을 알아야 하고, 이것이 도메인 네임을 IP 주소로 변환해 주는 '과정'에서 일어난다는 것을 체크해야 합니다. 즉 '변환 과정'이 설명될 것이고, 우리는 그 과정에서 어떻게 'DNS 스푸핑'이 일어나는지 궁금해하며 다음 문단을 읽어나가면 되는 것이죠.

2문단

①인터넷에 연결된 컴퓨터들이 서로를 식별하고 통신하기 위해서 각 컴퓨터들은 IP(인터넷 프로토콜)에 따라 만들어지는 고유 IP 주소를 가져야 한다. ②프로토콜은 컴퓨터들이 연결되어 서로 데이터를 주고 받기 위해 사용하는 통신 규약으로 소프트웨어나 하드웨어로 구현된다. ③현재 주로 사용하는 IP 주소는 '***.126.63.1'처럼 점으로 구분된 4개의 필드에 숫자를 사용하여 나타낸다. ④이 주소를 중복 지정하거나 임의로 지정해서는 안 되고 공인 IP 주소를 부여받아야 한다.

① #수식된 정의 제시 #단어의 의미 살리기

'IP'라는 개념이 정의되고 있습니다. 이는 '인터넷 프로토콜'인데, 각 컴퓨터들이 서로를 '식별'하고 통신하기 위해 가지는 것이라는 게 핵심입니다. 각 컴퓨터들은 이러한 'IP 주소'를 '고유'하게 가져야 하죠. 이를 '고유/IP/주소'라고 부르고 있네요. 단어의 의미 그대로죠? '도메인 네임 → IP 주소'라는, 이 지문에서 가장 중요한 정보의 한 축인 'IP 주소'에 대한 설명이니 확실하게 체크할 수 있어야겠죠? 나아가 '식별의 수단'이라는 정의를 바탕으로, 왜 '고유'하게 가져야 하는지를 완벽하게 납득할 수 있어야 합니다. 정말 많은 생각을 할 수 있는 문장이었어요.

② #정의 제시

'IP'는 '인터넷 프로토콜'이었습니다. '인터넷'은 알겠는데, '프로토콜'은 뭘까요? 바로 친절하게 정의해주고 있네요. 컴퓨터들이 서로 정보를 주고받기 위해 사용하는 '통신 규약'입니다. 이처럼 정의가 길 때 핵심이 되는 내용에 주목할 수 있는 힘도 길러야 해요. '프로토콜=통신 규약'! 이 '규약'에 맞춰서 정보를 주고받게 되는데, 'IP'는 서로의 '식별' 가능한 내용을 지정하는 규약이라고 보면 되겠네요. 이렇게 언급된 정의는 엮어서 끌고 올 수 있어야겠죠?

③~④ #정의 제시 #재진술

IP 주소는 4개의 필드에 주소를 나타내야 한다고 합니다. 이건 뭐 그러려니 할 수 있는 정보네요. 그런데 '중복 지정'과 '임의 지정'을 하면 안 되고 '공인'된 IP 주소를 부여받아야 한다고 해요. 단순히 머릿속에 욱여넣기보다는, 왜 이러한지 납득하려는 태도가 있으면 좋을 것 같습니다. 과학·기술 지문에서는 초반부에 세팅해주는 정보를 꼼꼼하게 체크하며 버티는 것이 중요하니까요.

조금만 생각해보니, '중복 지정'은 '식별'이라는 IP 주소의 목적에 따라 꼭 피해야 하는 것입니다. 나아가 '임의 지정'이 가능하다면 '규약'이라는 목적에 맞지 않을 수 있겠죠? 특정한 '규약'에 따라 주소를 부여받아야 하는데, 자기 마음대로 할 수 있다면 다른 컴퓨터와의 '식별'이 어려워질 수 있으니까요.

결국 앞에서 나온 정보의 '재진술'이었습니다. 'IP 주소=식별의 수단=규약의 일종'이라는 내용을 머릿속에 확실하게 넣으면서 가 봅시다. 계속 강조하지만, 초반부에 세팅되는 정보를 체크하는 게 정말 중요해요.

하이라이트 문장

> ①인터넷에 연결된 컴퓨터들이 서로를 식별하고 통신하기 위해서 각 컴퓨터들은 IP(인터넷 프로토콜)에 따라 만들어지는 고유 IP 주소를 가져야 한다.

앞 문단의 마지막을 보면 도메인 네임을 IP주소로 변환하는 과정에서 DNS 스푸핑이 일어난다고 했습니다. 따라서 'IP 주소'에 대한 설명이 나오면 집중해줘야겠죠? 나아가 '식별의 수단'이라는 정의까지 확실하게 챙겨가는 것이 좋겠습니다.

3문단

> ①공인 IP 주소에는 동일한 번호를 지속적으로 사용하는 고정 IP 주소와 번호가 변경되기도 하는 유동 IP 주소가 있다. ②유동 IP 주소는 DHCP라는 프로토콜에 의해 부여된다. ③DHCP는 IP 주소가 필요한 컴퓨터의 요청을 받아 주소를 할당해 주고, 컴퓨터가 IP 주소를 사용하지 않으면 주소를 반환받아 다른 컴퓨터가 그 주소를 사용할 수 있도록 해 준다. ④한편, 인터넷에 직접 접속은 안 되고 내부 네트워크에서만 서로를 식별할 수 있는 사설 IP 주소도 있다.

① #수식된 정의 제시 #단어의 의미 살리기 #비교/대조

이러한 '공인 IP 주소'에는 '고정' IP 주소와 '유동' IP 주소가 있다고 합니다. 단어의 의미 그대로 이해했더니, '동일한 번호 지속적 사용', '번호 변경 가능'이라는 정의가 쏙쏙 들어오죠? 억지로 머릿속에 집어넣는 게 아니라, 단어의 의미를 통해 '당연한 정보'로 만들 수 있어야 합니다.

②~③ #재진술

그 중에서 '유동 IP 주소'에 대해 설명하고 있습니다. 이렇게 비교/대조되는 정보는 동등한 위치에서 설명되기보다 한 쪽에 힘을 실어주는 형태로 설명되는 경우가 많습니다. 여기선 '유동 IP 주소'가 그 주인공인 것이죠.

그런데 '유동 IP 주소'는 DHCP라는 '프로토콜'에 의해 부여된다고 합니다. '프로토콜'이라는 정보는 분명히 앞에서 확인했던 정보였습니다. IP와 같은, '규약'에 해당하는 내용이었어요. 그렇다면 'DHCP' 역시 '유동 IP 주소'를 위한 '규약'이라고 받아들이면 되겠죠? 이렇게 앞에서 봤던 정보는 끌고 내려 오면서 붙일 수 있어야 합니다.

DHCP는 '유동' IP 주소를 위한 규약이기 때문에, IP 주소의 번호를 바꿀 수 있도록 해 줄 것이에요. 그 방식이 3번 문장에 잘 나타나 있네요. IP 주소가 필요한 컴퓨터에 할당해주고, 그것이 필요없게 되면 다른 컴퓨터에게 그 주소를 할당해주는 방식입니다. 이렇게 컴퓨터의 IP 주소가 '유동'적으로 바뀔 수 있도록 해 주는 규약이 DHCP네요.

④ #예외 제시 #수식된 정의 제시 #재진술

한편 '사설 IP 주소'도 있다고 합니다. 그 정의를 살펴보니, '인터넷 연결'이 안 되고 내부 네트워크에서만 '식별'할 수 있는 IP 주소라고 해요. '인터넷 연결'이 불가능하다는 점은 일종의 '예외'인데, '식별'할 수 있는 주소라는 점에서는 'IP 주소'의 정의를 그대로 따라가고 있네요. 어렵지 않게 납득할 수 있겠습니다. 말 그대로 거대한 '인터넷' 망이 아니라 '사설'에서 사용하는 IP 주소인 것이에요.

하이라이트 문장

> 공인 IP 주소에는 동일한 번호를 지속적으로 사용하는 고정 IP 주소와 번호가 변경되기도 하는 유동 IP 주소가 있다.

'공인 IP 주소'가 '고정 IP 주소'와 '유동 IP 주소'로 나뉘고 있습니다. 어떤 공통점과 차이점이 있을지 체크해야겠죠? 일단 공통점은 두 IP 주소 모두 '공인 IP 주소'라는 것이고, 차이점은 IP 주소의 변경 여부에 있네요. 정보가 나뉘어 제시되면 비교/대조와 함께 공통점, 차이점을 체크해줘야 한다는 사실을 잊지 맙시다!

| 생각 심화 |

힘들겠지만 '공인 IP 주소'와 '사설 IP 주소'가 대립하는 개념이라는 것까지 체크할 수 있으면 좋겠습니다. 일단 이름부터 '공인'과 '사설'로 대립될 뿐더러, '공인 IP 주소'는 '인터넷'에 연결된 컴퓨터들이 사용하는 것이고 '사설 IP 주소'는 '인터넷'에 직접 접속을 하지 않는 컴퓨터가 사용하는 주소니까요!

| 생각 심화 |

'사설 IP 주소'도 '고유' IP 주소입니다. 왜 그런지 먼저 생각해볼까요?

'고유' IP 주소를 가져야 하는 이유와 '사설' IP 주소의 정의를 비교해 보면 되겠네요. 고유 IP 주소는 서로를 식별하고 통신하기 위해 사용합니다. 그런데 사설 IP 주소의 정의를 보니, '식별'한다는 내용이 있네요? 따라서 사설 IP 주소도 고유 IP 주소일 수밖에 없는 것입니다. 이처럼 '정의'를 굴비엮듯이 엮을 수 있는 능력을 갖추고 있어야 합니다.

4문단

①인터넷은 공인 IP 주소를 기반으로 동작하지만 우리가 인터넷을 사용할 때는 IP 주소 대신 사용하기 쉽게 'www.***.***' 등과 같이 문자로 이루어진 도메인 네임을 이용한다. ②따라서 도메인 네임을 IP 주소로 변환해주는 DNS가 필요하며 DNS를 운영하는 장치를 네임서버라고 한다. ③컴퓨터에는 네임서버의 IP 주소가 기록되어 있어야 하는데, 〈유동 IP 주소를 할당받는 컴퓨터에는 IP 주소를 받을 때 네임서버의 IP 주소가 자동으로 기록되지만, 고정 IP 주소를 사용하는 컴퓨터에는 사용자가 네임서버의 IP 주소를 직접 기록해 놓아야 한다.〉④인터넷 통신사는 가입자들이 공동으로 사용할 수 있는 네임서버를 운영하고 있다.

① #정의 제시 #화제의 흐름

인터넷은 이러한 '공인 IP 주소'를 기반으로 동작하지만, 우리가 실제 인터넷을 쓸 때는 '도메인 네임'을 이용한다고 합니다. 여기서 속도를 확 낮출 수 있어야 합니다! 이 지문에서 가장 중요한 정보로 여겼던 '도메인 네임 → IP 주소'의 퍼즐이 맞춰지는 순간이니까요. '도메인 네임'의 주소는 어렵지 않습니다. 우리가 흔히 인터넷에서 사용하는, '주소'라고 부르는 문자의 배열이네요.

② #수식된 정의 제시

'도메인 네임 → IP 주소'를 가능하게 하는 것이 바로 'DNS'였습니다. 'DNS 스푸핑'이라는 이름은 이 DNS를 건드리기 때문에 붙은 것이었네요. 그리고 이러한 DNS는 '네임서버'라는 장치에 의해 운영된다고 합니다. 'DNS'와 '네임서버' 모두 지문의 화제와 연결된 아주 중요한 정보이므로, 확실하게 체크할 필요가 있겠네요.

③ #비교/대조

컴퓨터에는 DNS를 운영하는 '네임서버'의 IP 주소가 기록되어 있어야 한다고 합니다. 뭐 당연하겠죠. '네임서버'에 접근할 수 있어야 DNS를 작동시킬 수 있고, 이렇게 되어야만 '도메인 네임 → IP 주소'라는 작업을 수행할 수 있을 테니까요.

이 '기록'은 '유동 IP 주소'를 사용하는 컴퓨터에서는 자동으로, '고정 IP 주소'를 사용하는 컴퓨터에서는 수동으로 이루어진다고 합니다. 차이점에 민감하게 반응하면서, '계속 변화하니까 자동으로, 고정되어 있으니까 수동으로 기록하나보다.'와 같은 방식으로 납득해주시면 됩니다.

④ #재진술

인터넷 통신사들은 이러한 '네임서버'를 가입자들이 공동으로 사용할 수 있게 한다고 합니다. '네임서버'는 '도메인 네임 → IP 주소'라는 작업을 수행하기 위한 것이니, 굳이 IP 주소처럼 '고유'하게 가질 필요는 없겠죠? 식별할 필요가 없으니 공동으로 가져도 무방하다는 겁니다.

하이라이트 문장

②따라서 도메인 네임을 IP 주소로 변환해 주는 DNS가 필요하며 DNS를 운영하는 장치를 네임서버라고 한다.

도메인 네임을 IP 주소로 변환해 주는 과정이 드디어 나오고 있습니다. 이 과정을 이해해야 DNS 스푸핑이 일어나는 과정을 이해할 수 있겠죠? DNS 스푸핑은 결국 도메인 네임을 IP 주소로 변환해주는 과정에서 일어나니까요.

5문단 (1)

①사용자가 어떤 사이트에 정상적으로 접속하는 과정을 살펴보자. ②웹 사이트에 접속하려고 하는 컴퓨터를 클라이언트라 한다. ③사용자가 방문하고자 하는 시이트의 도메인 네임을 주소창에 직접 입력하거나 포털 사이트에서 그 사이트를 검색해 클릭하면 클라이언트는 기록되어 있는 네임서버에 도메인 네임에 해당하는 IP 주소를 물어보는 질의 패킷을 보낸다. ④네임서버는 해당 IP 주소가 자신의 목록에 있으면 클라이언트에 이 IP 주소를 알려 주는 응답 패킷을 보낸다. ⑤응답 패킷에는 어느 질의 패킷에 대한 응답인지가 적혀 있다. ⑥만일 해당 IP 주소가 목록에 없으면 네임서버는 다른 네임서버의 IP 주소를 알려 주는 응답 패킷을 보내고, 클라이언트는 다시 그 네임서버에 질의 패킷을 보내는 단계로 돌아가 같은 과정을 반복한다. ⑦클라이언트는 이렇게 알아낸 IP 주소로 사이트를 찾아간다.

① #카테고리 제시 #화제의 흐름

드디어 어떤 사이트에 접속하는 이야기가 나오고 있습니다. 지금까지 수많은 정보들을 잘 정리하며 견뎠으니, 이제 그 내용을 바탕으로 화제를 이해할 차례입니다. 과학 · 기술 지문의 기본적인 구성이 확실하게 들어오시죠?

'DNS 스푸핑'이라는 진짜 화제에 대해 언급하기 전에, 먼저 '정상 접속'이라는 상황에 대해 설명하고 있습니다. '정상 접속'의 과정을 먼저 이해해야 'DNS 스푸핑'의 과정을 이해할 수 있나봐요. '정상 접속'이라는 카테고리 확실하게 잡아놓고 읽어보도록 합시다.

② #수식된 정의 제시

'클라이언트'라는 새로운 정보를 정의하고 있습니다. 어떤 사이트에 접속하려고 하는 컴퓨터, 즉 '접속의 주체'를 '클라이언트'라고 하네요. '의뢰인'이라는 뜻의 'client'를 알고 있다면 훨씬 쉽게 납득할 수 있겠습니다.

③~⑦ #과정 제시 #단어의 의미 살리기

지금부터는 '정상 접속'의 과정을 쭉 써 주고 있습니다. 최대한 납득하면서 읽을 수 있어야 합니다! 사용자가 어떤 사이트에 접속을 시도하면, '클라이언트'가 '네임서버'에 '도메인 네임'에 해당하는 'IP 주소'를 물어봅니다. 이 모든 개념들 모두 앞에서 견디며 정리했던 것들이죠? 이렇게 초반에 세팅된 정보를 회수하는 것이 과학·기술 지문의 기본 구성이라고 할 수 있습니다. 나아가 '질의/패킷'이라는 개념 역시 단어의 의미 그대로 어렵지 않게 납득할 수 있겠네요. 먼저 접속할 사이트의 주소를 일종의 주소록인 '네임서버'에 물어봐야 합니다.

'네임서버'는 '질의'를 받았으니 '응답'을 해야겠죠. 주소를 알고 있다면, 그 주소가 어디인지 알려주는 '응답/패킷'을 보냅니다. 그런데 그 '네임서버'에 해당 주소가 없다면? 다른 '네임서버'의 IP 주소가 적힌 '응답/패킷'을 보낸다고 합니다. 복잡하게 생각할 필요 없습니다. 모르면, 알 것 같은 다른 친구의 연락처를 줄 수 있는 것이죠.

이를 받은 '클라이언트'는 그 새로운 '네임서버'에 다시 '질의 패킷'을 보내게 되고, 접속하려는 사이트의 IP 주소를 알게 될 때까지 이 과정을 반복하는 것입니다. '클라이언트', '네임서버', '도메인 네임', 'IP 주소' 등의 개념이 의미하는 게 무엇인지 정확히 인지하면서 읽어내려간다면, 아주 쉽게 이해할 수 있는 과정들이었습니다. 겁먹지 않고 우리가 정리한 정보들을 통해 차분하게 읽어내려가면 됩니다.

하이라이트 문장

> ①사용자가 어떤 사이트에 정상적으로 접속하는 과정을 살펴보자.

우리가 원하는 'DNS 스푸핑'의 과정은 아니지만 '정상'적으로 접속하는 과정을 설명하려 하네요. 이 과정이 DNS 스푸핑의 과정과 반대라는 것을 생각할 수 있어야 합니다. 애초에 DNS 스푸핑은 사용자를 정상 사이트가 아니라 위조 사이트와 같은 곳으로 접속시키는 행위였으니까요! 이 과정을 이해하면 DNS 스푸핑 과정을 이해하는 데도 도움이 되겠죠?

5문단 (2)

> ⑧네임서버와 클라이언트는 UDP라는 프로토콜에 맞추어 패킷을 주고받는다. ⑨UDP는 패킷의 빠른 전송 속도를 확보하기 위해 상대에게 패킷을 보내기만 할 뿐 도착 여부는 확인하지 않으며, 특정 질의 패킷에 대해 처음 도착한 응답 패킷을 신뢰하고 다음에 도착한 패킷은 확인하지 않고 버린다. ⑩DNS 스푸핑은 UDP의 이런 허점들을 이용한다.

⑧ #재진술

이처럼 '네임서버'와 '클라이언트'는 '패킷'을 주고받는데, 이때 사용되는 규약, 즉 '프로토콜'이 'UDP'라고 합니다. '프로토콜=규약'과 같은 정보를 계속해서 끌고 올 수 있어야 해요!

⑨~⑩ #정의 제시 #화제의 흐름

UDP는 굉장히 특이한 규약입니다. 상대에게 보낸 패킷이 도착했는지 여부는 확인하지 않고, 처음 도착한 응답 패킷을 무조건 신뢰하는 구조라고 합니다. 아무리 '속도'를 위해서라지만 너무 허술하네요.

아니나다를까, 'DNS 스푸핑'은 이러한 'UDP'의 허점을 이용하는 기술이라고 합니다. 허술한 UDP를 어떻게 파고들지 기대하면서 읽어봅시다.

하이라이트 문장

> ⑩DNS 스푸핑은 UDP의 이런 허점들을 이용한다.

'DNS 스푸핑'의 내용이 드디어 나온 만큼, 'UDP'의 허점을 'DNS 스푸핑'이 어떻게 이용할지 예의주시하며 읽어야 합니다. 'UDP'의 정의를 정확하게 이해해주는 건 너무나도 당연할 거고요. 'UDP'가 무엇인지 알지 못하면 'DNS 스푸핑'의 과정도 이해를 못할 테니까요.

6문단

> ①DNS 스푸핑이 이루어지는 과정을 알아보자. ②악성 코드에 감염되어 DNS 스푸핑을 행하는 컴퓨터를 공격자라 한다. ③클라이언트가 네임서버에 특정 IP 주소를 묻는 질의 패킷을 보낼 때, 공격자에도 패킷이 전달되고 공격자는 위조 사이트의 IP 주소가 적힌 응답 패킷을 클라이언트에 보낸다. ④공격자가 보낸 응답 패킷이

네임서버가 보낸 응답 패킷보다 클라이언트에 먼저 도착하고 클라이언트는 공격자가 보낸 응답 패킷을 옳은 패킷으로 인식하여 위조 사이트로 연결된다.

① #카테고리 나누기 #화제의 흐름

긴장되는 순간입니다. 드디어 우리가 궁금하던 'DNS 스푸핑'의 비밀이 풀리는 순간이에요. 지금까지 읽었던 모든 정보를 활용하여 완벽하게 이해할 준비를 하고 가 봅시다. 특히 'UDP의 허점'에 주목하며 읽어야 해요!

② #수식된 정의 제시 #단어의 의미 살리기

'공격자'라는 개념도 정의되고 있네요. 단어의 의미 그대로, '공격'하는 컴퓨터를 의미하는 것이죠? 이 '공격자'가 어떻게 'DNS 스푸핑'을 행하는 걸까요?

③~④ #과정 제시

생각보다 간단한 과정이었습니다. '클라이언트'가 '네임서버'에 접속하고자 하는 사이트의 IP 주소를 물으면, 해당 '질의 패킷'이 '공격자'에게도 전달됩니다. '공격자'는 위조 사이트의 IP 주소가 담긴 '응답 패킷'을 재빠르게 보내고, '먼저' 온 패킷만 확인하는 UDP의 특성에 따라 이 '응답 패킷'에 적힌 위조 사이트로 연결이 되는 것이네요. '네임서버' 역시 '응답 패킷'을 보냈겠지만, 'UDP'라는 규약에 따라 그게 '클라이언트'에게 도착했는지 확인하지 않을 겁니다. 결국 그 누구도 모르는 사이에 '공격자'가 '클라이언트'를 위조 사이트로 이끄는 것이네요.

생각보다 쉽게 느껴지죠? 하지만 만약 앞에 나온 정보들을 납득하고, 정리하고, 끌고 오며 차분하게 읽지 못했다면 너무나 어렵고 헷갈리는 정보였을 것이에요. 과학·기술 지문의 정석과도 같은 지문이었습니다. 그럼 문제 가볍게 해결해보도록 합시다.

선지	①	②	③	④	⑤
선택률	7%	4%	10%	73%	6%

04 윗글의 '프로토콜'에 대한 설명으로 적절하지 않은 것은?

④

– '프로토콜=규약'에 대한 문제입니다. 이 지문에서는 'IP', 'DHCP', 'UDP'라는 세 가지 프로토콜이 제시되었습니다. 각자의 특징은 완벽하게 이해하고 있죠?

① 컴퓨터 사이의 통신을 위한 규약으로서 저마다 정해진 기능이 있다.

명시적 근거	2문단 2번 문장, 3문단 3번 문장, 5문단 9번 문장
실전에서의 판단 과정	프로토콜의 정의네.
해설	'규약'이라는 점은 '프로토콜'의 정의 그 자체입니다. 또한 지문에 제시된 세 가지 프로토콜은 '컴퓨터 식별', '유동 IP 주소 할당', '패킷 전송'이라는 각자의 기능을 수행하고 있었죠?

② IP에 따르면 현재 주로 사용하는 IP 주소는 4개의 필드에 적힌 숫자로 구성된다.

명시적 근거	2문단 3번 문장
실전에서의 판단 과정	그렇지.
해설	그리 중요한 정보는 아니었지만, IP 주소가 4개의 필드에 적힌 숫자로 구성되어 있다는 건 분명히 확인한 정보죠? 상식적으로도 알고 있을 것이구요.

③ DHCP를 이용하는 컴퓨터는 IP 주소를 요청해야 IP 주소를 부여받을 수 있다.

명시적 근거	3문단 3번 문장
실전에서의 판단 과정	DHCP는 유동 IP 주소를 요청에 따라 할당해주지.
해설	'DHCP를 이용하는 컴퓨터'란 곧 '유동 IP 주소를 이용하는 컴퓨터'를 의미합니다. 변화하는 IP 주소를 부여받기 위해서는, DHCP에게 '요청'하는 과정이 필요했어요. 혹시나 기억이 나지 않는다면 'DHCP'에 대한 정보를 제시하고 있는 3문단으로 돌아갈 생각을 했어야겠죠?

④ DHCP를 이용하는 컴퓨터에는 네임서버의 IP 주소를 사용자가 기록해야 한다.

명시적 근거	4문단 3번 문장
실전에서의 판단 과정	유동 IP 주소를 사용하면 자동으로 기록된다고 했지.
해설	DHCP를 이용하는 컴퓨터, 즉 '유동 IP 주소'를 이용하는 컴퓨터에는 IP 주소를 받을 때 '네임서버'의 IP 주소가 '자동'으로 기록된다고 했습니다. '유동 IP 주소=자동', '고정 IP 주소=수동'과 같은 느낌으로 납득했다면 어렵지 않게 지울 수 있었을 것 같아요. 물론 기억이 나지 않았다면? '네임서버의 IP 주소 기록'과 관련된 정보가 나오던 4문단으로 돌아가시면 됩니다!

⑤ UDP는 패킷 전송 속도를 높이기 위해 패킷이 목적지에 제대로 도착했는지 확인하지 않는다.

명시적 근거	5문단 9번 문장
실전에서의 판단 과정	이게 허점이었지.
해설	목적지 도착 여부를 확인하지 않고, 처음 도착한 응답 패킷만을 신뢰하는 것이 'UDP'의 허점이었습니다. 이는 'DNS 스푸핑'이라는 화제와 직결되는 중요 정보였기 때문에, 머릿속에 확실히 들어 있었을 겁니다.

선지	①	②	③	④	⑤
선택률	9%	17%	41%	16%	17%

05 〈보기〉는 ㉮ 또는 ㉯에서 이루어지는 클라이언트의 동작을 나타낸 것이다. 이에 대한 이해로 적절한 것은? [3점] ③

> ㉮ 사용자가 어떤 사이트에 정상적으로 접속하는 과정
> ㉯ DNS 스푸핑이 이루어지는 과정

- '클라이언트'가 정상 사이트에 접속하는 과정(㉮)과 위조 사이트에 접속하는 과정(㉯)을 나타낸 그림이라고 합니다. 이때 현란한 그림에만 현혹되어 ㉮와 ㉯라는 내용을 잊으면 안 됩니다. 발문 독해도 문제풀이의 일부임을 잊지 마세요! 아무튼 이는 수많은 정보를 바탕으로 완벽하게 이해하고 있는 내용이니, 어렵지 않게 해결해보도록 합시다.

[보기]

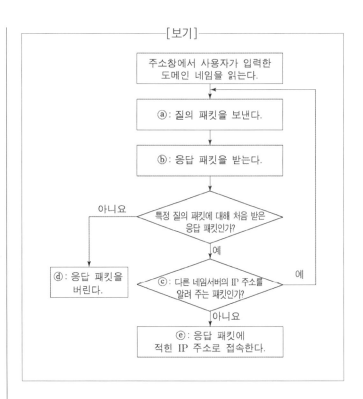

- 사실상 5~6문단의 내용을 그대로 요약한 것만 같은 그림입니다. 그림만으로 무언가를 정리하기는 어려워 보입니다. 바로 선지 판단해보도록 합시다.

① ㉮: ⓐ가 두 번 동작했다면, 두 질의 내용이 동일하고 패킷을 받는 수신 측도 동일하다.

명시적 근거	5문단 6번 문장
실전에서의 판단 과정	두 번 다 접속하려는 사이트의 IP 주소를 물어본 것인데, 수신 측은 서로 다른 네임서버겠지.
해설	'정상적으로' 접속하는 과정입니다. 질의 패킷이 두 번 작동했다는 건, 첫 번째로 '질의 패킷'을 보낸 '네임서버'에 접속하려는 사이트의 IP 주소가 적혀 있지 않았다는 뜻입니다. '네임서버'는 그 사이트의 IP 주소를 알고 있을 것 같은 다른 '네임서버'의 IP 주소가 적힌 '응답 패킷'을 보냈을 것이고, '클라이언트'는 그 '네임서버'에 다시 '질의 패킷'을 보냈을 겁니다.
	이렇게 되면, '질의 패킷'의 내용은 '접속하려는 사이트의 IP 주소'로 동일하지만 수신 측은 첫 번째 네임서버와 두 번째 네임서버로 다르겠네요. 만약 이 과정을 완벽하게 이해하지 못했더라도, 차분하게 지문에 제시된 과정을 따라가기만 했어도 어렵지 않게 지워낼 수 있는 선지였어요.

② ㉮ : ⓑ가 두 번 동작했다면, 두 응답 내용이 서로 다르고 패킷을 보낸 송신 측은 동일하다.

명시적 근거	5문단 6번 문장
실전에서의 판단 과정	서로 다른 네임서버에서 보낸 것이니 응답 내용은 다를 텐데, 송신 측도 다르다고 해야지.
해설	'응답 패킷'이 두 번 동작한 것 역시 1번 선지와 같은 상황입니다. 이 경우 응답 내용은 각각 '다른 네임서버의 IP 주소'와 '접속하려는 사이트의 IP 주소'로 다를 것이고, 송신 측도 '첫 번째 네임서버'와 '두 번째 네임서버'로 다르겠죠. 설마 '수신'과 '송신'을 헷갈리신 건 아니죠? 선지에서 묻는 걸 정확하게 따져야 합니다!

③ ㉮ : ⓒ는 ⓐ에서 질의한 도메인 네임에 해당하는 IP 주소를 네임서버가 찾았는지 여부를 확인하는 절차이다.

명시적 근거	5문단 6번 문장
실전에서의 판단 과정	찾았다면 '아니요'이고 못 찾았다면 '예'일 테니 맞네.
해설	ⓒ는 질의 패킷의 답변을 판단하는 부분이네요. 만약 네임서버가 IP 주소를 찾았다면 사이트의 IP 주소를 보냈을 것이고, 찾지 못했다면 다른 네임서버의 IP 주소를 알려줬겠죠. 그럼 바로 맞는 선지네요. 지문에 명시적으로 적힌 내용은 아니지만, ⓒ의 과정을 왜 진행하는지 생각해봤다면 어렵지 않게 추론할 수 있는 내용이었습니다.

④ ㉯ : ⓓ의 응답 패킷에는 공격자가 보내 온 IP 주소가 포함되어 있다.

명시적 근거	6문단 4번 문장
실전에서의 판단 과정	버린 패킷은 정상 사이트의 IP 주소지.
해설	여기서부턴 'DNS 스푸핑'이 이루어질 때의 상황을 이야기하고 있어요. ⓓ는 처음에 온 것만 취하고 나머지는 버리는 UDP의 특성 때문에 버려진 '응답 패킷'이네요. 다시 말해서, 처음에 온 것이 아니니까 버려진 것이죠. 그런데 공격자는 맨 처음에, 즉 네임서버보다 더 빨리 위조 IP 주소가 포함된 응답 패킷을 보낸다고 했습니다. 그렇기 때문에 'DNS 스푸핑'이 일어나는 것이었죠? '공격자'가 보내 온 IP 주소가 포함되어 있을 리가 없네요.

⑤ ㉯ : ⓔ의 IP 주소는 ⓐ에서 질의한 도메인 네임에 해당하는 IP 주소이다.

명시적 근거	6문단 4번 문장
실전에서의 판단 과정	㉯의 상황이면 위조 사이트의 IP 주소겠지.
해설	㉯는 DNS 스푸핑이 이루어지는 과정이니까, '클라이언트'가 처음으로 받은 '응답 패킷'에 적힌 IP 주소는 위조 사이트겠네요. 이는 ⓐ에서 질의한 도메인 네임에 해당하는 IP 주소, 즉 '정상 사이트'의 IP 주소가 아니죠?

선지	①	②	③	④	⑤
선택률	13%	32%	18%	20%	17%

06 윗글을 바탕으로 알 수 있는 것은? ②

① DNS는 도메인 네임을 사설 IP 주소로 변환한다.

명시적 근거	4문단 2번 문장, 3문단 4번 문장
실전에서의 판단 과정	사설 IP 주소는 인터넷 연결이 안 되는 건데?
해설	정의를 집요하게 묻고 있습니다. 'DNS'라는 개념은 어떻게 보면 이 지문에서 가장 중요한 정보였는데, '도메인 네임 → IP 주소'라는 지문의 뼈대를 만드는 개념이기 때문에 그랬죠? 그런데 도메인 네임을 '사설' IP 주소로 전환할 수 있는지는 지문에 없는 정보입니다. '사설 IP 주소'의 정의를 바탕으로 추론해야겠어요. '사설 IP 주소'는 '인터넷 접속'이 안 되는, 내부 네트워크의 '식별'용 주소였습니다. DNS는 '인터넷'을 사용할 때 사용하는 것이기 때문에, 도메인 네임을 '사설 IP 주소'로 변환할 일은 없겠네요. 이처럼 모든 추론의 시작은 '개념의 정의'입니다. 지문에 없는 말을 이용한 선지를 판단할 때는, 선지에서 묻는 개념들의 '정의'부터 시작하는 습관을 들이도록 합시다.

② 동일한 내부 네트워크에 연결된 컴퓨터들의 사설 IP 주소는 서로 달라야 한다.

명시적 근거	3문단 4번 문장
실전에서의 판단 과정	사설 IP 주소도 식별이 목적이었지.
해설	'사설 IP 주소' 역시 'IP 주소'의 일종이기 때문에, '식별'이라는 목적을 달성해야만 합니다. 그렇다면 컴퓨터마다 서로 다른 주소를 가져야겠네요. 애초에 '사설 IP 주소'의 정의를 읽을 때부터 '식별'이라는 포인트를 중심으로 납득할 수 있었어야 합니다.

③ 유동 IP 주소 방식의 컴퓨터들에는 동시에 동일한 공인 IP 주소를 할당할 수 있다.

④ 고정 IP 주소 방식의 컴퓨터들에는 동시에 동일한 공인 IP 주소를 부여할 수 있다.

명시적 근거	2문단 4번 문장
실전에서의 판단 과정	중복 지정하면 안 되지.
해설	'유동 IP 주소'와 '고정 IP 주소'는 모두 '식별'이라는 목적을 가지고 있는 '공인 IP 주소'입니다. 그렇기 때문에 '중복 지정'과 '임의 지정'이 불가능하다고 했어요. 개념의 정의를 바탕으로 정보를 납득하면서 읽어나가는 게 정말 중요하다는 걸 보여주는 선지네요.

⑤ IP 주소가 서로 다른 컴퓨터들은 각각에 기록되어 있는 네임서버의 IP 주소도 서로 달라야 한다.

명시적 근거	4문단 4번 문장
실전에서의 판단 과정	네임서버의 IP 주소가 다를 이유는 없지.
해설	'네임서버'는 DNS를 운영하는 장치입니다. 어차피 도메인 네임을 IP 주소로 변환하는 것이 핵심이므로, 굳이 컴퓨터마다 '식별'할 필요는 없겠죠? 4문단의 4번 문장에서 가입자들이 '공동'으로 사용할 수 있는 네임서버를 운영하고 있다고 하기도 했구요.

선지	①	②	③	④	⑤
선택률	9%	9%	14%	23%	43%

07 윗글과 〈보기〉를 참고할 때, DNS 스푸핑을 피하기 위한 방법으로 적절한 것은? ⑤

– 'DNS 스푸핑을 피하기 위한 방법'입니다. 미리 생각해볼까요? 'DNS 스푸핑'은 '도메인 네임 → IP 주소'의 과정에서 일어나는 것으로, '클라이언트'와 '네임서버'가 '패킷'을 주고받을 때 발생합니다. 그렇다면 해결책은 크게 두 가지가 있겠네요. '도메인 네임'을 'IP 주소'로 변환하지 않고 사용하거나, '클라이언트'와 '네임서버'가 서로 상호작용하지 못하도록 하면 되겠습니다. 이렇게 미리 생각하지 못해도 상관은 없지만, 'DNS 스푸핑'이라는 것에 대해 잘 이해하고 있다면 충분히 생각해낼 수 있는 내용이겠죠? 그럼 이와 관련된 〈보기〉가 나왔는지 확인하러 가 볼까요?

──────[보기]──────

　DNS가 고안되기 전에는 특정 컴퓨터의 사용자가 'hosts'라는 파일에 모든 도메인 네임과 그에 해당하는 IP 주소를 적어 놓았고, 클라이언트들은 이 파일을 복사하여 사용하였다. 네임서버를 사용하는 현재에도 여전히 클라이언트는 질의 패킷을 보내기 전에 hosts 파일의 내용을 확인한다. 클라이언트가 이 파일에서 원하는 도메인 네임의 IP 주소를 찾으면 그 주소로 바로 접속하고, IP 주소를 찾지 못했을 때 클라이언트는 네임서버에 질의 패킷을 보낸다.

– 'hosts'라는 파일에 대해 설명하고 있습니다. 예전에 사용하던 건데, 요즘에도 '네임서버'에게 '질의 패킷'을 보내기 전에 'hosts'의 내용을 확인한다고 해요. '도메인 네임'을 'IP 주소'로 변환하는 것 자체는 어쩔 수 없는 것인데, '네임서버'와 상호작용하지 않고도 어떤 사이트에 접속할 수 있는 방법이 생긴 겁니다! 그렇다면 'hosts' 파일에, 접속하고자 하는 사이트들의 도메인 네임과 그에 대응하는 IP 주소를 빠짐 없이 적어두면, '네임서버'와 만날 일이 없으니 'DNS 스푸핑'이 발생하는 건 불가능해지겠네요. 이 내용을 선지에서 찾아보도록 합시다. 이렇게 '주관식'으로 생각할 수 있는 건 미리미리 떠올리고 넘어갈 수 있으면 좋겠어요. 정확도와 시간 모두에서 압도적인 위력을 발휘할 테니까요.

① 클라이언트에서 사용자가 hosts 파일을 찾아 삭제하면 되겠군.

명시적 근거	5문단~6문단, 〈보기〉
실전에서의 판단 과정	유일한 희망을 지우면 어떡하냐.

해설	hosts 파일은 'DNS 스푸핑'을 피할 수 있는 유일한 희망이었습니다. 이 파일을 지우면 '네임서버'에 의존할 수밖에 없고, 이는 'DNS 스푸핑'이 일어날 가능성을 높일 것이에요.

② 클라이언트의 IP 주소를 사용자가 클라이언트의 hosts 파일에 적어 놓으면 되겠군.

명시적 근거	5문단~6문단, 〈보기〉
실전에서의 판단 과정	클라이언트의 IP 주소 가지고 뭐할려고.
해설	'클라이언트'는 단순히 접속하고자 하는 컴퓨터입니다. 우리가 생각한 해결책은 'hosts' 파일에 접속하고자 하는 '사이트'의 IP 주소를 적어두는 것이었어요.

③ 클라이언트에 hosts 파일이 없더라도 사용사가 주소창에 도메인 네임만 입력하면 되겠군.

명시적 근거	5문단~6문단, 〈보기〉
실전에서의 판단 과정	이러면 네임서버랑 상호작용을 해야 하잖아.
해설	1번 선지와 같은 맥락입니다. 'hosts'의 도움을 받지 않으면 'DNS 스푸핑'에 당할 가능성이 생겨요!

④ 네임서버의 도메인 네임과 IP 주소를 사용자가 클라이언트의 hosts 파일에 적어 놓으면 되겠군.

명시적 근거	5문단~6문단, 〈보기〉
실전에서의 판단 과정	네임서버의 IP 주소를 적어 놔서 뭐해.
해설	2번 선지와 비슷한 맥락이죠? 우리의 해결책은 'hosts' 파일에 접속하고자 하는 '사이트'의 정보를 적어 둬서 '네임서버'와의 상호작용을 피하는 것이었어요. '네임서버'는 어차피 사용하지 않을 것이기 때문에, 그 정보는 굳이 알 필요가 없습니다.

⑤ 접속하려는 사이트의 도메인 네임과 IP 주소를 사용자가 클라이언트의 hosts 파일에 적어 놓으면 되겠군.

명시적 근거	5문단~6문단, 〈보기〉
실전에서의 판단 과정	미리 생각한 내용이네.
해설	미리 생각한 내용 그대로네요. 'hosts' 파일에 접속하려는 '사이트'의 정보를 모두 적어두면, '네임서버'와 만날 일 없이 사이트에 접속할 수 있을 것입니다. 이러면 'DNS 스푸핑'을 자연스레 피할 수

있겠죠. 주관식으로 생각하는 것의 위력을 확인할 수 있는 선지였네요!

선지	①	②	③	④	⑤
선택률	14%	70%	8%	5%	3%

08 문맥상 ㉠~㉤과 바꿔 쓰기에 가장 적절한 것은? ②

① ㉠: 제조(製造)되는
② ㉡: 표시(標示)한다
③ ㉢: 발생(發生)된
④ ㉣: 인정(認定)한
⑤ ㉤: 비교(比較)해

몰랐던 어휘 정리하기

| 핵심 **point** |

① **화제 check** : 독서 지문 독해의 처음이자 끝. 첫 문단에서 잡은 '화제의 들'을 마지막 문단까지 놓지 않아야 합니다.
② **재진술 인식** : 같은 말이라도 다르게 표현되는 경우가 많습니다. 심지어 아예 똑같은 말이 반복되는 경우도 많아요. 이 '같은 말'에 민감하게 반응하면, '정보량'을 줄이면서 읽을 수가 있습니다.
③ **초반 정보 견디기** : 과학·기술 지문에서는 초반부에 정보를 잔뜩 던지고, 후반부에는 그 정보를 활용해서 어떤 논의를 이어가는 경우가 많아요. 초반부의 정보만 잘 견디면 뒤에서 편해집니다.
④ **비교/대조** : 비교되는 대상이 나오면, '공통점'과 '차이점' 중심으로 읽어나가면 됩니다.

| 지문 내용 총정리 |

역시 과학·기술 지문의 정석과도 같은 지문이었습니다. '화제'와 '같은 말'을 중심으로 정보량을 줄여나가고, 이를 바탕으로 진짜 하고 싶은 말을 이해하는 방식. 익숙해지도록 합시다.

1문단

①디지털 통신 시스템은 송신기, 채널, 수신기로 구성되며, 전송할 데이터를 빠르고 정확하게 전달하기 위해 부호화 과정을 거쳐 전송한다. ②영상, 문자 등인 **데이터**는 기호 집합에 있는 기호들의 조합이다. ③예를 들어 기호 집합 {a, b, c, d, e, f}에서 기호들을 조합한 add, cab, beef 등이 데이터이다. ④**정보량**은 어떤 기호가 발생했다는 것을 알았을 때 얻는 정보의 크기이다. ⑤어떤 기호 집합에서 특정 기호의 발생 확률이 높으면 그 기호의 정보량은 적고, 발생 확률이 낮으면 그 기호의 정보량은 많다. ⑥기호 집합의 평균 정보량*을 **기호 집합의 엔트로피**라고 하는데 모든 기호들이 동일한 발생 확률을 가질 때 그 기호 집합의 엔트로피는 최댓값을 갖는다.

* 평균 정보량 : 각 기호의 발생 확률과 정보량을 서로 곱하여 모두 더한 것.

① #화제 제시 #단어의 의미 살리기

'디지털 통신 시스템'에 대해 설명하면서 시작하고 있습니다. 이는 '송신기, 채널, 수신기'로 구성된다고 해요. 어떠한 기술의 구성 요소는 지문 전개에서 핵심적인 역할을 하기 마련이니, 확실하게 체크할 수 있어야겠죠?

그런데 이는 '전송할 데이터'를 빠르고 정확하게 전달하기 위해, '부호화' 과정을 거친다고 합니다. 여기서 두 가지 생각을 할 수 있어야 합니다. 먼저 '디지털 통신 시스템'이라는 기술의 '목적'이 '데이터 전송'이라는 것입니다. 기술의 목적은 언제나 중요하게 다뤄지기에, 이를 확실하게 인식하고 넘어갈 수 있어야 합니다.

나아가 '부호화' 과정이 이 지문의 화제일 가능성이 높다는 생각을 할 수 있어야 합니다. 단어의 의미 그대로, '데이터'를 '부호'로 만드는 과정으로 보이네요. 이는 '빠르고 정확하게', 즉 '효율적'으로 기술의 목적을 달성하는 방법이니 중요할 수밖에 없을 것이에요.

②~④ #정의 제시 #사례-원리 연결
#단어의 의미 살리기

기술의 '목적'을 이루는 중요한 정보인 '데이터'가 정의되고 있습니다. 이는 '기호 집합에 있는 기호들의 조합'이라고 해요. '기호'들을 조합하면 '데이터'가 된다는 것, 3번 문장의 사례를 통해서도 확실하게 이해할 수 있겠네요.

나아가 '정보량'이라는 개념의 정의도 체크가 되어야겠죠? 역시 단어의 의미 그대로, 어떤 기호가 발생했다는 것을 알았을 때 얻게 되는 '정보'의 '양=크기'가 그 정의입니다. 과학·기술 지문에서 초반부에 쏟아지는 수많은 정보들은 뒷내용을 이해하는 데 핵심적인 역할을 하니 확실하게 정리할 수 있어야 한다고 했어요! 속도를 줄이며 천천히 정의를 체크해주셔야 합니다.

⑤ #재진술

이해하기 어려운 내용이 제시되고 있습니다. 일단 팩트만 정확하게 체크해두고, 천천히 납득해 보도록 합시다. 특정한 기호의 '발생 확률'은 그 기호의 '정보량'에 반비례하는 모습입니다. 일단 '정보량'이라는 개념의 정의를 끌고 와서 납득을 시도해야겠죠? 이는 어떤 기호가 발생했다는 것을 알았을 때 얻게 되는 '정보'의 '양'입니다. 다시 말해서, 기호가 발생하면 그때서야 '얻게 되는', 즉 '추가로 알게 되는' 정보의 양이 바로 이 지문에서 말하는 '정보량'인 것이죠. 따라서 기호의 발생 확률이 높은 경우에는 여러 번 발생하여 해당 기호에 대한 정보를 많이 알고 있으니 '추가'되는 정보의 양이 적은 것이고, 발생 확률이 낮은 경우에는 해당 기호에 대해 알고 있는 정보가 적어 '추가'되는 정보의 양이 상대적으로 많다고 할 수 있는 겁니다.

어렵지만, '정보량'이라는 개념의 정의를 확실하게 체크했다면 충분히 납득할 수 있는 내용이에요. 실전에서 도저히 이해하지 못하겠다면 그냥 '반비례 관계'라는 팩트만 정리하고 가셔도 충분하겠지만, 납득한다면 지문 독해 및 문제 풀이에 있어 큰 메리트를 안고 갈 수 있겠죠? 연습할 때만이라도 '납득'을 시도하며 '생각의 힘'을 키워보도록 합시다.

| 생각 심화 |

조금만 더 생각해보면, 애초에 자주 발생하는 기호의 정보량이 작은 것이 더욱 '효율적'입니다. 기술은 기본적으로 '효율적'인 방향을 추구한다고 했어요. 그런데 자주 발생하는 기호의 '정보량'이 매우 크다고 생각해 봅시다. 발생할 때마다 엄청난 정보량을 추가하게 되는 것이죠. 이는 굉장히 '비효율적'이라고 할 수 있겠죠? 하나의 '디지털 통신 시스템'에 할당된 정보의 용량은 한정적일 테니까요. 따라서 전체 기호에 할당할 수 있는 정보량이 한정되어 있다면, 자주 발생하는 기호는 정보량이 적고 가끔 발생하는 기호는 정보량이 상대적으로 높은 것이 효율적이겠네요.

놀랍게도 이는 처음 출제된 메커니즘이 아닙니다. 아래 기출 지문을 볼까요?

> 이때 자주 나오는 값일수록 더 짧은 코드로 변환하여 저장하면, 데이터 값을 그대로 저장할 때보다 저장하는 양을 크게 줄일 수 있다. (2009학년도 수능)

자주 나오는 값, 즉 '발생 확률이 높은 값'은 더 짧은 코드, 즉 '더 작은 정보량'을 가지는 것으로 변환하여 저장하면 '저장하는 양'을 크게 줄일 수 있다고 서술되어 있습니다. 이는 훨씬 더 '효율적'인 방향이라고 할 수 있겠죠?

이렇게 지문에 제시된 '정의'를 바탕으로 이해하는 것 외에도, 기술에서는 '효율성'을 추구한다는 일반적인 원리를 익히도록 합시다. 자주 반복되는 메커니즘이니까요.

⑥ #수식된 정의 제시 #재진술

아무튼, 이때 '기호 집합의 평균 정보량'을 '기호 집합의 엔트로피'라고 부릅니다. 역시 초반부에 제시된 정보이니 확실하게 정의를 체크해주셔야겠죠? 나아가 앞 문장의 내용을 바탕으로, '평균 정보량=어떤 기호가 발생했을 때 평균적으로 추가되는 정보의 양'으로 재진술할 수 있어야 합니다. 계속해서 정의를 엮어줄 수 있어야 해요!

그런데 모든 기호들이 동일한 '발생 확률'을 가질 때, 그 '기호 집합의 엔트로피=기호 집합의 평균 정보량'은 최댓값을 가진다고 합니다. 5번 문장의 내용을 끌어오면, '발생 확률'과 '정보량'은 반비례 관계입니다. 따라서 '발생 확률'이 같다면, '정보량'도 모두 같다고 할 수 있겠죠? 이 경우 각 기호의 '정보량'이 이들의 '평균 정보량'과 같은 값이 되고, 결국 엔트로피는 '최댓값'이 되는 것이네요. 완벽하게 이해하기는 어려워도, '그렇겠지 뭐'라는 생각으로 억지로라도 납득하고 갑시다.

여기서 중요한 것은, 지금 우리가 읽고 있는 모든 정보들이 '효율적인 데이터 전송'이라는 목적 달성에 필요한 과정인 '부호화'를 이해하기 위해 필요한 배경지식이라는 점입니다. 과학 · 기술 지문은 초반부에 쏟아지는 정보량을 감당할 수 있어야 한다고 했어요. 시간을 써서라도 앞부분 독해가 제대로 이루어져야 합니다!

하이라이트 문장

> ①디지털 통신 시스템은 송신기, 채널, 수신기로 구성되며, 전송할 데이터를 빠르고 정확하게 전달하기 위해 부호화 과정을 거쳐 전송한다.

기술의 구성 요소와 목적 모두 생각할 것을 요구하는 문장이네요. 나아가 '부호화' 과정이라는 화제까지 확실하게 인식할 수 있어야겠

죠? '부호화'라는 과정을 통해 어떻게 '효율적 데이터 전송'이라는 목적을 달성하는지 궁금해하면서 읽을 수 있어야 합니다!

2문단

> ①송신기에서는 소스 부호화, 채널 부호화, 선 부호화를 거쳐 기호를 부호로 변환한다. ②소스 부호화는 데이터를 압축하기 위해 기호를 0과 1로 이루어진 부호로 변환하는 과정이다. ③어떤 기호가 110과 같은 부호로 변환되었을 때 0 또는 1을 비트라고 하며 이 부호의 비트 수는 3이다. ④이때 기호 집합의 엔트로피는 기호 집합에 있는 기호를 부호로 표현하는 데 필요한 평균 비트 수의 최솟값이다. ⑤전송된 부호를 수신기에서 원래의 기호로 복원하려면 부호들의 평균 비트 수가 기호 집합의 엔트로피보다 크거나 같아야 한다. ⑥기호 집합을 엔트로피에 최대한 가까운 평균 비트 수를 갖는 부호들로 변환하는 것을 엔트로피 부호화라 한다. ⑦그중 하나인 '허프만 부호화'에서는 발생 확률이 높은 기호에는 비트 수가 적은 부호를, 발생 확률이 낮은 기호에는 비트 수가 많은 부호를 할당한다.

① #재진술 #카테고리 나누기 #정의 제시 #단어의 의미 살리기

'송신기'의 역할을 서술하고 있습니다. '송신기'는 이 지문의 주인공인 '디지털 통신 시스템'을 구성하는 요소였어요. 이를 확실하게 인지할 수 있어야겠죠? 그러면서 '소스 부호화', '채널 부호화', '선 부호화'라는 세 가지 '부호화' 과정이 제시될 것이라는 점을 생각할 수 있어야 합니다. 이 지문의 핵심은 누가 뭐라 해도 '부호화'였는데, 이러한 '부호화'는 세 가지 과정을 거치는 것이에요! 각각의 카테고리에 맞춰 정보가 제시될 것임을 생각할 수 있어야겠죠?

나아가, '부호화'의 정의가 단어의 의미 그대로 '기호'를 '부호'로 '변환'하는 것임을 생각할 수 있어야 합니다. 워낙에 중요한 정보이니, 그 정의를 확실하게 체크하고 넘어가야 해요.

②~③ #정의 제시 #재진술

먼저 '소스 부호화'를 정의하고 있습니다. '데이터 압축'을 위해 '기호'를 '부호'로 변환하는 과정이에요. 여기서 '데이터 압축'은 1문단에서부터 이야기하던 '효율적 데이터 전송'을 위한 방법이라고 할 수 있겠죠? 다 같은 말로 연결되어 있는 모습입니다! 아무튼, '부호화'의 정의로 제시되었던 '기호→부호'의 과정이 곧 '소스 부호화' 과정인 것입니다.

이때, '부호'가 0과 1로 이루어진 것임을 생각할 수 있어야 합니다. '기호'는 1문단에서 설명한 것처럼 a, b, c와 같은 수많은 문자들의 조합으로 이루어진 것인데, 이를 0과 1이라는 단순한 숫자로 변환하니 데이터 '압축'이라고 부를 수 있는 것이죠!

나아가 3번 문장을 통해 '비트'와 '비트 수'라는 개념의 정의도 체크할 수 있어야 합니다. '기호 집합의 조합'이 '데이터'였던 것처럼, '비트의 조합'이 '부호'인 것이에요! 아직 초반부이니만큼, 주어진 정보들을 최선을 다해서 납득하고 정리해야 합니다.

④ #정의 제시 #재진술

이때 '기호 집합의 엔트로피'가 정의되고 있습니다. 아니 그런데 이 개념은 분명 1문단에서 '기호 집합의 평균 정보량'으로 정의된 것 아닌가요? 그런데 여기서는 '기호를 부호로 표현하는 데 필요한 평균 비트 수의 최솟값'으로 정의되어 있습니다. 그렇다면 두 정의가 '같은 말'이라는 의미겠죠? 확실하게 납득하여 정보량을 줄여봅시다.

일단 '정보량'이라는 개념은 어떤 기호가 발생했을 때 추가로 얻게되는 '정보'의 '양'입니다. 다시 말해, 해당 기호가 품고 있는 정보의 양에 해당하는 것이죠. 그런데 '비트 수'는 어떤 기호를 부호로 변환했을 때 그 부호를 구성하는 숫자의 개수예요. 특정한 정보량을 가진 기호를 부호로 표현하려면, 그 정보량과 비슷한 정도의 비트 수가 필요하겠죠? 정보량이 엄청나게 많은데 비트 수가 너무 적다면, 그 정보를 부호로 표현하는 게 어려울 것이니까요. 지문의 정보만으로 엄밀하게 납득하는 것은 불가능하기 때문에, 이 정도로 '그렇겠지 뭐~' 정도의 느낌만 잡아주시면 되겠습니다.

중요한 것은, '기호 집합의 평균 정보량=기호를 부호로 표현하는 데 필요한 평균 비트 수의 최솟값'이라는 재진술을 인식하는 것입니다. 반복되는 단어가 나오면 끌고 내려와서 정보량을 줄일 수 있어야 해요!

⑤ #재진술

이렇게 '부호화'를 통해 '데이터 전송'을 하면, '수신기'가 그 부호를 수신할 것입니다. 이때 '수신기' 역시 '디지털 통신 시스템'을 구성하는 요소였다는 건 잊지 않고 있죠? 보내는 곳(송신기)이 있다면, 받는 곳(수신기)이 있어야 한다는 건 너무나 당연해요!

아무튼, 이렇게 '수신기'에서 부호를 수신하면 그것을 다시 기호로 복원해야 합니다. '부호화'는 '전송'을 위한 것이기에, 어떤 정보인지를 정확히 확인하려면 원래 형태로 바꾸는 과정이 필요한 것이죠. 여기까지는 납득이 되는데, 이를 위해서는 '부호들의 평균 비트 수'가 '기호 집합의 엔트로피'보다 크거나 같아야 한다고 합니다.

어렵습니다. 천천히 이해해봅시다. 앞에서 분명 '기호 집합의 엔트로피'는 '기호를 부호로 표현하는 데 필요한 평균 비트 수의 최솟값'이

라고 했습니다. 즉, '부호화'라는 작업을 위해 필요한 '재료 개수의 최솟값'에 해당하는 것이죠. 이는 전체적인 재료의 개수, 즉 '부호들의 평균 비트 수'보다 당연히 적어야 할 것입니다. 최소한 같아야 하는 것이죠. 만약 전체적인 재료의 개수보다 필요한 재료의 개수가 더 많다면 해당 작업을 제대로 할 수 없으니까요! 개념의 '정의'를 끌고 내려와서 상식적인 사고만 더 해주면 충분히 납득할 수 있습니다.

⑥ #수식된 정의 제시 #단어의 의미 살리기

이번엔 '엔트로피 부호화'라는 정보가 수식되어 정의되고 있습니다. 일단 확실하게 정의를 체크해봅시다. 기호 집합을 '엔트로피'에 최대한 가까운 평균 비트 수를 갖는 부호들로 변환하는 것입니다. '기호'를 '부호'로 변환하는 것이기에 '소스 부호화'의 일종인 것이고, '엔트로피'를 고려하기에 '엔트로피' 부호화라고 부르는 것이네요.

어쨌든, 이 정의가 가진 의미는 무엇일까요? 계속 반복하지만, '엔트로피'는 '기호를 부호로 변환하는 데 필요한 평균 비트 수의 최솟값'입니다. 여기에 최대한 가까운 평균 비트 수라는 것은 '최솟값'에 가장 가깝다는 뜻이기에, '엔트로피 부호화'는 결국 '최소한의 비트 수'로 '부호화'를 하는 과정인 것입니다. 다시 말해, '효율적'으로 부호화를 하는 과정이었다는 것이죠! 정말 어렵지만, 재진술된 내용을 최대한 끌고 오며 이해할 수 있었습니다.

⑦ #정의 제시 #재진술 #화제의 흐름

끝나질 않습니다. 이러한 '엔트로피 부호화' 중에는 '허프만 부호화'라는 것이 있다고 해요. 이는 '기호의 발생 확률'과 '비트 수'가 반비례하게끔 할당하여 '부호화'를 하는 방법입니다. 여기서 '기호의 발생 확률'을 보자마자 1문단에서 납득했던 정보가 떠올라야 합니다. '기호의 발생 확률'은 '정보량'과 반비례하는 내용이었어요. 그런데 우리는 4번 문장에서 '정보량'이 결국 '비트 수'와 비슷해야 한다는 것을 납득한 상태였습니다. 따라서 '기호의 발생 확률'에 따라 달라지는 '정보량'에 맞춰 '비트 수'를 맞춰 줘야 하는 것이었어요.

이렇게 되면 '기호를 부호로 변환하는 데 필요한 평균 비트 수의 최솟값'에 가깝게, 즉 '효율적'으로 '부호화'라는 과정을 수행할 수 있는 것입니다! '정보량'에 '비트 수'를 맞춰 주지 않으면, 필요한 것보다 더 많은 비트 수를 할당하게 되어 낭비가 되거나 필요한 것에 비해 비트 수가 부족해 부호화 자체가 불가능한 문제가 생길 수 있으니까요.

이렇게 '소스 부호화'라는 과정은 '기호'를 '부호'로 변환하는 것이었습니다. 이것 자체가 '부호화'인데, '채널 부호화'와 '선 부호화'는 무엇을 하는 과정일까요? 궁금증을 가진 채로 계속 읽어보도록 합시다.

| 생각 심화 |

인간적으로 1~2문단의 내용이 너무나 어렵습니다. 솔직히 일반적인 고3 학생이 시험장에서 위의 생각들을 온전하게 하는 것은 불가능하다고 생각해요.

이렇게 출제된 이유는, 당시의 EBS 연계교재에 '부호화'와 관련된 내용이 자세히 서술되어 있었기 때문이라고 추측할 수 있어요. EBS 연계교재에 제시된 내용들은 지나치게 불친절하게 출제하는 경향을 보이는 것이 현실이거든요.

하지만 그렇다고 EBS 연계교재를 달달 외우겠다는 결론을 낼 필요는 없어요. 이 지문은 2018학년도 수능의 역할을 하면서도, 그 이후 시험을 대비하기 위한 '기출문제' 역할을 해야 하기 때문이에요. 즉, 평가원 입장에서는 이렇게 불친절하고 어렵게 출제하더라도 '부호화'와 관련된 배경지식이 전혀 없는 학생들이 답을 내지 못하게 할 수는 없다는 겁니다. 해당 EBS 교재의 내용을 보지 않았다고 답을 낼 수 없게 되면, 이 '기출문제'만을 가지고 공부하는 것이 불가능하게 되니까요.

따라서 위의 해설처럼 생각하지 못했다고 해서 낙심할 필요가 없는 것이에요. 어떻게 보면 당연한 것이니까요. 만약 실전에서도 이렇게 나의 '생각의 힘'으로 도저히 이해할 수 없는 내용이 제시된다면 모두가 이해하지 못했을 것이라 믿고, '있는 그대로' 받아들이는 태도를 갖추도록 합시다. '기호 집합의 엔트로피'의 정의가 반복된다는 점, '송신기'와 '수신기' 등 기술의 구성 요소가 반복되어 제시되고 있다는 점 등 필수적인 생각들만 해 주셔도 답은 충분히 골라낼 수 있을 가능성이 높으니까요. 공부할 때는 이렇게 최대한 '납득'하는 연습을 해야 하지만, 시험장에서 플랜B를 만들어 두는 것도 매우 중요해요.

하이라이트 문장

> ①송신기에서는 소스 부호화, 채널 부호화, 선 부호화를 거쳐 기호를 부호로 변환한다.

지문 흐름이 '소스→채널→선'으로 이어질 것이라는 예측을 할 수 있어야 합니다. 이렇게 지문의 구조를 예측할 수 있게 해 주는, 일종의 '카테고리를 만드는 분상'은 항상 중요하게 인식해 주세요!

3문단

①채널 부호화는 오류를 검출하고 정정하기 위하여 부호에 잉여 정보를 추가하는 과정이다. ②송신기에서 부호를 전송하면 채널의 잡음으로 인해 오류가 발생하는데 이 문제를 해결하기 위해 잉여 정보를 덧붙여 전송한다. ③채널 부호화 중 하나인 '삼중 반복 부호화'는 0과 1을 각각 000과 111로 부호화한다. ④이때 수신기에서는 수신한 부호에 0이 과반수인 경우에는 0으로 판단하고, 1이 과반수인 경우에는 1로 판단한다. ⑤즉 수신기에서 수신된 부호가 000, 001, 010, 100 중 하나라면 0으로 판단하고, 그 이외에는 1로 판단한다. ⑥이렇게 하면 000을 전송했을 때 하나의 비트에서 오류가 생겨 001을 수신해도 0으로 판단하므로 오류는 정정된다. ⑦채널 부호화를 하기 전 부호의 비트 수를, 채널 부호화를 한 후 부호의 비트 수로 나눈 것을 부호율이라 한다. ⑧삼중 반복 부호화의 부호율은 약 0.33이다.

①~② #카테고리 나누기 #정의 제시 #재진술

이렇게 '소스 부호화'를 한 뒤, '채널 부호화'를 하게 됩니다. 이때 '채널' 역시 '디지털 통신 시스템'의 구성 요소였다는 것, 기억하고 계시죠? '채널 부호화'는 '채널의 잡음'으로 인해 발생하는 '오류'를 '검출'하고 '정정'하는 것인데, 이를 위해 '잉여 정보'를 추가한다고 해요. '잉여 정보 추가'가 어떻게 '오류 검출·정정'이라는 역할을 하는 것인지 궁금해하며 읽어 봅시다.

③~⑥ #정의 제시 #단어의 의미 살리기
#사례-원리 연결

이러한 '채널 부호화'에는 '삼중 반복 부호화'가 있는데, 이는 0과 1을 각각 000과 111로 부호화하는 것이라고 해요. 이때 추가로 붙은 00 혹은 11이 바로 '잉여 정보'가 되는 것이네요. 이렇게 '송신기'에서 부호화를 한 뒤 '수신기'로 보내게 되는데, 이 경우 '수신기'는 0과 1 중 과반수인 숫자로 해당 부호를 판단하게 됩니다. 이렇게 되면 하나의 숫자에 오류가 생겨도 '과반수' 조건이 유지되기에, 원래의 부호가 올바르게 전송될 수 있는 것이네요. 이것이 바로 '잉여 정보'를 활용한 '오류 검출·정정'의 과정이었던 것입니다. 어렵지 않게 납득할 수 있겠죠?

⑦~⑧ #수식된 정의 제시 #단어의 의미 살리기

이렇게 '채널 부호화'를 하면 '잉여 정보'가 추가되기에, '채널 부호화를 하기 전'의 비트 수는 '채널 부호화를 한 후'의 비트 수보다 적을 수밖에 없습니다. 이를 비율로 나타낸 것을 '부호율'이라고 하네요. 단어의 의미 그대로, '부호'의 상대적인 비'율' 정도로 생각할 수 있겠습니다. 이를 정리하면, '삼중 반복 부호화'의 '부호율'이 '1/3=0.33'임을 쉽게 납득할 수 있겠죠? '소스 부호화'에 비해 훨씬 이해하기가 쉽네요. 이제 마지막 '선 부호화'에 대해서만 정리하면 되겠죠?

하이라이트 문장

> ③채널 부호화 중 하나인 '삼중 반복 부호화'는 0과 1을 각각 000과 111로 부호화한다. 이때 수신기에서는 수신한 부호에 0이 과반수인 경우에는 0으로 판단하고, 1이 과반수인 경우에는 1로 판단한다.

'채널 부호화'의 정의만 읽었을 때는 이해하지 못했던 내용을 '삼중 반복 부호화'라는 '구체적인' 사례를 통해서 이해할 수 있게 됩니다. 이렇게 사례가 나오면 우리가 이해하지 못했던 개념을 이해할 수 있게 됩니다. 이처럼 '사례-원리 연결'은 강력한 생각의 도구입니다. 2문단과 달리 3문단의 내용은 쉽게 이해할 수 있는 것도 여기에 있는 것이에요. '사례'에 민감하게 반응하는 태도를 갖출 수 있어야겠죠?

4문단

> ①채널 부호화를 거친 부호들을 채널을 통해 전송하려면 부호들을 전기 신호로 변환해야 한다. ②0 또는 1에 해당하는 전기 신호의 전압을 결정하는 과정이 선 부호화이다. ③전압의 결정 방법은 선 부호화 방식에 따라 다르다. ④선 부호화 중 하나인 **차동 부호화**는 부호의 비트가 0이면 전압을 유지하고 1이면 전압을 변화시킨다. ⑤차동 부호화를 시작할 때는 기준 신호가 필요하다. ⑥예를 들어 차동 부호화 직전의 기준 신호가 양(+)의 전압이라면 부호 0110은 '양, 음, 양, 양'의 전압을 갖는 전기 신호로 변환된다. ⑦**수신기**에서는 송신기와 동일한 기준 신호를 사용하여, 전압의 변화가 있으면 1로 판단하고 변화가 없으면 0으로 판단한다.

①~③ #화제의 흐름 #수식된 정의 제시 #카테고리 나누기

이렇게 '잉여 정보'를 추가한 부호들을 '채널'을 통해 전송하려면 이를 '전기 신호'로 변환해야 한다고 합니다. 일단 여기서 '채널'의 역할이 언급되었다는 것을 인지해야 합니다. '채널을 통해 전송'한다고 했으니, '채널'은 '데이터 전송의 통로' 역할을 하는 것이죠. 충분히 선지화될 수 있는 내용이니, 이런 부분에 주목할 수 있어야겠죠?

어쨌든, 부호를 '전기 신호'로 변화하는 과정이 필요하고, 이때의 '전압을 결정'하는 과정이 바로 '선 부호화'라고 합니다. 2문단에서 체크한 세 가지의 '부호화' 중 마지막 과정이니, 그 정의를 확실하게 체크할 수 있어야겠죠? 이때 '전압'을 결정하는 방법은 '선 부호화'의 방식에 따라 다르다고 합니다. 당연한 말로 보이는데, 어떻게 다른지 알아보러 갑시다.

④~⑥ #정의 제시 #사례-원리 연결

이러한 '선 부호화' 중에는 '차동 부호화'라는 방식이 있습니다. 이는 부호의 비트에 따라 전압의 변화 여부를 결정하는 것인데, '기준 신호'가 필요하다고 해요. 6번 문장에 제시된 '사례'를 활용해서 확실하게 납득해야겠죠? '기준 신호'가 양(+)의 전압인 경우, 부호 0110이 제시되면 전압을 '유지, 변화, 변화, 유지'해야 합니다. 따라서 '양, 음, 양, 양'이 되는 것이죠! 어렵지 않게 이해할 수 있을 것 같아요.

'소스 부호화' 때와는 다르게 다양한 사례로 이해를 돕는 모습이죠? 문제에서는 결국 이런 부분들이 어렵게 나올 것입니다. 충분히 이해시켜줬다면, 문제를 어렵게 낼 명분이 되는 것이니까요.

⑦ #재진술

이번에도 '수신기'의 역할이 제시되고 있습니다. 모든 부호화 과정에서 '수신기'의 역할을 언급하고 있다는 것은, '디지털 통신 시스템'의 구성 요소들 하나하나가 중요하다는 의미가 되기도 하겠죠? 확실하게 인식할 수 있어야 해요!

아무튼, '수신기'에서도 같은 기준을 적용하여서, 변화가 있으면 1로, 없으면 0으로 판단한다고 합니다. 즉, 앞의 사례를 그대로 들고 오면 '양, 음, 양, 양'을 '유지, 변화, 변화, 유지'로 판단하고 이를 '0, 1, 1, 0'이라는 부호로 판단한다는 것이죠! 이 부호를 다시 '기호'로 복원하면 비로소 '데이터 전달'이라는 목적이 달성되는 것입니다.

하이라이트 문장

> ①채널 부호화를 거친 부호들을 채널을 통해 전송하려면 부호들을 전기 신호로 변환해야 한다.

'전기 신호 변환'이 '선 부호화'와 관련될 것이라는 생각을 하는 것은 기본이고, '채널'이 '데이터 전송의 통로' 역할을 한다는 것을 파악할 수 있어야 합니다. 중요 개념의 정의는 확실하게 체크할 수 있어야 해요!

선지	①	②	③	④	⑤
선택률	9%	62%	10%	12%	7%

09 윗글에서 알 수 있는 내용으로 적절한 것은? ②

① 영상 데이터는 채널 부호화 과정에서 압축된다.

명시적 근거	2문단 2번 문장, 3문단 1번 문장
실전에서의 판단 과정	데이터 압축은 소스 부호화에서 하는 것이지.
해설	'데이터 압축'은 '소스 부호화'에서 하는 것이었습니다. '채널 부호화'는 '오류 검출·정정'을 위해 '잉여 정보'를 추가하는 과정이었죠? 각 부호화의 정의 정도는 머릿속에 확실하게 정리했어야 합니다.

② 수신기에는 부호를 기호로 복원하는 기능이 있다.

명시적 근거	2문단 5번 문장
실전에서의 판단 과정	당연히 이런 기능이 있어야지.
해설	'수신기'라는 구성 요소의 역할을 생각하며 읽지 않았다면 기억하기 힘든 정보입니다. 애초에 '부호화'는 '데이터 전달'이라는 목적을 '효율적'으로 달성하기 위해 '기호들의 조합'인 데이터를 '부호'로 바꾼 것입니다. 따라서 '수신기'가 부호를 수신하면, 이것이 원래 어떤 데이터(=기호들의 조합)였는지 복원하는 기능은 반드시 필요하겠죠.

이렇게 판단할 수 있어야 합니다. 기술의 목적 및 |

③ 잉여 정보는 데이터를 압축하기 위해 추가한 정보이다.

명시적 근거	2문단 2번 문장, 3문단 1번 문장
실전에서의 판단 과정	오류 검출하려고 추가하는 건데?
해설	'잉여 정보'는 '오류 검출·정정'을 위해 '채널 부호화' 단계에서 추가하는 것이었습니다. '데이터 압축'은 1번 선지에서 확인했듯이 '소스 부호화' 과정에서 기호를 부호로 변환하는 과정이었구요. 이 정도는 확실하게 기억하고 있죠? 이러한 생각의 흐름을 통해 선지 판단의 속도를 높여야 합니다!

④ 영상을 전송할 때는 잡음으로 인한 오류가 발생하지 않는다.

명시적 근거	3문단 2번 문장
실전에서의 판단 과정	영상이 예외라고 한 적은 없는데?
해설	기본적으로 '송신기'에서 '부호'를 전송하면 '채널'의 잡음으로 인해 오류가 발생할 수 있다고 했습니다. 영상이든 음성이든, 지문에서 따로 예외를 제시하지 않았기에 영상의 경우에는 오류가 발생하지 않는다고 할 수 없겠죠.

⑤ 소스 부호화는 전송할 기호에 정보를 추가하여 오류에 대비하는 과정이다.

명시적 근거	2문단 2번 문장, 3문단 1번 문장
실전에서의 판단 과정	이건 채널 부호화라니까!
해설	똑같은 것만 묻고 있습니다. '정보 추가'를 통해 '오류'에 대비하는 것은 '채널 부호화'였어요.

선지	①	②	③	④	⑤
선택률	6%	51%	14%	18%	11%

10 윗글을 바탕으로, 2가지 기호로 이루어진 기호 집합에 대해 이해한 내용으로 적절하지 <u>않은</u> 것은? ②

– 발문이 독특합니다. 문제의 상황을 확실하게 정리해야 해요. '2가지 기호'로 이루어진 기호 집합의 상황입니다. 이를 놓치지 않고 선지 판단해보도록 합시다.

① 기호들의 발생 확률이 모두 1/2인 경우, 각 기호의 정보량은 동일하다.

명시적 근거	1문단 5번~6번 문장
실전에서의 판단 과정	발생 확률이 같으면 정보량도 같겠지.
해설	'기호들의 발생 확률'은 '기호의 정보량'과 반비례하는 정보였습니다. 이를 바탕으로, '발생 확률'이 같을 때 모든 기호들의 '정보량'이 같아지기에 '평균 정보량'이 최대가 된다는 것을 납득했었죠? 가볍게 맞는 선지로 처리할 수 있겠네요.

② 기호들의 발생 확률이 각각 1/4, 3/4인 경우의 평균 정보량이 최댓값이다.

명시적 근거	1문단 6번 문장
실전에서의 판단 과정	발생 확률이 같아야 최댓값이었지.
해설	'평균 정보량'은 '기호 집합의 엔트로피'의 정의였습니다. 이는 '기호들의 발생 확률'이 같을 때 '최댓값'이 된다고 했었죠? 이 선지는 '발생 확률'이 서로 다른 상황을 이야기하고 있으니, 가볍게 틀린 선지로 판단할 수 있겠습니다. '기호 집합의 엔트로피'라는 주요 개념의 정의를 정확하게 체크할 것을 요구하는 선지였어요.

③ 기호들의 발생 확률이 각각 1/4, 3/4인 경우, 기호의 정보량이 더 많은 것은 발생 확률이 1/4인 기호이다.

명시적 근거	1문단 5번 문장
실전에서의 판단 과정	발생 확률과 정보량은 반비례했었지.
해설	'기호들의 발생 확률'과 '기호의 정보량'이 반비례한다는 것, 완벽하게 납득한 내용이었죠? 어렵지 않게 지울 수 있습니다.

④ 기호들의 발생 확률이 모두 1/2인 경우, 기호를 부호화하는 데 필요한 평균 비트 수의 최솟값이 최대가 된다.

명시적 근거	1문단 6번 문장
실전에서의 판단 과정	발생 확률이 같으면 엔트로피도 최대가 되지.
해설	'기호들의 발생 확률'이 동일한 상황입니다. 이는 '기호 집합의 엔트로피'가 최대가 되는 상황인데, '기호를 부호화하는 데 필요한 평균 비트 수의 최솟값'은 '기호 집합의 엔트로피'의 또 다른 정의였죠? 1문단과 2문단에 제시된 '기호 집합의 엔트로피'라는 개념의 정의를 정확하게 체크하는 것이 정말 중요했네요.

⑤ 기호들의 발생 확률이 각각 1/4, 3/4인 기호 집합의 엔트로피는 발생 확률이 각각 3/4, 1/4인 기호 집합의 엔트로피와 같다.

명시적 근거	1문단 5번~6번 문장
실전에서의 판단 과정	발생 확률이 같으면 평균적인 정보량도 같겠지.
해설	두 집합에 속한 '기호들의 발생 확률'은 그 순서만 다를 뿐, 1/4, 3/4로 같은 상황입니다. 따라서 같은 '발생 확률'을 가진 기호들끼리는 같은 '정보량'을 가지겠네요. 이 경우 '평균 정보량'을 의미하는 '기호 집합의 엔트로피'도 같을 겁니다. 두 집합의 '평균'을 내면 같을 것이니까요.

선지	①	②	③	④	⑤
선택률	22%	19%	10%	12%	37%

11 윗글의 '부호화'에 대한 내용으로 적절한 것은? ⑤

① 선 부호화에서는 수신기에서 부호를 전기 신호로 변환한다.

명시적 근거	2문단 1번 문장
실전에서의 판단 과정	부호화는 송신기에서 하는 것이지.
해설	'선 부호화'를 비롯한 모든 '부호화'는 '송신기'에서 일어나는 과정입니다. 애초에 '부호화'라는 것이 '송신'을 효율적으로 하기 위한 것이므로, '수신기'에서 진행할 이유가 전혀 없는 것이죠. 선지에서 '수신기'와 관련된 내용을 언급하고 있다는 것을 확실하게 생각할 수 있어야 합니다.

Q 선 부호화가 부호를 '전기 신호로 변환'한다는 선지의 서술은 맞는 말인가요? 지문에는 '선 부호화'가 전기 신호의 '전압을 결정'하는 과정이라고 했는데, 전기 신호의 '전압 결정'이 전기 신호로 '변환'하는 것과 같다고 판단할 수 있나요?

A '선 부호화'와 관련된 정보를 제시하는 마지막 문단의 첫 문장을 살펴봅시다. 〈채널 부호화를 거친 부호들을 채널을 통해 전송하려면 부호들을 '전기 신호로 변환'해야 한다.〉라고 적혀 있습니다. 그 후에 '선 부호화'에 대해 전기 신호의 '전압을 결정'하는 과정이라고 설명하고 있어요. 따라서 지문의 맥락상 '전기 신호로 변환'해야 하는데 그 과정에서 필요한 것이 '선 부호화'이고, 이때 전기 신호의 '전압을 결정'하는 것이니 충분히 〈전기 신호의 전압 결정=전기 신호로 변환〉이라고 판단할 수 있습니다. 결국 모두 '선 부호화'의 역할을 의미한다는 것이죠!

② 허프만 부호화에서는 정보량이 많은 기호에 상대적으로 비트 수가 적은 부호를 할당한다.

명시적 근거	1문단 5번 문장, 2문단 7번 문장
실전에서의 판단 과정	정보량과 비트 수는 함께 가는 것이었지.
해설	2문단의 내용을 납득하면서, '정보량'에 맞게 '비트 수'가 조절되어야 한다는 정보를 얻었습니다. 따라서 '허프만 부호화'를 할 때는 '정보량'이 많은 기호에 '비트 수'가 많은 부호를 할당해야겠죠. 이렇게 납득해서 해결하는 게 가장 이상적이지만, 어렵다면 '정보량'과 '비트 수'의 연결고리인 '기호 집합의 발생 확률'을 떠올려서 해결하셔도 됩니다. 둘 모두 '기호 집합의 발생 확률'과 반비례하는 정보였으니까요.

③ 채널 부호화를 거친 부호들은 채널로 전송하기 전에 잉여 정보를 제거한 후 선 부호화한다.

명시적 근거	3문단 1번~2번 문장
실전에서의 판단 과정	잉여 정보가 있어야 오류 검출·정정이 되지.
해설	'잉여 정보'는 '오류 검출·정정'을 위해 꼭 필요한 정보였습니다. 이를 제거한 후 채널로 전송하면 '채널 부호화' 자체를 안 하겠다는 것과 마찬가지가 되겠죠? 너무나 당연하게 지울 수 있어야 합니다.

④ 채널 부호화 과정에서 부호에 일정 수 이상의 잉여 정보를 추가하면 부호율은 1보다 커진다.

명시적 근거	3문단 7번~8번 문장
실전에서의 판단 과정	잉여 정보를 추가하면 분모가 더 커지는 건데?
해설	'부호율'의 정의를 '삼중 반복 부호화'의 사례를 통해 확실하게 이해했다면 어렵지 않게 지울 수 있는 선지입니다. '부호율'은 '채널 부호화 이전의 비트 수'를 '이후의 비트 수'로 나눈 값이기에, '잉여 정보'를 추가하여 '이후의 비트 수'를 늘리면 분모의 값이 커져 전체적인 값이 작아지게 됩니다. 이러면 계속해서 1로부터 멀어지겠죠.

⑤ 삼중 반복 부호화를 이용하여 0을 부호화한 경우, 수신된 부호에서 두 개의 비트에 오류가 있으면 오류는 정정되지 않는다.

명시적 근거	3문단 3번~6번 문장
실전에서의 판단 과정	두 개의 비트에 오류가 있으면 오류가 과반수가 되니까 정정되지 않지.
해설	'삼중 반복 부호화'가 일어나는 과정을 정확하게 이해해야 합니다. 이는 두 개의 '잉여 정보'를 추가하여 '수신기'가 과반수에 해당하는 비트를 해당 비트로 인식하게 하는 방법이었어요. 따라서 하나의 비트는 세 개의 비트로 표현되는데, 두 개의 비트에 오류가 생겨버리면 오류가 생긴 비트가 과반수가 되어 부호를 잘못 인식하는 문제가 발생하겠죠? 이렇게 사례를 들어주며 이해시킨 정보는 지문에 없는 상황까지 이용하며 어렵게 물어보는 모습입니다. 사례는 확실하게 이해하는 태도를 갖춰주셔야겠죠?

12 윗글을 바탕으로 〈보기〉를 이해한 내용으로 적절한 것은? [3점] ④

---[보기]---

날씨 데이터를 전송하려고 한다. 날씨는 '맑음', '흐림', '비', '눈'으로만 분류하며, 각 날씨의 발생 확률은 모두 같다. 엔트로피 부호화를 통해 '맑음', '흐림', '비', '눈'을 각각 00, 01, 10, 11의 부호로 바꾼다.

- '날씨'에 해당하는 기호 집합이 제시되어 있습니다. 여기서 각 날씨의 '발생 확률'이 모두 같다는 정보에 주목해야겠죠? 그렇다면 이들의 '발생 확률'은 모두 1/4이라고 할 수 있겠습니다. 자연스레 이들의 '정보량'이 모두 같을 것이고, 따라서 '평균 정보량=기호 집합의 엔트로피'가 최댓값이 될 것이라는 점을 생각할 수 있어야 합니다.

나아가, 각 날씨에는 '엔트로피 부호화'를 통해 부호가 배정되어 있네요. 이 내용들을 바탕으로 선지를 판단해봅시다.

① 기호 집합 {맑음, 흐림, 비, 눈}의 엔트로피는 2보다 크겠군.

명시적 근거	2문단 4번 문장, 〈보기〉
실전에서의 판단 과정	비트 수가 2개니까 최솟값은 아무리 커도 2보다 클 수는 없지.
해설	'기호 집합의 엔트로피'는 '평균 정보량=기호를 부호로 변환하는 데 필요한 평균 비트 수의 최솟값'이었습니다. 여기서는 '정보량'이 제시되지 않았으므로 '비트 수'를 따지는 게 합리적이겠죠? 각 날씨는 모두 '비트 수'가 2개인 부호로 변환되어 있으므로, 이들의 '평균 비트 수'는 2개입니다. 따라서 '평균 비트 수의 최솟값'이 아무리 커도 2보다 클 수는 없겠네요. '기호 집합의 엔트로피'라는 중요 개념의 두 가지 정의를 모두 생각하고 있는지, 그리고 〈보기〉에 제시된 내용이 '비트 수'라는 걸 생각하며 두 번째 정의를 끌고 올 수 있는지 등이 중요했네요.

② 엔트로피 부호화를 통해 4일 동안의 날씨 데이터 '흐림비맑음흐림'은 '01001001'로 바뀌겠군.

명시적 근거	〈보기〉
실전에서의 판단 과정	011000001이 되어야 하는데?
해설	'흐림'은 '01'이고, '비'는 '10'이며 '맑음'은 '00'입니다. 이를 조합하면 '01100001'이 되어야겠죠. 선지의 부호는 '흐림맑음비흐림'를 의미하네요.

③ 삼중 반복 부호화를 이용하여 전송한 특정 날씨의 부호를 '110001'과 '101100'으로 각각 수신하였다면 서로 다른 날씨로 판단하겠군.

명시적 근거	3문단 3번~6번 문장, 〈보기〉
실전에서의 판단 과정	과반수로 판단하면 10, 10이니까 같은 날씨네.
해설	'삼중 반복 부호화'는 특정 비트에 두 개의 잉여 정보를 추가하여 채널로 전송하는 과정입니다. 이를 받은 '수신기'는 각 비트를 세 개씩 끊어서 과반수에 해당하는 숫자를 해당 비트로 판단할 겁니다. 따라서 '110'은 '1'로, '001'은 '0'으로 판단할 것이니 '110001'은 '10=비'로 판단하고, '101100' 역시 같은 원리로 '10=비'로 판단할 것입니다. 사례를 들어 준 '삼중 반복 부호화'는 확실하게 이해하고 있을 것이라 가정한 선지들이 많이 보이죠?

④ 날씨 '비'를 삼중 반복 부호화와 차동 부호화를 이용하여 부호화하는 경우, 기준 신호가 양(+)의 전압이면 '음, 양, 음, 음, 음, 음'의 전압을 갖는 전기 신호로 변환되겠군.

명시적 근거	3문단 3번~6번 문장, 4문단 4번~7번 문장, 〈보기〉
실전에서의 판단 과정	해설과 동일
해설	먼저 날씨 '비'를 '삼중 반복 부호화'해야 합니다. '비'는 '10'이기 때문에, '삼중 반복 부호화'를 하면 '111000'으로 부호화될 것입니다. 여기에 차동 부호화를 이용하여 전압을 결정하는 경우, '변화, 변화, 변화, 유지, 유지, 유지'가 되겠죠? 기준 신호가 양(+)의 전압이라고 했으니, 결국 '음, 양, 음, 음, 음, 음'의 전압을 갖는 전기 신호로 변환되겠습니다. 선지와 정확히 같네요.

⑤ 삼중 반복 부호화와 차동 부호화를 이용하여 특정 날씨의 부호를 전송할 경우, 수신기에서 '음, 음, 음, 양, 양, 양'을 수신했다면 기준 신호가 양(+)의 전압일 때 '흐림'으로 판단하겠군.

명시적 근거	3문단 3번~6번 문장, 4문단 4번~7번 문장, 〈보기〉
실전에서의 판단 과정	해설과 동일
해설	4번 선지가 '송신기'의 역할이었다면, 5번 선지는 '수신기'의 역할을 다루고 있네요. 기준 신호가 양(+)의 전압인데 '음, 음, 음, 양, 양, 양'으로 수신되었다는 것은, '변화, 유지, 유지, 변화, 유지, 유지'의 방식으로 전압이 결정되었다는 것입니다. '1'일 때 변화시키고 '0'일 때는 유지하는 것이니, '수신기'가 수신한 부호는 '100100'이 되겠네요. '삼중 반복 부호화'를 사용할 때는 과반수에 해당하는 비트를 해당 비트로 인식하니, 결론적으로 '00'이라는 부호가 수신된 것으로 인식하겠습니다. 이는 '흐림'이 아니라 '맑음'에 해당하니 틀린 선지네요. 4번 선지와 5번 선지는 결국 사례를 이용하며 확실하게 이해시킨 '삼중 반복 부호화'와 '차동 부호화'에 대한 이해 정도를 묻는 것이었습니다. 사례를 바탕으로 확실하게 이해했다면 너무나 쉬운 문제가 되었을 것이고, 제대로 이해하지 못했다면 너무나 헷갈리는 어려운 문제가 되었을 것입니다. 여러분은 전자의 학생이었을 것이라고 믿어요.

선지	①	②	③	④	⑤
선택률	6%	11%	11%	67%	5%

13 문맥을 고려할 때, 밑줄 친 말이 ⓐ~ⓔ의 동음이의어가 아닌 것은? ④

① ⓐ: 공항에서 해외로 떠나는 친구를 전송(餞送)할 계획이다.

② ⓑ: 대중의 기호(嗜好)에 맞추어 상품을 개발한다.

③ ⓒ: 나는 가난하지만 귀족이나 부호(富豪)가 부럽지 않다.

④ ⓓ: 한번 금이 간 인간관계를 복원(復原)하기는 어렵다.

⑤ ⓔ: 이 작품은 그 화가의 오랜 노력의 결정(結晶)이다.

– 이 문제는 발문 때문에 실수한 학생들이 아주 많았던 문제예요. 발문에서 묻는 것이 무엇인지 확실하게 정리하고 가는 습관을 들이도록 합시다.

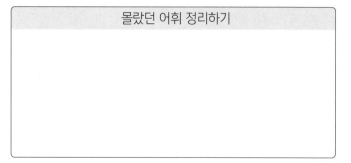

몰랐던 어휘 정리하기

| 핵심 point |

① **화제 check** : 독서 지문 독해의 처음이자 끝. 첫 문단에서 잡은 '화제의 틀'을 마지막 문단까지 놓지 않아야 합니다.

② **정의 인식** : 단어의 의미를 살린 상태로, 지문에 제시된 정의와 붙여서 이해할 수 있어야 합니다. 정의를 '기억'하는 게 아니라, '납득'해서 본인의 말로 정리할 수 있어야 해요.

③ **초반 정보 견디기** : 과학 · 기술 지문에서는 초반부에 정보를 잔뜩 던지고, 후반부에는 그 정보를 활용해서 어떤 논의를 이어가는 경우가 많아요. 초반부의 정보만 잘 견디면 뒤에서 편해집니다.

④ **재진술 인식** : 같은 말이라도 다르게 표현되는 경우가 많습니다. 심지어 아예 똑같은 말이 반복되는 경우도 많아요. 이 '같은 말'에 민감하게 반응하면, '정보량'을 줄이면서 읽을 수가 있습니다.

⑤ **사례-원리 연결** : 모든 사례는 어떠한 추상적인 원리를 구체화하는 역할을 합니다. 둘을 연결지으며 확실하게 이해하고 가는 태도가 중요합니다.

| 지문 내용 총정리 |

초반부에 정리한 정보를 바탕으로 뒷내용을 이해한다는 점에서는 아주 전형적인 과학 · 기술 지문이었지만, 그 '초반부'를 정리하는 게 굉장히 어려웠습니다. 다만 철저하게 지문의 내용만으로 이해하는 것이 불가능하지는 않다는 점에서, '생각의 힘'을 키우기에 아주 좋은 지문이라고 할 수 있어요. 스스로 이해할 때까지 몇 번이고 읽어보도록 합시다.

DAY 25 [14~16]
2013.11 [43~45] 기술 '음성 인식 기술' ☆☆☆☆

1문단

> ①음성 인식 기술은 컴퓨터가 사람이 말하는 소리를 인식하여 해당 문자열로 바꾸는 기술이다. ②사람의 말은 음소들의 시간적 배열로 볼 수 있다. ③컴퓨터는 각 단어의 음소들의 배열을 '기준 패턴'으로 미리 저장해 두고, 이를 입력된 음성에서 추출한 '입력 패턴'과 비교하여 단어를 인식한다.

① #정의 제시 #단어의 의미 살리기 #기술의 목적

'음성 인식 기술'에 대한 지문입니다. 단어의 의미를 살리면 그 정의를 쉽게 이해할 수 있습니다. 이러한 '기술'은 항상 그 목적을 생각하자고 했죠? '소리를 인식'하는 게 그 목적이에요! 이 목적에 맞춰서 정보를 정리해봅시다.

②~③ #과정 제시 #정의 제시
#단어의 의미 살리기

이 기술이 인식해야 하는 '사람의 말'은 '음소들의 시간적 배열'이라고 합니다. '음소'라는 어휘를 알고 있다면 충분히 납득할 수 있는 정보겠죠? 컴퓨터는 이러한 '음소들의 배열', 즉 '사람의 말'을 '기준/패턴'이라는 것으로 미리 저장해 둔다고 해요. 말 그대로 '기준'이 되는 '패턴'을 미리 저장해 두는 것이네요. 이렇게 단어의 의미를 살리면서 읽을 수 있어야 합니다!

이런 '기준/패턴'을 '입력'된 음성에서 추출한 '입력 패턴'과 '비교'한다고 합니다. '기준'이 되는 것을 '입력'된 것과 '비교'하여 '인식'한다! 어렵지 않게 납득할 수 있겠죠? 이 지문에 제시된 기술인 '음성 인식 기술'은 '기준과 입력의 비교'를 통해 목적을 달성합니다. 이 내용 머릿속에 넣어두고 계속해서 읽어봅시다.

| 생각 심화 |

이렇게 어떤 '기준'에 대해 '입력'값을 비교하여 오차를 구하거나, 그 오차를 바탕으로 정확도를 높이거나, 오차를 보정하거나 하는 과정은 수많은 기술에서 응용되는 메커니즘입니다. 이는 2016학년도 6월 모의평가 A형 '지문 인식 시스템' 관련 지문에서도 확인할 수 있어요. 스스로 확인해보도록 합시다!

하이라이트 문장

> ①음성 인식 기술은 컴퓨터가 사람이 말하는 소리를 인식하여 해당 문자열로 바꾸는 기술이다.

'음성 인식 기술'이라는 화제가 등장했네요! 아직 이 기술이 정확히 무엇인지는 몰라도 '음성'을 '인식'하는 '기술'에 대해 이해하려 한다는 목적의식은 정확히 가져야 합니다!

2문단

> ①음성을 인식하기 위해서 먼저 입력된 신호에서 잡음을 제거한 후 음성 신호만 추출한다. ②그런 다음 음성 신호를 하나의 음소로 판단되는 구간인 '음소 추정 구간'들의 배열로 바꾸어 준다. ③그런데 음성 신호를 음소 단위로 정확히 나누는 것은 쉽지 않다. ④이를 해결하기 위해 먼저 음성 신호를 일정한 시간 간격의 '단위 구간'으로 나누고, 이 단위 구간 하나만으로 또는 연속된 단위 구간을 이어 붙여 음소 추정 구간들을 만든다.

①~② #과정 제시 #수식된 정의 제시
#단어의 의미 살리기

계속해서 '음성을 인식'하는 과정에 대해 소개하고 있습니다. 이걸 놓치면 안 됩니다! 이 지문의 화제이자, 여기 나온 기술의 '목적'이니까요. 이 목적을 달성하기 위해선 먼저 '입력'된 신호에서 잡음을 제거해야 합니다. 뭐 당연하겠죠. 잡음이 들리면 '기준'과의 '비교'가 제대로 이루어지지 않을 테니까요.

이후엔 이 음성 신호를 '음소 추정 구간'들의 배열로 바꾸어 준다고 합니다. 단어의 의미를 살려서, '음소'로 '추정'되는 '구간'이라고 받아들이면 되겠죠? 제시된 정의도 비슷한 의미네요. 1문단에서 '사람의 말'은 '음소'들의 배열이라고 했기 때문에, '음성 신호'를 '음소'들의 배열로 바꾸는 건 당연하다고 느낄 수 있어야 합니다.

③ #문제 제시

그런데 음성 신호를 '음소' 단위로 정확히 나누는 것은 쉽지 않다고 합니다. 이건 큰 문제예요! '음소' 단위로 나누지 못하면, '기준'과의 '비교'가 불가능해질 테니까요. 즉, 기술의 목적을 달성하지 못하는 겁니다. 어떻게든 해결을 해야 해요!

④ #해결책 제시 #수식된 정의 제시

#단어의 의미 살리기

해결책은 '단위 구간'을 만드는 것입니다. '일정한' 시간 간격을 지닌 하나의 '단위'로 구간을 쪼개고, 이를 이용하여 '음소 추정 구간'을 만드는 것이죠. 정확하게 나누는 게 불가능하다면, 임의로 구간을 나눠버리는 식으로 해결을 하는 겁니다. 충분히 납득할 수 있겠죠?

3문단

> ①**음성의 비교**는 음소 단위로 이루어지는데 음소 추정 구간에 해당하는 음소를 알아내기 위해서 각 구간에서 '**특징 벡터**'를 추출한다. ②각 음소 추정 구간에서 추출하는 특징 벡터는 1개이다. ③**특징 벡터**는 음소를 구별하는 데 필요한 정보를 수치로 나타낸 것으로, 음소 추정 구간의 길이에 상관없이 1개로만 추출된다. ④특징 벡터는 음소의 특성을 잘 나타내는 정보들을 이용하지만 사람마다 다른 특성을 보이는 정보는 사용하지 않는다. ⑤〈사용하는 정보의 가짓수가 많을수록 음소를 더 정확하게 인식할 수 있지만 그만큼 필요한 연산량이 많아져 처리 시간은 길어진다.〉

① #재진술

계속해서 '음성의 비교'에 대해 이야기하고 있습니다. 여기서 '비교'라는 말을 보자마자 '기준 패턴'과 '입력 패턴'이 떠올라야 합니다! 이 두 패턴을 '비교'하는 것이 기술의 목적을 달성하는 데 핵심이 되고 있으니까요. 이 과정이 '음소 단위'로 이루어진다는 건 앞에서 계속 이야기해줬던 내용이죠? 아무튼 '단위 구간'을 바탕으로 '음소 추정 구간'을 만들었으면, 여기서 '음소'를 정확히 뽑아내야 합니다. 계속 '추정'만 할 수는 없으니까요. 이를 위해선 '특징 벡터'라는 것을 추출하는 게 중요하다고 합니다. '특징 벡터'는 또 무엇일까요?

②~④ #정의 제시 #단어의 의미 살리기 #고정값

일단 각 '음소 추정 구간'에서 '특징 벡터'는 1개씩만 뽑아낸다고 합니다. 그 정의를 보아하니, 음소를 '구별'하는 데 필요한 정보에 해당하는 것입니다. 음소의 '특징'적인 정보를 바탕으로 '구별'할 수 있게 해 주는 것이네요. 단어의 의미를 살리니 머릿속에 확 들어오죠? 그런데 이 '특징 벡터'는 음소 추정 구간의 길이에 상관없이 1개로만 추출된다고 합니다. '고정값'을 체크하는 건 기본이고, '특징 벡터'의 정의를 바탕으로 당연하다고 느낄 수 있어야 합니다. 각 음소의 '특징'을 나타내는 것이니, 하나의 '음소'로 '추정'되는 '구간'에서는 딱 하나만 나와야겠죠. 이렇게 납득하면서 정리하면, 4번 문장 역시 똑같은 말입니다. 사람마다 다른 특성을 보이는 정보를 사용하면, 그 음소만의 '특징'적인 정보를 뽑아내기 어려워지겠죠?

⑤ #연산량-처리 시간 메커니즘

우리가 앞에서도 정리한 내용이죠? '특징 벡터'가 가지고 있는 정보의 가짓수가 많아지면 당연히 '음소'를 더 정확하게 인식할 수 있겠지만, '연산량'이 많아져 '처리 시간'은 길어질 겁니다. 그냥 받아들이고 넘어가지 마시고, 최대한 '납득'해주세요. 조금만 생각해보면 당연한 말들 투성이입니다!

하이라이트 문장

> ①음성의 비교는 음소 단위로 이루어지는데 음소 추정 구간에 해당하는 음소를 알아내기 위해서 각 구간에서 '특징 벡터'를 추출한다.

음성의 비교를 '음소' 단위로 한다는 것, '음소 추정 구간'에서는 '음소'를 정확히 알아내야 한다는 것, 그래서 '특징 벡터'가 필요하다는 것. 이렇게 많은 생각을 요구하는 문장이었습니다. 정보가 조금씩 추가되기는 하지만, 결국 '음성 인식'이라는 기술의 목적 중심으로 전개되는 모습이죠?

4문단

> ①**음성을 인식**하려면 입력 패턴의 특징 벡터와 기준 패턴의 특징 벡터를 비교해야 한다. ②이를 위해서 음소 추정 구간이 비교하려는 기준 패턴의 음소 개수와 동일한 개수가 되도록 단위 구간을 조합한다. ③그리고 각 음소 추정 구간에서 추출된 특징 벡터를 구간 순서대로 배열하여 입력 패턴을 생성한다.

① #재진술

계속해서 '음성 인식'에 대한 내용입니다. 그런데 '입력 패턴'과 '기준 패턴'을 '비교'한다는 말이 나왔어요! 1문단에서 했던 말과 똑같은 말이죠? 이렇게 '재진술'을 인식하면서, '기준'과 '입력'을 '비교'하는 방법이 각각의 '특징 벡터'를 비교하는 것이었음을 잡아주시면 되겠습니다. '특징 벡터'가 각 음소의 '정보'를 담고 있으니, 이걸 비교하면 '음소' 간의 비교도 가능하겠네요!

②~③ #과정 제시 #재진술

이를 위해선 '음소 추정 구간'이 '기준 패턴'의 음소 개수와 동일한 개수가 되도록 '단위 구간'을 조합한다고 합니다. 지금까지 견뎠던 수많은 정보들이 만나는 순간입니다. 천천히 이해해야 해요! 먼저 '음소 추정 구간'은 '특징 벡터'를 하나씩 가지고 있는, 하나의 '음소'로 추정되는 구간입니다. 이걸 '기준 패턴'의 음소와 비교하려면, 두 '음소'의 개수는 당연히 같아야겠죠! 개수가 다르다면 각각의 음소를 비교할 방법이 없으니까요. 이를 위해서는 '단위 구간'을 조합해야 합니다. '단위 구간'은 '입력'된 음성 신호를 그냥 임의의 시간으로 자른 것이니, 이걸 '기준 패턴의 음소 개수'와 맞춰줄 필요가 있겠죠.

이렇게 개수가 맞춰진 '음소 추정 구간'의 '특징 벡터'를 순서대로 나열하면, 그것이 바로 '입력 패턴'이 됩니다. 속이 시원하다는 느낌이 드셔야 합니다. '입력'된 음성 신호를 임의로 나눈 '단위 구간'을 조합하여 만든 '음소 추정 구간'에는 '특징 벡터'가 하나씩 있는데, 이를 하나씩 배열하면 '입력' 패턴이 되는 것이에요! '음성 신호 입력→단위 구간으로 나눔→음소 추정 구간 만듦→특징 벡터 추출하여 나열→입력 패턴'이라는 흐름이 딱 잡혀야 해요! 어렵겠지만, 초반 정보를 견디면서 정리하다가 이 문단에서 모아줬다면 충분히 해낼 수 있는 생각이었을 겁니다.

이렇게 만든 '입력 패턴'은 '특징 벡터들의 배열'이니, 이를 '기준 패턴'이라는 '특징 벡터들의 배열'과 하나씩 '비교'하며 '입력'된 '음소'가 무엇인지 알아내는 게 이 기술의 작동 원리였습니다. 정말 어려웠지만, 무언가 정리가 되는 느낌이 듭니다! 이 카타르시스를 느낄 수 있으면 정말 좋을 것 같아요.

하이라이트 문장

> ③그리고 각 음소 추정 구간에서 추출된 특징 벡터를 구간 순서대로 배열하여 입력 패턴을 생성한다.

사실상 이 지문에 나왔던 모든 정보가 모이는 순간입니다. '입력 패턴'까지 가는 과정, 즉 '음성 신호 입력→단위 구간으로 나눔→음소 추정 구간 만듦→특징 벡터 추출하여 나열→입력 패턴 생성'이 머릿속에 딱 정리되어야 해요!

5문단 (1)

> ①예를 들어 입력된 음성 신호를 S_1, S_2, S_3 3개의 단위 구간으로 나눈 경우를 생각해 보자. ②만일 비교하려는 기준 패턴의 음소가 3개라면 3개의 음소 추정 구간으로부터 입력 패턴이 구성되어야 하므로 [S_1, S_2, S_3]의 음소 추정 구간 배열을 설정하고, 이로부터 입력 패턴을 생성한다. ③그런 다음 이것을 순서대로 기준 패턴의 음소와 일대일 대응시키고 각각의 특징 벡터의 차이를 구한 뒤 이것들을 모두 합하여 '패턴 거리'를 구한다.

①~② #사례-원리 연결 #카테고리 나누기

이 지문의 화제에 해당하는 중요한 정보이니만큼, 친절하게 사례를 들어주고 있습니다. '단위 구간'을 3개로 나눈 상황입니다. 이를 이리저리 조합하면 여러 개의 '음소 추정 구간'이 나오겠죠? 먼저 '기준 패턴의 음소'가 3개인 경우에 대해서 이야기하고 있습니다. 이러면 '음소 추정 구간'도 3개를 만들어야 합니다. 그럼 S_1, S_2, S_3를 하나씩 '음소 추정 구간'으로 배정하면 되겠네요. 이 경우 '특징 벡터'는 3개가 나올 것이고, 이 '특징 벡터'를 배열하면 '입력 패턴'이 하나 만들어지겠습니다. 이렇게 사례와 원리를 완벽하게 대응시킬 수 있죠?

③ #과정 제시 #수식된 정의 제시
#단어의 의미 살리기

이렇게 만들어진 '입력 패턴'의 '특징 벡터'는 '기준 패턴'의 '특징 벡터'와 '일대일 대응'이 됩니다. '일대일 대응'은 곧 '비교'하는 과정이라고 할 수 있겠죠? 이렇게 특징 벡터들의 차이를 구한 뒤 합하면 '패턴 거리'라는 걸 구할 수 있다고 해요. '특징 벡터들의 차이'는 '입력 패턴'의 음소와 '기준 패턴'의 음소가 얼마나 차이가 나는지를 의미하는 것일 텐데, 이 '차이'가 큰 경우에는 '패턴'들 사이의 '거리'가 멀다고 할 수 있겠죠? '패턴/거리'라는 단어의 의미를 살렸더니 이렇게까지 이해할 수 있네요.

만약 앞 문단에서 '입력 패턴'을 만드는 과정을 완벽하게 납득하지 못했다고 해도, 여기서 제시된 사례를 바탕으로라도 이해할 수 있었어야 합니다. 어렵지만, 최근의 기술 지문은 분명히 이 수준을 요구하고 있어요!

하이라이트 문장

> ①예를 들어 입력된 음성 신호를 S_1, S_2, S_3 3개의 단위 구간으로 나눈 경우를 생각해 보자.

사례가 제시되고 있습니다. 앞 문단에서 제대로 이해하지 못한 학생들을 위해 평가원이 주는 마지막 기회입니다. 시간을 들여서 완벽하게 납득할 수 있어야 해요.

5문단 (2)

> ④만일 기준 패턴의 음소가 2개라면 3개의 단위 구간을 조합하여 [S_1, S_2~S_3], [S_1~S_2, S_3]로 2개의 음소 추정 구간 배열을 설정하고, 이로부터 입력 패턴을 생성한다. ⑤이와 같이 1개의 기준 패턴에 대해 여러 개의 입력 패턴이 만들어질 수 있는 경우에는 생성 가능한 입력 패턴과

기준 패턴 사이의 패턴 거리를 모두 구하고, 그중의 최솟값을 그 기준 패턴에 대한 패턴 거리로 정한다. ⑥만일 기준 패턴의 음소가 3개보다 크면 두 패턴을 일대일로 대응시킬 수 없으므로 비교가 불가능하다.

④~⑤ #카테고리 나누기 #사례-원리 연결

이번엔 '기준 패턴'의 음소가 2개인 경우입니다! 이 경우에는 단위 구간을 적절히 조합하여 2개의 '음소 추정 구간'을 만들어야 합니다. 지문에선 그 방법을 [S₁, S₂~S₃], [S₁~S₂, S₃]로 제시하고 있네요. 즉, '음소 추정 구간'이 2개인 '배열'이 2개 나오고, 이로부터 '특징 벡터'를 2개씩 뽑아 '입력 패턴'도 2개를 만들 수 있는 것입니다! 여기서 헷갈리면 안 돼요. [S₁, S₂~S₃], [S₁~S₂, S₃]는 음소 추정 구간 '배열'이지, 구간 자체가 아닙니다. 즉, 앞의 배열은 'S₁'과 'S₂~S₃'라는 '음소 추정 구간' 두 개가 나열된 것이고, 뒤의 배열은 'S₁~S₂'와 'S₃'라는 '음소 수정 구간' 두 개가 나열된 것이에요. 워낙 개념이 많이 세시되어 헷갈릴 순 있겠지만, 기술의 작동 원리에 대한 탄탄한 이해를 바탕으로 명확하게 구분하며 읽을 수 있어야 합니다.

한편 이렇게 '입력 패턴'이 2개가 만들어지면, '패턴 거리' 역시 두 개가 나올 겁니다. 이 중에 '최솟값'을 해당 기준 패턴에 대한 '패턴 거리'로 정한다고 해요. 이것 역시 확실하게 납득할 수 있어야 합니다. '거리'가 '최솟값'이라는 건 가장 '가깝다'라는 것이고, 이는 '정확한 음성 인식'이라는 기술의 목적을 더 잘 달성할 수 있게 해 주겠죠? 두 개의 음소 추정 구간 중 더 '음소'를 정확히 '추정'한 것을 이용해 '음성 인식'에 나서야 할 테니까요!

⑥ #예외 인식 #재진술

여기에 기준 패턴의 음소가 3개보다 큰 경우는 비교가 불가능한 '예외'에 해당하죠? 물론 다 똑같은 말이니 납득도 가능합니다. 현재의 사례에서는 단위 구간을 아무리 조합해도 '음소 추정 구간'을 3개보다 많이 만들 수는 없는데, 기준 패턴의 음소가 3개보다 많아지면 두 음소의 개수를 같게 할 수가 없을 테니까요. 지문에서 이야기하는 '일대일로 대응시킬 수 없으므로'를 보고 자연스럽게 이런 내용을 떠올려야 합니다!

6문단

①단위 구간의 시간 간격을 짧게 하여 그 개수를 늘리면 음소 추정 구간을 잘못 설정하여 발생하는 오류를 줄일 수 있다. ②하지만 연산량이 많아져 처리 시간은 길어진다.

①~② #재진술 #연산량-처리 시간 메커니즘

이번에도 기술 지문의 기본적인 메커니즘이 제시되고 있네요. 당연하게 받아들이셔야 합니다. 단위 구간의 시간 간격이 짧아지면 더 많은 구간이 나올 것이고, 이러면 더 많은 '음소 추정 구간'을 만들 수 있어 '정확도'는 높아지겠죠. 하지만 '연산량'은 많아지므로 '처리 시간'은 당연히 길어질 겁니다. 이런 내용 정도도 납득하지 못하면 좀 아쉬워요! 과학·기술이라고 겁먹지말고 최대한 '납득'하려는 태도를 가지도록 합시다. 할 수 있어요!

7문단

①이와 같은 방법으로 컴퓨터에 저장된 모든 기준 패턴에 대해 패턴 거리를 구하고 그중 최솟값이 되는 기준 패턴을 선정한다. ②최종적으로, 이 기준 패턴에 해당하는 문자열을 입력된 음성 신호에 대해 인식된 단어로 출력한다.

①~② #재진술

길고 긴 과정을 거쳐, 인식된 단어로 출력하는 음성 인식 과정이 모두 끝났습니다. 그런데 이제 보니 '기준 패턴'이 하나가 아니었네요. 여러 개의 '기준 패턴'을 여러 개의 '입력 패턴'과 비교하여 '패턴 거리'를 구하고, 그 중 '최솟값'에 해당하는 '기준 패턴'의 음소를 출력하는 방식으로 '음성 인식'을 한다는 것, 우리가 납득한 내용 그 자체죠? 결국 처음부터 끝까지 '음싱 인식 기술' 하나만 가지고 끌고 오는 지문이었네요.

선지	①	②	③	④	⑤
선택률	2%	2%	88%	5%	3%

14 윗글의 내용과 일치하지 **않는** 것은? ③

① 음성 인식에서 말소리는 음소들의 시간적 배열로 본다.

명시적 근거	1문단 2번 문장
실전에서의 판단 과정	그렇지.
해설	사람의 말은 '음소'들의 시간적 배열이었고, 그래서 '음소' 간의 비교가 '음성 인식'의 핵심이었습니다. 이 정도의 정보는 기억할 수 있어야 해요!

② 입력 신호가 들어오면 잡음을 제거하고 음성 신호를 추출한다.

명시적 근거	2문단 1번 문장
실전에서의 판단 과정	그래야지.
해설	당연한 말로 납득했던 내용이죠? '음성 신호'만을 추출해야 '음성 인식'이라는 기술의 목적을 달성할 수 있습니다.

③ 개인의 독특한 목소리는 음성 인식을 위한 특징 벡터로 사용하기에 적당하다.

명시적 근거	3문단 4번 문장
실전에서의 판단 과정	특징 벡터는 음소의 특징을 제대로 추출할 수 있어야 했지.
해설	'특징/벡터'는 어떤 음소의 '특징'을 잡기 위해 추출하는 것입니다. 따라서 개인의 '독특한' 목소리처럼, 사람마다 차이를 보이는 부분은 사용할 수 없어요. 사람들이 보편적으로 해당 음소를 말할 때 사용하는 정보를 가지고 '특징 벡터'를 만들어야 목적 달성이 가능하겠죠! 눈알 굴리기가 아닌, '특징 벡터'라는 개념에 대한 정확한 이해를 바탕으로 해결할 수 있으면 좋겠어요.

④ 입력 패턴은 음소 추정 구간의 특징 벡터들을 구간 순서로 배열한 것이다.

명시적 근거	4문단 3번 문장
실전에서의 판단 과정	입력 패턴의 정의 자체네.
해설	4문단에 이 선지와 똑같은 말이 있다는 점에서 이 선지를 지우는 것은 쉽겠지만, 이 선지를 지우는 속도가 곧 실력 차이임을 인식했으면 좋겠어요. '입력 패턴'이 '음소 추정 구간'의 '특징 벡터'를 순서대로 배열한 것이라는 정보는, '기준 패턴'과의 비교를 위한 준비 단계였기 때문에 아주 중요했습니다. 이를 납득하고 머릿속에 넣어둔 채로 바로 지워낼 수 있었어야 해요! 단순히 맞히는 걸 넘어서서, 선지를 얼마나 빠르게 판단할 수 있느냐도 아주 중요해요.

⑤ 패턴 거리가 최솟값인 기준 패턴에 해당하는 문자열을 인식된 단어로 출력한다.

명시적 근거	7문단 전체
실전에서의 판단 과정	그렇지.
해설	'패턴 거리'가 '최솟값'인 '기준 패턴'을 '인식'된 단어로 출력한다는 건, 이 기술의 '목적'이 달성되는 순간이었습니다. 왜 '패턴 거리'가 '최솟값'인 경우를 출력하는지는 확실하게 이해하고 있죠?

선지	①	②	③	④	⑤
선택률	6%	20%	54%	16%	4%

15 하나의 기준 패턴에 대해 ⊙을 ⓒ에 적용할 때, 이에 대한 설명으로 옳지 않은 것은? ③

> ⊙ 입력 패턴의 특징 벡터와 기준 패턴의 특징 벡터를 비교
> ⓒ 입력된 음성 신호를 S_1, S_2, S_3 3개의 단위 구간으로 나눈 경우

– ⊙ 과정을 이해하기 위해 ⓒ이라는 '사례'를 활용했습니다. 완벽하게 이해하고 있으니, 어렵지 않게 해결해보도록 합시다.

① 기준 패턴의 음소 개수가 3개이면 입력 패턴에 들어 있는 특징 벡터는 3개이다.

명시적 근거	3문단 2번 문장, 5문단 2번 문장
실전에서의 판단 과정	기준 패턴 음소가 3개면 음소 추정 구간 3개 만들어야 하고, 이러면 특징 벡터 3개 나오지.
해설	사실 우리가 '지문 해설'에서 미리 생각했던 내용이죠? 기준 패턴의 음소 개수가 3개라면 '음소 추정 구간'도 이 개수에 맞춰 3개가 되어야 하고, '특징 벡터'는 '음소 추정 구간'마다 하나씩 있으니 총 3개가 있을 겁니다. 이런 사고의 흐름이 자연스럽게 이어져야 합니다!

② 기준 패턴의 음소 개수가 3개이면 산출되는 패턴 거리는 1개이다.

명시적 근거	5문단 2번~3번 문장
실전에서의 판단 과정	기준 패턴 음소 3개면 패턴 거리 딱 하나 나왔지.

해설	역시 '지문 해설'에서 미리 생각한 내용입니다. 기준 패턴의 음소 개수가 3개이면 '음소 추정 구간'의 개수 역시 3개가 되어야 하고, '단위 구간' 역시 3개였으니 기준 패턴의 음소와 일대일 대응을 바로 시킬 수 있었습니다. 이걸 다 더하면 '패턴 거리'라고 했으니 딱 1개 나오겠네요.

③ 기준 패턴의 음소 개수가 2개이면 조합되는 음소 추정 구간 배열은 1개이다.

명시적 근거	5문단 4번 문장
실전에서의 판단 과정	기준 패턴 음소가 2개면 음소 추정 구간 배열도 2개가 나왔었지.
해설	이번엔 기준 패턴의 음소 개수가 '2개'인 카테고리에 대해 묻고 있네요. 이 경우에는 3개의 '단위 구간'으로부터 2개의 '음소 추정 구간'을 만들어야 하기 때문에, 그 배열도 $[S_1, S_2 \sim S_3]$, $[S_1 \sim S_2, S_3]$ 두 가지가 나왔어야 했어요. 가볍게 답으로 고를 수 있겠네요.

④ 기준 패턴의 음소 개수가 2개이면 생성 가능한 입력 패턴은 2개이다.

명시적 근거	5문단 4번 문장
실전에서의 판단 과정	기준 패턴 음소가 2개면 음소 추정 구간 배열이 2개니까 입력 패턴도 2개가 나오겠지.
해설	기준 패턴의 음소 개수가 2개인 경우에는, 3번 선지에서 확인했듯이 '음소 추정 구간'의 배열도 2개가 나옵니다. '입력 패턴'은 '음소 추정 구간'에서 추출한 '특징 벡터'를 순서대로 배열한 것이기 때문에, 각 '음소 추정 구간 배열' 당 하나씩 나온다고 할 수 있겠습니다. 배열이 2개이니, 입력 패턴도 2개가 나오겠네요.

⑤ 기준 패턴의 음소 개수가 4개이면 패턴 비교가 불가능하다.

명시적 근거	5문단 6번 문장
실전에서의 판단 과정	그랬었지.
해설	일종의 '예외'였습니다. 물론 우리가 완벽하게 이해한 내용이기도 했죠? 3개의 단위 구간으로 조합할 수 있는 '음소 추정 구간'의 개수는 최대 3개이므로, 기준 패턴의 음소 개수가 4개인 경우에는 '일대일 대응'을 통한 비교가 불가능합니다.

답은 쉽게 나왔지만, 모든 선지를 완벽하게 지우려면 지문 독해가 정말 잘 되었어야 할 겁니다. 나아가 만약 요즘 수능에 이 지문이 등장했다면, 아래와 같은 선지가 출제될 수도 있었을 것이에요. 여러분이 먼저 판단해보고 다음 해설을 읽어보도록 합시다.

⑥ 기준 패턴의 음소 개수가 4개이면 입력된 음성 신호를 더 짧은 시간 간격의 단위 구간으로 나눠야 한다.

···

당연히 맞는 선지겠죠? 기준 패턴의 음소 개수가 4개인 경우, 5번 선지에서 이야기했던 것처럼 패턴 비교가 불가능합니다. 그 이유는 만들 수 있는 '음소 추정 구간'의 개수가 4개보다 적기 때문이었어요. 따라서 이 문제를 해결하려면 만들 수 있는 '음소 추정 구간'의 개수를 늘려야 하고, 이를 위해선 '단위 구간'의 개수를 늘려야 합니다. 이때 '단위 구간'은 입력된 음성 신호를 '일정한 시간 간격'으로 나누는 것이기에, 이 '시간 간격'을 짧게 하면 더 많은 '단위 구간'을 얻을 수 있을 겁니다. 그렇게 되면 이들을 조합하여 만들 수 있는 '음소 추정 구간'의 가짓수가 많아지고, 기준 패턴의 음소 개수가 4개가 되더라도 패턴 비교가 가능해지는 것이죠.

이처럼 최근 평가원은 지문의 완벽한 이해가 전제되어야만 해결할 수 있는 선지들을 출제하고 있습니다. 이러한 선지들에 대비하기 위해서라도 '생각'의 힘을 키우는 것이 중요하다는 것을 확실하게 정리해주세요.

선지	①	②	③	④	⑤
선택률	6%	21%	6%	61%	6%

16 ⓐ의 처리 시간을 증가시키는 요인으로 옳은 것은? ④

> ⓐ 생성 가능한 입력 패턴과 기준 패턴 사이의 패턴 거리를 모두 구하고

– 발문부터 천천히 확인해봅시다. '패턴 거리'를 구하는 과정의 '처리 시간'을 증가시키는 요인을 찾으라고 하네요. 우리는 '연산량–처리 시간 메커니즘'을 통해 관련된 내용을 완벽하게 이해하고 있었습니다. '패턴 거리'는 '음성 인식'이라는 기술의 목적을 최종적으로 달성하기 위한 방법이었습니다. 이 시간을 증가시킨다는 건, 다시 말해 '연산량'을 늘린다는 것과 똑같겠네요. 뭔가 처리할 게 많으면, 그 시간이 오래 걸리는 것은 당연하니까요. 이 내용을 찾아봅시다.

① 특징 벡터를 구성하는 정보의 가짓수의 감소

명시적 근거	3문단 5번 문장
실전에서의 판단 과정	할 일이 줄어드는 거네.
해설	'특징 벡터'는 각 음소의 '특징'을 담고 있는 것인데, 만약 이를 구성하는 정보의 가짓수가 줄어든다면 '패턴 거리' 구하기까지 할 일이 줄어드는 것과 같은 효과가 나타난다고 할 수 있겠습니다. 그럼 처리 시간은 짧아진다고 해야겠네요.

② 기준 패턴을 구성하는 음소 개수의 감소

명시적 근거	5문단 전체
실전에서의 판단 과정	기준 패턴 음소 개수와는 상관 없을 것 같은데?
해설	이 선지는 한 번에 지우는 게 거의 불가능합니다. 생각보다 매우 어려운 선지예요. 일단 천천히 따라가봅시다. 기준 패턴을 구성하는 음소 개수가 감소하면, '음소 추정 구간'의 개수도 그에 맞춰 감소시켜야 합니다. 그런데 지문의 사례처럼 '단위 구간'이 3개인 상황을 상정하면, '음소 추정 구간'의 개수를 줄이는 경우에 만들어진 음소 추정 구간 '배열'의 가짓수가 달라집니다. 예를 들어 '음소 추정 구간'의 개수를 3개로 맞춰야 하는 경우에는, 음소 추정 구간 '배열'이 $[S_1, S_2, S_3]$으로 딱 하나만 나옵니다. 하지만 이를 2개로 줄이면? 음소 추정 구간 '배열'이 $[S_1, S_2{\sim}S_3]$, $[S_1{\sim}S_2, S_3]$로 두 개가 되는 것이죠. 문제에서 물어보는 '패턴 거리'는 각 '배열'을 '기준 패턴'과 대응시켜 구하는 것이므로, '배열'의 개수가 늘어나면 '처리 시간'이 늘어난다고 할 수 있겠습니다. 이렇게 보면 2번 선지가 답이 될 수도 있는 것처럼 보이네요. 하지만 '음소 추정 구간'의 개수, 즉 '기준 패턴의 음소 개수'를 2개에서 1개로 줄여봅시다. 이 경우의 음소 추정 구간 '배열'은 $[S_1{\sim}S_3]$으로 딱 하나만 나옵니다. 그럼 '기준 패턴'과의 대응도 한 번만 하면 되고, 이 경우에는 '기준 패턴의 음소 개수 감소'가 '처리 시간 감소'의 결과를 낳네요. 결국 '기준 패턴의 음소 개수 감소'와 '패턴 거리 처리 시간'의 관계는 상황에 따라 달라지는 것이었습니다. 반드시 '처리 시간 증가'라는 결과를 낳는다고 할 수는 없는 것이죠. 너무 어렵죠? 아무리 최근의 선지가 어렵다고 해도, 확실히 선을 좀 넘은 선지입니다. 지문에 없는 상황(2개 → 1개)을 생각해야 하니까요. 그래도 '음성 인식 기술'의 전반적인 흐름을 파악하고 있다면, 이 해설을 이해하는 것 정도는 할 수 있으리라 생각합니다. 스스로 이해할 때까지 분석해보도록 합시다!

③ 저장된 기준 패턴 가짓수의 감소

명시적 근거	지문 전체
실전에서의 판단 과정	할 일이 줄어드는 거네.

해설	이번엔 조금 쉽네요. '기준 패턴'의 가짓수가 줄어드는 건, 일대일 대응을 통해 '비교'해야 할 대상의 수가 줄어드는 것이죠? 이는 '연산량'의 감소와 '처리 시간'의 감소라는 결과를 낳겠습니다.

④ 단위 구간의 시간 간격의 감소

명시적 근거	6문단 1번~2번 문장
실전에서의 판단 과정	할 일이 많아지는 거네.
해설	지문에서 명시적인 근거를 찾을 수는 있지만, 여러분은 '이해'를 바탕으로 해결할 수 있으면 좋겠습니다. '단위 구간'의 시간 간격이 감소하면 '단위 구간'의 개수가 많아질 것이고, 이에 따라 훨씬 더 많은 '음소 추정 구간' 배열을 만들 수 있습니다. 각 '배열'마다 '입력 패턴'을 하나씩 만들어야 '패턴 거리'를 산출할 수 있으므로, '배열'이 많아지는 건 결국 '패턴 거리 처리 시간'의 증가를 낳겠네요. 충분히 할 수 있죠? 그래도 답은 명시적 근거와 함께 좀 쉽게 나오는 모습입니다.

⑤ 음소 추정 구간 개수의 감소

명시적 근거	5문단 전체
실전에서의 판단 과정	2번 선지랑 똑같은 상황이네.
해설	'음소 추정 구간' 개수가 감소하는 것은 곧 '기준 패턴'의 음소 개수가 줄어드는 것과 같은 상황입니다. 둘은 함께 가는 것이었으니까요! 이는 2번 선지의 상황이었고, 2번 선지의 판단 과정에 따르면 '음소 추정 구간'의 개수 감소는 '패턴 거리의 처리 시간'과 상황에 따라 다른 관계를 갖습니다. 반드시 증가한다고 할 수는 없는 것이죠!

| 생각 심화 |

사실 2번 선지의 경우, 단독으로 출제하기 어렵다고 볼 수 있습니다. '음소 추정 구간'의 개수를 2개에서 1개로 줄이는 상황을 생각해야 정확한 판단이 가능한데, 이는 지문에서 제시한 상황이 아니기 때문에 '필연적'으로 생각해 내야 할 이유가 없는, 말 그대로 '우연'에 기대야만 제대로 해결할 수 있는 선지이기 때문입니다. 심지어 지문에 제시되어 '필연적'으로 생각해 볼 수 있는 '음소 추정 구간 개수 3개→2개'의 상황을 이용하면, 2번 선지가 정답이라는 오판을 할 수 있게 되어 버리니까요.

그런데 이 선지는 5번 선지 덕에 출제될 수 있는 선지가 되었습니다. 5번 선지 해설에서도 언급했듯이, 2번 선지와 5번 선지는 사실상 같은 선지입니다. 따라서 정답이 한 개라는 수능 문제의 특성을 고려할 때, 만약 2번 선지가 맞다면 5번 선지도 중복

정답이 되어야 한다는 논리가 만들어지기에 아예 '같은 말'을 하고 있는 2번 선지와 5번 선지는 자동으로 모두 정답이 아니라는 판단이 가능한 것이죠.

이는 평가원이 이의제기 방어 과정에서 자주 이야기하는 '수능 객관식 문제의 특성'에 해당하기 때문에, 다소 억지스러워도 문제 출제 과정에 충분히 반영될 수 있는 내용인 것입니다. 즉, 만약 선지가 어려워져 2번 선지에 대한 디테일한 판단을 요구하더라도, '음소 추정 구간 개수 2개→1개'를 떠올려야만 하는 필연적인 사고의 트리거를 〈보기〉 등을 통해 제시할 것이라는 의미입니다. 여기까지 생각할 수 있다면 정말 좋을 것 같아요.

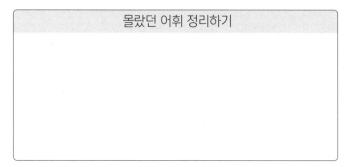

몰랐던 어휘 정리하기

| 핵심 point |

① 화제 check : 독서 지문 독해의 처음이자 끝. 첫 문단에서 잡은 '화제의 틀'을 마지막 문단까지 놓지 않아야 합니다.
② 재진술 인식 : 같은 말이라도 다르게 표현되는 경우가 많습니다. 이 '같은 말'에 민감하게 반응하면, '정보량'을 줄이면서 읽을 수가 있습니다.
③ 초반 정보 견디기 : 과학 · 기술 지문에서는 초반부에 정보를 잔뜩 던지고, 후반부에는 그 정보를 활용해서 어떤 논의를 이어가는 경우가 많아요. 초반부의 정보만 잘 견디면 뒤에서 편해집니다.
④ 사례-원리 연결 : 모든 사례는 어떠한 원리를 설명하는 역할을 합니다. 둘을 연결지으며 확실하게 이해하고 가는 태도가 중요합니다.

| 지문 내용 총정리 |

답을 구하는 건 그리 어렵지 않겠지만, 나머지 선지들을 모두 완벽하게 지우는 건 정말 힘들었을 것이에요. 완벽하게 지우기 위해서는 지문의 흐름을 완벽하게 장악했어야 하거든요. 최근에 나오는 킬러 지문의 형태는, 이런 지문에다가 답도 구하기 힘든 문제들로 도배하는 스타일입니다. 이 문제의 답을 쉽게 구했다고 안심하면 안 되는 이유이죠. 단어의 의미를 살리며 정의를 체크하고, '같은 말'에 민감하게 반응하며 정보량을 줄이는 방식으로 초반의 정보를 견딘 후에 '사례' 등을 이용해서 완벽하게 이해할 것을 요구한 어려운 지문이었습니다. 여러 번 복습하도록 합시다!

1문단

①식품 포장재, 세제 용기 등으로 사용되는 플라스틱은 생활에서 흔히 접할 수 있다. ②플라스틱은 '성형할 수 있는, 거푸집으로 조형이 가능한'이라는 의미의 '플라스티코스'라는 그리스어에서 온 말로, 열과 압력으로 성형할 수 있는 고분자 화합물을 이른다.

①~② #정의 제시 #화제 제시

우리 생활에서 흔히 접할 수 있는 '플라스틱'에 대한 글입니다. '플라스틱'은 그 어원처럼 열과 압력으로 성형할 수 있는 '고분자 화합물'로 정의된다고 합니다. 중요 개념의 정의이니 확실하게 체크할 필요가 있겠죠? 나아가 이 지문은 '플라스틱'과 관련된 이야기를 할 것이라는 생각을 하면서 화제를 구체화할 준비도 해봅시다.

2문단

①플라스틱은 **단위체**인 작은 분자가 수없이 반복 연결되는 **중합**을 통해 만들어진 거대 분자로 이루어져 있다. ②단위체들은 공유 결합으로 연결되는데, 분자를 구성하는 원자들이 서로 전자를 공유하여 **안정한 상태가 되는 결합을 공유 결합**이라 한다. ③두 원자가 각각 전자를 하나씩 내어놓아 그 두 개의 전자를 한 쌍으로 공유하면 **단일 결합**이라 하고, 두 쌍을 공유하면 **이중 결합**이라 한다. ④공유 전자쌍이 많을수록 원자 간의 결합력은 강하다. ⑤대부분의 원자는 가장 바깥 전자 껍질의 전자 수가 8개가 될 때 **안정해진다.** ⑥**탄소 원자**는 가장 바깥 전자 껍질에 4개의 전자를 갖고 있어, 다른 원자들과 전자를 공유하여 안정해질 수 있으며 다양한 형태의 공유 결합이 가능하여 거대한 분자의 골격을 이룰 수 있다.

① #수식된 정의 제시

'플라스틱'은 '단위체'라고 할 수 있는 작은 분자가 수없이 반복 연결되는 '중합'을 통해 만들어진 거대 분자로 이루어져 있다고 합니다. '플라스틱'은 곧 '거대 분자'라고 할 수 있는데, 이 '거대 분자'는 작은 분자가 수없이 반복 연결된 형태로 존재하는 것이죠. 이러한 모습을 충분히 상상할 수 있겠죠?

②~④ #수식된 정의 제시 #단어의 의미 살리기 #재진술

'단위체'들이 '플라스틱'과 같은 거대 분자가 되기 위해서는 '공유 결합'으로 연결되어야 한다고 합니다. 단어의 의미 그대로, 분자를 구성하는 원자들이 서로 전자를 '공유'하여 '결합'하는 것이 '공유 결합'이네요. 나아가 원자들이 서로 전자를 공유한 상태를 '안정한 상태'로 정의한다는 것도 체크할 수 있겠죠?

이때 두 원자가 각각 전자를 하나씩 내어놓아 그 두 개의 전자를 '한 쌍'으로 공유하면 '단일 결합', 두 쌍을 공유하면 '이중 결합'이라고 부른다고 합니다. '단일'과 '이중'이라는 단어의 의미를 살리면 이 역시 충분히 납득할 수 있겠죠? 공유 전자쌍이 많을수록 원자 간의 결합력은 강하다는 것 역시 당연하게 납득할 수 있겠습니다. 훨씬 더 '안정한 상태'로 결합되어 있으니, 그 결합력 역시 강하다고 할 수 있는 것이죠.

⑤ #수식된 정의 제시 #재진술 #단어의 의미 살리기

대부분의 원자는 '가장 바깥 전자 껍질'의 전자 수가 8개가 될 때 '안정'해진다고 합니다. 일단 '가장 바깥 전자 껍질'이라는 개념이 정확히 무엇인지는 몰라도, '안정'이라는 '진짜로' 같은 말이 반복되었다는 인식하고 생각해봐야 합니다. 앞에서는 '안정' 상태를 '원자들이 서로 전자를 공유하는 것'으로 정의했습니다. 그런데 여기서는 '가장 바깥 전자 껍질의 전자 수가 8개가 될 때'로 정의하고 있네요. 그렇다면 결국 원자들이 서로 전자를 공유하여, 한 원자의 '가장 바깥 전자 껍질'의 전자 수가 8개가 될 때 비로소 '안정한 상태'라는 표현을 쓸 수 있다는 식으로 이해할 수 있겠습니다. 단어의 의미 그대로, '가장 바깥'에 있는 '전자 껍질'에 전자가 8개가 되게끔 다른 원자의 전자를 공유한다는 것이죠. 예를 들어 '가장 바깥 전자 껍질'에 6개의 전자를 가지고 있는 원자의 경우, 다른 원자와의 '이중 결합'을 통해 2개의 원자를 '가장 바깥 전자 껍질'에 추가하여 8개를 만들 수 있을 것입니다. 이런 식으로 최대한 납득하면서 읽을 수 있어야 해요.

⑥ #사례-원리 연결 #재진술 #화제의 흐름

이를 설명하기 위해서인지, '탄소 원자'라는 사례가 제시되고 있습니다. '탄소 원자'는 '가장 바깥 전자 껍질'에 4개의 전자를 가지고 있다고 합니다. 따라서 다른 원자들과 전자를 공유하여 '가장 바깥 전자 껍질'에 4개의 전자를 추가하면 총 8개의 전자를 가질 수 있어 '안정한 상태'가 될 수 있겠죠. 또한 4개의 전자를 추가하려면, 다양한 형태의 '공유 결합'이 필요할 것입니다. 그냥 '사중 결합'을 해도 되겠지만, '단일 결합'과 '이중 결합'을 섞는 형태도 가능하겠죠.

이렇게 '탄소 원자'를 통해 '안정한 상태'라는 개념에 대해 이해하는 것은 기본이고, '거대한 분자'라는 '진짜로' 같은 말이 반복되었다는 것에 주목할 수 있어야 합니다. '거대한 분자'는 이 지문의 화제에 해당하는 '플라스틱'을 의미하니까요. 즉, '탄소 원자'는 '공유 결합'을 통해 '플라스틱'이라는 '거대한 분자'의 골격이 될 수 있는 것입니다. 결국 2문단은 이 한마디를 위해 존재하는 것이죠. 이렇게 '같은 말'을 적극적으로 활용하면서 정보량이 줄어드는 느낌을 받으셔야 합니다.

하이라이트 문장

> ⑤대부분의 원자는 가장 바깥 전자 껍질의 전자 수가 8개가 될 때 안정해진다.

'안정'이라는 '진짜로' 같은 말에 주목하면서, '안정한 상태'라는 중요한 개념에 대해 완벽하게 이해할 수 있어야 합니다. 이렇게 은근슬쩍 정의되는 중요 개념의 정의를 이해하는 것이 지문 독해 전반에 있어 큰 영향을 끼친다는 것을 잊지 마세요.

3문단

> ①플라스틱의 한 종류인 **폴리에틸렌**은 에틸렌 분자들이 서로 연결되는 중합 과정을 거쳐 만들어진다. ②에틸렌은 두 개의 탄소 원자와 네 개의 수소 원자로 이루어지는데, 두 개의 탄소 원자가 서로 이중 결합을 하고 각각의 탄소 원자는 두 개의 수소 원자와 단일 결합을 한다. 〈③탄소 원자 간의 이중 결합에서는 한 결합이 다른 하나보다 끊어지기 쉽다.〉

①~③ #정의 제시 #재진술

'플라스틱' 중에서도 '폴리에틸렌'에 대해 설명하고 있습니다. 이는 '에틸렌' 분자들이 서로 연결되는 '중합' 과정을 거쳐 만들어진다고 해요. '에틸렌 분자'가 '단위체'이고, '폴리에틸렌'은 '거대한 분자'일 것이라는 점을 생각하면서 읽을 수 있겠죠? 이 과정에서 원자들이 '공유 결합'을 통해 '안정한 상태'가 되는 모습도 나타날 것이구요. 과학 · 기술 제재의 지문에서는 이렇게 초반부 정보를 확실하게 납득하고 계속해서 끌고 오며 활용하는 능력이 필요합니다.

아무튼, '에틸렌'은 두 개이 '탄소 원자'와 네 개이 '수소 원자'로 이루어져 있다고 합니다. '탄소 원자'는 '가장 바깥 전자 껍질'의 전자 수가 4개로 불안정한 상태의 원자입니다. 따라서 '공유 결합'을 통해 총 8개의 전자 수를 만들 필요가 있습니다. 그 방법은 두 개의 '탄소 원자'가 서로 이중 결합을 하여 2개의 전자를 가져오고, 또 각각의 '탄소 원자'가 두 개의 '수소 원자'와 '단일 결합'을 하여 2개의 전자를 가져오는 것입니다. '탄소 원자'의 '가장 바깥 전자 껍질'의 전자 수가 4개임을 다시 떠올리고, 결국 이 '탄소 원자'가 '안정한 상태'가 되는 것이 '에틸렌 분자'임을 생각할 수 있어야 합니다. 그리고 이 '에틸렌 분자'가 '중합' 과정을 거치면 '폴리에틸렌'이라는 '거대한 분자'가 되

는 것이구요.

나아가 '탄소 원자' 간의 '이중 결합'에서는 한 결합이 다른 하나보다 끊어지기 쉽다고 합니다. 납득이 불가능한 정보이니, 따로 체크해놓도록 합시다.

하이라이트 문장

> ②에틸렌은 두 개의 탄소 원자와 네 개의 수소 원자로 이루어지는데, 두 개의 탄소 원자가 서로 이중 결합을 하고 각각의 탄소 원자는 두 개의 수소 원자와 단일 결합을 한다.

새로운 정보로 느껴지면 안 됩니다. 이 문장에서는 보이지 않는 '안정한 상태'라는 단어가 떠올라야 합니다. 결국 과학 · 기술 지문의 핵심은 초반부 정보의 반복임을 잊지 마세요.

4문단

> ①에틸렌의 중합에는 여러 가지 방법이 있는데 그중에 하나는 **과산화물 개시제**를 사용하는 것이다. ②**열을 흡수한 과산화물 개시제**는 가장 바깥 껍질에 7개의 전자가 있는 불안정한 상태의 원자를 가진 분자로 분해된다. ③이 불안정한 인자는 안정헤지기 위해 에틸렌이 가진 탄소의 이중 결합 중 더 약한 결합을 끊어 버리면서 에틸렌의 한쪽 탄소 원자와 전자를 공유하며 단일 결합한다. ④그러면 다른 쪽 탄소 원자는 공유되지 못한, 홀로 남은 전자를 갖게 된다. ⑤이 불안정한 탄소 원자는 같은 방식으로 다른 에틸렌 분자와 반응을 하게 되고, 이와 같은 반응이 이어지며 불안정해지는 탄소 원자가 계속 생성된다. ⑥에틸렌 분자들이 결합하여 더해지면 이것들은 **사슬 형태**를 이루며, 이 사슬은 지속적으로 성장하고 사슬 끝에는 불안정한 탄소 원자가 존재하게 된다. ⑦성장하는 두 사슬의 끝이 서로 만나 결합하여 안정한 상태가 되면 반복적인 반응이 멈추게 된다. ⑧이 중합 과정을 거쳐 에틸렌 분자들은 **폴리에틸렌**이라는 고분자 화합물이 된다.

①~③ #과정 제시 #재진술

이렇게 '에틸렌'을 '중합'시켜 '폴리에틸렌'이라는 '플라스틱'으로 만드는 방법 중 하나는 '과산화물 개시제'를 사용하는 것이라고 합니다. 열을 흡수한 '과산화물 개시제'는 '가장 바깥 껍질'에 7개의 전자

가 있는 불안정한 상태의 원자를 가진 분자로 분해된다고 합니다. 그렇다면 어딘가에서 1개의 전자를 가져와야 할 것입니다. 이를 위해 '에틸렌'이 가진 '탄소의 이중 결합' 중 더 약한 결합을 끊어 버리면서 '에틸렌'의 한쪽 '탄소 원자'와 전자를 공유하여 '단일 결합'한다고 합니다. 바로 앞에서 '탄소의 이중 결합' 중 한 결합이 다른 하나보다 끊어지기 쉽다고 했는데, 이 결합을 끊어 전자를 가져와 '단일 결합'함으로써 '안정한 상태'가 되는 것이죠. 충분히 납득할 수 있겠죠?

④~⑥ #과정 제시 #재진술

이렇게 '과산화물 개시제'로부터 나온 원자는 '안정한 상태'가 되었지만, '이중 결합'이 끊긴 하나의 '탄소 원자'는 공유되지 못하고 홀로 남은 전자를 갖게 됩니다. 그렇다면 이 '탄소 원자'는 '가장 바깥 전자 껍질'에 전자 수가 7개밖에 되지 않는 상황입니다. 마치 '과산화물 개시제'로부터 나온 원자와 같은 상태가 된 것이죠. 따라서 이 '탄소 원자'는 또 다른 '에틸렌'이 가진 '탄소의 이중 결합' 중 더 약한 결합을 끊어 버리는 '같은 방식'으로 다른 '에틸렌 분자'와 반응을 하게 됩니다. 이러면 다시 그 '탄소 원자'는 '안정한 상태'가 되겠고, 다른 '탄소 원자'가 공유되지 못해 홀로 남은 전자를 갖는 불안정한 상태가 되겠죠. 이와 같은 반응이 이어지면, '과산화물 개시제'로부터 나온 원자에 연결된 '탄소 원자', 그리고 거기에 연결된 '탄소 원자', 또 연결된 '탄소 원자'…… 이런 식으로 '중합'된 '에틸렌 분자'가 만들어지게 되면서 '사슬 형태'를 이루게 되는 것이죠. 이 사슬은 지속적으로 성장하고, 사슬의 끝에는 불안정한 '탄소 원자'가 계속해서 존재하게 될 것입니다. 불안정한 '탄소 원자'가 계속해서 '안정한 상태'이던 '탄소 원자'의 전자를 빼앗아 불안정하게 만들 것이니까요. 조금 어렵기는 하지만, '안정한 상태'라는 개념의 정의를 활용하여 차분하게 읽으면 충분히 이해할 수 있습니다.

⑦ #과정 제시 #재진술

그런데 이러한 사슬이 두 개인가 봅니다. 참 불친절하긴 하지만, '성장하는 두 사슬'이라는 표현을 보면 두 개의 사슬이 존재한다는 것을 생각할 수 있겠죠? 어쨌든 '성장하는 두 사슬'의 끝에는 '가장 바깥 전자 껍질'의 전자 수가 7개인 '탄소 원자'가 있을 것입니다. 이들이 서로 만나 결합하여 '단일 결합'하면, 각각 '가장 바깥 전자 껍질'의 전자 수가 8개 '안정한 상태'가 될 것입니다. 그리고 이렇게 되면 더 이상 '안정한 상태'가 되기 위해 결합하려는 원자가 없게 되므로, 반복적인 반응이 멈추게 되겠죠. 어렵긴 하지만, 철저하게 지문 내용만으로 생각할 수 있는 부분들이니 스스로 뚫어보시기 바랍니다. 핵심은 '안정한 상태'라는 개념의 정의를 끌고 오는 것이에요.

⑧ #화제의 흐름

우리가 읽고 있던 이 엄청난 정보들은 모두 '폴리에틸렌'이라는 '고분자(=거대한 분자) 화합물', 즉 '플라스틱'을 만드는 방법에 대한 것이었습니다. '에틸렌 분자'들이 이렇게 사슬이 결합하는 '중합' 과정을 거치면, '폴리에틸렌'이라는 '플라스틱'이 되는 것이죠. 화제의 흐름이 명확하게 잡히는 느낌이 드시죠?

하이라이트 문장

> ⑤이 불안정한 탄소 원자는 같은 방식으로 다른 에틸렌 분자와 반응을 하게 되고, 이와 같은 반응이 이어지며 불안정해지는 탄소 원자가 계속 생성된다.

여기서 말하는 '같은 방식'이 의미하는 바를 바탕으로, '에틸렌 분자'의 '중합'이 어떻게 이루어지는지 완벽하게 이해할 수 있어야 합니다. 이를 위해선 초반부 정보를 처리하면서 확실하게 체크했던 '안정한 상태'라는 개념의 정의를 끌고 오는 게 핵심이죠? 이렇게 초반부 정보를 끌고 오는 독해 태도에 익숙해지시기 바랍니다. 대부분의 과학·기술 지문을 뚫어내는 핵심 포인트이니까요.

5문단

> ①플라스틱을 이루는 거대한 분자들은 길이가 길다. ②그래서 사슬들이 일정한 방향으로 나란히 배열되어 있는 결정 영역은, 분자들 전체에서 기대할 수는 없지만 부분적으로 있을 수는 있다. ③플라스틱에서 결정 영역이 차지하는 부분의 비율은 여러 조건에 따라 조절이 가능하고 물성에 영향을 미친다. 〈④결정 영역이 많아질수록 플라스틱은 유연성이 낮아 충격에 약하고 가공성이 떨어지며 점점 불투명해지지만, 밀도가 높아져 단단해지고 화학 물질에 대한 민감성이 감소하며 열에 의해 잘 변형되지 않는다.〉 ⑤이런 성질을 활용하여 필요에 따라 다양한 종류의 플라스틱을 만들 수 있다.

①~③ #수식된 정의 제시 #재진술

'플라스틱'은 '단위체'들이 '중합'하여 만들어진 '거대한 분자'입니다. 따라서 그 길이가 길겠죠? 이에 사슬들이 '일정한 방향'으로 '나란히' 배열되어 있는, 즉 질서정연하게 배열되어 있는 '결정 영역'은 분자들 전체에서 기대할 수는 없다고 합니다. 길이가 워낙에 길다 보니 '결정 영역'이 아닌 경우, 즉 질서정연하지 않은 경우가 훨씬 많을 수밖에 없겠죠. 물론 부분적으로 있을 수는 있지만요. 그래서 이 '결정 영역'의 비율을 조절하면 물성에 영향을 미칠 수 있다고 합니다. 당연하게 납득할 수 있겠죠? '플라스틱'의 사슬 배열이 질서정연한 정도에 따라 당연히 그 성질이 다를 것이니까요.

④~⑤ #재진술

'결정 영역'이 많아질수록, '플라스틱'은 유연성이 낮아 충격에 약하고 가공성이 떨어지며 점점 불투명해진다고 합니다. 최대한 납득하려고 하셔야 합니다. '결정 영역'이 많다는 것은 '플라스틱'의 분자 배열이 질서정연하다는 것입니다. 이렇게 일정한 배열로 이루어져 있으면 그 배열이 조금이라도 흐트러지는 순간 손상되기 쉬울 것이고, 이에 유연성이 낮아 충격에 약하고 가공성이 떨어진다는 특징을 가지는 것이겠네요. 나아가 일정한 배열로 빽빽하게 들어설 것이니 불투명해질 것이구요. 냉장고에 음료수를 질서정연하게 넣으면 그렇지 않을 때보다 훨씬 더 많이 넣을 수 있고, 이 경우 냉장고 안의 여백이 거의 보이지 않는다는 것을 생각하시면 될 것 같습니다.

하지만 이러한 특징은 밀도가 높아져 단단해지고 화학 물질에 대한 민감성이 감소하여 열에 의해 잘 변형되지 않는다는 장점도 있을 것입니다. 이 역시 충분히 납득할 수 있겠죠? 이런 성질을 활용하여, 필요에 따라 다양한 종류의 '플라스틱'을 만들 수 있겠네요. 단단한 '플라스틱'이 필요하면 '결정 영역'의 비율을 높이고, 쉽게 변형되어야 하는 '플라스틱'이 필요하면 '결정 영역'의 비율을 낮추는 식으로 말이에요.

하이라이트 문장

> ④ 결정 영역이 많아질수록 플라스틱은 유연성이 낮아 충격에 약하고 가공성이 떨어지며 점점 불투명해지지만, 밀도가 높아져 단단해지고 화학 물질에 대한 민감성이 감소하며 열에 의해 잘 변형되지 않는다.

이런 문장을 그냥 넘어가는 학생과, 최대한 납득하고 넘어가는 학생들을 비교했을 때, '독해 시간'은 후자가 조금 더 길겠지만 '문제풀이 시간'은 후자가 압도적으로 짧을 것입니다. 납득에 실패한다면 어쩔 수 없겠지만, 일단 최대한 납득해 보려고 시도하는 태도가 중요합니다. 시험장에서 이런 문장을 납득하는 순간 시간을 크게 아낄 수 있다는 것을 잊지 마세요.

선지	①	②	③	④	⑤
선택률	3%	4%	7%	70%	16%

17 윗글에서 알 수 있는 내용으로 적절하지 않은 것은? ④

① 단위체들은 중합을 거쳐 거대 분자를 이룰 수 있다.

명시적 근거	2문단 1번 문장
실전에서의 판단 과정	그렇게 플라스틱이 되지.
해설	'단위체'인 작은 분자가 수없이 반복 연결되는 '중합'을 통해 만들어진 거대 분자가 곧 이 지문의 주인공인 '플라스틱'이었죠?

② 에틸렌 분자에는 단일 결합과 이중 결합이 모두 존재한다.

명시적 근거	3문단 2번 문장
실전에서의 판단 과정	그랬지.
해설	'에틸렌 분자'는 두 개의 '탄소 원자'가 서로 '이중 결합'을 하고 각각의 '탄소 원자'는 두 개의 '수소 원자'와 '단일 결합'을 하여 '안정한 상태'가 된 모습으로 존재합니다. '단일 결합'과 '이중 결합'이 모두 존재하는 모습이죠?

③ 플라스틱이라는 명칭의 유래는 열과 압력으로 성형이 되는 성질과 관련이 있다.

명시적 근거	1문단 2번 문장
실전에서의 판단 과정	플라스티코스!
해설	'플라스틱'은 열과 압력으로 성형할 수 있는 고분자 화합물을 의미합니다. 그리고 '플라스틱'은 '성형할 수 있는, 거푸집으로 조형이 가능한'이라는 의미의 '플라스티코스'라는 말에서 유래된 명칭이에요. '플라스틱'이 정의를 고려할 때, 그 명칭의 유래는 열과 압력으로 성형이 되는 성질과 관련이 있다고 할 수 있겠죠?

④ 불안정한 원자를 가진 에틸렌은 과산화물을 개시제로 쓰면 분해되면서 안정해진다.

명시적 근거	4문단 3번~5번 문장
실전에서의 판단 과정	오히려 불안정해지지.
해설	일단 '에틸렌'은 애초에 '안정한 상태'입니다. 그런데 열을 흡수한 '과산화물 개시제'에서 분해된 분자에 의해 '에틸렌 분자' 속 '탄소 원자'의 '이중 결합' 중 하나가 끊겨 불안정한 상태가 되죠? 이 지문의 핵심 정보였던 '에틸렌의 중합 과정'을 거꾸로 이해하고 있기에 틀린 선지가 되겠습니다. 가볍게 답으로 고를 수 있겠네요.

⑤ 탄소와 탄소 사이의 이중 결합 중 하나의 결합 세기는 나머지 하나의 결합 세기보다 크다.

명시적 근거	3문단 3번 문장
실전에서의 판단 과정	그래서 약한 걸 끊는 거였지.
해설	'탄소 원자' 간의 '이중 결합'에서는 한 결합이 다른 하나보다 끊어지기 쉽습니다. 이 중 더 약한 '이중 결합'을 끊어내는 것이 '에틸렌의 중합 과정'이었죠? 이 과정에서 핵심이 되는 정보였기 때문에 충분히 기억할 수 있을 것입니다.

선지	①	②	③	④	⑤
선택률	21%	37%	14%	17%	11%

18 ㉠에 대한 이해로 적절하지 않은 것은? ①

┌─────────────────────┐
㉠ 이 중합 과정
└─────────────────────┘

– 이 지문의 핵심 정보인 '에틸렌의 중합 과정'에 대해 묻고 있습니다. 완벽하게 이해하고 있으니 가볍게 해결해봅시다.

① 성장 중의 사슬은 그 양쪽 끝부분에서 불안정한 탄소 원자가 생성된다.

명시적 근거	4문단 2번~7번 문장
실전에서의 판단 과정	한쪽에만 있지. 다른 한쪽은 과산화물 개시제로부터 나온 원자이고.
해설	㉠ 과정의 사슬은 '과산화물 개시제'로부터 나온 원자가 '에틸렌'이 가진 '탄소 원자'의 '이중 결합' 중 더 약한 결합을 끊어 버리면서 만들어지기 시작합니다. 이에 사슬의 한쪽 끝은 '과산화물 개시제'로부터 나온 원자, 다른 한쪽 끝은 '불안정한 탄소 원자'로 이루어지게 되죠. 즉, 성장 중의 사슬의 '양쪽 끝부분'에서 '불안정한 탄소 원자'가 생성되는 것이 아니라 '한쪽 끝부분'이라고 해야 옳기 때문에 틀린 선지입니다. 두 사슬의 이 '한쪽 끝부분'이 붙어 '안정한 상태'가 되면 사슬의 성장이 끝나는 것이었죠? ㉠에 대해 정확하게 이해하고 있다면 가볍게 답으로 고를 수 있었을 것입니다.

② 사슬의 중간에 두 탄소 원자가 서로 전자를 하나씩 내어놓아 공유하는 결합이 존재한다.

명시적 근거	4문단 2번~7번 문장
실전에서의 판단 과정	불안정한 탄소 원자가 계속 이중 결합을 끊어서 전자 하나씩 뺏어오지.
해설	1번 선지에서도 생각했듯이, 사슬의 끝부분에는 '불안정한 탄소 원자'가 존재합니다. 이는 '과산화물 개시제'로부터 나온 원자에게 전자를 하나 빼앗겨 '가장 바깥 전자 껍질'의 전자 수가 7개밖에 없는 '탄소 원자'였죠? 이 '탄소 원자'는 '안정한 상태'가 되기 위해 또 다른 '에틸렌'이 가진 '탄소 원자'의 '이중 결합' 중 하나를 끊어 버리는데, 이는 이렇게 끊긴 '탄소 원자'의 전자 중 하나를 가져와 '가장 바깥 전자 껍질'의 전자 수를 8개로 만들기 위함이었습니다.

그리고 이렇게 전자 '하나'를 가져와 공유하는 것을 '단일 결합'이라고 부르죠? 그렇다면 사슬의 중간에는 두 '탄소 원자'가 서로 전자를 하나씩 내어놓아 공유하는 결합, 즉 '단일 결합'이 존재할 것입니다. ㉠을 완벽히 이해해야 정확하게 해결할 수 있을 거예요. 그렇게 했기를 바랍니다. |

③ 상태가 불안정한 원자를 지닌 분자의 생성이 연속적인 사슬 성장 반응이 일어나는 계기가 된다.

명시적 근거	4문단 2번~5번 문장
실전에서의 판단 과정	그래야 계속 안정해지려고 연속적인 사슬 성장 반응을 일으키지.
해설	'상태가 불안정한 (탄소) 원자'를 지닌 (에틸렌) 분자가 계속해서 만들어지는 것이 연속적인 사슬 성장 반응이 일어나는 계기가 됩니다. '안정한 상태'가 되기 위해 또 다른 '안정한 상태'의 '탄소 원자'를 가진 '에틸렌 분자'를 건드리고, 이 과정이 반복되는 것이니까요.

④ 공유되지 못하고 홀로 남은 전자를 가진 탄소 원자는 사슬의 성장 과정이 종결되기 전까지 계속 발생한다.

명시적 근거	4문단 2번~7번 문장
실전에서의 판단 과정	그렇지. 계속 하나씩 모자라게 되니까.
해설	공유되지 못하고 홀로 남은 전자를 가진, 즉 불안정한 상태의 '탄소 원자'는 사슬의 끝에서 계속 발생합니다. 그러다가 또 다른 사슬의 끝과 만나 '단일 결합'하면 사슬의 성장 과정이 종결되는 것이죠.

⑤ 에틸렌 분자를 구성하는 탄소 원자들 사이의 이중 결합이 단일 결합으로 되면서 사슬의 성장 과정을 이어간다.

명시적 근거	4문단 2번~7번 문장
실전에서의 판단 과정	원래 두 쌍을 공유했는데 한 쌍이 사라진 거지.
해설	'에틸렌 분자'를 구성하는 '탄소 원자'들은 원래 '이중 결합'을 하고 있습니다. 즉, 두 쌍의 전자를 공유하고 있죠. 그런데 '과산화물 개시제'로부터 나온 원자, 혹은 불안정해진 '탄소 원자'에 의해 이 '이중 결합' 중 더 약한 결합이 끊기게 됩니다. 두 쌍의 결합 중 하나가 끊겼다는 것은, 한 쌍의 결합만 존재한다는 것입니다. 즉, '이중 결합'이 '단일 결합'으로 된 것이죠. 이것이 이어지는 것이 사슬의 성장 과정이었죠?

선지	①	②	③	④	⑤
선택률	9%	8%	62%	12%	9%

19 윗글을 바탕으로 〈보기〉의 ㉮와 ㉯를 이해한 내용으로 가장 적절한 것은? [3점] ③

[보기]

폴리에틸렌은 높은 압력과 온도에서 중합되어 사슬이 여기저기 가지를 친 구조로 만들어지기도 한다. ㉮가지를 친 구조의 사슬들은 조밀하게 배열되기 힘들다. 한편 특수한 촉매를 사용하여 저온에서 중합되면 탄소 원자들이 이루는 사슬이 한 줄로 쭉 이어진 직선형 구조로 만들어지기도 한다. 이 ㉯직선형 구조의 사슬들은 한 방향으로 서로 나란히 조밀하게 배열될 수 있다.

- ㉮는 가지를 친 구조의 사슬들로, 조밀하게 배열되기 힘든 것입니다. 즉, '결정 영역'이 차지하는 비율이 낮은 '폴리에틸렌'인 것이죠. 반면 ㉯는 한 방향으로 서로 나란히 조밀하게, 즉 질서정연하게 사슬이 배열되어 있습니다. '결정 영역'이 차지하는 비율이 높은 '폴리에틸렌'이죠? 전자에 비해 후자가 더 유연성이 낮아 충격에 약하고 가공성이 떨어지며 불투명하지만, 밀도가 높아 단단하고 화학 물질에 대한 민감성이 낮아 열에 의해 잘 변형되지 않을 것입니다. 이 모든 특징을 미리 납득한 상태죠? 가볍게 답을 골라봅시다.

① 충격에 잘 깨지지 않도록 유연하게 하려면 ㉮보다 ㉯로 이루어진 소재가 적합하겠군.

② 포장된 물품이 잘 보이게 하려면 포장재로는 ㉮보다 ㉯로 이루어진 소재가 적합하겠군.

③ 보관 용기에서 화학 물질이 닿는 부분에는 ㉮보다 ㉯로 이루어진 소재를 쓰는 것이 좋겠군.

④ ㉯보다 ㉮로 이루어진 소재의 밀도가 더 높겠군.

⑤ 열에 잘 견디게 하려면 ㉯보다 ㉮로 이루어진 소재가 적합하겠군.

명시적 근거	〈보기〉, 5문단 2번~4번 문장
실전에서의 판단 과정	3번 빼고 다 반대로 써놨네.
해설	유연하게 하거나 포장된 물품이 잘 보이게끔 투명하게 하려면 ㉯보다는 ㉮가 적합할 것이고, ㉮보다 ㉯로 이루어진 소재의 밀도가 더 높을 것이며, 열에 잘 견디게 하려면 ㉮보다 ㉯로 이루어진 소재가 적합할 것입니다. 모두 〈보기〉를 정리하면서 미리 생각한 내용들이죠?

한편 화학 물질이 닿는 부분에는 이에 대한 민감성이 더 낮은 ㉯가 ㉮보다 나을 것입니다. 3번 선지를 제외하곤 모두 반대로 써 놓은 선지들이네요. 가볍게 답을 고를 수 있겠죠? |

선지	①	②	③	④	⑤
선택률	2%	23%	71%	2%	2%

20 ⓐ와 문맥상 의미가 가장 가까운 것은? ③

① 요즘 신도시는 아파트가 대규모로 서로 접해 있다.

② 그는 자신의 수상 소식을 오늘에야 접하게 되었다.

③ 나는 교과서에서 접한 시를 모두 외웠다.

④ 우리나라는 삼면이 바다에 접해 있다.

⑤ 우리 집은 공원을 접하고 있다.

몰랐던 어휘 정리하기

| 핵심 **point** |

① **화제 check** : 독서 지문 독해의 처음이자 끝. 첫 문단에서 잡은 '화제의 틀'을 마지막 문단까지 놓지 않아야 합니다.

② **정의 인식** : 단어의 의미를 살린 상태로, 지문에 제시된 정의와 붙여서 이해할 수 있어야 합니다. 정의를 '기억'하는 게 아니라, '납득'해서 본인의 말로 정리할 수 있어야 해요.

③ **재진술 인식** : 같은 말이라도 다르게 표현되는 경우가 많습니다. 심지어 아예 똑같은 말이 반복되는 경우도 많아요. 이 '같은 말'에 민감하게 반응하면, '정보량'을 줄이면서 읽을 수가 있습니다.

④ **초반 정보 견디기** : 과학·기술 지문에서는 초반부에 정보를 잔뜩 던지고, 후반부에는 그 정보를 활용해서 어떤 논의를 이어가는 경우가 많아요. 초반부의 정보만 잘 견디면 뒤에서 편해집니다.

| 지문 내용 총정리 |

화학에 대한 기본적인 지식이 부족한 학생들은 상황을 상상하는 것이 상당히 어려웠을 불친절한 지문입니다. 하지만 결국 초반부에 제시된 '안정한 상태'라는 개념의 정의를 통해 쭉 이해할 수 있게끔 써 놓은 전형적인 과학·기술 지문이라는 것도 부정하기 어렵죠? 철저하게 지문 내용만으로 이해할 수 있으니, 스스로의 힘으로 완벽하게 이해하는 것을 목표로 삼아보도록 합시다. 평가원은 앞으로도 과학·기술 제재의 지문에서 이 정도의 이해를 요구할 것이니까요.

1문단

①**탄수화물**은 사람을 비롯한 동물이 생존하는 데 필수적인 에너지원이다. ②탄수화물은 섬유소와 비섬유소로 구분된다. ③사람은 체내에서 합성한 효소를 이용하여 곡류의 녹말과 같은 비섬유소를 포도당으로 분해하고 이를 소장에서 흡수하여 **에너지원**으로 이용한다. ④반면, 사람은 풀이나 채소의 주성분인 셀룰로스와 같은 섬유소를 포도당으로 분해하는 효소를 합성하지 못하므로, 섬유소를 소장에서 이용하지 못한다. ⑤소, 양, 사슴과 같은 반추 동물도 섬유소를 분해하는 효소를 합성하지 못하는 것은 마찬가지이지만, 비섬유소와 섬유소를 모두 에너지원으로 이용하며 살아간다.

① #정의 제시

'탄수화물'에 대한 글이네요. 탄수화물은 생존에 필수적인 '에너지원'이라고 합니다. 이제부터 '탄수화물=에너지원'으로 기억하고 읽어나갈 수 있겠죠? 이렇게 초반부에 제시되는 중요 개념의 정의는 거의 외운다는 느낌으로 정리를 할 수 있어야 합니다.

②~④ #비교/대조 #재진술

이러한 '탄수화물'에는 '섬유소'와 '비섬유소'가 있다고 합니다. 사람은 '녹말'과 같은 '비섬유소'를 '포도당'으로 분해하고, 이를 흡수하여 '에너지원'으로 사용한다고 해요. 반면 '셀룰로스'와 같은 '섬유소'는 '포도당'으로 분해하지를 못하기에, 소장에서 이용할 수가 없다고 합니다.

여러분은 여기서 크게 두 가지 생각을 하셔야 합니다. 하나는 '포도당=에너지원'입니다. 우리는 앞에서 '탄수화물=에너지원'이라는 정의를 체크했기에, '에너지원'이라는 단어에 아주 민감하게 반응할 수 있습니다. 그런데 '비섬유소'를 '포도당'으로 분해하고, 이 '포도당'을 소장에서 흡수하여 '에너지원'으로 이용한다고 해요. '에너지원'이라는 중요 단어가 나왔으니, 이것이 곧 '포도당'이라는 것도 머릿속에 확실하게 넣고 갈 수 있어야 합니다.

또 하나는 '녹말=비섬유소', '셀룰로스=섬유소'입니다. 이들을 같은 말로 써 주고 있기에, 우리는 이제부터 '녹말'을 볼 때마다 '비섬유소' 생각이 나야 하고 '비섬유소'를 볼 때마다 '녹말' 생각이 나야 합니다. '섬유소'도 마찬가지구요. 평가원은 〈비섬유소 – 녹말〉, 〈섬유소 –

셀룰로스)와 같은 개념을 번갈아가며 반복해 사용하기 때문에, 이를 체크하지 못하고 읽어나가면 계속해서 새로운 정보로 인식하게 되고 집중력이 떨어지게 되는 것이죠. 이런 '같은 말'에 민감해지도록 합시다.

아무튼, 사람은 '비섬유소'는 '포도당=에너지원'으로 사용할 수 있지만, '섬유소'는 '포도당'으로 만들지 못해 소장에서 이용할 수가 없습니다. 소장에서 이용할 수 없다는 건, '에너지원'으로 사용하지 못한다는 말과 같은 말이겠죠? 이렇게 읽을 수 있어야 해요!

⑤ #재진술 #화제 제시

사람이 아닌 '반추 동물'들도 사람처럼 '섬유소'를 분해하는 효소가 없다고 합니다. 즉, '섬유소'를 '에너지원'으로 사용할 수 없다는 것이죠! 이렇게 이면의 내용 추론하면서 읽어낼 수 있겠죠? 그런데 '반추 동물'들은 '비섬유소'와 '섬유소'를 모두 '에너지원'으로 사용하며 살아간다고 합니다. 굉장히 쇼킹한 정보입니다. 분명히 '섬유소'를 '에너지원'으로 못 쓴다는 식으로 이야기를 했는데, 사실 그게 아니라고 하니까요! 이렇게 뭔가 이상하다는 생각이 든다는 건, 그만큼 중요한 문장이라는 방증이기도 하겠죠? 우리는 여기서 하나의 물음을 가지고 갈 수 있어야 합니다. '반추 동물은 도대체 어떻게 탄수화물들을 에너지원으로 사용하는 걸까?' 이러한 물음이 나오는 게 너무나 자연스러웠으면 좋겠어요. 그렇다면 지문의 흐름은 자연스럽게 잡히겠네요. 이제부터 저 물음에 대한 답을 하는 방식으로 전개될 겁니다. 기대하면서 읽어봅시다.

하이라이트 문장

③사람은 체내에서 합성한 효소를 이용하여 곡류의 녹말과 같은 비섬유소를 포도당으로 분해하고 이를 소장에서 흡수하여 에너지원으로 이용한다. ④반면, 사람은 풀이나 채소의 주성분인 셀룰로스와 같은 섬유소를 포도당으로 분해하는 효소를 합성하지 못하므로, 섬유소를 소장에서 이용하지 못한다.

사실 진짜 하이라이트는 5번 문장이지만, 5번 문장을 위의 해설처럼 처리하는 건 1등급에겐 너무나 당연한 과정이에요. 우리는 3~4번 문장에 주목할 수 있어야 합니다. 앞서 말했듯이, '탄수화물=포도당=에너지원', '녹말=비섬유소', '셀룰로스=섬유소'라는 '같은 말'의 쌍을 잡아낼 수 있어야 해요. 이렇게 최대한 많은 '같은 말'을 체크할수록 지문의 체감 정보량이 줄어들고, 한층 더 압도적인 이해가 가능해지는 것이에요. 단순한 1등급이 아닌 '국어 고인물'이 되기 위해선 이런 태도까지 자연스럽게 잡혀야 합니다!

①위(胃)가 넷으로 나누어진 반추 동물의 첫째 위인 반추위에는 여러 종류의 미생물이 서식하고 있다. ②반추 동물의 반추위에는 산소가 없는데, 이 환경에서 왕성하게 생장하는 반추위 미생물들은 다양한 생리적 특성을 가지고 있다. ③그중 **피브로박터 숙시노젠(F)**은 섬유소를 분해하는 대표적인 미생물이다. ④식물체에서 셀룰로스는 그것을 둘러싼 다른 물질과 복잡하게 얽혀 있는데, F가 가진 효소 복합체는 이 구조를 끊어 셀룰로스를 노출시킨 후 이를 포도당으로 분해한다. ⑤F는 이 포도당을 자신의 세포 내에서 대사 과정을 거쳐 에너지원으로 이용하여 생존을 유지하고 개체 수를 늘림으로써 생장한다. ⑥이런 대사 과정에서 아세트산, 숙신산 등이 대사산물로 발생하고 이를 자신의 세포 외부로 배출한다. ⑦반추위에서 미생물들이 생성한 **아세트산**은 반추 동물의 세포로 직접 흡수되어 생존에 필요한 에너지를 생성하는 데 주로 이용되고 체지방을 합성하는 데에도 쓰인다. ⑧한편 반추위에서 **숙신산**은 프로피온산을 대사산물로 생성하는 다른 미생물의 에너지원으로 빠르게 소진된다. ⑨이 과정에서 생성된 **프로피온산**은 반추 동물이 간(肝)에서 포도당을 합성하는 대사 과정에서 주요 재료로 이용된다.

①~② #정의 제시 #카테고리 제시

'반추 동물'은 위가 넷으로 나누어진 동물인데, 이 동물의 첫째 위를 '반추위'라고 한다네요. 이 반추위에는 산소가 없다고 합니다. 그런데 이 환경에서 다양한 생리적 특성을 가진 '반추위 미생물'들은 왕성하게 생장한다고 해요. 사실 '반추위에는 산소가 없다.'라는 정보는 기억하기 힘든 미시적인 정보이지만, '산소가 없는데도 왕성히 생장하는 반추위 미생물'이라는 생각을 하면 굉장히 '특이'하기에 머릿속에 오래 남길 수 있는 정보가 될 수도 있었을 겁니다. 최대한 '납득'하며 읽는 태도를 갖추면, 생각보다 많은 정보들을 기억하며 읽을 수 있습니다.

한편 이 문단을 기점으로, '반추위 미생물'이라는 게 앞에서 봤던 '반추 동물은 어떻게 탄수화물을 에너지원으로 사용하는가?'라는 물음을 해결하는 주체가 된다는 걸 알 수 있겠네요. '반추위 미생물의 역할'이라는 카테고리 잡아 놓고 계속 읽어보도록 합시다.

③ #정의 제시

'반추위 미생물' 중에는 F가 있습니다. F는 '섬유소'를 분해하는 미생물이에요! 우리가 가장 궁금했던 '섬유소'에 대한 정보가 먼저 나오고 있는 것이네요. 과연 어떻게 '섬유소'가 반추 동물의 '에너지원'이 되는 걸까요?

④~⑥ #재진술 #과정 제시

F는 '셀룰로스' 주변에 형성되어 있는 복잡한 구조를 끊어 낸다고 합니다. '셀룰로스=섬유소'이기 때문에, 당연히 나와야 할 정보라고 할 수 있겠죠? 이 구조를 끊어 '셀룰로스'를 노출시킨 뒤, 이를 '포도당'으로 분해한다고 합니다. '반추 동물'은 '셀룰로스=섬유소'를 '포도당'으로 분해할 수 없다고 했는데, '반추위 미생물'인 F가 이를 해 내는 것이네요! '포도당=에너지원'이었는데, 이를 반추 동물의 에너지원으로 사용하는 걸까요?

5번 문장에선 이 예측이 틀렸음을 알려주고 있습니다. 여기서 만든 '포도당'은 반추 동물이 아닌 F를 위한 에너지원이었어요. F는 이 포도당을 통해 무럭무럭 자란다고 합니다. 그런데 이 과정에서 '아세트산, 숙신산'이라는 '대사/산물'이 발생하고, 이를 세포 외부로 배출한다고 해요. 아직까지 어떻게 '반추 동물'의 에너지원이 되는지는 나오지 않고 있습니다. 이를 계속 궁금해하면서 읽어주셔야 합니다!

⑦ #정의 제시 #재진술

이 '대사/산물' 중에서 '아세트산'은 반추 동물의 세포로 직접 흡수되어 '에너지 생성' 및 '체지방 합성'의 역할을 한다고 합니다. 이는 곧 반추 동물의 '에너지원'으로 쓰인다는 이야기죠? 드디어 우리의 궁금증이 풀렸습니다. 반추 동물이 '셀룰로스=섬유소'를 직접 '에너지원'으로 사용하는 건 아니었고, 이를 통해 생장한 F라는 '반추위 미생물'이 남긴 '대사 산물'을 '에너지원'으로 사용하는 것이었어요! 이렇게 '아세트산=에너지원'이라는 정보를 머릿속에 남겨주신다면 완벽하겠습니다.

⑧~⑨ #정의 제시 #재진술

다음으로 또 다른 대사산물인 '숙신산'을 소개하고 있습니다. 이는 '프로피온산'을 만드는 또 다른 미생물의 에너지원으로 쓰인다고 해요. '숙신산'은 '아세트산'과는 달리 바로 반추 동물의 '에너지원'이 되는 건 아니고, '프로피온산' 생산을 위한 재료로 사용되는 거네요.

그렇다면 '프로피온산'은 도대체 뭘 위한 것일까요? 이는 반추 동물의 '포도당'을 합성하는 주요 재료로 사용된다고 합니다. '포도당=에너지원'이었으니, 결국 '프로피온산'도 '아세트산'처럼 반추 동물의 '에너지원'으로 쓰이는 것이었네요! '숙신산'이 그 재료 역할을 하는 것이구요.

이처럼 '에너지원'이라는 말을 중심으로 정보를 정리했다면, '아세트산', '숙신산', '프로피온산'이라는 많은 정보들이 모두 '같은 말'이라는 걸 생각해낼 수 있어요. 이렇게 정보량을 줄이면서 2문단을 견뎠다면, 고생하셨습니다. 이제부터 다 똑같은 말의 향연일 것이에요.

과학·기술 지문은 이처럼 전반부의 정보량 폭탄을 견디는 게 아주 중요합니다. 최대한 '같은 말'을 잡아주고 납득하면서 정보들을 정리해주시는 것이에요!

하이라이트 문장

> ⑦ 반추위에서 미생물들이 생성한 아세트산은 반추 동물의 세포로 직접 흡수되어 생존에 필요한 에너지를 생성하는 데 주로 이용되고 체지방을 합성하는 데에도 쓰인다.

우리가 화제로 삼은 것에 대한 답이 제시되고 있습니다. '반추 동물은 섬유소 분해 효소가 없으면서 섬유소를 어떻게 이용하는 거야?'라는 궁금증이 우리의 화제였는데, '아세트산'이라는 '대사산물'을 통해 에너지를 생성한다는 서술을 보는 순간 '대사산물을 통해 가능한 거였구나!'라는 깨달음이 와야 한다는 것이죠. 글을 읽을 때 항상 '의식적으로' 화제를 기억하려고 노력하시길 바랍니다.

3문단

> ① 반추위에는 비섬유소인 녹말을 분해하는 스트렙토코쿠스 보비스(S)도 서식한다. ② 이 미생물은 반추 동물이 섭취한 녹말을 포도당으로 분해하고, 이 포도당을 자신의 세포 내에서 대사과정을 통해 자신에게 필요한 에너지원으로 이용한다. ③ 이때 S는 자신의 세포 내의 산성도에 따라 세포 외부로 배출하는 대사산물이 달라진다. ④ 산성도를 알려 주는 수소 이온 농도 지수(pH)가 7.0 정도로 중성이고 생장 속도가 느린 경우에는 아세트산, 에탄올 등이 대사산물로 배출된다. ⑤ 반면 산성도가 높아져 pH가 6.0 이하로 떨어지거나 녹말의 양이 충분하여 생장 속도가 빠를 때는 젖산이 대사산물로 배출된다. ⑥ 반추위에서 젖산은 반추 동물의 세포로 직접 흡수되어 반추 동물에게 필요한 에너지를 생성하는 데 이용되거나 아세트산 또는 프로피온산을 대사산물로 배출하는 다른 미생물의 에너지원으로 이용된다.

①~③ #재진술 #과정 제시 #비교/대조
#카테고리 나누기

지금까지 나왔던 F는 '섬유소'를 분해하는 미생물이었어요. 그런데 '비섬유소'를 분해하는 S도 있다고 하네요. 이번엔 반추 동물이 '비섬유소'를 어떻게 '에너지원'으로 이용하는지 알아볼 차례인 것 같네요. 2번 문장을 보니, S도 F와 같은 대사 과정을 거치네요. 2문단을

잘 견뎠더니, 이 문장이 너무나 쉽게 읽힙니다. 그런데 S는 자신의 '세포 내의 산성도'에 따라 배출하는 대사산물이 달라진대요. F가 무조건 아세트산, 숙신산을 배출했던 것과는 차이가 있네요. '세포 내의 산성도'라는 카테고리 속에서 '대사산물'이 어떻게 달라지는지 알아보러 갑시다.

④~⑤ #비교/대조 #재진술

pH가 7.0 정도로 '중성'이고 생장 속도가 느리면 '아세트산', '에탄올' 등이 나온다고 합니다. '에탄올'은 모르겠지만 '아세트산'은 앞에서 봤던 '반추 동물의 에너지원'이죠? '중성'이면서 생장 속도가 느리면 F와 똑같은 대사산물을 배출한다고 정리하면 될 것 같습니다. '에탄올'과 같은 정보는 이 지문의 화제인 '에너지원'이라고 한 적이 없기 때문에, 그리 중요하지 않게 보이네요.

한편 '산성도'가 높아져 pH가 6.0 이하로 떨어지거나 생장 속도가 빠르면 '젖산'이 나온다고 합니다. '산성도'가 높아지거나 '녹말'의 양이 충분하면 처음 보는 대사산물인 '젖산'이 나오네요. 이건 어떤 역할을 할까요?

⑥ #정의 제시 #재진술

'젖산'은 반추 동물의 '에너지원'으로 쓰이거나 '아세트산', '프로피온산'을 배출하는 미생물의 에너지원이 되기도 하네요. '젖산=아세트산=프로피온산=반추 동물의 에너지원'으로 정리할 수 있겠습니다. 굉장히 많은 정보가 나온 것처럼 보였지만, 딱히 그렇지도 않네요. 탄수화물을 분해하며 자라는 '반추위 미생물'이 남긴 '대사산물'이 반추 동물의 '에너지원'이 된다는 이야기만 반복하고 있습니다. 정보량이 많은 지문은 없다는 믿음하에, '같은 말'을 최대한 인식하며 정보량을 줄이는 태도를 가집시다.

하이라이트 문장

> ② 이 미생물은 반추 동물이 섭취한 녹말을 포도당으로 분해하고, 이 포도당을 자신의 세포 내에서 대사과정을 통해 자신에게 필요한 에너지원으로 이용한다.

이 부분을 읽는 순간 'F와 S의 작동 기제가 같겠구나!'라는 인식을 했으면 좋았을 것 같습니다. 여러분도 알다시피 평가원은 의미없는 정보를 남발하지 않습니다. F가 반추 동물이 섭취한 섬유소를 포도당으로 분해해서 자기가 사용하는 과정, 그것을 통해 에너지를 얻는 과정이 서술되었는데 바로 다음 문단에서 S가 같은 과정을 보인다면 '평가원이 비슷한 정보를 또 제시하겠구나!'하고 예측할 수 있어야 한다는 말이죠. 다시 한번 기억합시다. 평가원은 정보를 의미없이 나열하지 않아요. '반추 동물의 에너지원'과 같은 '화제'를 중심으로 정보를 묶어서 이해하도록 합시다.

4문단(1)

> ①그런데 S의 과도한 생장이 반추 동물에게 악영향을 끼치는 경우가 있다. ②반추 동물이 짧은 시간에 과도한 양의 비섬유소를 섭취하면 S의 개체 수가 급격히 늘고 과도한 양의 젖산이 배출되어 반추위의 산성도가 높아진다. ③이에 따라 산성의 환경에서 왕성히 생장하며 항상 젖산을 대사산물로 배출하는 **락토바실러스 루미니스(L)**와 같은 젖산 생성 미생물들의 생장이 증가하며 다량의 젖산을 배출하기 시작한다.

① #카테고리 제시

평가원은 아직 S에 대해서 할 말이 남은 것 같습니다. S가 과도하게 생장하면 반추 동물에게 '악영향'을 끼칠 수 있다고 해요. 새로운 카테고리가 제시된 것이죠? 우리는 이제부터 이 '악영향'이 어떤 것인지 궁금해하면서 글을 읽을 수 있어야 해요.

②~③ #재진술 #정의 제시 #고정값

반추 동물이 짧은 시간에 과도한 양의 비섬유소를 섭취하면, S의 개체 수가 늘고, 젖산 배출이 과도해지고, 산성도가 높아진다고 합니다. 이게 전부 새롭게 느껴지면 안 돼요! S 관련 정보를 체크하면서 모두 정리한 내용입니다. 이렇게 산성도가 계속 높아지면, '항상' 젖산을 대사산물로 배출하는 L과 같은 반추위 미생물의 생장이 증가한다고 합니다. '젖산'은 '산성'의 환경에서 잘 나오는데, S의 과도한 생장으로 이 환경이 갖춰지면 L이 신나게 날뛸 수 있는 것이죠. 이때 L은 '항상', 즉 '고정적'으로 젖산을 배출하는 미생물이라는 점을 머릿속에 확실하게 넣을 수 있어야겠죠? '고정값'은 언제나 중요하니까요.

아니 그런데, 이게 왜 문제일까요? 뭐든 과하면 문제긴 하겠지만, '젖산'의 다량 생산이 구체적으로 어떻게 문제가 되는지 알아보러 갑시다.

하이라이트 문장

> ①그런데 S의 과도한 생장이 반추 동물에게 악영향을 끼치는 경우가 있다.

새로운 카테고리를 만들어주는 문장입니다. 이때 지문의 흐름이 바뀌었음을 인지하면서, '악영향'이라는 카테고리로 정보를 모아 줄 준비를 해야 합니다.

4문단(2)

> ④F를 비롯한 **섬유소 분해 미생물**들은 자신의 세포 내부의 pH를 <u>중성</u>으로 일정하게 유지하려는 특성이 있는데, 젖산 농도의 증가로 자신의 세포 외부의 pH가 낮아지면 자신의 세포 내의 항상성을 유지하기 위해 에너지를 사용하므로 <u>생장이 감소</u>한다. ⑤만일 자신의 세포 외부의 pH가 5.8 이하로 떨어지면 에너지가 소진되어 생장을 멈추고 사멸하는 단계로 접어든다. ⑥이와 달리 S와 L은 상대적으로 산성에 견디는 정도가 강해 자신의 세포 외부의 pH가 5.5 정도까지 떨어지더라도 이에 맞춰 자신의 세포 내부의 pH를 낮출 수 있어 자신의 에너지를 세포 내부의 pH를 유지하는 데 거의 사용하지 않고 생장을 지속하는 데 사용한다. ⑦그러나 S도 자신의 세포 외부의 pH가 그 이하로 더 떨어지면 생장을 멈추고 사멸하는 단계로 접어들고, 산성에 더 강한 L을 비롯한 젖산 생성 미생물들이 반추위 미생물의 많은 부분을 차지하게 된다. ⑧그렇게 되면 <u>반추위의 pH가 5.0 이하가 되는</u> 급성 반추위 산성증이 발병한다.

④~⑤ #정의 제시 #재진술

F와 같은 '섬유소 분해 미생물'에 대한 이야기가 나오고 있습니다. 이들은 pH를 '중성'으로 유지하고자 하는 성질이 있다고 해요. 그런데 pH가 낮아지면, 즉 '산성도'가 높아지면 생장이 감소하게 된다고 합니다. 이는 앞에서 이야기한 'S의 과도한 생장'이 낳은 상황을 말하죠? 결국 S가 과도하게 생장하여 산성도가 계속 높아지고, pH가 5.8 이하로 떨어지는 순간이 오면 F와 같은 '섬유소 분해 미생물'이 사멸한다고 합니다.

그런데 이들이 사멸하는 건 아주 큰 문제예요. 반추 동물이 '셀룰로스'와 같은 '섬유소'를 '에너지원'으로 사용하지 못하게 될 테니까요! 이렇게 이해할 수 있어야 합니다. 앞에서 체크한 정보를 계속해서 끌고 오면서 납득할 수 있어야 해요. 이런 것이 바로 S의 과도한 생장이 끼치는 '악영향'이라고 할 수 있겠네요.

| 생각 심화 |

F는 왜 자신의 산성도를 유지하려 할까요? 쉽게 생각해 봅시다. 그것이 F에게 가장 편안한 환경이기 때문입니다. 자기에게 편안하고 익숙한 환경을 유지하려 하는 것은 너무 당연한 사실입니다. 이렇게 pH를 항상 중성으로 일정하게 유지하려는 특성처럼 어떤 성질을 유지하고자 하는 성질을 '항상성'이라고 부릅니다. 우리의 인체도 이를 유지하려고 최선을 다하고 있습니다. 여러분이 짠 걸 먹으면 물을 마시고 싶고, 더우면 땀을 내서 열을

식히는 것도 마찬가지의 원리이죠. 몸의 '수분량'이나 '체온'을 일정하게 유지시키는 '항상성'이 작동하는 것입니다.

이는 물리적 현상들에서도 확인할 수 있습니다. 여러분이 타고 있던 버스가 갑자기 멈추면 몸이 앞으로 쏠리는 것처럼, 현재 이동하고 있는 방향으로 계속 이동하려고 하는 특성인 '관성'도 같은 맥락이라고 할 수 있죠. 이런 메커니즘은 과학·기술 지문에서 꽤 자주 등장합니다. 앞으로는 이러한 서술이 나온다면 쉽게 이해하고 넘어갈 수 있으면 좋겠네요!

⑥~⑧ #비교/대조 #재진술

그래도 S와 L은 산성에 견디는 정도가 더 강해서, pH가 5.5 정도가 되는 순간까지는 자신의 세포 내부의 pH 농도를 스스로 낮추면서 견딜 수 있다고 합니다. 하지만 그 이하가 되면, '비섬유소 분해 미생물'인 S도 사멸하고 말아요. 이렇게 되면 반추 동물은 탄수화물을 '에너지원'으로 사용하지 못하는 최악의 상태가 되어 버리겠네요. 이 상태가 계속 이어지면, '급성/반추위/산성증'이라는 병으로 이어질 수 있다고 합니다. 내용 자체가 어렵지는 않죠?

| 생각 심화 |

그렇다면 '급성 반추위 산성증'은 어떤 증상이 나타나는 병일까요? 미리 생각해보면 좋을 것 같습니다. 생각해본 다음에 아래의 답을 읽어보도록 해요!

사실 앞에서 다 설명한 내용입니다. '급성 반추위 산성증'에 걸린 반추 동물의 pH는 5.0 이하이므로, '산성도'가 아주 높은 상태입니다. 이 상태에서는 F와 S 같은 '탄수화물 분해 미생물'들이 모두 사멸되기 때문에, 이 병에 걸린 반추 동물은 탄수화물을 '에너지원'으로 사용하지 못할 것입니다. 소 같은 동물은 탄수화물 외에는 섭취하는 영양소가 거의 없을 텐데, 이는 정말로 큰 문제라고 할 수 있겠네요.

상당히 어려운 내용이지만, 지문의 내용을 잘 끌고 오면서 이해했다면 충분히 해낼 수 있다고 생각합니다. 최근의 어려운 선지 경향에 의하면 이런 내용도 충분히 선지화될 수 있으니, 끊임없이 '생각'하고 또 '생각'하며 사고력을 기르도록 해요.

선지	①	②	③	④	⑤
선택률	9%	10%	5%	12%	64%

21 윗글을 읽고 알 수 있는 내용으로 가장 적절한 것은? ⑤

① 섬유소는 사람의 소장에서 포도당의 공급원으로 사용된다.

명시적 근거	1문단 4번 문장
실전에서의 판단 과정	섬유소는 사용 못한다고 했지.
해설	사람은 섬유소를 사용하지 못한다고 했습니다. 이 지문의 화제와 연관된 대전제였죠? 이와 다르게 반추 동물은 섬유소를 사용한다는 게 핵심이니까요.

② 반추 동물의 세포에서 합성한 효소는 셀룰로스를 분해한다.

명시적 근거	2문단 4번 문장
실전에서의 판단 과정	셀룰로스 분해는 반추위 미생물이 하지.
해설	'셀룰로스=섬유소'는 사람도, 반추 동물도 분해할 수 없습니다. F와 같은 반추 동물의 반추위 미생물만이 할 수 있죠! '셀룰로스=섬유소' 분해를 못 한다는 건 이 지문의 화제를 이끌어가는 중요 정보였기 때문에, 이 선지를 쉽게 지워낼 수 있었어야 합니다. 단순한 내용일치 문제가 아니에요!

③ 반추위 미생물은 산소가 없는 환경에서 생장을 멈추고 사멸한다.

명시적 근거	2문단 2번 문장
실전에서의 판단 과정	산소가 없는데도 살아남아서 특이했던 거지.
해설	'실전에서의 판단 과정' 그대로입니다. '반추위'에는 산소가 없는데, 특이하게도 '반추위 미생물'은 여기서 왕성하게 생장한다고 했습니다. 혹시나 기억을 못했더라도, '반추위 미생물'에 대한 기본 정보가 나열되던 2문단으로 눈알을 굴려서 쉽게 지워낼 수도 있었겠죠.

④ 반추 동물의 과도한 섬유소 섭취는 급성 반추위 산성증을 유발한다.

명시적 근거	4문단 2번 문장, 4문단 8번 문장
실전에서의 판단 과정	급성 반추위 산성증은 비섬유소 섭취의 결과였지.
해설	'급성 반추위 산성증'은 '비섬유소'를 과도하게 섭취하여 '산성도'가 높아질 때 발생하는 것이었습니다. '비섬유소 분해 미생물'인 S의 과도한 생장이 원인이었으니, 어렵지 않게 생각해낼 수 있었겠죠.

⑤ 피브로박터 숙시노젠(F)은 자신의 세포 내에서 포도당을 에너지원으로 이용하여 생장한다.

명시적 근거	2문단 5번 문장
실전에서의 판단 과정	이렇게 한 다음 배출하는 대사산물이 곧 반추 동물의 에너지원이었지.
해설	완벽하게 납득한 F의 생장 과정에 대해 묻고 있습니다. 이 지문의 화제와 직결되는 정보이기 때문에, 거의 외우다시피 하고 있죠? F든 S든 탄수화물을 분해해서 얻은 포도당을 에너지원으로 이용하여 생장하고, 이 과정에서 배출된 '대사산물'이 이 지문의 화제인 '반추 동물의 에너지원'이 되었던 것이에요. 어렵지 않게 답으로 고를 수 있었으면 좋겠습니다.

선지	①	②	③	④	⑤
선택률	11%	17%	17%	43%	12%

22 윗글로 볼 때, ⓐ~ⓒ에 대한 이해로 적절하지 <u>않은</u> 것은?
④

> ⓐ 피브로박터 숙시노젠(F)
> ⓑ 스트렙토코쿠스 보비스(S)
> ⓒ 락토바실러스 루미니스(L)

– 이 지문의 주인공들인 '반추위 미생물'에 대한 문제입니다. 쉽게 해결해봅시다. 편의상 ⓐ, ⓑ, ⓒ가 아닌 F, S, L로 부르도록 할게요.

① ⓐ와 ⓑ는 모두 급성 반추위 산성증에 걸린 반추 동물의 반추위에서는 생장하지 못하겠군.

명시적 근거	4문단 5번, 4문단 7번~8번 문장
실전에서의 판단 과정	급성 반추위 산성증이면 L만 살아 있겠지.
해설	F와 S는 pH가 각각 5.8, 5.5 이하로 떨어지면 사멸합니다. 선지에서 물어보는 '급성 반추위 산성증'의 정의는 'pH 5.0 이하'니까 당연히 둘은 못 살겠죠. 정의와 비교 포인트 확실하게 잡고 있죠?

② ⓐ와 ⓑ는 모두 반추위에서 반추 동물의 체지방을 합성하는 물질을 생성할 수 있겠군.

명시적 근거	2문단 7번 문장, 3문단 4번~6번 문장
실전에서의 판단 과정	둘 다 아세트산 만들 수 있지.
해설	선지에서 물어보는 '체지방을 합성하는 물질'은 '아세트산'입니다. '체지방 합성=에너지원'과 같은 방식으로 재진술했던 기억이 있다면 쉽게 떠올릴 수 있었을 것이에요. 그리고 F와 S는 모두 '아세트산'을 만들 수 있다는 건 완벽하게 납득하고 있는 정보입니다. '아세트산'이라는, 지문의 화제와 직결되기에 가장 중요한 정보를 이용한 선지였습니다.

③ 반추위의 pH가 6.0일 때, ⓐ는 ⓒ보다 자신의 세포 내의 산성도를 유지하는 데 더 많은 에너지를 쓰겠군.

명시적 근거	4문단 6번 문장
실전에서의 판단 과정	L은 산성에 엄청 강하지.
해설	F는 항상 pH를 중성(7.0)으로 유지하려는 성질이 있다고 했습니다. 반면 L은 5.5 이하까지도 견딜 수 있다고 했고요. 그럼 6.0이면 F는 7.0으로 올리기 위해 에너지를 쓸 것이고, L은 견딜 수 있으니 생장하는데 에너지를 쓰겠네요. 맞는 선지네요.

④ ⓑ와 ⓒ는 모두 반추위의 산성도에 따라 다양한 종류의 대사산물을 배출하겠군.

명시적 근거	3문단 3번 문장, 4문단 3번 문장
실전에서의 판단 과정	L은 젖산만 배출하는데?
해설	S는 산성도에 따라 '다양한' 대사산물을 배출한다고 했습니다. 반면 L은 정의 자체가 '젖산 생성 미생물'입니다. 젖산'만' 배출하죠. 일종의 '고정값'이었기에, 확실하게 기억하고 있는 정보였죠? 그럼 답은 쉽게 4번이네요.

그런데 지문에서 S는 '세포 내의' 산성도에 따라 다양한 대사산물을 배출한다고 했습니다. 그런데 이 선지에서는 '반추위'의 산성도를 물어보고 있네요! 그럼 틀렸나요? 아닙니다. 왜일까요? 바로 마지막 문단에서 '세포 외부'의 pH가 낮아지면 '세포 내부'의 pH를 조절한다고 했기 때문입니다. 즉, '반추위'와 같은 '세포 외부'의 pH는 세포 내부의 pH와 긴밀하게 관련된 것이었어요. 따라서 S가 '반추위의 산성도'에 따라 다른 대사산물을 배출한다는 것은 맞는 내용이라고 볼 수 있어요. 물론 이 해설은 시험장에서 생각하는 게 아주 어려운 '뒷북 해설'에 가까운 내용이고, 그냥 '산성도에 따라 대사산물을 배출한다.'는 것이 S의 핵심이라는 생각만 해주셔도 충분합니다.

⑤ 반추위에서 녹말의 양과 ⓑ의 생장이 증가할수록, ⓐ의 생장은 감소하고 ⓒ의 생장은 증가하겠군.

명시적 근거	4문단 전체
실전에서의 판단 과정	S가 많아질수록 F는 죽고 L은 신나겠지.
해설	녹말은 '비섬유소'이고, S는 젖산을 배출하니 이들이 많아지면 '산성도'가 엄청 높아지겠네요. 그럼 F는 견디지 못하고 사멸하고, L은 신나서 쭉쭉 생장할 겁니다. 각 미생물들의 정의와 대사 과정을 체크했다면 역시 쉽게 지울 수 있었을 것이에요.

선지	①	②	③	④	⑤
선택률	28%	14%	9%	33%	16%

23 윗글을 바탕으로 ㉠이 가능한 이유를 진술한다고 할 때, 〈보기〉의 ㉮, ㉯에 들어갈 말로 가장 적절한 것은? [3점]

①

㉠ 소, 양, 사슴과 같은 반추 동물도 섬유소를 분해하는 효소를 합성하지 못하는 것은 마찬가지이지만, 비섬유소와 섬유소를 모두 에너지원으로 이용하며 살아간다.

- 이 지문의 화제 그 자체를 묻고 있습니다. 이것이 가능한 이유는 간단해요. 아래의 과정 덕분이죠.

1) 반추위 미생물이 탄수화물 분해
2) 거기서 나온 포도당 이용해서 미생물 생장
3) 이 과정에서 대사산물 발생
4) 대사산물이 반추 동물의 에너지원으로 이용됨

충분히 납득하고 있는 정보이기 때문에, 굳이 지문으로 돌아가지 않고도 떠올릴 수 있을 겁니다. 이를 바탕으로 문제 풀어봅시다.

[보기]

반추 동물이 섭취한 섬유소와 비섬유소는 반추위에서 (㉮), 이를 이용하여 생장하는 (㉯)은 반추 동물의 에너지원으로 이용되기 때문이다.

- ㉮와 ㉯는 위의 과정에 정확히 대응됩니다. ㉮에는 위의 과정 중 1)과 2)에, ㉯는 위의 과정 중 3)에 해당하네요. 이 내용을 선지에서 찾아보면, 밑줄 친 내용들만 살아남네요.

① ㉮: 반추위 미생물의 에너지원이 되고
　㉯: 반추위 미생물이 대사 과정을 통해 생성한 대사산물
② ㉮: 반추위 미생물의 에너지원이 되고
　㉯: 반추위 미생물이 대사 과정을 통해 생성한 포도당
③ ㉮: 반추위 미생물에 의해 합성된 포도당이 되고
　㉯: 반추 동물이 대사 과정을 통해 생성한 포도당
④ ㉮: 반추위 미생물에 의해 합성된 포도당이 되고
　㉯: 반추위 미생물이 대사 과정을 통해 생성한 대사산물
⑤ ㉮: 반추위 미생물에 의해 합성된 포도당이 되고
　㉯: 반추위 미생물이 대사 과정을 통해 생성한 포도당

일단 ㉯에는 '포도당'이 들어갈 수 없기 때문에 답은 1번과 4번 중 하나인데, 문제는 4번 선지의 ㉮도 그럴 듯하다는 겁니다. 미생물이 에너지원으로 섭취하는 건 결국 '포도당'이니까요.

그렇다면 다시 2문단으로 돌아가서 천천히 확인해볼 필요가 있겠네요. 4번 문장을 보면, 포도당으로 '분해'한다는 표현을 확인할 수 있습니다. 그런데 4번 선지의 ㉮는 포도당을 '합성'한다고 했으니, 답이 될 수가 없겠네요.

굉장히 치사한 영역이라고 볼 수도 있습니다. 실제 선지 선택률을 봐도, 4번 선지의 선택률이 엄청나잖아요.

물론 지문 전체적으로 포도당을 '분해'한다는 말이 반복되었기 때문에, 이를 찾아내는 게 어렵지 않다고 주장할 수도 있겠습니다. 하지만 선지 선택률에서 확인할 수 있듯이 수능 시험장이라는 곳은 만만하지가 않습니다. 그 순간 완벽하게 판단하는 건 어려웠을 것이에요. 그래도 최소한 4번 선지로 손이 가기 전에, 해설에서 한 것처럼 '반추위 미생물'의 대사 과정을 한 번만 더 확인했다면 조금 더 확실하게 답을 고를 수 있었을 겁니다.

기본적으로는 지문으로 돌아가지 않고도 문제를 풀 수 있을 만큼 지문을 잘 읽어내는 게 중요하지만, 선지 판단이 제대로 되지 않는 그

순간에는 선지에서 묻는 부분으로 빠르게 돌아갈 수 있는 실행력이 필요합니다. 이런 사소한 습관 하나하나가 여러분의 수능 국어 점수를 결정하는 것이에요!

선지	①	②	③	④	⑤
선택률	7%	8%	69%	9%	7%

24 윗글로 볼 때, 반추위 미생물에서 배출되는 숙신산과 젖산에 대한 설명으로 적절하지 않은 것은? ③

– '숙신산'과 '젖산'을 비교/대조하는 문제네요. '숙신산'은 '프로피온산'을 대사산물로 생성하는 다른 미생물의 에너지원이 되었고, '젖산'은 '반추 동물의 에너지원'이 되거나 '아세트산', '프로피온산'을 대사산물로 배출하는 다른 미생물의 에너지원이 되었습니다. 결국 모두 '반추 동물의 에너지원'이 될 수 있다는 공통점을 가지고 있었죠? 문제 풀어봅시다.

① 숙신산이 많이 배출될수록 반추 동물의 간에서 합성되는 포도당의 양도 늘어난다.

명시적 근거	2문단 8번~9번 문장
실전에서의 판단 과정	숙신산 많아지면 프로피온산도 많아지고 포도당도 많아지겠다.
해설	'숙신산'이 많이 배출되면 '프로피온산'이 많이 나올 것입니다. '프로피온산'은 반추 동물이 간에서 포도당을 합성하는 대사 과정에서 어떠한 역할을 한다고 했으니, 포도당의 양도 당연히 늘어나겠네요. 선지에서 묻고 있는 '숙신산'과 '포도당'의 관계를 '프로피온산'을 매개로 하여 생각했다면 쉽게 판단할 수 있었겠죠?

② 젖산은 반추 동물의 세포로 직접 흡수되어 반추 동물의 에너지원으로 이용될 수 있다.

명시적 근거	3문단 6번 문장
실전에서의 판단 과정	그렇다고 했지.
해설	'젖산'의 정의 자체를 묻고 있네요. '젖산'의 정의가 무엇인지는 이미 체크해뒀죠?

③ 숙신산과 젖산은 반추위가 산성일 때보다 중성일 때 더 많이 배출된다.

명시적 근거	2문단 6번 문장, 3문단 5번 문장, 4문단 6번 문장
실전에서의 판단 과정	중성이면 S가 젖산을 많이 배출하지 못하지.
해설	선지에서는 '숙신산, 젖산'에 대해 물어보고 있습니다. 그럼 우리는 각각의 미생물 중 숙신산, 젖산을 배출하는 게 무엇인지를 생각해봐야겠네요. 숙신산은 F가 만드는 것이고, 젖산은 '산성인 경우의 S와 L이 만드는 것입니다. 그럼 중성인 경우엔 F가 살아서 '숙신산'을 만들 것이고, S와 L은 각각 '아세트산, 에탄올'과 '젖산'을 만들겠네요.\n\n그러다가 반추위가 산성이 되면 F는 사멸 직전이라 '숙신산' 생산을 못하게 되고, S와 L이 '젖산'을 엄청나게 뿜어대겠죠? 결론은 중성인 경우 '숙신산'은 산성인 경우일 때보다 더 많이 나오지만, '젖산'은 덜 나온다는 거네요. 각 미생물이 만드는 대사산물이 무엇인지를 정확하게 체크하고, 각 미생물의 생장 환경이라는 '비교 포인트'를 잡으며 독해했는지가 관건이었습니다. 복잡해보이지만 별로 어렵지 않은 논리였어요.

④ 숙신산과 젖산은 반추위 미생물의 세포 내에서 대사 과정을 거쳐 생성된다.

명시적 근거	2문단 6번 문장, 3문단 5번 문장
실전에서의 판단 과정	그렇지.
해설	너무 어이없이 쉬워서 갑자기 힘이 쭉 빠지는 선지네요. 몇 번이고 확인했던 내용이죠?

⑤ 숙신산과 젖산은 프로피온산을 대사산물로 배출하는 다른 미생물의 에너지원으로 이용되기도 한다.

명시적 근거	2문단 8번 문장, 3문단 6번 문장
실전에서의 판단 과정	그렇다고 했지.
해설	역시 굳이 설명이 필요하지 않은 내용이죠? '숙신산'과 '젖산'의 정의 그 자체를 묻는 선지입니다.

| 핵심 **point** |

① **화제 check** : 독서 지문 독해의 처음이자 끝. 첫 문단에서 잡은 '화제의 틀'을 마지막 문단까지 놓지 않아야 합니다.

② **재진술 인식** : 같은 말이라도 다르게 표현되는 경우가 많습니다. 심지어 아예 똑같은 말이 반복되는 경우도 많아요. 이 '같은 말'에 민감하게 반응하면, '정보량'을 줄이면서 읽을 수가 있습니다.

③ **초반 정보 견디기** : 과학 · 기술 지문에서는 초반부에 정보를 잔뜩 던지고, 후반부에는 그 정보를 활용해서 어떤 논의를 이어가는 경우가 많아요. 초반부의 정보만 잘 견디면 뒤에서 편해집니다.

④ **비교/대조** : 비교되는 대상이 나오면, '공통점'과 '차이점' 중심으로 읽어나가면 됩니다.

⑤ **카테고리 나누기** : 정보들의 범주가 나뉠 때, 그들이 서로 다른 카테고리에 속한다는 것을 인지해야 합니다. 이렇게 각 카테고리에 맞춰 정보를 정리하면 훨씬 깔끔하게 정리할 수 있다는 것을 기억해주세요.

| 지문 내용 총정리 |

과학 · 기술 지문의 정석과도 같은 지문입니다. '화제' 중심으로 '같은 말'을 잡아내며 초반부의 정보를 견디고, 후반부엔 그 정보를 활용하여 수월하게 읽어내면 됩니다. 기억하세요. 정보량이 많은 지문은 없습니다!

1문단

> ① 혈액은 세포에 필요한 물질을 공급하고 노폐물을 제거한다. ② 만약 혈관 벽이 손상되어 출혈이 생기면 손상 부위의 혈액이 응고되어 혈액 손실을 막아야 한다. ③ 혈액 응고는 섬유소 단백질인 피브린이 모여 형성된 섬유소 그물이 혈소판이 응집된 혈소판 마개와 뭉쳐 혈병이라는 덩어리를 만드는 현상이다. ④ 혈액 응고는 혈관 속에서도 일어나는데, 이때의 혈병을 혈전이라 한다. ⑤ 이물질이 쌓여 동맥 내벽이 두꺼워지는 동맥 경화가 일어나면 그 부위에 혈전 침착, 혈류 감소 등이 일어나 혈관 질환이 발생하기도 한다. ⑥ 이러한 혈액의 응고 및 원활한 순환에 비타민 K가 중요한 역할을 한다.

①~② #정의 제시

'혈액'에 대해 설명하면서 시작하고 있습니다. 세포에 물질을 공급하고 노폐물을 제거하는 중요한 역할을 하는데, 만약 출혈이 생기는 경우에는 혈액을 '응고'시켜 손실을 막아야 한다고 합니다. 혈액이 그렇게 큰 역할을 한다면 최대한 손실되지 않게 막아야 하니 당연한 말이겠죠.

③ #정의 제시 #화제 제시

이렇게 중요한 '혈액 응고'가 어떤 원리로 일어나는 것인지 설명해주고 있습니다. 그런데 조금 복잡해요. 과학·기술 지문의 초반부는 이렇게 복잡한 정보들을 던져주는 경우가 많으니, 최대한 버티면서 정리해야 한다고 했습니다. 시간을 써서 그림으로 그려보는 방식 등을 사용해서라도 확실하게 정리해주셔야 해요.

먼저 '피브린'에 대해 정리해봅시다. 이는 '섬유소 단백질'이기에, 이들이 모이면 '섬유소 그물'이 형성될 거예요. '피브린=섬유소 단백질'과 같은 정보는 뒤에서 재진술하기에 너무 좋은 정보죠? 확실하게 인식해야 합니다. 메모를 해도 좋아요!

아무튼 이러한 '섬유소 그물'이 혈소판이 응집된 '혈소판 마개'와 뭉치면 '혈병'이라는 덩어리가 만들어지는데, 이것이 바로 '혈액 응고'라고 합니다. 정리하자면 '피브린 섬유소 그물+혈소판 마개=혈병'이 되는 것이네요. 이는 나중에 어떤 식으로든 활용될 것이니, 확실하게 기억해 주셔야 합니다.

나아가 '혈액 응고'에 대한 내용이 화제가 아닐까 하는 강한 의심이 드시죠? 이렇게 화제가 무엇일지 계속 궁금해하면서 읽어주셔야 해요!

④ #카테고리 나누기 #수식된 정의 제시

이러한 '혈액 응고'는 '혈관 속'에서도 일어난다고 합니다. 그렇다면 지금까지 읽은 '혈액 응고'는 '혈관 밖'에서 일어나는 것이라고 할 수 있겠죠? 가볍게 카테고리 나눠 주고, '혈관 밖=혈병', '혈관 속=혈전'이라는 식으로 확실하게 정리하면 되겠습니다. 늘 강조하지만, 과학 지문에서 초반부의 정보는 충분한 시간을 써서 정리해주셔야 해요!

⑤~⑥ #수식된 정의 제시 #화제 제시 #재진술

이물질이 쌓이면 동맥 내벽이 두꺼워지기도 하는데, 이를 '동맥 경화'라고 부른다고 합니다. 그러면 그 부위에 '혈전'이 침착(밑으로 가라앉아 들러붙음)되기도 하고, '혈류'가 감소하기도 한다고 해요. '혈전'은 쉽게 말해 '덩어리'이기 때문에 이것이 들러붙으면 혈관을 막는 결과를 낳을 것이고, '혈류'가 감소하면 '혈액'의 여러 가지 기능이 제대로 작동하지 못하는 문제가 생기겠죠. 이렇게 앞에서 봤던 개념들을 끌고 오며 확실하게 납득할 수 있어야 합니다.

이와 같이 혈관 벽이 손상되면 혈액을 응고시키는 것도 중요하지만, 기본적으로는 혈액이 혈관을 잘 돌아다닐 수 있도록 순환시키는 것도 중요할 것입니다. 여기서 '순환=동맥 경화 방지'와 같은 식으로 재진술하는 것도 가능하겠죠? 여기에 큰 역할을 하는 것이 바로 '비타민 K'라고 해요. 이 지문은 결국 '혈액 응고'로 시작해서 '비타민 K의 역할'로 이어지는 흐름을 가지고 있었네요. '비타민 K'가 어떻게 '혈액'에 영향을 미치는지 궁금해하면서 읽어보도록 합시다.

하이라이트 문장

> ③ 혈액 응고는 섬유소 단백질인 피브린이 모여 형성된 섬유소 그물이 혈소판이 응집된 혈소판 마개와 뭉쳐 혈병이라는 덩어리를 만드는 현상이다.

어려운 말들이 쏟아진다고 그냥 얼버무리면 안 됩니다. 초반부의 정보가 복잡할수록 뒤에서 중요한 역할을 할 가능성이 높으니, 충분한 시간을 써서 확실하게 정리할 수 있어야 합니다.

> ①비타민 K는 혈액이 응고되도록 돕는다. ②지방을 뺀 사료를 먹인 병아리의 경우, 지방에 녹는 어떤 물질이 결핍되어 혈액 응고가 지연된다는 사실을 발견하고 그 물질을 비타민 K로 명명했다. ③혈액 응고는 단백질로 이루어진 다양한 인자들이 관여하는 연쇄 반응에 의해 일어난다. ④우선 여러 혈액 응고 인자들이 활성화된 이후 프로트롬빈이 활성화되어 트롬빈으로 전환되고, 트롬빈은 혈액에 녹아 있는 피브리노겐을 불용성인 피브린으로 바꾼다. ⑤비타민 K는 프로트롬빈을 비롯한 혈액 응고 인자들이 간세포에서 합성될 때 이들의 활성화에 관여한다. ⑥활성화는 칼슘 이온과의 결합을 통해 이루어지는데, 이들 혈액 단백질이 칼슘 이온과 결합하려면 카르복실화되어 있어야 한다. ⑦카르복실화는 단백질을 구성하는 아미노산 중 글루탐산이 감마-카르복시글루탐산으로 전환되는 것을 말한다. ⑧이처럼 비타민 K에 의해 카르복실화되어야 활성화가 가능한 표적 단백질을 비타민 K-의존성 단백질이라 한다.

①~② #재진술 #정의 제시

'비타민 K'가 '혈액 응고'에 도움이 된다는 이야기를 또 해 주고 있습니다. 그만큼 중요하다는 뜻이겠죠? 나아가 2번 문장에서는 '비타민 K'를 정의해주고 있네요. 정의가 명시적으로 드러나지는 않지만, '지방에 녹는 어떤 물질'을 '비타민 K'로 명명했다는 것을 생각할 수 있어야 합니다. '지방에 녹으면서 혈액 응고를 돕는 물질' 정도로 정의할 수 있겠네요. 이처럼 최근에는 어떠한 개념의 정의를 명시적이지 않은 방식으로 해주는 경우가 많습니다. 이런 부분에 민감하게 반응할 수 있도록 합시다.

③~④ #정의 제시 #과정 제시

이번엔 '혈액 응고'의 과정을 자세하게 제시하고 있습니다. 굉장히 중요한 정보일 것이 뻔합니다. 시간을 들여 확실하게 체크해야겠죠? 이는 '단백질'로 이루어진 다양한 인자들이 관여하는 연쇄 반응에 의해 일어난다고 합니다. 과정이 쭉 제시될 것이니, 긴장하고 읽어봅시다.

먼저 여러 '혈액 응고 인자'들이 활성화되면 '프로트롬빈'이 활성화되어 '트롬빈'으로 전환된다고 합니다. 어려운 용어들이 남발되고 있지만, 당황하지 않고 메모 등을 활용하며 확실하게 정리하셔야 합니다. 이때 '트롬빈'은 혈액에 녹아 있는 '피브리노겐'을 불용성인 '피브린'으로 바꾼다고 해요. 일단 '불용성'이 '액체에 녹지 않는 성질'이라는 것을 모른다면 받아들이기 쉽지 않겠지만, 혈액에 '녹아 있는' 피브리노겐을 무언가로 바꾸는 것이니 혈액에 '녹지 않는' 것으로 바꿀 것이라 생각하며 읽을 수 있어야 합니다.

그런데 더욱 중요한 것은, '피브린'이라는 단어입니다. '피브린'은 분명히 앞에서 체크했던 정보로, '혈액 응고'를 위해 '혈소판 마개'와 뭉쳐 '혈병'을 형성하는 '섬유소 그물'의 구성요소인 '섬유소 단백질'이었습니다. 이들이 '불용성'이기에 녹지 않고 '그물'이 될 수 있는 것이었네요. 같은 단어가 반복되었다는 걸 인식하고 앞으로 돌아가서 끌고 내려왔어야 해요. 지금까지 제시된 정보를 정리하면, '혈액 응고'의 과정은 다음과 같습니다.

1. 여러 혈액 응고 인자 활성화
2. 프로트롬빈 활성화 → 트롬빈으로 전환
3. 트롬빈 : 피브리노겐 → 피브린으로 바꿈
4. 피브린들이 모여 섬유소 그물을 이루고 혈소판 마개와 뭉침
5. 혈병 생성

1문단에서는 4~5번 과정을, 2문단에서는 1~3번 과정을 설명해준 것이었어요. '피브린'이라는 반복 단어를 매개로 이 과정을 이어붙일 수 있어야 했습니다. 결국 '혈액 응고'라는 하나의 정보에 대해서만 이야기하고 있는 것이었어요.

⑤ #화제의 흐름

이런 과정 속에서 '비타민 K'가 어떤 역할을 하는지 설명하고 있습니다. '비타민 K'는 '프로트롬빈' 같은 여러 혈액 응고 인자들이 '간세포'에서 합성될 때의 활성화에 관여한다고 합니다. '간세포'라는 곳에서 1번~2번 과정이 일어나는데, '비타민 K'는 여기에 관여하는 것이죠. 이렇게 위의 과정에 붙이면서 이해할 수 있겠죠?

⑥~⑧ #과정 제시 #정의 제시
#단어의 의미 살리기

이때 1번~2번 과정이 일어나려면, 즉 여러 '혈액 응고 인자'들이 활성화가 되려면 '칼슘 이온'과의 결합이 필요하다고 합니다. 정보가 쉴새없이 쏟아지고 있습니다. 집중해서 정리해야 해요. 그런데 '혈액 단백질', 즉 '혈액 응고 인자'들이 '칼슘 이온'과 결합해 활성화되기 위해서는 '카르복실화'되어 있어야 한다고 합니다. 이건 또 무엇인지 휴... 일단 정신 차리고 정의를 정확히 체그해봅시다.

'카르복실화'의 정의를 체크하면, '단백질'의 아미노산 중 글루탐산이 무언가로 전환되어 있어야 하는 것을 의미한다고 합니다. 그 글루탐산의 이름에 '카르복실'이 들어가니 '카르복실/화'라는 이름이 붙은 것이죠.

아무튼 '비타민 K'는 '혈액 응고 인자'의 '카르복실화'를 도와 활성화 시키는 것이었습니다. 그리고 이렇게 '비타민 K'에 의존하는 단백질 들을 'K-의존성 단백질'이라고 하는 것이네요. '비타민 K'가 '표적'으로 삼으니 '표적 단백질'이라는 것도 쉽게 생각할 수 있겠죠?

다시, 지금까지 읽은 내용을 바탕으로 '혈액 응고'의 과정을 정리하면 다음과 같습니다. 앞에서 읽은 내용들을 최대한 끌어와서 정리하는 게 중요하겠어요.

1. 비타민 K가 간세포에서 비타민 K-의존성 단백질들을 카르복실화 시킴
2. 단백질들이 칼슘 이온과 결합하여 활성화됨
3. 프로트롬빈 활성화 → 트롬빈으로 전환
4. 트롬빈 : 피브리노겐 → 피브린으로 바꿈
5. 피브린들이 모여 섬유소 그물을 이루고 혈소판 마개와 뭉침
6. 혈병 생성

엄청난 정보량을 자랑하는 모습입니다. 필기를 하든, 번호를 매기든 여러 방법을 동원해서 확실하게 정리할 필요가 있을 것 같아요. 어쨌든 1~2문단을 통해 '혈액 응고'의 과정을 정확하게 파악했고, 그 과정 속에서 '비타민 K'의 역할도 이해를 했습니다. 이제 이 정보를 최대한 활용할 준비를 하면 되겠죠?

| 생각 심화 |
이렇게 납득 불가능한 정보를 때려박는 방식은 평가원이 선호하던 방식은 아니었습니다. 그런데 이런 식으로 정보를 때려박는 방식의 과학 지문, 특히 생물 지문들이 LEET언어이해에서 많이 등장하는 모습을 보여요. 정보를 버티며 정리하는 연습을 하고 싶다면 LEET언어이해 과학 지문들을 이용해보도록 합시다. 문제는 풀지 않아도, 지문만 정리해보는 것도 아주 큰 도움이 될 겁니다.

하이라이트 문장

> ④우선 여러 혈액 응고 인자들이 활성화된 이후 프로 트롬빈이 활성화되어 트롬빈으로 전환되고, 트롬빈은 혈액에 녹아 있는 피브리노겐을 불용성인 피브린으로 바꾼다.

'피브린'을 매개로 하여 1문단과 2문단이 연결되는 느낌을 받으셔야 합니다. 아무리 정보량이 많아도, 어쨌든 '혈액 응고 과정'이라는 핵심 정보 중심으로 모여야 하니까요.

3문단

> ①비타민 K는 식물에서 합성되는 비타민 K₁과 동물 세포에서 합성되거나 미생물 발효로 생성되는 비타민 K₂로 나뉜다. ②녹색 채소 등은 비타민 K₁을 충분히 함유하므로 일반적인 권장 식단을 따르면 혈액 응고에 차질이 생기지 않는다.

① #카테고리 나누기 #수식된 정의 제시
#비교/대조
그런데 이러한 '비타민 K'가 두 가지로 나뉜다고 합니다. 'K₁'과 'K₂' 가 어떻게 다른지 체크하면서, 이들에게 카테고리를 하나씩 부여해 주시면 되겠습니다.

② #화제의 흐름 #재진술
그런데 일반적인 식단을 따르면, '비타민 K₁'을 충분히 섭취할 수 있어 '혈액 응고'에 차질이 생기지 않는다고 합니다. '비타민 K'는 나름 쉽게 섭취할 수 있어 '혈액 응고'라는 역할에 큰 문제가 없다는 것이 겠죠. 앞에서 했던 말을 그대로 한다고 생각하며 읽어주시면 됩니다.

4문단

> ①그런데 혈관 건강과 관련된 비타민 K의 또 다른 중요한 기능이 발견되었고, 이는 칼슘의 역설과도 관련이 있다. ②나이가 들면 뼈 조직의 칼슘 밀도가 낮아져 골다공증이 생기기 쉬운데, 이를 방지하고자 칼슘 보충제를 섭취한다. ③하지만 칼슘 보충제를 섭취해서 혈액 내 칼슘 농도는 높아지나 골밀도는 높아지지 않고, 혈관 벽에 칼슘염이 침착되는 혈관 석회화가 진행되어 동맥 경화 및 혈관 질환이 발생하는 경우가 생긴다. ④혈관 석회화는 혈관 근육 세포 등에서 생성되는 MGP라는 단백질에 의해 억제되는데, 이 단백질이 비타민 K-의존성 단백질이다. ⑤비타민 K가 부족하면 MGP 단백질이 활성화되지 못해 혈관 석회화가 유발된다는 것이다.

① #카테고리 나누기 #화제의 흐름
'혈액 응고'가 지금까지 확인한 '비타민 K'의 역할이었는데, 이 외에도 혈관 건강과 관련된 중요한 기능이 있다고 합니다. 카테고리를 새롭게 만들어주시면서, '칼슘의 역설'이 무슨 말인지 궁금해야겠죠? 차분하게 읽어봅시다.

사람은 나이가 들면 '골다공증'을 방지하기 위해 칼슘 보충제를 섭취한다고 합니다. 여기서 '골다공증=뼈 조직의 칼슘 밀도가 낮아지는 것'으로 정의할 수 있어야 합니다. 이런 숨겨진 정의에 민감하게 반응할 수 있어야 해요!

그런데 칼슘 보충제를 섭취해도 골밀도가 높아지지 않고 '혈관 석회화'가 진행되어 부작용이 발생할 수 있다고 합니다. 이것이 바로 '칼슘의 역설'이었네요. 뼈 조직의 칼슘 밀도를 높이기 위해 칼슘을 보충하는 것인데, 혈관 벽에만 침착되어 '동맥 경화'와 '혈관 질환'을 유발하는 역설적인 상황이 발생하는 것입니다. 어렵지 않게 이해할 수 있겠죠?

이러한 '혈관 석회화'는 혈관 근육 세포에서 생성되는 'MGP'라는 단백질이 억제할 수 있다고 합니다. 그런데 여기서 '비타민 K-의존성 단백질'이라는 말이 나오네요. 이는 '비타민 K'로부터 '카르복실화'되어야 활성화가 가능한 단백질이었는데, 'MGP'가 거기에 속하는 것이었습니다. 결국 '비타민 K의 또 다른 중요한 기능'이라는 카테고리는 '칼슘의 역설로 인한 혈관 석회화 방지'라고 할 수 있겠네요.

하이라이트 문장

> ④혈관 석회화는 혈관 근육 세포 등에서 생성되는 MGP라는 단백질에 의해 억제되는데, 이 단백질이 비타민 K-의존성 단백질이다.

아무리 정보량이 많아 보여도, 초반부에 견디며 정리한 정보를 활용하는 것이 대부분입니다. '비타민 K-의존성 단백질'이라는 말을 보고서 '비타민 K의 또 다른 중요한 기능'이 무엇인지 파악할 수 있어야 해요.

5문단

> ①비타민 K₁과 K₂는 모두 비타민 K-의존성 단백질의 활성화를 유도하지만 K₁은 간세포에서, K₂는 그 외의 세포에서 활성이 높다. ②그러므로 혈액 응고 인자의 활성화는 주로 K₁이, 그 외의 세포에서 합성되는 단백질의 활성화는 주로 K₂가 담당한다. ③이에 따라 일부 연구자들은 비타민 K의 권장량을 K₁과 K₂로 구분하여 설정해야 하며, K₂가 함유된 치즈, 버터 등의 동물성 식품과 발효 식품의 섭취를 늘려야 한다고 권고한다.

앞에서 제시했던 '비타민 K₁'과 '비타민 K₂'가 다시 나오고 있습니다. 이들은 어쨌든 '비타민 K'이기 때문에 모두 '비타민 K-의존성 단백질'의 활성화를 유도하지만, 그 장소에서 차이를 보이네요. 일단 K₁은 '간세포'에서 활성이 높다고 합니다. 여기서 '간세포'를 보자마자 '혈액 응고 인자'들이 떠올라야 합니다. '간세포'는 '혈액 응고' 과정이 일어나는 장소였으니까요. 그래서 녹색 채소 등으로 권장 식단을 따르면 혈액 응고에 차질이 생기지 않는 것이었습니다. 혈액 응고는 K₁이 관장하는 것이니까요. 비록 2번 문장에서 다시 한번 '혈액 응고 인자'를 언급하기는 하지만, 그 문장이 없어도 스스로 생각할 수 있어야 합니다.

그런데 K₂는 '그 외의 세포'에서 합성되는 단백질의 활성화를 담당합니다. 센스가 있는 학생들이라면, 당연히 여기서 '그 외의 세포'가 '혈관 근육 세포' 등을 의미한다는 것을 파악할 수 있어야 합니다. 정확한 세포의 이름은 기억하지 못해도, 'MGP'에 대한 설명이라는 걸 파악할 수 있어야 한다는 것이죠! 결국 '비타민 K₁'은 '혈액 응고'에, '비타민 K₂'는 '혈관 석회화 방지'에 효과가 있는 것입니다.

연구자들은 이러한 이유로 비타민 K₂의 섭취도 늘릴 것을 권고한다고 합니다. K₂가 치즈, 버터 등에 많이 들어 있다는 건 앞에서 이미 체크한 정보였죠? 어렵지 않게 납득할 수 있겠네요.

선지	①	②	③	④	⑤
선택률	43%	8%	11%	21%	17%

25 윗글에서 알 수 있는 내용으로 적절하지 <u>않은</u> 것은? ①

① 혈전이 형성되면 섬유소 그물이 뭉쳐 혈액의 손실을 막는다.

명시적 근거	1문단 3번~4번 문장
실전에서의 판단 과정	혈전이 형성되기 전에 섬유소 그물이 뭉치는 거지.
해설	'혈전'은 '혈관 속'에서 '혈액 응고'가 마무리되었을 때 만들어지는 덩어리입니다. 즉, '혈전'이 형성되었다는 건 이미 '섬유소 그물'이 뭉쳐 있다는 것이죠. '혈액 응고'라는 핵심 정보의 과정을 정확히 이해하고 있는지 물어보는 선지였습니다.

② 혈액의 응고가 이루어지려면 혈소판 마개가 형성되어야 한다.

③ 혈관 손상 부위에 혈병이 생기려면 혈소판이 응집되어야 한다.

명시적 근거	1문단 3번 문장
실전에서의 판단 과정	혈액 응고 과정 그 자체네.
해설	'혈소판'이 응집되어 '혈소판 마개'가 형성되고, 이것이 '섬유소 그물'과 뭉치면 '혈병'이 생겨 '혈액 응고'가 이루어지는 것입니다. 역시 '혈액 응고'의 과정을 정확하게 이해하고 있는지 물어보는 선지들이었네요.

④ 혈관 경화를 방지하려면 이물질이 침착되지 않게 해야 한다.

명시적 근거	1문단 5번 문장
실전에서의 판단 과정	이물질이 침착되면 동맥 경화 일어나지.
해설	'실전에서의 판단 과정' 그대로입니다. 그런데 지문 그 어디에도 '혈관 경화'라는 말은 없어요. 그래서 이 선지를 답으로 고른 학생들이 많았는데, '동맥'과 '정맥'이 '혈관'의 종류라는 것 정도는 당연한 상식으로 생각하고 출제한 것으로 보입니다. 기출문제 등을 토대로 평가원이 요구하는 기본적인 지식들은 충분히 쌓아주도록 합시다.

⑤ 혈관 석회화가 계속되면 동맥 내벽과 혈류에 변화가 생긴다.

명시적 근거	4문단 3번 문장, 1문단 5번 문장
실전에서의 판단 과정	혈관 석회화 계속되면 동맥 경화 생긴다며.
해설	'혈관 석회화'는 '비타민 K_2'를 설명하기 위해 나온 정보였습니다. 기억이 안 난다면 해당 부분으로 돌아가서 확인하면 되겠죠? 4문단을 보니, '혈관 석회화'는 '동맥 경화'를 일으킬 수 있다고 했습니다. 그런데 '동맥 경화'는 1문단에서 확인했던 정보입니다. 다시 또 돌아가서 확인해보니, '동맥 경화'는 '동맥 내벽'이 두꺼워지는 것으로 '혈류 감소'라는 변화를 일으킬 수 있는 것이었네요. 애초에 '동맥 내벽'이 두꺼워지는 것이라는 생각으로 당연하게 납득했던 내용이기도 하죠?

선지에서 묻는 것으로부터 차근차근 생각을 밟아나가면 어렵지 않게 해결할 수 있었습니다. 선지 판단의 과정은 늘 같다는 것을 명심하세요. |

선지	①	②	③	④	⑤
선택률	6%	36%	7%	35%	16%

26 칼슘의 역설에 대한 이해로 가장 적절한 것은? ②

– 미리 답을 생각하고 가야 합니다. '뼈에 좋으려고 칼슘을 섭취했는데 뼈는 그대로고 혈관만 석회화된다.'입니다. 이 내용을 찾아봅시다.

① 칼슘 보충제를 섭취하면 오히려 비타민 K_1의 효용성이 감소된다는 것이겠군.

명시적 근거	–
실전에서의 판단 과정	비타민 K_1이랑 무슨 상관이야.
해설	'칼슘의 역설'은 '혈액 응고'를 돕는 '비타민 K_1'과 아무런 관련이 없는 내용입니다. 가볍게 지워낼 수 있겠죠?

② 칼슘 보충제를 섭취해도 뼈 조직에서는 칼슘이 여전히 필요하다는 것이겠군.

명시적 근거	4문단 2번~3번 문장
실전에서의 판단 과정	미리 생각한 내용이네.
해설	가볍게 답으로 골라내야 합니다. 칼슘이 혈관에만 침착되고 뼈에 들어가지는 않는 것이 '칼슘의 역설'이었어요.

③ 칼슘 보충제를 섭취해도 골다공증은 막지 못하나 혈관 건강은 개선되는 경우가 있다는 것이겠군.

명시적 근거	4문단 2번~3번 문장
실전에서의 판단 과정	혈관 건강이 안 좋아진다는 게 핵심인데?
해설	미리 생각한 대로, '칼슘의 역설'은 혈관 벽에 칼슘염이 침착되는 등의 문제가 생기는 상황을 의미하는 것입니다. 가볍게 지울 수 있죠?

④ 칼슘 보충제를 섭취하면 혈액 내 단백질이 칼슘과 결합하여 혈관 벽에 칼슘이 침착된다는 것이겠군.

명시적 근거	2문단 6번~8번 문장, 4문단 4번~5번 문장
실전에서의 판단 과정	단백질&칼슘 결합이랑은 상관이 없잖아.

| 해설 | '실전에서 판단 과정'처럼, 단백질이 칼슘과 결합하는 것은 '칼슘의 역설'과 아무런 상관이 없다는 생각을 하며 지워내는 것이 가장 좋습니다. 그래도 조금 더 정확하게 풀어볼 필요는 있겠죠?

선지에서 이야기하는 것처럼, '단백질'이 '칼슘'과 결합하여 활성화될 수 있는 것은 맞습니다. 하지만 '칼슘의 역설'은 MGP라는 '비타민 K-의존성 단백질'이 활성화되지 못해 발생하는 문제였어요. 오히려 선지에서 이야기하는 것처럼 단백과 칼슘이 결합되었다면 혈관 벽에 침착될 칼슘의 양이 적어져 '혈관 석회화'가 진행되지 않았을 것입니다. '단백질과 칼슘의 결합'이 의미하는 바가 무엇인지 정확하게 이해할 것을 요구한 선지였네요. |

| 생각 심화 |

사실, 엄밀하게 말하면 '혈액 내 단백질이 칼슘과 결합하여'도 틀린 말입니다. 지문에서는 분명히 '단백질'이 '칼슘 이온'과 결합한다고 했으니까요. 물론 지문에서 별다른 설명을 주지 않은 상태에서 뜬금없이 '칼슘'과 '칼슘 이온'을 구분하기를 요구하지는 않았겠지만, 궁금해하는 학생들이 있어 '생각 심화'로 남겨보았습니다.

⑤ 칼슘 보충제를 섭취해도 혈액으로 칼슘이 흡수되지 않아 골다공증 개선이 안 되는 경우가 있다는 것이겠군.

명시적 근거	4문단 2번~3번 문장
실전에서의 판단 과정	혈액으로만 흡수되어서 문제지.
해설	칼슘 보충제를 섭취해도 골다공증 개선이 안 되는 것이 '칼슘의 역설'은 맞습니다. 하지만 이는 혈액에 칼슘이 너무 많이 모여서 그런 것이지, 혈액에 칼슘이 흡수되지 않아서 그런 것은 아니죠? 간단하게 지워낼 수 있네요.

선지	①	②	③	④	⑤
선택률	5%	11%	11%	54%	19%

27 ㉠과 ㉡에 대한 설명으로 가장 적절한 것은? ④

㉠ 비타민 K_1, ㉡ 비타민 K_2

- 당연히 나올 수밖에 없는 문제입니다. 둘은 각각 '식물/동물or미생

물'에서 합성된다는 것과 각각 '혈액 응고' 및 '혈관 석회화 방지'라는 기능을 한다는 차이점이 있었습니다. 공통점은 '비타민 K'의 역할인 '단백질 활성화'라고 할 수 있겠죠? 이 정도 생각해놓고 선지를 판단해보도록 합시다.

① ㉠은 ㉡과 달리 우리 몸의 간세포에서 합성된다.

명시적 근거	3문단 1번 문장
실전에서의 판단 과정	간세포에서 역할을 하는 거지.
해설	㉠은 ㉡과 달리 간세포에서 주로 단백질 활성화를 하는 것은 맞습니다. 하지만 선지가 묻는 것은 간세포에서 '합성'되느냐는 것입니다. 둘은 각각 '식물/동물or미생물'에서 합성된다는 것, 미리 생각한 내용이죠?

② ㉡은 ㉠과 달리 지방과 함께 섭취해야 한다.

명시적 근거	2문단 2번 문장
실전에서의 판단 과정	지방? 아 그러고보니까 비타민 K는 지방에 녹는 물질이었지. 당연히 지방이랑 같이 먹어야겠다.
해설	'실전에서의 판단 과정'이 전부입니다. 그러면서도 굉장히 중요한 내용을 담고 있죠? 2문단에서 '비타민 K'를 은근슬쩍 '지방에 녹는 물질'로 정의했었습니다. 비타민을 녹여야 몸에서 사용할 수 있을 것이니, 지방과 함께 섭취하여야 할 것입니다. 지문에서 은근슬쩍 제시되는 중요 개념의 정의를 꼼꼼하게 챙겨주도록 합시다.

③ ㉡은 ㉠과 달리 표적 단백질의 아미노산을 변형하지 않는다.

명시적 근거	2문단 7번~8번 문장
실전에서의 판단 과정	엥 둘 다 카르복실화시킬 수 있잖아.
해설	'아미노산 변형'을 보자마자 '카르복실화'가 떠올라야 합니다. 그런데 ㉠과 ㉡ 같은 '비타민 K'는 모두 '표적 단백질'을 카르복실화시킬 수 있었어요. '달리'라는 표현을 쓰면 안 되겠죠.

④ ㉠과 ㉡은 모두 표적 단백질의 활성화 이전 단계에 작용한다.

명시적 근거	2문단 3번~5번 문장
실전에서의 판단 과정	비타민 K는 단백질 활성화를 돕는 거니까 당연히 이전 단계에 작용하겠지.

해설	⊙과 ⓒ은 모두 표적 단백질을 활성화하는 역할을 합니다. 당연히 활성화 이전 단계에 작용하겠죠. '비타민 K의 역할'이라는 지문의 화제를 정확하게 인식할 것을 요구하는 선지였습니다.

⑤ ⊙과 ⓒ은 모두 일반적으로는 결핍이 발생해 문제가 되는 경우는 없다.

명시적 근거	3문단 2번 문장
실전에서의 판단 과정	ⓒ은 섭취량 늘리지 않으면 안 되는 거 아냐?
해설	⊙은 일반적인 권장 식단을 따르면 큰 문제가 없다고 했습니다. 하지만 ⓒ은 섭취를 늘릴 필요가 있다고 했어요. 이는 현재의 권장 식단에 따르면 섭취량이 부족하다는 것을 전제하고 있는 것이죠? 이렇게 추론하면 '모두'가 틀렸다는 것을 알 수 있겠습니다. 이면의 내용을 추론할 수 있는지에 대해 계속 물어보는 모습이에요.

| 생각 심화 |

이 선지는 다소 중의적이라고 할 수 있습니다. 단순히 ⊙과 ⓒ에 결핍이 발생하면 문제가 되는지 안 되는지 묻는 선지로도 볼 수 있다는 것이죠. ⊙과 ⓒ 모두 '일반적으로는' 결핍이 발생하면 '혈액 응고'가 되지 않거나 '혈관 석회화'가 생기는 등 문제가 되기 때문에 적절하지 않은 선지라는 논리도 성립한다는 것입니다.

다만 이 경우 지문에 제시된 '권장 식단' 관련 정보가 문제풀이 과정에 전혀 활용되지 않는다는 점, '비타민 K'가 결핍되면 문제가 생긴다는 이 지문의 화제를 다소 직접적으로 묻는 허무한 선지가 된다는 점 등을 고려하면 '해설'에서 언급한 내용을 의도한 선지라고 할 수 있습니다. 물론 '해설'의 내용을 따르든, '생각 심화'의 내용을 따르든 ⓒ의 결핍이 발생해 일반적으로 문제가 되는 경우가 없다는 것은 무조건 틀렸기에 답이 되기는 어려운 선지기는 하죠? 본인이 생각하기에 더 적절하다고 판단되는 방식으로 정리하시기 바랍니다.

선지	①	②	③	④	⑤
선택률	8%	12%	35%	31%	14%

28 윗글을 참고할 때 〈보기〉의 (가)~(다)를 투여함에 따라 체내에서 일어나는 반응을 예상한 내용으로 적절하지 **않은** 것은? [3점] ③

[보기]
다음은 혈전으로 인한 질환을 예방 또는 치료하는 약물이다.

– '혈전'으로 인한 질환에 대처하는 약물입니다. 이는 '혈액 응고' 과정에 작용한다는 의미겠죠? 그렇다면 다음의 '혈액 응고' 과정을 다시 한번 상기한 채로 문제풀이에 나서야겠습니다. 이 약물들은 아래의 과정을 방해하는 방식으로 작용할 거예요.

1. 비타민 K가 간세포에서 비타민 K-의존성 단백질들을 카르복실화시킴
2. 단백질들이 칼슘 이온과 결합하여 활성화됨
3. 프로트롬빈 활성화 → 트롬빈으로 전환
4. 트롬빈 : 피브리노겐 → 피브린으로 바꿈
5. 피브린들이 모여 섬유소 그물을 이루고 혈소판 마개와 뭉침
6. 혈전 생성

나아가 '혈전'이니 '혈관 속'에서 일어나는 과정이라는 것까지 생각해주신다면 금상첨화겠죠?

[보기]
(가) 와파린: 트롬빈에는 작용하지 않고 비타민 K의 작용을 방해함.

– '트롬빈'에는 작용하지 않는다고 했으니, 4번 과정부터는 쭉 이어질 수 있다는 걸 알 수 있겠습니다. 다만 '비타민 K'의 작용을 방해한다고 했으니, 애초에 '비타민 K-의존성 단백질'들을 활성화시키지 않는다는 것을 알 수 있겠네요. 이를 통해 '혈전'이 생성되는 것을 방해하는 것이겠죠?

[보기]
(나) 플라스미노겐 활성제: 피브리노겐에는 작용하지 않고 피브린을 분해함.

– '피브리노겐'에는 작용하지 않으니 '피브린'으로 바뀌는 것까지는 막을 수 없지만, '피브린'을 분해하여 '섬유소 그물'을 이루지 못하게 하는 것이네요.

―――――[보기]―――――

(다) 헤파린: 비타민 K-의존성 단백질에는 작용하지 않고 트롬빈의 작용을 억제함.

――――――――――――――

– '비타민 K-의존성 단백질'의 활동을 방해하지는 않습니다. 따라서 '카르복실화'되는 것이나 '칼슘 이온'과의 결합으로 활성화되는 것까지는 문제가 없겠네요. 그런데 '트롬빈'의 작용을 억제한다고 하니 '피브리노겐'을 '피브린'으로 바꾸는 과정을 방해한다고 볼 수 있겠습니다.

이렇게 각 약물이 어떤 과정을 방해하는지 정확하게 인식한 채로 가볍게 선지를 판단해봅시다.

① (가)의 지나친 투여는 혈관 석회화를 유발할 수 있겠군.

명시적 근거	〈보기〉, 4문단 4번~5번 문장
실전에서의 판단 과정	비타민 K₂가 없으면 혈관 석회화가 유발될 수 있지.
해설	(가)를 지나치게 투여하면 '비타민 K'의 작용이 제대로 일어나지 못합니다. '비타민 K'의 작용 중 하나는 바로 '혈관 석회화 방지'였죠?

② (나)는 이미 뭉쳐 있던 혈전이 풀어지도록 할 수 있겠군.

명시적 근거	〈보기〉, 1문단 3번~4번 문장
실전에서의 판단 과정	섬유소 그물이 풀리면 혈전도 풀어지겠지.
해설	(나)는 '피브린'을 분해하는 약물입니다. '혈전'은 '피브린'이 모여 형성된 섬유소 그물로부터 만들어지는 것인데, 여기서 '피브린'을 분해해버리면 '혈전'도 풀어질 수 있겠죠. '혈전'이 어떻게 구성되어 있는지를 정확하게 이해해야 해요.

③ (다)는 혈액 응고 인자와 칼슘 이온의 결합을 억제하겠군.

명시적 근거	〈보기〉, 2문단 6번~8번 문장
실전에서의 판단 과정	비타민 K-의존성 단백질은 안 건드린다며.
해설	(다)는 '비타민 K-의존성 단백질'에는 작용하지 않습니다. 선지에서 이야기하는 '혈액 응고 인자'가 곧 '비타민 K-의존성 단백질'인데, 이는 '칼슘 이온'과 결합하여 활성화되는 것입니다. (다)가 억제하는 '트롬빈'의 작용은 이 활성화 이후에 일어나는 것이니, (다)는 혈액 응고 인자와 칼슘 이온의 결합을 억제하지 못하겠네요.

④ (가)와 (다)는 모두 피브리노겐이 전환되는 것을 억제하겠군.

명시적 근거	〈보기〉, 2문단 4번~5번 문장
실전에서의 판단 과정	피브리노겐의 전환은 4번 단계인데 (가)와 (다)는 모두 그 전에 작용하지.
해설	선지에서 물어보는 '피브리노겐의 전환'은 '피브린'으로의 전환으로, 이를 관장하는 것은 '트롬빈'입니다. 그런데 '트롬빈'이 만들어지려면 먼저 '비타민 K'가 단백질들을 활성화시킨 뒤 '프로트롬빈'이 활성화되어야 해요. (가)는 애초에 '비타민 K'가 작용하지 못하게 하고, (다)는 '트롬빈'을 방해하니 둘 다 '피브리노겐의 전환'을 억제할 수 있겠네요. '혈액 응고 과정'이 이쁘게 정리되기만 했으면 어렵지 않게 지워낼 수 있었어요.

⑤ (나)와 (다)는 모두 피브린 섬유소 그물의 형성을 억제하겠군.

명시적 근거	〈보기〉, 1문단 3번 문장, 2문단 4번 문장
실전에서의 판단 과정	피브린 섬유소 그물 형성은 5번 단계인데 (나)와 (다)는 그 전에 작용하지.
해설	(나)는 '피브린'을 직접적으로 분해하고, (다)는 '트롬빈'을 방해해야 '피브리노겐'을 '피브린'으로 전환하지 못하게 합니다. 직접적이냐 간접적이냐의 차이가 있을 뿐, '피브린 섬유소 그물'의 형성이 억제되는 것은 마찬가지네요.

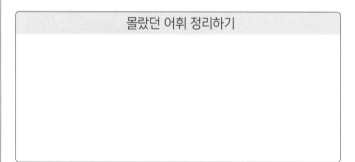

몰랐던 어휘 정리하기

| 핵심 point |

① **화제 check** : 독서 지문 독해의 처음이자 끝. 첫 문단에서 잡은 '화제의 틀'을 마지막 문단까지 놓지 않아야 합니다.

② **초반 정보 견디기** : 과학 · 기술 지문에서는 초반부에 정보를 잔뜩 던지고, 후반부에는 그 정보를 활용해서 어떤 논의를 이어가는 경우가 많아요. 초반부의 정보만 잘 견디면 뒤에서 편해집니다.

③ **재진술 인식** : 같은 말이라도 다르게 표현되는 경우가 많습니다. 심지어 아예 똑같은 말이 반복되는 경우도 많아요. 이 '같은 말'에 민감하게 반응하면, '정보량'을 줄이면서 읽을 수가 있습니다.

④ **비교/대조** : 비교되는 대상이 나오면, '공통점'과 '차이점' 중심으로 읽어나가면 됩니다.

| 지문 내용 총정리 |

초반부의 정보를 견디며 정리하고, 이를 바탕으로 후반부의 카테고리를 이해해나가는 전형적인 과학 지문이었습니다. 비록 2문단의 정보 제시 방식의 날것 그대로이긴 하지만, 1문단과 2문단이 함께 '혈액 응고 과정'에 대한 이야기를 한다는 것을 인식할 수 있는지가 핵심이었어요. 과학 지문에 약한 학생들에게 아주 좋은 연습 도구가 될 것이니, 제대로 복습하도록 합시다.

1문단

①건강 상태를 진단하거나 범죄의 현장에서 혈흔을 조사하기 위해 검사용 키트가 널리 이용된다. ②키트 제작에는 다양한 과학적 원리가 적용되는데, 적은 비용으로 쉽고 빠르고 정확하게 검사할 수 있는 키트를 제작하는 것이 요구된다. ③이러한 필요에 따라 항원-항체 반응을 응용하여 시료에 존재하는 성분을 분석하는 다양한 형태의 키트가 개발되고 있다. ④항원-항체 반응은 항원과 그 항원에만 특이적으로 반응하는 항체가 결합하는 면역 반응을 말한다. ⑤항체 제조 기술이 발전하면서 휴대성이 높고 분석 시간이 짧은 측면유동면역분석법(LFIA)을 이용한 다양한 종류의 키트가 개발되고 있다.

① #화제 제시 #기술의 목적

건강 상태 진단, 혈흔 조사 등을 위한 '검사용' 키트가 널리 이용된다고 합니다. '키트'라는 것이 이 지문의 핵심이라는 건 쉽게 잡을 수 있을 수 있을 텐데, 여기서 우리는 '검사용'이라는 말에 더 주목해야만 합니다. '키트'라는 기술의 '목적'이 바로 제시된 것이니까요! '검사'라는 목적을 머릿속에 확실하게 넣어둔 채로 계속 읽어보도록 합시다.

② #재진술 #기술의 효율성

이러한 '키트' 제작에는 다양한 '과학적 원리'가 적용된다고 합니다. '기술' 제작에 '과학'이 적용된다는 건 너무나 당연한 말이죠? 그런데 '적은 비용으로 쉽고 빠르고 정확하게 검사'할 수 있는 키트를 제작해야 한다고 합니다. 이 역시 당연한 정보로 받아들여야 합니다. 모든 기술은 '효율성'을 지향하니까요.

③~④ #재진술 #정의 제시 #고정값

'키트'에는 다양한 형태가 있는데, '항원-항체 반응'을 응용하여 '시료에 존재하는 성분을 분석'하는 것들이 개발되고 있다고 합니다. 여기서 '항원-항체 반응'이 앞서 말한 '과학적 원리'에, '시료에 존재하는 성분 분석'은 '검사'라는 말에 대응된다는 걸 생각할 수 있으면 좋겠어요! 여러분이 가진 어휘력과 독해력을 바탕으로 이렇게 재진술을 인식하며 읽을 수 있어야 합니다!

그렇다면 그 '과학적 원리'인 '항원-항체 반응'은 무엇일까요? '항원'과 그 항원에'만' 특이적으로 반응하는 '항체'가 결합하는 반응입니다. 일단 항원에'만' 반응한다는 '고정값'은 챙겨주셔야겠죠? '항원',

'항체'라는 생소한 개념이 나왔네요. 앞에서 본 '시료'도 마찬가지였지만, 생소한 개념이 정의가 제대로 되어 있지 않은 모습입니다. 이때 할 수 있다면 최대한 지문 속에서 이 개념들을 나름대로 정의하고 가시는 게 중요합니다. '항원'과 '항체'라는 말은 아직 정의하기 어렵지만, '시료'는 정의할 수 있겠죠? '시료의 성분 분석=검사'라는 재진술을 잡았으니, '시료=검사 대상'과 같은 방식으로 정의할 수 있는 거예요! 많이 어렵지만, 평가원이 언제든 선지화시킬 수 있는 내용이자 지문 이해에서 큰 역할을 하는 내용입니다. 앞으로 계속 신경을 써주세요! '정의되지 않은 개념은 최대한 정의해 본다!'

⑤ #화제의 흐름 제시 #기술의 효율성

'항원'과 '항체'는 아직 무엇인지 잘 모르겠는데, 그 중 '항체' 제조 기술이 발전하면서 '효율적'인 'LFIA 키트'가 나왔다고 합니다. 화제의 흐름이 딱 잡혀야 해요. 이제부터 '항체 제조 기술'이 포인트가 될 것이고, 그 종류가 '다양'하다는 점 등을 생각할 수 있어야 합니다. 과학·기술 지문의 전반부는 아주 중요하다고 했어요! 세팅되는 정보들을 정확히 인식하면서 읽어 보도록 해요.

하이라이트 문장

③이러한 필요에 따라 항원-항체 반응을 응용하여 시료에 존재하는 성분을 분석하는 다양한 형태의 키트가 개발되고 있다. ④항원-항체 반응은 항원과 그 항원에만 특이적으로 반응하는 항체가 결합하는 면역 반응을 말한다.

기술 지문은 앞에서 나온 기본 개념을 뒤에서 활용하는 형태로 이루어집니다. 따라서 '키트'의 원리가 되는 '항원-항체 반응'에 대한 정의는 정확하게 챙겨갈 생각을 해야 합니다. '항원-항체 반응'을 모르면 결국 뒤에 서술되는 키트에 대한 설명을 이해하기 어려워질 거예요! 항원이 있고, 항원에'만' 특이적으로 반응하는 게 항체라는 사실을 꼭 인지하고 넘어갑시다.

2문단 (1)

① LFIA 키트를 이용하면 키트에 나타나는 선을 통해, 액상의 시료에서 검출하고자 하는 목표 성분의 유무를 간편하게 확인할 수 있다. ②LFIA 키트는 가로로 긴 납작한 막대 모양인데, 〈시료 패드, 결합 패드, 반응막, 흡수 패드가 순서대로 나란히 배열된 구조로 되어 있다.〉 ③시료 패드로 흡수된 시료는 결합 패드에서 합체와 함께 반응막을 지나 여분의 시료가 흡수되는 흡수 패드로 이동한다.

① #재진술 #기술의 목적

앞 문단에서 확인한 기술의 '목적'을 구체화시켜주고 있습니다. 'LFIA 키트'라는 효율적인 기술을 이용하면, 액상의 '시료'에서 '검출'하고자 하는 '목표 성분'의 유무를 간편하게 확인할 수 있다고 합니다. 새로운 정보가 아니에요! '목표 성분 확인=시료 성분 분석=검사'라는 식으로, 이 기술의 '목적'이 재진술되고 있을 뿐입니다. 어떻게 이 목적을 달성하는지 자세히 알아볼까요?

②~③ #기술의 구성 요소 #재진술
#단어의 의미 살리기

'LFIA 키트'는 〈시료 패드−결합 패드−반응막−흡수 패드〉가 나란히 배열된 구조라고 합니다. 어떤 기술을 이루는 구성 요소는 세팅되는 정보들 중에서도 가장 중요한 정보에 속하니 확실하게 체크하자고 했어요. '시료/패드'로 흡수된 '시료'는 '결합/패드'에서 '복합체'와 함께 '반응막'을 지나 여분의 시료가 '흡수'되는 '흡수/패드'로 이동합니다. 이렇게 '시료', '결합', '흡수'라는 단어의 의미를 살리면 어느 정도 이해할 수 있겠죠? 나름대로 납득한 채로 계속 읽어보도록 합시다.

하이라이트 문장

> ①LFIA 키트를 이용하면 키트에 나타나는 선을 통해, 액상의 시료에서 검출하고자 하는 목표 성분의 유무를 간편하게 확인할 수 있다.

키트는 결국 '검사'가 목적이었습니다. 기술의 목적을 생각해야 해요. 키트에 나타나는 '선'을 통해 목표 성분의 유무 즉, 검사 결과를 알 수 있다고 합니다. '선'을 통해 기술의 목적을 달성할 수 있는 것이죠. 따라서 '목표 성분의 유무 확인=검사'로 읽어주셔야 하고, '선'을 통해 검사 결과를 나타낸다는 사실을 끝까지 인지하려고 노력해주어야 합니다. 그 선이 나타나기까지 필요한 키트의 작동 원리가 설명될 텐데, 이를 위해 키트의 구조를 설명해주고 있습니다. 과학/기술 지문에서 어떤 개념의 구조를 설명해주는 일은 흔합니다. 그 구조를 따라서 '순서대로' 과정이 진행되고, 우리는 그 과정에서 '기술의 목적'을 고려하며 이해하려고 노력해야 한다는 것이죠. 따라서 어떤 기술의 구조가 나오면 의식적으로 "이 구조를 따라서 과정 설명이 나오겠구나!"하고 생각하시길 바랍니다.

2문단 (2)

④결합 패드에 있는 **복합체**는 금−나노 입자 또는 형광 비드 등의 표지 물질에 특정 물질이 붙어 이루어진다. ⑤표지 물질은 발색 반응에 의해 색깔을 내는데, 이 표지 물질에 붙어 있는 특정 물질은 키트 방식에 따라 종류가 다르다. ⑥일반적으로 한 가지 목표 성분을 검출하는 키트의 반응막에는 항체들이 띠 모양으로 두 가닥 고정되어 있는데, 그중 시료 패드와 가까운 쪽에 있는 가닥이 검사선이고 다른 가닥은 표준선이다. ⑦표지 물질이 검사선이나 표준선에 놓이면 발색 반응에 의해 반응선이 나타난다. ⑧검사선이 발색되어 나타나는 반응선을 통해서는 목표 성분의 유무를 판정할 수 있다. ⑨표준선이 발색된 반응선이 나타나면 검사가 정상적으로 진행되었음을 알 수 있다.

④~⑤ #단어의 의미 살리기 #정의 제시

정보가 쏟아집니다. 초반부만 견디면 돼요. 집중하고 천천히 읽어봅시다. 먼저 '결합/패드'에 있는 '복합/체'입니다. '결합/패드'는 '시료'와 '복합체'가 '결합'하는 곳이었습니다. 그리고 이때의 '복합/체'는 '표지 물질'과 '특정 물질'이 붙어 이루어진 것이네요. 두 물질이 '복합'했기에 '복합/체'라고 부르는 것이었습니다. 이렇게 단어의 의미를 살리면서 납득하면, 이 많은 정보들이 자연스럽게 머릿속에 정리됩니다.

그렇다면 '표지/물질'과 '특정/물질'은 무엇일까요? '표지/물질' 역시 단어의 의미 그대로, '표지'가 되는 물질입니다. 발색 반응을 통해 색깔을 낸다고 해요! '특정/물질'은 이름 그대로 '특정'한 물질이네요. 이는 키트의 방식에 따라 달라진다고 합니다. 어렵겠지만, 가능하다면 이를 '특이한 정보'로 생각하고 주목했으면 좋겠습니다. 무엇인지 정확히 말을 안 해주니, 궁금할 수 있잖아요.

⑥~⑨ #단어의 의미 살리기 #수식된 정의 제시
#재진술

다음은 '반응/막'입니다. 지금까지 '결합 패드'에 대한 설명이었고, 이제 '반응막'으로 넘어왔다는 생각을 할 수 있어야 해요! 〈시료 패드−결합 패드−반응막−흡수 패드〉라는 구조는 머릿속에 딱 잡혀 있어야 합니다. '반응/막'은 말 그대로 '반응'을 하는 '막'이에요. 어떤 반응인가 했더니, '목표 성분 검출'이라는 반가운 말이 보입니다! 이는 이 기술의 '목적'이기에, 그 목적을 달성하게 해 주는 '반응막'은 상당히 중요한 요소라고 할 수 있겠네요.

이곳에서는 '항체'들도 두 가닥 있다고 합니다. 첫 문단의 마지막 문장에서 '항체 제조 기술의 발전'이라는 말을 봤고, 이를 통해 화제의 흐름을 잡아두었습니다. 그렇다면 '반응막'에 '항체'가 있다는 건 상당히 중요한 정보라고 할 수 있겠네요. 어떤 '항체'들이 있는지 천천히 확인해보겠습니다.

'시료 패드'와 가까운 쪽에는 '검사/선'이, 다른 쪽에는 '표준/선'이 있습니다. 〈시료 패드-결합 패드-반응막-흡수 패드〉라는 구조가 딱 잡혀 있기 때문에, '검사선'이 더 왼쪽에 있다는 걸 추론할 수 있겠죠? '검사/선'은 말 그대로 '검사'를 하는 선입니다. 빛을 내는 '표지 물질'이 '검사선'에 놓이면 '반응선'이 나타날 수 있는데, 이를 통해서는 '목표 성분의 유무'를 알 수 있다고 합니다. 이건 이 기술의 목적이니 정말정말 중요한 정보라고 할 수 있겠죠? '목표 성분 검출=검사'라는 건 이미 체크했으니, 단어의 의미가 선명하게 다가옵니다.

한편 '표지 물질'이 '표준선'에 놓여 '반응선'이 나타나면, '검사의 정상 진행 여부'를 알 수 있다고 합니다. '표준'적인 검사가 이루어졌는지를 확인할 수 있으니 '표준/선'이라고 부르는 것이네요.

상당히 많은 정보가 쏟아지는 부분이지만, 〈시료 패드-결합 패드-반응막-흡수 패드〉라는 구조와 '단어의 의미 살리기'라는 태도를 바탕으로 하면 충분히 정리할 수 있습니다. 정도는 달라도 많은 과학·기술 지문들이 이처럼 초반부에 정보를 쏟아내는 경향을 보이니, 많이 연습하도록 해요.

3문단 (1)

①LFIA 키트는 주로 직접 방식 또는 경쟁 방식으로 제작되는데, 방식에 따라 검사선의 발색 여부가 의미하는 바가 다르다. ②직접 방식에서 복합체에 포함된 **특정 물질**은 목표 성분에 결합할 수 있는 항체이다. ③시료에 **목표 성분이 포함**되어 있다면 목표 성분은 이 항체와 일차적으로 결합하고, 이후 검사선의 고정된 항체와 결합한다. ④따라서 검사선이 발색되면 시료에서 목표 성분이 검출되었다고 판정한다.

① #카테고리 나누기 #화제의 흐름 제시

상당히 중요한 문장입니다. 'LFIA 키트'가 '직접 방식' 및 '경쟁 방식'으로 나뉜다는 걸 체크하는 건 누구나 할 수 있겠죠? 이것이 앞에서 이야기하던 '다양한 방식'이라는 것까지 생각한다면 금상첨화겠구요. 하지만, 더욱 중요한 것은 '검사선의 발색 여부'입니다. 두 방식의 '비교 포인트'이자, 다음 문단에서 만들어질 카테고리에 해당하는 내용이에요. 우리는 이제 각각의 방식에서 '검사선의 발색 여부'가 의

미하는 바에 주목하며 읽어나가야 합니다. '검사/선'은 '목표 성분의 유무'를 알게 해 주는 부분이었는데, 이것이 '발색'하여 '반응선'이 나타나면 어떤 식으로 해석이 될까요?

② #재진술

먼저 '직접 방식'입니다. 여기서 '복합체'에 포함된 '특정 물질'은 '목표 성분에 결합할 수 있는 항체'라고 해요. 앞에서 봤던 말들이니, 당겨 와서 이해할 수 있어야 합니다. '특정/물질'은 말 그대로 '특정'한 물질이라, '키트의 방식'에 따라 달라지는 것이라고 했어요. '직접 방식'에서는 이 '특정 물질'이 곧 '항체'인 것이네요.

그런데 하나 더, 여기서 '항체'가 '목표 성분'에 결합할 수 있다고 합니다. '항체', '결합'이라는 말을 보면? 그렇죠. '항원-항체 반응'이 떠올라야죠! '항체'는 항원에'만' 결합한다는 '고정값'의 일종이었어요. 그렇다면 여기서 '항체'가 결합한다고 하는 '목표 성분'이 곧 '항원'에 해당하는 것이네요. 드디어 '항원'과 '항체'를 정의할 수 있게 되었습니다. '항원'은 '검출하고자 하는 목표 성분'이었고, '항체'는 '목표 성분에 결합하는 것'이었습니다. 많이 어려운 거 알지만, 이런 식의 정의 역시 빈번하게 출제되는 모습이니 확실하게 체크하도록 해요.

아무튼, '직접 방식'에서 '특정 물질'은 곧 '항체'입니다. 이것이 '목표 성분', 즉 '항원'의 검출에 어떻게 연결될까요?

③~④ #과정 제시 #재진술

시료에 '목표 성분=항원'이 있는 경우, 그 '목표 성분=항원'은 '특정 물질'이라는 항체와 먼저 결합합니다. '항원-항체 반응'이 나타나는 모습이죠? 그리고 이렇게 결합한 이후에 '검사선'의 항체와 결합한다고 해요. 2문단에서 정리한 정보들을 바탕으로 이 과정을 완벽하게 납득해야 합니다. 먼저 시료에 있는 '목표 성분'은 '결합 패드'에서 '복합체'와 만나게 됩니다. 그런데 이 '복합체'에는 '표지 물질'과 '특정 물질'이 있어요. 이때 '특정 물질'은 '항체'이기 때문에, 이들이 만나면 〈항원+항체+표지 물질〉과 같은 구조가 됩니다. '특정 물질'과 '표지 물질'은 붙어 있으니까요.

그러다 이들이 '결합 패드'를 지나 '반응막'으로 가게 되면, 거기서 또 '검사선'과 '표준선'이라는 '항체'가 기다리고 있습니다. 〈항원+항체+표지 물질〉에는 '항원'이 있기 때문에, 또 '반응막'의 '항체'들과 결합하는 것이죠. 따라서 만약 '검사선이 발색'한다면, 이는 '검사선'에 '표지 물질'이 닿았다는 뜻이고, 이는 '표지 물질'과 함께 붙어 있는 '목표 성분=항원'이 '검사선'의 항체와 만났다는 의미가 되겠습니다.

와 너무 어렵다... 한 단계만 더 가볼까요? 그럼 만약 시료에 목표 성분이 존재하지 않으면 어떻게 될까요? 시료가 '결합 패드'에서 '복합체'와 만나도 '결합'하지 못할 겁니다. '특정 물질=항체'와 만날 '항원'이 없으니까요! 그러면 '검사선'과 '표준선'이라는 '항체'에도 '항원'이 닿지 못할 것이고, 갈 곳이 없어진 '표지 물질' 역시 '검사선'에

붙지 못하겠죠. 따라서 '직접 방식'의 경우, 시료에 목표 성분이 존재하지 않으면 '검사선'이 발색하지 않는 것입니다. 어렵지만, 어쨌든 앞 문단에서 견디며 정리한 정보가 활용되며 전개되고 있다는 걸 생각할 수 있으면 좋겠어요.

하이라이트 문장

> ①LFIA 키트는 주로 직접 방식 또는 경쟁 방식으로 제작되는데, 방식에 따라 검사선의 발색 여부가 의미하는 바가 다르다.

'직접 방식', '경쟁 방식'으로 LFIA 키트의 종류를 나누는 것은 기본이고, '검사선의 발색 여부'라는 비교 포인트를 정확히 잡을 수 있어야 합니다. 지문의 전반적인 흐름을 잡아낼 수 있게 해 주는 문장이에요.

3문단 (2)

> ⑤한편 **경쟁 방식**에서 복합체에 포함된 **특정 물질**은 목표 성분에 대한 항체가 아니라 목표 성분 자체이다. ⑥만약 시료에 목표 성분이 포함되어 있으면 시료의 목표 성분과 복합체의 목표 성분이 서로 검사선의 항체와 결합하려 경쟁한다. ⑦이때 시료에 목표 성분이 충분히 많다면 시료의 목표 성분은 복합체의 목표 성분이 검사선의 항체와 결합하는 것을 방해하므로 검사선이 발색되지 않는다. ⑧〈직접 방식은 세균이나 분자량이 큰 단백질 등을 검출할 때 이용하고, 경쟁 방식은 항생 물질처럼 목표 성분의 크기가 작은 경우에 이용한다.〉

⑤ #비교/대조

이번엔 '경쟁 방식'입니다. 두 방식의 비교 포인트는 '검사선의 발색 의미'였는데, 이 외에도 '특정 물질의 종류'가 있었죠? '특정 물질'은 방식에 따라 달라지는 것이니까요. '경쟁 방식'에서의 '특정 물질'은 '목표 성분 자체', 즉 '항원'이라고 합니다! 이렇게 되면 어떤 일이 일어날까요?

⑥~⑦ #과정 제시 #재진술 #단어의 의미 살리기

이번에도 시료에 '목표 성분=항원'이 있는 경우에 대해 설명하고 있습니다. 이때 '특정 물질' 역시 '목표 성분=항원'이기에, '시료'와 '복합체'는 결합할 수가 없습니다. 대신 둘 다 '반응막'에 있는 '검사선=항체'와 결합하기 위해 '경쟁'하겠죠. 이때 시료에 '목표 성분'이 더 많으면 이 '경쟁'에서 이길 수 있고, '복합체'에 있는 '표지 물질'은

'검사선'에 닿을 기회를 잃게 됩니다. 그러면 '검사선'이 발색되는 일은 일어나지 않겠네요. 확실하게 이해할 수 있죠? 이에 '경쟁 방식'에서 '검사선 발색되지 않음'이 의미하는 바는 '목표 성분 존재함'이 되는 겁니다.

그럼 반대로, 시료에 목표 성분이 없으면요? '복합체'에 있는 '항원'이 '검사선'의 '항체'와 아무런 방해없이 결합할 것이고, 이러면 '복합체'의 '표지 물질'이 '검사선'에 닿을 수 있으니 반짝반짝 색이 나타나겠네요. 따라서 검사선이 발색되면, '직접 방식'과는 반대로 '목표 성분'이 존재하지 않는다고 해석할 수 있는 것이네요. (혹은 존재하더라도 아주 적은 양이 존재한다고 할 수 있는 것이겠죠?)

'직접 방식'에서 이해 과정을 거쳤다면, '경쟁 방식'을 이해하는 것은 그나마 할 만했을 겁니다. 비슷한 메커니즘을 사용하고 있으니까요! 이 역시 2017학년도 수능 '반추 동물' 지문 등에서 경험했던 내용이죠? 이러한 메커니즘에 익숙해지도록 해요.

⑧ #비교/대조 #정보의 역할

'직접 방식'과 '경쟁 방식'의 또 다른 차이점까지 제시하고 있습니다. 지문의 내용만으로 납득하는 건 쉽지 않기에, 그냥 '분자량 크기'라는 포인트로 비교되고 있다는 것만 확실하게 체크하고 넘어가도록 합시다. 이렇게 납득하지 못한 정보들은 지문 속에 표시해두는 것이 좋습니다. 수능 문제는 기본적으로 지문의 모든 부분을 싹싹 긁어서 선지화시키기에, 납득하지 못한 부분은 어쩔 수 없이 눈알을 굴리며 이용해야 하니까요. 저처럼 〈 〉와 같은 기호를 사용하거나, 동그라미를 크게 쳐 두는 등의 방법으로 미리 체크하는 습관을 들입시다.

물론 이렇게 그냥 넘어가면 안 되겠죠? '직접 방식과 경쟁 방식을 사용하는 경우'라는 식으로 정보의 '역할'을 정확히 지정하는 것이 중요하겠습니다. 여기서 이루어지는 비교/대조의 비교 포인트에 해당하는 내용이죠? 납득하지 못한 정보에는 '역할'을 부여하고 넘어가는 태도를 잊지 마세요!

4문단

> ①한편, 검사용 키트는 휴대성과 신속성 외에 정확성도 중요하다. ②키트의 정확성을 측정하기 위해서는 키트를 이용해 여러 번의 검사를 실시하고 그 결과를 분석한다. ③키트가 시료에 목표 성분이 들어있다고 판정하면 이를 **양성**이라고 한다. ④이때 시료에 목표 성분이 실제로 존재하면 **진양성**, 시료에 목표 성분이 없다면 **위양성**이라고 한다. ⑤반대로 키트가 시료에 목표 성분이 들어 있지 않다고 판정하면 **음성**이라고

한다. ⑥이 경우 실제로 목표 성분이 없다면 **진음성**, 목표 성분이 있다면 **위음성**이라고 한다. ⑦현실에서 위양성이나 위음성을 배제할 수 있는 키트는 없다.

①~② #카테고리 제시

지금까지는 '휴대성과 신속성'에 대한 이야기였던 것 같은데, 이제는 '정확성'에 대한 이야기를 하려나봅니다. 이렇게 카테고리 확실하게 잡아놓고, '정확한 검사'에 대한 내용을 읽어봅시다.

③~⑥ #수식된 정의 제시 #단어의 의미 살리기

'양성', '진양성', '위양성'의 정의를 체크하는 건 기본일 겁니다. 이때, '진/양성', '위/양성'과 같은 방식으로 단어의 의미를 살리는 것도 잊지 마세요. 현재 시국에 '양성'과 같은 단어는 상식으로도 알고 계실 것이고, '진짜' 있으면 '진'양성, '위조'된 결과로 사실 없으면 '위'양성인 겁니다.

'음성', '진/음성', '위/음성'도 같은 방식으로 처리할 수 있겠죠? 우리가 알고 있는 단어들의 의미를 살리며 개념을 받아들이면, 굉장히 많은 정보들을 납득할 수 있습니다.

⑦ #고정값

이런 '위양성', '위음성'은 키트의 '정확성'을 낮추는 것이므로 배제되는 게 좋을 것 같은데, 현실에서 이를 배제할 수 있는 키트는 없다고 합니다. 일종의 고정값으로 강렬하게 기억하면 좋겠죠? 다르게 표현하면, '정확도가 100%인 키트는 없다!'가 되겠습니다.

| 생각 심화 |

이 문단의 첫 문장을 보면, '휴대성과 신속성 외에 정확성도 중요하다.'고 하면서 키트의 정확도에 대한 얘기를 꺼내고 있습니다. 그렇다면 여기서 '휴대성과 신속성'은 어떤 걸 뜻할까요? 1문단으로 돌아가 봅시다. '적은 비용으로 쉽고, 빠르고, 정확하게 검사할 수 있는 키트를 제작하는 것이 요구된다.'라고 서술되어 있습니다. 즉, 휴대성과 신속성은 〈쉽고, 빠르고 정확해야 한다.〉는 키트의 특성 중 '쉽고, 빠르게'를 말합니다. 평가원은 지금까지 읽은 키트의 과정, 원리에 대한 설명을 통해 '키트를 사용하면 쉽고 빠르게 검사할 수 있구나!'에 대한 정보를 우리에게 제공해 준 것이고, 이젠 어떻게 해야 '정확'한지에 대한 정보를 주는 것입니다. 사소한 부분이지만 이런 점을 통해 평가원이 글에서 정보를 제시할 때 논리적이고 구조적으로 제시한다는 믿음을 가지고 가셨으면 좋겠습니다!

5문단

①여러 번의 검사 결과를 통해 **키트의 정확도**를 구하는데, 정확도란 시료를 분석할 때 올바른 검사 결과를 얻을 확률이다. ②정확도는 **민감도**와 **특이도**로 나뉜다. ③**민감도**는 시료에 목표 성분이 존재하는 경우에 대해 키트가 이를 양성으로 판정한 비율이다. ④**특이도**는 시료에 목표 성분이 없는 경우에 대해 키트가 이를 음성으로 판정한 비율이다. ⑤민감도와 특이도가 모두 높아 정확도가 높은 키트가 가장 이상적이지만 현실에서는 그렇지 않은 경우가 많아서 상황에 따라 민감도나 특이도를 고려하여 키트를 선택해야 한다.

①~② #정의 제시 #카테고리 나누기

이렇게 '양성'과 '음성'을 판정하는 키트를 여러 번 이용한 뒤 그 결과를 통해 '정확도'를 구할 수 있다고 합니다. 정의는 뭐 '정확도' 그 자체죠? 이는 '민감도'와 '특이도'로 나눌 수 있다고 해요. 각각의 정의 체크해볼까요?

③~④ #정의 제시 #단어의 의미 살리기 #재진술

'민감/도'와 '특이/도'라는 단어의 의미를 살리면 정의를 받아들이는 게 조금은 수월하겠죠? 목표 성분에 '민감'하게 반응하는 정도, 목표 성분이 없는 경우에 '특이'적으로 잘 반응하는 정도라고 납득할 수 있겠습니다. 4문단의 정보를 조금 당겨 오면, '민감도'는 '진양성', '특이도'는 '진음성'과 관련된 것이라고 알 수도 있겠죠.

⑤ #재진술

사실상 4문단의 마지막 문장과 같은 말입니다. 결국 '정확도 100%'는 없으니, 상황에 따라 '민감도'와 '특이도'를 고려해야 한다는 내용입니다.

하이라이트 문장

②정확도는 민감도와 특이도로 나뉜다.

정확도의 정의가 나오고, 그 정확도가 민감도와 특이도로 '나뉜다'는 서술이 나왔습니다. 위에서 설명했던 것처럼 정보가 구분됨을 인지해야 하고, 어떤 차이점을 지닐지 생각하며 읽어야 합니다. 또한 가장 중요한 것은 민감도나 특이도나 결국 '정확도'라는 것이죠. 정보가 구분될 때는 그 차이점을 낳는 '공통 범주'라는 것이 존재한다는 것을 항상 인지하도록 합시다.

선지	①	②	③	④	⑤
선택률	5%	12%	42%	17%	24%

29 윗글을 읽고 알 수 있는 내용으로 적절하지 <u>않은</u> 것은? ③

① LFIA 키트에서 시료 패드와 흡수 패드는 모두 시료를 흡수하는 역할을 한다.

명시적 근거	2문단 3번 문장
실전에서의 판단 과정	시료 패드로 들어오고, 흡수 패드로 나머지가 빠져 나가는 거지.
해설	'시료' 패드와 '흡수' 패드를 구성하는 단어들의 의미를 살리면서 납득했던 정의 그 자체입니다.

② LFIA 키트를 통해 검출하려고 하는 목표 성분은 항원-항체 반응의 항원에 해당한다.

명시적 근거	1문단 4번 문장, 3문단 2번 문장
실전에서의 판단 과정	목표 성분과 항원은 같은 말이었지.
해설	'직접 방식'의 원리를 이해하는 과정에서 체크했던 정보입니다. '항체'는 항원에'만' 특이적으로 결합한다는 것, '항체'는 '목표 성분'에 결합한다는 것을 종합적으로 판단해야 하는 어려운 선지였습니다.

③ LFIA 키트를 사용할 때 정상적인 키트에서 검사선이 발색되지 않으면 표준선도 발색되지 않는다.

명시적 근거	2문단 8번~9번 문장
실전에서의 판단 과정	검사선과 표준선은 별로 관련이 없는데?
해설	'검사선 발색'과 '표준선 발색'에 대해 묻고 있습니다. 우리는 이들의 발색이 의미하는 바에 대해 정확하게 납득하고 있습니다. '검사선'이 발색하면 '목표 성분 검출'의 여부를 알 수 있고, '표준선'이 발색하면 '정상 진행'의 여부를 알 수 있습니다. 이 둘은 서로 이어지는 게 아닌 독립적인 내용이죠? '검사선'이 발색되지 않으면 방식에 따라 '목표 성분'이 없을 수도, 있을 수도 있는데 이건 '정상 진행'과는 무관한 과정이니까요. 물론 선지에서 '정상적인 키트'라고 못박았기 때문에, '표준선'은 무조건 발색된다는 논리로 지우셔도 좋습니다. 하지만 '정상적인 키트'라는 선지의 내용에 바로 주목하는 것은 필연성이 조금 떨어지기 때문에, 앞에서 설명한 생각의 과정을 거

쳐 해결했는지 점검하는 것이 더 좋겠습니다. 어떻게 보더라도 '반응막'의 항체들에 대해 제대로 납득했다면 답으로 골라낼 수 있겠네요.

④ LFIA 키트에 표지 물질이 없다면 시료에 목표 성분이 있더라도 이를 시각적으로 확인할 수 없다.

명시적 근거	2문단 5번 문장, 3문단 4번 문장, 3문단 7번 문장
실전에서의 판단 과정	표지 물질이 없으면 발색이 안 되겠지.
해설	'표지 물질'은 발색 반응을 내는 물질이었습니다. 만약 이게 없다면, '시료와 복합체'가 '검사선'에 놓여도 어떤 일이 일어났는지 시각적으로 확인할 수 없겠죠.

⑤ LFIA 키트를 이용하여 검사할 때, 시료에 목표 성분이 포함되어 있지 않더라도 검사선이 발색될 수 있다.

명시적 근거	3문단 7번 문장, 4문단 7번 문장
실전에서의 판단 과정	경쟁 방식에서는 목표 성분 없어야 검사선이 발색되잖아.
해설	'목표 성분'이 포함되어 있지 않더라도 '검사선'이 발색될 수 있다? 크게 두 가지의 생각으로 뻗어나갈 수 있겠습니다. 하나는 '직접 방식의 위양성'이죠. '검사선'이 발색되어서 '목표 성분'이 있는 줄 알았더니, 실제로는 없는 상황! 혹은 '경쟁 방식'도 생각할 수 있겠습니다. '경쟁 방식'에서 '검사선'의 발색은 '목표 성분 없음'을 의미하죠? 즉, '경쟁 방식의 진음성'인 순간에는 5번 선지와 동일한 상황이 되겠네요. 이 둘 중 무엇을 떠올렸더라도 상관은 없습니다만, 두 정보 모두 꽤나 임팩트가 큰 정보이니 하나라도 떠올렸어야 했습니다. 실전적인 해설을 덧붙이자면, 현실에서 '위양성'이나 '위음성'을 배제할 수 없다는 정보나 '민감도'나 '특이도'가 모두 높은 키트는 없다는 정보를 통해 '목표 성분'이 없어도 '검사선'이 발색될 수 있다는 사실을 체크할 수도 있습니다. '정확도'가 100%가 아니라는 말이니까요. '직접 방식의 위양성'이든, '경쟁 방식의 진음성'이든 결국 정확도가 100%가 아니라면 어떤 상황이든 벌어질 수 있다는 거죠.

선지	①	②	③	④	⑤
선택률	33%	9%	13%	30%	15%

30 ㉠과 ㉡에 대한 이해로 가장 적절한 것은? ①

> ㉠ 직접 방식 / ㉡ 경쟁 방식

- 2문단에서 정리한 정보들을 바탕으로 완벽하게 납득했던 LFIA 키트의 두 가지 방식에 대한 문제입니다. '특정 물질'에 각각 '항체'와 '항원'이 들어 있다는 점, '검사선의 발색 여부'가 의미하는 것이 각각 '목표 성분 존재'와 '목표 성분 존재x'라는 점을 다시 한번 상기하고 선지 판단해보도록 합시다.

① ㉠은 ㉡과 달리, 시료에 들어 있는 목표 성분은 검사선에 도달하기 이전에 항체와 결합을 하겠군.

명시적 근거	3문단 3번 문장, 3문단 7번 문장
실전에서의 판단 과정	직접 방식은 검사선 가기 전에 특정 물질인 항체와 먼저 결합하지.
해설	'직접 방식'의 경우, '특정 물질'이 곧 '항체'입니다. 따라서 시료에 '목표 성분=항원'이 있는 경우, '반응막'의 '검사선'에 가기 전에 먼저 '복합체'의 '특정 물질=항체'와 결합을 하게 되는 거죠. 한편 '경쟁 방식'의 경우, '특정 물질'이 곧 '항원'입니다. 시료의 '목표 성분=항원'이 '항원'과 결합할 수는 없으므로, 이때의 '목표 성분'은 '검사선'에 가서야 결합이 가능합니다. 각 방식의 작동 과정을 제대로 체크하고 있는지 물어보는 선지였네요.

② ㉠은 ㉡과 달리, 시료에서 목표 성분을 검출했다면 검사선에서 항체와 목표 성분의 결합이 존재하지 않겠군.

명시적 근거	3문단 3번 문장, 3문단 7번 문장
실전에서의 판단 과정	직접 방식에서는 목표 성분이 있는 경우에 저 결합이 있을 수밖에 없잖아?
해설	'직섭 방식'에서 시료 속 '목표 성분'을 검출했다고 판단하기 위해서는 '검사선'이라는 항체와 '목표 성분' 간의 결합이 필요합니다. 이때의 '목표 성분'은 '복합체'의 '표지 물질'을 대동하고 있기 때문에, 이것이 결합해야만 발색 반응을 통해 목표 성분 검출 여부를 알 수 있겠죠. '경쟁 방식'도 마찬가지죠? 시료에서 '목표 성분'을 검출했다고 판단하는 경우에는 이 '목표 성분'

이 '검사선'이라는 항체와 직접적으로 결합한 경우입니다. 이 해설을 보고서야 선지의 내용을 이해하는 게 아니라, 지문을 읽을 때부터 완벽하게 납득한 상태로 해결했으면 정말 좋을 것 같아요.

③ ㉡은 ㉠과 달리, 시료가 표준선에 도달하기 이전에 검사선에 먼저 도달하겠군.

명시적 근거	2문단 6번 문장
실전에서의 판단 과정	검사선이 더 왼쪽에 있잖아.
해설	'표준선'과 '검사선' 중 어디에 먼저 도달하는지 묻고 있습니다. 우리는 2문단의 엄청난 정보들을 정리하면서, '검사선'이 '표준선'보다 더 왼쪽에(시료 패드와 더 가까운 쪽) 있다는 걸 체크했습니다. 기억이 안 났다면 2문단으로 눈알 살짝 굴려보는 센스를 발휘하면 되겠죠? 그렇다면 '직접 방식'이든 '경쟁 방식'이든 무조건 '검사선'에 먼저 도달해야 할 겁니다. '달리'가 틀렸네요!

④ ㉡은 ㉠과 달리, 정상적인 검사로 시료에서 목표 성분을 검출했다면 반응막에 아무런 반응선도 나타나지 않았겠군.

명시적 근거	2문단 9번 문장
실전에서의 판단 과정	반응선? 검사선 발색은 안 될텐데 표준선 발색은 일어나지 않나?
해설	선지에서 묻는 것을 정확하게 따져야 합니다. 선지에선 아무런 '반응선'도 나타나지 않는지 물어보고 있습니다. 우리는 '반응막'에 '검사선'이 발색되어 나타난 것과 '표준선'이 발색되어 나타난 것이 있다는 걸 잘 알고 있습니다. 일단 '경쟁 방식'은 '직접 방식'과 달리 '목표 성분'을 검출한 경우 '검사선'이 발색되지는 않습니다. 하지만 선지에서 묻는 것처럼 '정상적인 검사'라면, '표준선'은 발색되겠죠? 29번 문제의 3번 선지를 판단하는 과정에서 이미 한 번 체크한 것이기에, '표준선=정상 검사 진행 여부 확인'이라는 내용을 쉽게 생각해낼 수 있었을 겁니다. 이렇게 '선지에서 묻는 것'으로부터 차분하게 생각을 이어나가는 것. 고난도 선지 판단의 기본입니다.

> **| 생각 심화 |**
> 이 선지에 속아 넘어간 많은 학생들은 '검사선'과 '표준선'만 생각하고, 이 둘의 상위 개념이 '반응막의 반응선'이라는 사실을 잊어버렸을 가능성이 높습니다. 선지에서 '반응선'을 묻고 있다

는 걸 확인하고, "반응선에는 '검사선'과 '표준선'이 있지!"하고 떠올린 후 그 둘의 정의를 생각했어야 하는데 말이죠. 항상 무언가가 나뉠 때는 그것들의 상위 개념을 인지하는 것도 잊지 맙시다!

⑤ ㉠과 ㉡은 모두 시료에 들어 있는 목표 성분이 표지 물질과 항원-항체 반응으로 결합하겠군.

명시적 근거	2문단 5번 문장
실전에서의 판단 과정	표지 물질이랑 왜 결합을 해.
해설	'목표 성분'이 '항체'와 결합하는 건 맞는데, '표지 물질'과 결합하지는 않죠? 일단 목표 성분(항원)은 '직접 방식'에서는 '특정 물질' 및 '검사선'과 결합하고, '경쟁 방식'에서는 '검사선'과만 결합합니다. '표지 물질'은 그냥 '특정 물질'에 붙어 따라갈 뿐이에요. 선지에서 묻는 게 무엇인지 정확하게 따져야 합니다!

선지	①	②	③	④	⑤
선택률	30%	16%	14%	34%	6%

31 윗글을 참고할 때, 〈보기〉의 A와 B에 들어갈 말을 올바르게 짝지은 것은? ④

[보기]

검사용 키트를 가지고 여러 번의 검사를 실시하여 키트의 정확성을 측정하였을 때, 검사 결과 (A)인 경우가 적을수록 민감도는 높고, (B)인 경우가 많을수록 특이도는 높다.

– '정확도'에 대한 문제입니다. 단어의 의미를 바탕으로 어렵지 않게 납득해 놓은 내용이죠? A는 '민감도', B는 '특이도'와 관련된 내용이에요. 그럼 일단 '민감도', '특이도'의 정의부터 정리해봅시다.

민감도 : 목표 성분이 존재하는 경우에 양성 판정 비율
특이도 : 목표 성분이 존재하지 않는 경우에 음성 판정 비율

이렇게 정리할 수 있겠죠? 일단 A인 경우가 '적을수록' 민감도가 높다고 합니다. 위에서 정리한 내용에 따르면, '목표 성분이 존재하는 경우에 음성 판정 비율'이 낮을수록 '민감도'가 높아진다고 할 수 있겠습니다. 이 경우는 바로 '위음성'의 경우이죠? '음성'으로 판정했지만 사실은 '양성'인 경우입니다. '적을수록'의 낚시에 걸리지만 않았다면 쉽게 생각할 수 있는 내용이었네요.

다음은 B인 경우가 '많을수록' 특이도가 높다고 합니다. 이번엔 '많을수록'이기 때문에, '특이도'의 정의 그대로 정리하면 되겠죠. '특이도'의 정의인 '목표 성분이 존재하지 않는 경우에 음성 판정'은 진음성에 해당합니다. '음성'으로 판정했고, 실제로도 '음성'인 경우이죠.

단어의 의미를 통해 개념의 정의를 정확히 체크하고, 〈보기〉에서 물어보는 내용을 정확하게 체크하는 것이 중요한 문제였습니다.

	A	B
①	진양성	진음성
②	진양성	위음성
③	위양성	위음성
④	위음성	진음성
⑤	위음성	위양성

선지	①	②	③	④	⑤
선택률	8%	27%	19%	25%	21%

32 윗글을 바탕으로 〈보기〉를 이해한 반응으로 적절하지 않은 것은? [3점] ②

[보기]

살모넬라균은 집단 식중독을 일으키는 대표적인 병원성 세균이다. 기존의 살모넬라균 분석법은 정확도는 높으나 3~5일의 시간이 소요되어 질병 발생 시 신속한 진단 및 예방에 어려움이 있었다. 살모넬라균은 감염 속도가 빠르므로 다량의 시료 중 오염이 의심되는 시료부터 신속하게 골라낸 후에 이 시료만을 대상으로 더 정확한 방법으로 분석하여 오염 여부를 확정 짓는 것이 효과적이다. 최근에 기존 방법보다 정확도는 낮으나 저렴한 비용으로 살모넬라균만을 신속하게 검출할 수 있는 ⓐ LFIA 방식의 새로운 키트가 개발되었다고 한다.

– '살모넬라균'의 감염 여부를 판단하는 키트에 대한 내용입니다. 다른 내용은 그렇다 치는데, 밑줄 친 부분(오염 의심 시료부터 신속하게)이 눈에 띄네요. 조금 어려울 수 있지만, 이 키트는 '민감도'가 높은 걸 이용해야 한다는 생각을 할 수 있으면 좋겠습니다. '오염 의심', 즉 '양성 의심'인 시료부터 골라내야 하는 것이니까요. 지문의 거시적인 내용을 바탕으로 하면 그 이상을 생각하기는 쉽지 않을 것 같습니다. 선지 판단해 보도록 합시다.

① ⓐ를 개발하기 전에 살모넬라균과 결합하는 항체를 제조하는 기술이 개발되었겠군.

명시적 근거	1문단 5번 문장
실전에서의 판단 과정	항체가 있어야 키트를 쓸 수 있지.
해설	살모넬라균이라는 '목표 성분', 즉 '항원'에 결합하는 '항체'를 만드는 것은 '키트'의 작동 방식을 생각할 때 필수적인 과정이라고 할 수 있겠습니다. '특정 물질'이 항체가 아닌 '경쟁 방식'을 이용하더라도 최소한 '검사선'이라는 항체는 있어야 하니까요.

② ⓐ의 결합 패드에는 표지 물질에 살모넬라균이 붙어 있는 복합체가 들어 있겠군.

명시적 근거	3문단 5번 문장, 3문단 8번 문장
실전에서의 판단 과정	살모넬라균은 세균이니 직접 방식으로 해야 하고, 이때 특정 물질은 목표 성분이 아니라 항체지.
해설	이 선지를 판단하는 방법에는 두 가지의 길이 있습니다. 하나는 살모넬라'균'을 발견하는 겁니다. 이것이 보이는 순간, '세균'은 '직접 방식'을 통해 검출한다는 정보가 떠오를 수 있겠죠? 우리가 유일하게 납득하지 못했던 정보였는데, '세균'을 보자마자 이것이 떠올랐다면 '직접 방식'의 '표지 물질'에 붙은 '특정 물질'은 '항체'라는 정보를 바탕으로 쉽게 틀렸음을 알아낼 수 있겠습니다.

이렇게 푸는 게 가장 깔끔하겠지만, 만약 '세균'을 발견하지 못한 상황을 가정해봅시다. 이 경우에는 선지에서 묻는 '표지 물질에 살모넬라균이 붙어 있다'는 내용에서 시작을 해야겠네요. '표지 물질'에 붙어 있는 건 '특정 물질'인데, 선지에서 이야기하는 대로 '특정 물질'이 '살모넬라균'이라면 '목표 성분 그 자체'가 붙어 있는, '경쟁 방식'의 상황임을 추론할 수 있습니다. 그렇다면 이 선지는 '살모넬라균을 검출하기 위해 경쟁 방식의 키트를 써야 하는가'로 바꿀 수 있는데, 우리는 3문단의 마지막 문장을 납득하지 못한 채 '각 방식을 사용하는 경우'라는 역할을 지정했던 기억이 있습니다. 지금 딱 필요한 정보네요. 이에 따르면, '세균'이나 분자량이 큰 단백질 등을 이용할 때는 '직접 방식'을 사용해야 합니다. 그러고 보니 '살모넬라균'은 '세균'이었네요. 그럼 '직접 방식'을 써야 하니, 이 선지는 틀린 선지가 되겠습니다.

전자의 방식대로 풀지 못했더라도, '선지에서 묻는 것'으로부터 차근차근 접근하면 충분히 답에 |

이를 수 있습니다. 이런 선지 판단의 과정도 많이 연습하시기 바랍니다.

③ ⓐ를 이용하여 음식물의 살모넬라균 오염 여부를 검사하려면 시료를 액체 상태로 만들어야겠군.

명시적 근거	2문단 1번 문장
실전에서의 판단 과정	흡수하고 하려면 액체 상태여야겠지 뭐.
해설	역시 생각보다 까다로운 선지였습니다. 시료에서 '목표 성분'을 검출한다는 건 알고 있는데, 그게 꼭 '액체'여야 하는지에 대해서는 납득한 기억이 없어요. 천천히 생각해보면, 일단 '흡수'하는 과정을 통해 시료를 '검사'하는 것이기에, '액체'여야겠다는 생각을 할 수 있겠습니다. 이렇게 그냥 넘어가셔도 됩니다. 어차피 우리가 기억 못하는 정보라면 핵심과 멀리 떨어진 정보일 테니까요.

혹은 'LFIA 키트'를 처음으로 정의하던 2문단으로 눈알을 굴려볼 수도 있겠죠. 여기서 '액상의 시료'를 발견한다면 더 확신을 가지고 지울 수 있겠습니다. |

④ ⓐ를 이용하여 현장에서 살모넬라균 오염 의심 시료를 선별하기 위해서는 특이도보다 민감도가 높은 것이 더 효과적이겠군.

명시적 근거	5문단 5번 문장, 〈보기〉
실전에서의 판단 과정	미리 생각한 내용이네.
해설	〈보기〉 정리를 통해 미리 생각한 내용이죠? 미리 생각하지 못했더라도, '특이도'와 '민감도'가 높은 경우가 각각 언제 필요한지 조금만 생각해보면 어렵지 않게 지워낼 수 있을 겁니다.

⑤ ⓐ를 이용하여 살모넬라균이 검출되었다고 키트가 판정한 경우에도 기존의 분석법으로는 균이 검출되지 않을 수 있겠군.

명시적 근거	4문단 7번 문장
실전에서의 판단 과정	위양성도 있다고 했으니까.
해설	살모넬라균이 검출되었다고 판정한 경우, 즉 '양성'인 경우에도 균이 검출되지 않는 경우가 있을 수 있습니다. 우리는 그걸 '위양성'이라고 부르고, 이를 피할 수 있는 키트는 존재하지 않는다는 '고

정값'도 체크를 했었죠? 고정값은 언제나 선지화 되는 모습이에요.

몰랐던 어휘 정리하기

| 핵심 point |

① **화제 check** : 독서 지문 독해의 처음이자 끝. 첫 문단에서 잡은 '화제의 틀'을 마지막 문단까지 놓지 않아야 합니다.

② **기술의 목적** : 기술은 인간의 필요에 의해 만들어진 것이므로, 반드시 어떠한 '목적'이 있습니다. 이 목적을 생각하며 읽으면 훨씬 쉽게 이해할 수 있습니다.

③ **재진술 인식** : 같은 말이라도 다르게 표현되는 경우가 많습니다. 심지어 아예 똑같은 말이 반복되는 경우도 많아요. 이 '같은 말'에 민감하게 반응하면, '정보량'을 줄이면서 읽을 수가 있습니다.

④ **초반 정보 견디기** : 과학 · 기술 지문에서는 초반부에 정보를 잔뜩 던지고, 후반부에는 그 정보를 활용해서 어떤 논의를 이어가는 경우가 많아요. 초반부의 정보만 잘 견디면 뒤에서 편해집니다.

⑤ **비교/대조** : 비교되는 대상이 나오면, '공통점'과 '차이점' 중심으로 읽어나가면 됩니다.

| 지문 내용 총정리 |

굉장히 어려운 기술 지문이었습니다. 물론 계속해서 강조하는 포인트를 벗어나지는 않았지만, 조금이라도 집중력을 잃으면 길을 잃기 딱 좋은 지문이었어요. 이처럼 과학 · 기술 지문은 다른 지문들보다도 훨씬 높은 집중력이 요구됩니다. 특히 이런 소재에 약한 학생들은 더더욱이요!

1문단

①어떤 물체가 물이나 공기와 같은 유체 속에서 자유 낙하할 때 물체에는 중력, 부력, 항력이 작용한다. ②중력은 물체의 질량에 중력 가속도를 곱한 값으로 물체가 낙하하는 동안 일정하다. ③부력은 어떤 물체에 의해서 배제된 부피만큼의 유체의 무게에 해당하는 힘으로, 항상 중력의 반대 방향으로 작용한다. ④빗방울에 작용하는 부력의 크기는 빗방울의 부피에 해당하는 공기의 무게이다. ⑤공기의 밀도는 물의 밀도의 1,000분의 1 수준이므로, 빗방울이 공기 중에서 떨어질 때 부력이 빗방울의 낙하 운동에 영향을 주는 정도는 미미하다. ⑥그러나 스티로폼 입자와 같이 밀도가 매우 작은 물체가 낙하할 경우에는 부력이 물체의 낙하 속도에 큰 영향을 미친다.

① #화제 제시 #단어의 의미 살리기

어떤 '물체'가 물·공기 같은 '유체' 속에서 자유 낙하할 때의 상황에 대해 소개하고 있습니다. 일단 여기서 '물체'와 '유체'라는 단어의 의미를 살려 서로 다른 개념이라는 것을 확실히 인식할 수 있어야 합니다. '물체'는 말 그대로 물체이고, '유체'는 물·공기처럼 흐르는 느낌을 가지고 있는 것이라는 식으로 생각할 수 있겠죠? 어떤 '물체'가 '유체' 속에서 낙하한다는 것이 핵심입니다.

아무튼, 이 경우 '물체'에는 '중력·부력·항력'이 작용한다고 합니다. 이들의 정의를 하나씩 설명하는 것이 이 지문의 큰 흐름이라고 할 수 있겠죠? 기대하면서 읽어봅시다.

② #정의 제시 #고정값

먼저 '중력'입니다. 이는 '물체의 질량×중력 가속도'로 정의되는 값이라고 해요. 중요한 개념의 정의가 제시되고 있으니 확실하게 체크가 되어야겠죠? 그런데 이 '중력'은 물체가 낙하하는 동안 '일정'하다고 합니다. '중력'은 '일정'한 값이라는 점, 일종의 '고정값'이니 강하게 반응할 수 있어야겠네요.

③ #정의 제시 #재진술 #고정값

다음으로는 '부력'입니다. '물체에 의해 배제된 부피만큼의 유체의 무게에 해당하는 힘'이 그 정의로 제시되고 있습니다. 과학에 대한 배경지식이 없는 학생들에게는 상당히 까다로운 내용입니다. 하지만

'부력' 역시 첫 문장부터 제시했던 중요 개념이니, 그 정의를 확실하게 인지하고 넘어갈 필요가 있어요. 특히 과학·기술 지문의 초반부 정보에도 해당하는 만큼 시간을 써서라도 확실하게 이해해야겠죠?

이를 위해 반복되는 단어인 '물체·유체'에 주목해봅시다. 일단 '유체'는 물·공기 같은 것이었는데, 핵심은 '물체'가 그 속에서 낙하 운동을 한다는 것이었어요. 따라서 '물체에 의해 배제된 부피'는 물체가 그 유체 속에 들어가서 차지한 부피를 의미하는 것이겠네요. 물 속에 공이 들어가는 상황을 생각해보면, 그 공의 부피만큼 물 속의 부피를 '배제'했다고 할 수 있는 것이죠. 그리고 그 부피에 해당하는 물의 '무게'가 있을 것입니다. 이 물의 '무게'에 해당하는 만큼의 힘이 바로 '부력'인 것이네요. 이에 대한 지식이 없다면 아주 어렵겠지만, '유체 속의 물체'라는 상황을 바탕으로 충분히 납득할 수 있어야 해요.

그런데 이러한 '부력'은 '항상' 중력의 반대 방향으로 작용한다고 합니다. 이번에도 '고정값'이 제시된 모습이네요! 우리가 아무리 과학을 몰라도, '중력'이 아래쪽 방향으로 작용하는 힘이라는 건 알고 있을 겁니다. 그렇다면 '부력'은 '항상' 위쪽 방향으로 작용하는 힘임을 알 수 있겠네요. 머릿속에 확실하게 넣어두어야겠죠?

④ #사례-원리 연결

출제자도 '부력'의 정의가 어렵다는 건 알았나 봅니다. '빗방울' 및 '공기'의 사례를 제시하여 확실하게 이해시켜주고 있습니다. 중요한 건, '유체 속의 물체'라는 내용을 바탕으로 '빗방울=물체', '공기=유체'라는 걸 파악할 수 있어야 한다는 겁니다. 앞서 '공=물체', '물=유체'를 예로 들어 설명했던 내용과 똑같은 말을 하고 있죠? 빗방울이 '배제'시킨 공기의 '부피'에 해당하는 공기의 '무게'가 곧 빗방울에 작용하는 '부력'의 크기가 되는 것입니다.

⑤~⑥ #사례-원리 연결 #이면의 내용 추론하기

갑자기 '밀도' 이야기를 하고 있습니다. 당황하지 말고 천천히 이해해봅시다. '공기의 밀도'는 '물의 밀도'에 비해 현저히 작다고 합니다. 본교재에서 배운 대로, '밀도'가 '질량'에 비례하는 값이라는 점을 생각하면 어렵지 않게 납득할 수 있겠어요. 공기보다는 물이 훨씬 무거울 것이니까요. 아무튼, 이러한 이유로 '빗방울'이 '공기' 중에서 떨어질 때 '부력'이 '빗방울'의 낙하 운동에 영향을 주는 정도는 미미하다고 합니다. 앞에서 봤던 '공기 속의 빗방울' 상황을 다시 가져온 것이죠? 공기라는 '유체'가 빗방울이라는 '물체'에 비해 밀도가 엄청 작기 때문에, 빗방울이라는 '물체'는 낙하 운동을 할 때 '부력=유체의 무게'의 영향을 거의 받지 않는다고 합니다. '유체'의 밀도가 너무 작아 그 무게의 영향력도 떨어지는 것이죠. 충분히 납득할 수 있을 겁니다.

한편, 6번 문장에서는 '스티로폼 입자'가 '물체'인 사례를 들어주고 있습니다. 이는 '빗방울'과 달리 밀도가 매우 작은 물체인데, 이 경우

에는 '부력'이 낙하 속도에 큰 영향을 끼친다고 해요. 이번엔 상대적으로 '유체'의 밀도가 그렇게까지 작지는 않기에, 낙하 운동에 끼치는 영향력이 좀 더 큰 상황인 것이죠. 여기서 그냥 넘어가는 것이 아니라, 앞의 상황과 정확히 무엇이 다른지 생각하며 핵심 정보를 추출할 수 있어야 합니다.

두 사례 모두 '유체'는 '공기'로 동일한데, '물체'의 '밀도'가 달라진 상황이에요. 즉, 같은 '유체'를 가정했을 때 '물체'의 '밀도'가 작아지면 '부력'의 영향력이 커진다는 결과를 얻을 수 있는 겁니다. '유체 대비 물체의 밀도'가 작아지면 '부력의 영향력'이 커진다고 정리할 수 있겠네요.

나아가 '부력'은 '중력'과 반대 방향, 즉 위쪽 방향으로 작용하는 힘이기에 낙하 운동에서 '부력의 영향력'이 커진다는 것은 '낙하 속도'가 느려짐을 의미한다는 점까지 생각할 수 있어야 합니다. 즉, '유체 대비 물체의 밀도'가 작아진다는 것은 곧 '낙하 속도'가 느려지는 것을 의미하네요.

최근의 수능에서는, 이 지문처럼 길이가 짧게 제시되는 경우 더욱 더 꼼꼼하게 독해할 것을 요구하고 있어요. 이 해설에서 보여드린 것처럼, '반복되는 단어' 및 '기본적인 배경지식'을 바탕으로 확실하게 납득하고 이면의 정보를 추론할 수 있어야 합니다. 어렵더라도 계속해서 연습해보도록 합시다.

아무튼, 우리는 '유체 속의 물체'가 낙하 운동할 때 받는 힘인 '중력·부력·항력' 중 '중력·부력'에 대해 이해했습니다. 이제 '항력'에 대한 설명이 나오겠죠? 기대하면서 읽어봅시다.

하이라이트 문장

> ①어떤 물체가 물이나 공기와 같은 유체 속에서 자유 낙하할 때 물체에는 중력, 부력, 항력이 작용한다.

'유체 속의 물체'라는 틀과 함께, '중력·부력·항력'에 대한 정의가 제시될 것이라는 점을 알려주는 문장입니다. 지문 전체의 흐름을 제시하고 있으니 확실하게 체크가 되어야겠죠?

2문단

> ①물체가 유체 내에 정지해 있을 때와는 달리, 유체 속에서 운동하는 경우에는 물체의 운동에 저항하는 힘인 항력이 발생하는데, 이 힘은 물체의 운동 방향과 반대로 작용한다. ②항력은 유체 속에서 운동하는 물체의 속도가 커질수록 이에 상응하여 커진다. ③항력은 마찰 항력과 압력 항력의 합이다. ④마찰 항력은 유체의 점성 때문에 물체의 표면에 가해지는 항력으로, 유체의 점성이 크거나 물체의 표면적이 클수록 커진다. ⑤압력 항력은 물체가 이동할 때 물체의 전후방에 생기는 압력 차에 의해 생기는 항력으로, 물체의 운동 방향에서 바라본 물체의 단면적이 클수록 커진다.

①~② #화제의 흐름 #수식된 정의 제시 #재진술

'물체'가 '유체' 속에서 운동하는 경우에 대해 제시하고 있습니다. 이는 이 지문의 흐름에 일맥상통하는 상황이죠? 정지해 있을 때와는 달리, 이 경우에는 '항력'이 발생한다고 합니다. 우리가 예상한 흐름 그대로네요. 일단 정의부터 확실하게 체크해야겠습니다. '물체의 운동에 저항하는 힘'이에요. 정의에 걸맞게, 물체의 운동 방향과 반대로 작용하는 힘이네요. 지금 우리가 읽고 있는 '낙하 운동'의 상황에서는 '항력'이 '부력'과 마찬가지로 위쪽 방향으로 작용한다고 할 수 있겠네요.

나아가, 이러한 '항력'은 물체의 '속도'가 커질수록 커진다고 합니다. 애초에 정의 자체가 '물체의 운동에 저항하는 힘'이기 때문에, 그 운동 속도가 커질수록 더 크게 저항한다는 건 당연한 말이라고 할 수 있겠습니다. 이렇게 최대한 납득하면서 읽을 수 있어야 해요.

③~⑤ #정의 제시 #단어의 의미 살리기 #재진술

이러한 '항력'은 '마찰 항력'과 '압력 항력'의 합이라고 합니다. '마찰'과 '압력'이라는 단어의 의미를 살려서 확실하게 이해해야겠죠? 먼저 '마찰 항력'의 경우, 유체의 점성 때문에 끊임없이 '마찰'하며 '저항하는 힘'이라고 할 수 있겠네요. 이러한 정의를 이해했다면, 유체의 점성 및 물체의 표면적에 비례한다는 것도 어렵지 않게 납득할 수 있겠습니다. 유체의 점성이 크거나 물체 자체의 표면적이 큰 것은 모두 '마찰'이 더 잘 일어나게 하는 조건이라고 할 수 있으니까요.

한편 '압력 항력'의 경우, 단어의 의미 그대로 물체가 이동할 때 전후방에 가해지는 '압력'에 의해 생기는 '항력'입니다. '압력'을 많이 받으면 당연히 물체의 운동에 '저항하는 힘'이 생길 것이고, 이는 물체의 '단면적'이 클수록 커지겠죠. 이렇게 최대한 납득하면서 읽어주셔야 합니다.

하이라이트 문장

> ①물체가 유체 내에 정지해 있을 때와는 달리, 유체 속에서 운동하는 경우에는 물체의 운동에 저항하는 힘인 항력이 발생하는데, 이 힘은 물체의 운동 방향과 반대로 작용한다.

'항력'이라는 핵심 개념의 정의를 체크하는 것은 기본이고, '유체 속 물체의 운동'이라는 화제의 흐름을 살려주셔야 합니다. 결국 다 하나의 이야기를 하기 위해 존재하는 내용들이에요!

3문단

> ①안개비의 빗방울이나 미세 먼지와 같이 **작은 물체가 낙하하는 경우**에는 물체의 전후방에 생기는 압력 차가 매우 작아 마찰 항력이 전체 항력의 대부분을 차지한다. ②빗방울의 크기가 커지면 전체 항력 중 압력 항력이 차지하는 비율이 점점 커진다. ③반면 스카이다이버와 같이 **큰 물체가 빠른 속도로 떨어질 때**에는 물체의 전후방에 생기는 압력 차에 의한 압력 항력이 매우 크므로 마찰 항력이 전체 항력에 기여하는 비중은 무시할 만하다.

①~③ #재진술 #비교/대조

계속해서 '항력'에 대한 이야기를 하고 있습니다. '작은 물체'가 낙하하는 경우에는 '마찰 항력'의 영향력이 더 크고, '큰 물체'가 떨어질 때는 '압력 항력'의 영향력이 더 크다고 합니다. 지문에 제시된 것처럼, 물체의 크기가 클수록 물체의 전후방에 훨씬 더 많은 압력이 가해질 것이니 당연하게 납득할 수 있겠죠?

4문단

> ①빗방울이 낙하할 때 처음에는 중력 때문에 빗방울의 낙하 속도가 점점 증가하지만, 이에 따라 항력도 커지게 되어 마침내 항력과 부력의 합이 중력의 크기와 같아지게 된다. ②이때 물체의 가속도가 0이 되므로 빗방울의 속도는 일정해지는데, 이렇게 일정해진 속도를 종단 속도라 한다. ③유체 속에서 상승하거나 지면과 수평으로 이동하는 물체의 경우에도 종단 속도가 나타나는 것은 이동 방향으로 작용하는 힘과 반대 방향으로 작용하는 힘의 평형에 의한 것이다.

①~② #재진술 #수식된 정의 제시 #고정값

다시 한번 '빗방울'이라는 물체가 '공기'라는 유체 속에서 '낙하 운동'할 때의 상황을 이야기하고 있습니다. 처음에는 '중력' 때문에 낙하 속도가 점점 증가한다고 해요. '중력'이 아래 방향으로 작용하는 힘이라는 걸 생각하면 당연하죠? 그리고 이에 따라 '항력'이 커지게 된다고 합니다. '항력'은 물체의 운동에 '저항하는 힘'으로, 물체의 속도가 커질수록 커지는 것입니다. 역시 당연한 말이었네요. 이렇게 앞에서 체크한 정의를 끌고 오며 확실하게 납득할 수 있어야 해요!

한편, 이 상황이 지속되면 '항력+부력=중력'이 된다고 합니다. 생각해보니, '빗방울'이 낙하 운동할 때에는 '부력'도 작용하고 있었을 것입니다. 하지만 1문단에서 체크했듯이, 그 영향력이 미미하여 굳이 고려하지 않아도 될 정도가 된 것이죠. 따라서 '항력'이 커짐에 따라 자연스레 '항력+부력=중력'의 상태가 된 것이라 추론할 수 있겠습니다.

이때는 물체의 가속도가 0이 된 상태로, 빗방울의 속도가 '일정'하다고 합니다. 참고로 '가속도'의 정의는 '단위 시간에 대한 속도의 변화율'입니다. 수학 영역의 미분 파트에서 배웠죠? 따라서 가속도가 0이라는 건 '속도의 변화율'이 0이라는 뜻이므로, 속도가 '일정'하다는 고정값이 도출되는 것은 당연하겠습니다.

이렇게 일정해진 속도, 즉 가속도가 0인 상태를 '종단 속도'라고 부릅니다. 낙하 운동의 경우, '항력+부력=중력'인 경우를 '종단 속도=가속도 0'이라고 한다고 정리하면 되겠죠? 수많은 정보들이 유기적으로 엮이는 느낌이 들어야 합니다. 결국 다 같은 말만 하고 있어요.

③ #비교/대조 #재진술

유체 속에서 '상승'하거나 지면과 '수평'으로 이동하는 물체에도 '종단 속도'가 나타난다고 합니다. 여기서 '상승'과 '수평'이라는 말에 주목할 수 있어야 합니다. 지금까지 계속 '낙하'에 대한 이야기만 했는데, 반대되는 상황을 제시한 것이니까요. 아무튼, 이 경우에도 '종단 속도=가속도 0'의 상태가 나타난다고 합니다.

그런데 이는 '이동 방향으로 작용하는 힘'과 '반대 방향으로 작용하는 힘'의 '평형'에 의한 것이라고 합니다. 여기서 '평형'이라는 말을 보자마자 '항력+부력=중력'이 떠올라야 합니다. 이는 '낙하 운동'을 기준으로 할 때, '반대 방향으로 작용하는 힘=이동 방향으로 작용하는 힘'의 상황이니까요. 우리는 이를 통해 '상승 운동'에서 '종단 속도'가 나타나는 경우 '항력+중력=부력'이 된다는 것까지 추론할 수 있어야 합니다. '상승 운동'의 경우 '부력'이 '이동 방향으로 작용하는 힘'이고 '항력+중력'이 '반대 방향으로 작용하는 힘'이니까요.

지문이 짧을수록, 그 이면의 내용까지 더 확실하게 추론할 수 있어야 합니다. 이러한 태도를 계속해서 연습하도록 합시다.

하이라이트 문장

> ③유체 속에서 상승하거나 지면과 수평으로 이동하는 물체의 경우에도 종단 속도가 나타나는 것은 이동 방향으로 작용하는 힘과 반대 방향으로 작용하는 힘의 평형에 의한 것이다.

'상승/수평'이라는 새로운 상황이 제시되었다는 것과, '힘의 평형'이 의미하는 바를 앞내용과 엮어 확실하게 인지할 수 있어야 합니다. 이로부터 앞에서 말한 이면의 내용(상승 운동의 경우 종단 속도가 나타나면 '항력+중력=부력'이 된다.)을 추론할 수 있어야 해요.

선지	①	②	③	④	⑤
선택률	8%	15%	23%	34%	20%

33 윗글을 통해 알 수 있는 내용으로 가장 적절한 것은? ④

① 스카이다이버가 낙하 운동할 때에는 마찰 항력이 전체 항력의 대부분을 차지하게 된다.

명시적 근거	3문단 3번 문장
실전에서의 판단 과정	큰 물체는 마찰 항력 무시해도 된다며.
해설	'스카이다이버'를 보자마자 '큰 물체'라는 것이 떠올라야겠죠? 우리는 물체의 크기가 크면 운동 과정에서 훨씬 큰 압력을 받을 것이라는 점을 납득했습니다. 이 경우 '마찰 항력'의 영향력은 무시할 만하다고 했어요.

② 물체가 유체 속에서 운동할 때 물체 전후방에 생기는 압력 차는 그 물체의 속도를 증가시킨다.

명시적 근거	2문단 전체
실전에서의 판단 과정	압력 항력이 있으면 물체 속도는 낮아지겠지.
해설	지문이 굉장히 짧았으니, 선지에서 묻는 것이 '압력 항력'의 정의와 연관되어 있다는 건 어렵지 않게 생각할 수 있을 겁니다. 이는 '물체의 운동에 저항하는 힘'이라는 정의를 가진 '항력'의 일종이었어요. 따라서 '압력 항력'은 물체의 속도를 감소시킨다고 보는 것이 맞겠네요. '운동에 저항=속도 감소' 정도는 어렵지 않게 추론할 수 있겠죠?

③ 낙하하는 물체의 속도가 종단 속도에 이르게 되면 그 물체의 가속도는 중력 가속도와 같아진다.

명시적 근거	1문단 2번 문장, 4문단 2번 문장
실전에서의 판단 과정	종단 속도 되면 가속도가 0이라며.
해설	선지에서 묻고 있는 '종단 속도'의 정의를 보면, '가속도가 0인 상태'를 의미한다는 것을 알 수 있습니다. 이 값이 '중력 가속도'와 같다면 '중력 가속도'가 0이라는 뜻인데, 상식적으로 '중력 가속도'가 0인 건 말이 안 되겠죠? 조금 더 엄밀하게 설명하면, 1문단에서 제시한 '중력'의 정의가 '질량×중력 가속도'라는 것을 이용할 수도 있습니다. 만약 '중력 가속도'가 0이라면 '중력'도 0인 말도 안 되는 상황이 되니까요. '중력' 정도로 중요한 개념의 정의는 확실하게 체크가 되어야 한다고 했죠?

④ 균일한 밀도의 액체 속에서 낙하하는 동전에 작용하는 부력은 항력의 크기에 상관없이 일정한 크기를 유지한다.

명시적 근거	1문단 3번~4번 문장
실전에서의 판단 과정	부력은 곧 물체에 의해 배제된 부피였으니까 일정하겠네.
해설	사례를 바탕으로 확실하게 이해했던 '부력'에 대해 묻고 있습니다. 선지에서 특정한 개념에 대해 물어보는 경우에는 그 '정의'를 확인하자고 했습니다. 지문으로 돌아가보니, '부력'은 결국 물체에 의해 배제된 '부피'에 해당하는 값이었습니다. 항력이 얼마나 크든 간에, 동전 자체의 부피가 변하지 않는 이상 '부력'의 크기도 변하지 않는 것이죠. '부력'이 일종의 '고정값'이었던 겁니다. 이렇게 선지를 판단하면서 새로운 정보를 얻게 되는 경우도 있어요. 확실하게 챙겨갈 수 있겠죠?

⑤ 균일한 밀도의 액체 속에 완전히 잠겨 있는 쇠 막대에 작용하는 부력은 서 있을 때보다 누워 있을 때가 더 크다.

명시적 근거	1문단 3번~4번 문장
실전에서의 판단 과정	부력은 고정값이지.
해설	4번 선지와 똑같은 걸 묻고 있네요. 4번 선지를 판단하는 과정에서, '부력'의 크기는 '물체의 부피'에 해당하므로 일종의 '고정값'이라는 걸 알게 되었습니다. 쇠 막대가 서 있든 누워 있든 차지하고 있는 '부피' 자체는 같기 때문에, '부력'의 크기도 같을 것이라는 점을 추론할 수 있겠네요.

선지	①	②	③	④	⑤
선택률	9%	24%	15%	16%	36%

34 윗글을 바탕으로 〈보기〉에 대해 탐구한 내용으로 가장
적절한 것은? [3점] ⑤

[보기]

크기와 모양은 같으나 밀도가 서로 다른 구 모양의 물
체 A와 B를 공기 중에 고정하였다. 이때 물체 A와 B의 밀
도는 공기보다 작으며, 물체 B의 밀도는 물체 A보다 더
크다.

― 늘 그렇듯 〈보기〉부터 정리해야 합니다. '물체' A와 B가 있는데,
이들은 '크기·모양'이 같고 '밀도'가 서로 다르다고 합니다. 이런 조
건에 민감하게 반응할 수 있어야 합니다. 여기서 중요한 건 '밀도'겠
죠? 서로 '다른' 성질을 가지고 있어 A와 B를 변별해주는 요소니까
요. 지문에서 '밀도'는 '부력의 영향력'을 논할 때 나온 개념이었습니
다. 우리가 정리한 내용에 따르면, '유체 대비 물체의 밀도'가 작을수
록 '부력의 영향력'은 커집니다. 두 번째 문장에 따르면 B가 A에 비
해 '밀도'가 더 크니, 〈보기〉의 조건처럼 같은 공기(=유체) 속에서 운
동할 때를 가정하면 B가 부력의 영향력을 훨씬 적게 받는다는 것을
알 수 있겠습니다.

[보기]

물체 A와 B를 놓아 주었더니 두 물체 모두 속도가 증가
하며 상승하다가, 각각 어느 정도 시간이 지난 후 각각 다
른 일정한 속도를 유지한 채 계속 상승하였다. (단, 두 물
체는 공기나 다른 기체 중에서 크기와 밀도가 유지되도록
제작되었고, 물체 운동에 영향을 줄 수 있는 기체의 흐름
과 같은 외적 요인들이 모두 제거되었다고 가정함.)

― 그런데 두 물체는 모두 '상승'을 하는 중이라고 합니다. 지문의 '낙
하 운동'과 정반대의 상황이 제시된 것이에요. 그러면서 각각 다른
'일정한 속도'를 유지한 채 계속 상승했다고 합니다. 이는 '종단 속도'
가 나타난 상황이라고 할 수 있겠죠? 4문단에서 정리한 바에 따르면,
상승 운동을 하는 경우 '힘의 평형'이 '항력+중력=부력'으로 나타난
다는 것을 알 수 있습니다. 그렇다면 이들이 '종단 속도'에 이르렀을
때는 '항력+중력=부력'인 상태일 것이라 생각할 수 있겠죠?

이렇게 지문에서 정리한 내용들을 최대한 끌고 와 〈보기〉 정리에 이
용할 수 있어야 합니다. 여기서부터 문제풀이가 시작되는 것이에요.

① A와 B가 고정되어 있을 때에는 A에 작용하는 항력이
B에 작용하는 항력보다 더 작겠군.

명시적 근거	2문단 1번 문장
실전에서의 판단 과정	항력은 운동할 때 발생하는 힘이지.
해설	'고정'된 상황에서 작용하는 '항력'의 크기에 대해 묻고 있습니다. 그런데 '항력'은 '물체가 운동할 때' 생기는 힘이었어요. 그럼 '고정'되었을 땐 '항력'이 발생하지 않을 것이므로, A와 B에 작용하는 '항력'을 비교할 수는 없습니다. '항력'의 정의가 '낙하 운동'이라는 지문의 상황과 엮여 제시되었다는 걸 생각하며 읽었다면 아주 쉽게 떠올릴 수 있는 내용이었을 것이에요.

② A와 B가 각각 일정한 속도를 유지할 때 A에 작용하고
있는 항력은 B에 작용하고 있는 항력보다 더 작겠군.

명시적 근거	4문단 2번~3번 문장 / 1문단 5번~6번 문장
실전에서의 판단 과정	해설과 동일
해설	선지에서 묻는 것을 하나씩 따져봅시다. 일단 A와 B가 각각 '일정한 속도'를 유지할 때, 즉 '종단 속도'에 이르렀을 때의 상황에 대해 묻고 있습니다. 4문단과 〈보기〉를 정리하는 과정에서, '상승 운동'을 하는 A와 B는 '종단 속도'에 이르렀을 때 '항력+중력=부력'인 상태가 된다는 것을 파악했습니다. 이런 상황에서 선지가 묻는 것은 A와 B의 '항력' 크기를 비교하라는 것입니다. 〈보기〉의 정보만으로는 이들의 '항력'을 비교할 수 없으니, 이와 관련된 '중력'과 '부력'에 대한 정보를 이용해보도록 합시다. 먼저 '중력'입니다. 지문에 따르면, '중력'은 '질량×중력 가속도'로 정의되는 값입니다. 즉, '질량'에 비례하는 값인 것이죠. A와 B를 변별하는 요소는 '밀도'인데, '질량'에 따라 결정되는 값인 '중력'을 알아보아야 합니다. 그런데 '밀도'와 '질량'에 대한 이야기가 나왔으니, 자연스레 '부피'에 대해서도 생각해볼 수 있겠죠? '밀도·질량·부피'는 한 세트처럼 움직이는 개념이라고 했으니까요. 여기서 〈보기〉의 '크기와 모양은 같으나'라는 조건을 활용할 생각을 할 수 있겠습니다. '크기와 모양'이 같다는 것은, 다르게 말하면 '반지름'이 같다는 것입니다. 우리는 중학생 때 A와 B 같은 '구'의 부피를 구하는 공식이 $\frac{4}{3}\pi r^3$이라는 것을 배웠습니다. 여기서 $\frac{4}{3}\pi$는 상수이므로, 반지름이 같다면 구의 '부피'도 같다는 것을 알 수 있네요. 이 공식을 정확히 기억하지 못하더라도, 반지름이 부피를 결정한다는 것 정도는 알고 있겠죠?

그렇다면 A와 B의 '부피'가 같다는 것을 알 수 있고, '부피'가 같다면 '밀도'가 큰 B의 '질량'도 더 클 것이라는 점을 추론할 수 있습니다. 다른 외적 요인은 모두 제거되었다고 가정했으니, 결국 B가 A에 비해서 '중력'도 더 크게 받고 있다는 것을 알 수 있겠네요.

다음은 '부력'입니다. 지문을 읽으면서도, 앞 문제를 풀면서도 '부력=물체의 부피'라는 것을 파악했습니다. 그런데 A와 B의 '부피'가 같다는 건 이미 확인했으니, 이들에게 작용하는 '부력'의 크기도 같다고 할 수 있겠네요.

다시, A와 B가 종단 속도에 이르렀을 때는 '힘의 평형'에 의해 '항력+중력=부력'인 상태가 된다고 했습니다. 여기서 '부력'은 같고 '중력'은 A가 더 작다면, '항력'의 크기는 A가 더 크다는 것을 알 수 있네요. 따라서 틀린 선지가 되는 것입니다.

지문의 완벽한 독해, 과학 관련 배경지식 탑재, 〈보기〉의 완벽한 분석, 선지에서 묻는 것에 대한 정확한 인식까지 확실하게 갖춰져야만 해결할 수 있는 초고난도 선지였습니다. 단순히 왜 틀렸는지가 아니라, 어떤 '생각'들을 어떻게 전개해야 이런 결과가 나오는지에 대해 많이 고민해보도록 합시다.

FAQ

Q 이 풀이는 너무 과하지 않나요? '밀도·질량·부피'에 대한 지식이 없으면 절대 생각할 수 없는 풀이인 것 같아요. 지문과 〈보기〉에서는 해당 지식이 설명되지 않는데, 이렇게 외부 지식을 끌어 와서 해결하는 게 정말 옳은 풀이일까요?

A 물론 해당 지식을 활용하지 않고도 해결할 수 있습니다. 실제로 이 지문은 제가 삼수를 할 때 응시했던 수능에 출제된 것인데, 저는 해당 지식을 활용하지 않고도 이 선지를 지웠거든요. 당시 저의 사고과정은 다음과 같습니다.

선지에서 묻는 건 '항력'인데, 〈보기〉에선 이 항력의 크기를 직접적으로 알려주지 않습니다. 그럼 일단 알고 있는 정보를 최대한 활용해야 할 것입니다. 〈보기〉를 정리하면서 우리가 알고 있는 A와 B의 차이는 '밀도'밖에 없습니다.

나머지는 다 똑같다고 하니까요. 그렇다면 우리는 필연적으로 '밀도'와 '항력' 사이에 어떤 관계가 있는지 생각해보아야 합니다.

'밀도'와 관련해서 지문 속에서 체크한 정보는 딱 하나입니다. 바로 '유체 대비 물체의 밀도'가 작을수록 '부력의 영향력'이 커진다는 것입니다. 〈보기〉의 상황에서 A와 B는 같은 유체, 즉 '공기' 속에서 상승 운동을 하고 있습니다. 따라서 '유체 대비 물체의 밀도'도 A가 B보다 작다는 것, 나아가 A가 B보다 '부력의 영향력'을 더 크게 받는다는 것을 알 수 있습니다.

하지만 우리가 궁금한 것은 '부력의 영향력'이 아니라 '항력'의 크기입니다. '항력'은 '운동에 저항하는 힘'으로, '운동 속도'가 커질수록 강해지는 것이었습니다. 그렇다면 우리는 또 '부력의 영향력'을 '운동 속도'와 엮어서 이해해야겠네요. 지문에 따르면, '중력'은 '부력'과 항상 반대 방향으로 작용합니다. 우리는 이로부터 '부력'이 위쪽 방향으로 작용하는 힘이라는 것을 파악했어요. 그런데 위쪽 방향으로 작용하는 힘인 '부력의 영향력'이 커지면, '상승 운동'을 하는 A와 B의 '운동 속도' 역시 커질 수밖에 없을 것입니다. 이때 '부력의 영향력'을 A가 더 크게 받으므로, A가 '항력'도 더 크게 받겠네요. 따라서 2번 선지는 틀린 선지가 됩니다. 이처럼 과학적 지식이 부족해도, 지문의 정보만으로 답을 고르는 데에는 아무런 문제가 없습니다.

| 생각 심화 |

여기서 재밌는 것은, '해설'처럼 과학적 지식을 활용하면 1문단의 '유체 대비 물체의 밀도' 관련 정보가 아무런 쓸모가 없게 되고, 'FAQ'처럼 과학적 지식을 활용하지 않으면 종단 속도에서의 '힘의 평형'에 대한 정보가 아무런 쓸모가 없게 됩니다. 앞 문제에서도 이를 활용한 선지가 출제되지는 않았거든요. 즉, 평가원은 둘 중 어떤 풀이를 택해도 해결할 수 있도록 여러 가지 정보를 흩뿌려 놓은 것이라고 볼 수 있다는 겁니다. 이는 '과학적 지식의 유무'가 아닌 '과학적 사고력을 바탕으로 한 지문 독해력'을 측정하겠다는 평가원의 의지가 반영된 것이라고 볼 수 있습니다. 독해력을 갖추고 있다는 전제하에, 지식의 유무에 따라 편한 방법대로 문제를 풀라는 것이죠.

그런데 여기서 하나의 의문이 생깁니다. 바로 '부력'에 대한 내용이에요. '해설'에 따르면 A와 B가 받는 '부력의 크기'는 같은데, 'FAQ'에 따르면 A와 B가 받는 '부력의 영향력'은 달라요. 크기는 같은데 영향력은 다르다니, 이게 무슨 뚱딴지 같은 소리일까요? 역시 스스로 생각해보면 더 좋겠죠?

전체적인 맥락을 고려하면, 지문에서 이야기하는 '부력의 영향력'이 사실 '해설'에서 언급한 '중력의 크기'를 의미하는 것이라고 볼 수 있겠습니다. 원래는 '밀도·질량·부피'의 관계까지 설명하면서 '중력의 크기'에 대한 내용까지 지문 속에 주려고 했는데, 그렇게 하면 지문이 너무 길고 지저분해지니 깔끔하게 '부력의 영향력'이라는 말로 압축해서 썼다는 것이죠. '부력의 영향력'이 크다는 건 다시 말해 반대 방향의 힘인 '중력의 크기'가 작다는 것이고, 이에 따르면 '부력의 영향력'이 큰 A의 '중력의 크기'가 B보다 작은 것이 설명되니까요.

이 문제는 거의 매년 논란이 되는, 아주 뜨거운 감자 중에 하나입니다. 저도 정말 많이 보고 분석하다보니 이렇게 긴 이야기를 할 수 있게 되었네요. 이 논란 자체를 이해하는 것을 넘어서. 우리는 무엇인가를 배워야 할 겁니다. 여기서 배울 수 있는 건 뭘까요?

과학에 관심도 많고 지식도 많은 학생들은, '밀도'를 떠올리자마자 '질량'과 '부피'를 생각할 수 있었을 것이에요. 이들에게는 그것이 너무나 '필연적'일 테니까요. 하지만 과학에 관심도 없고 지식도 별로 없는 학생들에게는, '밀도'라는 단어를 보고서 아무런 생각도 들지 않는 것이 '필연적'일 겁니다. 오히려 '밀도'와 선지에서 묻는 '항력'의 관계를 만들어보려고 하는 것이 더 '필연적'이라고 생각하겠죠.

하지만 중요한 것은, 평가원은 두 풀이가 모두 가능하게끔 길을 열어주었다는 것입니다. 즉, 본인의 필연성이 '밀도 · 질량 · 부피'를 가리키든 '부력의 영향력'을 가리키든 아무런 상관이 없다는 것입니다. 시험장에서 이런 문제를 처음 보더라도, '선지에서 묻는 것', 그리고 '알고 있는 정보 활용하는 것'. 이 하나의 태도만 있으면 해결할 수 있다는 것만 확실하게 이해해주시면 됩니다. 이러한 선지 판단의 태도를 정밀하게 가다듬는 것이 이 문제에서 가장 크게 얻을 수 있는 것이니까요.

③ A에 작용하는 부력과 중력의 크기 차이는 A의 속도가 증가하고 있을 때보다 A가 고정되어 있을 때 더 크겠군.

명시적 근거	1문단 2번~3번 문장
실전에서의 판단 과정	부력 · 중력은 고정값이지.
해설	부력은 '물체의 부피'에 해당하는 값으로, 언제나 일정한 '고정값'입니다. 여기에 '중력' 또한 물체의 '질량'에 의해 결정되는 '고정값'이에요. 둘 다 일정한 값이니, 물체의 운동/고정 상태에 상관없이 둘의 크기 사이는 항상 일정하겠죠. '부력'과 '중력'의 정의를 체크했다면 쉽게 지울 수 있었네요. 특히 '고정값'이라는 요소에 주목하는 것이 아주 중요했습니다.

④ A와 B 모두 일정한 속도에 도달하기 전에 속도가 증가하는 것으로 보아 A와 B에 작용하는 항력이 점점 감소하기 때문에 일정한 속도에 도달하는 것이겠군.

명시적 근거	2문단 1번~2번 문장
실전에서의 판단 과정	속도가 점점 증가하면 항력도 증가해야지.
해설	A와 B 모두 '속도'가 증가한다고 했는데, 이 경우 운동에 저항하는 힘인 '항력'도 커지게 됩니다. '항력'이 점점 감소한다는 진술은 절대 맞다고 할 수 없죠. '속도'와 '항력'의 관계를 깊게 납득할 것을 요구한 선지네요.

⑤ 공기보다 밀도가 더 큰 기체 내에서 B가 상승하여 일정한 속도를 유지할 때 B에 작용하는 항력은 공기 중에서 상승하여 일정한 속도를 유지할 때 작용하는 항력보나 너 크겠군.

명시적 근거	4문단 2번~3번 문장 / 1문단 5번~6번 문장
실전에서의 판단 과정	해설과 동일
해설	2번 선지와 마찬가지로, 일정한 속도를 유지하는 '종단 속도'의 상황에 대해 묻고 있습니다. 다시 한번 '항력+중력=부력'이라는 식을 가져와야겠죠? 그런데 이번에 비교하는 것은 A와 B가 아닙니다. B라는 똑같은 '물체'가 서로 다른 '유체'에서 운동하는 경우를 비교해야 해요. 그리고 그 '유체'들은 '밀도'에서 차이를 보이고 있습니다. 그렇다면 자연스럽게 '밀도'에 대한 정보를 활용해야겠다는 생각을 할 수 있습니다. '밀도'와 관련해서 우리가 알고 있는 것은 한 가지입니다. '유체 대비 물체의 밀도'가 작을수록 '부력의 영향력'이 커진다는 것이에요. 이때 '공기보다 밀도가 더 큰 기체' 내에서 B가 상승할 때와 '공기' 중에서 B가 상승할 때를 생각해보면, '유체 대비 물체의 밀도'는 전자의 경우가 더 작다는 것을 생각할 수 있습니다. B라는 '물체'가 들어 있는 '유체'의 밀도 자체가 커진 것이니까요. 그렇다면 전자의 경우가 '부력의 영향력'을 더 크게 받는다고 할 수 있겠습니다. 그런데 B 자체의 '중력'은 일정합니다. '중력'은 '질량'에 따라 결정되는 값인데, B라는 물체의 '질량' 자체는 그대로이니까요. 여기서 '항력+중력=부력'이라는 등식을 가져 오면, '중력'이 일정한데 전자의 경우(공기보다 밀도가 큰 기체 내에서 B가 상승하는 경우)에

'부력'을 더 크게 받으니, 자연스럽게 '항력'도 더 크게 받을 것이라는 결론을 도출할 수 있습니다.

혹은 2번 선지의 'FAQ'에서 설명한 것처럼, 전자의 경우 '부력의 영향력'을 더 크게 받으니 '상승 운동 속도'가 더 클 것이고, 이는 '항력'을 더 크게 한다는 식의 설명도 가능하겠습니다.

2번 선지를 제대로 판단했던 기억이 있었다면 그리 어렵지 않게 답으로 골라낼 수 있는 선지였습니다. 다시 강조하지만, '왜' 답인지가 아니라 '어떻게' 생각해야 답에 이를 수 있는지에 주목하세요. 선지의 다양한 표현들이 지문의 어떤 내용을 재진술한 것인지 정확하게 잡아낼 수 있어야 합니다.

FAQ

Q 아까는 '부력의 영향력'이 '중력의 크기'를 나타내는 것이라고 하셨잖아요. 그런데 이번엔 '부력의 영향력'이 다른데 '중력의 크기'는 왜 같은 건가요?

A 2번 선지와 5번 선지의 상황이 다릅니다. 2번 선지는 같은 '유체' 속에서 운동하는 서로 다른 '물체'에 대한 내용이었고, 5번 선지는 같은 '물체'가 서로 다른 '유체' 속에서 운동하는 상황에 대한 내용이었어요. 따라서 2번 선지 상황의 경우, 각 물체의 '중력'이 다른데 이를 '부력의 영향력'으로 표현한 것입니다. 두 물체의 '부력' 자체는 확실히 같으니까요. 하지만 5번 선지 상황의 경우, 같은 '물체'를 상정했기에 '중력'이 다르다고 할 수는 없습니다. 따라서 '부력의 영향력'이 말 그대로 '부력의 크기'라는 의미로 사용되고 있는 것이에요.

즉, 지문에서 이야기한 '부력의 영향력'은 '중력의 크기'를 의미하기도 하고, '부력의 크기'를 의미하기도 하는 것이었습니다. 이러한 서술이 가능한 것은 '부력'이 '중력'과 긴밀한 관계를 가지는 개념이기 때문인 것이에요. '중력'이 '부력'의 반대 방향으로 작용하는 힘이라는 내용이 아주 중요했던 것이죠. 결국 이 문제가 묻고자 하는 건, '부력'을 고정시켰을 때와 '중력'을 고정시켰을 때 각각 '항력'의 크기가 어떻게 될지에 대한 판단이었어요. 정말 어려우면서도 평가원의 출제 능력에 감탄을 표할 수밖에 없는 지문이었네요.

몰랐던 어휘 정리하기

| 핵심 point |

① **화제 check** : 독서 지문 독해의 처음이자 끝. 첫 문단에서 잡은 '화제의 틀'을 마지막 문단까지 놓지 않아야 합니다.

② **초반 정보 견디기** : 과학 · 기술 지문에서는 초반부에 정보를 잔뜩 던지고, 후반부에는 그 정보를 활용해서 어떤 논의를 이어가는 경우가 많아요. 초반부의 정보만 잘 견디면 뒤에서 편해집니다.

③ **재진술 인식** : 같은 말이라도 다르게 표현되는 경우가 많습니다. 심지어 아예 똑같은 말이 반복되는 경우도 많아요. 이 '같은 말'에 민감하게 반응하면, '정보량'을 줄이면서 읽을 수가 있습니다.

④ **선지에서 묻는 것** : 모든 선지 판단의 시작은 '묻는 것'이 무엇인지 인식하는 것에서부터입니다. 특히 특정 개념에 대해 묻는 경우에는 그 개념의 '정의'를 확인하는 것이 중요합니다.

| 지문 내용 총정리 |

1문단에서 제시되는 중력 · 부력 · 항력의 개념이 나올 때 최대한 견디며 정리하고, 이를 바탕으로 '종단 속도'라는 개념을 이해해야 하는 전형적인 과학 지문이었습니다. 나아가 선지에서 묻는 것으로부터 시작하는 '필연적 문제풀이'가 매끄럽게 이어지는지를 고민해보는 것이 중요한 문제가 출제된 지문이었습니다. 이 부분에 맞춰서 복습해보도록 합시다.

1문단

①충전과 방전을 통해 반복적으로 사용할 수 있는 충전지는 충전기를 통해 충전하는데, **충전기**는 적절한 전류와 전압을 제어하기 위한 충전 회로를 가지고 있다. ②충전지는 양극에 사용되는 금속 산화 물질에 따라 납 충전지, 니켈 충전지, 리튬 충전지로 나눌 수 있다. ③충전지가 **방전**될 때 양극 단자와 음극 단자 간에 전위차, 즉 전압이 발생하는데, 방전이 진행되면서 전압이 감소한다. ④이렇게 변화하는 단자 전압의 평균을 **공칭 전압**이라 한다. ⑤충전지를 크게 만들면 충전 용량과 방전 전류 세기를 증가시킬 수 있으나 전극의 물질을 바꾸지 않는 한 공칭 전압은 변하지 않는다. ⑥납 충전지의 공칭 전압은 2V, 니켈 충전지는 1.2V, 리튬 충전지는 3.6V 이다.

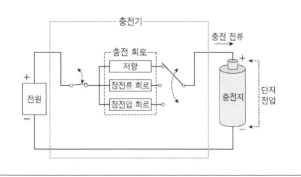

①~② #화제 제시 #사례-원리 연결

'충전지'를 충전하는 '충전기'에 대해 설명하며 시작하고 있습니다. '충전기'는 적절한 전류와 전압을 제어하기 위한 충전 회로를 가지고 있다고 해요. 여기서 자연스럽게 '충전'이라는 과정이 '전류와 전압의 제어'임을 생각할 수 있어야 합니다. 전류와 전압을 어떻게 제어해서 '충전지'를 충전하는 것인지 궁금해하면서 읽어 봅시다.

그리고 이러한 '충전기'를 통해 충전하여 사용하는 '충전지'는 양극에 사용되는 금속 산화 물질에 따라 여러 종류로 나뉜다고 합니다. 여기서 납·니켈·리튬 등이 '양극에 사용되는 금속 산화 물질'이라고 할 수 있겠죠? 일종의 '사례-원리 연결'입니다. 납·니켈·리튬 등의 사례를 금속 산화 물질이라는 원리와 연결지을 수 있어야 해요.

초반부터 정보가 쏟아지고 있습니다. 시간을 충분히 써서 잘 견뎌야 합니다. 다행히 지문 중간에 그림이 나오고 있으니, 적극적으로 활용하실 수 있어야 합니다. 그림이 비록 1문단 아래에 붙어 있지는 않

만, '충전기'가 가지고 있는 충전 회로와 '충전지'의 양극(+)을 확인할 수 있네요. 이 그림 역시 일종의 사례이니, 계속해서 활용하며 읽어야 합니다.

③~④ #과정 제시 #수식된 정의 제시 #단어의 의미 살리기

'충전지'는 '충전기'를 통해 충전하지만, '충전기'를 사용하지 않을 때는 방전됩니다. 이렇게 '충전지'가 방전될 때 양극 단자와 음극 단자 간에 전위차, 즉 전압이 발생한다고 해요. 여기서 양극 단자와 음극 단자를 그림에서 찾으며 '단자 전압'이라는 말을 이해해야 합니다. 단어의 의미 그대로, '단자' 사이의 '전압'이라는 것이죠.

아무튼 이렇게 발생한 '단자 전압'은 방전이 진행되면서 점차 감소한다고 합니다. 우리는 여기서 '단자 전압'이 '충전지'의 작동에 큰 역할을 한다는 것을 추론할 수 있겠네요. 방전이 진행된다는 것은 '충전지'가 계속 작동한다는 것인데, 그동안 '단자 전압'이 줄어든다는 것은 그 '단자 전압'을 사용하여 작동한다는 의미일 테니까요. 이렇게 초반부에서 최대한 많은 생각을 하면서 읽어나가야 합니다. 그래야 뒤에서 편해져요.

나아가 이렇게 변화하는, 즉 점점 줄어드는 '단자 전압'의 평균을 '공칭 전압'이라고 부르네요. 이렇게 수식된 정의 확실하게 체크해 놓고 계속 읽어 보도록 합시다.

> | 생각 심화 |
>
> 만약 '공칭'이라는 단어의 의미를 알고 있다면, 그 의미를 살려 이해할 수 있을 것입니다. '공칭'이라는 단어의 의미를 살려 '공칭 전압'을 이해하면, '공적으로 칭해지는 전압' 정도로 이해할 수 있겠죠? '단자 전압'의 평균치가 곧 공적으로 칭해지는, 즉 그 '충전지'의 '전압'으로 불리는 값이 되는 것입니다. '단자 전압'이 '충전지'의 작동에 큰 영향을 끼치니, 그 평균값으로 불린다는 것은 충분히 납득할 수 있을 것 같습니다. 굉장히 어려운 생각이기는 하지만, '공칭'이라는 단어의 뜻을 알고 있다면 이 정도로 훌륭한 독해가 가능한 것이에요. 어휘력이 얼마나 중요한지 잘 느껴지시죠?

⑤~⑥ #고정값 #사례-원리 연결

이러한 '충전지'를 크게 만들면 충전 용량과 방전 전류 세기를 증가시킬 수 있다고 합니다. 크기가 커지면 더 많이 충전할 수 있고 방전 시(작동시) 더 강한 전류를 흘려 보낼 수 있다는 것, 충분히 납득할 수 있겠죠?

그런데 전극의 물질을 바꾸지 않는 한, 즉 납·니켈·리튬 같은 '금속 산화 물질'을 바꾸지 않는 한 '공칭 전압'은 변하지 않는다고 합니다. 어떠한 '충전지'의 '단자 전압' 평균값은 '양극에 사용되는 금

속 산화 물질'에 따라 결정되는 것이었네요. 이러한 맥락에서 납·니켈·리튬 충전지의 '공칭 전압'이 제시된 이유를 알 수 있겠죠? 금속 산화 물질의 종류가 '공칭 전압'을 결정한다는 것을 확실하게 납득시키기 위한 서술인 것입니다!

하이라이트 문장

> ③충전지가 방전될 때 양극 단자와 음극 단자 간에 전위차, 즉 전압이 발생하는데, 방전이 진행되면서 전압이 감소한다.

그림을 통해 양극 단자와 음극 단자 간에 발생하는 '단자 전압'을 인식하고, 이것이 방전이 진행되면서 감소한다는 서술을 통해 '충전지'의 작동에 큰 역할을 한다는 것까지 추론할 수 있어야 합니다. 결국 이 지문은 '충전지'의 원리에 대해 이해하는 것이 관건이니, 할 수 있는 한 디테일하게 납득할 수 있어야 하는 것이에요.

2문단

> ①충전지는 최대 용량까지 충전하는 것이 효율적이며 이러한 상태를 만충전이라 한다. ②최대 용량을 넘어서 충전하는 과충전이나 방전 하한 전압 이하까지 방전시키는 과방전으로 인해 충전지의 수명이 줄어들기 때문에 충전 양을 측정·관리하는 것이 중요하다. ③특히 과충전 시에는 발열로 인해 누액이나 폭발의 위험이 있다. ④니켈 충전지의 일종인 니켈카드뮴 충전지는 다른 충전지와 달리 메모리 효과가 있어서 일부만 방전한 후 충전하는 것을 반복하면 충·방전할 수 있는 용량이 줄어든다.

①~③ #수식된 정의 제시 #단어의 의미 살리기
#화제의 흐름 #재진술

'충전지'는 최대 용량까지 충전, 즉 '만/충전'시키는 것이 효율적이라고 합니다. 나아가 '과/충전'이나 '과/방전'되는 경우 수명이 줄어들 수 있기 때문에, '충전 양을 측정·관리'하는 것이 중요하다고 해요. '과충전' 시에는 발열로 인해 누액이나 폭발 가능성이 있다는 정보는 어렵지 않게 납득할 수 있겠죠?

이렇게 단어의 의미를 살려서 '만충전', '과충전', '과방전'이라는 개념의 정의를 정확하게 이해하고, '충전 양을 측정·관리'하는 원리가 이 지문에서 진짜 하고 싶은 말임을 생각할 수 있어야 합니다. 물론 틀린 생각일 수도 있겠지만, 이렇게 끊임없이 화제의 흐름을 잡으려

는 노력을 해 주셔야 해요.

나아가, '충전 양을 측정·관리'하기 위해서는 '전류와 전압의 제어'가 필요하다는 것을 한 번 더 생각할 수 있어야 합니다. 1문단에서 이해했듯이, '충전'은 곧 '전류와 전압의 제어'를 통해 이루어지는 과정이니까요. 지문이 어려울수록 더 시간을 들여서 재진술을 인식할 수 있어야 합니다.

④ #사례-원리 연결 #고정값 #정의 제시
#단어의 의미 살리기

이때 니켈 충전지의 일종인 니켈카드뮴 충전지는 다른 충전지와 달리 '메모리 효과'가 있다고 합니다. 다른 충전지와 다르게 니켈카드뮴 충전지만이 가지는 고정적인 성질이니 일종의 고정값으로 처리할 수 있어야겠죠? 나아가 '메모리 효과'는 단어의 의미 그대로 '기억'하는 '효과'라고 할 수 있겠습니다. 일부만 방전시키면 그 정도만큼을 충전해야 하는 양이라고 '기억'하여 결과적으로 충·방전할 수 있는 용량이 줄어드는 '효과'라고 할 수 있겠죠?

이처럼 '충전지'의 종류에 따라 충·방전에 대해 주의해야 할 사항이 달라지기도 하니, '충전 양을 측정·관리'하는 것이 정말 중요하겠습니다. '충전기'와 '충전지'는 어떻게 이 목적을 달성하는 것일까요?

하이라이트 문장

> ②최대 용량을 넘어서 충전하는 과충전이나 방전 하한 전압 이하까지 방전시키는 과방전으로 인해 충전지의 수명이 줄어들기 때문에 충전 양을 측정·관리하는 것이 중요하다.

결국 모든 기술은 목적을 가지는데, 이 문장을 보면 '충전기'와 '충전지'의 목적은 '충전 양을 측정·관리'하는 것이라고 할 수 있겠습니다. 그렇다면 일차적으로는 이 내용이 화제라고 생각하며 읽어나갈 수 있겠죠? 초반부에서 화제를 맞히는 것이 중요한 게 아니라, 이렇게 계속 '생각'하면서 지문의 전반적인 흐름을 잡는 것이 중요합니다.

3문단

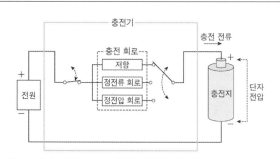

①충전에 사용하는 **충전기의 전원 전압**은 충전지의 공칭 전압보다 높은 전압을 사용하고 충전지로 유입되는 전류를 저항으로 제한한다. ②그러나 충전이 이루어지면서 충전지의 단자 전압이 상승하여 유입되는 전류의 세기가 점점 줄어들게 된다. ③그러므로 이를 막기 위해 충전기에는 충전 전류의 세기가 일정하도록 하는 **정전류 회로**가 사용된다. ④또한 **정전압 회로**를 사용하기도 하는데, 이는 회로에 입력되는 전압이 변해도 출력되는 전압이 일정하도록 해 준다. ⑤리튬 충전지를 충전할 경우, 정전류 회로를 사용하여 충전하다가 만충전 전압에 이르면 정전압 회로로 전환하여 정해진 시간 동안 충전지에 공급하는 전압을 일정하게 유지함으로써 충전지 내부에 리튬 이온이 고르게 분포될 수 있게 한다.

① #과정 제시 #단어의 의미 살리기 #재진술

충전에 사용하는 '충전기'의 전원 전압은 '충전지'의 '공칭 전압'보다 높은 전압을 사용한다고 합니다. 지문에 제시된 내용만으로는 확실하게 납득하기 어렵지만, '충전기'가 '충전지'보다는 높은 전압을 가지고 있어야 충전시켜 줄 수 있을 것 같다는 식으로 생각하고 넘어가면 되겠죠?

나아가 '충전지'로 유입되는 전류를 '저항'으로 제한한다고 합니다. '저항'은 '충전기'의 충전 회로 속에 있는 구성 요소인데, 이것이 단어의 의미 그대로 '충전지'로 유입되는 전류에 '저항'하는 식으로 전류를 '제어'하는 것이네요. '전류와 전압의 제어'가 핵심이라는 것, 잊지 않았죠?

그림을 통해서도 알 수 있듯이 '충전기'의 충전 회로를 통해 전류를 흘려 보내는 것이 곧 '충전'의 과정인데, 이 전류가 너무 과하게 흘러 들어가면 안 되는 것 같습니다. 이를 '저항'을 통해 제어하는 것이네요.

②~④ #과정 제시 #수식된 정의 제시 #단어의 의미 살리기 #재진술

앞에서 이해한 바에 따르면, '충전지'가 작동(방전)하기 위해서는 '단자 전압'의 역할이 필요합니다. 따라서 '충전기'를 통해 '충전'이 이루어지면 '충전지'의 '단자 전압'이 점점 상승하게 되겠죠. 이렇게 되면 '충전기'와 '충전지' 사이의 전압 차이가 줄어들 것이고, 그 전압 차이를 통해 흐르던 전류의 세기가 줄어들 것입니다. '전류'라는 것이 '전압'에 의해 발생한 전기적 흐름이라는 것 정도를 알고 있다면 충분히 납득할 수 있는 내용이죠?

그런데 '충전지'에 전류를 흘려보내는 것은 '충전'에서 가장 중요한 과정이었습니다. 따라서 이 세기가 약해지는 것은 큰 문제라고 할 수 있죠. 이를 막기 위해 '충전기'에는 충전 전류의 세기가 일정하도록 하는 '정전류 회로'가 사용된다고 합니다. 단어의 의미 그대로, 일'정'한 '전류'가 흐르게 하는 '회로'라고 할 수 있겠죠? 나아가 '정전압 회로'도 사용한다고 합니다. 역시 단어의 의미 그대로, 회로에 입력되는 전압이 변해도 일'정'한 '전압'으로 출력하게 하는 '회로'라고 할 수 있네요. 그림을 바탕으로 이 회로들의 위치와 기능을 정확하게 인식해야 합니다.

⑤ #사례-원리 연결

이처럼 '저항', '정전류 회로', '정전압 회로' 등을 이용해서 '전류와 전압을 제어'하고, 이를 통해 '충전지'를 충전하는 것이 '충전기'의 역할입니다. 조금 더 확실하게 이해시키기 위해, 리튬 충전지를 사례로 들어 주고 있네요. 지금까지 읽은 내용을 바탕으로 확실하게 활용해 봅시다.

리튬 충전지는 '공칭 전압'이 3.6V였습니다. 이보다 더 높은 '전원 전압'을 가진 '충전기'를 사용하여 '저항'을 통해 적절히 제어한 '전류'를 '충전지'에 흘려보내는데, 이때 '충전지'의 '단자 전압'이 상승하면서 유입되는 전류의 세기가 점점 줄어드는 것을 보정하기 위해 '정전류 회로'를 사용하게 됩니다. 그러다 '만충전' 전압에 이르면 '정전압 회로'로 전환하여 '충전지'에 공급하는 전압을 일정하게 유지함으로써 '충전지' 내부에 리튬 이온이 고르게 분포될 수 있게 하는 것이네요. 앞에서는 '정전압 회로'가 '출력되는 전압'이 일정하도록 하는 장치라고 했는데, 이 사례에서는 '충전지에 공급하는 전압'으로 표현되어 있습니다. 즉, 너무나 당연하게도 '충전기에서 출력되는 전압=충전지에 공급하는 전압'인 것이죠. 사례를 통해 이러한 재진술을 정확하게 인식할 수 있어야 해요.

이처럼 이 문장에는 제시되지 않은 '공칭 전압', '저항'에 대한 이야기까지 끌고 와서 이해할 수 있어야 하고, '정전압 회로'를 통해 출력 전압을 일정하게 유지하면 '충전지' 내부에 금속 산화 물질의 이온이 고르게 분포된다는 새로운 정보까지 확실하게 인식할 수 있어야 합니다. '사례-원리 연결'은 이렇게 디테일하게 이루어져야 해요!

하이라이트 문장

> ⑤리튬 충전지를 충전할 경우, 정전류 회로를 사용하여 충전하다가 만충전 전압에 이르면 정전압 회로로 전환하여 정해진 시간 동안 충전지에 공급하는 전압을 일정하게 유지함으로써 충전지 내부에 리튬 이온이 고르게 분포될 수 있게 한다.

리튬 충전지라는 사례를 통해 '충전'의 과정을 이해시킨다는 것을 생각하며 지금까지 읽은 내용들을 총동원해야 하는 문장입니다. 지문 내용이 지나치게 불친절해서 완벽하게 납득하기는 어렵지만, '사례-원리 연결'이라는 독해 태도를 제대로 활용한다면 충전 과정을 '정리'하는 정도는 충분히 할 수 있었을 거예요.

4문단

> ①충전지의 만충전 상태를 추정하여 충전을 중단하는 방식에는 몇 가지가 있다. ②**최대 충전 시간 방식**에서는, 충전이 시작된 후 완전 방전에서 만충전될 때까지 소요될 것으로 추정되는 시간이 경과하면 무조건 충전 전원을 차단한다. ③**전류 적산 방식**에서는 일정한 시간 간격으로 충전 전류의 세기를 측정하여, 각각의 값에 측정 시간 간격을 곱한 것을 모두 더한 값이 충전지의 충전 용량에 이르면 충전 전원을 차단한다. ④**충전 상태 검출 방식**에서는 충전지의 단자 전압과 충전지 표면의 온도를 측정하여 만충전 여부를 판정한다. ⑤충전지에 충전 전류가 유입되면 충전이 시작되어 단자 전압과 온도가 서서히 올라간다. ⑥충전 양이 만충전 용량의 약 80%에 이르면 발열량이 많아져 단자 전압과 온도가 급격히 올라간다. ⑦만충전 상태에 가까워지면 단자 전압이 다소 감소하는데 일정 수준으로 감소한 시점을 만충전에 도달했다고 추정하여 충전 전원을 차단한다. ⑧니켈카드뮴 충전지의 경우는 단자 전압의 강하를 검출할 수 있으나 다른 충전지들의 경우는 이러한 전압 강하가 검출이 가능할 만큼 크게 나타나지 않기 때문에 최대 단자 전압, 최대 온도, 온도 상승률 등의 기준을 정하고 측정된 값이 그 기준들을 넘어서지 않도록 하여 과충전을 방지한다.

① #카테고리 나누기 #화제의 흐름

앞에서 이해했듯이, '충전기'와 '충전지'의 목적은 '충전 양을 측정·관리'하는 것이었습니다. 지금까지 읽은 것과 같은 과정을 통해 '충전지'를 충전하는데, 이 양을 어떻게 '측정'하고 '관리'하는지 알아봐야겠죠? 핵심은 '충전지'의 '만충전' 상태를 추정하여 충전을 중단하는 방식입니다. 충전 양이 '만충전'에 이르렀음을 '측정'하고, 이로부터 충전을 중단하는 식으로 '관리'해야 한다는 것이죠. 이렇게 카테고리를 정확하게 나누며 지문의 흐름을 다시 한번 잡아 주셔야 합니다. 독해를 하면서 길을 잃고 있다는 느낌을 받으면 끝이에요!

②~③ #정의 제시 #단어의 의미 살리기

먼저 '최대 충전 시간 방식'입니다. 단어의 의미 그대로, 완전 방전에서 '만충전'될 때까지 소요될 것으로 추정되는 '최대 충전 시간'을 이용하는 '방식'인 것이네요. 이 시간에 도달하면 '만충전' 상태로 '측정'한 것으로 간주하여 충전 전원을 차단하는 방식으로 충전을 '관리'하는 것입니다.

다음은 '전류 적산 방식'입니다. 역시 단어의 의미 그대로, 일정한 시간 간격의 충전 '전류' 세기를 누'적'시키며 합'산'하는 '방식'이라고 할 수 있겠네요. 일정한 시간 간격으로 충전 전류의 세기를 '측정'한 것이 '충전지'의 충전 용량에 이르러 '만충전' 상태가 된 것으로 추정하는 경우 바로 충전 전원을 차단하는 방식으로 '관리'하는 것이네요. 이 두 방식 모두 '과충전'을 방지하기 위한 것이라고 할 수 있겠죠?

④~⑦ #정의 제시 #단어의 의미 살리기 #재진술

다음은 '충전 상태 검출 방식'입니다. 역시 단어의 의미 그대로, '충전지'의 '단자 전압' 및 '충전지' 표면의 온도 등 '충전 상태'를 '검출'하는 '방식'이네요. 앞에서 이해한 것과 같이 '충전지'에 충전 전류가 유입되면 '단자 전압'이 올라가는데, 이때 표면 온도도 함께 올라간다고 합니다. '충전지'에 전류가 유입되면 표면이 뜨거워진다는 것은 어렵지 않게 납득할 수 있겠죠?

그러다 충전 양이 '만충전' 용량의 약 80%에 이르면 발열량이 많아져 '단자 전압'과 온도가 급격히 올라간다고 해요. 그러다가 '만충전' 상태에 가까워지면 '단자 전압'이 다소 감소하게 되는데, 이렇게 감소하다가 '만충전' 상태에 다다르게 되는 것이겠죠? 이렇게 '일정 수준'으로 감소한 시점을 '만충전'에 도달했다고 추정하여 충전 전원을 차단하는 방식으로 전류와 전압을 '관리'하는 것이 핵심이네요.

⑧ #사례-원리 연결 #재진술 #고정값

이번에도 니켈카드뮴 충전지를 사례로 들어 주고 있습니다. 이는 '메모리 효과'를 고정값으로 가지는 '충전지'였는데, 역시 독특하게도 '단자 전압'의 강하를 검출할 수 있다고 합니다. 그렇다면 '충전 상태 검출 방식'에서 '만충전' 직전에 '단자 전압'이 떨어지는 것을 검출하여 더 정밀한 충전 '관리'가 가능하겠죠? '메모리 효과'라는 단점도 있지만 이러한 장점도 있는 것이었네요.

어쨌든, 다른 '충전지'들의 경우는 이러한 '단자 전압' 강하가 검출이 가능할 만큼 크지 않다고 합니다. 이는 '만충전' 상태를 정확하게 추정하는 것이 어렵다는 것을 의미하기에, '최대 단자 전압', '최대 온도', '온도 상승률' 등의 기준을 정하는 식으로 '과충전'을 방지한다고 하네요. 결국 '충전 상태 검출 방식' 역시 '단자 전압' 및 온도 등을 통해 '과충전'을 방지하는 것이 핵심이었던 것입니다.

하이라이트 문장

> ① 충전지의 만충전 상태를 추정하여 충전을 중단하는 방식에는 몇 가지가 있다.

뜬금없다는 생각이 들면 안 됩니다. 이 문장을 통해 미리 생각한 지문의 흐름대로 전개되고 있다고 느낄 수 있어야 해요. 결국 이 지문의 핵심은 '충전 양을 측정·관리'하는 것이었습니다!

선지	①	②	③	④	⑤
선택률(예상)	5%	52%	15%	15%	12%

35 윗글의 내용과 일치하는 것은? ②

① 과충전은 충전지의 수명에 영향을 끼치지 않는다.

명시적 근거	2문단 2번 문장
실전에서의 판단 과정	과충전 안 좋다고 했지.
해설	'과충전'은 '충전지'의 수명이 줄어들게 하는 요인이었습니다. 그래서 이를 막고자 '최대 충전 시간 방식', '전류 적산 방식', '충전 상태 검출 방식' 등 다양한 방법을 사용한 것이었죠.

② 방전 시 충전지의 단자 전압은 공칭 전압보다 낮을 수 있다.

명시적 근거	1문단 3번~4번 문장
실전에서의 판단 과정	방전되면 평균보다는 낮겠지.
해설	'충전지'는 방전이 진행되면서 '단자 전압'이 감소합니다. 그리고 이렇게 변화하는 '단자 전압'의 평균을 '공칭 전압'이라고 불렀어요. 방전 시 '충전지'의 '단자 전압'은 엄청나게 낮을 것이기 때문에, 이 상태를 포함한 평균값인 '공칭 전압'보다는 당연히 낮을 것입니다. '단자 전압'의 역할과 '공칭 전압'의 정의를 정확하게 이해하고 있는지를 묻는 선지네요.

③ 정전압 회로에서는 입력되는 전압이 변하면 출력되는 전압이 변한다.

명시적 근거	3문단 4번 문장
실전에서의 판단 과정	출력 전압을 유지하는 거지.
해설	'정전압 회로'는 입력되는 전압이 변해도 출력되는 '전압'이 일'정'하게끔 하는 '회로'였습니다. 단어의 의미를 살리며 납득했던 기억이 있다면 어렵지 않게 지워낼 수 있겠죠?

④ 전극의 물질을 바꾸어도 충전지의 평균적인 단자 전압은 변하지 않는다.

명시적 근거	1문단 5번 문장
실전에서의 판단 과정	공칭 전압은 전극 물질에 따라 결정되는 것이었지.
해설	'충전지'의 평균적인 '단자 전압', 즉 '공칭 전압'은 양극에 사용되는 금속 산화 물질에 따라 결정되는 것이었습니다. 그래서 납·니켈·리튬이라는 전극의 물질에 따라 '공칭 전압'도 다른 것이었죠? 지문에서 전극의 물질을 바꾸지 않는 한 '공칭 전압'은 변하지 않는다고 했으니, 반대로 전극의 물질을 바꾸면 '공칭 전압'도 바뀔 수 있다는 식으로 이해하셔도 좋습니다. 하지만 이렇게 근거를 눈으로 찾아서 풀기보다는 지문 내용을 완벽하게 이해한 상태로 당연하게 지워낼 수 있으면 훨씬 더 좋을 것 같아요. 충분히 할 수 있죠?

⑤ 니켈카드뮴 충전지는 일부만 방전한 후 충전하기를 반복해도 방전할 수 있는 용량이 줄어들지 않는다.

명시적 근거	2문단 4번 문장
실전에서의 판단 과정	메모리 효과가 있지.

해설	니켈카드뮴 충전지는 '메모리 효과'를 일종의 '고정값'으로 가졌습니다. 이에 따라 일부만 방전한 후 충전하기를 반복하면 충·방전할 수 있는 용량이 줄어든다고 했죠?

선지	①	②	③	④	⑤
선택률(예상)	30%	34%	13%	19%	4%

36 다음은 리튬 충전지의 사용 설명서 중 일부이다. 윗글에서 근거를 찾을 수 <u>없는</u> 것은? ②

– 3.6V의 '공칭 전압'을 가진 '리튬 충전지'의 사용 설명서 중 일부라고 합니다. 나아가 단순히 틀린 말을 고르라는 것이 아니라, 윗글에서 근거를 찾을 수 없는 것을 고르라고 했어요. 지문을 완벽하게 이해한 상황이기 때문에, 우리가 답할 수 없는 내용은 윗글에서 근거를 찾을 수 없는 것이라고 할 수 있을 것입니다. 우리가 답할 수 없는 내용을 찾아 보도록 합시다.

① 충전지에 표시된 전압보다 전원 전압이 높은 충전기를 사용해야 합니다.

명시적 근거	3문단 1번 문장
실전에서의 판단 과정	충전지의 공칭 전압보다 충전기의 전원 전압이 더 높아야 전류가 흐르겠지.
해설	'공칭 전압'이라는 단어의 의미를 바탕으로 생각하면, '충전지에 표시된 전압'이 곧 '공칭 전압'을 의미한다는 것을 알 수 있습니다. 이보다 더 높은 전원 전압을 가진 '충전기'를 사용해야 전류가 흘러 충전이 시작된다는 것, 확실하게 납득했던 내용이죠? 우리가 충분히 답할 수 있으니, 윗글에서 근거를 찾을 수 있는 유의사항이라고 할 수 있겠습니다.

| 생각 심화 |

만약 '공칭'이라는 단어의 의미를 몰랐다면, 지문의 내용만으로 '충전지에 표시된 전압'이 의미하는 바가 '공칭 전압'이라는 것을 알아내기는 매우 어렵습니다. 실제 수능 문제가 아닌 예시문항이기에 다소 검토가 덜 된 아쉬운 선지라고 할 수 있을 것 같아요. 따라서 위의 '해설'처럼 해결하지 못했다고 해도 너무 스트레스받을 필요는 없습니다.

하지만 '발문 체크'라는 태도와 '추론력'이라는 능력을 제대로 발휘해본다면 다음과 같이 생각해 볼 수도 있습니다. 발문에 따르면, 1번 선지의 내용은 리튬 충전지의 '사용 설명서' 중 일부입니다. '사용 설명서'는 단어의 의미 그대로 '사용'자에게 '설명'하기 위한 문'서'라고 할 수 있습니다. 즉, 사용자들 입장에서 1번

선지의 내용을 보고서 적절한 전원 전압을 가진 '충전기'를 고를 수 있어야 한다는 것이죠. 지문에 따르면, '충전기'의 전원 전압은 '충전지'의 '공칭 전압'보다 높아야 한다고 했습니다. 그런데 '공칭 전압'이라는 말이나 '단자 전압의 평균값'과 같은 말을 '사용 설명서'에 쓰면 너무 어려울 것입니다. 따라서 이 '충전지'의 개발자들은 '공칭 전압'을 명시적으로 드러낼 필요가 있었을 것이고, 이에 '공칭 전압'을 '충전지'에 표시하는 방법을 택했겠죠. 결국 1번 선지는 윗글에서 근거를 찾을 수 있는 내용이 되는 것입니다.

수능에서 한 번도 요구하지 않은 수준의 매우 어려운 추론이니, 어떻게 이런 생각을 하냐고 좌절하지는 마세요. (저도 이 생각을 하는 데 정말 오랜 시간이 걸렸습니다...) 다만 '발문 체크'라는 중요한 태도를 활용하는 양상을 확인할 수 있다는 점에서 의미가 있으니, 위의 추론을 이해하는 것 정도는 할 수 있으면 좋겠습니다.

② <u>충전지에 표시된 충전 허용 전류보다 충전 전류의 세기가 강하면 충전지의 수명이 줄어듭니다.</u>

명시적 근거	–
실전에서의 판단 과정	충전지 수명 줄어드는 건 과충전/과방전밖에 없었던 것 같은데?
해설	'충전지'에 표시된 충전 허용 전류라는 말이 지문에 직접적으로 등장하지는 않지만, '충전'은 곧 '전류'를 받아들이는 것임을 생각하면 '충전 허용 전류'를 지문의 '충전 용량' 정도로 바꿔서 생각할 수 있을 것 같습니다. 그리고 너무 높은 전류가 '충전지'로 유입되는 것을 막기 위해 '충전기'의 '저항'을 사용한다고 했으니, '충전 허용 전류'보다 충전 전류의 세기가 강하면 무언가 안 좋을 것 같다는 생각이 들기는 합니다. 하지만 선지에서 묻는 것은 '충전지'의 '수명'을 줄어들게 하는 요인입니다. 이 지문에서 '충전지'의 수명이 줄어들게 하는 요인으로 제시한 것은 '과충전', '과방전'밖에 없었습니다. 그 외의 요인은 제시한 적이 없기 때문에, 이는 윗글에서 근거를 찾을 수 없는 내용이 됩니다. 딱히 틀린 말은 아닌 것 같지만 발문을 고려하면 답이 될 수밖에 없다는, 굉장히 독특한 형태의 선지였습니다. 예시문항다운 실험성이 돋보이는 사례라고도 할 수 있겠어요.

③ 충전지의 온도가 과도하게 상승하면 충전을 중지해야 합니다.

명시적 근거	2문단 3번 문장, 4문단 5번~6번 문장
실전에서의 판단 과정	온도가 과도하게 상승하면 과충전될 수 있지.
해설	'온도'라는 말을 보자마자 '충전 상태 검출 방식'이 떠올라야 합니다. 이는 '만충전' 상태에 가까워지면서 높아지는 '충전지'의 온도를 바탕으로 충전 양을 측정·관리하는 방식이었어요. 이에 따르면, '충전지'의 온도가 과도하게 상승하는 것은 '만충전' 상태에 가깝거나 그 상태를 넘어섰음을 의미한다고 할 수 있습니다. 이는 발열로 인한 누액이나 폭발을 일으킬 수 있는 '과충전' 상태로 이어질 수 있으니, 충전을 중지해야 한다고 할 수 있겠죠. 이렇게 윗글에서 근거를 찾을 수 있는 내용이었네요.

④ 충전지를 사용하다가 수시로 충전해도 무방합니다.

명시적 근거	1문단 1번 문장, 2문단 4번 문장
실전에서의 판단 과정	리튬 충전지는 메모리 효과가 없지.
해설	일단 '충전지'는 충전과 방전을 통해 반복적으로 사용할 수 있는 것이라고 했습니다. 당연히 수시로 충전해도 무방하겠지만, '메모리 효과'가 있는 니켈카드뮴 충전지는 예외였죠? 니켈카드뮴 충전지는 완진히 방전시키지 않고 수시로 충전하면 충전·방전할 수 있는 용량이 줄어든다고 했습니다. 하지만 이 사용 설명서는 리튬 충전지의 것이기에, 수시로 충전해도 무방하다고 할 수 있겠네요.

핵심은 이 선지의 내용이 맞냐 틀리냐가 아니에요. 어쨌든 사용 설명서의 일부이기 때문에, 모든 선지의 내용들은 '맞는 말'일 것입니다. 따라서 수시로 충전해도 무방한 것이 맞는지 아닌지를 고민하는 게 아니라, 이 내용의 근거가 윗글에 제시되었는지를 고민해야 합니다. 이렇게 문제가 묻고자 하는 바를 정확하게 인식할 수 있어야 해요. |

⑤ 과도하게 방전시키면 충전지의 수명이 줄어듭니다.

명시적 근거	2문단 2번 문장
실전에서의 판단 과정	과방전은 수명을 줄인다고 했지.
해설	'과방전'이 '충전지'의 수명을 줄인다는 것, 윗글과 다른 선지들을 통해 몇 번이고 확인한 정보였어요.

선지	①	②	③	④	⑤
선택률(예상)	6%	55%	16%	14%	9%

37 〈보기〉는 윗글을 읽은 발명 동아리 학생들이 새로운 충전기 개발을 위해 진행한 회의의 일부이다. ㉠에 대한 의견으로 적절하지 <u>않은</u> 것은? ②

> ㉠ 만충전 상태를 추정하여 충전을 중단하는 방식

– 충전 양을 측정·관리하기 위한 방식들에 대한 의견으로 적절하지 않은 것을 골라야 합니다. '최대 충전 시간 방식', '전류 적산 방식', '충전 상태 검출 방식'의 특징을 생각하면서 가볍게 해결해 봅시다.

부원1: 최대 충전 시간 방식을 사용할 경우, 완전 방전이 되지 않은 상태에서 충전을 시작하면 과충전 상태에 이르는 한계가 있습니다.

명시적 근거	4문단 2번 문장
실전에서의 판단 과정	완전 방전이 기준이니까 완전 방전이 되지 않은 상태에서 충전하면 과충전될 수 있겠다.
해설	'최대 충전 시간 방식'은 완전 방전에서 만충전될 때까지 소요될 것으로 추정되는 시간을 이용하는 방식입니다. 이를 100이라고 하면, 완전 방전이 되지 않은 상태에서 충전을 시작하는 경우 80 정도의 시간만 흘러도 '만충전' 상태가 될 것이에요. 그런데 그 시간을 훌쩍 넘어 100이라는 시간이 지나서야 비로소 충전 전원이 차단될 것이니, 이 경우 과충전 상태에 이르는 한계가 있겠습니다. '최대 충전 시간 방식'의 정의를 바탕으로 하면 가볍게 지울 수 있네요.

부원2: 전류 적산 방식을 사용할 경우, 충전 전류가 변할 때보다 충전 전류가 일정할 경우에, 추정한 충전 양과 실제 충전 양의 차이가 커질 수 있다는 단점이 있습니다.

명시적 근거	4문단 3번 문장
실전에서의 판단 과정	충전 전류가 일정하면 적산이 엄청 정확해지겠지.
해설	'전류 적산 방식'은 '일정한 시간 간격'으로 충전 전류의 세기를 측정한 뒤 누'적'시켜 합'산'하는 '방식'입니다. '일정한 시간 간격'으로 충전 전류의 세기를 측정하기 때문에, 충전 전류가 변하는 경우에는 각 시간 간격마다 측정되는 전류의 세기도 계속해서 변한다고 할 수 있겠습니다. 이는 실제 충전 양과의 오차를 발생시키는 요인이 되겠죠.

반면 충전 전류가 일정한 경우, 각 시간 간격마다 측정되는 전류의 세기도 일정하기에 실제 충전 양에 딱 맞게끔 계산될 것입니다. 따라서 충전 전류가 변할 때보다 충전 전류가 일정할 경우에 추정 오차가 커진다는 '부원 2'의 의견이 틀린 말이네요.

사실 '전류 적산 방식'에 대해 예를 들어 주는 등 자세히 설명하지 않았기 때문에, 이 정도로 깊게 물어 보는 것은 좀 과하다는 생각이 들기도 합니다. 이 선지를 처음 볼 때는 최소한 충전 전류가 일정할 때가 제일 정확할 것이라는 추론 정도로 해결하는 것이 맞지 않나 싶습니다. 예시문항답게 선을 넘은 선지들이 많이 출제된 모습이네요. 그래도 '전류 적산 방식'의 정의를 바탕으로 추론하려고 애쓰는 모습을 보였어야 합니다!

부원 3: 충전 상태 검출 방식 중 전압 강하를 검출하는 방식은 여러 종류의 충전지를 두루 충전하는 충전기에 사용하기에는 적절하지 않습니다.

명시적 근거	4문단 8번 문장
실전에서의 판단 과정	전압 강하 검출은 니켈카드뮴 충전지에서만 할 수 있다고 했지.
해설	'충전 상태 검출 방식' 중 전압 강하를 검출하는 방식은 니켈카드뮴 충전지에서만 고정적으로 할 수 있는 것이었습니다. 나머지 '충전지'에서는 '최대 단자 전압', '최대 온도' 등 다른 기준들을 이용한다고 했죠? 따라서 이와 같은 방식은 여러 종류의 '충전지'를 두루 충전하는 '충전기'에 사용하기에는 적절하지 않겠네요.

부원 4: 충전 상태 검출 방식 중 온도로 상태를 파악하는 방식에서는 주변 환경이 충전지 표면 온도에 영향을 준다면 충전 완료 시점을 정확하게 추정하기 어렵습니다.

명시적 근거	4문단 4번~6번 문장
실전에서의 판단 과정	온도 변화가 충전 때문이 아니라면 제대로 추정이 안 되겠지.
해설	'충전 상태 검출 방식' 중 온도로 상태를 파악하는 방식은 충전이 진행되면서 '충전지'의 표면 온도가 상승한다는 전제하에 사용할 수 있는 것입니다. 그런데 '부원 4'의 말처럼 충전 상태가 아닌 주변 환경이 '충전지' 표면 온도에 영향을 준다면, 충전 완료 시점을 정확하게 추정하는 것이 어렵겠죠.

부원 5: 지금까지 논의한 방식은 모두 충전 전원을 차단하는 장치가 없다면 과충전을 방지할 수 없다는 한계가 있습니다

명시적 근거	4문단 2번~3번 문장, 4문단 7번 문장
실전에서의 판단 과정	충전 전원 차단이 충전 관리의 핵심이었지.
해설	세 가지 방식 모두, '과충전'으로 추정되는 수준에서 충전 전원을 차단하는 방식으로 충전 수준을 '관리'합니다. 충전 전원을 차단하는 장치가 없다면 이러한 '관리'가 불가능하겠죠.

선지	①	②	③	④	⑤
선택률(예상)	10%	12%	39%	13%	26%

38 다음은 어떤 충전지를 충전할 때의 단자 전압과 충전 전류를 나타낸 그래프이다. 윗글을 참고할 때, ㉮~㉰에 대한 이해로 적절하지 않은 것은? [3점] ③

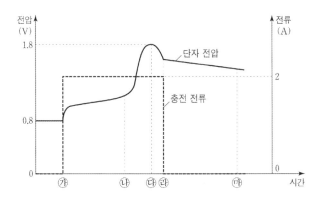

– 그래프 문제입니다. 당황하지 않고 x축과 y축부터 확인해야 합니다. '시간'에 따라 '단자 전압'과 '충전 전류'가 어떻게 변하는지 보여 주고 있네요. 여기서 눈에 띄는 것은 '최대 단자 전압'이 1.8V라는 것, 그리고 '단자 전압의 강하'가 검출되고 있다는 것입니다. 전자는 '공칭 전압'이 1.8V보다는 훨씬 낮다는 것을 의미하고, 후자는 그 자체로 니켈카드뮴 충전지만의 특징이었으니, 이 그래프의 주인공이 니켈카드뮴 충전지임을 알 수 있겠네요. '메모리 효과' 등을 바탕으로 계속 등장하더니, 결국 문제에 출제되기 위한 빌드업이었던 것입니다.

어쨌든, 니켈카드뮴 충전지는 니켈 충전지의 일종이라고 했고, 니켈 충전지의 '공칭 전압'은 1.2V라고 했습니다. 이러한 내용과 우리가 이해한 바를 바탕으로 ㉮~㉰에 대해 정리해 봅시다.

① ㉮ : 단자 전압이 공칭 전압 이하인 상태에서 충전이 시작되는군.

명시적 근거	1문단 6번 문장, 3문단 1번 문장, 4문단 8번 문장
실전에서의 판단 과정	0.8V는 공칭 전압 이하이고, 여기서 전류가 흐르기 시작했으니 충전 시작 맞네.
해설	㉮에서 이 '충전지'의 '단자 전압'은 0.8V입니다. 이는 1.2V인 '공칭 전압' 이하이고, 이 상태에서 '충전 전류'가 흐르기 시작했으니 충전이 시작된 것이라고 할 수 있겠네요.

② ㉯ : 충전 전류에 의해 온도가 상승하고 정전류 회로가 작동하고 있군.

명시적 근거	3문단 3번 문장, 4문단 5번~6번 문장
실전에서의 판단 과정	충전이 지속되면 온도 상승한다고 했고, 전류가 일정하네.
해설	㉯는 계속 충전이 진행되고 있는 상황입니다. 충전이 지속되면 '충전지'의 표면 온도가 상승한다고 했죠? 나아가 '충전 전류'가 2A로 일정한 것을 보니 '정전류 회로'가 작동하고 있는 것이라고도 할 수 있겠습니다.

③ ㉰ : 단자 전압이 최대에 도달했으므로 만충전에 이르렀군.

명시적 근거	4문단 7번 문장
실전에서의 판단 과정	만충전은 단자 전압의 강하가 있고 난 후지.
해설	충전이 지속되다가, '만충전' 상태에 가까워지면 '단자 전압'은 감소합니다. 그리고 일정 수준으로 감소하는 순간 '만충전'에 이르렀다고 할 수 있다고 했어요. 그런데 ㉰는 '단자 전압'이 아직 강하하지 않고 최대에 이른 상태인 데다가, '충전 전류'도 여전히 흐르고 있기 때문에 '만충전'에 이른 상황이라고 할 수는 없겠습니다. 이 지문의 핵심인 충전 과정을 잘 이해했다면 쉽게 답으로 고를 수 있겠죠?

④ ㉱ : 정전류 회로가 작동을 멈추고 전원이 차단되었군.

명시적 근거	3문단 3번 문장, 4문단 7번 문장
실전에서의 판단 과정	충전 전원 차단하면 전류가 안 흐르겠지.
해설	㉱에서 '충전 전류'가 0A가 됩니다. 그전까지 2A로 일정하게 유지되던 것이 0A로 감소한 것을 보면, '정전류 회로'가 작동을 멈추었다는 것을 알 수

있겠죠. 나아가 '단자 전압'의 강하도 어느 정도 이루어진 상황이니, ㉱는 '만충전'에 이르렀다고 추정하여 전원이 차단된 상황이라고 할 수 있겠습니다.

⑤ ㉲ : 충전 전류가 흐르지 않는 상태에서 방전이 되고 있군.

명시적 근거	1문단 3번 문장
실전에서의 판단 과정	단자 전압이 감소한다는 건 방전되고 있다는 거지.
해설	㉲는 여전히 '충전 전류'가 흐르지 않은 채 '단자 전압'이 계속해서 감소하는 상황입니다. 여기서 '단자 전압'이 감소한다는 말을 보자마자 '방전'(작동)이라는 단어가 떠올라야 합니다. '충전지'는 '단자 전압'을 이용해서 방전(작동)되는 것이었으니까요. 이 지문의 대전제였으니, 확실하게 기억하고 있죠?

선지	①	②	③	④	⑤
선택률(예상)	1%	3%	14%	4%	78%

39 ⓐ, ⓑ의 의미로 쓰인 예가 바르게 짝지어진 것은? ⑤

① ⓐ : 그 사람에게 그런 식은 안 통한다.
　ⓑ : 전깃줄에 전류가 통한다.
② ⓐ : 그와 나는 서로 통하는 면이 있다.
　ⓑ : 청년기를 통해 노력의 중요성을 익혔다.
③ ⓐ : 이 길은 바다로 가는 길과 통해 있다.
　ⓑ : 모두 비상구를 통해 안전하게 빠져나갔다.
④ ⓐ : 이곳은 바람이 잘 통해 빨래가 잘 마른다.
　ⓑ : 그런 얄팍한 수는 나에게 통하지 않는다.
⑤ ⓐ : 철저한 실습을 통해 이론을 확실히 익힌다.
　ⓑ : 망원경을 통해 저 멀리까지 내다보았다.

몰랐던 어휘 정리하기

| 핵심 **point** |

① **화제 check** : 독서 지문 독해의 처음이자 끝. 첫 문단에서 잡은 '화제의 틀'을 마지막 문단까지 놓지 않아야 합니다.

② **재진술 인식** : 같은 말이라도 다르게 표현되는 경우가 많습니다. 심지어 아예 똑같은 말이 반복되는 경우도 많아요. 이 '같은 말'에 민감하게 반응하면, '정보량'을 줄이면서 읽을 수가 있습니다.

③ **초반 정보 견디기** : 과학 · 기술 지문에서는 초반부에 정보를 잔뜩 던지고, 후반부에는 그 정보를 활용해서 어떤 논의를 이어가는 경우가 많아요. 초반부의 정보만 잘 견디면 뒤에서 편해집니다.

④ **사례-원리 연결** : 모든 사례는 어떠한 추상적인 원리를 구체화하는 역할을 합니다. 둘을 연결지으며 확실하게 이해하고 가는 태도가 중요합니다.

⑤ **정의 인식** : 단어의 의미를 살린 상태로, 지문에 제시된 정의와 붙여서 이해할 수 있어야 합니다. 정의를 '기억'하는 게 아니라, '납득'해서 본인의 말로 정리할 수 있어야 해요.

| 지문 내용 총정리 |

너무하다 싶을 정도로 선을 넘은 지문입니다. 설명이 불친절해서 내용을 정확히 납득하는 것도 어렵고, 지문의 내용만으로 추론하기 어려운 선지들도 많이 출제되어 체감 난이도가 상당히 높았어요. 하지만 이번에도 아주 기본적인 독해 태도들이 핵심이었습니다. 정의를 정확하게 체크하고, 재진술을 바탕으로 정보량을 줄여 내고, 사례와 그림을 통해 핵심 원리를 더 깊게 이해하고... 이런 일련의 과정들이 물흐르듯 이어진다면 해결이 가능하기는 하다는 점에서, 배울 것이 아주 많은 지문이라고도 할 수 있겠어요. 지금 당장은 이 지문을 완벽하게 이해하지 못하더라도, 다음에 다시 만나는 어느 날에는 혼자만의 힘으로 완벽하게 뚫어낼 수 있도록 잘 준비해 봅시다.

생각의 확장

제재별 독해 - 법

DAY 29 [1~5]
2017.09 [35~39] 사회(법) '법인격 부인론' ☆☆☆

1문단 (1)

①권리와 의무의 주체가 될 수 있는 자격을 **권리 능력**이라 한다. ②사람은 태어나면서 저절로 권리 능력을 갖게 되고 생존하는 내내 보유한다. ③그리하여 사람은 재산에 대한 소유권의 주체가 되며, 다른 사람에 대하여 채권을 누리기도 하고 채무를 지기도 한다.

①~② #정의 제시 #단어의 의미 살리기

'권리 능력'이라는 개념으로 시작하고 있습니다. 정의부터 체크해야겠죠? '권리와 의무의 주체가 될 수 있는 자격'인데, 사람이 생존하는 내내 가지는 것이라고 하네요. '권리'를 누릴 수 있는 '자격' 정도로 단어의 의미를 살린다면 더욱 확실하게 이해할 수 있겠죠? 생존하는 내내 가진다는 것도 상식적으로 '납득'할 수 있겠습니다.

③ #사례-원리 연결

그리고 이로 인해 '소유권', '채권', '채무' 등을 가질 수도 있다고 합니다. 일종의 '사례'네요. 이처럼 사례가 나오는 경우에는 분명히 그 사례를 통해 설명하고자 하는 '원리'가 있을 겁니다. 그 '원리'를 이해해가면서 읽어주셔야 합니다.

연결시켜보면, '소유권, 채권'은 권리를, '채무'는 의무를 이야기한다는 것을 쉽게 생각해낼 수 있습니다. 이런 '권리'와 '의무'를 가질 수 있는 자격을 바로 '권리 능력'이라고 부르는 것이네요. 결국 '권리 능력'이라는 중요한 개념을 한 번 더 설명해주고 있던 것이었습니다.

하이라이트 문장

③그리하여 사람은 재산에 대한 소유권의 주체가 되며, 다른 사람에 대하여 채권을 누리기도 하고 채무를 지기도 한다.

이런 문장을 어떻게 대하느냐가 실력 차이를 낳습니다. 이 '사례'를

통해, 자연스럽게 위에서 이야기한 '권리, 의무'라는 '원리'를 이해하면서 읽을 수 있어야 합니다.

1문단 (2)

④사람들의 결합체인 **단체**도 일정한 요건을 갖추면 법으로써 부여되는 권리 능력인 **법인격**을 취득할 수 있다. ⑤단체 중에는 사람들이 일정한 목적을 갖고 결합한 조직체로서 구성원과 구별되어 독자적 실체로서 존재하며, 운영 기구를 두어, 구성원의 가입과 탈퇴에 관계없이 존속하는 단체가 있다. ⑥이를 사단(社團)이라 하며, 사단이 갖춘 이러한 성질을 사단성이라 한다. ⑦사단의 구성원은 사원이라 한다. ⑧사단은 법인(法人)으로 등기되어야 법인격이 생기는데, 법인격을 가진 사단을 **사단법인**이라 부른다. ⑨반면에 사단성을 갖추고도 법인으로 등기하지 않은 사단은 '법인이 아닌 사단'이라 한다. ⑩사람과 법인만이 권리 능력을 가지며, 사람의 권리 능력과 법인격은 엄격히 구별된다. ⑪그리하여 사단 법인이 자기 이름으로 진 빚은 사단이 가진 재산으로 갚아야 하는 것이지 사원 개인에게까지 책임이 미치지 않는다.

④ #카테고리 나누기 #수식된 정의 제시 #단어의 의미 살리기

이러한 '권리 능력'은 단체도 가질 수 있다고 합니다. 개인이 아닌 '단체'에 대한 이야기를 한다는 것을 생각할 수 있어야 합니다. 미시적인 카테고리에도 민감하게 반응해야 한다는 것이에요. 이렇게 '법으로써 부여되는 권리 능력'을 '법인격'이라고 하네요. 태어나면서 저절로 갖게 되는 것이 아니라, '법'으로써 부여된 것이기 때문에 '법/인격'이라고 부르는 것이네요.

⑤~⑦ #정의 제시 #단어의 의미 살리기

우리는 지금 '단체'에 대해서 읽고 있습니다. 이러한 '단체' 중에는 '사단'이라는 게 존재한다고 해요. 그 정의가 5번 문장에 아주 길게 제시되어 있습니다. 확실하게 체크하면서, 최소한 '사단의 정의구나' 정도의 생각은 하고 넘어갈 수 있어야 합니다.

또 다른 팁을 드리면, 그 긴 정의 중에서 가장 핵심이 되는 하나의 내용만 기억하고 나머지는 그 내용에 최대한 붙여 납득하는 방법을 사용할 수도 있습니다. 결국 모든 내용이 한 가지 개념의 정의이기 때문에, 비슷한 의미를 가질 수밖에 없거든요. 여기서는 '독자적 실체'라는 말에 나머지 정보를 모두 붙일 수 있겠죠? '구성원과 구별', '운영 기구를 따로 둠', '구성원의 가입·탈퇴에 상관없이 존속' 등은 모두 '사

단'이 '독자적 실체'이기 때문에 나타나는 성질에 해당하니까요. 익숙해지면 정의를 처리하는 게 상당히 수월해질테니, 긴 정의가 나올 때마다 사용해보도록 합시다. '사단/성', '사/원'이라는 개념의 정의도 모두 단어의 의미를 살려 어렵지 않게 체크할 수 있겠죠?

⑧~⑨ #정의 제시 #단어의 의미 살리기

그리고 이러한 '사단'이 '법인격'을 가지면? '사단/법인'이 되는 것이죠! 단어의 의미를 살리면 너무나 쉽게 이해할 수 있는 내용이죠? 9번 문장은 사실상 없어도 될 만큼 당연한 내용이겠구요. 단, 이때 '사단성을 갖추고도'라는 말을 보고 다시 한번 '사단성'들에 어떤 게 있는지 확인해주는 태도가 필요합니다. 앞에서 봤던 말을 보면 자연스럽게 위에서 끌고 내려오는 습관이 있어야 해요!

⑩ #재진술 #화제 제시

사람과 법인만이 '권리 능력'을 가질 수 있는데, 즉 '권리와 의무의 주체'가 될 수 있는데(이렇게 정의를 끌고 내려 오면서 읽을 수 있어야 해요!) 사람이 가진 '권리 능력'과 단체가 가진 '법인격'은 엄격히 구별된다고 합니다. 애초에 '사단'은 '구성원과 구별'되는 '독자적 실체'였기 때문에, '법인격'이 '권리 능력'과 구별된다는 건 너무나 당연하게 느껴지네요. 나아가 이 문장 속에 지금까지 읽었던 모든 정보가 포함되어 있다는 점에서, 이 내용이 곧 '화제'와 직결될 것이라고 생각할 수도 있겠습니다. 계속해서 '화제'가 무엇일지 궁금해하면서 읽는 태도를 갖췄다면 충분히 해 낼 수 있는 생각이에요!

⑪ #재진술

그래서 사단의 빚(법인격에 의한 '의무')과 사원의 빚(사람의 권리 능력에 의한 '의무')은 구별되는 것이죠! '그리하여'와 같은 표지를 바탕으로 해서, 10번 문장의 내용이 재진술될 만큼 중요하다는 걸 잡아주시는 게 중요하겠습니다.

하이라이트 문장

> ⑪그리하여 사단 법인이 자기 이름으로 진 빚은 사단이 가진 재산으로 갚아야 하는 것이지 사원 개인에게까지 책임이 미치지 않는다.

'사단 법인이 자기 이름으로 진 빚'과 '사원 개인에게의 책임'이 무엇을 의미하는지 정확하게 이해할 수 있어야 합니다. 이는 '사람의 권리 능력과 법인격은 엄격히 구별된다.'는 원리를 이해시켜 주기 위한 '사례'에 해당하는 문장이니까요. 이걸 처음부터 '사례'로 보지 못했더라도, 결국 지금 어떤 원리에 대해서 읽고 있는 건지 '생각'하며 읽는다면 충분히 '납득'하고 '이해'하며 읽을 수가 있습니다. 심지어 이 지문은 '법 지문'입니다. 추상적인 법의 내용을 구체화시켜주는 소중한 정보들이니 최대한 잘 활용해야 할 것이에요. 잘 하고 있죠?

2문단

> ①회사도 사단의 성격을 갖는 법인이다. ②회사의 대표적인 유형이라 할 수 있는 **주식회사**는 주주들로 구성되며 주주들은 보유한 주식의 비율만큼 회사에 대한 지분을 갖는다. ③그런데 2001년에 개정된 상법은 한 사람이 전액을 출자하여 일인 주주로 회사를 설립할 수 있도록 하였다. ④사단성을 갖추지 못 했다고 할 만한 형태의 법인을 인정한 것이다. ⑤또 여러 주주가 있던 회사가 주식의 상속, 매매, 양도 등으로 말미암아 모든 주식이 한 사람의 소유로 되는 경우가 있다. ⑥이런 '일인 주식회사'에서는 일인 주주가 회사의 대표 이사가 되는 사례가 많다. ⑦이처럼 일인 주주가 회사를 대표하는 기관이 되면 경영의 주체가 개인인지 회사인지 모호해진다. ⑧법인인 회사의 운영이 독립된 주체로서의 경영이 아니라 마치 개인 사업자의 영업처럼 보이는 것이다.

①~② #정의 제시

우리에게 익숙한 '회사'도 '사단 법인' 중의 하나라고 합니다. 그리고 회사의 대표적인 유형인 '주식회사'에 대한 이야기로 넘어가고 있어요. 가지고 있는 '주식'의 비율만큼 지분을 갖는 '회사' 형태이기에 '주식/회사'라고 부르는 것이네요. 갑자기 '주식회사' 이야기로 화제가 넘어온 모습입니다. 도대체 무슨 이야기를 하고 싶은 걸까요?

③~⑤#재진술

그런데 상법이 '개정'되었다고 합니다! 법의 개정이나 인식의 변화 등 변화가 있을 때에는 체크를 해주시는 것이 좋습니다. '변화'를 바탕으로 화제를 제시하는 경우가 많거든요. 상법이 개정되면서 사단성을 갖추지 못한 형태, 즉 '사람들'이 만든 것이 아니라 개인이 만든 회사도 법인으로 인정했다는 게 가장 큰 변화라고 할 수 있습니다.

여기서 '사단성을 갖추지 못했다=단체가 아니라 개인이다'를 생각하느냐 못 하느냐가 실력 차이라고 할 수 있습니다. 못 찾았어도 상관은 없는데, 항상 이렇게 문장 간 관계에 대해서도 신경을 쓰는 습관을 들입시다. 좀 더 일반화시켜서 설명하면, 같은 말을 다르게 표현하는 '재진술'의 경우에는 평가원이 꼭 이해해달라는 신호처럼 활용하는 경우가 많다고 했습니다. 재진술되는 정보는 확실하게 인지하고 넘어가는 습관을 가지도록 합시다. 재진술을 인지했다면, '일인 주주 회사 설립 = 사단성 갖추지 못한 법인'으로 읽히고, '일인 주주'라는 말이 '사단성 갖추지 못함'이라는 말과 같다는 걸 알 수 있게 되겠죠?

이렇게 '일인 주식회사'가 되면, '일인 주주'가 회사의 '대표 이사'가 되는 사례가 많다고 합니다. 당연하겠죠. 한 사람밖에 없는 회사라면 그 한 사람이 대표가 되면 될 것입니다. 7번 문장에서는 '대표 이사'를 은근슬쩍 정의하고 있습니다. 이런 '재진술을 통한 정의'도 볼 수 있으면 좋겠어요. 6번 문장에서도, 7번 문장에서도 '일인 주주가 xx가 된다.'라는 표현이 있는데, 6번 문장에선 '대표 이사'로, 7번 문장에선 '회사를 대표하는 기관'으로 'xx' 자리를 채우고 있네요. 그럼 '대표 이사=회사를 대표하는 기관'이라는 정의가 가능해지는 것이겠죠? 평가원이 은근 많이 사용하는 내용이니 보일 때마다 연습해보도록 합시다!

아무튼 이렇게 시작부터 개인이 회사를 만들거나, 여러 주주가 있던 회사의 주식이 한 사람의 소유가 되어 만들어지는 '일인 주식회사'에서는 경영의 주체가 모호해진다고 합니다. 여기서도 재진술을 통해 이 '모호함'을 확실하게 이해시켜 주고 있네요. '경영의 주체 : 개인vs회사'='회사의 운영 : 개인 사업자의 영업vs독립된 주체로서의 경영' 이렇게 같은 말로 쓰이고 있다는 것 인지할 수 있겠죠? 이처럼, 재진술되는 정보를 정리하는 걸 습관화하셔야 합니다. 이것이 결국 여러분의 독해력으로 이어지는 것이에요. 이렇게 독해력이 늘게 되면, 정보량을 자연스레 줄이면서 읽을 수 있을 뿐 아니라 개별 정도에 대한 이해도가 압도적으로 오르는 경험을 할 수 있을 것이에요!

하이라이트 문장

> ④사단성을 갖추지 못 했다고 할 만한 형태의 법인을 인정한 것이다. ⑧법인인 회사의 운영이 독립된 주체로서의 경영이 아니라 마치 개인 사업자의 영업처럼 보이는 것이다.

재진술되고 있는 이 두 문장 역시 윗 문단에서 강조한 '사례'처럼 활용할 수 있어야 합니다. 평가원 입장에서 반드시 이해해야 하는 중요한 정보이기 때문에 이렇게 써 주는 것이니까요. 윗 문단의 마지막 문장에서 '사람의 권리 능력과 법인격은 엄격히 구별'된다는 말을 '사례'를 통해 이해시켰는데, 여기선 그럼에도 '일인 주식회사'의 경우 구별되지 않는다는 말을 이해시키고 있는 것이죠. '일인 주식회사'는 일종의 '예외'로 작용하고 있는 것입니다. 법 지문에서 중요하게 다뤄지는 포인트가 잘 살아 있는 모습이네요.

3문단 (1)

> ①구성원인 사람의 인격과 법인으로서의 법인격이 잘 분간되지 않는 듯이 보이는 경우에는 간혹 문제가 일어난다. ②상법상 회사는 이사들로 이루어진 **이사회**만을 업무 집행의 의결 기관으로 둔다. ③또한 **대표 이사**는 이사 중 한 명으로, 이사회에서 선출되는 기관이다. ④그리고 이사의 선임과 이사의 보수는 주주 총회에서 결정하도록 되어 있다. ⑤그런데 주주가 한 사람뿐이면 사실상 그의 뜻대로 될 뿐, 이사회나 주주 총회의 기능은 퇴색하기 쉽다. ⑥심한 경우에는 회사에서 발생한 이익이 대표 이사인 주주에게 귀속되고 회사 자체는 허울만 남는 일도 일어난다.

① #재진술 #문제 제시

첫 문장에서부터 '일인 주식회사'의 문제점이 이 지문의 핵심임을 드러내고 있습니다. '권리 능력과 법인격이 잘 분간되지 않는 듯이 보이는 경우'가 이 지문에서 가장 중요하다는 걸 계속 강조하고 있어요. 나아가 이 상황에서는 '문제'가 일어날 수 있다고 해요. 어떤 문제인지, 그 문제의 원인은 무엇인지, 어떻게 해결하는지를 중점적으로 살피면서 읽어주셔야겠죠?

②~④ #정의 제시

이 문제에 대해 본격적으로 설명해 주기 전에, 회사의 '이사회'와 '주주 총회'에 대해 이야기를 해주고 있네요. '이사회'는 이사들로만 이루어진 의결 기관이고, '대표 이사'는 이사회에서 선출되는 '기관'이라고 합니다. (앞에서 체크한 정의도 끌어와야 해요. 정리하면 '이사회에서 선출되며 회사를 대표하는 기관'이 되겠죠?) 또한 '주주 총회'는 이사의 선임과 보수를 결정하는 곳이라고 하네요.

⑤~⑥ #정보의 역할 #재진술

이 정보들도 결국 '일인 주식회사'와 연결지을 수 있어야 해요. 모든 정보는 이 화제로 모일 테니까요. 일인 주식회사의 경우에는 이사회나 주주 총회가 의미가 없어지겠죠. 일인 주주 자기 마음대로 다 해버리면 되니까요. 이 경우에는 '회사'라는 '사단'의 이익을 '일인 주주'라는 '개인'에게 다 귀속되어버리는 일도 일어날 수 있겠죠? 이러한 상황이 앞에서 이야기한 '문제'라고 할 수 있겠어요. 그리고 그 '원인'은? 우리가 다 알고 있듯이 '권리 능력'과 '법인격'이 잘 구별되지 않기 때문입니다. 이처럼 '문제'가 있으면 그 문제의 '원인'이 무엇인지 능동적으로 생각하는 태도가 필요해요!

이렇게 정보들을 처리하면서, 우리가 읽고 있는 게 무엇인지 계속 생각해야 합니다. 우리는 '일인 주식회사'의 문제점에 대해서 읽고 있어요. 이 정보들은 분명 문제점을 설명하는 '역할'을 할 겁니다. 이 생각을 하면서 읽어야 지문이 붕 뜨지 않아요!

하이라이트 문장

> ⑤그런데 주주가 한 사람뿐이면 사실상 그의 뜻대로 될 뿐, 이사회나 주주 총회의 기능은 퇴색하기 쉽다.

이 문장을 보기 전부터 이 내용을 생각해낼 수 있어야 합니다. '이사회', '주주 총회' 같은 새로운 정보를 받아들이면서도, 결국 '일인 주식회사'라는 화제로 돌아올 수 있어야 해요.

3문단 (2)

> ⑦이처럼 회사의 운영이 주주 한 사람의 개인 사업과 다름없이 이루어지고, 회사라는 이름과 형식은 장식에 지나지 않는 경우에는, 회사와 거래 관계에 있는 사람들이 재산상 피해를 입는 문제가 발생하기도 한다. ⑧이때 그 특정한 거래 관계에 관련하여서만 예외적으로 회사의 법인격을 일시적으로 부인하고 회사와 주주를 동일시해야 한다는 **'법인격 부인론'**이 제기된다. ⑨법률은 이에 대하여 명시적으로 규정하고 있지 않지만, 법원은 권리 남용의 조항을 끌어들여 이를 받아들인다. ⑩회사가 일인 주주에게 완전히 지배되어 회사의 회계, 주주 총회나 이사회 운영이 적법하게 작동하지 못하는데도 회사에만 책임을 묻는 것은 법인 제도가 남용되는 사례라고 보는 것이다.

⑦ #재진술 #문제 제시

이렇게 '일인 주식회사'의 폐해가 나타나는 상황이 되면, 그 회사와 거래를 한 사람들은 재산상 피해를 입기도 하는 '문제'가 생긴다고 합니다. 앞에서 이야기했던 문제 상황이 더욱 구체화되는 거네요. 단순히 회사의 이익을 개인이 가로채는 정도가 아니라, 다른 사람들에게 '재산상 피해'를 끼칠 수도 있는 중차대한 문제인 것이에요.

그리고 그 문제가 발생한 '원인'은요? 앞에서도 한 번 생각했었지만, 일인 주식회사의 경우에는 '회사의 빚=개인의 빚'이나 다름없기 때문이라는 걸 또 인지할 수 있겠습니다. 즉, '법인격'과 '사람의 권리 능력'이 구분되지 않기 때문에 법적 '문제'가 생기는 것이죠. 일인 주주가 회사 이름으로 돈을 빌리고 이를 회사의 빚, 즉 회사의 '의무'로 돌려버리면, 일인 주주라는 '개인'은 돈을 갚을 의무가 없으므로 실질적으로는 아무도 돈을 갚을 의무가 없는 것처럼 되는 것이죠. 이해되

시나요? 앞 문단에서 계속해서 재진술해주던 정보, '회사로서의 경영vs개인 사업자로서의 영업'이라는 정보를 가지고도 생각할 수 있었겠네요. 이렇게 생각하는 게 어려워 보일 수도 있지만, 문제점과 그 원인에 집중해서 읽는다는 태도가 잡혀 있다면 생각할 수 있을 겁니다.

자 우리는 문제의 원인을 생각했기에, 해결책을 미리 정리하고 갈 수 있습니다. 법인격과 권리 능력이 구분되지 않는 게 문제의 '원인'이라면, 이 '원인'을 제거하는 것이 곧 '해결책'이 되겠죠? 즉, 회사의 '법인격'과 대표 이사의 '권리 능력'을 '구분'되게 해주면 될 겁니다. 앞으로 나올 해결책은 이렇게 법인격과 권리 능력을 구분시켜 주는 것일 것이에요. 기대하면서 가 봅시다.

⑧ #해결책 제시 #정의 제시

기대하고 기대하던 해결책은 바로 '법인격/부인론'이었습니다. 정의를 체크해보니, '회사의 법인격을 일시적으로 부인하고 회사와 주주를 동일시하는 것'이네요. 단어 의미 그대로, '법인격'을 '부인'하는 '이론'인 것이죠. 일인 주주 개인이 사실상 본인의 '의무'를 회사의 '의무'로 돌려버리지 못하게 회사에게서 일시적으로 '법인격'을 뺏는 겁니다. 법인격을 빼앗으면? '법인격'과 '사람의 권리 능력'이 이쁘게 '구분'되네요! 즉, 원인이 완벽하게 제거되는 것이죠. 회사의 법인격은 무시되고, 일인 주주 개인의 권리 능력으로 모든 빚이 집중되니까요. '원인'을 제거하면 '해결'이 된다는 아주 기본적인 메커니즘으로 정리되는 모습입니다.

⑨~⑩ #재진술

그런데 이 '법인격 부인론'은 법으로 명시된 건 아니라고 합니다. '권리 남용'의 조항을 끌어들여 받아들일 뿐이라고 해요. 그래서 법인격 부인'법'이 아니라 법인격 부인'론'인 것이네요. 이론일 뿐인 것이죠! 마지막 문장을 토대로 이 말을 재진술해 주고 있죠?

참고로, 법 지문에서 어떠한 처분이 법에 '명시'되어 있는지 아닌지는 은근히 중요한 출제 포인트가 됩니다. 가벼운 팁으로 알아둡시다. '법인격 부인론'은 법에 '명시'된 내용이 아니라는 걸 체크해주셔야 해요.

하이라이트 문장

> ⑧이때 그 특정한 거래 관계에 관련하여서만 예외적으로 회사의 법인격을 일시적으로 부인하고 회사와 주주를 동일시해야 한다는 '법인격 부인론'이 제기된다.

이 지문에서 가장 중요한 문장입니다. '권리 능력, 법인격'부터 '일인 주식회사'까지 흘러오는 지문의 흐름에 방점을 찍고 있죠. 결국 일인 주식회사가 가진 문제점의 원인인 '개인의 권리 능력과 법인격이 구

분되지 않음'을 제거하는 '해결책'으로 '법인격 부인론'을 제시한 것임을 파악할 수 있어야 합니다.

선지	①	②	③	④	⑤
선택률	6%	19%	19%	14%	42%

01 윗글을 통해 알 수 있는 내용으로 적절하지 않은 것은? ⑤

① 사단성을 갖춘 단체는 그 단체를 운영하기 위한 기구를 둔다.

명시적 근거	1문단 5번~6번 문장
실전에서의 판단 과정	사단은 운영 기구를 두지.
해설	'사단/성'을 갖춘 단체는 '사단'을 의미하겠죠? '사단'의 긴 정의를 처리하면서, '운영 기구'를 둔다는 내용을 가볍게 납득했습니다. 기억이 안 나더라도 눈알 한 번만 굴려주면 어렵지 않게 지울 수 있는 선지였네요.

② 주주가 여러 명인 주식회사의 주주는 사단의 사원에 해당한다.

명시적 근거	1문단 7번 문장, 2문단 2번 문장
실전에서의 판단 과정	주주는 주식회사의 구성원이니까 사단 맞지.
해설	이번엔 '사원'에 대해 묻고 있어요. '사/원'의 정의가 뭐였죠? 사단의 구성원! 그럼 결국 이 선지는 주식회사의 '주주'가 사단의 구성원인지 묻는 선지네요. 사단의 정의에 의해 주식회사도 사단의 일종이라는 건 쉽게 알 수 있죠? 그럼 주식회사의 주주는 그 구성원이니, 사원이라고 볼 수 있겠네요. 흔히들 생각하는 회사에서의 '사원'을 생각하고, '주주는 높은 사람인데 사원은 아니지 않나..?'와 같은 뇌피셜로 문제를 푸시면 안 됩니다. 지문에 정의된 내용 그대로 판단하는 태도를 갖추셔야 해요!

③ 법인격을 얻은 사단은 재산에 대한 소유권의 주체가 될 수 있다.

명시적 근거	1문단 1번~2번, 4번, 8번 문장
실전에서의 판단 과정	법인격 있으면 권리 누릴 수 있지.
해설	'법인격을 얻은 사단'에 대해 물어보고 있으니 일단 '법인격'의 정의부터 봐야겠어요. 정의를 살펴보니, '법으로서 부여되는 권리 능력'이네요. 그럼 권리 능력의 정의는 뭐죠? '소유권과 같은 권리의 주체가 될 수 있는 권리'네요. 첫 문단에 나온 권리 능력의 예시를 토대로 '소유권=권리'라는 건 충분히 생각해낼 수 있겠죠? 그럼 권리 능력의 일종인 법인격을 얻은 사단은 소유권과 같은 권리의 주체가 될 수 있겠네요! 각 개념들의 정의를 집요하게 묻고 있습니다. 선지에서 묻는 개념이 어떤 개념인지, 그리고 그 개념의 정의는 무엇인지를 정확하게 체크하며 해결하셔야 해요!

④ 사단 법인의 법인격은 구성원의 가입과 탈퇴에 관계없이 존속한다.

명시적 근거	1문단 2번 문장, 4번~5번 문장
실전에서의 판단 과정	사단이 가진 권리는 사단이 없어지지 않는 한 존속하겠지.
해설	선지에서 묻는 것이 무엇인가요? 사단 법인의 '법인격'이 구성원의 가입과 탈퇴에 관계없이 존속하냐는 것이네요. 일단 3번 선지를 판단하는 과정에서, 우리는 '법인격'이 법으로써 부여되는 '권리 능력'임을 알고 있습니다. 이 '권리 능력'의 정의를 다시 보면, '태어나면서 저절로 갖게 되고 생존하는 내내 보유하는 것'이네요. 그럼 법인격은 법으로써 부여받으면서부터 갖게 되고 단체가 존속하는 내내 보유되겠네요. 지 그럼 우리는 이제 '구성원의 가입과 탈퇴에 관계없이' 사단이 존속하는지 알아보면 되겠습니다. '사단'의 정의를 보니, 이 말이 그대로 있네요. 정리하면, 사단은 가입과 탈퇴에 관계없이 존속하고, 이 기간 동안 권리 능력의 일종인 법인격 역시 존속합니다. 너무 과하다는 생각이 드실 수도 있어요. 뭐 시험 장에선 이렇게까지 할 필요는 없습니다. 위의 과정을 몇 단계 정도 건너뛰면서 해결할 수도 있겠죠. 하지만 우리가 공부를 하는 입장에선 이 선지를 고른 14%가 되지 않기 위해, 혹은 이 선지에서 쓸데없는 고민을 하며 시간을 흘려보내는 불상사가 일어나지 않게 하기 위해, 위와 같은 선지 판단 과정을 연습해주셔야 합니다. 이렇게 '선지에서 묻는 것'으로부터 필연적인 생각을 이어가는 건, 이 문제뿐만 아니라 모든 킬러 문제에서 일관되게 쓰이는 도구니까요!

⑤ 사람들이 결합한 단체에 권리와 의무를 누릴 수 있는 자격을 주는 제도가 사단이다.

명시적 근거	1문단 4번~5번 문장
실전에서의 판단 과정	단체에 권리와 의무 누릴 수 있게 하는 건 법인격이었는데?
해설	우리는 1~4번 선지를 판단하는 과정 속에서, 이 선지가 묻고 있는 '단체에 권리와 의무를 누릴 수 있는 자격, 즉 권리 능력을 주는 것'이 '법인격'의 정의임을 너무 잘 알고 있습니다. '법인격'의 정의가 '사단'의 정의냐고 물어보고 있으니 틀린 선지네요. 제시된 개념의 정의를 집요하게 체크하면서 지문의 흐름을 잡아주셨다면, 말도 안 되는 선지라는 것을 빠르게 잡아낼 수 있었을 겁니다.

선지	①	②	③	④	⑤
선택률	28%	32%	14%	19%	7%

O2 윗글에서 설명한 주식회사에 대한 이해로 가장 적절한 것은? ①

– '주식회사'에 대한 내용을 묻고 있습니다. '주식회사', 그 중에서도 특히 '일인 주식회사'는 이 지문의 흐름을 이끌어가는 가장 중요한 정보 중 하나였습니다. 지문을 완벽하게 읽어 낸 우리에게는 그리 어렵지 않은 문제일 것이에요.

① 대표 이사는 주식회사를 대표하는 기관이다.

명시적 근거	2문단 6번~7번 문장 or 3문단 3번 문장
실전에서의 판단 과정	대표 이사의 정의 그대로네.
해설	가장 간단한 해설은, 3문단의 3번 문장을 활용하는 것입니다. 분명히 '대표 이사'는 이사회에서 선출되는 '기관'이라고 했습니다. 지문의 내용은 무시한 채 '대표 이사는 사람인데, 기관은 아니지 않나?' 이런 생각만 안 했다면, '기관'이라는 말을 맞다고 하는 것은 어렵지 않았을 것이에요.

다음으로 문제가 되는 부분은 '대표하는'입니다. 사실 '대표/이사'라는 단어의 의미를 살리면 주식회사를 '대표'한다는 건 너무나 당연한 내용이기에, 고민할 필요가 없는 내용이라고 생각해요. 하지만 우리가 2문단에서 체크했던 '재진술을 통한 정의'가 그대로 선지화된 모습인 건 확인할 수 있죠? 이런 선지가 나오면 정답률이 보시다시피 박살이 납니다. 특히 2번 선지처럼 매력적인 오답이 |

있다면 말이죠. '재진술을 통한 정의', 보일 때마다 확실하게 체크하는 습관을 들이도록 합시다!

② 일인 주식회사는 대표 이사가 법인격을 갖는다.

명시적 근거	1문단 10번 문장, 3문단 1번 문장
실전에서의 판단 과정	대표 이사 개인이 법인격을 왜 가져.
해설	'대표 이사'가 '법인격'을 갖는지 물어보고 있습니다. '법인격'은 '단체에게 법으로써 부여되는 권리 능력'이고, 이 '법인격'이 대표 이사, 일인 주주라는 개인이 가진 '권리 능력'과 구분되지 않는 것이 이 지문에 등장하는 문제의 '원인'이었습니다. 이걸 생각했다면 이 선지를 고를 수 없겠죠. 대표 이사 개인은 '권리 능력'을 가지고 있고, 이것이 '법인격'과 구분되지 않는 게 문제의 '원인'이니까요. 이 선지가 단순히 정의를 묻는 것이 아니라, '원인 제거를 바탕으로 한 해결'이라는 지문의 흐름을 담은 선지라는 걸 생각할 수 있으면 좋겠습니다. 이런 선지에 당하면 안 돼요!

③ 주식회사의 이사회에서 이사의 보수를 결정한다.

④ 주식회사에서는 주주 총회가 업무 집행의 의결 기관이다.

명시적 근거	3문단 2번, 4번 문장
실전에서의 판단 과정	반대로 써놨네.
해설	이 선지들은 그냥 개념의 정의를 묻고 있습니다. '이사회', '주주 총회'라는 개념의 정의를 체크하면서, 그들이 '해결책'과 관련된 '역할'을 한다는 생각을 했다면 최소한 위치는 기억났을 겁니다. 그럼 이 선지들의 내용을 기억하지 못했더라도, 지문으로 되돌아가서 확인할 수는 있었겠네요.

⑤ 여러 주주들이 모여 설립된 주식회사가 일인 주식회사로 바뀔 수 없다.

명시적 근거	2문단 5번 문장
실전에서의 판단 과정	말도 안 되네.
해설	지문의 화제를 무시하는 선지네요. 이 지문은 '일인 주식회사'의 문제점에 대한 지문인데, 만약 일인 주식회사로 바뀔 수 없다면 지문 자체가 성립하지 않겠습니다.

선지	①	②	③	④	⑤
선택률	7%	5%	11%	26%	51%

03 ⓐ~ⓔ의 문맥상 의미에 대한 이해로 적절하지 않은 것은? ⑤

– 지문의 흐름을 잘 파악했다면, 문맥상 의미를 잡아내는 것이 그리 어렵지는 않았을 겁니다. 핵심은 밑줄만 보는 게 아니라, 근처 '맥락'까지 따지며 판단해야 한다는 겁니다.

① ⓐ: 법인에 속해 있지만 법인격과는 구별되는 존재

> 그리하여 사단 법인이 자기 이름으로 진 빚은 사단이 가진 재산으로 갚아야 하는 것이지 ⓐ사원 개인에게까지 책임이 미치지 않는다.

명시적 근거	1문단 10번~11번 문장
실전에서의 판단 과정	권리 능력을 가진 사람의 예시였지.
해설	ⓐ는 1문단 10번 문장에 나온 '사람의 권리 능력'을 설명하기 위한 예시였습니다. '사원 개인'은 '권리 능력'을 가진 사람으로, 법인에 속하긴 하지만 '법인격'과는 엄격히 구별되는 존재입니다.

② ⓑ: 사단이 진 빚을 갚아야 할 의무

> 그리하여 사단 법인이 자기 이름으로 진 빚은 사단이 가진 재산으로 갚아야 하는 것이지 사원 개인에게까지 ⓑ책임이 미치지 않는다.

명시적 근거	1문단 11번 문장
실전에서의 판단 과정	그렇지.
해설	ⓑ는 문장의 맥락상 '사단 법인이 자기 이름으로 진 빚'을 의미합니다. 이는 사단 법인의 '법인격'을 바탕으로 진 '의무'를 의미한다고 할 수 있겠죠?

③ ⓒ: 여러 사람이 결합한 조직체로서의 성격

> ⓒ사단성을 갖추지 못 했다고 할 만한 형태의 법인을 인정한 것이다.

명시적 근거	1문단 5번 문장, 2문단 4번 문장
실전에서의 판단 과정	사람들이 아니라는 게 포인트였지.

해설	역시 미리 생각한 내용이죠? 사람'들', 즉 '단체'가 아니라는 점이 ⓒ에서 이야기하는 "'사단성'을 갖추지 못했다."의 의미였습니다.

④ ⓓ: 회사라는 법인격을 가진 독자적인 실체로서 운영되지 않는 경영

> 법인인 회사의 운영이 독립된 주체로서의 경영이 아니라 마치 ⓓ개인 사업자의 영업처럼 보이는 것이다.

명시적 근거	2문단 7번~8번 문장
실전에서의 판단 과정	법인격과 권리 능력이 구분되지 않아 회사의 독자성이 없다는 이야기였지.
해설	우리가 재진술을 통해 정리했던 내용입니다. ⓓ는 '경영의 주체'가 '회사' 아닌 '개인'인 경우로, 회사의 '법인격'이 유명무실해진 상황을 말하는 것이었어요.

⑤ ⓔ: 회사의 자산이 감소하여 권리 능력을 누릴 수 없게 된 상태

> 심한 경우에는 회사에서 발생한 이익이 대표 이사인 주주에게 귀속되고 회사 자체는 ⓔ허울만 남는 일도 일어난다.

명시적 근거	3문단 5번~6번 문장
실전에서의 판단 과정	이건 법인격이 유명무실한 상황이었지 자산 규모와는 관련이 없었는데?
해설	3문단의 5번 문장을 보면, ⓔ는 '이사회'나 '주주총회'의 기능이 제대로 구현되지 않는 상황에서 일어날 수 있는 상황임을 알 수 있습니다. 즉, ⓔ는 '법인격'이 유명무실하기 때문에 나타난 상황이지 '자산 규모'가 줄어든 것과는 아무런 관련이 없다는 것이에요. 나아가 이 선지는 이 지문의 '화제'와 아무런 관련이 없다는 점에서 당연히 틀린 선지로 볼 수도 있습니다. '자산 감소'에 대한 이야기는 '법인격의 유명무실'이라는 이 지문의 화제와 전혀 관련이 없잖아요!

선지	①	②	③	④	⑤
선택률	10%	17%	9%	23%	41%

04 ㉡에 관한 설명으로 가장 적절한 것은? [3점] ⑤

㉡ '법인격 부인론'

– 이 지문의 화제에 대한 문제네요. '법인격의 유명무실화'라는 원인 속에 나타나는 다양한 문제를 해결하기 위한 해결책이었습니다. 이 내용 생각하면서 선지 판단해보도록 합시다.

① 회사의 경영이 이사회에 장악되어 있는 경우에만 예외적으로 법인격 부인론을 적용할 수 있다.

명시적 근거	3문단 전체
실전에서의 판단 과정	오히려 이사회가 제대로 작동하지 못할 때 적용하는 거지.
해설	'법인격 부인론'은 '일인 주식회사의 문제점 때문에 재산상 피해를 입는 사람이 생길 때 발동되는 것'입니다. 이사회에 장악되는 것과는 상관이 없어요. 오히려 '일인 주주'로 이루어져 있기 때문에 '이사회'가 제대로 작동하지 못하는 상황에서 적용하는 것이라고 할 수 있겠죠?

② 법인격 부인론은 주식회사 제도의 허점을 악용하지 못하도록 법률의 개정을 통해 도입된 제도이다.

명시적 근거	3문단 9번 문장
실전에서의 판단 과정	법에 명시된 건 아니라며.
해설	'법인격 부인론'은 법률에 명시되지는 않았다고 했어요. '권리 남용' 조항을 통해 받아들인다고 했을 뿐이죠. 이처럼 법률에 '명시'되어있는지 여부는 선지로 자주 출제되는 내용입니다. 인식하는 태도를 갖도록 합시다.

③ 회사가 채권자에게 손해를 입혔다는 것이 확정되면 법원은 법인격 부인론을 받아들여 그 회사의 법인격을 영구히 박탈한다.

명시적 근거	3문단 8번 문장
실전에서의 판단 과정	특정 상황에서만 일시적으로 부인하는 거라며.
해설	'법인격 부인론'의 정의를 다시 읽어 보니, '일시적으로 법인격을 부인'한다고 했습니다. 영구히 박탈시키는 건 좀 너무했네요. 또 조금만 생각해보면, '법인격'이라는 권리를 영구히 박탈시키는 것 자체가 말이 안 되기도 하죠?

④ 법원이 대표 이사 개인의 권리 능력을 부인함으로써 대표 이사가 회사에 대한 책임을 면하지 못하도록 하는 것이 법인격 부인론의 의의이다.

명시적 근거	3문단 8번 문장
실전에서의 판단 과정	권리 능력을 왜 부인해.
해설	'권리 능력 부인론'이 아니라 '법인격 부인론'이에요. 개인의 '권리 능력'이 아닌 '법인격'을 부인하는 것이죠. 단어의 의미만 살렸어도 쉽게 지울 수 있는 선지네요.

⑤ 특정한 거래 관계에 법인격 부인론을 적용하여 회사의 법인격을 부인하려는 목적은 그 거래와 관련하여 회사가 진 책임을 주주에게 부담시키기 위함이다.

명시적 근거	3문단 전체
실전에서의 판단 과정	법인격을 부인하면 회사의 의무가 대표 이사 개인에게 전가된다고 할 수 있겠지.
해설	'법인격 부인론'은 말 그대로 회사의 '법인격'을 부인하는 것입니다. 이렇게 되면, 대표 이사 개인의 '권리 능력'으로 회사의 의무를 책임져야 하는 상황이 되겠죠. 애초에 '법인격' 뒤에 숨어 의무를 다하지 않는 '대표 이사' 개인에게 의무를 이행하게끔 하는 것이기에, 맞는 말이 되겠습니다. '법인격 부인론'의 정의를 멋지게 재진술한 선지였어요. 이처럼 선지는 지문 내용의 재진술임을 생각하고, 어떤 내용이 재진술되었는지 파악하는 능력이 필요하다는 것을 명심합시다.

선지	①	②	③	④	⑤
선택률	55%	35%	3%	3%	4%

05 문맥상 ㉠과 바꿔 쓰기에 가장 적절한 것은? ②

① 겸비(兼備)하면

② 구비(具備)하면

③ 대비(對備)하면

④ 예비(豫備)하면

⑤ 정비(整備)하면

몰랐던 어휘 정리하기

| 핵심 **point** |

① **화제 check** : 독서 지문 독해의 처음이자 끝. 첫 문단에서 잡은 '화제의 틀'을 마지막 문단까지 놓지 않아야 합니다.

② **사례-원리 연결** : 모든 사례는 어떠한 추상적인 원리를 구체화하는 역할을 합니다. 둘을 연결지으며 확실하게 이해하고 가는 태도가 중요합니다.

③ **재진술 인식** : 같은 말이라도 다르게 표현되는 경우가 많습니다. 심지어 아예 똑같은 말이 반복되는 경우도 많아요. 이 '같은 말'에 민감하게 반응하면, '정보량'을 줄이면서 읽을 수가 있습니다.

④ **문제해결형 지문** : 결국, 문제의 원인을 제거하는 것이 해결책입니다. '원인'을 생각하고, 그 원인을 제거하면 어떻게 해야 하는지 미리 생각하면 해결책을 훨씬 쉽게 이해할 수 있습니다.

| 지문 내용 총정리 |

전형적인 법 지문의 형태라기보다는 '사례-원리 연결'과 '재진술', '정의 체크' 등 문장 단위 독해의 기본기를 연습하기에 좋은 지문이었습니다. 이때 '사례-원리 연결'은 법 지문 독해의 기본이라는 것도 명심해주세요. 이 지문을 정보량 폭탄이 아닌, 일관된 흐름을 가지고 이어나가는 지문으로 읽을 수 있을 때까지 연습하도록 합시다.

1문단

[A]
> ①사무실의 방충망이 낡아서 파손되었다면 세입자와 사무실을 빌려 준 건물주 중 누가 고쳐야 할까? ②이 경우, 민법전의 법조문에 의하면 임대인인 건물주가 수선할 의무를 진다. ③그러나 사무실을 빌릴 때, 간단한 파손은 세입자가 스스로 해결한다는 내용을 계약서에 포함하는 경우도 있다. ④이처럼 법률의 규정과 계약의 내용이 어긋날 때 어떤 것이 우선 적용되어야 하는가, 법적 불이익은 없는가 등의 문제가 발생한다.

①~② #화제 제시 #사례-원리 연결

'물음'을 통해 방충망 이야기를 하면서 글이 시작됩니다. 물음이 나왔으면 분명 이 물음에 대한 답이 나오겠죠. '누가 고쳐야 하는지'에 대한 물음의 답을 기다리면서 읽는데, '건물주'가 고치면 된다고 답을 해줬어요. '물음'의 답은 언제나 지문의 핵심이 되기에 집중해서 체크하려고 했는데, 약간 허무하게 답이 나왔네요. 어쨌든 이 사례를 통해 어떤 원리를 말하고자 하는 건지 계속해서 생각해야 합니다.

③~④ #사례-원리 연결 #카테고리 나누기

이번엔 다른 사례가 나옵니다. 간단한 파손은 세입자 스스로 해결한다는 내용을 담은 계약이 있는 경우예요! 앞에서도 이야기했지만, 이렇게 사례로 지문이 시작된 이유는 무엇일까요? 그렇죠. 바로 그 사례가 화제와 관련이 있기 때문이겠죠. 특히 법과 관련된 글에서는 '사례를 바탕으로 원리 이해시키기'가 정말 중요하게 쓰인다고 했습니다. 그럼 이 사례는 어떤 화제를 이야기하기 위해서 꺼내왔을까요?

다음 문장을 읽어 보니 '법률과 계약의 충돌' 이야기를 하고 있습니다. 이게 바로 '방충망' 사례를 통해 이야기하고자 했던 '원리'에 해당하는 거네요. 이제부터는 '법률'과 '계약'이 다를 경우에 어떻게 해야 하는지 말해줄 겁니다. 이 내용을 '우선 적용'이 되는 대상, '법적 불이익'의 여부라는 두 가지 카테고리로 나누어 설명하겠네요. 이렇게 지문의 흐름 완벽하게 잡아놓고 천천히 읽어보도록 합시다.

하이라이트 문장

> ①사무실의 방충망이 낡아서 파손되었다면 세입자와 사무실을 빌려 준 건물주 중 누가 고쳐야 할까?

지문에서 물어보는 이유는 정말로 그 답을 몰라서가 아닙니다. 그 물음에 대한 답이 이 지문의 '화제'임을 알려주기 위해서예요. 확실하게 인식하고 가도록 합시다.

나아가, 이 물음은 화제 전체를 지시하는 '사례'를 제시하는 역할도 하고 있습니다. 첫 문단이 특정 사례로 시작하는 경우 그 사례로부터 반드시 '화제'를 생각하고 가야 한다는 것도 잊지 맙시다. 특히 법 지문에서는요!

2문단

> ①사법(私法)은 개인과 개인 사이의 재산, 가족 관계 등에 적용되는 법으로서 이 법의 영역에서는 '계약 자유의 원칙'이 적용된다. ②계약의 구체적인 내용 결정 등은 당사자들 스스로 정할 수 있다는 것이다. ③따라서 당사자들이 사법에 속하는 법률의 규정과 어긋난 내용으로 계약을 체결한 경우에 계약 내용이 우선 적용된다. ④이처럼 법률상으로 규정되어 있더라도 당사자가 자유롭게 계약 내용을 정할 수 있는 법률 규정을 '임의 법규'라고 한다. ⑤사법은 원칙적으로 임의 법규이므로, 사법으로 규정한 내용에 대해 당사자들이 계약으로 달리 정하지 않았다면 원칙적으로 법률의 규정이 적용된다. ⑥위에서 본 임대인의 수선 의무 조항이 이에 해당한다.

①~② #정의 제시 #단어의 의미 살리기

일단 '사법'이라는 개념이 나옵니다. '사법'은 개인 사이의 재산, 가족 관계에 적용되는 법으로 '계약/자유의/원칙'이라는 것이 적용된다고 하네요. 단어의 의미 그대로, 계약의 구체적인 내용은 '자유롭게' 정하라는 거네요. '사/법', '계약/자유의/원칙'처럼 단어의 의미를 살리며 정의를 체크하는 태도 잊지마세요!

③~⑤ #재진술 #수식된 정의 제시
#단어의 의미 살리기

그래서 '사법'에 속하는 법률의 규정과 어긋나는 계약을 하더라도, 계약 내용을 '우선 적용'한다고 합니다. 첫 문단에서 생각한 '화제'에 대한 답이 벌써 나왔네요. 법률과 계약이 충돌하면 '계약'을 따르면 되는 것 같아요. 이렇게 '계약'에 우선순위가 밀리는 법률을 '임의/법규'라고 부른다고 합니다. '계약'에 밀리는 '임의'의 법률이라는 뜻이겠죠. '사법'은 '임의 법규'의 일종이므로, 이것이 '계약'과 충돌하면 '계약'이 우선시되지만, 반대로 '계약'이 없는 경우에는 '임의 법규'의 내용을 따르면 되는 것입니다. 단어의 의미를 살리면서 납득하니 너무나 당연한 정보들이죠?

⑥ #사례-원리 연결

여기에 마지막 문장의 '임대인의 수선 의무 조항'이라는 말을 보자마자 첫 문단의 사례와 연결 지으면서, 화제를 확실하게 이해했음을 인식해주는 것이 중요해요. '우선 적용'이라는 카테고리는 확실하게 해결한 것 같은데, '법적 불이익'에 대한 이야기가 나올까요? 이렇게 예측하면서 읽을 수 있으면 좋겠어요.

하이라이트 문장

> ③따라서 당사자들이 사법에 속하는 법률의 규정과 어긋난 내용으로 계약을 체결한 경우에 계약 내용이 우선 적용된다.

'계약 내용 우선 적용'을 보자마자 첫 문단의 사례와 연결 지어야 합니다. 비록 마지막 문장에서 언급하긴 하지만, 그 전부터 생각하고 있어야 하는 부분이에요!

3문단

> ①그러나 법률로 정해진 내용과 어긋나게 계약을 하면 당사자들에게 벌금이나 과태료 같은 <u>법적 불이익</u>이 있거나 <u>계약의 효력이 부정되는 **예외적인 경우**</u>도 있다. ②우선, 체결된 계약 내용이 법률에 정해진 내용과 어긋날 때 <u>법적 불이익이 있지만 계약의 효력 자체는 그대로 두는 경우</u>가 있다. ③이에 해당하는 법조문을 '**단속 법규**'라고 한다. ④공인 중개사가 자신이 소유한 부동산을 고객에게 직접 파는 것을 금지하는 규정은 단속 법규에 해당한다. ⑤따라서 이 규정을 위반하여 공인 중개사와 고객이 체결한 매매 계약의 경우 공인 중개사에게 <u>벌금은 부과되지만 계약 자체는 유효</u>이다. ⑥이 경우 <u>계약 내용에 따른 행동인 **급부**(給付)</u>를 할 의무가 인정되어, 공인 중개사는 매물의 소유권을 넘겨주고 고객은 대금을 지급해야 하는 것이다.

① #카테고리 나누기 #예외 제시

이렇게 기본적으로 '계약'을 우선시하면 되는데, 계약이 법률과 어긋나면 '법적 불이익'이 있거나 '계약의 효력이 부정되는 경우'가 있다고 해요. '법적 불이익'은 우리가 예상했던 내용이고, '계약의 효력 부정'은 '법률을 우선시'하는 상황이라고 할 수 있겠네요. 지문에선 이러한 상황이 '예외적'이라고 명시해주고 있습니다. '사법'은 '임의 법규'로 처리하는 게 '일반적'이지만, '예외적'으로 그렇지 않은 경우도 존재하는 것이죠. 법과 관련된 지문에서 '사례'만큼 중요한 것이 바로 이 '예외'라고 했어요. 법 지문뿐만 아니라 거의 대부분의 지문에서 '예외'는 중요하게 다뤄지니 확실하게 인식하는 습관을 들입시다.

②~③ #수식된 정의 제시 #단어의 의미 살리기

먼저 '단속/법규'라는 법률을 설명하고 있습니다. '단속'을 하기 위한 '법규'라는 뜻이라고 할 수 있겠죠? 그 정의를 살펴보니, 계약과 이 법률의 내용이 어긋나는 경우 '법적 불이익'이 있지만, 그래도 '계약'이 우선시되는 경우라고 하네요. '계약의 효력 자체는 그대로 둔다.'를 '계약을 우선시한다.'로 바꿔 읽을 수 있겠죠?

④~⑥ #사례-원리 연결 #수식된 정의 제시

'공인 중개사'에 대한 이야기가 나옵니다. '단속 법규'라는 원리를 설명하기 위해 제시된 '사례'라고 할 수 있으니, 확실하게 이해하고 넘어가야겠죠? '공인 중개사'가 자신이 소유한 부동산을 직접 파는 건 '단속 법규'로 금지되어 있는데, 이를 어길 경우 '벌금'이 부과된다고 합니다. 이 경우 계약 자체는 유효라고 해요. 계약의 내용을 그대로 하는 대신 벌금을 문다는 건데, 여기에서 '벌금'은 갑자기 왜 나온 것인가요? 반드시 생각하고 가셔야 합니다! 그렇죠! 여기서의 '벌금'이 바로 처음에 이야기했던 '법적 불이익'에 해당하는 것이겠죠. 이렇게 사례를 바탕으로 '법적/불이익'이라는 원리를 이해해주시면 됩니다. '법적'으로 '벌금'이라는 '불이익'을 주는 거죠.

물론 이때 계약은 여전히 유효이기에, '급부'를 할 의무는 여전히 인정된다고 합니다. 혹시나 '급부'에 대해 또 이해하지 못할까봐 '공인 중개사'와 '고객'의 급부를 예시로 들어주고 있네요. '계약 내용에 따른 행동'이라는 정의를 가볍게 이해할 수 있겠죠? '급부'의 개념은 배경지식처럼 알아두도록 합시다. 이렇게 계속해서 '사례-원리 연결'이라는 기본적인 태도를 묻고 있습니다. '단속 법규'에 대해 완벽하게 이해한 상태로, 다음 문단 가봅시다.

하이라이트 문장

> ①그러나 법률로 정해진 내용과 어긋나게 계약을 하면 당사자들에게 벌금이나 과태료 같은 법적 불이익이 있거나 계약의 효력이 부정되는 예외적인 경우도 있다.

'예외'는 독서 지문에서, 특히 '법 지문'에서 정말 중요하게 다뤄집니다. 중요한 내용이라는 생각을 하면서 읽어야 해요.

4문단

> ①한편 체결된 계약 내용이 법률에 정해진 내용과 어긋날 때 법적 불이익이 있을 뿐 아니라 체결된 계약의 효력 자체도 인정되지 않아 급부 의무가 부정되는 경우가 있다. ②이에 해당하는 법조문을 '강행 법규'라고 한다. ③이 경우 계약 당사자들은 상대에게 급부를 하라고 요구할 수는 없다. ④이미 급부를 이행하여 재산적 이익을 넘겨주었다면 이 이익은 '부당 이득'에 해당하기 때문에 반환을 요구할 수 있다. ⑤즉 '부당 이득 반환 청구권'이 인정된다. ⑥의사와 의사 아닌 사람의 의료 기관 동업을 금지하는 법률 규정은 강행 법규이다. ⑦따라서 의사와 의사 아닌 사람이 체결한 동업 계약은 계약의 효력이 부정된다. ⑧다만 계약에 따라 이미 동업 자금을 건넸다면 이 돈을 반환하라고 요구하는 것은 가능하다.

①~② #카테고리 나누기 #수식된 정의 제시 #단어의 의미 살리기

그런데 앞에서 말한 것처럼 법적 불이익, 즉 '벌금' 등만 주는 게 아니라 아예 '계약의 효력 자체도 부정'하는 '예외'도 있다고 합니다. 이러한 법률은 '강행/법규'라고 불러요. 드디어 '계약'이 아닌 '법률'이 우선시되는 경우가 제시된 겁니다. '법률'을 따르도록 '강행'하는 '법규'인 것이네요!

③~⑤ #재진술 #수식된 정의 제시 #단어의 의미 살리기

이 경우 '법률'이 우선시되어 계약의 내용이 무효가 되기에, 계약 당사자들은 서로에게 '급부'를 이행할 것을 요구할 수 없다고 합니다. 애초에 그 '급부'를 발생시킨 계약이 무효니까요. 다만 '강행 법규'의 영향을 받기 전에 '급부'를 이행한 경우에는, 그로 인해 상대방이 얻은 이익을 '부당 이득'으로 취급하여 '반환'을 요구할 수 있는 '청구권'이 생긴다고 합니다. 계약이 무효가 되었기에, 이미 이행한 급부를 원상태로 돌려야 한다는 것이죠. 너무나 당연한 내용이네요. 어렵지 않게 납득해주시면 됩니다.

⑥~⑧ #사례-원리 연결

이 내용을 '의사와 의사 아닌 사람의 동업 계약'의 사례를 통해 이해시키고 있습니다. 법 지문의 정석과도 같은 흐름이네요. 굳이 설명하지 않아도 확실하게 이해할 수 있겠죠? '단속 법규'처럼 '법적 불이

익'이 있는 것은 기본이고, '법률'이 우선시되어 '계약'의 효력과 그에 따른 행동들은 모두 무효가 된다는 게 핵심입니다.

5문단

> ①그러나 강행 법규에 의해 계약의 효력이 부정되었을 때 부당 이득 반환 청구권이 인정되지 않는 경우도 있다. ②급부의 내용이 위조지폐 제작처럼 비도덕적이거나 반사회적인 행동이라면, 계약의 효력이 인정되지 않을 뿐 아니라 이미 넘겨준 이익을 돌려받을 권리도 부정되는 것이 원칙이다.

①~② #예외 제시 #사례-원리 연결

'강행 법규'의 경우, '원상 복귀'가 핵심이기에 '부당 이득 반환 청구권'이 인정되는데, 이것마저 인정되지 않는 '예외'도 존재한다고 합니다. '예외'에 '예외'를 쌓아서 이어가는 형태네요. '위조지폐'라는 사례를 통해, '비도덕적·반사회적인 행동'을 급부로 하는 계약의 경우 무효인 것은 당연하고 '부당 이득 반환 청구권'도 인정되지 않는다고 해요. 위조지폐를 받는 대가로 돈을 지불했다면, 그 돈은 다시 돌려받을 수 없다는 거죠. 역시 당연하게 받아들이면 됩니다.

우리나라의 민법은 상당히 합리적이기에, '납득'하려고 하면 충분히 받아들일 수 있게 구성되어 있어요. 단순히 하나하나의 정보로 받아들이려 하지 말고, '당연한 말'로 최대한 납득하며 읽는 습관을 들이도록 합시다.

6문단

> ①국가가 개인 간의 계약에 개입하는 것은 국가 안보, 사회 질서, 공공복리 등의 정당한 입법 목적을 달성하기 위해서이다. ②이 경우 계약의 자유를 제한하려면 필요한 만큼만 최소로 제한해야 한다는 '비례 원칙'이 적용된다. ③이로 인해 국가가 계약 당사자들에게 미치는 영향이 다양하게 나타나는 것이다.

① #카테고리 나누기

갑자기 다른 소리를 하는 것 같지만, 이 지문의 화제인 '계약vs법률'과 연결되는 내용일 겁니다. 기본적으로 국가는 개인들 간의 계약에 개입하지 않지만, '예외적'인 경우에는 개입하는 모습을 보여요. 이는 특정한 '입법 목적'을 달성하기 위해서인 것이죠. '계약에 개입하는

이유'라는 카테고리를 만들면서, 모든 정보가 같은 방향(화제)을 바라보고 있음을 인식해주시면 됩니다.

②~③ #수식된 정의 제시 #재진술

이렇게 계약의 자유를 제한하려면, '필요한 만큼만 최소로' 제한을 해야 한다는 '비례/원칙'이 적용된다고 합니다. 그래서 어떤 경우에는 완전한 자유를 보장하고, 어떤 경우에는 자유는 보장하지만 불이익만 주고, 어떤 경우는 아예 자유를 보장하지 않는 식의 차이가 나타나는 것이죠. '비례 원칙'이라는 정보의 역할이 결국 이 지문에 나타난 다양한 법규들의 차이점을 설명하고 있다는 걸 생각하면서 문제 풀어보도록 합시다.

하이라이트 문장

> ②이 경우 계약의 자유를 제한하려면 필요한 만큼만 최소로 제한해야 한다는 '비례 원칙'이 적용된다.

'비례 원칙'의 정의 체크, 나아가 그 '역할' 체크라는 두 가지 행동이 아주 자연스럽게 이루어질 것을 요구하는 문장이었습니다. 잘 하고 있죠?

선지	①	②	③	④	⑤
선택률	5%	6%	65%	18%	6%

06 윗글에 대한 이해로 적절하지 <u>않은</u> 것은? ③

① 임의 법규에 해당하는 법률 조항과 이에 어긋난 계약 내용 가운데 계약 내용이 우선 적용된다.

명시적 근거	2문단 4번 문장
실전에서의 판단 과정	임의 법규는 계약 우선이지.
해설	'임의 법규'는 '계약 우선'에 '법적 불이익x'라는 카테고리에 속한 정보였습니다. 간단하게 지울 수 있는 선지네요.

② 임의 법규가 단속 법규에 비해 계약 자유의 원칙에 더 부합한다.

명시적 근거	2문단 4번 문장, 3문단 2번~3번 문장
실전에서의 판단 과정	법적 불이익이 없는 게 더 자유롭다고 할 수 있지.
해설	'임의 법규'는 '계약 자유'를 100% 보장하는 법률이지만, '단속 법규'는 '법적 불이익'이 있는 법률입니다. 이 경우 계약의 자유에 조금 더 제약이 생긴다고 할 수 있으니, '계약 자유의 원칙'에 더 부합하는 건 '임의 법규'네요.

③ 단속 법규로 국가가 개인 간의 계약에 개입할 때에는 비례 원칙이 적용되지 않는다.

명시적 근거	6문단 2번 문장
실전에서의 판단 과정	비례 원칙 때문에 개입할 수 있는 거잖아.
해설	'비례 원칙'은 각 법규마다 계약에 개입하는 정도가 다른 이유를 설명하는 정보였습니다. '단속 법규'에서 '법적 불이익'이 있는 것 역시 그 행위에 '비례'하여 계약의 자유를 제한하기 때문인 것이죠. '비례 원칙'이라는 핵심 정보의 역할을 물어보는 선지였습니다. 그 역할은 당연히 '법규들의 차이점'이라는 화제를 강조하는 것이겠죠?

④ 단속 법규로 입법 목적을 달성할 수 있는 계약에 대해 강행 법규로 국가가 개입하는 것은 정당화될 수 없다.

명시적 근거	6문단 2번 문장
실전에서의 판단 과정	그렇지. 비례 원칙 때문에.
해설	이번에도 '비례 원칙'에 대해 묻고 있죠? 이 선지에는 '비례 원칙'이라는 말이 없지만, 여러분이 스스로 이렇게 생각할 수 있어야 합니다. '단속 법규', 즉 '법적 불이익' 정도만으로도 입법 목적 달성이 가능하다면, '강행 법규'로 개입하는 것은 '필요한 만큼만 최소로'라는 '비례 원칙'에 어긋나게 되네요. 마지막 문단까지 차분하게 읽으면서 중요 정보를 챙겨가는 게 중요합니다!

⑤ 강행 법규를 위반한 계약일 때 급부의 내용에 따라 부당 이득 반환 청구권의 인정 여부가 달라진다.

명시적 근거	5문단 전체
실전에서의 판단 과정	그렇지.
해설	바로 '위조지폐'가 떠올라야겠죠? '예외'에 '예외'를 더한 상황에 대한 선지네요.

선지	①	②	③	④	⑤
선택률	4%	55%	30%	7%	4%

07 윗글을 참고할 때, [A]에 제시된 물음에 대한 답으로 맞는 것을 〈보기〉에서 고른 것은? ②

> 사무실의 방충망이 낡아서 파손되었다면 세입자와 사무실을 빌려 준 건물주 중 누가 고쳐야 할까?

– 계약이 따로 없다면 '임의 법규'인 민법전에 따라 '건물주'가 고쳐야 하고, '세입자'가 고친다는 계약이 있으면 그 계약에 따라 '세입자'가 고치면 됩니다. 이 내용 그대로 찾으면 되겠죠?

──────────[보기]──────────
ㄱ. 계약서에 방충망 수선에 관한 내용이 없으면 건물주가 수선 의무를 지고, 수선 의무를 계약에 포함하지 않은 것에 대한 법적 불이익은 누구에게도 없다.
──────────────────────────

– 계약이 없으면 '건물주'가 고치면 되고, 이는 '임의 법규'에 의한 것이므로 '법적 불이익'은 그 누구도 지지 않습니다.

──────────[보기]──────────
ㄴ. 계약서에 방충망 수선에 관한 내용이 없으면 세입자가 수선 의무를 지고, 건물주는 수선 의무를 계약에 포함하지 않은 것에 대해 법적 불이익을 받는다.
──────────────────────────

– 계약이 없으면 '건물주'가 고쳐야 합니다!

──────────[보기]──────────
ㄷ. 계약서에 세입자가 방충망을 수선한다는 내용이 있으면 세입자가 수선 의무를 지고, 법률 내용과 다르게 계약한 것에 대한 법적 불이익은 누구에게도 없다.
──────────────────────────

– 계약이 있으면 '세입자'가 고치면 되고, 이는 '임의 법규'에 의한 것이므로 '법적 불이익'은 그 누구도 지지 않습니다.

──────────[보기]──────────
ㄹ. 계약서에 세입자가 방충망을 수선한다는 내용이 있으면 세입자가 수선 의무를 지고, 건물주는 법률 내용과 다르게 계약한 것에 대해 법적 불이익을 받는다.
──────────────────────────

– 계약이 있는 경우 '세입자'가 고치는 건 맞는데, 이는 '임의 법규'에 의한 것이므로 '법적 불이익'이 있으면 안 됩니다.

선지	①	②	③	④	⑤
선택률	68%	5%	13%	9%	5%

08 ㉠과 ㉡의 공통점으로 가장 적절한 것은? ①

> ㉠ 이 규정을 위반하여 공인 중개사와 고객이 체결한 매매 계약
> ㉡ 의사와 의사 아닌 사람이 체결한 동업 계약

– '단속 법규'와 '강행 법규'의 공통점을 묻고 있습니다. 주관식으로 답할 수 있어야 합니다. '법적 불이익이 있다!'

① 법적 불이익을 받는 계약 당사자가 있다.

명시적 근거	3문단 2번 문장, 4문단 1번 문장
실전에서의 판단 과정	미리 생각한 내용이네.
해설	바로 답으로 골라야 합니다! 주관식으로 미리 생각할 수 있는 건 이렇게 주관식으로 생각하는 습관을 들이도록 합시다.

② 계약 당사자들의 급부 의무가 인정되지 않는다.
③ 계약에 따라 넘어간 재산적 이익을 반환해야 한다.
④ 법률 규정을 위반하였으므로 계약의 효력이 부정된다.

명시적 근거	4문단 전체
실전에서의 판단 과정	강행 법규에만 적용되는 것들이지.
해설	모두 '법률'을 우선시하는 '강행 법규'에서만 적용되는 내용들이죠? 가볍게 지울 수 있어야 합니다.

⑤ 계약 당사자가 계약의 구체적인 내용을 결정할 수 없다.

명시적 근거	2문단 1번 문장
실전에서의 판단 과정	계약 자유의 원칙은 기본인데?
해설	이건 이 지문의 대전제를 위반하는 선지네요. 이 지문 자체가 '계약 자유의 원칙'을 기반으로 하는 '사법'에 대해 다루고 있었어요.

선지	①	②	③	④	⑤
선택률	6%	14%	51%	21%	8%

09 윗글을 참고할 때, 〈보기〉에 대한 반응으로 적절한 것은?

[3점] ③

──────[보기]──────

농지를 빌리려는 A와 농지 주인인 B는 농지를 용도에 맞지 않게 사용하는 것에 합의하여 농지 임대차 계약을 체결하였다. 그리고 A는 B에게 농지 사용료를 지불하고 1년간 농지를 사용하였다. 농지법을 위반한 이 사안에 대해 대법원이 내린 판결은 다음과 같이 요약된다.

– A와 B가 '농지법'을 위반한 계약을 맺은 상황입니다. 계약과 법률이 충돌하는 상황인데, 이때의 '농지법'은 '임의 법규', '단속 법규', '강행 법규' 중 무엇일까요?

──────[보기]──────

첫째, 법률을 위반하여 농지를 빌려 준 사람에게는 벌금이 부과된다. 둘째, 이 사건의 농지 임대차 계약은 농지법을 위반한 것이므로 무효이다. 셋째, 농지를 빌려 준 사람은 받은 사용료를 반환해야 한다. 넷째, 농지를 빌린 사람은 농지를 빌려 써서 얻은 이익을 농지를 빌려 준 사람에게 반환해야 한다.

– 판결을 보니 '벌금', 즉 '법적 불이익'이 부과되었고, 계약이 '무효'가 되었습니다! 이렇게 되면 '농지법 위반'은 '강행 법규'로 처리된다는 것을 알 수 있는데, '강행 법규'의 경우 '부당 이득 반환 청구권'의 유무로 또 나뉘었습니다. 셋째, 넷째 판결을 보니, '부당 이득'을 모두 반환하라는 명령이 떨어졌네요. '위조지폐 제작'처럼 '비도덕적·반사회적'인 행동까지는 아닌 상황입니다. 일반적인 '강행 법규'의 상황임을 체크하고, 선지 판단해봅시다.

① A와 B가 농지 임대차 계약을 체결할 때에는 사법(私法)의 적용을 받지 않겠군.

명시적 근거	2문단 1번 문장
실전에서의 판단 과정	계약 체결 자체가 사법이잖아.
해설	'사법'의 정의는 '개인과 개인 간의 재산'에 대한 법이에요. 이것도 A와 B라는 개인 간의 재산을 이용한 거래이니, 당연히 '사법'으로 다뤄야겠죠.

② B에게 벌금을 부과하는 것은 A와 B가 맺은 농지 임대차 계약이 효력이 있음을 인정하지 않았기 때문이겠군.

명시적 근거	1문단 4번 문장
실전에서의 판단 과정	벌금 부과랑 계약 무효는 다른 카테고리인데?
해설	'벌금 부과'는 '법적 불이익'에 대한 카테고리 속 정보이고, '계약 무효'는 '우선 적용'에 대한 카테고리 속 정보입니다. 둘은 서로 다른 카테고리에 속한 정보이기 때문에, '때문이겠군.'이라는 인과 관계를 맺을 수 없어요. 이러한 '카테고리 오류'에 조심하셔야 합니다!

물론, 애초에 '벌금 부과'보다 '계약 무효'가 더 강한 제한이니 '계약 무효'가 '벌금 부과'의 원인이 된다는 건 말이 안 되기도 하죠? 이렇게 '지문에 있는 말'만 골라 썼지만 사실은 틀린 선지들에 주목해야 합니다. 시험장에서 여러분을 괴롭히는 선지들이에요. |

③ B에게 벌금을 부과하는 것만으로는 이 계약의 내용을 규제하는 법률의 입법 목적을 실현하기에 부족하다는 점을 고려하여 계약을 무효로 판결한 것이겠군.

명시적 근거	6문단 2번 문장
실전에서의 판단 과정	비례 원칙!
해설	'입법 목적'이라는 말을 보자마자 '비례 원칙'이 떠올라야 합니다. B에게 '벌금 부과' 외에도 '계약 무효'라는 제약을 거는 것은 그렇게 하는 것이 '필요한 만큼만 최소로' 제한하는 것이기 때문이겠죠? '계약 무효'까지 해야 '최소'의 제한이 되기 때문에, '벌금 부과'만으로는 입법 목적 실현이 어렵다는 3번 선지의 내용은 적절하다고 할 수 있습니다.

④ A가 농지를 빌려 써서 얻은 이익을 B에게 반환하라고 판결한 것은 급부의 내용이 비도덕적이거나 반사회적인 행동에 해당한다고 판단했기 때문이겠군.

명시적 근거	5문단 2번 문장
실전에서의 판단 과정	그럼 반환을 못하게 했겠지.
해설	'비도덕적·반사회적' 행동은 '강행 법규' 중에서도 '부당 이득 반환 청구권'을 인정하지 않는 경우였죠? 〈보기〉는 이를 인정하는 상황이니, '비도덕적·반사회적' 행동이라고 보기는 어렵겠습니다.

⑤ B가 A에게서 받은 사용료를 반환하라고 판결한 것은 사용료가 부당 이득에 해당하지 않는다고 판단했기 때문이겠군.

명시적 근거	4문단 4번 문장
실전에서의 판단 과정	부당 이득이니까 돌려받은 거잖아.
해설	B가 A에게서 받은 사용료는 무효인 계약으로 인해 발생한 급부로 얻은 '부당 이득'입니다. 그렇기에 이를 반환한 것이죠?

선지	①	②	③	④	⑤
선택률	2%	4%	2%	1%	91%

10 문맥상 의미가 ⓐ와 가장 가까운 것은? ⑤

① 커피를 쏟아서 옷에 얼룩이 <u>졌다</u>.
② 네게 계속 신세만 <u>지기가</u> 미안하다.
③ 우리는 그 문제로 원수를 <u>지게</u> 되었다.
④ 아이들은 배낭을 <u>진</u> 채 여행을 떠났다.
⑤ 나는 조장으로서 큰 부담을 <u>지고</u> 있다.

```
                    몰랐던 어휘 정리하기



```

| 핵심 **point** |

① **화제 check** : 독서 지문 독해의 처음이자 끝. 첫 문단에서 잡은 '화제의 틀'을 마지막 문단까지 놓지 않아야 합니다.
② **사례-원리 연결** : 모든 사례는 어떠한 추상적인 원리를 구체화하는 역할을 합니다. 둘을 연결지으며 확실하게 이해하고 가는 태도가 중요합니다.
③ **카테고리 나누기** : 정보들의 범주가 나뉠 때, 그들이 서로 다른 카테고리에 속한다는 것을 인지해야 합니다. 이렇게 각 카테고리에 맞춰 정보를 정리하면 훨씬 깔끔하게 정리할 수 있다는 것을 기억해 주세요.
④ **예외 인식** : 일반적이지 않은 '예외'는 언제나 중요한 출제 포인트로 작용합니다. 확실하게 체크합시다.

| 지문 내용 총정리 |

'사례'와 '예외'를 이용한 전형적인 법 지문이었습니다. 나아가 마지막 문단에 등장했던 '비례 원칙'을 활용한 정답 선지가 두 개나 나오는 모습이었어요. 마지막 문단까지 집중하는 습관을 들이도록 합시다.

1문단

①사유 재산 제도하에서는 누구나 자신의 재산을 자유롭게 처분할 수 있다. ②그러나 기부와 같이 어떤 재산이 대가 없이 넘어가는 **무상 처분 행위**가 행해졌을 때는 그 당사자인 무상 처분자와 무상 취득자의 의사와 무관하게 그 결과가 번복될 수 있다. ③무상 처분자가 사망하면 **상속이 개시**되고, 그의 상속인들이 유류분을 반환받을 수 있는 권리인 **유류분권**을 행사할 수 있기 때문이다. ④이때 무상 처분자는 피상속인이 되고 그의 권리와 의무는 상속인에게 이전된다.

①~② #수식된 정의 제시 #단어의 의미 살리기 #예외 제시

'사유 재산 제도'에 대한 이야기로 시작하고 있습니다. 단어의 의미 그대로, '사유 재산'을 보장한다는 것이기에 자신의 재산을 자유롭게 처분할 수 있다는 건 당연한 말입니다. 일종의 '대원칙'에 해당하는 것이죠.

그런데 '무상 처분 행위'가 행해질 수 있다고 합니다. 이는 단어의 의미 그대로, 재산이 '무상'(=대가 없이)으로 '처분'(=넘어가는)되는 행위를 말하는 것이네요. 이 정의를 체크하는 것은 기본이고, 무상 처분자와 무상 취득자의 '의사와 무관'하게 결과가 번복된다는 말에 주목하셔야 합니다. '무상 처분'의 결과가 번복된다는 것은 넘어갔던 재산이 원래 주인에게로 돌아간다는 뜻인데, 이는 재산 처분의 자유를 보장하는 '사유 재산 제도'의 정신을 훼손하는 것이니까요. 즉, 엄청난 '예외'에 해당한다는 것입니다. 결국 이 지문은 '무상 처분 행위'라는 '예외'적인 상황에 주목하면서 전개되겠네요. 어떻게 '의사와 무관'하게 재산이 이동할 수 있는 것일까요?

③~④ #재진술 #수식된 정의 제시

이는 '상속 개시'라는 특수한 상황 때문이었습니다. '상속 개시'는 무상 처분자가 '사망'했을 때 일어나는 일인데, 이때는 그 무상 처분자의 상속인들이 '유류분권'을 행사할 수 있다고 해요. '유류분'이 무엇인지는 잘 모르겠지만, '상속'을 받을 수 있는 상황이 되었기에 '무상 처분'된 재산의 이동이 당사자들의 '의사와 무관'하게 일어나는 것이었습니다. 이런 상황이 되면 무상 처분자는 '피상속인'이 되고, 그들의 상속인들에게 권리와 의무가 넘어간다고 해요. '상속'에 대해서는

살면서 대충이나마 들어본 내용이 있으니 충분히 납득할 수 있겠죠? 특히 피상속인의 권리뿐 아니라 그가 지고 있던 빚 등의 '의무'도 이전된다는 것을 알아두시면 좋겠습니다. 상속을 받으려면, 피상속인이 지고 있던 빚 등의 의무까지도 이어받아야 하는 거예요!

일단 도대체 '유류분'이 무엇인지부터 알아야겠습니다. 나아가 '유류분권'의 행사가 구체적으로 어떻게 '무상 처분'된 재산을 이동시키는 것인지 궁금해하면서 알아보면 되겠죠? 화제의 흐름을 정확하게 잡아두고 다음 문단으로 가봅시다.

하이라이트 문장

②그러나 기부와 같이 어떤 재산이 대가 없이 넘어가는 무상 처분 행위가 행해졌을 때는 그 당사자인 무상 처분자와 무상 취득자의 의사와 무관하게 그 결과가 번복될 수 있다.

법 지문은 '예외'에 주목하는 것이 중요합니다. '무상 처분 행위'의 정의를 읽으면서 이것이 '사유 재산 제도'라는 대원칙 속 예외라는 것을 생각할 수 있어야 해요. 정보를 정리하는 데 큰 도움을 줄 겁니다.

2문단

①유류분은 피상속인의 무상 처분 행위가 없었다고 가정할 때 상속인들이 상속받을 수 있었을 이익 중 법으로 보장된 부분이다. ②만약 상속인이 피상속인의 자녀 한 명뿐이면, 상속받을 수 있었을 이익의 $\frac{1}{2}$만 보장된다. ③상속인들이 상속받을 수 있었을 이익은 상속 개시 당시에 피상속인이 가졌던 재산의 가치에 이미 무상 취득자에게 넘어간 재산의 가치를 더하여 산정한다. ④유류분은 상속인들이 기대했던 이익을 보호하기 위한 것이기 때문이다.

①~② #정의 제시

'유류분'을 정의하고 있습니다. 굉장히 중요한 개념이니, 확실하게 그 정의를 이해하고 넘어가야 합니다. 일단 '피상속인'(=무상 처분자)의 무상 처분 행위가 없었다고 가정해야 합니다. 아마 이런 부분 때문에 무상 취득자 등의 '의사와 무관'하게 결과가 번복될 수 있는 것 같아요. 아무튼, 이러한 가정 속에서 '상속인들이 상속받을 수 있었을 이익' 중 '법으로 보장된 부분'이 바로 '유류분'입니다. 단순히 '피상속인의 재산' 전부가 '유류분'이 아닙니다. '상속받을 수 있었을 이익' 중 '법으로 보장된 부분'이 핵심입니다. 상속인들은 이러한 부

분에 대한 권리를 주장할 수 있기 때문에, '무상 처분'의 결과가 번복될 수 있는 것이네요.

한편, 상속인이 피상속인의 자녀 한 명이라면 '상속받을 수 있었을 이익'의 절반이 보장된다고 합니다. 이것이 바로 법으로 보장되는 '유류분'에 해당되는 것이겠죠? 이것도 넓게 보면 '유류분'이라는 개념의 정의로 처리할 수 있겠네요. 여기서 자녀 한 명이 아니라 더 많은 경우에는 계산이 복잡해지겠다는 생각까지 해준다면 정말 좋을 것 같습니다. 이런 추론 과정이 머릿속에서 자연스럽게 일어나야 해요!

③~④ #정의 제시 #화제의 흐름 #재진술

'상속받을 수 있었을 이익'이 도대체 무엇인지 궁금했는데, 친절하게 정의해주고 있습니다. 역시 시간을 써서 확실하게 이해하고 넘어갈 수 있어야 합니다. 먼저 '상속 개시 당시에 피상속인이 가졌던 재산의 가치'라는 말은 쉽게 납득할 수 있겠습니다. '상속 개시', 즉 '사망'한 당시에 가지고 있는 재산이 자녀 등의 상속인에게 상속된다는 것은 당연하니까요. 여기서 '무상 취득자에게 넘어간 재산의 가치'까지도 '상속받을 수 있었을 이익'에 포함됩니다. 즉, 이 재산까지 '유류분' 계산이 쓰이기 때문에 '무상 처분 행위'의 결과가 번복될 수 있는 것이었죠.

조금 더 정확하게 이해시켜주기 위해, '유류분'의 목적까지 설명해주고 있습니다. 이는 '상속인들이 기대했던 이익'을 보호하기 위한 것이라고 해요. 여기서 '상속인들이 기대했던 이익=상속받을 수 있었을 이익의 일부'로 재진술할 수 있어야겠죠? 상속인들은 무상 처분된 재산도 상속받을 것이라 기대했을 것이기 때문에, 이를 보장해주어야 한다는 게 핵심인 것 같습니다.

내용이 되게 어려워보이지만, 결국 한마디로 '기대한 만큼 상속해주어야 하고, 이를 위해 무상 처분된 재산을 돌려받아야 한다.'라는 간단한 논리네요. 이렇게 확실하게 납득하면서 계속 읽어보도록 합시다.

하이라이트 문장

> ④유류분은 상속인들이 기대했던 이익을 보호하기 위한 것이기 때문이다.

'때문이다'라는 표지를 보고서 앞 문장과 같은 말임을 파악해야 하고, 이를 통해 '상속인들이 기대했던 이익'이 의미하는 바를 확실하게 정리할 수 있어야 합니다. 추상적인 용어들은 최대한 구체화시켜서 가져갈 수 있어야 해요!

3문단

> ①피상속인이 상속 개시 당시에 가졌던 재산으로부터 상속받은 이익이 있는 상속인은 유류분에 해당하는 이익의 일부만 반환받을 수 있다. ②유류분에 해당하는 이익에서 이미 상속받은 이익을 뺀 값인 유류분 부족액만 반환받을 수 있기 때문이다. ③유류분 부족액의 가치는 금액으로 계산되지만 항상 돈으로 반환되는 것은 아니다. ④만약 무상 처분된 재산이 돈이 아니라 물건이나 주식처럼 돈 이외의 재산이라면, 처분된 재산 자체가 반환 대상이 되는 것이 원칙이다. ⑤다만 그 재산 자체를 반환하는 것이 불가능한 때에는 무상 취득자는 돈으로 반환해야 한다. ⑥또한 재산 자체의 반환이 가능해도 유류분권자와 무상 취득자의 합의에 의해 돈으로 반환될 수도 있다.

①~② #화제의 흐름 #수식된 정의 제시 #단어의 의미 살리기

이렇게 상속인들은 피상속인들로부터 '유류분'까지는 확정적으로 받을 수 있습니다. 따라서 이미 상속받은 것이 있다면, '유류분'에 '부족'한 금'액'만 반환받을 수 있을 겁니다. 너무나 당연한 말이죠? 법 지문에서 자주 등장하는 '과잉 금지의 원칙'과 관련된 것입니다. 자신의 몫을 초과해서 반환받는 것은 불가능한 일이에요. 나아가 여기서 '반환'이라고 하면 '무상 취득자'에게 돌려받을 '무상 처분자'의 재산을 말한다는 것까지 생각할 수 있어야 합니다. 이 지문은 '무상 처분 행위'라는 하나의 예외를 중심으로 전개되고 있으니까요.

③~⑥ #예외 제시

이러한 '유류분 부족액'의 가치는 단어의 의미 그대로 '금액'으로 계산됩니다. 하지만 항상 돈으로 반환되는 것은 아니라고 해요. 그렇다면 일반적으로는 돈으로 반환된다는 뜻이고, 그렇지 않은 '예외'가 존재한다는 것이겠죠? 이 '예외'는 문제로 출제하기 너무나 좋은 부분이니 확실하게 정리하도록 합시다.

이 '예외'는 바로 무상 처분된 재산이 '돈 이외의 재산'인 경우입니다. 이때는 돈이 아니라 재산 자체를 반환하는 것이 원칙이라고 해요. 너무나 당연한 말이어서 쉽게 납득할 수 있을 것 같습니다. 나아가 그 재산을 반환하는 게 불가능하다면, '돈'으로 반환해야 한다는 당연한 이야기도 끄덕거리면서 받아들여야 합니다. 마지막으로 재산의 반환이 가능하더라도, '합의'가 있다면 '돈'으로 반환될 수 있다는 점도 쉽게 이해할 수 있죠? 역시 법 지문에 자주 나오는 '사적 자치의 원칙' 혹은 '계약 자유의 원칙'에 따라, 합의가 있으면 그 내용대로 행동하면 되는 것입니다.

이렇게 최대한 당연한 말로 만들어 '납득'해주시는 게 중요합니다. 이렇게 당연하게 납득된 정보의 양과 문제 풀이 시간은 반비례하니까요. 진짜 실력자들은 답을 맞히는 사람이 아니라, 압도적인 '생각의 힘'을 바탕으로 '빠르게' 맞히는 사람이라는 걸 기억하세요.

하이라이트 문장

> ③유류분 부족액의 가치는 금액으로 계산되지만 항상 돈으로 반환되는 것은 아니다.

'항상 돈으로 반환되는 것은 아니'라고 했으니, '일반적으로는 돈으로 반환되는 것이 맞'다는 내용을 생각할 수 있어야 합니다. 나아가 이로부터 '돈으로 반환되지 않는 경우'라는 예외가 제시될 것이라는 점을 생각할 수 있겠죠? 평가원에서 자주 사용하는 예외 제시 방식이에요.

4문단

> ①무상 처분된 재산이 물건이라면 유류분 반환은 어떤 형태로 이루어질까? ②무상 취득자가 반환해야 할 유류분 부족액이 무상 처분된 물건의 가치보다 적다면 유류분권자는 그 물건의 가치에 상당하는 금액에서 유류분 부족액이 차지하는 비율만큼 무상 취득자로부터 반환받을 수 있다. ③이로 인해 하나의 물건에 대한 소유권이 여러 명에게 나눠지는데, 이때 각자의 몫을 **지분**이라고 한다.

① #카테고리 나누기

물음의 형태로 새로운 카테고리를 만들고 있습니다. 앞 문단에 따르면, 무상 처분된 재산이 '물건'인 경우는 '유류분 부족액'을 '돈'이 아닌 '물건' 자체로 반환해야 하는 상황입니다. 사실 생각해 보면 '물건'의 가치가 '유류분 부족액'과 딱 맞아떨어지지 않는 것이 일반적일 텐데, 어떻게 '물건' 자체로 반환할 수 있는지 궁금하긴 합니다.

②~③ #재진술 #수식된 정의 제시
#단어의 의미 살리기

그 답은 2번 문장에 나와 있네요. 상황은 '유류분 부족액'이 '무상 처분된 물건의 가치'보다 적은 상태입니다. 즉, '무상 취득자'가 가지고 있는 물건을 그대로 줘 버리면 '무상 취득자'가 손해를 보는 상황인 것이죠. 반환해야 할 금액보다 더 큰 가치를 가진 물건을 준 것이니까요. 이러한 상황에서 유류분권자(=상속인)는 그 물건의 가치에서 유류분 부족액이 차지하는 '비율'만큼 반환받을 수 있다고 합니

다. 아니 물건을 조각내서 주는 것도 아닐 텐데, 도대체 어떻게 하라는 걸까요?

3번 문장에 따르면, 이는 하나의 물건에 대한 '소유권'이 나눠지는 방식으로 해결됩니다. 즉, 그 물건을 누가 가지고 있든 상관없이 '소유권'이라는 권리 자체를 나눠 갖게 되는 것이죠. 이렇게 되면 물건의 일부를 반환받은 것과 같은 효과가 나타나는 것입니다. 이때 각자의 몫을 '지분'이라고 한다는 것은, '지분'이라는 단어의 의미를 살리면 어렵지 않게 이해할 수 있겠죠?

하이라이트 문장

> ①무상 처분된 재산이 물건이라면 유류분 반환은 어떤 형태로 이루어질까?

물음이 나왔으니, 이에 대한 답을 기다리는 것은 당연합니다. 나아가 '무상 처분된 재산이 물건'이라는 말을 보고서 3문단의 정보를 끌고 올 수 있어야 해요. 모든 정보가 유기적으로 엮이는 느낌이 들어야 합니다.

5문단

> ①무상 처분된 물건의 시가가 변동하면 유류분 부족액을 계산할 때는 <u>언제의 시가를 기준으로 삼아야 할까</u>? ②유류분의 취지에 비추어 <u>상속 개시 당시의 시가를 기준</u>으로 해야 한다. ③다만 그 물건의 시가 상승이 무상 취득자의 노력에서 비롯되었으면 이때는 무상 취득 당시의 시가를 기준으로 계산해야 한다. ④이렇게 정해진 유류분 부족액을 근거로 반환 대상인 **지분을 계산할 때**는, 시가 상승의 원인이 무엇이든 <u>상속 개시 당시의 시가를 기준</u>으로 해야 한다.

① #카테고리 나누기

이번에도 물음으로 시작하고 있습니다. '유류분 부족액'을 계산하는데 무상 취득자에게 넘어간 재산인 '물건'의 시가가 변동하는 경우에는 어떻게 해야 할까요? '유류분 부족액'까지만 반환받을 수 있다는 것이 원칙이기 때문에, 그 물건의 가치가 얼마인지는 굉장히 중요할 수밖에 없습니다. 과연 언제의 시가를 기준으로 삼아야 할까요? 역시 새로운 카테고리가 제시되었다는 것을 생각하면서 계속 읽어보도록 합시다.

②~③ #재진술 #예외 제시

답은 간단합니다. '유류분의 취지'에 비추어, '상속 개시 당시의 시가'가 기준이 되어야 한다고 해요. 그렇다면 여기서 말하는 '유류분의 취지'가 무엇인지 스스로 생각할 수 있어야겠죠? '유류분의 취지'는 바로 '상속인들이 기대했던 이익 보호'였습니다. 상속인들 입장에선 만약 무상 처분 행위가 없었다면 그 재산이 피상속인에게 그대로 있었을 것이므로, 시가가 어떻게 변했든 상속 개시 당시, 즉 피상속인이 '사망'했을 당시의 시가대로 상속받을 것이라 기대할 수 있다는 것이죠. 따라서 '상속 개시 당시'의 시가를 기준으로 하는 것이 당연하겠습니다. 충분히 납득할 수 있겠죠?

다만 여기에도 '예외'는 있습니다. 그 물건의 시가 상승이 무상 취득자의 노력 덕분이라면, 그만큼의 이익을 뺏어갈 수는 없겠죠? '유류분권'을 통해 무상 처분 재산을 반환받는 것은 '상속'의 권리를 보호해주기 위한 것이지, 무상 취득자의 재산을 빼앗는 것이 목적이 아니니까요. 따라서 이때는 무상 취득 당시, 즉 피상속인이 마지막으로 가지고 있었을 당시의 시가를 기준으로 계산하는 것입니다. 역시 당연한 말로 납득하며 읽으시면 되겠습니다.

④ #카테고리 나누기 #재진술

지금까지는 모두 '유류분 부족액'을 계산하는 상황에 대한 내용이었습니다. 즉, '상속인들이 상속받을 수 있었을 이익'이 어느 정도인가를 결정하는 상황이었어요. 그런데 4문단에 따르면, 이렇게 결정된 '유류분 부족액'에 비해 무상 처분된 물건의 시가가 더 높은 경우에는 해당 물건의 '소유권'을 나눠 가지게 됩니다. 이때 각자의 몫에 해당하는 '지분'을 계산해야 하는 것이죠. 여기서부터는 '지분'을 계산하는 상황에 대한 내용으로 카테고리를 나눌 수 있어야겠죠? 확실하게 다른 상황입니다.

이 경우에는 시가 상승 원인에 상관없이 '상속 개시 당시'의 시가를 기준으로 해야 한다고 해요. 역시 당연한 말로 납득할 수 있습니다. '지분'은 해당 물건의 '소유권'을 나눠 갖는 것입니다. 상속 시점에서 해당 물건을 나눠 갖는 개념이기 때문에, 당연히 '상속 시점'의 가치를 바탕으로 나눠 가져야 할 것입니다. 이렇게 최대한 납득하려고 애를 쓰면서 읽어주셔야 해요.

| 생각 심화 |

조금 더 깊게 생각해보면 다음과 같이 생각할 수도 있습니다. 일단 '지분'을 결정하는 단계는 '유류분 부족액'이 정확하게 산정된 이후에 진행되는 것입니다. '유류분 부족액'이 언제의 시가를 기준으로 하든 산정되고 나면, 상속인은 딱 그 돈까지만 받을 수 있게 됩니다. 반대로 생각하면, 그 돈만 보장받으면 문제가 없다는 것이죠.

이제 지문에서 제시한 대로 무상 처분된 물건의 시가가 상승한 경우를 생각해 봅시다. 만약 '무상 취득 당시의 시가'를 기준으로 '지분'을 정하면, '상속 개시 당시의 시가'를 기준으로 할 때보다 무상 취득자의 몫이 적어집니다. 예를 들어 물건의 시가가 10에서 20이 되었고 '유류분 부족액'이 5라면, '무상 취득 당시의 시가'를 기준으로 하면 무상 취득자의 '지분'은 50%가 되지만 '상속 개시 당시의 시가'를 기준으로 하면 75%가 되니까요. 상속인이 가져갈 '금액'이 고정된 것이지 '비율'이 고정된 것이 아니기 때문에, 상속인의 '금액'은 보장하면서 무상 취득자의 '비율'도 최대한 챙겨주는 것이라고 보면 되겠습니다.

어차피 해당 물건을 돈으로 바꿔 나누는 게 아니라 '소유권'을 나누는 개념이기 때문에, 상속인은 '유류분 부족액'에 상당하는 '소유권'만 가져가면 문제가 없습니다. 하지만 무상 취득자의 입장에선 '지분'(=비율)을 얼마나 가져가느냐에 큰 차이가 생기기에, 최대한 무상 취득자가 유리하게 해 준다는 개념으로 보시면 되겠습니다. 이 역시 '과잉 금지의 원칙'과 관련된 것이에요. 어쨌든 무상 취득자는 자신의 재산권을 침해당하는 것인데, 그 침해의 정도를 최소화시켜주겠다는 것이죠.

만약 평가원이 이 정도까지의 생각을 요구했다면 조금 더 자세한 설명을 곁들였을 겁니다. 따라서 이렇게 생각하지 못했다고 좌절할 필요는 없어요. 그래도 이렇게 해보려고 애쓰는 과정에서 국어 실력이 크게 는다는 점은 부정할 수 없겠죠?

하이라이트 문장

> ④이렇게 정해진 유류분 부족액을 근거로 반환 대상인 지분을 계산할 때는, 시가 상승의 원인이 무엇이든 상속 개시 당시의 시가를 기준으로 해야 한다.

은근슬쩍 '유류분 부족액'과 '지분' 계산이라는 두 가지 카테고리로 나눌 것을 요구하는 문장입니다. 확실하게 나눠줄 수 있어야겠죠? 나아가, 이렇게 무상 처분된 물건의 시가가 변동하는 경우 '유류분 부족액'과 '지분'을 계산하는 방법이 다르다는 점은 굉장히 헷갈리는 지점일 수밖에 없습니다. 문제로 출제하기 딱 좋은 부분이라고 할 수 있겠죠? 납득하기 힘들다면 최소한 각 상황에 대한 메모라도 된 상태로 넘어가셔야 합니다. 이처럼 특정 부분이 문제로 나올 것 같다는 감이 온다면 더 좋을 것 같아요!

11 윗글의 내용과 일치하지 <u>않는</u> 것은? ②

① 유류분권은 상속인이 아닌 사람에게는 인정되지 않는다.

명시적 근거	2문단 1번 문장
실전에서의 판단 과정	유류분권은 상속인한테 해당되는 것이었지.
해설	'유류분'이라는 개념의 정의만 생각하면 쉽게 지워낼 수 있습니다. '유류분'은 '상속인'들이 상속받을 수 있었을 이익 중 일부를 보장해주는 것이에요. 당연히 상속인이 아닌 사람에게는 인정되지 않겠죠.

② <u>유류분권이 보장되는 범위는 유류분 부족액의 일부에 한정된다.</u>

명시적 근거	2문단 1번~2번 문장, 3문단 1번~2번 문장
실전에서의 판단 과정	유류분 부족액은 애초에 유류분의 일부잖아?
해설	'유류분 부족액'은 '유류분–이미 상속받은 이익'을 말하는 것입니다. '유류분권'이 보장되는 범위는 '유류분' 전체이지, '유류분'의 일부인 '유류분 부족액'은 아니죠. 심지어 그 일부에 한정된다고 했으니, 완전히 틀린 말이 되겠습니다. 애초에 '유류분'은 '상속받을 수 있었을 이익' 중 일부를 보장해주는 것입니다. 그리고 '유류분 부족액'은 그렇게 상속받고도 '유류분'에 미치지 못하는 금액을 말하는 것이었구요. 이 관계를 정확하게 이해했다면 너무나 쉽게 답으로 고를 수 있었을 거예요.

③ 상속인은 상속 개시 전에는 무상 취득자에게 유류분권을 행사할 수 없다.

명시적 근거	1문단 3번 문장
실전에서의 판단 과정	상속이 개시되어야 유류분권을 행사할 수 있다고 했었지.
해설	'유류분권'은 '상속'에 대한 권리로, 피상속인이 사망하여 '상속 개시'가 되어야만 행사할 수 있습니다. 그 전에는 '사유 재산 제도'의 원칙에 따라 무상 처분자의 자유로 무상 취득자에게 처분한 것이기 때문에, 상속인이 반환해달라고 할 권리가 없어요.

④ 피상속인이 생전에 다른 사람에게 판 재산은 유류분권의 대상이 될 수 없다.

명시적 근거	1문단 1번 문장, 2문단 1번 문장
실전에서의 판단 과정	다른 사람한테 팔았으면 더 이상 피상속인의 재산이 아니잖아.
해설	'유류분'은 피상속인의 무상 처분 행위가 없었다고 가정했을 때 상속인들이 '상속받을 수 있었을 이익'을 따지는 것입니다. 피상속인이 생전에 다른 사람에게 판 재산이라면, 무상 처분 행위와 무관하게 애초에 '상속받을 수 없는 이익'이기 때문에 '유류분권'의 대상이 될 수 없겠습니다. 애초에 1문단에서 제시한 '사유 재산 제도'의 대원칙에 따라 피상속인이 생전 자신의 재산을 자유롭게 팔 수 있고, 이 경우 구매자에게 소유권이 넘어간 것이니 이는 '상속받을 수 있었을 이익'에 속하지 않는 것이 되는 겁니다. 조금만 생각해보면 너무나 당연한 말이죠?

⑤ 무상으로 취득한 재산에 대한 권리는 무상 취득자 자신의 의사에 반하여 제한될 수 있다.

명시적 근거	1문단 2번 문장
실전에서의 판단 과정	이 지문의 화제네.
해설	'사유 재산 제도'의 취지와 달리, 상속인이 '유류분권'을 행사하는 경우에는 무상 취득자의 의사에 반하여 무상 처분의 결과가 번복될 수 있었습니다. 이것이 이 지문을 이끌어가는 핵심 예외 사항이었죠. 나아가 여기서 '결과가 번복'된다는 것은 무상 취득자가 취득한 재산을 빼앗기는 것이므로, 그의 재산권을 제한한다고 할 수 있습니다. 화제에 해당하는 내용이니 당연하게 지워낼 수 있어야 해요!

선지	①	②	③	④	⑤
선택률	4%	16%	26%	39%	15%

12 윗글에 대한 이해로 가장 적절한 것은? ④

① 무상 처분된 재산이 물건 한 개이면 유류분권자는 그 물건 전부를 반환받는다.

명시적 근거	4문단 2번 문장
실전에서의 판단 과정	유류분 부족액을 따져야지.
해설	유류분권자는 무상 취득자로부터 '유류분 부족액'에 해당하는 만큼만 반환받을 수 있습니다. 이때 무상 처분된 물건의 가치가 '유류분 부족액'에 비해 크다면 전부를 반환받을 수 없고, 일정 '지분'만큼 그 물건의 소유권을 반환받게 됩니다. '물건'을 반환하는 방법이라는 카테고리를 정확하게 납득했다면 쉽게 지워낼 수 있는 선지일 겁니다.

② 무상 처분된 물건이 반환되는 경우 유류분 부족액이 클수록 무상 취득자의 지분이 더 커진다.

명시적 근거	4문단 2번 문장
실전에서의 판단 과정	유류분 부족액이 크면 무상 취득자가 줄 게 많아지는 건데?
해설	1번 선지 해설에서도 언급했듯이, 상속인은 무상 취득자로부터 '유류분 부족액'에 해당하는 만큼만 반환받을 수 있습니다. 이 금액이 커진다는 것은 무상 취득자에 비해 상속인의 몫이 많아진다는 것이고, 이는 무상 취득자의 '지분'을 줄이는 결과를 낳겠네요. '유류분 부족액'과 '지분'이라는 중요 개념의 정의를 집요하게 묻고 있습니다.

③ 무상 취득자가 무상 취득한 물건을 반환할 수 없게 되면 유류분 부족액을 지분으로 반환해야 한다.

명시적 근거	3문단 5번 문장, 4문단 3번 문장
실전에서의 판단 과정	반환이 불가능하면 돈으로 반환해야지.
해설	무상 취득자가 무상 취득한 물건을 반환할 때는 기본적으로 물건 자체를 반환해야 하지만, 그 물건을 반환하는 것이 불가능하다면 돈으로 반환해야 합니다. 너무나 상식적이어서 가볍게 납득했던 내용이죠? 선지에서 묻는 '지분'은 '물건에 대한 소유권'을 나눠 가진 것이기에 돈이라고 할 수 없겠네요.

④ 유류분권자가 유류분 부족액을 물건 대신 돈으로 반환하라고 요구하더라도 무상 취득자는 무상 취득한 물건으로 반환할 수 있다.

명시적 근거	3문단 4번 문장
실전에서의 판단 과정	물건으로 반환하는 것이 원칙이지.
해설	무상 취득한 재산이 물건이면 그 물건 그대로 반환하는 것이 '원칙'입니다. 반환이 불가능하거나 서로 간에 '합의'가 있을 때는 '예외'이구요. 선지의 상황은 '예외'에 해당하지 않기 때문에, (한쪽이 일방적으로 요구한 건 '합의'가 아니죠?) '원칙'대로 물건 그대로 반환하는 것이 가능하겠습니다. '원칙'과 '예외'를 정확하게 구분할 수 있는지 묻는 문제입니다. 법 지문에서 제일 중요한 부분 중 하나이니 확실하게 정리하도록 합시다.

⑤ 무상 처분된 물건의 일부가 반환되면 무상 취득자는 그 물건의 소유권을 가지고 유류분권자는 유류분 부족액만큼의 돈을 반환받게 된다.

명시적 근거	4문단 2번~3번 문장
실전에서의 판단 과정	물건의 소유권을 나눠 가지는 것이지.
해설	계속해서 무상 처분된 재산이 '물건'인 경우를 이야기하고 있습니다. 이때는 물건 자체로 반환하는 것이 원칙인데, 이 물건의 가치가 유류분 부족액보다 크다면 물건의 '소유권'을 '지분'에 따라 나눠 가지게 되는 것이죠. 누구는 소유권을, 누구는 돈을 가지는 형태가 아닙니다. 반환의 상황을 정확히 이해하는 것이 중요했네요.

선지	①	②	③	④	⑤
선택률	6%	37%	15%	14%	28%

13 윗글을 통해 알 수 있는 ㉠의 이유로 가장 적절한 것은? ②

> ㉠ 유류분의 취지에 비추어 상속 개시 당시의 시가를 기준으로 해야 한다.

– 지문을 읽으면서 미리 이유를 생각했던 부분입니다. '유류분의 취지'는 '상속인들이 기대했던 이익 보호'였습니다. 상속인들은 무상 처분 행위가 없었다면 피상속인의 사망 당시, 즉 '상속 개시' 당시의 시가대로 상속받을 수 있을 것이라 기대했기 때문에 이를 기준으로 '유류분 부족액'을 계산해야 합니다. 이와 비슷한 내용을 찾아봅시다.

① 유류분은 피상속인이 자유롭게 처분한 재산의 일부이어야 하기 때문이다.

명시적 근거	2문단 1번 문장
실전에서의 판단 과정	유류분은 그냥 상속받을 수 있는 재산의 일부지.
해설	'유류분'은 상속받을 수 있었을 이익 중 법으로 보장된 부분이지, 피상속인이 자유롭게 처분한 재산의 일부가 아닙니다. 후자 중 '무상으로 처분한 재산'이 유류분의 일부에 들어갈 뿐인 것이죠. 애초에 정의 자체를 잘못 설정했고, ㉠의 이유는 더욱 아니죠.

② 유류분은 피상속인이 재산을 무상 처분하지 않은 것으로 가정하여 산정되기 때문이다.

명시적 근거	2문단 전체
실전에서의 판단 과정	미리 생각한 내용이네.
해설	'유류분'은 애초에 피상속인이 재산을 무상 처분하지 않았다는 가정하에 '상속인들이 기대했던 이익'만큼 보장해주기 위해 존재하는 법입니다. 미리 생각한 내용과 정확히 맞아떨어지는 선지네요.

③ 유류분은 재산의 가치를 증가시킨 무상 취득자의 노력에 대한 보상으로 인정되는 것이기 때문이다.

명시적 근거	2문단 4번 문장
실전에서의 판단 과정	유류분은 상속인의 권리 보호를 위한 것이지.

| 해설 | '유류분'이라는 것이 근본적으로 왜 보장되는지를 묻는 선지입니다. '유류분'은 상속인들이 기대했던 이익을 보호하기 위한 것이지, 무상 취득자의 노력에 대한 보상이 아닙니다. 이러한 취지에 비추어 ㉠과 같은 결론이 나온 것이죠? |

④ 유류분은 피상속인의 재산에 대해 소유권을 나눠 가진 사람들 각자의 몫을 반영해야 하기 때문이다.

명시적 근거	4문단 3번 문장, 5문단 1번~2번 문장
실전에서의 판단 과정	소유권이나 각자의 몫은 건 유류분 부족액 계산한 후에 정하는 거잖아.
해설	㉠은 '유류분 부족액'을 정하는 방법에 대한 내용입니다. 그런데 '재산에 대한 소유권', '각자의 몫'처럼 '지분'을 따지려면 먼저 '유류분 부족액'을 정해야 해요. 즉, 이 선지의 내용은 ㉠ 이후의 상황과 관련된 것이기 때문에 ㉠과는 무관합니다. 나아가, '유류분'은 '상속인'을 위한 것이지, '소유자'를 위한 것이 아닙니다. 지문에 따르면 무상 취득자처럼 '상속인'이 아닌 사람도 '소유자'가 될 수 있어요. 따라서 '상속인'이 아닌 사람도 챙겨 줘야 한다는 말이 되기에, 애초에 틀린 말을 하고 있는 선지가 되네요.

⑤ 유류분에 해당하는 이익의 가치가 상속 개시 전후에 걸쳐 변동되는 것을 반영해야 하기 때문이다.

명시적 근거	5문단 2번 문장
실전에서의 판단 과정	상속 개시 전후를 왜 따져.
해설	㉠은 상속 개시 '당시'의 시가를 기준으로 해야 한다는 내용입니다. 그런데 상속 개시 '전후'에 걸쳐 이익의 가치가 변동되는 것을 반영한다는 것은 말이 되지 않네요. ㉠ 부분만 제대로 읽었어도 쉽게 지울 수 있는 선지였어요. 나아가, ㉠의 이유는 미리 생각한 대로 '유류분의 취지'와 관련된 것입니다. '유류분의 취지'는 상속 개시 '순간'에 기대했을 이익을 보호해주는 것이지, 상속 개시 '이후'의 이익 변동까지 고려하는 것은 아니에요.

선지	①	②	③	④	⑤
선택률	10%	17%	20%	27%	26%

14 윗글을 바탕으로 〈보기〉를 이해한 내용으로 적절하지 않은 것은? [3점] ④

---[보기]---

갑의 재산으로는 A 물건과 B 물건이 있었으며 그 외의 재산이나 채무는 없었다. 갑은 을에게 A 물건을 무상으로 넘겨주었고 그로부터 6개월 후 사망했다. 갑의 상속인으로는 갑의 자녀인 병만 있다. A 물건의 시가는 을이 A 물건을 소유하게 되었을 때는 300, 갑이 사망했을 때는 700이었다. 병은 갑이 사망한 날로부터 3개월 후에 을에게 유류분권을 행사했다. B 물건의 시가는 병이 상속받았을 때부터 병이 을에게 유류분 반환을 요구했을 때까지 100으로 동일하다.

(단, 세금, 이자 및 기타 비용은 고려하지 않음.)

– 전형적인 사례 제시형 문항입니다. 지문의 내용과 최대한 대응시켜 정리하고 넘어가셔야 합니다.

먼저 갑이 '피상속인', 을이 '무상 취득자', 병이 '상속인'인 상황입니다. 그리고 유이한 재산 중 하나인 A 물건의 시가는 '무상 취득 당시'에는 300, '상속 개시 당시'에는 700이네요. 이 400의 증가가 을의 노력 덕분인지 아닌지에 따라 병의 유류분이 달라질 것입니다.

일단 병의 유류분부터 계산해봅시다. 변동이 있는 A와 달리 B 물건의 시가는 100으로 동일합니다. 그리고 A의 시가가 증가한 것이 을의 노력 덕분이 아니라면 700의 시가를 인정받으므로, 을이 '상속받을 수 있었을 이익'은 둘을 더한 800이 됩니다. 그리고 유일한 자식인 병에게는 이 이익의 절반이 보장되니, 병의 유류분은 400이 되겠네요.

그런데 병은 '상속 개시'와 함께 B를 통해 100을 받은 상황입니다. 그리고 3개월이 지나 을에게 유류분권을 행사한 상황이기 때문에, '유류분 부족액'은 '400(유류분)-100(이미 상속받은 금액)'의 300이 되겠습니다. (1번 선지)

여기서 끝이 아닙니다. 이제 지분 계산을 해야 합니다. 지분은 '상속 개시 당시'의 시가를 기준으로 합니다. 상속 개시 당시 A의 시가는 700이기 때문에, 여기서 병의 '유류분 부족액'인 300에 해당하는 3/7 비율만큼이 바로 병의 '지분'이 되겠습니다. (2번 선지)

이 상황에서 해결 가능한 선지는 1번과 2번 선지입니다.

① A 물건의 시가 상승이 을의 노력과 무관한 경우 유류분 부족액은 300이다.
② A 물건의 시가 상승이 을의 노력과 무관한 경우 유류분 반환의 대상은 A 물건의 $\frac{3}{7}$ 지분이다.

→ 둘 다 맞는 말이죠?

한편, A의 시가가 상승한 것이 을의 노력 덕분이라면 상황이 조금 복잡해집니다. 이 경우에는 을이 '상속받을 수 있었을 이익'이 A의 300(무상 취득 당시의 시가)과 B의 100을 더해 400이 됩니다. 따라서 병의 유류분은 이 절반인 200이 되는 것이죠. 그리고 '상속 개시'와 함께 B를 통해 100을 받은 것은 같기에, 병의 '유류분 부족액'은 '200-100'으로 100이 됩니다. (3번 선지)

이때 지분 계산을 해봅시다. 지분은 무조건 '상속 개시 당시'의 시가가 기준입니다. 따라서 700에서 병의 '유류분 부족액'인 100에 해당하는 1/7 비율만큼만 병의 '지분'이 됩니다. (4번 선지)

③ A 물건의 시가가 을의 노력으로 상승한 경우 유류분 부족액은 100이다.
④ A 물건의 시가가 을의 노력으로 상승한 경우 유류분 반환의 대상은 A 물건의 $\frac{1}{3}$ 지분이다.

→ 이렇게 정리하면, 4번 선지가 정답이라는 것을 쉽게 파악할 수 있네요. 1/3이 아니라 1/7이 되어야 합니다.

마지막 5번 선지도 확인해봅시다.

⑤ A 물건의 시가가 을의 노력으로 상승한 경우와 을의 노력과 무관하게 상승한 경우 모두, 갑이 상속 개시 당시 소유했던 재산으로부터 병이 취득할 수 있는 이익은 동일하다.

→ 선지에서 묻는 것을 정확하게 따져야 합니다. 선지에서는 '갑이 상속 개시 당시 소유했던 재산'에 대해 묻고 있습니다. A는 갑이 상속을 개시할 당시 을의 소유였기 때문에, 이 선지를 판단할 때는 B만을 따져야 합니다. 따라서 A 물건의 시가 상승 원인에 상관없이, 갑이 상속 개시 당시 소유했던 재산으로부터 병이 취득할 수 있는 이익은 B 물건의 시가인 100에 해당합니다.

이렇게 〈보기〉를 정리하는 과정에서 자연스럽게 선지가 지워지도록 하는 것이 가장 이상적인 풀이입니다. 기본적으로 법 지문의 사례형 〈보기〉 문제는 다 비슷한 방식으로 해결할 수 있거든요. 물론 이렇게까지 하지 않고, 선지를 판단하는 과정에서 위의 사고 과정을 한 단계씩 차근차근 밟아나가도 무방합니다. 하지만 중요한 것은 '사례를 지문의 원리에 대응시킨다.'라는 대원칙을 지켜주는 것이에요.

| 핵심 point |

① 화제 check : 독서 지문 독해의 처음이자 끝. 첫 문단에서 잡은 '화제의 틀'을 마지막 문단까지 놓지 않아야 합니다.

② 재진술 인식 : 같은 말이라도 다르게 표현되는 경우가 많습니다. 심지어 아예 똑같은 말이 반복되는 경우도 많아요. 이 '같은 말'에 민감하게 반응하면, '정보량'을 줄이면서 읽을 수가 있습니다.

③ 카테고리 나누기 : 정보들의 범주가 나뉠 때, 그들이 서로 다른 카테고리에 속한다는 것을 인지해야 합니다. 이렇게 각 카테고리에 맞춰 정보를 정리하면 훨씬 깔끔하게 정리할 수 있다는 것을 기억해 주세요.

④ 예외 인식 : 일반적이지 않은 '예외'는 언제나 중요한 출제 포인트로 작용합니다. 확실하게 체크합시다.

| 지문 내용 총정리 |

'예외'를 중심으로 다양한 상황을 제시하고 있고, 〈보기〉 문제를 통해 '사례'와 연결지을 수 있는 능력까지 물어본다는 점에서 아주 전형적인 법 지문이었습니다. 나아가 법은 합리적으로 만들어진 것이기 때문에, 합리성을 바탕으로 최대한 납득하려고 하면 당연한 말로 만들 수 있음을 잘 보여 준 지문이었습니다. 거기에 추론을 요구하는 선지들까지 있어 공부의 재료로 매우 훌륭한 지문이었네요. 그래도 여타 킬러 법 지문에 비해 그렇게까지 어렵지는 않기 때문에, 여러 번 복습해서 확실하게 본인의 것으로 만들도록 합시다.

1문단

> ①물건을 사용하고 있는 사람이 그 물건의 주인일까? ②점유란 물건에 대한 사실상의 지배 상태를 뜻한다. ③이에 비해 소유란 어떤 물건을 사용·수익·처분할 수 있는 권리를 가진 상태라고 정의된다. ④따라서 점유자와 소유자가 항상 일치하지는 않는다.

① #화제 제시

'물건을 사용하고 있는 사람이 주인일까?'라고 물어보면서 시작됩니다. 물음으로 지문을 시작하고 있다는 건, 그 물음에 대한 답이 화제임을 알려주는 것이라고 했습니다. 이 지문은 물건의 '사용자'와 '주인'이 같은지에 대한 답을 내려줄 것이에요. '사용'과 '주인'이라는 말에 주목하면서 계속 읽어보도록 합시다.

②~③ #정의 제시 #재진술 #비교/대조

이에 대한 답을 기다리며 읽는데, '점유'와 '소유'라는 개념에 대해 설명해 주네요. 먼저 '점유'는 물건에 대한 '사실상의 지배 상태'를 의미한다고 해요. 이를 그냥 받아들이지 않고, '사용' 및 '주인'이라는 말에 연결지을 수 있어야 합니다. '사실상 지배'한다는 건, 그 물건을 '사용'한다는 의미와 그 물건의 '주인'이라는 의미를 동시에 가지고 있다고 할 수 있겠습니다. 그렇다면 '점유=사용or주인이 할 수 있는 것'과 같은 방식으로 정리하면서 읽을 수 있겠죠?

한편 '소유'의 경우, 어떤 물건을 '사용'하고 그것을 바탕으로 '수익'을 낼 수 있으며 언제든지 그 물건을 '처분'할 수 있는 '권리'를 가진 상태를 의미합니다. 저러한 행동은 '주인'만이 가능한 것이라고 할 수 있겠죠? 따라서 '소유=주인이 하는 것'으로 정리할 수 있겠습니다. 이렇게 첫 문장의 물음에 개념들의 정의를 대입하며 읽을 수 있어야 해요.

④ #재진술 #화제의 흐름

이런 이유 때문에, '점유자'와 '소유자'가 '항상 일치하지는' 않는다고 해요. 이 말의 뉘앙스는 '보통은 일치하는데, 그렇지 않은 경우도 있다.' 정도가 되겠죠? 앞에서 정리한 정의에 따르면, '점유자=사용자or주인'이고 '소유자=주인'이라고 할 수 있습니다. 따라서 '점유자'가 '주인'인 경우에는 '소유자'와 일치하겠지만, '사용자'인 경우에는 '소유자'와 일치하지 않을 수 있는 것이에요. 결국 첫 번째 물음에 대한 답은 '아니오.'가 되는 것이었습니다. '점유자'가 '사용자'인 경우에는

'사용하고 있는 사람'이 '주인'이 아닐 수도 있는 것입니다!

이렇게 개념의 '정의'를 바탕으로 화제의 흐름을 잡아주셔야 합니다. 이 지문은 아마 '점유자≠소유자'인 경우에 주목할 것 같아요. '항상 일치하지는 않는다'라는 표현을 바탕으로 생각할 수 있겠죠? 이렇게 화제를 정확하게 잡아두고 계속 읽어보도록 합시다.

하이라이트 문장

> ④따라서 점유자와 소유자가 항상 일치하지는 않는다.

지문의 화제를 제시하는 문장입니다. '항상 일치하지는'이라는 표현에 주목하여 이 지문이 '점유자≠소유자'인 경우에 대해 설명하고 있다는 점을 생각할 수 있어야 합니다. 너무 어려운 거 아니냐구요? 맞아요. 그런데 이 정도 수준의 지문을 뚫으려면 이 정도 수준의 생각은 할 수 있어야 해요.

2문단 (1)

> [A] ①물건을 빌려 쓰거나 보관하고 있는 것을 포함하여 물건을 물리적으로 지배하는 상태를 직접점유라고 한다. ②이에 비해 어떤 물건을 빌려 쓰거나 보관하는 사람에게 그 물건의 반환을 청구할 수 있는 권리를 가진 사람도 사실상의 지배를 한다고 볼 수 있다. ③이와 같이 반환청구권을 가진 상태를 간접점유라고 한다. ④직접점유와 간접점유는 모두 점유에 해당한다.

①~④ #수식된 정의 제시 #단어의 의미 살리기
#비교/대조 #화제의 흐름

1문단에서 정의해주었던 '점유'를 두 가지로 나누어 설명하고 있습니다. 먼저 '직접점유'입니다. 단어의 의미 그대로, '직접'적으로 '점유'하는 경우를 의미하네요. '물리적 지배=직접적·사실적으로 지배'라는 식으로 이해할 수 있겠죠? 계속해서 '점유'의 정의를 끌어오셔야 해요!

또한 '간접점유'의 경우, 단어의 의미 그대로 '간접'적으로 '점유'하는 것을 말합니다. 여기서 '간접'적이라는 것은 그 물건을 '직접' 지배(=점유)하는 것이 아니라 '직접점유'하고 있는 사람에게 '반환'을 '청구'할 수 있는 '권'리를 가지는 것을 의미하네요. '직접점유'와 '간접점유' 모두 '점유'에 해당하는 건 너무나 당연하겠죠? '물리적 지배'를 하는 경우나 '반환청구권'을 가지는 경우 모두 '사실적으로 지배'하는 상태를 의미하는 겁니다!

여기서 끝나면 안 됩니다. 이 지문의 화제인 '점유자≠소유자'를 생각하면서 정리할 수 있어야 해요. 일단 '직접점유'의 경우, '물리적 지배'를 하는 것이기에 '사용자'가 하는 것임을 알 수 있습니다. 이 '직접점유자'는 단순한 '사용자'일 수도 있고, '주인'일 수도 있는 것이죠. 한편 '간접점유'는 다른 '직접점유자'에게 반환을 청구할 수 있는 '권리'를 가진 상태예요. '권리'를 가진다는 것은 1문단의 정의에 따라 '소유자=주인'이라는 뜻이니, '간접점유자'는 반드시 '소유자=주인'이 된다고 할 수 있겠습니다.

그런데, '간접점유자'가 존재하려면 반드시 '직접점유자'가 있어야 합니다. 애초에 '간접점유'의 정의 자체가 '물건을 빌려 쓰거나 보관하는 사람', 즉 '물리적 지배=직접점유'하는 사람에게 반환을 청구할 수 있는 경우니까요. 그렇다면 '간접점유자'가 존재하는 상황은 '직접점유자', 즉 '사용하는 사람'과 '간접점유자', 즉 '주인'이 서로 다른 상황이라고 할 수 있겠어요! 다시 말해, '간접점유'의 상황이 되어야만 비로소 이 지문의 화제인 '점유자≠소유자'의 상황이 나타날 수 있다는 겁니다.

결국 이 지문은 '직접점유자=물건을 사용하는 사람'과 '간접점유자=그 물건의 주인'이 서로 다른 상황에 대해 이야기를 하는 것이었습니다. '간접점유'가 이 지문의 핵심이었던 것이죠! 사실 이는 '생각 심화'라고 볼 수 있을 만큼 매우 어려운 생각들이지만, 이 지문을 완벽하게 이해하는 데 필수적인 생각이기도 합니다. 어려워도 견딜 수 있어야 합니다.

그렇다면 이런 생각을 하기 위해 필요한 태도를 정리해봅시다. 먼저 첫 문단의 '물음'에 주목하며 '화제'를 생각할 수 있었어야 합니다. 그리고 '점유', '소유', '직접점유', '간접점유'라는 개념들의 '정의'를 정확하게 체크하며, 여기서 나오는 모든 말을 '점유자≠소유자'라는 화제에 연결지었습니다. 결국, '화제'를 생각하고 '정의'를 그 화제에 연결짓는다는 아주 기본적인 태도가 이러한 독해를 가능하게 한 거예요. 모든 고난도 지문의 처리는 탄탄한 기본기에서 온다는 것, 절대로 잊지 맙시다.

2문단 (2)

> ⑤점유는 소유자를 공시하는 기능도 수행한다. ⑥공시란 물건에 대해 누가 어떤 권리를 가지고 있는지를 알려 주는 것이다. ⑦물건 중에서 피아노, 금반지, 가방 등과 같은 대부분의 동산은 점유에 의해 소유권이 공시된다.

⑤ #카테고리 나누기

하나의 문단에서도 카테고리가 나뉠 수 있다고 했습니다. 지금까지는 '간접점유'라는 핵심 개념을 정의하는 데에 초점이 맞춰져 있었다면, 이제부터는 '소유자 공시'라는 새로운 카테고리에 대한 이야기를 할 거예요. '점유'가 '소유자를 공시'한다는 게 무슨 말일까요?

⑥~⑦ #정의 제시 #사례-원리 연결 #화제의 흐름

'공시'란 누가 어떤 권리를 가지고 있는지를 알려 주는 것입니다. '공시'라는 어휘의 의미 그대로죠? 그렇다면 '점유'를 하는 경우에는 '점유자'가 곧 '소유자'임이 공시되는 것이라고 할 수 있겠습니다. '점유자'가 정말로 실제 '소유자'인지는 알 수는 없지만, 일단 '점유'를 하고 있다는 것만으로 '소유자'로 추정된다는 것이죠. '공시'의 정의를 바탕으로 확실하게 납득할 수 있어야 합니다.

대부분의 동산(動움직일 동/産낳을 산 – 움직일 수 있는 물건↔부동산)에 대한 사례를 들어주면서 이를 확실하게 해 주고 있네요. '피아노, 금반지, 가방'과 같은 동산들은 '사실적 지배'를 하고 있는 사람이 곧 '소유자'라고 생각할 수 있는 것이에요. '직접점유'와 '간접점유' 모두 '점유'에 해당한다고 했으니, 두 경우 모두 '소유권 공시'가 일어난다고 할 수 있겠죠?

그런데 사실 조금만 생각해보면, 이 지문의 핵심인 '간접점유자'가 존재하는 경우 '점유'를 하는 사람이 두 명 이상임을 알 수 있습니다. '간접점유자'는 반드시 '직접점유자'를 필요로 하니까요. 이 경우 '소유권'을 가진다고 '공시'하는 사람도 여럿이 되기에, 여러모로 골치 아픈 상황이 일어날 것이라는 점을 생각할 수 있습니다. 혹시나 이 부분에 대해서도 이야기를 하지 않을까 생각한다면 정말 완벽하게 읽고 있는 것이라 할 수 있겠습니다.

3문단 (1)

> ①물건의 소유권이 양도되려면, 소유자가 양도인이 되어 양수인과 유효한 양도 계약을 하고 이에 더하여 소유권 양도를 공시해야 한다. ②점유로 소유권이 공시되는 동산의 소유권 양도는 점유를 넘겨주는 점유 인도로 공시된다.

① #카테고리 나누기 #재진술

지금까지는 물건의 '소유권'을 누가 가지고 있다고 할 수 있는지에 대한 내용을 읽었는데, 이제부터는 그 '소유권'을 '양도'하는 상황에 대한 이야기를 할 것입니다. 이렇게 '카테고리'가 나눠지는 경우에 아주 민감하게 반응할 수 있어야 해요. 이것이 곧 지문의 흐름이니까요.

'소유권 양도'가 이루어지려면 '소유자'가 '양도인'이 되어 '양수인'과 유효한 '양도 계약'을 맺어야 합니다. '양도인·양수인' 정도의 어휘를 알고 있다면 당연하게 받아들일 수 있겠죠? 어떠한 물건을 '처분'할 수 있는 권리는 '소유자'에게 있기에, 단순한 '점유자'가 아닌 '소유자'만이 '양도인'이 될 수 있는 것입니다.

나아가 이러한 '소유권 양도'가 일어났다는 것을 '공시'해야 합니다. '소유권'에 변화가 생겼으니, 그 변화의 내용을 다른 사람들도 알 수 있게 해야 하는 것이죠. '소유권 양도'라는 카테고리만 잘 잡았다면 너무나 당연하게 납득할 수 있는 내용들입니다.

② #수식된 정의 제시 #단어의 의미 살리기 #재진술

동산의 '소유권 양도'는 '점유 인도'를 통해 공시된다고 합니다. 단어의 의미 그대로, '점유'를 '인도'하는 것이라고 할 수 있겠죠? 앞에서도 읽었듯이 대부분의 동산은 '점유'를 바탕으로 '소유권 공시'가 일어나니, 그 '점유'를 '인도'하면 '소유권 양도 공시'라는 상황으로 이어진다고 할 수 있겠네요. 이렇게 앞에서 읽은 내용을 끌어오면서 이해할 수 있어야 합니다.

하이라이트 문장

> ②점유로 소유권이 공시되는 동산의 소유권 양도는 점유를 넘겨주는 점유 인도로 공시된다.

우리는 앞 문단에서 '점유를 통한 소유권 공시'에 대해 읽었습니다. 이를 바탕으로 '공시'라는 정보를 연결지었다면, 동산의 '소유권 양도'가 '점유 인도'를 통해 공시된다는 점을 당연하게 납득할 수 있었을 겁니다. 앞의 정보를 끌어와 이해하는 과정, 지문 독해의 기본입니다.

3문단 (2)

> ③양수인이 간접점유를 하여 소유권 이전이 공시되는 경우로서 '점유개정'과 '반환청구권 양도'가 있다. ④예를 들어 A가 B에게 피아노의 소유권을 양도하기로 계약하되 사흘간 빌려 쓰는 것으로 합의한 경우, B는 A에게 피아노를 사흘 후 돌려 달라고 요구할 수 있는 반환청구권을 가지게 된다. ⑤이처럼 양도인이 직접점유를 유지하지만, 양수인에게 점유 인도가 이루어진 것으로 간주되는 경우를 점유개정이라고 한다. ⑥한편 C가 자신이 소유한 가방을 D에게 맡겨 두어 이에 대한 반환청구권을 가지게 되었는데, 이 가방의 소유권을 E에게 양도하는

> 계약을 체결하였다고 하자. ⑦이때 C가 D에게 통지하여 가방 주인이 바뀌었으니 가방을 E에게 반환하라고 알려 주면 D가 보관 중인 가방에 대한 반환청구권은 C로부터 E에게로 넘어간다. ⑧이 경우를 반환청구권 양도라고 한다.

③ #카테고리 나누기 #화제의 흐름

계속해서 '소유권 양도'에 대해 이야기를 하는데, '양수인이 간접점유를 하는 경우'라는 상황에 주목하고 있습니다. 양수인은 '소유권 양도'를 받는 사람인데, 이 사람이 '간접점유'를 한다는 건 양도인 혹은 제3자가 '직접점유'를 한다는 걸 의미합니다. 굉장히 독특한 형태의 '소유권 양도'가 일어나고 있는 것이죠. 우리가 예상한 대로 지문이 '간접점유'를 중심으로 전개되고 있다는 걸 확인할 수 있죠? '점유개정'과 '반환청구권 양도'가 어떤 상황인지 알아보러 갑시다.

④~⑧ #사례-원리 연결 #수식된 정의 제시 #단어의 의미 살리기 #화제의 흐름

바로 사례를 들어주고 있습니다. A가 양도인, B가 양수인입니다. 양도 계약을 하기는 하는데, A가 B에게 사흘 간 빌리는 것으로 합의하는 것이죠. 이 경우 B라는 양수인에게 '소유권 양도'가 된 것이니, '주인'은 B일 것입니다. 지금 읽고 있는 카테고리의 내용대로 양수인이 '간접점유'를 하게 된 것이죠. 이렇게 되면 A가 사흘간 '직접점유'를 유지하며 '사용자'가 되지만, '주인=소유자'는 B인 상황이 되는 겁니다. 이렇게 '점유'가 '개정'되었으니 '점유개정'이라고 부르는 것이네요.

나아가, 결국 '점유개정'은 '점유자≠소유자'라는 화제의 상황이 그대로 제시된 것이라는 점을 생각할 수 있어야 합니다. '소유권 양도' 카테고리에서도 '점유자≠소유자'라는 화제는 그대로 유지되고 있는 것입니다. 첫 문단의 물음이 정말 강력하게 작용하는 모습이죠? 끝없이 연결지어야 합니다.

다음 사례도 확인해봅시다. '양수인이 간접점유'하는 상황이라는 카테고리를 잊으면 안 됩니다. C가 '주인'인 상황에서 D에게 가방을 맡겨 두었습니다. 이렇게 되면 D가 '직접점유', C가 '간접점유'를 하는 상황이었네요. 그런데 C가 E에게 자신의 '간접점유권', 즉 '반환청구권'을 그대로 '양도'하는 상황입니다. 따라서 '반환/청구/권/양도'라고 부르는 것이네요. 이 경우 '양수인'인 E가 '간접점유'를 하는 방식으로 '소유권 양도'가 일어난 것이네요.

이번에도 '점유자≠소유자'라는 화제는 그대로 유지되고 있죠? 사례를 바탕으로 각 정보를 완벽하게 이해하는 것은 기본이고, '점유자≠소유자'라는 화제와 연결하는 것도 해낼 수 있어야 합니다. 애초에 양수인이 '간접점유'를 하는 상황에 대한 카테고리에 대해 읽고 있는

데, '간접점유'는 '점유자≠소유자'라는 상황을 낳는 것이었으니 당연한 결과이기도 합니다. '점유개정'과 '반환청구권 양도'는 완전히 새로운 정보가 아니라 '점유자≠소유자'라는 상황을 강조하는 역할만을 하고 있는 것이었어요.

하이라이트 문장

> ③양수인이 간접점유를 하여 소유권 이전이 공시되는 경우로서 '점유개정'과 '반환청구권 양도'가 있다.

'양수인이 간접점유를 하여'와 같은 표현을 놓치면 안 됩니다. 지문의 카테고리를 만들어주는 내용이기도 하고, 화제인 '점유자≠소유자'의 상황을 만들 수 있는 '간접점유'에 대한 내용이 들어있기도 하니까요. 모든 정보는 화제 중심으로 모입니다.

4문단

> ①양도인이 소유자가 아니더라도 양수인이 점유 인도를 받으면 소유권을 취득할 수 있을까? ②점유로 공시되는 동산의 경우 양수인이 충분히 주의를 했는데도 양도인이 소유자가 아님을 알지 못한 채 양도인과 유효한 계약을 하고, 점유 인도로 공시를 했다면 양수인은 소유권을 취득한다. ③이것을 '선의취득'이라 한다. ④다만 간접점유에 의한 인도 방법 중 점유개정으로는 선의취득을 하지 못한다. ⑤선의취득으로 양수인이 소유권을 취득하면 원래 소유자는 원하지 않아도 소유권을 상실하게 된다.

① #카테고리 나누기 #화제의 흐름

새로운 물음이 제시되고 있습니다. '양도인이 소유자가 아닌 경우의 소유권 양도'라는 카테고리를 확실하게 잡아주시는 것도 중요하지만, '양도인이 소유자가 아니'라는 말을 '점유자≠소유자'로 바꿔서 읽을 수 있으면 좋겠습니다. 물건을 양도하는 사람은 어떠한 형태로든 '점유'를 하고 있는 것인데, '소유'를 하는 사람은 따로 있다는 것이니까요. 결국 이 지문은 처음부터 끝까지 '점유자≠소유자'에 대해서만 이야기하고 있는 것입니다.

②~③ #수식된 정의 제시 #선의취득

아무튼 충분히 주의를 했는데도 양도인이 소유자가 아닌 것을 모른 채 '소유권 양도'의 과정이 진행되면, 양수인은 '소유권'을 취득할 수 있다고 합니다. 원래 주인이 따로 있어도 그 주인의 의사와 상관없이 '소유권'이 양도될 수 있는 것이죠. 이를 '선의취득'이라고 부른다고

해요. 단어의 의미 그대로, 상대방에게 속아 '선의'로 '취득'을 했다는 것이네요. 법에서 '선의'라는 단어는 자신의 행동이 법적으로 어떤 결과로 이어질지 모르는 것을 의미한다는 것도 알아두시면 좋겠습니다.

④ #예외 제시

그런데 '점유개정'을 가지고는 '선의취득'을 하지 못한다고 해요. 법 지문에서 정말 중요하게 다뤄지는 '예외'에 대한 내용이니 확실하게 체크하도록 합시다. 자세한 설명이 없어 왜 그러한지 정확히 이해하기는 어렵지만, 중요한 건 '선의취득'의 예외로 '점유개정'이 있다는 것을 확실하게 인식하는 것이에요.

⑤ #재진술

이렇게 '선의취득'으로 양수인이 소유권을 취득하게 되면, 원래 소유자는 원하지 않아도 소유권을 상실하게 됩니다. 앞에서 이야기했던 내용 그대로이니, 어렵지 않게 이해할 수 있겠습니다. 중요한 건 '선의취득'이라는 상황 역시 '간접점유자'가 존재하는 상황, 즉 '점유자≠소유자'라는 상황에 대한 이야기임을 생각하는 거예요.

하이라이트 문장

> ④다만 간접점유에 의한 인도 방법 중 점유개정으로는 선의취득을 하지 못한다.

법 지문에서는 '예외'가 강력하게 사용된다고 했습니다. 이 문장을 통해 '점유개정'이 '선의취득'의 예외라는 것을 확실하게 인지해야 합니다.

5문단

> ①반면에 국가가 관리하는 공적 기록인 등기·등록으로 공시되어야 하는 물건은 아예 선의취득 대상이 아니다. ②법률이 등록 대상으로 규정한 자동차, 항공기 등의 동산은 등록으로 공시되는 물건이고, 토지·건물과 같은 부동산은 등기로 공시되는 물건이다. ③이러한 고가의 재산에 대해 선의취득을 허용하게 되면 원래 소유자의 의사에 반하는 소유권 박탈이 일어나게 된다. ④이것은 거래 안전에만 치중하고 원래 소유자의 권리 보호를 경시한 것이 되어 바람직하지 않다고 볼 수 있다.

① #수식된 정의 제시 #예외 제시

이번엔 '등기·등록'이라는 개념을 정의하고 있습니다. '국가가 관리하는 공적 기록'이라는 그 정의를 정확히 체크하면서, '점유개정'처럼 이들도 '선의취득'의 예외라는 것을 확실하게 인식해야 합니다. '선의취득'의 경우에는 여러 가지 예외 사항을 가지고 있는 것이에요.

②~③ #재진술

자동차, 항공기 등의 동산은 '등록'으로, 부동산은 '등기'로 공시되는 물건입니다. 여기서 '공시'라는 단어를 보면 이들이 '등록·등기'를 거쳐야만 '소유권'이 있다는 것을 알릴 수 있는 물건임을 생각해낼 수 있겠죠? 앞에서 봤던 개념은 계속 끌어와야 해요.

이러한 물건들은 모두 '고가'의 것들인데, 여기서 '선의취득'을 허용하면 좀 그렇다는 것이죠. 당연하게 납득할 수 있습니다. 자신의 자동차나 집처럼 비싼 물건이 자기도 모르는 새에 남의 것이 되어 버린다면 매우 당황스러울 것 아니에요. 이렇게 당연하게 받아들일 수 있는 내용들은 '납득'을 하고 갈 수 있어야 합니다.

④ #재진술 #비교/대조

이렇게 '선의취득'을 허용하는 것은 '거래 안전'에만 치중하고 '소유자의 권리 보호'를 경시하는 것이라고 합니다. 즉, 이러한 고가의 물건들은 '소유자의 권리 보호'가 '거래 안전'보다 중요하니 '선의취득'이 불가능하다는 의미겠죠? 그렇다면 앞에서 봤던 일반적인 동산들은 '소유자의 권리 보호'보다는 '거래 안전'이 중요하기에 '선의취득'이 가능한 것이라고도 생각할 수 있겠습니다. 이렇게 지문의 내용을 반대 추론하며 앞의 개념들과 '비교/대조'할 수 있어야 해요.

처음부터 끝까지 '점유자≠소유자'에 대해서만 이야기하는 지문이었습니다. 첫 문단에 제시된 물음의 위력을 다시 한번 실감하면서 문제로 넘어가봅시다.

| 생각 심화 |

이 지문의 첫 번째 물음에 대해 다시 생각해 봅시다. 이 물음은 우리에게 중요한 독해 태도를 가르치고 있어요. 바로 '예외'에 대한 고찰이에요. 물건을 사용하는 사람은 '일반적으로는' 그 물건의 주인일 겁니다. 당장 이 해설을 쓰고 있는 컴퓨터도 제가 '사용'하고 있는, 제가 '주인'인 물건이니까요. 하지만 이 지문에서는 '빌려 쓰는 것' 등과 같은, '사용'이 곧 '주인'을 의미하지 않는 '예외' 사항 속에서 지문이 전개되고 있습니다. 이 지문의 내용이 가진 전제 자체가 '점유와 소유가 일치하지 않는 예외 사항'이라는 것이죠. 이 맥락에서 '간접점유'라는 개념이 중요하게 쓰인 것이구요.

이 생각을 하고 나면, '점유개정'과 '반환청구권 양도', '선의취득'이라는 개념 역시 '예외'에 해당한다는 것을 알 수 있습니다. 이들은 모두 '점유 인도를 통한 소유권 양도 공시'에 대한 예외인 것이죠. '일반적'으로는 그냥 직접점유를 넘겨 주면 그것으로 소유권 양도 공시가 이루어졌다고 할 수 있고 양도인이 진짜 주인이기도 하겠지만, '점유개정'과 '반환청구권 양도'는 '양수인이 직접점유가 아닌 간접점유를 획득'한다는 '예외 사항'에 대해 다루고 있는 거예요. '선의취득'은? '양도인이 진짜 주인이 아니다'라는 '예외 사항'이 되는 거죠!

거기에 '점유개정', '등기·등록으로 공시되는 물건들'도 역시 선의취득의 '예외'로 등장하고 있죠? 이렇게 평가원은 일반적인 상황보다는 예외 상황, 특이한 상황에 주목한다는 점 (특히 법지문에서는요.) 꼭 알아두시고, 지문을 읽다가 예외 상황이 보이면 머릿속에 확실히 각인시켜두는 태도를 갖춰봅시다.

선지	①	②	③	④	⑤
선택률	9%	4%	9%	22%	56%

15 윗글을 이해한 내용으로 적절하지 않은 것은? ⑤

① 가방을 사용하고 있는 사람은 그 가방의 점유자이다.

명시적 근거	2문단 1번 문장, 2문단 4번 문장
실전에서의 판단 과정	사용자는 직접점유자이지.
해설	'점유'의 정의는 '물건에 대한 사실상의 지배 상태'입니다. 그렇다면 가방을 사용하면서 물건을 지배하고 있는 사람은 점유자, 그 중에서도 직접점유자라고 할 수 있겠네요. 직접점유의 정의를 체크하면서 '지배'라는 말의 의미를 이해했다면 좀 더 쉽게 지울 수 있었겠죠?

② 가방을 점유하고 있더라도 그 가방의 소유자가 아닐 수 있다.

명시적 근거	1문단 4번 문장
실전에서의 판단 과정	이게 화제지.
해설	'점유자'와 '소유자'는 다를 수 있다는 것, 이 지문에서 제일 중요한 내용이었습니다. 확실하게 머릿속에 넣어뒀어야 해요.

③ 가방의 소유권이 유효한 계약으로 이전되려면 점유 인도가 있어야 한다.

명시적 근거	3문단 1번~2번 문장
실전에서의 판단 과정	점유 인도로 소유권 양도 공시해야 완료되지.
해설	가방의 소유권이 이전되려면 '양도 계약 → 소유권 공시'가 이루어져야 합니다. 그리고 그 중에서 '소유권 공시'는 가방 같은 일반적인 동산의 경우 '점유 인도'로 이루어진다고 했어요. 그럼 점유 인도가 있어야 소유권 공시가 되고, 그렇게 해야 소유권이 정상적으로 이전될 것이니 맞는 선지네요.

④ 가방에 대해 누가 소유권을 가지고 있는지를 알게 해 주는 방법은 점유이다.

명시적 근거	2문단 5번~6번 문장
실전에서의 판단 과정	가방을 점유하면 소유권이 공시되지.
해설	'누가 소유권을 가지고 있는지를 알게 해 주는 방법'. 이건 '공시'의 정의였죠? 가방과 같은 일반적인 동산의 경우, 소유권 '공시'를 하는 방법은 바로 '점유'였습니다. 직접점유든 간접점유든 '점유'를 하는 순간 그 사람은 '소유권'을 가지는 것으로 알려지는 것이었어요.

⑤ 가방의 소유권을 양도하는 유효한 계약을 체결하면 공시 방법이 갖춰지지 않아도 소유권은 이전된다.

명시적 근거	3문단 1번 문장
실전에서의 판단 과정	점유 인도로 공시해야 소유권이 이전되지.
해설	가방의 소유권이 이전되려면 '양도 계약 → 소유권 공시'가 이루어져야 한다는 것, 계속해서 확인했던 내용입니다. '점유 이전'이라는 소유권 공시의 방법을 갖춰야만 '소유권 양도'가 공시된다고 했어요.

선지	①	②	③	④	⑤
선택률	2%	5%	17%	12%	64%

16 [A]에 대한 이해로 가장 적절한 것은? ⑤

– [A]는 '점유'를 '직접점유'와 '간접점유'로 나누어 소개하고, '점유'가 '소유권 공시'의 방법이라는 것까지 설명한 부분이었습니다. 완벽하게 이해하고 있으니 가볍게 선지 판단해봅시다.

① 물리적 지배를 해야 동산의 간접점유자가 될 수 있다.

명시적 근거	2문단 1번 선지
실전에서의 판단 과정	물리적 지배를 하면 직접점유자이지.
해설	'물리적 지배'를 하는 상태는 '직접점유'예요. '간접점유자'가 되려면 그냥 '반환청구권'만 가지면 되는 것이었죠.

② 간접점유는 피아노 소유권에 대한 공시 방법이 아니다.

명시적 근거	2문단 4번~5번 문장
실전에서의 판단 과정	간접점유도 점유이지.
해설	'간접점유' 역시 '점유'의 하나였고, '점유'는 '소유권 공시'의 방법이었습니다. 어렵지 않게 지워낼 수 있어야 해요!

③ 하나의 동산에 직접점유자가 있으려면 간접점유자도 있어야 한다.

명시적 근거	2문단 1번~3번 문장
실전에서의 판단 과정	직접점유자가 소유권자이면 그럴 필요가 없지. 반대면 몰라도.
해설	'직접점유자'는 그 물건을 '물리적으로 지배'하는 사람을 의미합니다. 즉, 그 물건의 '사용자'인 것이죠. 그런데 만약 그 사람이 '주인'이기도 하다면, 해당 물건의 '반환'을 청구할 사람, 즉 '간접점유자'는 없어도 됩니다. 다만 지문 독해 과정에서 파악했듯이 '간접점유자'가 있으려면 반드시 '직접점유자'도 있어야 하죠? 각 개념의 정의를 화제 중심으로 정확하게 파악하고 있는지 묻는 선지입니다.

④ 피아노의 직접점유자가 있으면 그 피아노의 간접점유자는 소유자가 아니다.

명시적 근거	2문단 3번 문장
실전에서의 판단 과정	간접점유자는 무조건 소유자이지.
해설	피아노를 '직접점유'하는 사람이 있든 없든, '간접점유자'는 무조건 '소유자'입니다. 애초에 '간접점유자'는 반환청구'권'이라는 '권리'를 가지는 사람, 즉 '주인'이니까요. '사용자'와 '주인'이라는 포인트에 맞춰서 각 개념을 확실하게 정리하는 게 아주 중요했어요.

⑤ 유효한 양도 계약으로 피아노의 소유자가 되려면 피아노에 대해 직접점유나 간접점유 중 하나를 갖춰야 한다.

명시적 근거	2문단 4번~5번 문장
실전에서의 판단 과정	자신의 소유권을 알리려면 점유를 해야지.
해설	당연한 내용으로 보이면 좋겠습니다. 소유권을 양도받아 자신이 소유자라는 것을 알리려면 반드시 '점유'의 형태를 갖춰야 합니다. '직접점유'와 '간접점유' 모두 '점유'의 일종이니, 둘 중 하나를 갖추면 되겠죠. '점유=소유권 공시'라는 중요한 정보를 계속해서 묻고 있네요.

선지	①	②	③	④	⑤
선택률	4%	50%	25%	8%	13%

17 ㉠~㉢을 비교한 내용으로 가장 적절한 것은? ②

㉠ 점유로 소유권이 공시되는 동산
㉡ 법률이 등록 대상으로 규정한 자동차, 항공기 등의 동산
㉢ 토지·건물과 같은 부동산

- 크게 ㉠ / ㉡, ㉢으로 나눌 수 있습니다. 몇 가지 차이점이 있는데, 각각 '등록'과 '등기'를 통해 소유권이 공시되는 ㉡, ㉢과 달리 ㉠은 '점유'를 통해 소유권이 공시됐습니다. 나아가 ㉠과 달리 ㉡, ㉢은 '선의취득'이 불가능했죠? '거래 안전'보다 '원래 소유자의 권리 보호'가 더 중요하기 때문이었어요! 이 정도 생각하고 선지를 판단해봅시다.

① ㉠은 ㉢과 달리, 국가가 관리하는 공적 기록에 의해 소유권 양도가 공시될 수 있다.

명시적 근거	3문단 2번 문장, 5문단 2번 문장
실전에서의 판단 과정	등기·등록은 ㉡과 ㉢이지.
해설	'국가가 관리하는 공적 기록'은 '등기·등록'의 정의였습니다. 이러한 '등기·등록'에 의해 소유권 양도가 '공시'되는 것. 이건 ㉡과 ㉢이었죠? ㉠은 '점유 인도'를 통해 소유권 양도를 공시할 수 있었습니다.

② ㉡은 ㉠과 달리, 원래 소유자의 권리 보호가 거래 안전보다 중시되는 대상이다.

명시적 근거	5문단 4번 문장
실전에서의 판단 과정	미리 생각한 내용이네.
해설	지문에서 '반대 추론'을 통해 미리 생각한 내용입니다. '선의취득'을 허용하면 '거래 안전'에만 치중하고 '원래 소유자의 권리 보호'를 경시하는 결과를 낳는다고 했으니, '선의취득'을 허용하지 않으면 '원래 소유자의 권리 보호'를 중시하고 '거래 안전'을 경시한다는 식의 추론이 가능한 것이죠. 이렇게 '반대 추론'을 할 수 있는 내용이 나오면 적극적으로 활용할 수 있어야 합니다. 최근 평가원이 선지에 자주 활용하는 내용 중 하나니까요.

③ ㉢은 ㉠과 달리, 물리적 지배의 대상이 아니므로 점유로 공시될 수 없다.

명시적 근거	5문단 3번 문장
실전에서의 판단 과정	부동산이 왜 물리적 지배의 대상이 아니야?
해설	㉢은 점유로 공시될 수 없는 것이 맞지만, 물리적 지배의 대상이 '아니어서' 그런 것이 아닙니다. 인과를 틀리게 제시한 형태의 선지네요. 부동산도 충분히 '물리적 지배', 즉 '직접점유'의 대상이 될 수 있어요. 애초에 지문 속에서 왜 부동산은 '등기'의 대상인지 명확하게 적어주지 않았기 때문에, (아마 비싸서 그런 것이겠죠.) 그 원인을 '물리적 지배의 대상이 아니기 때문'이라고 하는 건 맞다고 할 수 없겠습니다.

④ ㉠과 ㉡은 모두 양도인이 소유자가 아니더라도 소유권 이전이 가능하다.

명시적 근거	5문단 1번 문장
실전에서의 판단 과정	㉡은 선의취득 안 되지.
해설	'양도인이 소유자가 아니더라도 소유권 이전이 가능'한 경우는 '선의취득'이 가능한 경우를 의미하는 것입니다. ㉡은 '선의취득'의 예외라는 것, 확실하게 정리해놓은 부분이죠?

⑤ ㉠과 ㉢은 모두 점유개정으로 소유권 양도가 공시될 수 있다.

명시적 근거	5문단 2번 문장
실전에서의 판단 과정	점유개정은 점유 인도인데, 점유 인도는 ㉠의 소유권 양도 공시 방법이지.
해설	선지에서 묻는 것을 정확하게 따져야 합니다. ㉠과 ㉢이 모두 '점유개정'으로 소유권 양도가 공시될 수 있는지 묻고 있어요. '점유개정'은 '점유 인도'의 한 방법으로, 양수인에게 '간접점유권'을 제공하는 것이에요. 그런데 ㉢은 반드시 '등기'가 있어야만 '소유권 양도'가 공시됩니다. '점유개정'을 통해 '점유 인도'를 받아도 '등기'라는 과정이 이루어지지 않으면 소유권 양도를 공시하는 건 불가능해요. ㉠과 ㉢의 가장 중요한 차이점을 묻고 있네요.

선지	①	②	③	④	⑤
선택률	7%	15%	32%	24%	22%

18 윗글을 바탕으로 할 때, 〈보기〉를 이해한 내용으로 적절하지 <u>않은</u> 것은? [3점] ③

– 역시 중요한 건 〈보기〉를 먼저 정리하고 가는 것이겠죠?

---[보기]---

갑과 을은, 갑이 끼고 있었던 금반지의 소유권을 을에게 양도하기로 하는 유효한 계약을 했다. 갑과 을은, 갑이이 금반지를 보관하다가 을이 요구할 때 넘겨주기로 합의했다. 을은 소유권 양도 계약을 할 때 양도인이 소유자라고 믿었고 양도인이 소유자인지 확인하기 위해 충분히 주의했다.

– 양도인인 '갑'과 양수인인 '을' 사이에 '소유권 양도' 계약이 맺어진 상황입니다. 그런데 양도인이 보관하다가 양수인에게 나중에 넘겨주는 합의를 했어요! 이는 '을'이라는 양수인이 '간접점유'를 하는 상황 중 '점유개정'의 상황이네요. 이 경우 '갑=양도인=직접점유자+사용자', '을=양수인=간접점유자+주인'이라는 방식으로 정리할 수 있겠습니다.

그런데 '을'은 양도인인 '갑'이 소유자라고 믿었고 그것을 확인하기 위해 충분히 주의했다고 해요. 이 말은 '선의취득'의 정의와 관련된 것이었죠? 개념의 정의를 제대로 체크했다면 충분히 생각할 수 있습니다. 그런데 만약 '갑'이 원래 주인이 아니었다면, 이 계약은 무효가 됩니다. 이들의 계약 방식인 '점유개정'은 '선의취득'의 예외 상황이니까요! 따라서 사실상 세 번째 문장은 무의미한 문장이라고 할 수 있겠습니다. '을'이 저런 노력을 했든 안 했든, '갑'과 '을' 사이의 '선의취득'은 무조건 무효이니까요. 여기까지 볼 수 있으면 좋겠죠?

---[보기]---

을은 일주일 후 병과 유효한 소유권 양도 계약을 했고, 갑에게 통지하여 사흘 후 병에게 금반지를 넘겨주라고 알려 주었다.

– 이 정도만 해도 될 것 같은데, '을'이 또 '병'과 소유권 양도 계약을 한 상황입니다. '을'은 현재 '간접점유자'인데, 이 '반환청구권'을 '병'에게 양도한 모습이네요. 즉, '반환청구권 양도'의 상황이 벌어진 것입니다.

이렇게 정리하고 선지를 봤더니, '갑'이 소유자인 경우가 그렇지 않은 경우로 나누어 제시되고 있다는 것을 확인할 수 있습니다. 그렇다면 이 〈보기〉의 내용을 두 가지 케이스로 나누어서 살펴야 한다는 것을 알 수 있겠네요. 진짜 너무 어렵습니다. 천천히 이해해봅시다.

1) '갑'이 금반지 소유자인 경우
→ 사실 이 경우는 그리 어렵지 않습니다. '갑'과 '을'의 계약은 유효하고, '간접점유자+주인'인 '을'이 '병'에게 자신의 '반환청구권'을 양도하는 깔끔한 상태가 된 것입니다. 따라서 '갑=직접점유자+사용자', '병=간접점유자+주인'으로 정리하면 됩니다. '을'은 최종적으로는 아무 것도 아닌 게 되는 것이구요.

2) '갑'이 금반지 소유자가 아닌 경우
→ 이 경우가 상당히 복잡합니다. 해설을 읽기 전에 여러분이 다시 정리해보고 확인해 보도록 해요.

먼저 '갑'과 '을'의 계약은 무효입니다. '갑'이 진짜 소유자가 아니라면 '선의취득'의 상황이어야 하는데, 이들의 계약은 '선의취득'의 예외 상황인 '점유개정'이니까요. 그런데 여기서 중요한 것은, '갑'과 '을' 사이의 계약에서 '선의취득'은 무효이지만 '점유개정' 자체가 무효는 아니라는 것입니다. 즉, '을'은 '소유권'을 얻지는 못했지만 '간접점유'를 하게 된 상태라는 것이죠! '소유'와 '점유'는 항상 일치하지 않는다는 것이 이 지문의 핵심이기에, '을'이 '소유권'을 얻지는 못했지만 '점유' 상태인 것은 맞다는 이상한 상황이 만들어진 것입니다. '선의취득'(=소유권 취득에 관한 상황)과 '점유개정'(=점유 인도에 관한 상황)이라는 개념의 정의로부터 이러한 내용을 생각할 수 있습니다. 많이 어렵기는 하지만, 철저하게 지문 내용에 근거해서 정리가 되는 모습이네요.

이에 따르면, '을'과 '병'의 계약도 '선의취득'의 상황이 되어 버립니다. '을'의 '선의취득'이 무효여서 소유자는 여전히 '갑'도 '을'도 아닌 다른 누군가('피램'이라고 해봅시다.)인데, 소유자가 아닌 '을'이 '병'에게 소유권 양도를 한 것이 되니까요.

그런데 이 상황은 또 두 가지로 나누어 정리할 수 있습니다. 먼저 '병'이 '을'처럼 양도인이 소유자라고 믿었고 그것을 확인하기 위해 충분히 주의한 경우입니다. 〈보기〉에서는 '병'이 이러한 조건을 충족했는지에 대해서 언급하지 않았기 때문에, 여러분이 스스로 두 가지 상황으로 나누어 정리해야 한다는 것이죠.

아무튼 '반환청구권 양도'는 '선의취득'의 대상이 될 수 있기에, 이 경우 정상적으로 소유권 양도가 일어난다고 할 수 있습니다. 단, 소유권은 원래 소유자인 '피램'으로부터 넘어온 것이 되는 것이죠! 이 경우에 '갑=직접점유자+사용자', '병=간접점유자+주인'으로 정리할 수 있는 겁니다. '을'은 소유자 행세를 한 사람이 되는 것이구요.

여기서 중요한 것은, '병'의 '소유권'은 '피램'으로부터 넘어온 것이지만, '간접점유'는 '을'로부터 넘어왔다는 것입니다. '을'과 '병'은 '반환청구권 양도', 즉 '점유 인도'의 계약을 맺은 상황이고, '을'은 '점유' 상태를 유지하고 있었기 때문에 그것을 '병'에게 넘겨 줄 수 있는 것입니다. 상당히 복잡하죠?

다음으로 '병'이 양도인이 소유자임을 믿지 못했거나 확인하지 않은 경우입니다. 이는 '선의취득'의 조건을 만족하지 못한 상황이므로, '을'과 '병'의 '선의취득'도 무효가 됩니다. 따라서 '피램'이 여전히 '간접점유자+소유자' 지위를 유지하지만, '을'의 '간접점유'는 '병'에게 인도되어 '병=간접점유자' 상태가 되는 것입니다. 이때 '갑'은 여전히 '직접점유자+사용자'일 것이구요. 핵심은, '병'이 '선의취득'의 조건을 충족했든 하지 않았든 '간접점유' 자체는 '을'로부터 인도받았다는 것입니다. 결국 이 경우에는 '간접점유' 상태인 사람이 '피램'과 '병', 이렇게 두 명이 되는 복잡한 상황인 것이죠.

진짜 말도 안 되게 어렵습니다. 물론 시험장에서는 이 정도까지 정리하지 못해도 괜찮지만, 어쨌든 〈보기〉를 이렇게 복잡하게 만든 것은 너무나 과하다는 생각이에요. 그래도 철저하게 지문의 내용만으로 정리할 수 있기는 하죠? 다시 한번 정리해 봅시다. 다음 내용을 완벽

하게 납득할 수 있어야 해요. 납득이 될 때까지 계속 스스로 정리해 보세요.

1) 갑=금반지 소유자 (갑과 을 거래 전 → 갑과 을 거래 후 → 을과 병 거래 후)

　갑 : 직접점유자+사용자+주인 → 직접점유자+사용자, Not 주인 → 직접점유자+사용자, Not 주인

　을 : 아무것도 아님 → 간접점유자+주인(from 갑) → 아무것도 아님

　병 : 아무것도 아님 → 아무것도 아님 → 간접점유자(from 을)+주인

2)-① 갑≠금반지 소유자 + 병 선의취득 조건 충족 (갑과 을 거래 전 → 갑과 을 거래 후 → 을과 병 거래 후)

　피램 : 간접점유자+주인 → 간접점유자+주인 → 간접점유자, Not 주인

　갑 : 직접점유자+사용자, Not 주인 → 직접점유자+사용자, Not 주인 → 직접점유자+사용자, Not 주인

　을 : 아무것도 아님 → 간접점유자, Not 주인 → 아무것도 아님

　병 : 아무것도 아님 → 아무것도 아님 → 간접점유자(from 을)+주인(from 피램)

2)-② 갑≠금반지 소유자 + 병 선의취득 조건 충족x (갑과 을 거래 전 → 갑과 을 거래 후 → 을과 병 거래 후)

　피램 : 간접점유자+주인 → 간접점유자+주인 → 간접점유자+주인

　갑 : 직접점유자+사용자, Not 주인 → 직접점유자+사용자, Not 주인 → 직접점유자+사용자, Not 주인

　을 : 아무것도 아님 → 간접점유자, Not 주인 → 아무것도 아님

　병 : 아무것도 아님 → 아무것도 아님 → 간접점유자(from 을), Not 주인

이렇게 세 가지 경우의 수를 모두 고려해야 완벽한 〈보기〉 분석이라고 할 수 있습니다. 사실 이는 '생각 심화'에 해당할 정도로 어려운 내용이기는 하지만, '생각의 힘 기르기'라는 목표를 생각하면서 확실하게 정리해 보도록 하세요.

　① 갑이 금반지 소유자였다면, 병이 금반지의 물리적 지배를 넘겨받지 않았으나 병은 소유권을 취득한다.

명시적 근거	3문단 전체, 〈보기〉
실전에서의 판단 과정	갑이 금반지 소유자면 모든 거래는 정상적으로 진행된 것이지.
해설	1)의 상황입니다. '갑'이 진짜 '소유자'였다면, 모든 양도 계약이 정상적으로 진행된 것이고, '병'은 '간접점유자'가 되어 '물리적 지배'를 넘겨받지 않고서도 '소유권'을 취득할 수 있게 됩니다.

② 갑이 금반지 소유자였다면, 을은 갑으로부터 물리적 지배를 넘겨받지 않았으나 점유 인도를 받은 것으로 간주된다.

명시적 근거	3문단 5번 문장, 〈보기〉
실전에서의 판단 과정	점유개정도 점유 인도지.
해설	1)의 상황입니다. '갑'이 진짜 '소유자'였다면, '갑'과 '을'의 '점유개정'은 정상적으로 이루어집니다. 이 경우 '갑'이 '물리적 지배' 상태를 유지하지만 '을'이 '간접점유자'가 되어 '점유 인도'를 받은 것으로 간주되는 것이죠?

| 생각 심화 |

이때 점유 인도를 받은 것으로 '간주'된다는 말에 주목할 수 있으면 좋겠습니다. 사실 '점유개정'은 엄밀하게 말하면 '점유 인도'가 아닙니다. 원래 없던 '간접점유'가 새롭게 생긴 것일 뿐, 원래 존재하던 '점유'를 '인도'한 것은 아니니까요. 따라서 '점유개정'을 정의할 때 점유 인도로 '간주'한다는 말을 쓰는 것입니다. 원래는 아니지만, 그렇게 치자는 것이죠. 정말 디테일한 부분들까지 신경 쓴 지문이죠?

③ 갑이 금반지 소유자가 아니었더라도, 병은 을로부터 을이 가진 소유권을 양도받아 취득한다.

명시적 근거	4문단 4번 문장, 〈보기〉
실전에서의 판단 과정	갑이 금반지 소유자가 아니면 을은 소유권을 가지지 못하지.
해설	2)의 상황에 대한 내용입니다. 다행히 답은 쉽게 나왔네요. '병'은 '선의취득'을 통해 소유자가 되기는 하지만, 이때의 '소유권'은 '을'이 아닌 '피램'(진짜 소유자)으로부터 양도된 것이에요. 법 지문의 핵심인 '예외'를 바탕으로 〈보기〉의 내용을 정리했다면 답을 고르는 것까지는 충분히 할 수 있었을 겁니다.

④ 갑이 금반지 소유자가 아니었더라도, 을은 반환청구권 양도로 병에게 점유 인도를 한 것으로 간주된다.

명시적 근거	4문단 2번 문장, 〈보기〉
실전에서의 판단 과정	점유 자체는 넘어간 것이지.
해설	이번에도 2)의 상황입니다. '갑'이 진짜 '소유자'가 아닌 경우, '을'에게는 애초에 '소유권'이 없었기 때문에 '병'에게 '소유권'을 넘겨줄 수는 없습니다. 하지만 이 지문의 대전제는 '소유'와 '점유'가 별

개의 개념이라는 것이었죠? 다시 말해, '소유권'은 넘어가지 않았지만 '간접점유'라는 '점유' 자체는 인도된 것으로 볼 수 있다는 것입니다. '선의취득'은 '소유권 취득'에 대한 내용인데, '갑'과 '을' 사이의 계약은 이 '선의취득', 즉 '소유권 취득'만을 무효로 하는 것이지, '을'에게 '간접점유'를 만들어 주는 '점유개정' 자체를 무효로 하는 것은 아니었습니다. 굉장히 어려운 내용이기는 하지만, 〈보기〉를 정리하는 과정에서 미리 생각한 내용이죠?

결국 2)-①의 상황에서도, 2)-②의 상황에서도 '을'은 '반환청구권 양도'를 통해 '병'에게 이 '점유'를 '인도'하기는 한 것입니다. '소유권'은 '피램'에게서 왔겠지만요. 사실 지문의 정보에 따르면 '간접점유자=주인'이었기에, 갑자기 이렇게 '간접점유'와 '소유권'을 분리하는 내용을 선지로 출제하는 건 매우 당황스럽기는 합니다. 정답 선지를 명확하게 제시했기 때문에 조금 오버한 선지라고 생각해요. 그래도 〈보기〉를 분석한 내용 그대로 선지화된 것이니, 해설을 이해하는 것 정도는 할 수 있겠죠?

⑤ 갑이 금반지 소유자가 아니었더라도, 병이 계약할 때 양도인이 소유자라고 믿었고 양도인이 소유자인지 확인하기 위해 충분히 주의했다면, 병은 소유권을 취득한다.

명시적 근거	4문단 2번 문장, 〈보기〉
실전에서의 판단 과정	갑이 금반지 소유자가 아니어도 병이 소유권을 취득하는 건 확실하지.
해설	2)-①의 상황입니다. '병'이 '을'처럼 양도인이 소유자임을 믿고 충분히 주의했다면 '선의취득'이 가능합니다. '을'과 '병'의 계약인 '반환청구권 양도'는 '선의취득'이 가능한 사안이기 때문에 '병'은 '소유권'을 취득해요. 물론 이때의 '소유권'은 '을'이 아닌 '피램'으로부터 받는 것이지만요!

| 생각 심화 |

이 문제가 요구한 건 결국 이 지문의 핵심인 '점유와 소유가 일치하지 않을 수 있음'에 대한 인식이었어요. '선지에서 묻는 것'을 꼼꼼하게 따져 보면, 4번 선지와 달리 5번 선지에는 '병이 계약할 때 양도인이 소유자라고 믿었고 양도인이 소유자인지 확인하기 위해 충분히 주의했다면'이라는 내용이 추가되어 있다는 것을 알 수 있습니다. 4번 선지는 '점유 인도'의 상황이기에 선의취득이라는 '소유권 양도'의 상황을 고려할 필요가 없어서 해당 부분, 즉 선의취득의 조건에 관한 내용이 빠진 것이지만, 5번 선지는 '소유권 취득'이라는 선의취득과 관련된 내용이기에 해당 부분이 들어간 것이죠. 이렇게 보면 처음에 나온 한 줄의 물음. '사용하는 사람이 주인일까?'에 대한 답변이 정말 중요하게 사용되고 있네요. 늘 그렇듯이 말이죠.

화제의 흐름에 대한 확실한 이해, 예외에 대한 인식, 〈보기〉 정리하기, 선지에서 묻는 것 생각하기! 이 모든 것이 갖춰져야 해결할 수 있는 초고난도 문항이었습니다. 시험장에서야 어떻게든 3번을 답으로 고르면 되겠지만, 공부하는 입장에서 배울 게 아주 많은 문제죠? 여러 번 복습하도록 합시다.

선지	①	②	③	④	⑤
선택률	88%	1%	2%	8%	1%

19 문맥상 의미가 ⓐ와 가장 가까운 것은? ①

① 작년은 우리나라에서 수많은 사건이 <u>일어난</u> 해였다.
② 청중 사이에서는 기쁨으로 인해 환호성이 <u>일어났다</u>.
③ 형님의 강한 의지력으로 집안이 다시 <u>일어나게</u> 되었다.
④ 나는 그 사람에 대해 경계심이 <u>일어나지</u> 않을 수 없었다.
⑤ 사회는 구성원들이 부조리에 맞서 <u>일어남으로써</u> 발전한다.

몰랐던 어휘 정리하기

| 핵심 point |

① **화제 check** : 독서 지문 독해의 처음이자 끝. 첫 문단에서 잡은 '화제의 틀'을 마지막 문단까지 놓지 않아야 합니다.
② **정의 인식** : 단어의 의미를 살린 상태로, 지문에 제시된 정의와 붙여서 이해할 수 있어야 합니다. 정의를 '기억'하는 게 아니라, '납득'해서 본인의 말로 정리할 수 있어야 해요.
③ **카테고리 나누기** : 정보들의 범주가 나뉠 때, 그들이 서로 다른 카테고리에 속한다는 것을 인지해야 합니다. 이렇게 각 카테고리에 맞춰 정보를 정리하면 훨씬 깔끔하게 정리할 수 있다는 것을 기억해 주세요.
④ **사례-원리 연결** : 모든 사례는 어떠한 추상적인 원리를 구체화하는 역할을 합니다. 둘을 연결지으며 확실하게 이해하고 가는 태도가 중요합니다.
⑤ **예외 인식** : 일반적이지 않은 '예외'는 언제나 중요한 출제 포인트로 작용합니다. 확실하게 체크합시다.

| 지문 내용 총정리 |

문제의 답만 골라내는 것은 어떻게 할 수 있었을지 몰라도, 지문을 완벽하게 이해하고 모든 선지를 확실하게 지우는 건 과하게 어려웠던 지문입니다. 그래도 배울 게 정말 많았어요. 첫 문단의 물음을 바탕으로 화제를 잡아내는 것, 개념의 정의를 그 화제에 붙여내는 것, 사례를 바탕으로 원리를 이해하는 것, 예외에 주목하는 것, 〈보기〉를 정확하게 정리하는 것... 이 외에도 자잘하게 언급한 것들 모두 고난도 지문 독해의 핵심이니, 여러 번 복습해서 확실하게 자기 것으로 만들도록 합시다.

1문단

> ①사람은 살아가는 동안 여러 약속을 한다. ②**계약**
> 도 하나의 약속이다. ③하지만 이것은 친구와 뜻이 맞아
> 주말에 영화 보러 가자는 약속과는 다르다. ④일반적인
> 다른 약속처럼 **계약**도 서로의 의사 표시가 합치하여 성
> 립하지만, 이때의 의사는 일정한 법률 효과의 발생을 목
> 적으로 한다는 점에서 차이가 있다. ⑤한 예로 매매 계
> 약은 '팔겠다'는 일방의 의사 표시와 '사겠다'는 상대방
> 의 의사 표시가 합치함으로써 성립하며, 매도인은 매수
> 인에게 매매 목적물의 소유권을 이전하여야 할 의무를
> 짐과 동시에 매매 대금의 지급을 청구할 권리를 갖는다.
> ⑥반대로 매수인은 매도인에게 매매 대금을 지급할 의
> 무가 있고 소유권의 이전을 청구할 권리를 갖는다. ⑦양
> 당사자는 서로 권리를 행사하고 서로 의무를 이행하는
> 관계에 놓이는 것이다.

①~④ #화제 제시 #비교/대조

'계약'이라는 '약속'에 대해 이야기하면서 시작하고 있습니다. 그런
데 이 계약은 주말에 영화 부러 가자는 일반적인 약속과는 다르다고
하네요. 다르다고 했으면, 정확히 무엇이 다른지 확실하게 정리할 수
있어야겠죠? 4번 문장에서 바로 이들을 비교하고 있는데, '의사 표시
합치'라는 공통점과 '법률 효과의 발생'이라는 차이점을 제시하고 있
습니다. 비교/대조되는 개념들은 그 '공통점'과 '차이점'을 함께 생각
해주는 것은 기본이었죠? 확실하게 인식하면서 읽어주셔야 합니다.

⑤~⑦ #사례-원리 연결 #재진술

확실하게 이해시켜주고 싶은지, '매매 계약' 사례를 들어주고 있습니
다. 이 '매매 계약'은 기본적으로 서로의 '의사 표시가 합치'함으로써
성립하는 것입니다. 이는 '일반적인 약속'과 '계약'이 가지는 공통점
이었죠? 그런데 '매매 계약'의 경우, '매도인'과 '매수인'이 서로에게
'의무'를 지고 '권리'를 가지는 모습입니다. 내용 자체는 어렵지 않게
이해할 수 있겠죠? '매도인'은 물건을 파는 사람이니 소유권 이전의
'의무'를 지고 매매 대금의 지급을 청구할 '권리'를 가지는 것입니다.
반대로 물건을 사는 '매수인'은 매매 대금 지급의 '의무'를 지고 소유
권 이전의 '권리'를 가지는 것이구요. 서로 '권리'를 행사하고 '의무'
를 이행하는 관계에 놓이게 되는 것이죠.

이렇게 '권리'와 '의무'가 발생한다는 말을 단순하게 정리하고 넘어

가는 것은 최악입니다. 지금 우리가 읽고 있는 사례는 '일반적인 약
속'과 '계약'의 비교라는 원리와 연결되는 것이에요. '의사 표시의 합
치'라는 공통점은 확인이 되었는데, '법률 효과의 발생'이라는 차이
점은 언급하지 않은 것 같아요. 그런데 '계약'을 하면 '권리'와 '의무'
라는 것이 발생한다고 합니다. 이를 연결하면, '법률 효과=권리와 의
무'라는 결과를 얻을 수 있네요. 결국 '계약'은 '일반적인 약속'과 다
르게 서로의 의사 표시가 '권리'와 '의무'라는 '법률 효과'를 발생시키
는 것이었습니다.

'권리'와 '의무'라는 말이 '법률 효과'를 의미한다는 것을 한 번만 써
줬어도 어렵지 않게 파악할 수 있었을 텐데, 이를 숨기는 방식으로
불친절한 서술이 작동하는 모습입니다. 여러분이 스스로 친절하게
만들 수 있어야 해요! 여기서는 '사례-원리 연결'이라는 기본적인 태
도가 사용되었네요.

하이라이트 문장

> ③하지만 이것은 친구와 뜻이 맞아 주말에 영화 보러
> 가자는 약속과는 다르다.

'계약'과 '일반적인 약속'이 다르다고 했으니, 정확히 어떤 점에서 다
른지 확실하게 체크해야 합니다. 나아가 '다르다'라는 표현에는 '공
통점이 있다'는 말이 들어 있다는 것도 생각하셔야 해요.

2문단

> ①이처럼 의사 표시를 필수적 요소로 하여 법률 효과
> 를 발생시키는 행위들을 **법률 행위**라 한다. ②계약은
> 법률 행위의 일종으로서, 당사자에게 일정한 청구권과
> 이행 의무를 발생시킨다. ③청구권을 내용으로 하는 권
> 리가 채권이고, 그에 따라 이행을 해야 할 의무가 채무
> 이다. ④따라서 **채권과 채무**는 발생한 법률 효과가 동
> 전의 양면처럼 서로 다른 방향에서 파악되는 것이라 할
> 수 있다. ⑤채무자가 채무의 내용대로 이행하여 채권을
> 소멸시키는 것을 **변제**라 한다.

①~② #수식된 정의 제시 #단어의 의미 살리기 #재진술

이처럼 '의사 표시'를 필수적 요소로 하여 '법률 효과'를 발생시키는
행위들을 '법률 행위'라고 부릅니다. 단어의 의미 그대로 '법률'적인
'행위'인 것인데, 이는 앞에서 확인한 '계약'과 똑같은 내용이죠? '계
약'을 하면 '청구권'과 '이행 의무'가 발생한다고 합니다. 우리가 미리

생각한 '권리'와 '의무'가 발생한다는 내용, 나아가 이것이 곧 '법률 효과'를 의미한다는 내용 모두 가볍게 인지할 수 있겠습니다.

③~④ #수식된 정의 제시 #재진술

이러한 '청구권'을 내용으로 하는 권리가 '채권'이고, 그에 따라 이행을 해야 할 '의무'가 '채무'라고 합니다. 결국 1문단에서 이야기한 '법률 효과'는 '채권'과 '채무'라는 개념으로 이어지는 것입니다. 이 개념들의 정의를 정확하게 체크하시면서, 4번 문장을 통해 더 깊게 이해하시면 됩니다. 누군가가 '청구'할 수 있는 '권리'를 가지는 어떤 '법률 효과'는 상대방에게는 '이행'해야 하는 '의무'가 되기에, '채권'과 '채무'는 '동전의 양면'과도 같은 관계가 되는 것이죠.

⑤ #수식된 정의 제시 #화제의 흐름

이러한 '동전의 양면' 중 '채무'의 내용대로 이행을 하면, 그 반대에 있는 '채권'이 소멸될 것입니다. 이것이 '변제'의 정의라고 하네요. 역시 중요한 개념일 것이니 확실하게 체크할 필요가 있겠죠? 뒤에서 다시 정리하겠지만, '채권', '채무', '변제'와 같은 개념들은 법 제재 지문의 기본적인 배경지식으로 알아 두시기 바랍니다.

중요한 것은 지금 나오는 모든 개념들이 1문단의 사례를 설명하는 역할을 하고 있다는 점입니다. '법률 행위'를 통해 만들어지는 '법률 효과', 즉 '채권'과 '채무'에 대해서 반복해서 설명하고 있는 것이에요. 지문의 화제는 놓치지 않고 인식할 수 있어야 해요!

하이라이트 문장

> ①이처럼 의사 표시를 필수적 요소로 하여 법률 효과를 발생시키는 행위들을 법률 행위라 한다.

이 문장을 읽고, 앞에서 본 '계약'이 곧 '법률 행위'의 일종임을 바로 파악할 수 있어야 합니다. 결국 다 유기적으로 연결되는 거예요.

3문단

> ①갑과 을은 을이 소유한 그림 A를 갑에게 매도하는 것을 내용으로 하는 매매 계약을 체결하였다. ②을의 채무는 그림 A의 소유권을 갑에게 이전하는 것이다. ③동산인 물건의 소유권을 이전하는 방식은 그 물건을 인도하는 것이다. ④갑은 그림 A가 너무나 마음에 들었기 때문에 그것을 인도받기 전에 대금 전액을 금전으로 지급하였다. ⑤그런데 갑이 아무리 그림 A를 넘겨달라고 청구하여도 을은 인도해 주지 않았다. ⑥이런 경우

> 갑이 사적으로 물리력을 행사하여 해결하는 것은 엄격히 금지된다.

①~⑤ #사례-원리 연결

뜬금없이 사례가 나오고 있습니다. '매매 계약'이라는 사례가 제시되고 있어요. 이는 '채권'과 '채무'라는 '법률 효과'를 발생시키는 '법률 행위'겠죠? 앞에서 설명했던 내용들을 확실하게 이해시키기 위해 사례를 들어주는 것입니다. 여러 가지 개념의 정의들을 끌어올 준비를 하면서 읽을 수 있어야 합니다.

먼저 '을의 채무'에 대해 이야기하고 있습니다. '을'은 자신이 소유한 그림을 매도하는 입장이기에, '매도인'에 해당합니다. '매도인'은 1문단에서 이야기한 것처럼 '매매 목적물', 즉 '그림'의 소유권을 이전하여야 할 의무를 지겠죠? 그리고 이러한 동산의 소유권을 이전하는 방식은 '물건을 인도하는 것'이기 때문에, 을이 갑에게 그림을 인도하기만 하면 '채무'를 이행하여 '변제'할 수 있는 것이에요.

한편 갑의 입장에선, '매매 대금 지급'이라는 '채무'를 가지게 됩니다. 갑은 그림이 너무나 마음에 들었기에, 을이 자신의 '채무'를 다하기도 전에 '변제'를 해 버린 상황이에요. 자신의 '채무'를 다한 갑은 '채권'을 행사하여 그림의 소유권 이전을 청구할 수 있을 것인데, 이런 상황에서도 을은 그림을 인도해 주지 않는 모습입니다. 을이 '채무'를 이행하지 않아 갑의 '채권'이 침해받는 상황이에요.

⑥ #화제의 흐름

이런 경우에 갑이 사적으로 물리력을 행사하는 것은 엄격히 금지된다고 합니다. 직접 찾아가서 그림을 뺏어오고 하는 것은 안 될 일이라는 거예요. 그렇다면 불쌍한 갑은 도대체 어떻게 해야 하는 것일까요? 이 물음을 떠올릴 수 있어야 합니다. 불친절한 지문의 구성 탓에 화제의 흐름을 만들 수 있는 여러 연결고리들이 생략되어 있지만, 여러분이 스스로 '갑이 해야 할 일'이라는 흐름을 만들면서 읽을 수 있어야 해요.

하이라이트 문장

> ①갑과 을은 을이 소유한 그림 A를 갑에게 매도하는 것을 내용으로 하는 매매 계약을 체결하였다.

뜬금없이 '갑'과 '을'의 이야기를 하고 있습니다. 당황하지 말고, '매매 계약'이라는 말을 보고서 '법률 행위'라는 지문의 화제를 이해시키기 위한 사례라는 것을 인식해야 합니다. '예를 들어' 하나만 써 주어도 상당히 쉽게 읽혔을 지문이었는데, 접속 부사를 생략하는 방식으로 불친절함을 가중하고 있는 모습이네요. 스스로 헤쳐나올 수 있어야 해요!

①채권의 내용은 민법과 같은 **실체법**에서 규정하고 있고, 그것을 강제적으로 실현할 수 있도록 민사 소송법이나 민사 집행법 같은 **절차법**이 갖추어져 있다. ②갑은 소를 제기하여 판결로써 자기가 가진 채권의 존재와 내용을 공적으로 확정받을 수 있고, 나아가 법원에 강제 집행을 신청할 수도 있다. ③강제 집행은 국가가 물리적 실력을 행사하여 채무자의 의사에 구애받지 않고 채무의 내용을 실행시켜 채권이 실현되도록 하는 제도이다.

① #수식된 정의 제시 #단어의 의미 살리기 #화제의 흐름

갑이 어떻게 해야 하는지 궁금해하고 있는데, 갑자기 '실체법'과 '절차법'을 정의하고 있습니다. 일단 '실체법'은 단어의 의미 그대로 '실체'적인 '법'일 텐데, '채권'의 내용을 규정하는 법으로 정의되고 있어요. 나아가 '절차법'은 단어의 의미 그대로 '절차'와 관련된 '법'인데, 이는 '채권'을 강제적으로 실현할 수 있도록 하는 법이라고 해요.

여기서 '채권'이라는 말을 보자마자, 이것이 갑과 관련된 개념이라는 걸 생각할 수 있어야 합니다. 우리는 지금 갑의 '채권'이 침해된 상황에 대해 읽고 있으니까요! '실체법'과 '절차법'은 모두 갑이 어떻게 해야 하는지에 대한 답을 제시하는 역할을 하고 있는 것이죠. 3문단과 4문단을 이어주는 연결고리가 제시되지 않아 매우 불친절하지만, 여러분이 스스로 생각할 수 있는 내용이있을 거예요.

② #사례-원리 연결

우리가 생각했던 내용이 그대로 제시되고 있습니다. 갑은 소를 제기하여 '채권의 존재와 내용'을 공적으로 확정받을 수 있다고 해요. 역시 생략된 내용이지만, 우리는 이것이 '실체법'에 기반한 것임을 생각할 수 있어야 합니다. '채권'의 내용을 규정하고 있는 법은 '실체법'이니까요.

나아가 법원에 '강제 집행'을 신청할 수도 있다고 합니다. '강제'적으로 '집행'하는 것이니 '절차법'을 이용하는 것이겠죠? 결국 갑은 '실체법'을 근거로 자신의 '채권'이 존재한다는 것을 확정받고, 이를 근거로 '절차법'의 도움을 받아 법원으로 하여금 을의 그림을 '강제'적으로 가져와달라고 할 수도 있는 것입니다. 이렇게 읽을 수 있어야 해요. 지문이 많이 불친절하지만, 여러분이 스스로 연결고리를 만들 수 있어야 한다는 것이죠!

③ #정의 제시 #단어의 의미 살리기

이때 '강제 집행'은 국가가 채무자의 의사와 상관없이 채무의 내용을 실행시켜 채권이 실현되게 하는 제도라고 합니다. 단어의 의미 그대로, 국가가 채무를 '강제'적으로 '집행'하는 것이죠? 너무나 당연하게 정의를 받아들여주시고, 갑의 사례와 연결지어야 합니다.

나아가, 갑의 사례가 결국 '법률 행위'라는 화제를 이야기하기 위한 것이라는 점도 생각할 수 있으면 더 좋겠죠? 갑과 을이 '매매 계약'이라는 '법률 행위'를 하면 '채권'과 '채무'라는 '법률 효과'가 발생하고, 이때 '채권'은 '실체법'과 '절차법'에 근거하여 보호받을 수 있는 것입니다. 이 흐름을 생각하며 지문을 친절하게 만들 수 있어야 합니다!

하이라이트 문장

①채권의 내용은 민법과 같은 실체법에서 규정하고 있고, 그것을 강제적으로 실현할 수 있도록 민사 소송법이나 민사 집행법 같은 절차법이 갖추어져 있다.

뜬금없는 정보가 나와도, 절대 당황하면 안 됩니다! 결국 우리가 읽고 있는 지문의 흐름과 연결될 거예요! '정보의 역할'을 끊임없이 생각하는 것이 정말 중요해요.

①을이 그림 A를 넘겨주지 않은 까닭은 갑으로부터 매매 대금을 받은 뒤에 을의 과실로 불이 나 그림 A가 타 없어졌기 때문이다. ②결국 채무는 이행 불능이 되었다. ③소송을 하더라도 불능의 내용을 이행하라는 판결은 나올 수 없다. ④그림 A의 소실이 **계약 체결 전**이었다면, 그 계약은 실현 불가능한 내용을 담고 있기 때문에 체결할 때부터 **계약 자체가 무효**이다. ⑤이행 불능이 채무자의 과실 때문에 일어난 것이라면 채무자가 채무 불이행에 대한 책임을 져야 한다.

①~③ #카테고리 나누기 #단어의 의미 살리기

이렇게 갑이 을의 그림을 강제적으로 인도받으려고 했는데, 알고보니 을이 그림을 넘겨주지 않은 까닭이 그림이 불에 탔기 때문이라고 해요. 새로운 카테고리가 만들어진 겁니다. 지금까지는 '채무를 이행하지 않음'이라는 상황에 대한 내용을 읽었다면, 이제부터는 '이행이 불가능해짐'이라는 상황에 대한 내용을 읽게 될 겁니다. '채무'를 이행하지 않으면 강제적으로 이행하게 하면 되는데, 이행 자체가 불가능하면 어떻게 해야 할까요? 3번 문장에서 이야기하는 것처럼 불가능한 걸 이행하라고 강제할 수는 없잖아요.

④ #화제의 흐름

만약 그림의 소실이 '계약 체결 전'이었다면, 실현 불가능한 내용을 가지고 계약한 것이기에 계약 자체가 무효라고 합니다. 당연한 말이죠? 그런데 중요한 것은, 이 내용은 갑과 을의 사례와 상관이 없다는 것입니다. 이때의 '이행 불능'은 을이 매매 대금을 받은 뒤, 즉 '계약 체결 후' 일어난 것이었어요. 따라서 '계약 무효'라는 상황은 일어나지 않는다는 겁니다. 이렇게 지문 전체의 흐름과 무관한 문장을 넣어두는 방식으로 불친절함을 만들 수도 있는 것이에요. 가볍게 무시하고 다음 문장으로 가 주시면 됩니다.

⑤ #화제의 흐름

이건 우리가 읽고 있는 사례와 관련된 내용이네요. 그림이 불타 '이행 불능'의 상황이 된 것은 을이라는 '채무자'의 과실 때문이라고 했으니, 채무자인 을은 '채무 불이행'에 대한 책임을 져야겠죠. 지극히 당연한 말입니다. 이제 우리는 그 '책임'이 무엇인지 궁금해하면서 읽으면 되겠네요. '생각'이라는 무기를 가지고 읽어냈더니 지문이 너무나 친절해진 모습입니다.

하이라이트 문장

> ④그림 A의 소실이 계약 체결 전이었다면, 그 계약은 실현 불가능한 내용을 담고 있기 때문에 체결할 때부터 계약 자체가 무효이다.

화제와 관련 없는 내용입니다. 체크는 하되, 정답 선지 등으로 쓰일 리가 없는 정보이니 빠르게 넘어가면서 다시 흐름을 잡을 수 있어야 합니다. '계약 체결 후'에 그림이 소실된 상황에 대해 계속해서 생각해야 해요.

6문단

> ①이때 채무 불이행은 갑이나 을의 <u>의사 표시가 작용한 것이 아니라</u>, 매매 목적물의 소실에 따른 이행 불능으로 말미암은 것이다. ②이러한 사건을 통해서도 **법률 효과가 발생**한다. ③채무 불이행에 대한 책임은 갑으로 하여금 <u>계약을 해제할 수 있는 권리</u>를 갖게 한다. ④갑이 계약 해제권을 행사하면 그때까지 유효했던 계약이 처음부터 효력이 없는 것으로 된다. ⑤이때의 계약 해제는 <u>일방의 의사 표시</u>만으로 성립한다. ⑥따라서 갑이 해제권을 행사하는 데에 <u>을의 승낙은 요건이 되지 않는다</u>. ⑦이러한 법률 행위를 **단독** 행위라 한다.

①~② #화제의 흐름 #재진술 #예외 제시

이때의 '채무 불이행'은 갑이나 을의 '의사 표시'가 작용한 것이 아닙니다. 그렇죠. 을이 자신의 의사로 그림에 불을 지른 것은 아니니까요. 중요한 것은 여기서 '의사 표시'를 보자마자 '법률 행위가 아니다.'라는 말을 떠올릴 수 있어야 한다는 점입니다. '의사 표시'는 첫 문단에서 체크한 계약과 일반적인 약속의 '공통점'이자 화제인 '법률 행위'의 정의를 구성하는 핵심 요소이기 때문에, 충분히 떠올릴 수 있겠죠?

나아가 이러한 사건을 통해서도 '법률 효과'가 발생한다는 내용을 보고서도 '권리'와 '의무'를 떠올릴 수 있어야 합니다. 역시 지문의 흐름에서 가장 중요한 내용 중 하나였으니까요. 정리하면, 그림이 불에 타서 채무를 이행할 수 없는 상황은 '법률 행위'는 아니지만 '법률 효과'를 발생시킬 수 있는 거예요. 법 지문에서 정말 중요한 '예외'에 해당하니 중요하게 생각할 수 있어야 할 것 같습니다. 그럼 이러한 '채무 불이행'이 어떤 '법률 효과'를 발생시킬 수 있는지 궁금해하면서 읽으면 되겠죠?

③~④ #화제의 흐름

이때 발생하는 '법률 효과'는 갑에게 부여되는 계약 해제권, 즉 '권리'였습니다. 여기서 '계약 해제권=법률 효과'를 읽어낼 수 있어야 한다는 건 몇 번이고 강조해도 부족하지 않겠죠? 지문이 아무리 불친절해도, 여러분의 '생각의 힘'이 탄탄하다면 충분히 친절하게 만들어낼 수 있습니다.

⑤~⑦ #재진술 #수식된 정의 제시
#단어의 의미 살리기

이때 갑이 계약을 '해제'하는 것은 일방, 즉 갑의 의사 표시만으로도 성립합니다. 이렇게 을과 같은 상대방의 승낙을 요건으로 하지 않는 '법률 행위'를 '단독 행위'라고 부른다고 해요. 일단 갑이 '단독'으로 하는 '행위'이니 '단독 행위'라고 부른다는 건 어렵지 않게 납득할 수 있을 것이고, 나아가 '계약 해제권 행사'는 '법률 행위'라는 것에도 주목할 수 있으면 좋겠습니다. 갑의 '의사 표시'가 요소가 되기에 '법률 행위'라고 부르는 것이겠죠? 그렇다면 '계약 해제권 행사'를 하면 '법률 효과', 즉 '권리' 혹은 '의무'가 발생한다는 것도 생각할 수 있겠습니다. '법률 행위'는 '법률 효과'를 발생시키니까요! 어떤 '법률 효과'일까요?

하이라이트 문장

> ③채무 불이행에 대한 책임은 갑으로 하여금 계약을 해제할 수 있는 권리를 갖게 한다.

여기서 말하는 '권리'가 곧 을의 채무 불이행이 만든 '법률 효과'라는 것을 생각할 수 있었어야 합니다. 모든 정보가 하나로 모이면서 지문이 친절해졌다는 느낌을 받을 수 있어야 해요.

> ①갑은 계약을 해제하였다. ②이로써 그 계약으로 발생한 채권과 채무는 없던 것이 된다. ③당연히 계약의 양 당사자는 자신의 채무를 이행할 필요가 없다. ④이미 이행된 것이 있다면 계약이 체결되기 전의 상태로 돌려놓아야 한다. ⑤이를 청구할 수 있는 권리가 **원상회복 청구권**이다. ⑥계약의 해제로 갑은 원상회복 청구권을 행사할 수 있으며, 이러한 갑의 채권은 결국 을에게 매매 대금을 반환해 달라고 청구할 수 있는 권리가 된다.

①~③ #사례-원리 연결

다시 갑의 사례로 넘어왔습니다. 갑은 계약을 해제하였다고 합니다. 을의 '채무 불이행'을 바탕으로 얻은 '계약 해제권'을 행사하는 '단독 행위'를 한 것이죠? 이렇게 되면 계약이 무효가 되기에, 소유권 이전과 같은 '법률 효과'는 모두 사라지게 됩니다. 너무나 당연한 이야기들이에요.

④~⑥ #사례-원리 연8결 #수식된 정의 제시 #단어의 의미 살리기

그런데 이미 이행된 채무가 있다면, 계약이 체결되기 전으로 '원상회복'을 해야 한다고 합니다. 단어의 의미 그대로, 이를 '청구'할 수 있는 '권리'는 '원상회복 청구권'이라고 하네요. 여기서 '권리'라는 말을 보자마자, 이것이 바로 갑의 '계약 해제권 행사'라는 '법률 행위'를 통해 발생한 '법률 효과'임을 파악할 수 있어야 합니다. 갑은 '원상회복 청구권'이라는 '권리'를 얻게 되어 을에게 매매 대금 반환, 즉 '채무를 이행하지 않은 상태로의 원상회복'을 청구할 수 있게 되는 것이었어요.

하이라이트 문장

> ④이미 이행된 것이 있다면 계약이 체결되기 전의 상태로 돌려놓아야 한다.

이 문장 바로 앞에 '갑의 사례처럼'이라는 말을 넣어서 이해할 수 있어야 합니다. '사례-원리 연결'의 활용을 통해 불친절한 지문을 친절하게 만들 수 있어야 해요.

선지	①	②	③	④	⑤
선택률	20%	10%	45%	18%	7%

20 윗글의 내용과 일치하지 <u>않는</u> 것은? ③

① 실체법에는 청구권에 관한 규정이 있다.

명시적 근거	2문단 3번 문장, 4문단 1번 문장
실전에서의 판단 과정	실체법은 채권을 규정하는 것이지.
해설	'실체법'은 갑이 자신의 '채권'을 확정받기 위해 사용할 수 있는 법이었습니다. 그리고 '채권'이 바로 '청구권을 내용으로 하는 권리'였죠. 따라서 '실체법'에는 '청구권'에 관한 규정이 있을 것입니다. 지문 그 어디에도 없는 말이지만, 갑의 사례가 '실체법/절차법'과 어떻게 연결되는지 생각했다면 충분히 떠올릴 수 있는 내용입니다.

② 절차법에 강제 집행 제도가 마련되어 있다.

명시적 근거	4문단 1번~2번 문장
실전에서의 판단 과정	절차법은 채무를 강제적으로 실현할 수 있게 하는 법이지.
해설	'실체법'과 세트로 등장했던 '절차법'을 이해하고 있는지 묻는 선지입니다. '절차법'은 채권의 내용을 '강제'적으로 실현할 수 있도록 해 주는 법으로, 갑은 이를 근거로 해서 '강제 집행'을 신청할 수 있었습니다. '절차법'을 바탕으로 '강제 집행'을 신청하는 것이니, '절차법'에는 당연히 '강제 집행 제도'가 마련되어 있겠죠. 역시 갑의 사례를 제대로 이해하고 있는지 물어보는 선지네요.

③ 법률 행위가 없으면 법률 효과가 발생하지 않는다.

명시적 근거	2문단 1번 문장, 6문단 1번~2번 문장
실전에서의 판단 과정	채무 불이행의 경우에는 의사 표시 없어도 법률 효과 발생할 수 있잖아.
해설	법 지문의 핵심 포인트인 '예외'가 또 답으로 제시되는 모습입니다. 일반적으로 '권리', '의무'와 같은 '법률 효과'는 '의사 표시'를 필수 요건으로 하는 '법률 행위'를 통해 발생하지만, 예외적으로 을의 채무 불이행처럼 '의사 표시' 없이도 발생할 수 있다고 했어요. 그 결과물이 바로 '계약 해제권'이었죠? 6문단의 첫 문장에서 '의사 표시'라는 말을 보자마자 '법률 행위'라는 중요 개념을 떠올릴 수 있었는지, 그리고 '법률 효과'는 곧 '권리'와 '의무

를 의미한다는 것을 체크하고 있는지를 물어보는 선지였습니다. 단순한 눈알 굴리기로 해결하는 게 매우 어렵다는 점에서 정말 좋은 선지라고 할 수 있어요.

④ 법원을 통하여 물리력으로 채권을 실현할 수 있다.

명시적 근거	4문단 3번 문장
실전에서의 판단 과정	강제 집행의 정의지.
해설	법원을 통해 물리력으로 채권 실현이 가능케 하는 제도, 바로 '강제 집행 제도'였습니다. 갑과 같은 개인이 물리력을 행사하는 것은 엄격히 금지되지만, 법원을 통해 국가가 물리력을 행사하는 게 하는 것은 허용이 되는 것이었어요.

⑤ 실현 불가능한 것을 내용으로 하는 계약은 무효이다.

명시적 근거	5문단 4번 문장
실전에서의 판단 과정	당연하지.
해설	지문을 불친절하게 만드는 요소 중 하나인 '지문의 흐름과 무관한 문장'을 이용한 선지입니다. 당연히 답이 될 리가 없겠죠? 내용 자체도 쉽게 납득할 수 있을 것이구요. 화제의 흐름을 잡고, '그 화제를 설명하기 위해 나온 사례'와 '그렇지 않은 사례'를 확실하게 나누면서 읽었다면 쉽게 지울 수 있겠네요.

선지	①	②	③	④	⑤
선택률	7%	8%	20%	17%	48%

21 ㉠, ㉡에 대한 이해로 가장 적절한 것은? ⑤

> ㉠ 을의 채무는 그림 A의 소유권을 갑에게 이전하는 것이다.
> ㉡ 갑의 채권은 결국 을에게 매매 대금을 반환해 달라고 청구할 수 있는 권리가 된다.

- 일단 ㉠과 ㉡에 대해 정리하고 갑시다. ㉠은 '매매 계약'으로 인해 발생한 '을의 채무'입니다. 을은 '매도인'이기 때문에 '소유권 이전'이라는 '채무'를 가지고 있었죠.

한편 ㉡은 위의 '매매 계약'이 을의 '채무 불이행'으로 인해 발생한 갑의 '계약 해제권'으로 무효가 된 상황에서 발생한 '법률 효과'입니다. 갑은 이미 매매 대금 지급이라는 채무를 이행한 상황이기 때문

에, 이를 이행하기 전의 상황으로 '원상회복'하는 것을 '청구'할 수 있는 '권리'를 가지고 있었어요. 이 정도로 정리하고 선지 판단에 나설 수 있어야 합니다!

① ㉠은 매도인의 청구와 매수인의 이행으로 소멸한다.

명시적 근거	3문단 1번~2번 문장
실전에서의 판단 과정	을은 매도인이니까 이행을 해야지.
해설	㉠은 '을의 채무'입니다. 을은 '매도인'이기 때문에, '매수인'인 갑이 소유권 이전을 '청구'하면 그제서야 ㉠을 '이행'해야 해요. '매도인/매수인'이라는 단어의 의미를 정확히 아는지, '청구'와 '이행'이 각각 '채권', '채무'에 대응된다는 걸 체크했는지를 물어보는 선지였네요.

② ㉡은 채권자와 채무자의 의사 표시가 작용하여 성립한 것이다.

명시적 근거	6문단 1번~5번 문장
실전에서의 판단 과정	㉡은 갑의 단독 행위로 인해 발생한 법률 효과였지.
해설	㉡은 을의 '채무 불이행'으로 인해 발생한 '법률 효과'인 계약 해제권의 행사라는 '단독 행위'로 인해 발생한 '법률 효과'입니다. 이 말을 다 알아들을 수 있으면 좋겠어요. 아무튼, ㉡은 을의 의사 표시를 무시한 '단독 행위'로 인해 발생한 것이므로 '채권자와 채무자' 모두의 의사 표시가 작용했다고 볼 수는 없겠네요. 각 법률 효과가 발생하게 된 맥락을 정확하게 이해하고 있는지 물어보는 선지입니다.

③ ㉠과 ㉡은 ㉠이 이행되면 그 결과로 ㉡이 소멸하는 관계이다.

명시적 근거	3문단 1번~2번 문장
실전에서의 판단 과정	㉠과 ㉡은 서로 다른 상황에서의 법률 효과였지.
해설	㉠과 ㉡은 서로 다른 상황에서 발생한 '법률 효과'입니다. ㉠은 '법률 행위'인 계약에 의한 채무이고, ㉡은 '채무 불이행'으로 인한 채권이니까요. ㉠이 이행된다면 애초에 '채무 불이행'이 발생하지 않아 갑이 ㉡을 가지게 될 일도 없었겠죠. 화제의 흐름을 정말 집요하게 묻고 있네요. 사례와 원리를 끊임없이 붙이면서 읽어 주셨어야 합니다.

④ ㉠과 ㉡은 동일한 계약의 효과를 서로 다른 측면에서 바라본 것이다.

명시적 근거	지문 전체
실전에서의 판단 과정	㉡은 매매 계약의 효과가 아니지.
해설	㉠은 '매매 계약'이라는 법률 행위로 인해 발생한 '법률 효과'이지만, ㉡은 '채무 불이행'이라는 상황으로 인해 발생한 '법률 효과'입니다. 애초에 '동일한 계약의 효과'라고 볼 수가 없는 거예요. 이 지문의 핵심인 '법률 효과의 발생 양상'을 완벽하게 파악하고 있어야 합니다.

⑤ ㉠에는 물건을 인도할 의무가 있고, ㉡에는 금전의 지급을 청구할 권리가 있다.

명시적 근거	3문단 2번 문장, 7문단 6번 문장
실전에서의 판단 과정	㉠, ㉡의 내용 그대로네.
해설	우리가 미리 생각한 ㉠, ㉡의 내용 그대로네요. ㉠에는 을이 그림이라는 물건을 인도할 의무가 있고, ㉡에는 갑이 이미 지급한 매매 대금이라는 금전의 지급을 청구할 권리가 있습니다.

선지	①	②	③	④	⑤
선택률	71%	6%	7%	12%	4%

22 ㉮의 상황에 대한 설명으로 적절한 것은? ①

> ㉮ 결국 채무는 이행 불능이 되었다.

– ㉮의 상황부터 정리해봅시다. 을의 과실로 이행 불능 상태가 되어 '채무 불이행'이 발생한 상황이었죠. 미리 답을 생각하고 갑시다. 이 경우 어떻게 됐나요? 그렇죠. 을에게 책임을 물어 갑에게 계약 해제권이라는 '법률 효과'를 발생시켰죠. 그래서 갑은 을의 의사를 무시하고 계약을 해제할 수 있었습니다. 이렇게 정리해두고 답을 골라보도록 합시다.

① '을'의 과실로 이행 불능이 되어 '갑'의 계약 해제권이 발생한다.

명시적 근거	5문단 1번 문장, 6문단 3번 문장
실전에서의 판단 과정	미리 생각한 내용이네.

| 해설 | 미리 생각한 내용 그대로죠? 채무자의 과실로 '이행 불능'이 되어 발생한 '채무 불이행'은 채권자에게 '계약 해제권'이라는 '법률 효과'를 발생시켰습니다. 사례와 원리를 연결지으며 지문의 전체적인 흐름을 파악했다면 아주 쉽게 답으로 고를 수 있네요. |

② '갑'은 소를 제기하여야 매매의 목적이 된 재산권을 이전받을 수 있다.

명시적 근거	5문단 3번 문장
실전에서의 판단 과정	그림이 없어졌는데 재산권 이전을 어떻게 받아.
해설	㉮는 매매 목적물인 그림이 소실된 상황입니다. 애초에 그림이 존재하지도 않기 때문에, 이에 대한 재산권을 이전받는 것은 불가능해요.

③ '갑'은 원상회복 청구권을 행사하여야 '그림 A'의 소유권을 회복할 수 있다.

명시적 근거	7문단 5번~6번 문장
실전에서의 판단 과정	이 지문에서 원상회복 청구권은 돈 받는 거잖아.
해설	갑이 청구하는 '원상회복 청구권'은 매매 대금을 지급하기 이전의 상태로 '원상회복'해달라는 것이었습니다. 나아가 '갑'은 애초에 그림 A의 소유자가 아니었기에, 소유권을 '회복'한다는 것도 틀린 말이 되겠죠?

④ '갑'과 '을'은 애초부터 실현 불가능한 내용의 계약을 체결하였기 때문에 이행 불능이 되었다.

명시적 근거	5문단 1번~2번 문장
실전에서의 판단 과정	그림 불타서 이행 불능이 된 거지.
해설	원래는 소유권 이전과 매매 대금 지급이라는 채무의 실현이 가능했지만, 그림이 불타면서 '이행 불능'의 상태가 된 것이었죠.

⑤ '을'이 '갑'에게 '그림 A'를 인도하는 것은 불가능해졌지만 '을'은 채무 불이행에 대한 책임을 지지 않는다.

명시적 근거	5문단 5번 문장
실전에서의 판단 과정	잘못했으면 책임져야지.
해설	을은 '채무 불이행'을 하여 갑의 권리 실현을 방해하는 피해를 줬기 때문에, 당연히 이에 상응하는

책임을 져야 합니다. 이때 지는 책임이 바로 '계약 해제권 부여'였죠?

선지	①	②	③	④	⑤
선택률	6%	20%	40%	23%	11%

23 윗글을 바탕으로 할 때, 〈보기〉에 대한 분석으로 적절하지 않은 것은? [3점] ③

[보기]

증여는 당사자의 일방이 자기의 재산을 무상으로 상대방에게 줄 의사를 표시하고 상대방이 이를 승낙함으로써 성립하는 계약이다. 증여자만 이행 의무를 진다는 점이 특징이다. 유언은 유언자의 사망과 동시에 일정한 법률 효과를 발생시키려는 것을 목적으로 하는데, 유언자의 의사 표시만으로 유효하게 성립하고 의사 표시의 상대방이 필요 없다는 점에서 증여와 차이가 있다.

– 새로운 정보를 제시하는 〈보기〉입니다. 지문을 읽을 때와 마찬가지로 확실하게 정리하고 넘어가는 게 중요해요. 먼저 '증여'의 경우, 자신의 재산을 주겠다는 '의사 표시'와 그걸 받을 상대방의 '의사 표시'가 합치하는 상황이 되면 성립하는 '계약'이라고 합니다. '의사 표시'와 '계약'이라는 말을 보니 '증여'는 곧 '법률 행위'라고 할 수 있겠네요. 이를 통해 발생하는 '법률 효과'는 '증여자의 이행 의무'와 '증여를 받는 사람의 청구권'이 되겠습니다. 증여를 받는 사람은 딱히 이행해야 하는 의무가 없고, 증여자만 이행 의무를 지는 게 특징이네요.

한편 '유언' 역시 '의사 표시'를 요소로 하여 '법률 효과'를 발생시키는 '법률 행위'입니다. 그런데 이는 유언자의 의사 표시만으로 유효하게 성립한다고 해요. 이러한 '법률 행위'를 '단독 행위'라고 부른다는 것, 어렵지 않게 생각할 수 있겠죠?

① 증여, 유언, 매매는 모두 법률 행위로서 의사 표시를 요소로 한다.

명시적 근거	2문단 1번 문장, 〈보기〉
실전에서의 판단 과정	그렇지.
해설	증여, 유언, 매매 모두 '의사 표시'를 요소로 하는 법률 행위였죠? 〈보기〉를 읽으며 미리 생각했어야 하는 정보입니다.

② 증여와 유언은 법률 효과를 발생시키려는 목적이 있다는 점이 공통된다.

명시적 근거	〈보기〉
실전에서의 판단 과정	증여와 유언 둘 다 법률 행위니까 당연하지.
해설	'증여'와 '유언' 모두 '법률 행위'라는 것을 생각했다면, 이들이 모두 '법률 효과' 발생을 목적으로 한다는 점은 어렵지 않게 생각할 수 있었을 겁니다. 물론 〈보기〉에는 '증여'가 '법률 효과'를 발생시킨다는 말이 없지만, '증여'는 곧 '계약=법률 행위'이니 '법률 효과'를 발생시킨다는 것을 생각해낼 수 있어야 해요!

③ 증여는 변제의 의무를 발생시키지 않는다는 점에서 매매와 차이가 있다.

명시적 근거	2문단 5번 문장, 〈보기〉
실전에서의 판단 과정	증여에도 채무가 있으니 변제의 의무를 발생시키지.
해설	'변제'는 '채무'를 이행하여 '채권'을 소멸시키는 것입니다. 비록 한 명만 '채무'를 가지긴 하지만, '증여'도 어쨌든 '채무'를 발생시키므로 '변제의 의무'가 있다고 해야겠네요.

④ 증여는 당사자 일방만이 이행한다는 점에서 양 당사자가 서로 이행하는 관계를 갖는 매매와 차이가 있다.

명시적 근거	1문단 7번 문장, 〈보기〉
실전에서의 판단 과정	그렇지 뭐.
해설	선지 그대로 맞다고 생각하고 넘어갈 수 있어야 합니다. '매매 계약'은 계약의 쌍방에게 모두 '권리'와 '의무'를 발생시키지만, '증여'는 증여자만 '이행 의무'를 져요.

⑤ 증여는 양 당사자의 의사 표시가 서로 합치하여 성립한다는 점에서 의사 표시의 합치가 필요 없는 유언과 차이가 있다.

명시적 근거	〈보기〉
실전에서의 판단 과정	유언은 단독 행위였지.
해설	'유언'은 '의사 표시의 합치'가 필요 없는 '단독 행위'라는 것. 〈보기〉를 정리하는 과정에서 중요하게 체크한 정보입니다.

선지	①	②	③	④	⑤
선택률	84%	1%	1%	2%	12%

24 문맥상 의미가 ⓐ와 가장 가까운 것은? ①

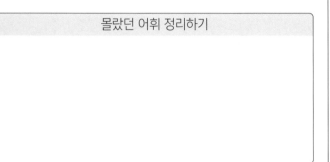

① 오랜 연구 끝에 만족할 만한 실험 결과가 나왔다.

② 그 사람이 부드럽게 나오니 내 마음이 누그러졌다.

③ 우리 마을은 라디오가 잘 안 나오는 산간 지역이다.

④ 이 책에 나오는 옛날이야기 한 편을 함께 읽어 보자.

⑤ 그동안 우리 지역에서는 걸출한 인물들이 많이 나왔다.

몰랐던 어휘 정리하기

| 핵심 **point** |

① **화제 check** : 독서 지문 독해의 처음이자 끝. 첫 문단에서 잡은 '화제의 틀'을 마지막 문단까지 놓지 않아야 합니다.

② **정의 인식** : 단어의 의미를 살린 상태로, 지문에 제시된 정의 와 붙여서 이해할 수 있어야 합니다. 정의를 '기억'하는 게 아 니라, '납득'해서 본인의 말로 정리할 수 있어야 해요.

③ **사례-원리 연결** : 모든 사례는 이떠한 추상적인 원리를 구 체화하는 역할을 합니다. 둘을 연결지으며 확실하게 이해하 고 가는 태도가 중요합니다.

④ **카테고리 나누기** : 정보들의 범주가 나뉠 때, 그들이 서로 다른 카테고리에 속한다는 것을 인지해야 합니다. 이렇게 각 카테고리에 맞춰 정보를 정리하면 훨씬 깔끔하게 정리할 수 있다는 것을 기억해 주세요.

| 지문 내용 총정리 |

'사례-원리 연결'을 통해 '법률 효과=권리, 의무'를 체크하는 것, '법률 행위'라는 중요 개념의 정의를 통해 '의사 표시'와 '법률 효 과'라는 말에 주목하며 정보량을 줄이는 것, 지문 전체를 끌어가 는 사례와 연결지으며 불친절함을 지우는 것 등 많은 태도를 필 요로 한 지문이었습니다. 여러 번 복습하면서 익숙해지도록 하 고, 나아가 법 지문의 기본적인 지식들을 많이 담고 있으니 확실 하게 챙겨가도록 해요.

1문단

> ①채권은 어떤 사람이 다른 사람에게 특정 행위를 요구할 수 있는 권리이다. ②이 특정 행위를 급부라 하고, 특정 행위를 해 주어야 할 의무를 채무라 한다. ③채무자가 채권을 가진 이에게 급부를 이행하면 채권에 대응하는 채무는 소멸한다. ④급부는 재화나 서비스 제공인 경우가 많지만 그 외의 내용일 수도 있다.

①~③ #정의 제시

여러 가지 개념의 정의를 제시하면서 시작하고 있습니다. 첫 문단에서 세팅해주는 개념들의 정의는 당연히 중요할 수밖에 없겠죠? 확실하게 정리할 수 있어야 해요. 먼저 '채권'입니다. 이는 '특정 행위'를 요구할 수 있는 '권리'를 의미하는 것이네요. 그리고 이때의 '특정 행위'는 '급부'라고 합니다. 이를 엮으면, '채권'은 '급부'를 요구할 수 있는 '권리'라고 할 수 있겠네요.

나아가 이러한 '급부'를 해 주어야 할 의무는 '채무'라고 부른다고 해요. '채권'을 가진 이는 '채무자'에게 '급부'를 요구할 수 있는 것이고, '채무자'는 '급부'를 해 주어야 하는 것이죠. 만약 이렇게 채무자가 '급부'를 이행하면 비로소 '채무'는 소멸된다고 합니다. 당연한 말이죠? 의무를 다했으면 그 의무는 사라져야겠죠.

여기 나오는 '채권', '급부', '채무'와 같은 개념들은 기본적인 지식으로 만들어주시기 바랍니다. 특히 '채권', '채무'는 앞에서도 몇 번 만났었던 개념들이죠? 워낙에 자주 출제되는 부분이니 확실하게 정리하도록 해요.

④ #예외 제시 #화제 제시

이러한 '급부'는 재화나 서비스 제공인 경우가 많지만, '그 외의 내용'일 수도 있다고 합니다. '재화나 서비스 제공'이라는 행위를 요구하는 건 어렵지 않게 납득할 수 있는데, '그 외의 내용'이라는 '예외'를 소개하고 있네요. 법 지문이라는 걸 생각하면, 이러한 '예외' 상황에 주목하는 방식으로 지문이 전개될 것이라는 점은 자명해보입니다. '급부'가 독특한 내용인 경우를 화제로 잡아두고 천천히 읽어보도록 합시다.

하이라이트 문장

> ④급부는 재화나 서비스 제공인 경우가 많지만 그 외의 내용일 수도 있다.

'그 외의 내용'이라는 표현으로부터 '예외'라는 법 지문의 핵심 포인트를 짚어낼 수 있어야 합니다. 이제부터 이 지문의 모든 정보는 '독특한 급부'라는 화제로 모이게 될 거예요.

2문단 (1)

> ①민법상의 권리는 여러 가지가 있는데 계약 없이 법률로 정해진 요건의 충족으로 발생하기도 하지만 대개 계약의 효력으로 발생한다. ②계약이란 권리 발생 등에 관한 당사자의 합의로서, 계약이 성립하면 합의 내용대로 권리 발생 등의 효력이 인정되는 것이 원칙이다. ③당장 필요한 재화나 서비스는 그 제공을 급부로 하는 계약을 성립시켜 확보하면 되지만 미래에 필요할 수도 있는 재화나 서비스라면 계약을 성립시킬 수 있는 권리를 확보하는 것이 유리하다.

많은 정보들이 압축적으로 제시되는 문단입니다. 정신 제대로 차리고 읽어야 합니다. 최근 평가원의 킬러 지문은 이렇게 한 문장 한 문장의 밀도가 상당히 높으므로, 문장이 조금 튕기는 느낌이 들면 정신을 집중하고 천천히 읽어나갈 수 있어야 해요.

① #예외 제시 #카테고리 나누기

'채권'과 같은 '민법상의 권리'는 '계약' 없이 발생하기도 하지만, 대개 '계약'의 효력으로 발생한다고 합니다. 여기서 '계약'으로 '권리'가 발생하는 게 일반적인 상황이라면, '계약' 없이 '권리'가 발생하는 것은 '예외'적인 상황이라고 할 수 있겠죠? '예외'는 언제나 중요하게 다뤄야 하니, 이러한 부분도 확실하게 인식하고 넘어갈 수 있도록 합시다.

어쨌든, '급부'에 대한 이야기를 하다가 '계약'에 대한 이야기로 넘어왔습니다. 물론 다시 '급부'에 대한 이야기로 돌아오겠지만, 일단 '계약'에 대한 이야기로 카테고리가 바뀌었다는 것을 인식해주시면 좋겠습니다.

② #정의 제시

'계약'은 '권리 발생'에 대한 합의로 정의되고 있습니다. 따라서 계약이 성립하면 '권리 발생'의 효력이 인정되는 게 원칙이라고 하네요.

계속해서 '권리'를 발생시키는 상황에 주목하고 있다는 생각을 할 수 있어야 합니다. '계약' 없이 발생하는 '예외'가 있을 수도 있지만, 보통은 '계약'이 '권리'를 발생시키는 것이에요.

③ #화제의 흐름

이때 당장 필요한 재화나 서비스는 그 제공을 '급부'로 하는 계약을 성립시키면 되지만, 미래에 필요할 수도 있는 재화나 서비스는 '계약을 성립시킬 수 있는 권리'를 확보하는 것이 유리하다고 합니다. 여기서 1문단 마지막 문장이 떠올라야 합니다. 우리가 화제로 잡았던 '그 외의 내용' 중 하나로 '계약을 성립시킬 수 있는 권리'가 제시된 거예요! '급부'라는 개념이 반복된다는 것을 파악했다면 충분히 생각할 수 있습니다. '예외'에 주목한다는 기본적인 태도가 큰 도움이 되고 있네요. 그렇다면 '계약을 성립시킬 수 있는 권리'라는 건 도대체 무슨 뜻일까요?

하이라이트 문장

> ③당장 필요한 재화나 서비스는 그 제공을 급부로 하는 계약을 성립시켜 확보하면 되지만 미래에 필요할 수도 있는 재화나 서비스라면 계약을 성립시킬 수 있는 권리를 확보하는 것이 유리하다.

'급부'라는 말이 반복되는 것을 확인하고, 이 지문의 화제인 '독특한 급부'를 떠올릴 수 있어야 합니다. 모든 정보는 화제 중심으로 모인다는 대전제가 확실하게 지켜지는 모습이죠?

2문단 (2)

> ④이를 위해 '예약'이 활용된다. ⑤일상에서 예약이라고 할 때와 법적인 관점에서의 예약은 구별된다. ⑥기차 탑승을 위해 미리 돈을 지불하고 승차권을 구입하는 것을 '기차 승차권을 예약했다'고도 하지만 이 경우는 예약에 해당하지 않는 계약이다. ⑦법적으로 예약은 당사자들이 합의한 내용대로 권리가 발생하는 계약의 일종으로, 재화나 서비스 제공을 급부 내용으로 하는 다른 계약인 '본계약'을 성립시킬 수 있는 권리 발생을 목적으로 한다.

④~⑤ #화제의 흐름 #비교/대조

이는 '예약'이라는 것을 통해 이루어질 수 있다고 해요. 우리가 알고 있는 그 '예약'인가 싶었는데, 일상에서의 '예약'과 법적인 관점에서의 '예약'은 구별된다고 해요. '법적인 예약'이 무엇인지에 대해서는

아직 설명되지 않았지만, 지문의 흐름상 '계약을 성립시킬 수 있는 권리를 급부로 하는 계약' 정도로 생각할 수 있겠죠?

⑥~⑦ #사례-원리 연결 #정의 제시 #재진술

이해를 돕기 위해 사례가 제시되고 있습니다. '기차 탑승'을 위해 미리 돈을 지불하고 승차권을 지불하는 것은 법적인 관점에서의 '예약'이 아니라고 해요. 여기서 그냥 넘어가면 안 됩니다. 반드시 이해하고 가야 해요. '기차' 사례는 '일상에서의 예약'에 해당하고 '법적인 관점에서의 예약'과는 구별될 텐데, 왜 그러한지를 이해해야 한다는 거죠!

잠시 멈춰 우리가 읽고 있는 '예약'이라는 것이 왜 나왔는지를 생각해보니, 이는 '계약을 성립시킬 수 있는 권리'를 설명하기 위해 나온 것이었습니다. 즉, '기차' 사례는 '기차 탑승 계약을 성립시킬 수 있는 권리'를 확보한 것이 아니라, 그냥 '기차 탑승 서비스 제공'을 급부로 하는 계약을 맺은 것이기에 '법적인 관점에서의 예약'이 되지 않는다는 것이죠.

이런 생각을 하고 나니, 7번 문장에 제시된 '법적 예약'의 정의를 너무나 쉽게 납득할 수 있습니다. '법적 예약'이라는 것은 '본계약'이라는 다른 계약을 성립시킬 수 있는 권리 발생을 목적으로 하는 것이라고 해요. 즉, '예약'을 하는 순간 당사자들이 합의한 내용대로 '권리'가 발생하지만, 이때의 '권리'는 '재화나 서비스 제공 요구권'이 아니라 '재화나 서비스 제공을 급부로 하는 본계약'을 맺을 수 있는 권리에 해당한다는 거죠. 앞에서 미리 생각한 내용의 재진술이기도 하죠?

사실 이 문단까지 읽고서 '예약'이라는 걸 완벽하게 이해하는 것은 쉽지 않습니다. '본계약을 성립시킬 수 있는 권리'가 도대체 무엇인지 쉽사리 이해하기 어려우니까요. 다만 '기차' 사례를 바탕으로, '본계약'을 성립시킬 수 있는 권리를 얻는 것이 '예약'의 핵심임을 정확하게 파악할 수 있었어야 해요. 나아가 1문단의 '그 외의 내용'이 이렇게 구체화되었음을 인식할 수 있어야 합니다. 이제 '예약'에 대해 더 자세한 설명이 제시되겠죠? 기대하면서 읽어봅시다.

하이라이트 문장

> ⑤일상에서 예약이라고 할 때와 법적인 관점에서의 예약은 구별된다.

'일상에서의 예약'과 '법적 예약'은 다르다는 것을 알려 주는 문장입니다. 중요한 것은 '계약을 성립시킬 수 있는 권리'라는 포인트를 바탕으로 이해해야 한다는 것입니다. 즉, '법적 예약'은 '계약을 성립시킬 수 있는 권리'와 관련되는 것이지만 '일상에서의 예약'은 그렇지 않다는 '차이점'을 스스로 생각할 수 있어야 한다는 거예요. 이렇게

비교/대조되는 개념의 차이점을 명시적으로 제시하지 않는 경우에도 스스로 생각할 수 있어야 합니다.

3문단 (1)

> ①예약은 예약상 권리자가 가지는 권리의 법적 성질에 따라 두 가지 유형으로 나뉜다. ②첫째는 **채권을 발생시키는 예약**이다. ③이 채권의 급부 내용은 '예약상 권리자의 본계약 성립 요구에 대해 상대방이 승낙하는 것'이다. ④회사의 급식 업체 공모에 따라 여러 업체가 신청한 경우 그중 한 업체가 선정되었다고 회사에서 통지하면 예약이 성립한다. [A] ⑤이에 따라 선정된 업체가 급식을 제공하고 대금을 받기로 하는 본계약 체결을 요청하면 회사는 이에 응할 의무를 진다.

①~② #카테고리 나누기 #단어의 의미 살리기

이번에도 해야 할 생각이 상당히 많은 문단입니다. 긴장하고 따라와 봅시다. 다행히 꽤 친절하게 카테고리를 나눠 주고 있어요. '예약상 권리자가 가지는 권리의 법적 성질'이 차이점을 만드는 '공통 범주'이고, 이에 따라 두 가지로 나뉘는 것이네요. 이런 문장들을 바탕으로 지문의 흐름을 예측하며 읽을 수 있어야 합니다.

그런데 여기서 '예약상 권리자'라는, 굉장히 당황스러운 개념이 등장하고 있습니다. 앞에서 한 번도 정의해주지 않은 개념인데, 여러분이 스스로 누구를 가리키는지 생각하길 요구하는 겁니다. 단어의 의미를 살리면 어렵지 않게 생각할 수 있겠죠? '예약'에서 '권리'를 가지는 사람입니다. '예약'을 통해 발생하는 '권리'는 '본계약을 성립시킬 수 있는 권리'였는데, 이러한 '권리'를 가지는 사람을 '예약상 권리자'라고 부르는 것이네요. 이렇게 단어의 의미를 살리면 제시되지 않은 개념의 정의도 파악할 수 있습니다. 어쨌든, 여기서의 '권리'에는 '법적 성질'이 있고, 이를 기준으로 하여 두 가지 유형으로 예약을 나눌 수 있다고 해요.

③ #정의 제시

먼저 '채권을 발생시키는 계약'입니다. '예약상 권리자'가 가지는 '본계약을 성립시킬 수 있는 권리'가 '채권'이라는 '법적 성질'을 가지는 경우네요. '채권'이라면 당연히 어떠한 '급부'가 존재하겠죠? 이 '급부'의 내용은 '예약상 권리자의 본계약 성립 요구에 대해 상대방이 승낙하는 것'이라고 합니다. 그러니까, '본계약을 성립시킬 수 있는 권리'가 '승낙 요구권'이라는 '채권'의 형태로 나타나는 것이네요.

④~⑤ #사례-원리 연결

혹시나 이해하지 못했을까봐 친절하게 사례까지 들어주고 있습니다. 역시 법 지문답죠? '급식 업체'와 '회사' 간의 예약이 성립했을 때, '예약상 권리자'는 '급식 업체'에 해당하겠네요. 따라서 이 업체가 급식을 제공하고 '대금'이라는 재화를 받는 걸 급부로 하는 '본계약' 체결을 요청하면, 회사는 이를 '승낙'할 급부 의무를 지는 것입니다. 이런 방식으로 '급식 업체'는 '본계약을 성립시킬 수 있는 권리'를 행사하는 것이죠.

하이라이트 문장

> ①예약은 예약상 권리자가 가지는 권리의 법적 성질에 따라 두 가지 유형으로 나뉜다.

카테고리를 제시해주는 문장입니다. 이렇게 어려운 문단을 읽을 때 '내가 뭘 읽을지'에 대한 목적 의식을 갖지 않고 들어가게 되면 파도에 휩쓸리듯이 이리저리 방황할 수 있습니다. 예약상 권리자가 가지는 '권리의 법적 성질'이 어떻게 다른지 의식적으로 생각하며 지문을 읽어줘야 합니다.

3문단 (2)

> ⑥둘째는 **예약 완결권을 발생시키는 예약**이다. ⑦이 경우 예약상 권리자가 본계약을 성립시키겠다는 의사를 표시하는 것만으로 본계약이 성립한다. ⑧가족 행사를 위해 식당을 예약한 사람이 식당에 도착하여 예약 완결권을 행사하면 곧바로 본계약이 성립하므로 식사 제공이라는 급부에 대한 계약상의 채권이 발생한다.

⑥~⑦ #정의 제시 #단어의 의미 살리기

여기까지도 쉽지 않았는데, 이번에는 '예약 완결권을 발생시키는 계약'입니다. '예약상 권리자'가 가지는 '본계약을 성립시킬 수 있는 권리'가 '예약 완결권'의 형태로 나타나는 경우네요. 이 경우엔 '예약상 권리자'가 본계약 성립의 '의사를 표시'하는 것만으로도 본계약이 성립한다고 합니다. '채권을 발생시키는 예약'의 경우 '승낙 요구권'이 발생했는데, 여기선 그런 승낙도 필요없이 의사를 표시하기만 하면 본계약을 성립시킬 수 있는 것이네요. 단어의 의미 그대로 '예약'을 '완결'시킬 수 있는 '권리'가 주어지는 것이죠.

⑧ #사례-원리 연결 #화제의 흐름

이번에도 사례를 통해 확실하게 이해해볼까요? 식당을 예약한 사람이 '예약상 권리자'가 될 것인데, 예약이 성립하면서 발생한 '예약 완결권'을 행사하면 곧바로 '식사 제공'을 급부로 하는 본계약이 성립하는 것이죠. 그럼 이때부터 '예약상 권리자'에게는 '식사 제공'이라는 급부를 요구할 수 있는 '채권'이 발생하는 것입니다. '식사 제공'은 '본계약'에서의 급부니까요.

이렇게 여러 가지 유형과 사례까지 확인하니, '본계약을 성립시킬 수 있는 권리'가 의미하는 바를 이해할 수 있을 것 같습니다. '승낙'이라는 급부를 요구하거나 '예약 완결권'이라는 권리를 행사하는 방식으로 '본계약을 성립시킬 수 있는 권리'를 누리는 것이죠. '독특한 급부'라는 하나의 화제로 모든 정보가 모인다는 느낌을 받으셔야 합니다.

FAQ

Q 2문단의 '기차' 사례와 여기서의 '식당' 사례가 어떤 점에서 다른지 잘 모르겠어요. 둘 다 채권의 행사 시점을 뒤로 미룬 것이라고 볼 수 있지 않나요? 그런데 왜 전자는 '예약이 아닌 계약'이고 후자는 '예약'인 건가요?

A 조금만 생각해보면 충분히 생각할 수 있습니다. '기차' 사례의 경우, 돈을 먼저 지불합니다. 즉, '기차 제공 서비스'라는 급부를 요구할 수 있는 권리를 돈으로 사면서 바로 계약을 맺은 것이죠. 하지만 '식당' 사례의 경우, 바로 계약을 맺지 않고 '예약'을 통해 본계약을 성립시킬 수 있는 권리를 얻는 것입니다. 결국 두 사례 모두 본계약은 '기차/음식 요금과 서비스의 교환'인데, 전자의 경우 이 계약을 바로 맺는 것이고, 후자의 경우 이 계약을 맺을 수 있는 권리를 먼저 얻게 되는 것이죠! 따라서 전자는 '예약이 아닌 일반적인 계약'이지만, 후자의 경우 '예약 완결권을 발생시키는 예약'이 되는 것입니다. '예약'이라는 중요 개념에 대해서 확실하게 이해하고 있다면 충분히 할 수 있는 생각입니다. 핵심은 '예약'이라는 것은 '본계약' 전에 맺는 임시 협약 같은 것이라는 점을 이해하는 것이에요.

4문단

①예약에서 예약상의 급부나 본계약상의 급부가 이행되지 않는 문제가 생길 수 있는데, 예약의 유형에 따라 발생 문제의 양상이 다르다. ②일반적으로 급부가 이행되지 않아 채권자에게 손해가 발생한 경우 채무자는 자신의 고의나 과실에서 비롯된 것이 아님을 증명하지 못하는 한 **채무 불이행 책임**을 진다. ③이로 인해 채무의 내용이 바뀌는데 원래의 급부 내용이 무엇이든 채권자의 손해를 돈으로 물어야 하는 **손해 배상 채무**로 바뀐다.

① #카테고리 나누기 #단어의 의미 살리기

예약에서 이러한 '급부'들이 이행되지 않는 문제가 생길 수 있다고 합니다. 그런데 '예약상의 급부'와 '본계약상의 급부'라는 새로운 개념이 제시되고 있어요. 이번에도 확실하게 정리하고 가야겠죠?

먼저 '예약상의 급부'는 예약을 통해 발생한 권리, 즉 '본계약을 성립시킬 수 있는 권리'에 해당하는 행위이므로 '본계약 성립에 대한 승낙' 등이 될 것입니다. '본계약상의 급부'는 '급식 대금 지급, 식사 제공'과 같은 '재화나 서비스 제공'이 될 것이구요. 단어의 의미를 살리면 훨씬 자세하게 이해할 수 있겠네요. 어렵지 않죠?

이러한 급부가 이행되지 않는 경우가 있을 것이고, 이러한 상황은 문제라고 할 수 있겠죠? '급부가 이행되지 않는 문제'라는 카테고리가 이쁘게 만들어지겠네요. 그런데 '예약의 유형'에 따라 발생 문제의 양상이 다르다고 합니다. 우리가 아는 '예약의 유형'은 '채권을 발생시키는 예약'과 '예약 완결권을 발생시키는 예약'이 있습니다. 이 '유형'에 따라 문제가 어떻게 달라지는지에 대한 설명이 나오겠죠? 기대하면서 읽어봅시다.

② #수식된 정의 제시 #단어의 의미 살리기 #예외 제시

그런데 예약의 유형에 따른 문제 양상이 아니라 그냥 '일반적'인 이야기로 이어가고 있습니다. 조금 당황스럽지만 일단 천천히 읽어봅시다. '급부'가 이행되지 않는 경우라는 카테고리에 맞춰서 정보가 제시되고 있어요. 만약 '급부'가 이행되지 않아 채권자에게 손해가 발생하면, 그 급부 의무를 지고 있던 채무자는 '채무 불이행 책임'을 진다고 합니다. 급부 이행이라는 '채무'를 '불이행'했으니 '책임'을 져야하는 것이겠죠? 단어의 의미 그대로 이해해야 합니다. 물론 예외는 있어요. '자신의 고의&과실에서 손해가 비롯된 것이 아님을 증명'하는 경우! 지문의 내용을 반대 추론하여 '예외'를 이끌어낼 수 있었습니다. 여기까지 할 수 있으면 좋겠어요.

③ #수식된 정의 제시 #단어의 의미 살리기

이 '채무 불이행 책임'이 어떤 것인지 봤더니, '채무'의 내용이 '손해 배상 채무', 즉 돈으로 '손해'를 '배상'해야 하는 '채무'로 바뀐다고 합니다. 자연스레 위에 나온 사례를 끌어올 수도 있겠죠? 회사가 본계약 체결을 거부하거나, 식당이 음식 제공을 하지 않는 경우 급식 업체와 손님에게 '돈'으로 그 손해를 물어야 한다는 것이죠. 당연한 내용이기도 하기에, 이해하기는 어렵지 않네요.

하이라이트 문장

> ②일반적으로 급부가 이행되지 않아 채권자에게 손해가 발생한 경우 채무자는 자신의 고의나 과실에서 비롯된 것이 아님을 증명하지 못하는 한 채무 불이행 책임을 진다.

법 지문에서 '예외'는 정말 중요한 요소입니다. 따라서 이 문장에 등장하는 '자신의 고의나 과실에서 비롯된 것이 아님을 증명'하는 경우는 예외가 됨을 인지하고 넘어가야 해요. 증명하게 되면 채무 불이행 책임을 지지 않아도 되니까요!

5문단

> ①만약 타인이 고의나 과실로 예약상 권리자가 가진 권리 실현을 방해했다면 예약상 권리자는 그에게도 책임을 물을 수 있다. ②법률에 의하면 누구든 고의나 과실에 의해 타인에게 피해를 끼치는 행위를 하고 그 행위의 위법성이 인정되면 **불법행위 책임**이 성립하여, <u>가해자는 피해자에게 손해를 돈으로 배상할 채무를 지기 때문이다.</u> ③다만 예약상 권리자에게 예약 상대방이나 방해자 중 <u>누구라도 손해 배상을 하면 다른 한쪽의 배상 의무도 사라진다.</u> ④급부 내용이 동일하기 때문이다.

① #카테고리 나누기

이번엔 '타인'이 고의나 과실로 권리 실현을 방해하는 경우입니다. 카테고리를 정확하게 잡아야 해요. 앞 문단에선 '계약의 당사자'인 '채무자'가 급부를 이행하지 않아 권리 실현을 방해한 경우라면, 이 문단에서는 계약과 관련없는 제3자의 방해에 대해 다루고 있는 거예요.

② #정의 제시 #단어의 의미 살리기

아무튼 이런 경우에도 '예약상 권리자'는 책임을 물을 수 있다고 합니다. 누군가의 권리 실현을 방해하는 것은 '불법행위'라고 할 수 있는데, 이에 대한 '책임'을 져야 한다는 것이죠. 단어의 의미 그대로 이해할 수 있겠죠? 이때의 '책임'은 '손해 배상 채무'와 마찬가지로 손해를 돈으로 배상하는 '채무'를 지는 것이라고 합니다. 어렵지 않게 납득할 수 있겠네요.

③~④ #재진술

이렇게 급부 내용이 '돈으로 배상'하는 것으로 동일하기 때문에, 예약 상대방이나 방해자 중 누구라도 손해 배상을 하면 다른 한쪽의 배

상 의무가 사라진다고 합니다. 둘의 급부 내용이 동일하다는 걸 이미 생각했기 때문에, 너무나 당연하게 받아들이고 넘어갈 수 있네요. 중요한 것은 '손해 배상 채무'와 '불법행위 책임' 모두 '채무'를 지는 것이고, '채무'는 '급부 이행 의무'를 의미한다는 걸 생각하는 것입니다. 따라서 '급부 내용 동일'이라는 말을 사용하는 것이죠. '채권', '채무', '급부'라는 핵심 개념에 대한 정의가 정말 중요하게 쓰이는 지문이었네요.

하이라이트 문장

> ①만약 타인이 고의나 과실로 예약상 권리자가 가진 권리 실현을 방해했다면 예약상 권리자는 그에게도 책임을 물을 수 있다.

앞에서도 이야기했지만, 이 문장을 보고서 앞 문단과 카테고리가 달라졌다는 사실을 인지해야 합니다. '계약의 당사자'와 '타인'은 완벽히 다른 존재니까요.

선지	①	②	③	④	⑤
선택률	11%	6%	13%	11%	59%

25 윗글에 대한 이해로 적절하지 <u>않은</u> 것은? ⑤

① 계약상의 채권은 계약이 성립하면 추가 합의가 없어도 발생하는 것이 원칙이다.

명시적 근거	2문단 2번 문장
실전에서의 판단 과정	계약 내용대로 권리 발생 등의 효력이 인정된다고 했지.
해설	'계약'이라는 것은 성립과 함께 쌍방의 합의에 따른 '권리'를 바로 발생시키는 것으로 정의가 되어 있었습니다. 그렇다면 추가 합의가 없어도 '채권'과 같은 '권리'가 발생하는 것이 원칙이겠네요. '계약'의 정의를 정확하게 체크하는 것은 기본이고, '채권'이 '권리'의 하나임을 파악하는 것도 중요했던 선지입니다.

② 재화나 서비스 제공을 대상으로 하는 권리 외에 다른 형태의 권리도 존재한다.

명시적 근거	1문단 4번 문장
실전에서의 판단 과정	화제 그 자체네.

해설	이 선지를 보자마자 '본계약을 성립시킬 수 있는 권리'가 떠올라야 합니다. 이 지문의 화제잖아요! 단순히 1문단에서 근거를 찾아 지우는 게 아니라, '예외'와 '화제'라는 중요한 포인트에 주목해서 바로 지워낼 수 있으면 좋겠어요.

③ 예약상 권리자는 본계약상 권리의 발생 여부를 결정할 수 있다.

명시적 근거	3문단 3번 문장, 3문단 7번 문장
실전에서의 판단 과정	자신의 권리면 발생 여부 결정할 수 있는 건 당연하지.
해설	'예약상 권리자'가 뜻하는 내용을 생각했는지 묻는 선지입니다. 이 사람은 '본계약을 성립시킬 수 있는 권리'를 가진 사람이에요. 자신의 '권리'이므로, 이에 대한 발생 여부를 결정할 수 있는 건 당연하겠죠.

④ 급부가 이행되면 채무자의 채권자에 대한 채무가 소멸된다.

명시적 근거	1문단 3번 문장
실전에서의 판단 과정	당연한 말이었지.
해설	1문단에서 '채권', '급부', '채무'라는 개념의 정의를 바탕으로 납득하고 있는 내용이죠? 이 정도는 기본적인 배경지식으로 알아두면 더 좋을 것 같아요.

⑤ 불법행위 책임은 계약의 당사자 사이에 국한된다.

명시적 근거	5문단 1번~2번 문장
실전에서의 판단 과정	불법행위 책임은 계약 당사자 아닌 타인에게 적용되는 것이지.
해설	'불법/행위'라는 단어의 의미를 살리면서 확실하게 납득했던 내용입니다. 계약의 당사자가 아닌 타인이 '불법'적인 '행위'를 했기에 그에 대한 '책임'을 지게 하는 것이었죠? 애초에 '불법행위 책임'은 '제3자의 방해'라는 카테고리 속에서 제시된 정보였기에, '계약의 당사자 사이에 국한'이라고 하면 확실하게 틀린 선지가 됩니다. 카테고리에 대한 인식이 확실했다면 어렵지 않게 지워낼 수 있었네요.

선지	①	②	③	④	⑤
선택률	9%	9%	35%	20%	27%

26 ㉠에 대한 이해로 가장 적절한 것은? ③

> ㉠기차 탑승을 위해 미리 돈을 지불하고 승차권을 구입하는 것

– '일상에서의 예약'을 설명하기 위해 제시되었던 '기차' 사례에 대한 문제입니다. 이는 '본계약을 성립시킬 수 있는 권리'가 아닌 '기차 탑승 서비스'를 급부로 하는 계약이었어요. 이 내용을 생각한 채로 답을 골라보도록 합시다.

① 기차 탑승은 채권에 해당하고 돈을 지불하는 행위는 그 채권의 대상인 급부에 해당한다.

명시적 근거	2문단 5번~7번 문장
실전에서의 판단 과정	기차 탑승 자체가 채권은 아니지. 채권은 권리의 형태여야 하니까.
해설	'기차 탑승' 자체가 채권은 아닙니다. '채권'의 핵심은 '권리'라는 것이에요. 따라서 '기차 탑승' 자체가 아닌, '기차 탑승을 요구할 수 있는 권리'가 '채권'이 되어야 하는 것이죠. 이걸 생각하지 못했다고 해도, '돈을 지불하는 행위'가 이 채권에 대한 급부라는 건 완전 헛소리죠. '기차 탑승'과 '돈을 지불하는 행위'의 주체가 같으니까요. '기차 탑승 요구권'을 가진 승객의 채권에 대한 '급부'는 상대방인 '기차 회사'의 '기차 탑승 서비스 제공'이 되어야겠죠.

② 기차를 탑승하지 않는 것은 승차권 구입으로 발생한 채권에 대응하는 의무를 포기하는 것이다.

명시적 근거	2문단 5번~7번 문장
실전에서의 판단 과정	기차 탑승이 의무는 아니지.
해설	'기차 탑승 요구권'은 '채권'입니다. 만약 기차에 탑승하지 않는다면 '채권'을 포기하는 것이죠. 그런데 선지에선 이에 대응하는 의무, 즉 '채무'를 포기하는 것이라고 했으니 틀린 선지입니다.

③ 기차 승차권을 미리 구입하는 것은 계약을 성립시키면서 채권의 행사 시점을 미래로 정해 두는 것이다.

명시적 근거	2문단 5번~7번 문장
실전에서의 판단 과정	기차 탑승 요구의 권리를 나중에 행사하는 것이지.
해설	우리는 '기차 승차권을 미리 구입하는 것'이 '기차 탑승 계약'을 맺은 것임을 이해하고 있습니다. 그저 채권, 즉 '기차 탑승 요구권'의 행사 시점을 미래로 정해 두었을 뿐이죠. 기차 승차권을 미리 구입하는 순간에 '본계약'을 성립시킨 것이므로, '본계약을 성립시킬 수 있는 권리'가 발생하는 '예약'과는 구별된다는 것이 핵심이었습니다. 이 선지의 내용은 지문에 명시적인 근거가 없습니다. 평가원이 '기차' 사례에 대한 완벽한 이해를 요구하고 있는 것이죠. 이러한 선지를 정확하게 뚫어내기 위해서라도, 지문에서 요구하는 '생각'을 정확하게 해 내는 것이 아주 중요합니다.

④ 승차권 구입은 계약 없이 법률로 정해진 요건을 충족하여 서비스를 제공받을 권리를 발생시키는 행위이다.

명시적 근거	2문단 5번~7번 문장
실전에서의 판단 과정	승차권 구입은 계약이지.
해설	승차권 구입은 분명히 '계약'임을 이해하고 있습니다. 계약 없이 이루어지는 행위라는 건 절대 맞을 수가 없겠네요.

⑤ 미리 돈을 지불하는 것은 미래에 필요한 기차 탑승 서비스 이용이라는 계약을 성립시킬 수 있는 권리를 확보한 것이다.

명시적 근거	2문단 5번~7번 문장
실전에서의 판단 과정	기차 사례는 일상에서의 예약인데?
해설	'기차' 사례를 정확히 이해하지 못하면 이런 선지를 고르게 되는 것입니다. 대충 눈알 굴려보면 5번 선지의 내용이 보이니까요. 하지만 이는 '법적 예약'에 대한 설명이기에, '기차' 사례와 정반대의 상황이죠? 사례가 나오면 그 사례가 설명하고자 하는 원리와 연결한다는, 지극히 당연한 태도만 갖춰져 있었어도 피할 수 있는 선지였어요.

선지	①	②	③	④	⑤
선택률	34%	22%	28%	9%	7%

27 다음은 [A]에 제시된 예를 활용하여, 예약의 유형에 따라 예약상 권리자가 요구할 수 있는 급부에 대해 정리한 것이다. ㄱ~ㄷ에 들어갈 내용을 올바르게 짝지은 것은? ①

구분	채권을 발생시키는 계약	예약 완결권을 발생시키는 계약
예약상 급부	ㄱ	ㄴ
본계약상 급부	ㄷ	식사 제공

– 발문부터 정확하게 체크해야 합니다. '예약상 권리자'가 요구할 수 있는 '급부', 즉 '특정 행위'를 찾아야 해요. ㄱ~ㄷ의 상황을 하나씩 정리해봅시다.

ㄱ. '채권을 발생시키는 계약'에서는 예약과 함께 '승낙 요구권'이라는 채권이 발생합니다. 이 채권에서 요구하는 급부는 '승낙'이죠? 본계약 체결을 요청하면 그저 승낙만 해 주면 됩니다. 여기서는 '급식 계약 승낙'이 되겠네요.

ㄱ과 ㄷ이 한 세트이므로, ㄷ부터 확인할까요?

ㄷ. 이렇게 '급식 계약'을 승낙하고 나면, '예약상 권리자'인 '급식 업체'가 요구할 수 있는 급부는 '급식 대급 지급'이 됩니다. 한편, 이 본계약에서 '급식 업체'의 채무는 '급식 제공'이 되겠죠.

ㄴ. 이번엔 '예약 완결권을 발생시키는 예약'입니다. 여기서 '예약상 권리자'는 '예약 완결권'을 행사하기만 하면 본계약을 성립시킬 수 있습니다. 이때의 '예약 완결권'은 상대의 승낙 등 '특정 행위'를 필요로 하지 않는 권리입니다. 따라서 '예약상 권리자가 요구할 수 있는 급부'는 존재하지 않네요. 그저 '예약 완결권'을 행사해서 본계약을 성립시키면, 그때는 본계약상의 급부인 '식사 제공'을 요구할 수 있는 것이죠.

| 생각 심화 |

이 문제까지 풀고 나면 4문단 첫 문장의 '발생 문제의 양상'을 더 정확히 이해할 수 있습니다. 이 문제에서 알 수 있듯이 '예약 완결권을 발생시키는 예약'에서는 '예약상의 급부'가 존재하지 않아요. 따라서 '예약상의 급부'가 이행되지 않는 문제는 '채권을 발생시키는 예약'에서만 일어나게 되고, 이러한 차이를 '발생 문제의 양상이 다르다'는 표현으로 나타낸 것이네요. 지문을 읽으면서는 생각하기 어려운 내용이지만, 이 문제까지 잘 풀어냈다면 충분히 떠올릴 수 있는 내용일 거예요.

선지	①	②	③	④	⑤
선택률	11%	12%	22%	42%	13%

28 윗글을 참고할 때, 〈보기〉의 ㉮에 대한 이해로 적절하지 **않은** 것은? [3점] ④

[보기]

특별한 행사를 앞두고 있는 갑은 미용실을 운영하는 을과 예약을 하여 행사 당일 오전 10시에 머리 손질을 받기로 했다. 갑이 시간에 맞춰 미용실을 방문하여 머리 손질을 요구했을 때 병이 이미 을에게 머리 손질을 받고 있었다. 갑이 예약해 둔 시간에 병이 고의로 끼어들어 위법성이 있는 행위를 하여 ㉮갑은 오전 10시에 머리 손질을 받을 수 없는 손해를 입었다.

– 늘 했던 것처럼 〈보기〉부터 정리해봅시다. '갑'은 '을'과 '머리 손질'을 본계약상 급부로 하는 예약을 체결한 상황입니다. 이제 '갑'에게는 '예약 완결권'이 있는 것이죠? 그런데 갑이 시간에 맞춰 '예약 완결권'을 행사하려 했더니, '병'이 고의로 끼어들어 갑의 권리 실현을 방해하고 있습니다. '병'이라는 '타인'이 손해를 입힌 것이니, 이 '병'에게는 '불법행위 책임'이 성립해 '갑'에게 돈을 배상해야 하는 채무가 발생했겠네요. 나아가 '을' 역시 어쨌든 '채무'를 이행하지 않은 것이니, '채무 불이행 책임'을 져야 하기에 '머리 손질 의무'가 '손해 배상 채무'로 바뀌었을 것입니다. 이 정도로 정리할 수 있어야 해요.

① ㉮가 발생하는 과정에서 을외 과실이 있는 경우, 을은 갑에 대해 채무 불이행 책임이 있고 병은 갑에 대해 손해 배상 채무가 있다.

명시적 근거	4문단 2번 문장, 5문단 1번~2번 문장
실전에서의 판단 과정	을은 채무 불이행 책임이 있고, 을과 병 모두 손해 배상 채무를 지지.
해설	'을'의 과실이 있는 경우, '을'은 '채무 불이행 책임'을 집니다. 한편 '병'은 '불법행위 책임'으로 인해 '손해 배상 채무'를 지겠네요. 둘의 급부 내용은 동일하겠지만, 어쨌든 서로 다른 책임을 지는 상황이에요. 4문단과 5문단의 카테고리를 정확하게 인식할 것을 요구하는 선지였습니다.

② ㉮가 발생하는 과정에서 을의 고의가 있는 경우, 을과 병은 모두 갑에게 손해 배상 채무를 지고 을이 배상을 하면 병은 갑에 대한 채무가 사라진다.

명시적 근거	4문단 2번 문장, 5문단 3번 문장
실전에서의 판단 과정	둘 다 손해 배상 채무가 있으니 한 명만 배상하면 되겠지.
해설	이번에도 '을'에게 잘못이 있는 상황입니다. '을'과 '병'은 모두 '손해 배상 채무'를 지고, '을'이든 '병'이든 한 쪽이 배상을 하면 다른 쪽의 채무가 사라진다고 했어요.

③ ㉮가 발생하는 과정에서 을에게 고의나 과실이 있는지 없는지 증명되지 않은 경우, 을과 병은 모두 갑에게 채무를 지고 그에 따른 급부의 내용은 동일하다.

명시적 근거	4문단 2번 문장, 5문단 1번~2번 문장
실전에서의 판단 과정	고의나 과실 여부가 증명되지 않으면 채무 불이행 책임을 져야지.
해설	'을'에게 고의나 과실이 있는지 증명되지 않은 경우입니다. 증명을 해야만 '채무 불이행 책임'이 사라지기에, 이 경우에도 '을'의 '채무 불이행 책임'은 살아있네요. 여기까지 생각하면 나머지는 2번 선지와 같은 내용이죠? 둘의 급부 내용은 '돈으로 배상'하는 것으로 같습니다.

④ ㉮가 발생하는 과정에서 을에게 고의나 과실이 있는지 없는지 증명되지 않은 경우, 을과 병은 모두 채무 불이행 책임을 지므로 갑에게 손해 배상 채무를 진다.

명시적 근거	4문단 2번 문장, 5문단 1번··2번 문장
실전에서의 판단 과정	병은 불법행위 책임을 지겠지.
해설	이번에도 '을'과 '병' 모두 '손해 배상 채무'가 있는 상황입니다. 그런데 '병'에게 '채무 불이행 책임'이 있다구요? '병'은 '타인'이기에, '채무 불이행 책임'이 아닌 '불법행위 책임'으로 인해 '손해 배상 채무'를 지는 것이었어요. 가볍게 답으로 고를 수 있겠네요.

| 생각 심화 |

'채무 불이행 책임'과 '불법행위 책임'이 다른 것을 캐치하지 못한 학생들이 많았을 겁니다. 이런 학생들은 지문에서 새로운 개념이 나올 때마다 단어의 의미를 살려서 납득하는 연습을 더 많이 해 주세요. '채무/불이행' 책임은 '채무'를 이행하지 않아 생긴 책임이고, '불법/행위' 책임은 불법적인 행위(고의나 과실로 다른 이의 권리 실현 방해)를 했기에 생긴 책임입니다. 이렇게 생각했다면 각 책임이 순서대로 '을'과 '병'에게 적용되는 것임을 쉽게 납득하고 넘어갈 수 있었겠죠?

⑤ ㉮가 발생하는 과정에서 을에게 고의나 과실이 없음이 증명된 경우, 을과 달리 병에게는 갑이 입은 손해에 대해 금전으로 배상할 책임이 있다.

명시적 근거	4문단 2번 문장, 5문단 1번~2번 문장
실전에서의 판단 과정	을의 고의나 과실이 없으면 채무 불이행 책임도 없겠지.
해설	이번엔 '을'의 고의나 과실이 없음이 증명된 '예외'적인 상황입니다. 이때는 '을'에게 아무런 책임이 없어요. 다만 '병'은 여전히 '불법행위 책임'에 따른 '손해배상 채무'를 가지고 있기 때문에, '을'과 달리 '갑'이 입은 손해를 금전으로 배상할 책임이 있겠네요.

선지	①	②	③	④	⑤
선택률	11%	82%	3%	2%	2%

29 문맥상 ⓐ~ⓔ의 단어와 가장 가까운 의미로 쓰인 것은? ②

① ⓐ: 자신의 일에 자부심을 <u>가지는</u> 것이 중요하다.
② ⓑ: 올해 생일에는 고향 친구에게서 편지를 <u>받았다</u>.
③ ⓒ: 기차역 주변에 새로 <u>생긴</u> 상가에 가 보았다.
④ ⓓ: 나는 도서관에서 책 빌리는 방법을 <u>물어</u> 보았다.
⑤ ⓔ: 바닷가의 찬바람을 쐬니 온몸에 소름이 <u>끼쳤다</u>.

몰랐던 어휘 정리하기

| 핵심 point |

① **화제 check** : 독서 지문 독해의 처음이자 끝. 첫 문단에서 잡은 '화제의 틀'을 마지막 문단까지 놓지 않아야 합니다.
② **정의 인식** : 단어의 의미를 살린 상태로, 지문에 제시된 정의와 붙여서 이해할 수 있어야 합니다. 정의를 '기억'하는 게 아니라, '납득'해서 본인의 말로 정리할 수 있어야 해요.
③ **카테고리 나누기** : 정보들의 범주가 나뉠 때, 그들이 서로 다른 카테고리에 속한다는 것을 인지해야 합니다. 이렇게 각 카테고리에 맞춰 정보를 정리하면 훨씬 깔끔하게 정리할 수 있다는 것을 기억해 주세요.
④ **사례-원리 연결** : 모든 사례는 어떠한 추상적인 원리를 구체화하는 역할을 합니다. 둘을 연결지으며 확실하게 이해하고 가는 태도가 중요합니다.
⑤ **예외 인식** : 일반적이지 않은 '예외'는 언제나 중요한 출제 포인트로 작용합니다. 확실하게 체크합시다.

| 지문 내용 총정리 |

이번에도 '사례'와 '예외'라는 법 지문의 주요 포인트가 중요하게 다뤄진 지문이었습니다. 특히 '기차', '급식', '식당'과 같은 다양한 사례를 바탕으로 '예약'이라는 낯선 개념의 의미를 정확히 파악하는 게 상당히 중요했었죠? 거기에 지문의 내용과 괴리감 있는 선지의 구성으로 답을 고르는 것도 힘들었어요. 시험장에서 만났을 때 가장 고통스러운 유형이니, 어떻게 하면 제대로 헤쳐나올 수 있을지 많이 고민해보도록 합시다.

1문단

①국가, 지방 자치 단체와 같은 **행정 주체**가 행정 목적을 실현하기 위해 국민의 권리를 제한하거나 국민에게 의무를 부과하는 '**행정 규제**'는 국회가 제정한 법률에 근거해야 한다. ②그러나 국회가 아니라, 대통령을 수반으로 하는 행정부나 지방 자치 단체와 같은 **행정 기관**이 제정한 법령인 **행정입법**에 의한 행정 규제의 비중이 커지고 있다. ③드론과 관련된 행정 규제 사항들처럼, **첨단 기술**과 관련되거나, 상황 변화에 즉각 대처해야 하거나, 개별적 상황을 반영하여 규제를 달리해야 하는 행정 규제 사항들이 늘어나고 있기 때문이다. ④**행정 기관**은 국회에 비해 이러한 사항들을 다루기에 적합하다.

① #수식된 정의 제시 #단어의 의미 살리기

'행정 규제'에 대한 수식된 정의로 시작하고 있습니다. 정의 속에서 비슷한 말이 쏟아지더라도 명확하게 나누며 읽을 수 있어야 합니다. 행정 '주체'가 행정 '목적'을 실현하기 위해 국민에게 불편함을 주는 것이 행정 '규제'예요. '주체', '목적', '규제'가 정확하게 나눠서 읽혀야 합니다! 단어의 의미를 살려주면 훨씬 더 쉽게 해낼 수 있겠죠?

아무튼 이 '행정 규제'는 '국회'가 제정한 법률에 근거해야 한다고 해요. 수식된 정의로 제시된 '행정 규제'의 정의뿐만 아니라, '국회가 제정한 법률에 근거해야 한다.'라는 기본 조건까지 확실하게 인지하고 넘어가도록 합시다. 당연한 이야기로 받아들일 수 있으면 좋겠어요. 법에 근거하지 않으면 국민에게 불편함을 줄 명분이 없는 거예요.

② #수식된 정의 제시 #단어의 의미 살리기
#비교/대조 #예외 인식

그런데 '국회'가 아닌 '행정 기관'이 제정한 법령, 즉 '행정입법'에 의한 '행정 규제'의 비중이 커지고 있다고 해요. '행정' 기관이 '입법'하는 것이니 '행정/입법'이라고 부르는 것이겠죠? 무언가 나눠지는 느낌이 들어야 합니다. '행정 규제'라는 큰 공통점을 바탕으로, '국회의 법률'과 '행정입법'이라는 두 개념으로 나눠지는 느낌 말이에요!

혹은 '행정입법'을 '행정 규제'에 대한 '예외'로 처리하며 읽을 수도 있겠네요. '국회의 법률'에 근거하여야 한다는 것이 '원칙'이라면, '행정입법'은 그 원칙을 거스르는 '예외'니까요. 법 지문의 기본 독해 포인트를 생각해보면, 이 '행정입법'은 엄청나게 중요한 정보일 것 같다는 느낌이 듭니다.

③~④ #재진술 #화제 제시

아무튼 이렇게 나눠진 두 가지 '행정 규제' 중 '행정입법'에 의한 것은 '첨단 기술', '즉각적 대처의 필요성', '개별적 상황 반영'과 같은 이유로 비중이 커지고 있다고 합니다. 이런 부분은 국회보다는 빠른 일처리가 가능한 행정 기관이 다루는 것이 더 낫기에, '행정입법'이라는 것을 바탕으로 하는 '행정 규제'가 중요하다는 것이죠!

첫 문단을 이렇게 읽으면서 비교 포인트만 이쁘게 잡아주시면, '행정입법에 의한 행정 규제'가 이 지문의 화제임을 쉽게 잡을 수 있을 겁니다. 이 포인트에 맞춰서 계속 읽어봅시다.

> **| 생각 심화 |**
>
> '행정 기관'은 왜 '국회'에 비해 '이러한 사항'들을 다루기에 적합한 것일까요? 조금 어려울 수 있지만, '이러한 사항'들이 정확히 어떤 내용인지 확인해 보면 충분히 생각할 수 있습니다.
>
> 먼저 '첨단 기술'과 관련되어 있다는 점과 '개별적 상황을 반영'해야 한다는 점에 대해 생각해봅시다. '국회'는 기본적으로 특정 분야의 전문가가 아닌 국민의 지지를 많이 받은 사람들이 모인 곳이므로, '첨단 기술'과 관련된 지식이나 '개별적 상황'에 대한 이해도가 떨어질 수 있을 겁니다. 하지만 '행정 기관'에는 각 분야의 우수한 전문가들이 많이 포진해있을 것이므로, 이러한 사항을 조금 더 직접적으로 다루기에 적합한 것이죠.
>
> 똑똑한 학생들은 이러한 전문가들이 '국회'로 가서 도와주면 되는 것 아니냐는 이야기를 하실 수도 있겠습니다. 이에 대해서는 '상황 변화에 즉각 대처'해야 한다는 점과 엮어서 생각할 수 있겠습니다. 기본적으로 '국회'에서의 입법은 많은 과정을 필요로 합니다. 또한 여러 당끼리의 의견도 맞춰야 하는 등 기본적으로 '시간'을 필요로 하는 작업이라고 할 수 있죠. 그런데 위의 전문가 같은 사람들이 자문하는 과정이 여기에 또 추가적으로 포함된다면? 법안의 처리가 더욱 늦어질 수밖에 없겠죠. 하지만 '행정 기관'은 위의 전문가들을 직접적인 일처리에 포함할 수 있으니, '즉각 대처'해야 하는 상황에서는 '행정입법'이 더 유리하다고 할 수 있는 것입니다.
>
> 사실 문제를 푸는 데에는 아무런 쓸모가 없는 생각입니다. 또한 '국회'와 '행정 기관'에 대한 기본적인 지식이 없다면 해내는 것이 불가능한 생각이기도 하죠. 다만 확실한 건, 이 정도의 지식과 생각의 힘이 갖춰지지 않았다면 이 지문을 이해하는 게 불가능하다는 것입니다. 즉, 평가원이 이 정도를 요구하고 있다는 거예요. 수능 국어에서 좋은 점수를 받고 싶다면, 당연히 이 경지에 이를 수 있어야겠죠?

하이라이트 문장

> ②그러나 국회가 아니라, 대통령을 수반으로 하는 행정부나 지방 자치 단체와 같은 행정 기관이 제정한 법령인 행정입법에 의한 행정 규제의 비중이 커지고 있다.

'행정입법'의 정의를 '수식된 정의'로 제시하면서, '국회의 법률'과 비교된다는 생각을 할 것을 요구하는 문장입니다. 나아가 둘 모두 '행정 규제'에 적용되는 것이라는 '공통 범주'까지 잡아주셔야 합니다. 비교/대조를 할 수 있다는 건, 무언가 공통되는 부분이 있다는 뜻이에요!

2문단 (1)

> ①행정입법의 유형에는 위임명령, 행정규칙, 조례 등이 있다. ②헌법에 따르면, 국회는 행정 규제 사항에 관한 법률을 제정할 때 특정한 내용에 관한 입법을 행정부에 위임할 수 있다. ③이에 따라 제정된 행정입법을 위임명령이라고 한다. ④위임명령은 제정 주체에 따라 대통령령, 총리령, 부령으로 나누어진다. ⑤이들은 모두 국민에게 적용되기 때문에 입법예고, 공포 등의 절차를 거쳐야 한다.

① #카테고리 나누기

이러한 '행정입법'에는 세 가지가 있다는 친절한 문장으로 시작하고 있습니다. '위임명령', '행정규칙', '조례'라는 세 가지 카테고리들 모두 '행정입법'이라는 큰 카테고리 속에 속한 정보라는 걸 잊지 않으면서 읽을 수 있어야 해요!

②~③ #수식된 정의 제시 #단어의 의미 살리기

그중에서 먼저 '위임명령'에 대해 설명하고 있어요. 원래는 '국회'가 법률을 제정하는데, 이러한 '입법 작용'을 '행정부'에 위임하는 것이죠. 우리가 읽고 있는 '행정입법'은 모두 '행정 기관'이 주체가 되는 예외적인 상황이기에, '어떻게 행정 기관이 주체가 되는지'에 주목해서 정보를 받아들이는 게 당연하겠죠? '국회'가 '위임'을 하는 것이고, 이를 '위임/명령'이라고 부르는 것이네요. '위임'받아서 '명령'을 내린다는 의미겠죠?

④ #비교/대조 #단어의 의미 살리기

이 '위임명령'은 '제정 주체'에 따라 세 가지로 나눌 수도 있다고 합니다. 여기서도 '제정 주체'라는 공통점을 기반으로 나뉘고 있다는 걸 확인할 수 있죠? 나아가 이때 '대통령', '총리', '부처의 장'이라는 '주

체'들이 '위임명령'을 제정한다는 것을 단어의 의미를 통해 이해할 수 있어야 합니다. 단어의 의미를 살릴 수 있겠다는 느낌이 들 때는 최대한 이용하셔야 합니다. 그래야 각 단어들을 머릿속에 오래 남길 수 있어요.

⑤ #재진술 #단어의 의미 살리기

이들은 모두 국민에게 적용되기 때문에 '입법예고, 공포' 등의 절차를 거쳐야 한다는 정보도 당연하게 받아들여 줍시다. 우리가 읽고 있는 '행정입법'은 이 지문 내에선 결국 '행정 규제'라는 걸 위해서 존재하는 것이고, 이 '행정 규제'는 '국민의 권리를 제한'하거나 '국민에게 의무를 부과'하는, 즉 '국민에게 적용되는' 것이기에 저런 절차가 필요하다는 식으로 받아들일 수 있으면 좋겠어요. 국민에게 적용되는 것이라면 어떠한 법을 '입법'할 것이라고 '예고'하고, 법이 만들어진 뒤에 '공포'하는 것은 당연하니까요. 국민들이 그 법을 알아야 지킬 것 아니에요!

첫 문단에서 수식된 정의로 제시된 '행정 규제'의 정의를 정확히 잡았다면 '국민에게 적용'이라는 말에 민감하게 반응할 수 있었을 거예요. 반복되는 정보니까요! 정의 체크가 정말 중요하다는 것을 다시 한번 일깨워주는 문장이네요.

2문단 (2)

> ⑥위임명령은 입법부인 국회가 자신의 권한의 일부를 행정부에 맡겼기 때문에 정당화될 수 있다. ⑦그래서 특정한 행정 규제의 근거 법률이 위임명령으로 제정할 사항의 범위를 정하지 않은 채 위임하는 포괄적 위임은 헌법상 삼권 분립 원칙에 저촉된다. ⑧위임된 행정 규제 사항의 대강을 위임 근거 법률의 내용으로부터 예측할 수 있어야 한다는 것이다. ⑨다만 행정 규제 사항의 첨단 기술 관련성이 클수록 위임 근거 법률이 위임할 수 있는 사항의 범위가 넓어진다. ⑩한편, 위임명령이 법률로부터 위임받은 범위를 벗어나서 제정되거나, 위임 근거 법률이 사용한 어구의 의미를 확대하거나 축소하여 제정되어서는 안 된다. ⑪위임명령이 이러한 제한을 위반하여 제정되면 효력이 없다.

⑥~⑧ #재진술 #수식된 정의 제시
#단어의 의미 살리기

'위임명령'은 '입법부'인 국회가 '행정부'에 자신의 권한, 즉 '입법 권한'을 맡긴 것이기에 정당화될 수 있다고 합니다. 여기서부터의 해설을 이해하기 위해서는 아래의 '생각 심화'를 읽을 필요가 있어요. 먼저 읽고 옵시다. 이미 알고 있는 내용이면 좋겠네요.

우리 이 정도는 알고 갑시다. 대한민국은 '삼권 분립의 원칙'을 철저하게 지킬 것을 표방하는 나라예요. 여기서의 '삼권'이란 '행정부', '사법부', '입법부'가 가진 '세 개의 권력'을 의미합니다. 각각에 대해서 설명하면 아래와 같아요.

행정부 : 대통령이 우두머리가 되며, 법을 근거로 정책을 집행하고 나라 전체를 통치하는 기관
사법부 : 법을 해석하고, 이를 바탕으로 각 사안을 판단하여 적용하는 기관.
입법부 : 법률을 제정하고 헌법 기관 구성, 국정 감시 및 견제 등을 수행하는 기관. (우리나라의 경우 '국회')

쉽게 설명하면, 입법부가 법을 만들면 행정부가 그 법을 근거로 정책을 집행하고, 사법부는 그 법을 바탕으로 범죄자를 처벌하거나 사람들 사이의 분쟁을 해결하는 것이죠. 이 세 기관의 권력은 엄격하게 분리되어서, 사법부가 임의로 법을 만들거나 입법부가 범죄자를 처벌하거나 하는 것이 불가능합니다. 그래서 범죄자를 제대로 처벌하지 못하거나 낮은 형량이 부과되는 것을 보고 판사를 욕하는 것은 사실 넌센스인 거예요. 판사는 '사법부'에 속하는 기관인데, 그 사람이 마음에 안 든다고 임의로 높은 형량을 주는 법을 '입법'할 수는 없는 것이니까요. 그저 법에 적힌 대로 판결할 뿐이죠.

이 맥락에서, '행정입법'이라는 것은 굉장히 위험한 일일 수도 있습니다. 입법 권한이 없는 '행정부'가 입법을 하는 것이니까요. 하지만 지문에서는 입법 권한이 있는 '입법부'가 '행정부'에게 자신의 권한을 맡긴 것이므로 '행정입법', 특히 '위임명령'이라는 것이 '삼권 분립 원칙'에 위배되지 않고 정당화될 수 있다는 식으로 설명하고 있어요. 이 정도는 배경지식이 아닌 '어휘력'으로 받아들여지면 좋겠습니다. '삼권 분립 원칙' 정도는 초등학교에서부터 배우는 어휘니까요. 평가원에서도 여러분이 이를 안다고 가정하고 출제한 것 같네요.

한편, 이러한 '삼권 분립 원칙'과 관련한 원칙 중 하나는 '유추 해석 금지의 원칙'입니다. 이 지문에서는 '행정부'와 관련된 이야기를 하고 있는데, '유추 해석 금지의 원칙'은 '사법부'에게 요청되는 헌법적 권리에 대한 내용이에요. 쉽게 말해서 '유추 해석' 같은 것을 하지 말고, '법에 쓰인 말 그대로 해석'해야 한다는 겁니다. 예를 들어, 우리나라 도로교통법에서는 '운전면허를 받지 아니하고 자동차 등을 운전하여서는 아니된다.'라고 규정되어 있는데, 만약 운전면허를 받았으나 그 후 갱신 등을 하지 않아서 효력이 정지된 사람이 자동차를 운전했다면 해당 조문을 근거로 처벌할 수 있을까요? 답은 '아니오.'입니다. 법에서는 '받지 아니한' 사람의 운전을 금지하고 있기에, '받았으나 효력이 정지된' 사람의 운전 또한 금지된다고 '유추 해석'할 수는 없다는 거죠! 만약 이를 허용한다면 법적 판결을 내리는 '사법부'로 하여금 '면허를 받았으나 효력이 정지된 사람을 처벌할 수 있

는 법'을 '입법'할 수 있는 권한을 주는 것과 같은 효과가 나타나게 되고, 이는 '삼권 분립의 원칙'에 어긋나기 때문입니다. 이해되시죠?

이 지문과는 크게 상관이 없는 내용이지만, 내일 만나게 될 2014학년도 수능 예비시행 A형에서도 등장한 개념이니 확실하게 숙지하도록 합시다. '삼권 분립의 원칙'은 현대 사회를 살아가는 우리들에게도 아주 중요한 개념이니까요.

그런데 이 지식을 알고 있어도, '포괄적 위임'과 관련된 문장을 정확히 이해하기가 어렵습니다. 이때 7번 문장의 '그래서'와 8번 문장의 '한다는 것이다.'가 보이면 좋겠습니다. 우리가 앞에서 배운 '재진술'의 표지들이니까요. 즉, 6번 문장부터 8번 문장까지는 모두 '같은 말'을 하고 있다는 것입니다. 여러분은 이 문장들을 억지로 엮어서 이해해야 하는 과제를 가지게 된 겁니다. 이렇게 시험장에서 이해가 안 되는 문장들이 재진술의 표지를 바탕으로 엮여 있다면, 억지로 '같은 말'로 만들어주는 생각을 통해 이해하려는 시도를 할 수 있습니다. 한 번 이해해봅시다.

'위임명령'은 국회의 '위임' 덕분에 '삼권 분립 원칙'에 위배되지 않고 정당화될 수 있었습니다. 이러한 이유 때문에, '포괄적 위임'이라는 것은 '삼권 분립 원칙'에 저촉된다는 이야기를 하고 있어요. 일단 수식된 정의부터 체크해야겠죠? 어떠한 행정 규제의 '근거 법률'이 '위임명령'으로 제정할 사항의 범위를 정하지 않는, 즉 '포괄적'으로 '위임'하는 경우가 그 정의입니다. '위임명령'과 같은 '행정입법'은 어쨌든 국회가 제정한 법률에 근거해야 하는데, 이때 사용되는 '근거 법률'이 정확히 어떻게 하라고 '범위'를 제시하지 않으면 '포괄적'이라는 거예요.

이러한 '포괄적 위임'은 8번 문장에서의 재진술을 통해 다시 정의되고 있습니다. '위임 근거 법률'의 내용으로부터 '행정 규제 사항'의 대강을 예측할 수 있어야 한다고 했으니, '포괄적 위임'은 이러한 '예측'을 불가능하게 만드는 요소라고 이해할 수 있겠습니다. '근거 법률'이 제정할 사항의 범위를 정해주지 않으면, '위임명령'의 주체인 '행정 기관' 입장에서는 '근거 법률'의 어떤 내용을 가지고 행정 규제를 해야 하는 것인지 애매할 수밖에 없어요.

그런데 이는 모두 '위임명령=삼권 분립 원칙 어기면 안 됨.'이라는 말로 엮여 있어요. 즉, 이러한 '포괄적 위임'은 '삼권 분립 원칙'을 어기는 행위라는 것이죠! 이를 바탕으로 생각하면, '근거 법률'이 제정 범위를 정확하게 해 주지 않아 '예측'이 불가능한 상황이 되면 '행정 기관'이 보다 적극적인 '입법'을 할 수밖에 없다는 걸 잡아낼 수 있겠네요. 이는 '삼권 분립 원칙'을 너무나 크게 어기는 것이기 때문에, 정당화될 수 없다는 거예요. 결국 이 세 문장은 '위임명령은 삼권 분립 원칙을 어기면 안 된다.'라는 하나의 내용을 재진술하고 있던 겁니다. 재진술의 표지를 바탕으로 억지로 엮었더니 너무나 어려웠던 '포괄적 위임'을 이해하는 기적이 일어난 것입니다.

하지만 이러한 '위임 근거 법률의 위임 가능 사항 범위'는 '첨단 기술 관련성'에 따라 더 넓어질 수 있다고 해요. 첫 문단에서 이야기하듯이, '첨단 기술'과 관련된 내용은 국회보다는 '행정 기관'이 다루기에 더 적합했어요. 따라서 '첨단 기술'에 대한 내용은 조금 더 많은 사항을 위임받을 수 있다는 것이죠. 역시 일종의 '예외'에 해당하는 내용이죠? '삼권 분립 원칙'을 어기는 것과 같은 상황이 '첨단 기술' 관련 내용에 한해서는 허용되는 것이니까요.

여기서 끝이 아닙니다! 사실상 같은 말이기는 한데, 법률로부터 위임받은 범위를 벗어나거나 해당 법률에서 사용하는 어구의 의미를 확대, 축소하면 안 된다고 해요. 위에서부터 계속 이야기하던 '삼권 분립 원칙'을 철저하게 지키기 위해서겠죠? 법률의 의미를 왜곡하면 그것은 마치 '행정 기관'이 '입법'을 하는 것과 같은 결과를 낳을 테니까요. '삼권 분립' 관련 이야기가 나온 이후로는 사실상 다 똑같은 말만 하고 있는 거예요! '위임명령'이 이러한 제한을 위반하여 제정되면 '삼권 분립 원칙'을 어긴 것이기에 당연히 효력이 없겠죠.

하이라이트 문장

> ⑥위임명령은 입법부인 국회가 자신의 권한의 일부를 행정부에 맡겼기 때문에 정당화될 수 있다.

사실상 이 지문의 하이라이트 문장이라고 할 수도 있습니다. 이 문장부터 아래에 나오는 재진술의 내용을 어떻게 처리하느냐가 핵심이었어요. 다음 문장들에 나오는 '그래서', '한다는 것이다.'와 같은 재진술의 표지가 보이면 적극적으로 활용하는 태도를 갖추도록 합시다.

3문단

> ①행정규칙은 원래 행정부의 직제나 사무 처리 절차에 관한 행정입법으로서 고시(告示), 예규 등이 여기에 속한다. ②일반 국민에게는 직접 적용되지 않기 때문에, 법률로부터 위임받지 않아도 유효하게 제정될 수 있고 위임명령 제정 시와 동일한 절차를 거칠 필요가 없다. ③그러나 행정 규제 사항에 관하여 행정규칙이 제정되는 예외적인 경우도 있다. ④위임된 사항이 첨단 기술과의 관련성이 매우 커서 위임명령으로는 대응하기 어려워 불가피한 경우, 위임 근거 법률이 행정입법의 <u>제정 주체만 지정하고 행정입법의 유형을 지정하지 않았다면</u> 위임된 사항이 고시나 예규로 제정될 수 있다. ⑤이런

> 경우의 행정규칙은 위임명령과 달리, <u>입법예고, 공포 등을 거치지 않고 제정</u>된다.

길고 길었던 '위임명령'에 대한 설명이 끝나고, '행정규칙'에 대한 내용으로 넘어왔습니다. 카테고리 나눠주시는 게 좋겠죠? 이 '행정규칙'은 원래 '행정부'에 적용되는 것이기 때문에, 일반적인 '행정 규제'와는 달리 '일반 국민'에게 영향을 끼치지 않아요. 그래서 국회가 제정한 법률로부터 위임받을 필요도 없고, '입법예고, 공포' 등 위임명령 제정 시 필요한 절차를 거칠 필요도 없다고 합니다. 국민들에게 영향을 주는 게 아니라, 단어의 의미 그대로 '행정'부 안에서만 사용하는 '규칙'이기에 저런 과정이 필요없는 것이죠. 어렵지 않게 납득할 수 있겠죠?

그런데 이러한 '행정규칙'이 '행정 규제 사항'에 관하여 제정되는 '예외'적인 경우도 있다고 합니다. '행정 규제'와 '예외'를 보자마자 집중력이 높아져야 합니다. '행정규칙'이라는 건 원래 일반 국민에게 영향을 끼치지 않는, 즉 '행정 규제'가 아닌 경우에 해당하는데, '예외적'으로 '행정 규제'에 관해 제정될 수도 있다고 해요. 법 지문에서는 '예외'가 항상 중요한 역할을 한다고 했습니다. 이 지문에서는 '행정 규제'에 관한 '행정규칙'이라는 것이 이 '예외' 역할을 하는 것이네요. 화제와 직결되면서 '예외'이기도 하다니, 정말 집중해서 읽어주셔야겠습니다.

이 '예외적'인 상황은 1) '첨단 기술'과의 관련성이 매우 크고, 2) 위임 근거 법률이 행정입법의 '제정 주체'만 지정하고 행정입법의 '유형'을 지정하지 않은 경우에 일어날 수 있다고 합니다. 원래 '행정규칙'은 법률의 위임이 필요없는데, 이렇게 '행정 규제'에 적용되려면 법률의 위임이 꼭 필요한 것이네요. 당연하게 납득할 수 있겠죠?

그렇다면 이 예외적인 상황의 두 가지 조건에 대해 자세하게 이해해 봅시다. 먼저 '첨단 기술'과의 관련성이 너무 크면 행정 기관이 적극적으로 나설 수 있으니, '위임명령'이 아닌 '행정규칙'이라는 조금 더 직접적인 방식으로 행정입법을 할 수 있을 것입니다. 나아가 만약 국회에서 행정입법의 '유형'을 '위임명령' 등으로 지정했다면, 철저하게 그에 따라야 하므로 '행정규칙'의 방식을 사용할 수 없겠죠? 하지만 단순히 '주체'만 지정하고 '유형'은 지정하지 않았다면 임의로 '행정규칙'이라는 '유형'을 사용할 수 있다는 것이네요. 즉, '삼권 분립 원칙'에 어긋나지 않고 '행정입법'을 할 수 있다는 겁니다.
'첨단 기술'과 '삼권 분립'에 대한 이야기 모두 앞에서 확실하게 정리했던 내용이니, 이를 납득하는 게 그리 어렵지 않을 겁니다. 추가적

으로 근거 법률이 '유형'을 지정하지 않은 경우에 '행정규칙'을 통한 '행정입법'이 가능하다고 서술되어 있으니, 자연스럽게 반대추론하면서 근거 법률이 '유형'을 지정하면 그것으로 해야지 '행정규칙'을 사용할 수는 없다는 점까지 생각할 수 있어야 해요.

이런 경우의 '행정규칙'은 비록 국민에게 영향을 끼치기는 하지만, '예외'적인 상황이므로 입법예고, 공포 등의 절차가 필요없다고 합니다. 국민에게 영향을 미치는 것인데도 이러한 절차가 필요없는 '예외'적인 상황이니, 확실하게 머릿속에 남길 수 있겠죠? 이렇게 '당연한' 정보의 양이 많아져야 비로소 선지 판단의 속도가 빨라지는 거예요.

하이라이트 문장

> ③그러나 행정 규제 사항에 관하여 행정규칙이 제정되는 예외적인 경우도 있다.

법 지문의 핵심인 '예외'를 직접적으로 소개하고 있죠? 뒷 내용을 확실하게 인식해야 한다는 거죠. 이렇게 긴장하게끔 하는 문장에서 긴장을 할 수 있어야 합니다.

4문단

> ①조례는 지방 의회가 제정하는 행정입법으로 지역의 특수성을 반영하여 제정되고 지역에서 발생하는 사안에 대해 적용된다. ②제정 주체가 지방 자치 단체의 기관인 지방 의회라는 점에서 행정부에서 제정하는 위임명령, 행정규칙과 구별된다. ③조례도 행정 규제 사항을 규정하려면 법률의 위임에 근거해야 한다. ④또한 법률로부터 포괄적 위임을 받을 수 있지만 위임 근거 법률이 사용한 어구의 의미를 다르게 사용할 수 없다. ⑤조례는 입법예고, 공포 등의 절차를 거쳐 제정된다.

①~② #카테고리 나누기 #정의 제시 #비교/대조

마지막으로 '조례'라는 카테고리에 대해 설명하고 있습니다. 이는 '지방 의회'가 제정하는 것으로, 해당 지역에 대한 사안을 다루기 위해 사용하는 것이라고 해요.

이는 '위임명령', '행정규칙'과 '제정 주체'에서 구별된다고 합니다. '지역'에 대해 적용되는 것이니 중앙의 행정부가 아니라 '지방 의회'에서 제정하는 것이겠죠. 확실하게 납득할 수 있겠죠? '제정 주체'라는 비교 포인트를 정확하게 인식할 수 있어야 합니다.

③~⑤ #재진술 #예외 제시

'조례'가 화제인 '행정 규제' 사항을 규정하기 위해서는 역시 '법률의 위임'에 근거해야 한다고 합니다. 이는 '위임명령', '행정규칙의 예외' 등 앞에 나온 '행정입법'에서도 모두 적용되는 당연한 내용이죠?

그런데 '조례'는 '포괄적 위임'이라는 걸 받을 수 있다고 합니다. '조례'를 제정하기 위한 '근거 법률'은 조금은 '포괄적'으로, 즉 제정할 사항의 '범위'를 정하지 않아도 된다는 거예요. 앞에서 '삼권 분립 원칙'을 내세우면서 그렇게 안 된다고 하더니, '조례'는 또 '예외적'으로 가능하다고 해요. '예외'이자 '차이점'으로 받아들이시면 되겠습니다. 너무나 강력한 정보이기 때문에, 머릿속에 확실하게 남길 수 있겠죠?

> **| 생각 심화 |**
>
> 그렇다면 '조례'는 왜 '포괄적 위임'을 받아도 괜찮은 것일까요? 그것은 '조례'의 제정 주체가 '지방 의회'이기 때문입니다. '의회'는 '입법'을 담당하는 기관을 의미합니다. '국회'는 '국가 기관의 의회'를 줄인 말이에요. 따라서 '지방 의회'는 '지방'에서 '입법'의 역할을 하는 기관을 의미하는 거죠. 즉, 국회만큼은 아니어도 어느 정도의 입법 권한이 있고, 따라서 '포괄적 위임'을 받아도 자신들의 권한을 활용하여 입법하는 것이 가능한 겁니다. '의회'라는 어휘에 의미를 정확히 알았다면 확실하게 납득할 수 있는 정보였네요.

여기에 위임 근거 법률이 사용한 어구의 의미를 다르게 사용할 수 없다는 것이나, 입법예고 및 공포 등의 절차가 필요하다는 건 '위임명령'과 같습니다. 당연하게 납득하고 있는 정보이니 어렵지 않게 정리하고 넘어갈 수 있겠죠?

하이라이트 문장

> ④또한 법률로부터 포괄적 위임을 받을 수 있지만 위임 근거 법률이 사용한 어구의 의미를 다르게 사용할 수 없다.

'포괄적 위임'을 받을 수 있다는 건 엄청난 예외로, '어구의 의미를 다르게 사용할 수 없다'는 건 너무나 당연한 것으로 받아들일 수 있어야 합니다. '국회'가 시키는 대로 해야 한다는 건 이 지문에서 가장 중요하게 다뤄지는 '원칙'이었으니, 국회가 시키는 대로 하지 않는 '포괄적 위임'이 가능하다는 건 너무나 특이한 '예외'에 해당하고, 근거 법률의 어구 그대로 사용해야 한다는 건 너무나 당연한 '원칙'이니까요. 이처럼 '예외'를 한 번 인식하는 순간, '원칙'과 '예외'라는 두 편으로 나누어서 정보를 정리할 수 있게 됩니다. 이렇게 읽으면 정보들을 '납득'할 수가 있고, 훨씬 오래 기억에 남길 수가 있겠죠.

선지	①	②	③	④	⑤
선택률	4%	10%	17%	16%	53%

30 윗글의 내용과 일치하는 것은? ⑤

① 행정입법에 속하는 법령들은 제정 주체가 동일하다.

명시적 근거	4문단 2번 문장
실전에서의 판단 과정	조례는 달랐잖아.
해설	'제정 주체'는 '위임명령', '행정규칙'과 '조례'의 차이점을 낳는 비교 포인트였습니다. 지문을 제대로 읽었다면 이 정도는 기억할 수 있겠죠?

② 행정입법에 속하는 법령들은 모두 개별적 상황과 지역의 특수성을 반영한다.

명시적 근거	4문단 1번 문장
실전에서의 판단 과정	지역의 특수성은 조례만 반영하지.
해설	'개별적 상황'이야 '행정입법' 전체에 대한 이야기라고 할 수 있겠지만, '지역의 특수성 반영'은 '조례'에 대한 내용이죠? 개념의 정의만 잘 체크했으면 쉽게 지울 수 있는 선지네요.

③ 행정입법에 속하는 법령들은 모두 정당성을 확보하기 위하여 국회의 위임에 근거한다.

명시적 근거	2문단 2번~3번 문장, 2문단 5번 문장
실전에서의 판단 과정	이건 위임명령만 해당되는 거잖아.
해설	입법의 정당성을 확보하기 위해 국회의 위임에 근거한다는 것, '위임명령'의 정의 그 자체입니다. '행정입법'에 속하는 법령들에는 '위임명령' 외에도 '행정규칙', '조례' 등이 있었죠? 이들은 국회가 입법을 위임하는 상황이 아니기 때문에, '행정입법'에 속하는 법령들이 '모두' 정당성 확보를 위해 국회의 위임에 근거한다는 것은 적절하지 않네요.

④ 행정 규제 사항에 적용되는 행정입법은 모두 포괄적 위임이 금지되어 있다.

명시적 근거	4문단 4번 문장
실전에서의 판단 과정	조례는 가능했잖아.
해설	'조례'는 '포괄적 위임'이 가능하다는 것 역시 일종의 '예외 사항'이었죠? '포괄적 위임'이 안 된다는 이야기는 너무 강력한 정보였기에 머릿속에 오래 남아 있었을 겁니다. '생각 심화'에서 보여 드린 것처럼 '의회'의 의미를 바탕으로 당연하게 납득할 수 있었다면 금상첨화였을 거예요. 이런 걸 보면, 어휘력을 쌓는 노력을 게을리하지 않아야겠다는 생각이 들죠?

⑤ 행정부가 국회보다 신속히 대응할 수 있는 행정 규제 사항은 행정입법의 대상으로 적합하다.

명시적 근거	1문단 3번~4번 문장
실전에서의 판단 과정	상황 변화에 즉각 대처할 수 있으면 행정입법을 할 명분이 생기지.
해설	첫 문단에서 '행정입법'에 따른 '행정 규제'의 비중이 높아진 이유를 체크했다면 쉽게 답으로 고를 수 있죠? 세 가지 이유가 제시되었는데, 그 중 하나는 '상황 변화에 즉각 대처'해야 하는 사항에 국회보다 행정 기관이 더 잘 대응할 수 있기 때문이었습니다. 이렇게 행정 기관이 더 신속하게 대응할 수 있는 사항은 행정입법의 대상으로 다루기에 적합하겠죠.

선지	①	②	③	④	⑤
선택률	39%	35%	9%	11%	6%

31 ㉠의 이유로 가장 적절한 것은? ①

㉠ 위임명령이 이러한 제한을 위반하여 제정되면 효력이 없다.

– ㉠의 이유를 묻고 있네요. 우리가 이해한 내용을 바탕으로, '주관식'으로 답을 생각해볼까요? 그렇죠! '근거 법률의 내용을 왜곡하여 삼권 분립 원칙에 위배되기 때문'이라고 하면 되겠죠. 이 말과 같은 말을 찾아봅시다.

① 그 위임명령이 법률의 근거 없이 행정 규제 사항을 규정했기 때문이다.

명시적 근거	2문단 6번 문장
실전에서의 판단 과정	법률의 근거 없이 위임명령을 제정하면 삼권 분립 원칙을 어기는 것이지.
해설	'법률의 근거 없이' 행정 규제 사항을 규정하는 것은, '삼권 분립 원칙에 위배'되는 것이죠? 입법 권한이 없는 '행정부'가 '입법부'의 위임 없이 입법을 한 것이 되니까요. 우리가 찾는 '삼권 분립 원칙 위배'와 같은 말이네요. 바로 정답입니다. 물론, 밑줄 바로 위에서 이야기하는 '법률로부터 위임받는 범위 벗어남', '위임 근거 법률이 사용한 어구 의미 확대, 축소함'이라는 말이 곧 '법률의 근거 없이'와 같은 말이라는 식으로 해결해도 되겠죠. 법률에서 하라는 대로 하지 않은 것이니까요. 중요한 것은, 밑줄 문제가 묻고자 하는 건 결국 '맥락'을 바탕으로 '같은 말'을 고르라는 걸 이해하는 겁니다. 밑줄만 뚫어져라 쳐다본다면, 혹은 근처만을 열심히 눈알 굴리며 확인한다면 제대로 해결할 수 없다는 거예요.

② 그 위임명령이 포괄적 위임을 받아 제정된 경우에 해당하기 때문이다.

명시적 근거	2문단 7번 문장
실전에서의 판단 과정	포괄적 위임은 범위 자체를 지정하지 않은 건데, ㉠은 범위를 지키지 않은 상황이잖아.
해설	'포괄적 위임'은 위임명령으로 제정할 사항의 범위 자체를 지정하지 않은 거예요. ㉠은 범위를 벗어난 상황이기 때문에, '포괄적 위임'과는 아무런 상관이 없습니다. '포괄적 위임'의 정의를 정확하게 체크하고 ㉠ 근처의 맥락을 확실하게 독해했다면 어렵지 않게 지워낼 수 있는 선지였어요.

③ 그 위임명령이 첨단 기술에 대한 내용을 정확히 반영하지 않았기 때문이다.

명시적 근거	2문단 7번~8번 문장
실전에서의 판단 과정	첨단 기술은 포괄적 위임 이야기할 때 나온 거지.
해설	'첨단 기술'에 대한 이야기는 '포괄적 위임'과 관련된 이야기를 하기 위해 제시된 것입니다. '첨단 기술'과 관련되면 '근거 법률'이 제정하는 사항의 범위가 넓어진다는 이야기였으니까요. 2번 선지에서도 이야기했지만, ㉠은 '범위'가 어느 정도인지

가 아니라 그냥 '범위'를 지키지 않고 제정하는 상황에 대한 내용입니다. 서로 다른 카테고리에 속한 정보이니, 절대 답이 될 수 없겠어요.

참고로 '한편'과 같은 표지는 한 문단 내에서 카테고리를 확실하게 나눠주기 위해 사용하는 경우가 많습니다. 이를 생각하면 더욱 확실해지겠네요.

④ 그 위임명령이 국민의 권리를 제한하는 권한을 행정 기관에 맡겼기 때문이다.

명시적 근거	1문단 1번 문장
실전에서의 판단 과정	국민의 권리를 제한하는 것 자체가 나쁜 건 아니지.
해설	'국민의 권리를 제한하는 권한'은 '행정 규제'에 대한 권한을 의미할 텐데, 이 권한을 '행정 기관'에 맡기는 '위임명령' 자체는 아무런 문제가 없어요. 그 위임명령이 '근거 법률'에서 정한 범위를 벗어나는 것이 문제가 되는 것이죠.

⑤ 그 위임명령이 구체적 상황의 특성을 반영한 융통성 있는 대응을 하지 못했기 때문이다.

명시적 근거	–
실전에서의 판단 과정	이게 무슨 상관이야.
해설	역시 ㉠과는 아무런 상관이 없는 내용이죠? '근거 법률'의 내용을 왜곡하는 것이 핵심이에요!

선지	①	②	③	④	⑤
선택률	4%	5%	16%	19%	56%

32 행정규칙에 관한 설명 중 적절하지 않은 것은? ⑤

– '행정규칙'에 대한 문제입니다. '행정규칙'은 두 가지로 나누어서 생각해야 합니다. '일반적'인 상황과 '예외적'인 상황! 이 문제에서는 1~2번 선지가 '일반적'인 상황에, 3~5번 선지가 '예외적'인 상황에 해당하죠? 정답은 당연히 '예외적'인 상황에서 나올 것이라는 생각까지 할 수 있었으면 정말 완벽하겠네요.

① 행정부의 직제나 사무 처리 절차를 규정하는 경우, 법률의 위임이 요구되지 않는다.

② 행정부의 직제나 사무 처리 절차를 규정하는 경우, 일반 국민에게 직접 적용되지 않는다.

명시적 근거	3문단 1번~2번 문장
실전에서의 판단 과정	일반적인 행정규칙은 행정부에만 적용되는 것이니까 당연한 말들이네.
해설	'행정부의 직제나 사무 처리 절차'는 '일반적인 행정규칙'에 해당합니다. 여기서는 법률의 위임 및 입법예고, 공포 등의 절차가 필요하지 않습니다. 왜? '일반 국민'에게 영향을 끼치지 않으니까! 납득하며 읽었던 생각의 과정들이 그대로 선지화된 모습입니다. 쉽게 지울 수 있겠죠?

③ 행정 규제 사항을 규정하는 경우, 위임명령의 제정 절차를 따르지 않는다.

명시적 근거	3문단 5번 문장
실전에서의 판단 과정	행정규칙은 입법예고랑 공포할 필요는 없지.
해설	'행정 규제 사항'을 규정하는 '예외'적인 경우에는 법률의 위임을 받아야 하기는 하지만, '행정규칙'이 가진 기본적인 속성 때문에 '입법예고'와 '공포'라는 절차를 거칠 필요는 없었습니다. '위임명령'과의 차이점이자 '예외' 사항이었으니 머릿속에 확실하게 남아 있는 정보였죠?

④ 행정 규제 사항을 규정하는 경우, 위임 근거 법률의 위임을 받은 제정 주체에 의해 제정된다.

명시적 근거	3문단 4번 문장
실전에서의 판단 과정	근거 법률이 유형은 몰라도 제정 주체는 지정한 것이니 따라야겠지.
해설	'예외적인 행정규칙'은 위임 근거 법률이 행정입법의 '제정 주체'만 지정한 경우에 이뤄지는 것입니다. 위임 근거 법률이 시키는 대로 해야 하는 것이 기본이므로, (삼권 분립!) 이렇게 지정된 '제정 주체'에 의해 제정되는 것은 맞는 말이겠네요.

⑤ 행정 규제 사항을 규정하는 경우, 위임 근거 법률로부터 위임받을 수 있는 사항의 범위가 위임명령과 같다.

명시적 근거	2문단 6번 문장
실전에서의 판단 과정	행정규칙은 첨단 기술 관련성이 클 때 하는 것이고, 그러면 위임받을 수 있는 사항의 범위가 더 넓겠지.
해설	아주 어려운 선지입니다. 이렇게 한 번에 판단되지 않는 선지가 나오면, 일단 '선지에서 묻는 것'부터 천천히 생각해보자고 했습니다. 이 선지가 묻는 것은 '위임받을 수 있는 사항의 범위'라는 관점에서 '행정규칙'과 '위임명령'을 비교하라는 것입

니다. '사항의 범위'와 관련된 내용은 '포괄적 위임', '첨단 기술' 등의 정보가 연결되어 있었어요.

그런데 여기서 '첨단 기술'은 '행정 규제 사항을 규정하는 행정규칙'과 관련된 내용입니다. 즉, '첨단 기술'과의 연관성이 엄청나게 큰 그 순간에 '행정규칙'을 바탕으로 '행정 규제' 사항을 규정할 수 있다는 것이죠.

우리는 '첨단 기술'과의 연관성이 클수록 '위임받을 수 있는 사항의 범위'가 넓어진다는 걸 충분히 납득하고 있었어요. 그런데 '행정규칙'은 '위임명령'에 비해 '첨단 기술'과의 연관성이 더 클 때 '행정 규제' 사항을 규정한다고 했죠. 그렇다면 '행정규칙'이 '위임명령'에 비해 '위임받을 수 있는 사항의 범위'가 더 넓다는 것을 추론할 수 있겠습니다

'선지에서 묻는 것'으로부터 '첨단 기술'과 '위임받을 수 있는 사항의 범위' 사이의 관계까지 끌어내야 하는 어려운 선지였습니다. 단순한 정오 판단에서 그치지 않고, 이러한 '사고과정'까지 점검할 수 있도록 합시다.

선지	①	②	③	④	⑤
선택률	12%	22%	18%	40%	8%

33 윗글을 바탕으로 〈보기〉의 ㉮~㉰에 대해 이해한 내용으로 가장 적절한 것은? [3점] ④

– 〈보기〉 문제네요. 늘 하는 것처럼, 이쁘게 정리하고 갑시다. ㉮~㉰가 지문의 어떤 내용에 대응되는지가 핵심입니다.

─────────[보기]─────────

문의하신 내용에 대해 다음과 같이 알려 드립니다. ㉮「옥외광고물 등의 관리와 옥외광고산업 진흥에 관한 법률」제3조(광고물 등의 허가 또는 신고)에 따른 허가 또는 신고 대상 광고물에 관한 사항은 대통령인인 ㉯「옥외광고물 등의 관리와 옥외광고산업 진흥에 관한 법률 시행령」제5조에 규정되어 있습니다. 이에 따르면 문의하신 규격의 현수막을 설치하시려면 설치 전에 신고하셔야 합니다.

또한 위 법률 제16조(광고물 실명제)에 의하면, 신고 번호, 표시 기간, 제작자명 등을 표시하도록 규정하고 있습니다. 표시하는 방법에 대해서는 ㉰○○시 지방 의회에서 제정한 법령에 따르셔야 합니다.

– 먼저 ㉮부터 확인해봅시다. ㉮는 어떠한 법률인데, 이에 '따른' '대통령령'이 바로 ㉯라고 합니다. '대통령령'이라면 '위임명령'의 일종인데, 이는 반드시 '근거 법률'을 필요로 했죠? ㉮라는 '근거 법률'에 의해 ㉯라는 '위임명령'이 만들어진 것입니다. '포괄적 위임'이 금지되어 있기에 똑같은 법률의 이름을 가져와서 제정한 모습이네요.

―――――[보기]―――――

> 또한 위 법률 제16조(광고물 실명제)에 의하면, 신고 번호, 표시 기간, 제작자명 등을 표시하도록 규정하고 있습니다. 표시하는 방법에 대해서는 ㉰○○시 지방 의회에서 제정한 법령에 따르셔야 합니다.

– 한편, ㉰는 '조례'의 일종입니다. '지방 의회'라는 말을 바탕으로 생각할 수 있겠죠? ㉰는 ㉮에서 제정하지 않은 내용인 '표시 방법'을 규정하고 있는데, 이는 '포괄적 위임'을 허용하는 '조례'의 특성이 발휘된 것으로 이해할 수 있겠습니다. '조례'도 어쨌든 '근거 법률'이 필요하기에 ㉮에 근거했을 것이라 추측할 수 있는데, 이 법에 규정된 내용을 넘어서 제정하는 것이 허용된 모습이네요.

이렇게 최대한 정리를 해놓고 선지 판단에 나서야 합니다. 특히 법 지문의 〈보기〉 문제는 지문과의 대응이 핵심이에요. 〈보기〉 정리만 잘해도 쉽게 지울 수 있는 선지들이 대부분입니다. 정말 그러한지 확인해볼까요?

① ㉮의 세3조의 내용에서 ㉯의 제5조의 신고 대상 광고물에 관한 사항의 구체적 내용을 확인할 수 있겠군.

명시적 근거	2문단 2번~3번 문장
실전에서의 판단 과정	㉯가 훨씬 구체적인 내용이지.
해설	㉮의 제3조는 '근거 법률'이고, ㉯는 이를 바탕으로 제정된 '위임명령'입니다. 선지에서 묻는 '신고 대상 광고물에 관한 사항'은 국회가 위임한 사항에 해당하겠죠? 이를 바탕으로 '구체적'으로 제정한 것이 ㉯이기 때문에, ㉮의 제3조에서 '신고 대상 광고물에 관한 사항'의 구체적 내용을 알 수는 없겠네요. 물론 '포괄적 위임'을 받은 것이 아니라면 ㉮의 내용으로부터 '신고 대상 광고물에 관한 사항'을 '대강' 알 수는 있겠지만요.

② ㉯의 제5조는 ㉮의 제16조로부터 제정할 사항의 범위가 정해져 위임을 받았겠군.

명시적 근거	2문단 8번 문장, 〈보기〉
실전에서의 판단 과정	㉮의 제3조로부터 위임을 받은 거지.
해설	㉯는 ㉮의 '제3조'를 근거로 하여 제정된 위임명령입니다. '제16조'로부터 제정 사항의 범위가 정해진다는 건 말이 안 되겠죠.

③ ㉯는 ㉰와 달리 입법예고와 공포 절차를 거쳤겠군.

명시적 근거	2문단 5번 문장, 4문단 5번 문장
실전에서의 판단 과정	위임명령이랑 조례는 둘 다 저런 절차를 거쳐야지.
해설	'입법예고'와 '공포'를 거쳐야 한다는 건, '행정규칙'을 제외한 나머지 두 행정입법 모두에 해당하는 내용이었죠? 너무나 당연한 내용으로 납득하고 있을 겁니다.

④ ㉯에 나오는 '광고물'의 의미와 ㉰에 나오는 '광고물'의 의미는 일치하겠군.

명시적 근거	2문단 10번 문장, 4문단 4번 문장
실전에서의 판단 과정	위임명령이랑 조례 둘 다 근거 법률에서 사용한 어구의 의미 그대로 사용해야지.
해설	㉯와 같은 '위임명령'과 ㉰와 같은 '조례'는 모두 '근거 법률'에서 사용한 어구의 의미를 확대하거나 축소할 수 없다고 했습니다. 이는 '삼권 분립의 원칙'을 지키기 위해 정말로 중요한 내용이었어요. 그렇다면 ㉯와 ㉰ 모두 ㉮에서 이야기하는 '광고물'이라는 어구의 의미를 그대로 받아들였겠네요. 정확히는 ㉯는 ㉮의 '제3조'에서 이야기하는 '광고물'의 의미를, ㉰는 ㉮의 '제16조'에서 이야기하는 '광고물'의 의미를 받아들였지만, 결론적으로 둘은 같은 것입니다. '근거 법률' 자체는 같으니까요.

⑤ ㉰를 준수해야 하는 국민 중에는 ㉯를 준수하지 않아도 되는 국민이 있겠군.

명시적 근거	1문단 1번 문장, 4문단 1번 문장
실전에서의 판단 과정	㉯는 전 국민이 준수해야 하는 거잖아.
해설	㉰는 '지방 의회'에서 제정한 '조례'이고, ㉯는 '대통령령'인 '위임명령'입니다. ㉰를 준수해야 하는 국민이라면 해당 지역의 주민일 텐데, 그 지역은 한 국가의 국민이기도 하니 나라 전체에 적용되는 ㉯도 반드시 준수해야겠네요.

선지	①	②	③	④	⑤
선택률	13%	5%	50%	15%	17%

34 문맥상 ⓐ~ⓔ와 바꿔 쓰기에 가장 적절한 것은? ③

① ⓐ : 나타내기
② ⓑ : 드러내어
③ ⓒ : 헤아릴
④ ⓓ : 마주하기
⑤ ⓔ : 달라진다

<table>
<tr><td align="center">몰랐던 어휘 정리하기</td></tr>
<tr><td>

</td></tr>
</table>

| 핵심 point |

① **화제 check** : 독서 지문 독해의 처음이자 끝. 첫 문단에서 잡은 '화제의 틀'을 마지막 문단까지 놓지 않아야 합니다.
② **정의 인식** : 단어의 의미를 살린 상태로, 지문에 제시된 정의와 붙여서 이해할 수 있어야 합니다. 정의를 '기억'하는 게 아니라, '납득'해서 본인의 말로 정리할 수 있어야 해요.
③ **재진술 인식** : 같은 말이라도 다르게 표현되는 경우가 많습니다. 심지어 아예 똑같은 말이 반복되는 경우도 많아요. 이 '같은 말'에 민감하게 반응하면, '정보량'을 줄이면서 읽을 수가 있습니다.
④ **예외 인식** : 일반적이지 않은 '예외'는 언제나 중요한 출제 포인트로 작용합니다. 확실하게 체크합시다.
⑤ **비교/대조** : 비교되는 대상이 나오면, '공통점'과 '차이점' 중심으로 읽어나가면 됩니다.

| 지문 내용 총정리 |

'예외'라는 법 지문의 주요 포인트가 중요하게 작용했던 지문입니다. 나아가 '정의 체크'와 '재진술 인식'이라는 도구의 힘이 아주 강력했기도 하구요. 심지어 '삼권 분립 원칙', '의회의 역할'과 같은 배경지식도 요구한 어려운 지문이었습니다. 법 지문이 어떻게 어려워질 수 있는지를 배우기에 적합했으니, 여러 번 복습하며 확실하게 자기 것으로 만들어봅시다.

1문단 (1)

①법령의 조문은 대개 'A에 해당하면 B를 해야 한다.'처럼 요건과 효과로 구성된 조건문으로 규정된다. ②하지만 그 요건이나 효과가 항상 일의적인 것은 아니다. ③법조문에는 구체적 상황을 고려해야 그 상황에 맞는 진정한 의미가 파악되는 불확정 개념이 사용될 수 있기 때문이다.

① #수식된 정의 제시 #사례-원리 연결

일반적인 법령의 조문은 '조건문'으로 규정된다고 하는데, 이 '조건문'에 대한 수식된 정의로 시작하고 있습니다. '조건문'은 '요건'과 '효과'로 구성된 문장을 의미하는데, 'A에 해당하면 B를 해야 한다.'가 그 사례로 제시되어 있어요. 그렇다면 자연스럽게 A를 '요건'으로, B를 '효과'로 바꿔서 읽을 수 있겠죠? 어떠한 '요건'에 해당하면 무언가를 해야 하는 '효과'가 발생한다는 것입니다. 법령의 조문이 이와 같은 형태로 규정된다는 건 어렵지 않게 이해할 수 있을 것 같습니다.

②~③ #예외 제시 #재진술 #수식된 정의 제시
#단어의 의미 살리기

하지만 '조건문'의 '요건'과 '효과'는 항상 '일의적'인 것은 아니라고 합니다. 이는 일반적으로는 '일의적'이지만 그렇지 않은 '예외'가 있다는 것을 의미하죠? 법 제재의 지문에서 중요한 포인트로 다뤄지는 '예외'가 1문단부터 나왔으니, 화제와 직결되는 내용일 것이라고 생각할 수 있어야 합니다.

그런데 '일의적'이라는 게 도대체 무슨 뜻일까요? 일단 3번 문장을 읽어 보니, '불확정 개념'을 소개하고 있습니다. 단어의 의미 그대로, 구체적 상황을 고려해야 진정한 의미를 파악할 수 있는, '불확정'된 '개념'을 말하는 것이네요. 구체적 상황을 고려하기 전까지는 의미가 '확정'되지 않는다는 것이죠!

우리는 이로부터 '일의적'이라는 단어의 뜻을 유추할 수 있습니다. '불확정 개념'이 사용되는 법조문이 있을 수 있기에 '요건'이나 '효과'가 항상 '일의적'인 것은 아니라고 한다면, '일의적=확정적인 개념'과 같은 방식으로 생각할 수 있겠네요. 즉, 모든 법조문의 내용이 구체적 상황과 무관하게 '확정'되는 개념으로 구성되지는 않는다는 것입

니다. 실제로 '일의적'이라는 단어의 뜻은 '뜻이나 결과가 같은 것'이라는 의미를 가지고 있어요. 즉, '요건'이나 '효과'가 '일의적'이라는 것은 그들이 어떤 상황에서나 같은 뜻으로 쓰인다는 것이죠.

어쨌든, 이 지문은 '일의적'이지 않은, 즉 '불확정 개념'이 쓰인 법조문에 주목하는 것 같습니다. 이 정도는 생각하면서 계속 읽어봅시다.

하이라이트 문장

③법조문에는 구체적 상황을 고려해야 그 상황에 맞는 진정한 의미가 파악되는 불확정 개념이 사용될 수 있기 때문이다.

'불확정 개념'의 정의를 정확하게 체크하는 것은 물론이고, '때문이다'라는 표지가 쓰인 재진술임을 파악하여 앞문장에서 나왔던 '일의적'이라는 어려운 단어의 뜻도 추론할 수 있어야 합니다. 최대한 많은 문장이 당연한 말로 느껴질 수 있어야 해요!

1문단 (2)

④개인 간 법률관계를 규율하는 민법에서 불확정 개념이 사용된 예로 '손해 배상 예정액이 부당히 과다한 경우에는 법원은 적당히 감액할 수 있다.'라는 조문을 들 수 있다. ⑤이때 법원은 요건과 효과를 재량으로 판단할 수 있다. ⑥손해 배상 예정액은 위약금의 일종이며, 계약 위반에 대한 제재인 위약벌도 위약금에 속한다. ⑦위약금의 성격이 둘 중 무엇인지 증명되지 못하면 손해 배상 예정액으로 다루어진다.

④~⑤ #수식된 정의 제시 #사례-원리 연결

역시 법 제재의 지문답게, 사례를 들어 주며 이해시키고 있습니다. '개인 간 법률관계를 규율'하는 것이라는 정의를 가지고 있는 '민법'에서의 상황을 예로 들어 주고 있네요. '민법'과 '형법'에 대해서는 기본적인 어휘력의 차원으로 알아 두고 계실 것이라고 생각해요.

어쨌든, 그 예시는 '손해 배상 예정액이 부당히 과다한 경우에는 법원은 적당히 감액할 수 있다.'라는 조문입니다. 이것이 '조문'이라고 했으니, 당연하게도 '요건'과 '효과'에 대해 생각할 필요가 있겠습니다. '요건'과 '효과'의 정의를 고려하면, '손해 배상 예정액이 부당히 과다한 경우'가 '요건'이고 '법원은 적당히 감액할 수 있다.'가 '효과'가 되겠죠?

'부당히 과다', '적당히 감액'이라는 애매한 표현에서부터 느껴지듯이, 법원은 이 '요건'과 '효과'를 '재량으로 판단'할 수 있습니다. 이때 '재량으로 판단'한다는 말 자체가 곧 'not 일의적=불확정 개념'을 의미한다고 할 수 있겠죠? 법원이 구체적인 상황을 고려해야만 '과다'한지 '적당'한지 알 수 있다는 것이죠. 사례와 원리를 연결하니 확실하게 이해되는 것 같습니다.

⑥~⑦ #정의 제시 #단어의 의미 살리기
#화제의 흐름

이 예시에서 '효과'는 '손해 배상 예정액'에 대한 내용이었습니다. 단어의 의미 그대로, '손해 배상'하기로 '예정'한 금'액'을 의미하겠죠? 그런데 이는 '위약금'의 일종이라고 합니다. 이는 단어의 의미 그대로 '약'속을 '위'반했을 때 내는 '금'액이니, 약속을 어겨 '손해'를 입었을 때 '배상'하기로 '예정'된 금'액'이 '위약금'의 일종이라는 점은 충분히 납득할 수 있겠습니다. '손해 배상'은 약속을 어긴 상태에서 하는 것이니까요.

그런데 '위약벌'이라는 개념도 제시가 되고 있습니다. 역시 단어의 의미 그대로 약속을 어겼을 때 '벌'(제재)을 주는 것이라고 생각할 수 있겠는데, 이러한 '위약벌'도 '위약금'의 일종이라고 해요. 계약을 위반할 때 '제재'를 가하는 방법은 당연히 금전적 손해를 주는 것일 테니, '위약벌'도 '위약금'이라는 건 어렵지 않게 이해할 수 있겠어요.

결국 '위약금'은 '손해 배상 예정액'과 '위약벌'로 나눌 수 있는 것이었습니다. 만약 '위약금'의 성격이 둘 중 무엇인지 증명되지 않으면 '손해 배상 예정액'으로 다뤄진다고 해요. 즉, '위약금'이 '위약벌'이라고 증명되지 않는 한 무조건 '위약금=손해 배상 예정액'인 것이네요.

'손해 배상 예정액', '위약금', '위약벌'이라는 개념을 정확히 이해했다면, 이제부터는 앞에서 제시한 조문에 대해 이해할 준비를 해야겠죠? 결국 이 지문은 '불확정 개념'이 쓰인 조문에 대한 이야기를 하는 것이니까요. 이렇게 화제의 흐름까지 잡아 둔 상태로 계속 읽어 보도록 합시다.

하이라이트 문장

> ④개인 간 법률관계를 규율하는 민법에서 불확정 개념이 사용된 예로 '손해 배상 예정액이 부당히 과다한 경우에는 법원은 적당히 감액할 수 있다.'라는 조문을 들 수 있다.

법 제재의 지문에서 항상 나오는 구성인 '사례-원리 연결'입니다. 해당 조문은 지문에서 계속 사용될 것이 뻔하니, '요건'과 '효과'의 정의를 바탕으로 확실하게 정리해 놓는 것이 아주 중요합니다.

2문단

> ①채무자의 잘못으로 계약 내용이 실현되지 못하여 계약 위반이 발생하면, 이로 인해 손해를 입은 채권자가 손해 액수를 증명해야 그 액수만큼 손해 배상금을 받을 수 있다. ②그러나 손해 배상 예정액이 정해져 있었다면 채권자는 손해 액수를 증명하지 않아도 손해 배상 예정액만큼 손해 배상금을 받을 수 있다. ③이때 손해 액수가 얼마로 증명되든 손해 배상 예정액보다 더 받을 수는 없다. ④한편 위약금이 위약벌임이 증명되면 채권자는 위약벌에 해당하는 위약금을 받을 수 있고, 손해 배상 예정액과는 달리 법원이 감액할 수 없다. ⑤이때 채권자가 손해 액수를 증명하면 손해 배상금도 받을 수 있다.

①~③ #사례-원리 연결

본격적으로 예시로 든 조문에 대해 설명하고 있습니다. 채무자가 잘못하여 '계약 위반'이 발생하는 경우, 채권자는 자신의 손해 액수를 증명해야 그만큼 '손해 배상금'을 받을 수 있다고 합니다. 이는 법 제재의 지문에서 자주 나오던 메커니즘이니 어렵지 않게 납득할 수 있겠죠?

그런데 '손해 배상 예정액'이 정해진 경우, 채권자는 손해 액수를 증명하지 않아도 된다고 합니다. 이 역시 어렵지 않게 납득할 수 있겠습니다. '예정'된 금액이 있다면, 그만큼만 받으면 끝나는 것이니까요. 나아가 손해 액수가 얼마이든 '손해 배상 예정액'보다 더 받을 수 없다는 것 역시 쉽게 납득할 수 있겠습니다. '예정'된 금액이 있으니, 실제로는 더 손해를 봤다고 해도 딱 그만큼만 받을 수 있는 것이에요.

이때, '손해 배상 예정액'을 보자마자 '부당히 과다'한 경우 법원이 '적당히 감액'할 수 있다는 내용을 떠올릴 수 있으면 좋겠습니다. 첫 문단에서 제시한 사례를 계속해서 끌고 올 수 있어야 한다는 기본적인 원칙에 따른 생각이에요. 이때 '부당히 과다'하다는 것은 채권자의 손해 정도에 비해 너무나 큰 '손해 배상 예정액'이 정해진 경우와 같은 상황을 의미하겠죠? 이러한 '구체적 상황'을 고려했을 때, 법원이 '적당히 감액'할 수 있다는 것이 첫 문단에서 제시한 사례의 내용이었던 것입니다.

④ #카테고리 나누기 #비교/대조

지금까지 설명한 '손해 배상 예정액'은 '위약금'의 일종이었습니다. 그런데 '위약금'에는 '위약벌'이라는 것도 있었어요. 그리고 '위약금'의 성격이 '위약벌'로 증명되는 경우도 존재했었죠. 이러한 경우에는 채권자가 '위약벌'에 해당하는 '위약금'을 받을 수 있다고 합니다. '위약벌'이 정확히 어느 정도인지, 어떻게 정해지는 것인지는 알 수 없지만 어렵지 않게 납득할 수 있는 내용일 것 같아요. '위약벌'로 증명되면 '위약벌'로 적용해야죠.

나아가, '위약벌'은 '손해 배상 예정액'과는 분명히 다른 개념입니다. 따라서 첫 문단에서 제시한 사례와 무관한 내용이기에 법원이 감액하는 것은 불가능하겠죠? 이와 같은 방식으로 두 상황의 차이점을 확실하게 납득할 수 있어야 합니다.

> **| 생각 심화 |**
>
> '손해 배상 예정액'은 왜 '위약벌'과 달리 법원의 감액이 가능한 것일까요? 기본적인 법 제재 지문에 관한 지식과 각 개념의 정의를 바탕으로 생각하면 충분히 떠올릴 수 있습니다.
>
> 답은 간단합니다. '손해 배상 예정액'은 '손해 배상액'이고, '위약벌'은 '제재'이기 때문입니다. '손해 배상액'은 일반적으로 손해를 본 만큼만 받을 수 있다는 점, 법 제재 지문의 배경지식을 정리하면서 배웠던 내용이죠? 이에 채권자의 손해를 뛰어 넘을 만큼의 지나친 '손해 배상 예정액'은 감액의 대상이 될 수 있는 것이죠. 하지만 '위약벌'은 손해의 정도와 무관한, 일종의 '벌금'이기 때문에 감액의 대상이 되지 못하는 것입니다. 그냥 잘못해서 내는 것이니까요. (참고로 실제로는 '위약벌'이 지나치게 과도한 경우, '감액'이 아닌 '무효'가 적용될 수 있습니다.)
>
> '손해 배상'에 대해 다룬 기출문제들이 워낙에 많기 때문에, '손해를 본 정도만 배상한다.'라는 기본적인 메커니즘을 알아 두면 좋겠다는 점에서 작성한 내용입니다. 확실하게 정리합시다!

⑤ #재진술 #화제의 흐름

'위약금'이 '위약벌'임이 증명된 상태라면, '손해 배상'이 아닌 '제재'의 형태로 채무자에게 불이익을 주게 됩니다. 이 경우 채권자가 '손해' 액수를 증명할 수 있다면, '손해 배상금'도 받을 수 있다고 해요. 이는 1번 문장과 같은 내용이니 충분히 납득할 수 있겠죠? 이렇게 보니, 채무자 입장에서 '위약금'이 '위약벌'로 증명되는 것은 최악의 결과라고 할 수 있겠습니다. '손해 배상금'까지 따로 물어야 할 수도 있는 것이니까요.

어쨌든, 이렇게 다양한 상황이 제시될 수 있는 것은 첫 문단에서 제시한 사례가 '불확정 개념'을 사용한 것이기 때문이겠죠? 구체적 상황을 고려해야 한다는 정의처럼, 다양한 상황과 관련될 수 있는 조문이었던 것입니다. 이렇게 화제의 흐름을 다시 잡았다면 완벽하게 읽고 있는 중이라고 할 수 있겠어요.

하이라이트 문장

> ④한편 위약금이 위약벌임이 증명되면 채권자는 위약벌에 해당하는 위약금을 받을 수 있고, 손해 배상 예정액과는 달리 법원이 감액할 수 없다.

'위약금'과 관련된 내용이 '손해 배상 예정액' 및 '위약벌'이라는 카테고리로 나뉜다는 것을 생각해야 하는 문장입니다. 나아가 '감액할 수 없다.'는 차이점을 인식하고, 왜 그러한지 납득할 수 있다면 아주 훌륭하겠습니다.

〔 3문단 〕

> ①불확정 개념은 **행정 법령**에도 사용된다. ②행정 법령은 행정청이 구체적 사실에 대해 행하는 법 집행인 행정 작용을 규율한다. ③법령상 요건이 충족되면 그 효과로서 행정청이 반드시 해야 하는 특정 내용의 행정 작용은 **기속 행위**이다. ④반면 법령상 요건이 충족되더라도 그 효과인 행정 작용의 구체적 내용을 고를 수 있는 재량이 행정청에 주어져 있을 때, 이러한 재량을 행사하는 행정 작용은 **재량 행위**이다. ⑤법령에서 불확정 개념이 사용되면 이에 근거한 행정 작용은 대개 재량 행위이다.

① #카테고리 나누기

계속해서 '불확정 개념'과 관련된 이야기를 하는데, 이번에는 '행정 법령'에 사용되는 경우에 대해서 언급하고 있습니다. 지금까지는 '민법'에 대한 이야기였으니, 카테고리를 확실하게 나눠주고 가야겠죠?

② #정의 제시 #단어의 의미 살리기

'행정 법령'을 정의하고 있습니다. 단어의 의미 그대로, '행정' 작용에 대한 '법령'이겠죠? 2021학년도 9월 모의평가 '행정입법' 지문에서 배운 대로, '법령'의 제정 주체는 입법부이기에 행정청과 같은 행정부의 '행정 작용'은 '근거 법령'에 기반해야 합니다. 이 교재에서 계속해서 강조하던, '기출문제의 배경지식화'를 요구하는 문장이죠?

이때 '행정 작용'의 정의 역시 수식된 형태로 제시되고 있네요. '행정'청의 '작용'으로 근거 법령을 집행하는 것을 의미하네요. 단어의 의미를 살리면 정의를 확실하게 받아들일 수 있겠죠? 이러한 '행정 작용'을 규율하는 '행정 법령'에도 '불확정 개념'이 쓰일 수 있는 것입니다!

③~④ #수식된 정의 제시 #단어의 의미 살리기
#비교/대조 #재진술

'행정 작용'의 근거 법령이 되는 '행정 법령'도 어쨌든 '법령'이기에, '조건문'의 형태를 띤 조문으로 구성될 것입니다. 따라서 '요건'과 '효과'가 있을 것인데, 법령에서 요구하는 '요건'이 충족될 때 '효과'로서 반드시 해야 하는 경우의 '행정 작용'을 '기속 행위'라고 하네요. 단어의 의미 그대로, '기속'되는 '행위'이니 '반드시' 해야 하는 것으로 이해할 수 있겠습니다. '요건'이 충족될 때 '효과'가 발생한다는 것은 이미 이해하고 있는 내용이죠?

그런데 '요건'이 충족되어도 '효과'로서의 '행정 작용'의 구체적 내용을 고를 수 있는 상황도 있다고 합니다. 이처럼 '재량'을 가지고 있는 경우의 '행정 작용'은 '재량 행위'라고 부르네요. '효과=행정 작용'이라는 포인트와 함께 '기속 행위' 및 '재량 행위'의 차이점을 정확하게 인식할 수 있겠죠?

⑤ #재진술

'행정 법령'에서 '불확정 개념'이 사용되는 경우, 이에 근거한 '행정 작용'은 대개 '재량 행위'라고 합니다. 역시 당연한 말로 읽혀야 합니다. '불확정'이라는 단어와 '재량'이라는 단어는 같은 맥락에서 쓸 수 있는 단어들이니까요. 즉, 근거 법령에서 '불확정 개념'이 사용되었다는 것 자체가 구체적 상황을 고려해야 한다는 것이고, 이는 각 상황에서 행정청이 '재량'을 발휘할 수 있다는 것과 같은 말이라는 뜻입니다. 어렵지 않게 납득할 수 있죠?

하이라이트 문장

> ⑤법령에서 불확정 개념이 사용되면 이에 근거한 행정 작용은 대개 재량 행위이다.

사실상 이 문장이 나오기 전부터 '불확정 개념=재량 행위'라는 재진술을 파악했어야 합니다. 핵심 개념의 정의로부터 정보량을 줄여나가는 것, 지문 독해의 기본입니다.

4문단

> ①행정청은 재량으로 재량 행사의 기준을 명확히 정할 수 있는데 이 기준을 **재량 준칙**이라 한다. ②재량 준칙은 법령이 아니므로 재량 준칙대로 재량을 행사하지 않아도 근거 법령 위반은 아니다. ③다만 특정 요건하에 재량 준칙대로 특정한 내용의 적법한 행정 작용이 반복되어 **행정 관행**이 생긴 후에는, 같은 요건이 충족되면 행정청은 동일한 내용의 행정 작용을 해야 한다. ④행정청은 **평등 원칙**을 지켜야 하기 때문이다.

①~② #수식된 정의 제시 #단어의 의미 살리기

이렇게 '불확정 개념'이 사용된 '행정 법령'의 경우, 행정청은 '재량'으로 '행정 작용'의 내용을 정할 수 있습니다. 그리고 이에 대한 기준을 명확히 세울 수 있는데, 이를 '재량 준칙'이라고 하네요. 역시 단어

의 의미 그대로 이해하면 어렵지 않겠죠?

그런데 이러한 '재량 준칙'은 법령이 아니기에, 따르지 않아도 근거 법령 위반은 아니라고 합니다. '재량 준칙'은 입법 권한이 없는 행정청에서 만든 것이기 때문에, 이를 지키지 않는다고 해서 입법부에서 만든 근거 법령 위반은 아닌 것입니다. 이처럼 본인의 지식을 활용해서 당연하게 납득해야 합니다!

③~④ #단어의 의미 살리기 #예외 제시 #재진술

이와 같이 '재량 준칙'은 반드시 지킬 필요가 없는 것이지만, '재량 준칙'에 따른 행정 작용이 반복되어 '행정 관행'이 생기는 경우는 예외라고 합니다. '관행'이 가지고 있는 의미 그대로, 구속력은 없지만 동일한 행정 작용을 반복할 필요가 있다는 것이죠. 언제나 '평등'한 작용을 해야 한다는 '원칙'이 있기 때문이죠. 이는 '예외'에 해당하는 것이니 확실하게 인식할 필요가 있겠습니다. 내용 자체가 어렵지는 않아요.

하이라이트 문장

> ②재량 준칙은 법령이 아니므로 재량 준칙대로 재량을 행사하지 않아도 근거 법령 위반은 아니다.

'근거 법령 위반'이라는 말을 보면서 아무런 생각이 들지 않으면 안 돼요. 평가원은 기출문제에서 설명한 지식을 계속해서 재활용하는 모습을 보이고 있기에, 기출문제의 내용을 배경지식화하는 것을 게을리하지 마시기 바랍니다!

선지	①	②	③	④	⑤
선택률	5%	7%	6%	77%	5%

35 윗글의 내용과 일치하지 <u>않는</u> 것은? ④

> ① 법령의 요건과 효과에는 모두 불확정 개념이 사용될 수 있다.

명시적 근거	1문단 2번~3번 문장
실전에서의 판단 과정	화제 그 자체네.
해설	'요건'과 '효과'로 구성된 '조건문'에 '불확정 개념'이 사용될 수 있다는 내용, 이 지문의 화제 그 자체이니 확실하게 체크하고 있죠? 정확하게 근거를 잡으면, '일의적'이라는 단어의 의미를 파악하는 과정을 들 수 있겠습니다. '요건·효과 일의적 x=불확정 개념'이었으니까요.

② 법원은 불확정 개념이 사용된 법령을 적용할 때 재량을 행사할 수 있다.

명시적 근거	1문단 5번 문장
실전에서의 판단 과정	재량은 불확정 개념과 같은 맥락의 정보였지.
해설	'민법'에서든 '행정 법령'에서든 '재량'이라는 말은 언제나 '불확정 개념'과 함께 쓰이는 말이었습니다. 애초에 '불확정 개념'의 정의를 풀어 쓰면 '상황에 따라 재량을 발휘하여 의미를 파악해야 하는 경우'라고 할 수 있으니 당연한 말이죠?

③ 불확정 개념이 사용된 법령의 진정한 의미를 이해하려면 구체적 상황을 고려해야 한다.

명시적 근거	1문단 3번 문장
실전에서의 판단 과정	불확정 개념의 정의네.
해설	'불확정 개념'의 정의 그 자체입니다. 보자마자 지워낼 수 있어야 합니다.

④ 불확정 개념이 사용된 행정 법령에 근거한 행정 작용은 재량 행위인 경우보다 기속 행위인 경우가 많다.

명시적 근거	3문단 5번 문장
실전에서의 판단 과정	불확정 개념은 재량이랑 한 세트인데?
해설	'불확정 개념'이 사용된 행정 법령에 근거한 '행정 작용'의 경우, '기속 행위'가 아닌 '재량 행위'였죠? 너무나 당연하게 납득했던 내용이었으니 가볍게 답으로 고를 수 있어야 합니다.

⑤ 불확정 개념은 행정청이 행하는 법 집행 작용을 규율하는 법령과 개인 간의 계약 관계를 규율하는 법률에 모두 사용된다.

명시적 근거	1문단 4번 문장, 3문단 1번~2번 문장
실전에서의 판단 과정	민법이랑 행정 법령 둘 다 쓰이지.
해설	'행정청이 행하는 법 집행 작용을 규율하는 법령'과 '개인 간의 계약 관계를 규율하는 법률'이 각각 '행정 법령'과 '민법'을 의미한다는 것은 당연하게 생각할 수 있겠죠? '불확정 개념'은 두 법에 모두 사용되는 것이었습니다. 각 법의 정의를 단어의 의미를 살리면서 체크하는 것을 요구하는 선지였네요.

선지	①	②	③	④	⑤
선택률	12%	10%	26%	13%	39%

36 ㉠에 대한 이해로 가장 적절한 것은? ⑤

> 행정청은 재량으로 재량 행사의 기준을 명확히 정할 수 있는데 이 기준을 ㉠ 재량 준칙이라 한다.

– '불확정 개념'이 사용된 '행정 법령'에 근거한 '행정 작용'의 경우, 행정청의 재량이 허용됩니다. 그리고 이때 '재량 준칙'이라는 것을 세워 재량 행사의 '기준'을 세울 수 있었죠. 이는 '근거 법령'이 아니기 때문에 꼭 지킬 필요는 없었지만, 자주 반복되어 '행정 관행'이 생기면 '평등 원칙'에 따라 지켜야 할 필요가 생긴다고 했습니다. 이렇게 확실하게 이해한 상태로 문제를 풀어 봅시다.

① 재량 준칙은 법령이 아니기 때문에 일의적이지 않은 개념으로 규정된다.

명시적 근거	1문단 2번~3번 문장, 4문단 1번~3번 문장
실전에서의 판단 과정	법령이 아닌 거랑 일의적이지 않은 거랑 뭔 상관이냐.
해설	일단 '재량 준칙'이 법령이 아닌 것은 맞습니다. 그런데 법령이 아니라고 해서 반드시 '일의적이지 않은 개념', 즉 '불확정 개념'으로 규정되는 것은 아니죠? 지문에서는 법령에 '불확정 개념'이 쓰일 수 있다고 했을 뿐, 법령이 이닌 경우에는 무조건 '불확정 개념'이라고 한 적이 없습니다. 애초에 이런 내용을 납득한 기억이 전혀 없죠? 가볍게 지워주시면 되겠습니다. 나아가, '재량 준칙'은 '불확정 개념'이 쓰인 법령에 근거한 행정 작용인 '재량 행위'의 기준을 '명확히' 정하는 것입니다. 즉, 구체적인 상황에 따라 의미를 다르게 파악하게끔 하는 것이 아니라 의미를 하나로 '명확히' 규정한 것이기 때문에, '재량 준칙'은 일의적인 개념으로 규정된다고 보는 것이 맞겠습니다. 이 부분에서도 틀렸음을 알 수 있겠네요.

FAQ

Q '재량 준칙'은 '행정 관행'이 생기기 전에는 반드시 지키지 않아도 되는 개념으로 제시되어 있습니다. 이에 따르면 '재량 준칙'이 일의적이지 않다고도 볼 수 있는 거 아닌가요?

A 지문에서 제시한 '일의적이지 않다'의 의미를 살피면, '구체적 상황을 고려해야 그 상황에 맞는 진정한 의미가 파악되

경우'(=불확정 개념)를 의미한다는 것을 알 수 있습니다. 즉, '부당히', '적당히'와 같은 표현의 '의미 파악'에 있어 '구체적 상황'을 고려해야만 하는 경우에 '일의적이지 않다'는 말을 쓸 수 있는 것인데, '재량 준칙'을 지키지 않아도 된다는 것이 '재량 준칙'의 의미 파악을 다르게 한다는 것은 아니기 때문에 '재량 준칙'이 '일의적이지 않은 개념'으로 규정된다고 하는 것은 어려워 보입니다. '재량 준칙'을 지키지 않는 것은, 구체적 상황에 상관없이 그 의미를 정확하게 파악했더라도 그냥 무시한다는 의미니까요.

이렇게 보더라도 사실 굉장히 애매한 부분이라, '때문에'가 들어가면 안 된다는 '해설'의 첫 문단 내용대로 판단하는 게 좋을 것 같습니다.

② 재량 준칙으로 정해진 내용대로 재량을 행사하는 행정 작용은 기속 행위이다.

명시적 근거	3문단 5번 문장, 4문단 1번 문장
실전에서의 판단 과정	재량 행위지.
해설	'재량 준칙'에 따라 '재량'을 행사하는 행정 작용은 '재량 행위'라고 불렀습니다. 어렵지 않게 지울 수 있겠죠?

③ 재량 준칙으로 규정된 재량 행사 기준은 반복되어 온 적법한 행정 작용의 내용대로 정해져야 한다.

명시적 근거	4문단 3번 문장
실전에서의 판단 과정	반복되면 그냥 행정 관행이 되는 거지.
해설	'재량 준칙'은 본격적으로 '재량 행위'라는 행정 작용을 하기 전에 정할 수 있는 것입니다. 그리고 이 '재량 준칙'에 따라 적법한 행정 작용을 반복하면, 그 행위가 '행정 관행'이 되는 것이었죠. 이 선지는 '재량 준칙'이 '행정 관행'에 따라 정해져야 한다는 내용이니 틀렸네요. '재량 준칙'과 '행정 관행'의 단어의 의미를 살리면서 확실하게 납득했다면 어렵지 않게 지워낼 수 있는 선지였습니다.

④ 재량 준칙이 정해져야 행정청은 특정 요건하에 행정 작용의 구체적 내용을 선택할 수 있는 재량을 행사할 수 있다.

명시적 근거	4문단 1번 문장
실전에서의 판단 과정	재량 준칙을 꼭 정해야 하는 건 아니잖아.

	'재량 준칙'은 원하면 정할 수도 있는 것이지, 반드시 정해야 하는 것이 아닙니다. 심지어 '재량 준칙' 대로 재량을 행사하지 않아도 된다고 했어요. '재량 준칙'에 대해 확실하게 이해하고 있는지 물어보는 선지네요.
해설	

⑤ 재량 준칙이 특정 요건에서 적용된 선례가 없으면 행정청은 동일한 요건이 충족되어도 행정 작용을 할 때 재량 준칙을 따르지 않을 수 있다.

명시적 근거	4문단 2번~3번 문장
실전에서의 판단 과정	행정 관행이 없으면 재량 준칙 안 따라도 되지.
해설	'재량 준칙'은 '근거 법령'이 아니기 때문에 반드시 지키지 않아도 됩니다. 하지만 '행정 관행'이 생겼을 때는 '평등 원칙'에 따라 동일한 내용(=재량 준칙으로 정한 내용)의 행정 작용을 해야 한다는 '예외'가 있었어요. 선지에서 이야기하는 건 '예외'가 아닌 '일반적인 상황'이기에, '재량 준칙'을 따르지 않을 수 있다는 것은 맞는 말이 됩니다. '예외'를 바탕으로 '재량 준칙'에 대해 완벽하게 이해하고 있는지 물어보는 선지였네요.

선지	①	②	③	④	⑤
선택률	6%	36%	23%	24%	11%

37 윗글을 바탕으로 〈보기〉를 이해한 내용으로 가장 적절한 것은? [3점] ②

─────[보기]─────

갑은 을에게 물건을 팔고 그 대가로 100을 받기로 하는 매매 계약을 했다. 그 후 갑이 계약을 위반하여 을은 80의 손해를 입었다. 이와 관련하여 세 가지 상황이 있다고 하자.

─────────────

– '갑'과 '을'의 계약 상황입니다. 이때 '갑'이 계약을 위반한 것으로 보아, '갑'이 '채무자'이고 '을'이 '채권자'가 된 상황이라고 할 수 있겠네요. '을'은 80의 손해를 입었으니, 이와 관련해 여러 가지 금전적 요구를 할 수 있겠습니다. 여러 가지 경우의 수로 나누어 생각하려 했는데, 밑에서 친절하게 나누어 주었네요.

─────[보기]─────

(가) 갑과 을 사이에 위약금 약정이 없었다.

– '위약금' 약정이 없는 경우입니다. 이 경우에 '을'이 손해 배상금을 받기 위해서는 자신의 손해 액수를 증명해야 합니다. 증명한다면 80을 받을 수 있을 것이고, 증명하지 못한다면 아무 일도 일어나지 않겠죠.

---[보기]---

(나) 갑이 을에게 위약금 100을 약정했고, 위약금의 성격이 무엇인지 증명되지 못했다.

– '위약금'이 100으로 약정된 상황입니다. 그런데 '위약금'의 성격을 증명하지 못했네요. 이 경우에는 '위약금'이 '손해 배상 예정액'으로 다루어지겠죠? '손해 배상 예정액'은 손해 액수 및 그 액수의 증명 여부와 무관하게 받을 수 있으니, '을'은 '갑'으로부터 100을 받을 수 있겠습니다. 물론 법원에서 이것이 '부당히 과다'하다고 본다면 '적당히 감액'할 수 있겠죠? 첫 문단의 사례를 절대 잊으면 안 됩니다!

---[보기]---

(다) 갑이 을에게 위약금 100을 약정했고, 위약금의 성격이 위약벌임이 증명되었다.

– 이번에도 '위약금'이 100으로 약정된 상황입니다. 나아가 '위약금'의 성격이 '위약벌'로 증명된 상황이네요. 이 경우에 '을'은 '갑'으로부터 법원이 감액하지 못하는 '위약벌'로 100을 받을 수 있고, 나아가 자신의 손해 액수가 80임을 증명하면 '손해 배상금'으로 80도 더 받을 수 있겠네요. 이때의 금액들은 '위약벌'인 상황에서 만들어진 것이므로, 법원의 재량으로 감액하는 것이 불가능하겠습니다.

만약 문제를 조금 더 어렵게 낸다면, (가)~(다)를 하나씩 제시하기보다 선지에서 바로 묻는 형태로 출제할 수 있습니다. 2020학년도 9월 모의평가 30번 문제(소유·점유 관련 지문) 혹은 2023학년도 9월 모의평가 13번 문제(유류분 관련 지문)를 예로 들 수 있을 것 같아요. 이 문제들처럼 출제되었다면 여러분이 스스로 (가)~(다)의 상황을 생각할 수 있었어야 한다는 것이에요. 이처럼 법 제재의 지문에 출제된 〈보기〉 문제는 대부분의 경우 '사례 분석'이 핵심이라는 점을 잊지 맙시다.

① (가)에서 을의 손해가 얼마인지 증명되지 못한 경우에도, 갑이 을에게 80을 지급해야 하고 법원이 감액할 수 없다.

명시적 근거	2문단 1번 문장, 〈보기〉
실전에서의 판단 과정	증명 못 하면 못 받지.
해설	(가)의 경우, '을'은 자신의 손해를 증명해야만 손해 배상액을 받을 수 있습니다. 미리 생각한 내용이죠?

② (나)에서 을의 손해가 80임이 증명된 경우, 갑이 을에게 100을 지급해야 하고 법원이 감액할 수 있다.

명시적 근거	1문단 4번 문장, 2문단 2번 문장, 〈보기〉
실전에서의 판단 과정	증명 여부에 상관 없이 100 받을 수 있지.
해설	(나)는 '위약금'을 '손해 배상 예정액'으로 다루는 상황입니다. 이 경우 '을'은 자신의 실제 손해 액수가 얼마인지, 그리고 증명이 되는지에 상관없이 '손해 배상 예정액'인 100을 받을 수 있습니다. 나아가 이를 법원이 '부당히 과다'한 수준이라고 본다면 감액하는 것도 가능하겠죠. 〈보기〉를 정리한 내용이 그대로 선지화된 모습입니다.

③ (나)에서 을의 손해가 얼마인지 증명되지 못한 경우, 갑이 을에게 100을 지급해야 하고 법원이 감액할 수 없다.

명시적 근거	1문단 4번 문장, 2문단 2번 문장, 〈보기〉
실전에서의 판단 과정	손해 배상 예정액은 감액할 수 있지.
해설	(나)는 '을'의 손해 증명 여부가 중요하지 않은 상황이었습니다. '을'은 무조건 '손해 배상 예정액'인 100을 받을 수 있는 상황이고, 이에 대해서는 법원의 감액이 가능했어요.

④ (다)에서 을의 손해가 80임이 증명된 경우, 갑이 을에게 180을 지급해야 하고 법원이 감액할 수 있다.

명시적 근거	2문단 4번~5번 문장, 〈보기〉
실전에서의 판단 과정	위약벌은 감액 못하지.
해설	(다)는 '위약금'이 '위약벌'로 다루어지는 상황입니다. 이 경우 '을'은 '위약벌'에 해당하는 100을 받은 뒤, 이 선지가 말하는 것처럼 자신의 손해를 증명하면 그에 대한 손해 배상금도 받을 수 있습니다. 따라서 '을'은 '위약벌' 100에 '손해 배상금' 80까지 총 180을 받을 수 있는 상황이네요. 하지만 이 금액은 '손해 배상 예정액'이 아니기 때문에, 법원의 재량으로 감액하는 것이 불가능합니다. 감액할 수 있다고 했으니 틀린 선지네요.

FAQ

Q 그런데 손해 배상받는 건 감액할 수 있는 거 아닌가요? '위약벌'에 해당하는 100은 감액 못해도 '손해 배상금'에 해당하는 80은 감액 가능하니 결과적으로 180에 대한 감액이 가능한 상황인 것 아닌가요?

A 디테일에 강해야 합니다. 지문에서 말한 감액할 수 있는 상황은 위약금이 '손해 배상 예정금'으로 다뤄질 때입니다. 그런데 (다)에서 '을'이 추가로 받을 수 있는 80은 '손해 배상금'이에요. 즉, 80을 받기로 '예정'한 것이 아니라 자신의 손해를 증명한 뒤 받은 '배상금'인 것이죠. 따라서 이는 지문에서 언급하는 '감액 가능한 금액'에 해당하지 않습니다.

여기서 '손해를 본 만큼만 배상받을 수 있다.'라는 배경지식을 살짝 개입시키면, 어차피 손해 본 만큼인 80을 배상받는 것이기에 법원이 감액할 이유가 없다고까지 생각할 수 있겠죠. 이렇게까지 생각하는 건 조금 오버스럽지만, 최소한 (다)에는 '손해 배상 예정액'이 끼어들 여지가 없다는 것 정도는 생각할 수 있어야 해요.

⑤ (다)에서 을의 손해가 얼마인지 증명되지 못한 경우, 갑이 을에게 80을 지급해야 하고 법원이 감액할 수 없다.

명시적 근거	2문단 4번~5번 문장, 〈보기〉
실전에서의 판단 과정	손해 증명 못해도 위약벌은 받아야지.
해설	(다)는 '위약금'을 '위약벌'로 다루는 상황입니다. 이 경우에 '을'은 일단 '위약벌'로 무조건 100을 받을 수 있을 것이고, 이는 법원이 감액할 수 없을 것입니다. 하지만 자신의 손해를 증명하지 못했으니, 손해 배상금은 받을 수 없습니다. 결국 '갑'이 '을'에게 지급해야 하는 금액은 100이니 틀린 선지가 되겠네요.

선지	①	②	③	④	⑤
선택률	6%	1%	2%	2%	89%

38 문맥상 ⓐ ~ ⓔ의 의미와 가장 가까운 것은? ⑤

① ⓐ : 이것이 네가 찾는 자료가 <u>맞는지</u> 확인해 보아라.
② ⓑ : 그 부부는 노후 대책으로 적금을 <u>들고</u> 안심했다.
③ ⓒ : 그의 파격적인 주장은 학계의 큰 주목을 <u>받았다</u>.
④ ⓓ : 형은 땀 흘려 울퉁불퉁한 땅을 평평하게 <u>골랐다</u>.
⑤ ⓔ : 그분은 우리에게 한 약속을 반드시 <u>지킬</u> 것이다.

몰랐던 어휘 정리하기

| 핵심 point |

① **화제 check** : 독서 지문 독해의 처음이자 끝. 첫 문단에서 잡은 '화제의 틀'을 마지막 문단까지 놓지 않아야 합니다.
② **예외 인식** : 일반적이지 않은 '예외'는 언제나 중요한 출제 포인트로 작용합니다. 확실하게 체크합시다.
③ **정의 인식** : 단어의 의미를 살린 상태로, 지문에 제시된 정의와 붙여서 이해할 수 있어야 합니다. 정의를 '기억'하는 게 아니라, '납득'해서 본인의 말로 정리할 수 있어야 해요.
④ **사례-원리 연결** : 모든 사례는 어떠한 추상적인 원리를 구체화하는 역할을 합니다. 둘을 연결지으며 확실하게 이해하고 가는 태도가 중요합니다.
⑤ **카테고리 나누기** : 정보들의 범주가 나뉠 때, 그들이 서로 다른 카테고리에 속한다는 것을 인지해야 합니다. 이렇게 각 카테고리에 맞춰 정보를 정리하면 훨씬 깔끔하게 정리할 수 있다는 것을 기억해 주세요.

| 지문 내용 총정리 |

'예외'와 '사례'라는 법 제재 지문의 기본 포인트를 활용한 지문이었습니다. 마냥 쉽지는 않았겠지만, 그동안 출제되던 킬러 법 지문들에 비해서는 할 만하다는 생각이 들어요. 그동안 열심히 연습한 내용들을 제대로 써먹었다는 생각이 드셨으면 좋겠습니다. 아니라면 더욱 열심히 복습해야겠죠?

1문단

①법률은 사회에서 발생하는 모든 법적 문제에 대한 해결 기준을 정하려고 한다. ②하지만 다양한 사례를 모두 법률에 망라할 수는 없기에, **법조문**은 그것들을 포괄할 수 있는 <u>추상적인 용어로 구성</u>될 수밖에 없다. ③따라서 이러한 법률의 조항들이 실제 사안에 적용되려면 <u>해석</u>이라는 과정을 거쳐야 한다.

①~③ #화제 제시 #재진술

'법률'에 대해 이야기하는 지문입니다. 이는 사회에서 발생하는 법적 문제를 해결하기 위해 만들어진 것이지만, 워낙 다양한 사례들이 존재하기에 '추상적'인 용어로 구성될 수밖에 없다고 해요. 법률의 내용을 한 번이라도 읽어보신 분들이라면 쉽게 이해할 수 있을 것 같아요.

이렇게 '추상적'인 용어들로 구성되어 있기 때문에, 이를 실제 사안에 적용하기 위해서는 '해석'이라는 과정이 필요하다고 합니다. '따라서'라는 표지를 바탕으로 '추상적인 용어 구성=해석의 필요'라는 재진술이 제시되고 있죠? 너무나 당연하게 납득하면서, '법률의 해석'이라는 화제를 중심으로 읽을 준비를 해봅시다.

2문단

①법조문도 언어로 이루어진 것이기에, <u>원칙적으로 문구가 지닌 보편적인 의미에 맞춰 해석</u>된다. ②일상의 사례로 생각해 보자. ③"실내에 구두를 신고 들어가지 마시오."라는 팻말이 있는 집에서는 손님들이 당연히 글자 그대로 구두를 신고 실내에 들어가지 않는다. ④그런데 팻말에 명시되지 않은 '실외'에서 구두를 신고 돌아다니는 것은 어떨까? ⑤이에 대해서는 금지의 문구로 제한하지 않았기 때문에, 금지의 효력을 부여하지 않겠다는 의미로 당연하게 받아들인다. ⑥이처럼 <u>문구에서 명시하지 않은 상황에 대해서는 그 효력을 부여하지 않는다고 해석</u>하는 방식을 **반대 해석**이라 한다.

①~⑤ #화제의 흐름 #사례-원리 연결

이러한 '법률의 해석'은 '법조문'이라는 문구가 가진 '언어의 보편적

인 의미'에 맞춰 이루어진다고 합니다. 결국 법조문 속 언어들도 우리가 일상생활에서 '보편적'으로 사용하는 것이니 어떻게 보면 당연한 말이기는 하네요.

하지만 '언어의 보편적인 의미'라는 말은 너무나 추상적입니다. 이에 다음 문장에서는 "실내에 구두를 신고 들어가지 마시오."라는 팻말이 있는 집에 대한 사례를 들어주고 있네요. 이를 바탕으로 '언어의 보편적인 의미'가 의미하는 바를 구체화시킬 수 있어야겠죠?

먼저 사람들이 '구두'를 신고 '실내'에 들어가지는 않는다는 것은 너무나 당연합니다. 이는 '보편적인 의미'와 별개로 글자 그대로의 행동에 대한 것이니까요. 그런데 '실외'에서 구두를 신고 돌아다니는 것은 조금 다른 상황입니다. '실내'라는 언어에는 '보편적'으로 '실외'의 의미가 포함되지 않기 때문에, 이에 대해서는 금지의 효력을 부여하지 않는 것이 당연하겠습니다. 이렇게 '언어의 보편적인 의미'라는 포인트를 바탕으로 사례를 이해해주시면 되겠죠?

⑥ #수식된 정의 제시 #단어의 의미 살리기

이처럼 문구에서 명시하지 않은 상황, 즉 문구에 적힌 '언어의 보편적인 의미'에 포함되지 않는 상황에 대해서는 그 효력을 부여하지 않는 방식의 해석을 '반대 해석'이라고 부른다고 합니다. 단어의 의미 그대로, 문구와 '반대'되는 상황에 대해서는 효력을 부여하지 않는다고 '해석'하는 것이겠죠? 어렵지 않게 이해할 수 있겠습니다.

하이라이트 문장

②일상의 사례로 생각해 보자.

평가원은 추상적인 내용을 구체화시키는 방법으로 대부분 '사례'를 사용한다고 했습니다. 이는 지문 이해 및 문제 풀이에 핵심적인 요소로 작용하기 때문에, 원리와 일대일로 대응시키며 확실하게 납득할 필요가 있습니다.

3문단

①그런데 팻말에는 운동화나 슬리퍼에 대하여도 쓰여 있지 않다. ②하지만 누군가 운동화를 신고 마루로 올라가려 하면, 집주인은 팻말을 가리키며 말릴 것이다. ③이 경우에 '구두'라는 낱말은 <u>본래 가진 뜻을 넘어 일반적인 신발이라는 의미로 확대</u>된다. ④이런 식으로 <u>어떤 표현을 본래의 의미보다 넓혀 이해</u>하는 것을 **확장 해석**이라 한다.

①~③ #사례-원리 연결 #재진술 #비교/대조

이번엔 '운동화'나 '슬리퍼'를 신고 '실내'에 들어가는 상황입니다. 분명히 팻말에서는 '구두'를 신지 말라고 했는데, 집주인은 팻말을 근거로 이들을 말릴 것이라고 해요. 이는 '구두'라는 낱말이 본래 가진 뜻을 넘어 '일반적인 신발'이라는 의미로 확대된 것이라 합니다.

여기서 '실외'와 달리 '운동화 · 슬리퍼'는 '구두'라는 '언어의 보편적인 의미'에 속하는 것이라고 생각할 수 있어야 해요. '언어의 보편적인 의미'를 가지고 해석한다는 것이 이 지문에서 말하는 대전제이니까요.

④ #수식된 정의 제시 #단어의 의미 살리기

이렇게 본래의 의미보다 넓혀서, 즉 '확장'해서 이해하는 것을 '확장 해석'이라고 부른다고 합니다. 단어의 의미를 살리면 어렵지 않게 이해할 수 있겠죠?

하이라이트 문장

> ③이 경우에 '구두'라는 낱말은 본래 가진 뜻을 넘어 일반적인 신발이라는 의미로 확대된다.

이 문장의 의미만 이해하고 넘어가는 것이 아니라, 지문의 초반부에서 만들어준 '화제의 틀'을 중심으로 납득할 수 있어야 합니다. 이 지문은 법조문을 '언어의 보편적인 의미'를 바탕으로 해석하는 과정에 대해 언급하고 있어요. 이를 바탕으로 '실외'와의 차이점을 파악한다면 훨씬 더 깊게 납득할 수 있을 것입니다. 이렇게 능동적으로 정보량을 줄여가면서 읽을 수 있어야 합니다.

4문단

> ①하지만 팻말을 비웃으며 진흙이 잔뜩 묻은 맨발로 들어가는 사람을 말리려면, '구두'라는 낱말을 확장 해석하는 것으로는 어렵다. ②위의 팻말이 주로 실내를 깨끗이 유지하기 위하여 마련된 규정이라면, 마루를 더럽히며 올라가는 행위도 마찬가지로 금지된다고 보아야 할 것이다. ③이렇게 해석하는 방식이 **유추 해석**이다. ④규정된 행위와 동등하다고 평가될 수 있는 일에는 규정이 없어도 같은 효력이 주어져야 한다는 논리이다.

①~② #사례-원리 연결 #재진술 #비교/대조 #예외 제시

이번엔 '진흙 묻은 맨발'로 '실내'에 들어가려는 상황입니다. 아무리 생각해도 '구두'라는 '언어의 보편적인 의미'에 '진흙 묻은 맨발'은 없

기 때문에, '확장 해석'으로부터 저런 사람을 막을 수가 없습니다.

하지만 2번 문장에 따르면, '실내 청결 유지'라는 팻말의 목적을 바탕으로 위의 행동을 금지할 수 있다고 합니다. '구두'와 같은 신발을 신고 '실내'에 들어가는 것이나, '진흙 묻은 맨발'로 '실내'에 들어가는 것이나 '실내 청결 유지'라는 목적에 위배되는 것이니까요.

| 생각 심화 |

나아가, 이번에는 '언어의 보편적인 의미'라는 원칙에 따른 해석이 아니라는 점을 생각할 수 있어야 합니다. '반대 해석'과 '확장 해석'이라는 상황과는 다르게 '법률의 목적'을 고려하는 '예외'적인 상황이 바로 '유추 해석'의 상황인 것이죠. 지문에 명시되지는 않았지만, '화제의 틀'을 이용한다는 대원칙에 익숙해졌다면 충분히 추론할 수 있는 내용일 겁니다.

③~④ #정의 제시 #단어의 의미 살리기

이러한 해석 방식을 '유추 해석'이라고 부른다고 합니다. 단어의 의미 그대로, 규정된 행위와 동등하다고 '유추'가 가능하다면 같은 효력을 부여하는 방식으로 '해석'할 수 있다는 것이죠. 역시 단어의 의미를 바탕으로 어렵지 않게 해석할 수 있겠습니다.

5문단

> ①그런데 구두를 신고 마당을 걷는 것은 괜찮다고 반대 해석하면서도, 흙 묻은 맨발로 방에 들어가도 된다는 반대 해석은 왜 받아들이기 어려운가? ②이것은 보편적인 상식이나 팻말을 걸게 된 동기 등을 고려하며 판단하기 때문일 것이다. ③법률의 해석에서도 마찬가지로 그 법률의 목적, 기능, 입법 배경 등을 고려한다. ④한 예로 형벌권의 남용으로부터 국민의 자유와 권리를 보호하려는 **죄형법정주의**라는 헌법상의 요청 때문에, 형법의 조문들에서는 유추 해석이 엄격히 배제된다.

①~③ #화제의 흐름 #재진술

앞에서는 '구두'를 신고 마당, 즉 '실외'를 걷는 것은 괜찮다고 '반대 해석'했습니다. 그런데 '흙 묻은 맨발'로 '실내'에 들어가고 괜찮다고 '반대 해석'하는 것은 받아들이기 어려워요. 여기서 '흙 묻은 맨발'로 '실내'에 들어가는 상황을 '유추 해석'이 아닌 '반대 해석'으로 이야기하고 있다는 점에 주목해야 합니다. 이렇게 같은 말이 반복되었으니, 자연스럽게 '반대 해석'의 정의를 다시 가져와서 이해할 수 있어야겠죠?

'반대 해석'은 '문구에서 명시하지 않은 상황에 대해서는 그 효력을 부여하지 않는 것'입니다. 이 정의에 따르면, 사실 '흙 묻은 맨발'도 '명시하지 않은 상황'이기에 '실내 출입 금지'라는 효력을 부여하면 안 되는 것이죠. 따라서 '흙 묻은 맨발'로 방에 들어가도 된다는 '반대 해석'이 가능한데, 우리는 왜 이것을 받아들이지 않고 같은 효력을 부여하는 '유추 해석'을 하는지에 대한 궁금증을 던지고 있는 것입니다.

이는 '보편적 상식·팻말을 걸게 된 동기' 등 때문이라고 해요. 앞에서 말한 대로 '언어의 보편적인 의미'나 '법률의 목적' 등을 고려한다는 당연한 이야기입니다. 이렇게 '법률의 해석'은 '법률의 목적·기능·입법 배경' 등을 고려해야 하는 복잡한 작업이었어요.

④ #사례-원리 연결

이렇게 '법률의 해석'은 여러 가지 조건을 고려해서 행해지는데, 이에 대한 예시가 바로 '유추 해석 금지의 원칙'이라고 합니다. '죄형법정주의'라는 원칙으로 인해 '형법'의 조문들에서는 '유추 해석'이 금지되는 것이죠. 만약 "실내에 구두를 신고 들어가지 마시오."가 형법의 조문이라면 '흙 묻은 맨발'로 실내에 들어가는 사람을 막을 수 없는 것입니다.

| 생각 심화 |

이때의 '형법'은 말 그대로 '형벌'에 대한 '법'으로, 위법한 행위를 한 사람을 처벌하는 사법적 행위의 근거가 되는 법을 말합니다. 개인 간의 권리·법률관계의 다툼에 대한 처분이라는 사법적 행위의 근거가 되는 '민법'과는 다른 것이죠. 이러한 '형법'의 조문에서는 '유추 해석'이 일부 허용되는 '민법'의 조문들과 달리 '유추 해석'과 같은 법관의 주관적 판단이 엄격히 제한됩니다. 이는 2021학년도 9월 모의평가 행정입법 지문에서도 언급한 '삼권 분립의 원칙' 때문이기도 하고, (무슨 말인지 모르겠으면 꼭 확인하고 오세요!) 이 지문에서 언급한 대로 '국민의 자유와 권리 보호'라는 목적 때문에 그런 것이에요. '형법'에 따른 처분을 받는 사람은 그 자유와 권리가 심하게 제한되기 때문에, (감옥에 갇히거나, 벌금의 형태로 재산을 빼앗기는 것 등) 이를 보호하기 위해 최대한 조심스럽게 해석하는 것이죠.

이렇게 '형법'의 조문에서는 '해석'의 문제가 있는데, 이는 평가원이 앞으로 다루기에 좋은 소재에 해당하니 미리 정리해두도록 합시다.

선지	①	②	③	④	⑤
선택률(예상)	91%	2%	3%	2%	2%

39 윗글의 서술상 특징에 대한 설명으로 가장 적절한 것은? ①

① 하나의 사례를 매개로 하여 여러 가지 개념들이 비교될 수 있도록 구성하였다.

명시적 근거	지문 전체
실전에서의 판단 과정	구두 사례로 여러 해석 비교했지.
해설	지문의 내용 그대로죠? "실내에 구두를 신고 들어가지 마시오."라는 하나의 사례로 여러 가지 종류의 해석들을 비교하고 있습니다.

② 이론적으로 설정한 가설에 대해 현실적 사례를 들어가며 논증하였다.

명시적 근거	–
실전에서의 판단 과정	가설이 어딨어.
해설	가설을 설정한 적이 없죠? 가설은 '~할 경우 ~할 것이다.'와 형태여야 해요.

③ 문제를 상정하고 그와 유사한 상황들을 분석하여 대안을 모색하였다.

명시적 근거	–
실전에서의 판단 과정	해석과 유사한 상황은 없었던 것 같은데?
해설	'법조문의 해석'이 일종의 문제 상황이라고 한다면 억지로나마 맞다고 할 수 있을 것 같습니다. 하지만 이와 유사한 상황이 제시된 적은 없죠? 이 지문은 '법률의 해석'에 대한 이야기만 하고 있어요.

④ 단계적 추론을 통해 타당한 해결책에 이르도록 논의를 전개하였다.

명시적 근거	–
실전에서의 판단 과정	단계적 추론은 너무 헛소리지.
해설	이 지문은 단순히 여러 가지 해석을 비교하고 각 해석이 어떤 상황에서 가능한지 설명하고 있을 뿐, '단계적 추론'을 한 적은 없습니다.

⑤ 다양한 원리를 제시하고 평가하여 종합적 결론을 도출하였다.

명시적 근거	–
실전에서의 판단 과정	종합적 결론은 없었는데?
해설	'법률의 해석'이 어떤 상황에서 어떻게 적용되는지 설명하는 것인데, '종합적 결론'이라는 말을 쓰기에는 어렵겠죠?

선지	①	②	③	④	⑤
선택률(예상)	2%	2%	2%	2%	92%

40 윗글에서 설명된 법률 해석에 대한 이해로 옳지 <u>않은</u> 것은?
⑤

① 법률은 해석을 통해 구체적 사안에 적용된다.

명시적 근거	1문단 3번 문장
실전에서의 판단 과정	화제네.
해설	'추상적인 용어로 구성=해석이 필요'라는 재진술을 체크하면서 '화제'로 인식했던 내용입니다. 가볍게 지울 수 있겠네요.

② 죄형법정주의 때문에 형법에서는 유추 해석을 금지한다.

명시적 근거	5문단 4번 문장
실전에서의 판단 과정	그렇다고 했지.
해설	마지막 문단에서 '법률의 해석'이라는 것이 여러 가지를 고려해야 한다는 원리를 이해하기 위한 사례로 제시한 내용이었습니다.

③ 법률이 갖는 목적이나 성격은 그 법조문의 해석에 영향을 끼친다.

명시적 근거	5문단 3번~4번 문장
실전에서의 판단 과정	법률 해석은 여러 가지 고려해야 했지.
해설	법률의 목적이나 성격(형법에 요청되는 헌법상 원리 등)을 고려해서 법조문을 해석해야 한다는 것, 이 지문에서 가장 중요한 말이었습니다.

④ 법률과 현실 사이에 생길 수 있는 간극을 법률의 해석으로 메우려 한다.

명시적 근거	1문단 2번~3번 문장
실전에서의 판단 과정	1번 선지랑 똑같은 거 아냐?
해설	'추상적'인 용어로 이루어져 있어 현실과의 간극을 메우기 위해서는 '해석'이 필요하다는 것, 이 지문의 화제 그 자체였습니다. 1번 선지에서 했던 것과 같은 방식으로 지울 수 있겠네요.

⑤ 법률의 해석에서는 논리적 맥락보다 직관적 통찰을 통해 타당한 의미를 찾아낸다.

명시적 근거	–
실전에서의 판단 과정	통찰은 언급된 적이 없는데?
해설	'법률의 해석'을 위해 고려해야 할 것은 '목적·기능·입법 배경'과 같은 '논리적 맥락'이지, '직관적 통찰'과 같은 것이 아닙니다. 나아가 이렇게 법관의 '직관적 통찰' 같은 것을 강조하면 사법부의 입법권을 인정하지 않는 '삼권 분립의 원칙'에 어긋난다고 할 수 있겠죠?

선지	①	②	③	④	⑤
선택률(예상)	2%	85%	7%	3%	3%

41 '반대 해석'과 관련 있는 것만을 〈보기〉에서 고른 것은?
[3점] ②

– '반대 해석'의 사례를 고르라는 간단한 문제입니다. '반대 해석'은 '문구에 명시되지 않은 상황에 대해서는 효력을 부여하지 않는 해석'입니다. 이와 관련된 내용을 골라봅시다.

─────[보기]─────

ㄱ. 민섭: '대문 앞에 자동차를 세우지 마시오.'라고 쓰여 <u>있네. 담 쪽에 주차해야겠다.</u>

– '대문'에 세우지 말라고 했지, '담'에 세우지 말라고 하지는 않았습니다. '담'은 문구에 명시되지 않은 상황이니 자동차를 세우지 말라는 효력이 적용되지 않는다고 <u>'반대 해석'하고 있네요.</u>

[보기]

ㄴ. 유현: 길이 좁아서 써 놓은 것 같은데 담 쪽도 곤란한
거 아냐?

ㄷ. 민섭: 도로 폭은 충분해. 그보다는 대문을 드나드는 데
불편해서 붙였다고 봐야 돼.

– '길이 좁아서' 혹은 '대문을 드나는 데 불편해서'와 같은 '문구의 목
적'을 고려하고 있습니다. 이렇게 '언어의 보편적인 의미'가 아닌 '문
구의 목적'을 고려하는 방식을 '유추 해석'이라고 했어요.

[보기]

ㄹ. 유현: 그런데 대문 앞을 오토바이가 막고 있네. 자동차
가 아니라서 세워 두었구나.

– '오토바이'는 문구 속에 명시되지 않은 대상입니다. 이에 대해서는
세우지 말라는 효력이 적용되지 않는다고 '반대 해석'하고 있네요.

[보기]

ㅁ. 민섭: 이 경우에는 오토바이도 자동차라고 생각해야지.

– '자동차'라는 낱말의 의미를 '확대'하여 '오토바이'까지 포함시키고
있습니다. 이러한 해석 방식을 '확장 해석'이라고 했었죠?

몰랐던 어휘 정리하기

| 핵심 **point** |

① **화제 check** : 독서 지문 독해의 처음이자 끝. 첫 문단에서
잡은 '화제의 틀'을 마지막 문단까지 놓지 않아야 합니다.

② **재진술 인식** : 같은 말이라도 다르게 표현되는 경우가 많습
니다. 심지어 아예 똑같은 말이 반복되는 경우도 많아요. 이
'같은 말'에 민감하게 반응하면, '정보량'을 줄이면서 읽을 수
가 있습니다.

③ **사례-원리 연결** : 모든 사례는 어떠한 추상적인 원리를 구
체화하는 역할을 합니다. 둘을 연결지으며 확실하게 이해하
고 가는 태도가 중요합니다.

| 지문 내용 총정리 |

'화제의 틀'을 중심으로 한 재진술 체크, 사례를 바탕으로 한 추
상적 원리의 이해 등 기본적인 독해 태도를 바탕으로 읽어낼 수
있는 간단한 지문이었습니다. 문제도 상당히 평이했구요. 하지
만 이 지문에서 설명된 '법률의 해석'과 관련된 내용은 언제든
출제될 수 있는 소재라는 점에서 꽤 중요한 지문이라고 할 수 있
습니다. 확실하게 배경지식화하도록 합시다.

1문단

①프랑스 혁명 이후에는 법관의 자의적 해석의 여지를 없애기 위하여 법률을 명확히 기술하여야 한다는 생각이 자리 잡았다. ②이러한 **근대법의 기획**에서 법은 그 적용을 받는 국민 개개인이 이해할 수 있게끔 제정되어야 한다. ③법이 정하고 있는 바가 무엇인지를 국민이 이해할 수 있어야 법을 통한 행위의 지도와 평가도 가능하기 때문이다. ④이에 따라 형사법 분야에서는 형벌 법규의 내용을 사전에 명확히 정해야 하고, 법문이 의미하는 한계를 넘어선 해석을 금지한다. ⑤법치국가라는 헌법 이념에서도 자의적인 법 집행을 막기 위하여 법률의 내용은 명확해야 한다는 원리가 정립되었다. ⑥여기서 법률의 내용이 명확해야 한다는 것은 법문이 절대적으로 명확한 상태여야만 한다는 것까지 뜻하지는 않는다. ⑦입법 당시에는 미처 예상치 못했던 사태가 언제든지 생길 수 있을 뿐 아니라, 바로 그러한 이유 때문에라도 법률은 일반적이고 추상적인 형식을 띨 수밖에 없는 탓이다. ⑧따라서 **법률의 명확성**이란 일정한 해석의 필요성을 배제하지 않는 개념이다.

①~③ #화제 제시 #수식된 정의 제시 #재진술

'법관의 자의적 해석'의 여지를 없애기 위해 '법률'을 명확히 기술해야 한다는 내용으로 시작하고 있습니다. 당연한 말로 받아들일 수 있을 것 같습니다. '법률'이 명확하게 기술되어 있다면 법관이 마음대로 해석하는 것에 제약이 분명 생길 수 있을 테니까요. 나아가 '프랑스 혁명 이후'라는 말을 보고서 '프랑스 혁명 전에는 법관의 자의적 해석이 만연했구나.'와 같은 생각을 할 수 있어야 합니다. 이렇게 이면의 내용을 추론하면서 읽어나갈 수 있어야 해요!

이러한 생각을 '근대법의 기획'이라고 부른다고 합니다. 이 개념의 정의를 '법관의 자의적 해석을 막기 위해 법률을 명확히 기술해야 하는 것' 정도로 정리하고 갈 수 있겠죠? 아무튼 이러한 '근대법의 기획'에서, 법은 국민 개개인이 쉽게 이해할 수 있게끔 제정되어야 한다고 합니다. 그 이유가 3번 문장에 제시되어 있죠? 국민이 법을 이해할 수 있어야 법을 통한 행위의 지도와 평가가 가능해지기 때문이라고 해요. 역시 당연한 말로 받아들일 수 있어야 합니다. 명확하게 기술된 '법률'을 국민 개개인이 모두 이해한 상태여야, 불법적인 행위를 하지 않도록 '지도'할 수 있고 이해하고 있음에도 불구하고 불법적인 행위를 했다는 점에서 그 행위가 나쁘다고 '평가'할 수 있을 테니까요.

이러한 '근대법의 기획'은 현대의 법체계에도 큰 영향을 미치고 있는 내용입니다. '법률실증주의'와 같은 개념으로도 확장되는데, 이에 대해 다루는 기출문제도 있었고 (2015학년도 9월 모의평가 A형) 앞으로도 출제될 가능성이 있기 때문에 이 지문의 내용을 확실하게 배경지식화하도록 합시다.

④ #재진술

이러한 내용을 범죄자를 처벌하는 법인 '형사법' 분야로 좁히고 있습니다. 여기서는 '형벌 법규의 내용'을 사전에 명확히 정해야 하며, '법문이 의미하는 한계를 넘어선 해석'도 금지된다고 합니다. 앞의 내용은 지금까지 나온 내용의 재진술이기에 당연하게 받아들일 수 있을 것 같아요. 그리고 '법문의 의미하는 한계를 넘어선 해석'이 금지된다는 것도 '유추 해석 금지의 원칙'과 같은 내용으로 이미 알고 있는 부분이죠? '법률'이 명확하게 기술되어 있고 국민들은 그 내용만을 이해하고 있기 때문에, 법문에 적힌 것 이상으로 해석을 해 버리면 '근대법의 기획'에서 추구하는 가치를 제대로 구현할 수가 없는 겁니다. 1번 문장에서 이야기한 '법관의 자의적 해석'과 사실상 같은 말이라고 할 수도 있겠죠? 당연하게 납득할 수 있어야 해요!

⑤~⑦ #재진술 #화제의 흐름

이번엔 '헌법 이념'에 대한 이야기로 이어지고 있습니다. 법률의 내용이 명확해야 한다는 '근대법의 기획' 정신이 적용되었다고 해요. 계속 똑같은 말만 하고 있죠?

그런데 6번 문장에서 살짝 다른 이야기를 합니다. 우리가 계속해서 중요한 것으로 파악하고 있는 '법률의 내용 명확'이라는 것이 '법문이 절대적으로 명확한 상태'와 같은 말은 아니라고 해요. 아니 앞에서는 계속 '법문'의 내용이 중요하다고 이야기해놓고는, 갑자기 이게 무슨 말일까요?

7번 문장에서 그 이유를 자세히 설명하고 있습니다. 입법 당시에 예상치 못한 사태가 있을 수 있고, 이로 인해 법률이 '일반적·추상적'인 형식을 띤다고 해요. 너무 구체적으로 명확하게 써 두면 '법문이 의미하는 한계를 넘어선 해석'이 금지된다는 원칙에 따라 미래에 빠져나갈 구멍이 생길 수 있으니, 애매하고 추상적이게 쓸 수밖에 없다는 것이죠. 이러한 이유로 '법문이 절대적으로 명확한 상태'를 기대할 수는 없는 것입니다. 충분히 납득할 수 있겠죠?

⑧ #재진술 #화제 제시

이러한 이유로 '법률의 명확성'은 일정한 '해석'을 허용하는 개념이라고 합니다. 이 지문의 진짜 화제가 나온 모양새네요. 이 지문은 '근대법의 기획'을 실현하기 위해 일정한 해석이 필요하다는 것을 인정하고, 그 해석이 어느 정도 수준이어야 하는지를 설명하는 지문일 것입니다. 지문에 명시적으로 제시되지는 않았지만, 이렇게 생각할 수 있어야 해요!

하이라이트 문장

> ⑧ 따라서 법률의 명확성이란 일정한 해석의 필요성을 배제하지 않는 개념이다.

'해석의 필요성'이라는 말을 바탕으로, '그렇다면 어느 정도의 해석까지 허용되는 것이지?'라는 물음을 가질 수 있어야 합니다. 이러한 궁금증을 자연스럽게 가질 수 있는 능력이 바로 독해력이에요. 화제가 무엇인지 체크해야 한다는 태도가 확실하게 잡혀 있다면 충분히 해낼 수 있는 생각입니다.

2문단

> ① 일반적으로 **해석**을 통하여 법문의 의미를 구체화할 때에는 입법자의 의사나 법률 그 자체의 객관적 목적까지 참조하기도 한다. ② 그러나 이러한 해석 방법은 언뜻 타당한 것처럼 보이지만, 실제로 이에 대해서는 많은 비판이 제기되고 있다. ③ 우선 입법자의 의사나 법률 그 자체의 객관적 목적이 과연 무엇인지를 확정하는 작업부터 녹록하지 않을 것이다. ④ 더욱 심각한 문제는 그것까지 고려해서 법이 요구하는 바가 무엇인지 파악할 것을 법의 전문가가 아닌 여느 국민에게 기대할 수는 없다는 점이다. ⑤ 법률의 명확성이 말하고 있는 바는 법문의 의미를 구체화하는 작업이 국민의 이해 수준의 한계 내에서 이루어져야 한다는 것이지, 구체화한 만큼 실제로 국민이 이해할 것이라고 추정할 수 있다는 것은 아니기 때문이다. ⑥ 나아가 입법자의 의사나 법률 그 자체의 객관적 목적을 고려한 해석은 법문의 의미를 구체화하는 데 머물지 않고 종종 법문의 한계를 넘어서는 방편으로 활용되며 남용의 위험에 놓이기도 한다.

①~② #화제의 흐름 #카테고리 나누기

이렇게 '해석'을 통해 법문의 의미를 구체화할 때, '입법자의 의사'나 '법률 그 자체의 객관적 목적'까지 참조할 수도 있다고 합니다. 일단 두 가지 개념이 제시되었으니 카테고리를 나눠주시고, 당연한 말로 납득하고 넘어가시면 되겠습니다. 법문을 해석할 때 그 법이 어떤 의도·목적에서 만들어진 것인지를 참고하는 건 당연하니까요.

이러한 해석 방법은 우리가 당연하게 납득했듯이 일리가 있어 보이지만, 많은 비판을 받고 있다고 합니다. 어떤 비판들이 있을까요?

③~⑥ #카테고리 나누기 #재진술

먼저 '입법자의 의사', '법률 그 자체의 객관적 목적'이라는 개념이 도대체 무엇이냐는 비판이 있습니다. '해석'이라는 작업이 필요한 것은 법문이 추상적이기 때문이었는데, 이를 위해 참조하는 것들도 추상적이라면 '근대법의 기획'을 제대로 실현하는 게 어렵다는 것이죠. 충분히 납득할 수 있겠죠?

그런데 이것보다 심각한 문제가 있으니, 바로 여느 국민에게 그러한 수준의 해석을 기대하기 어렵다는 것입니다. 5번 문장에서 재진술하고 있듯이 법문의 의미를 구체화하는 작업, 즉 '해석'은 국민의 이해 수준의 한계 내에서 이루어져야 하니까요. 많은 국민들은 법 전문가가 아니기 때문에, '입법자의 의사', '법률 그 자체의 객관적 목적' 등의 추상적인 내용을 고려하며 법문을 이해하고 살아가는 것은 불가능에 가깝고, 이는 국민들이 법을 잘 이해할 수 있게 하고 그에 따라 법 집행을 하겠다는 '근대법의 기획'이 가진 정신을 제대로 실현할 수 없게 하니까요.

마지막으론 이러한 '해석'이 '법문의 한계를 넘어서는 방편'으로 활용되기도 한다는 점입니다. 이는 '근대법의 기획'을 제대로 실현하기 위해 꼭 피해야 하는 것인데, '해석'이라는 행위가 개입되면 '법관의 자의적 해석'이 가능해지는 것과 같은 결과로 이어질 수 있다는 것이죠. 역시 어렵지 않게 받아들일 수 있겠습니다.

이러한 세 가지 비판의 내용을 각각 카테고리화시켜두고 넘어갈 수 있어야 합니다. 만약 이 지문이 '근대법의 기획'을 포기하지 않는다면, 결국 이 세 가지 비판을 뒤집을 논리가 필요할 테니까요. 그때 이 문단의 내용과 연결지어 이해할 수 있도록 미리 정리해놓는 태도가 필요한 것입니다.

하이라이트 문장

> ② 그러나 이러한 해석 방법은 언뜻 타당한 것처럼 보이지만, 실제로 이에 대해서는 많은 비판이 제기되고 있다.

'많은 비판'을 보고서 여러 가지 비판이 제시될 것이니 카테고리화해야겠다는 점, 그리고 그 비판에 대응하는 방식으로 지문이 전개될 것이라는 점 등을 생각할 수 있어야 합니다. 물론 이런 예측이 틀릴 수도 있지만, 틀렸다면 나중에 수정하면 되는 것이니까요. 중요한 건 끊임없이 '생각'하며 '능동적인 독해'를 해 주셔야 한다는 점입니다.

3문단

> ①한편 **법의 적용을 위한 해석**을 이미 주어져 있는 대상에 대한 인식에 지나지 않는 것으로 여기는 시각이 아니라, **법문의 의미를 구성해 내는 활동으로 보는 시각**에서는 **근본적인 문제를 제기**한다. ②입법자가 법률을 제정할 때 그 규율 내용이 불분명하여 다의적으로 해석될 수 있게 해서는 안 되는데, 이러한 기대와 달리 법률의 규율 내용이 실제로는 법관의 해석을 거친 이후에야 비로소 그 의미가 구성되는 것이라면 <u>국민이 행위 당시에 그것을 알고 자신의 행동 지침으로 삼는다는 것은 원천적으로 불가능</u>하기 때문이다. ③이뿐만 아니라 법률의 제정과 그 적용은 각각 입법기관과 사법기관의 영역이라는 <u>권력 분립 원칙 또한 처음부터 실현 불가능</u>하다.

① #재진술 #카테고리 나누기

지금까지 제시된 비판을 극복하는 방식으로 전개될 줄 알았는데, 계속해서 다른 비판도 보여주고 있습니다. 일단 '이미 주어져 있는 대상에 대한 인식'은 지금까지 언급했던 내용의 재진술입니다. '입법자의 의사·법률 그 자체의 객관적 목적' 등을 고려하여 이미 주어진 법률을 '인식'하는 것을 '해석'이라고 보는 관점이니까요.

그런데 이렇게 보는 시각이 아니라, 법의 적용을 위한 '해석'을 '법문의 의미를 구성해 내는 활동'으로 보는 시각에서는 조금 더 근본적인 문제를 제기한다고 합니다. 이 시각은 '근대법의 기획'이 '법문의 한계를 넘어서는 방편'으로 활용될 수 있다는 앞부분의 내용을 재진술하는 것이네요. 이들이 말하는 '근본적인 문제'는 무엇일까요? '근대법의 기획이 가진 근본적인 문제'라는 카테고리를 만들어놓고 계속 읽어보도록 합시다.

② #재진술

문장이 굉장히 길지만, 내용 자체는 가볍게 납득할 수 있을 것 같습니다. 법률의 규율 내용이 불분명하다면 문제가 될 수 있는데, 그 법률을 법관이 '해석'해야만 그 '의미가 구성'되는 것이라면 그 내용은 너무나 불분명해진다는 것이죠. 이를 국민이 미리 알고 행동 지침으로 삼는 것은 애초에 불가능하다는 것입니다. 2문단에서는 법의 해석을 스스로 할 만한 능력을 갖춘 국민이 적다는 이야기를 하는 것이었는데(=가능한 사람이 있기는 하다는 뜻), 여기서는 애초에 국민이 행위 전부터 법관의 '의미 구성'까지 예측하는 것은 아예 불가능하다는 말을 하고 있네요. 이는 '근대법의 기획'에서 '해석'을 허용할 때 발생하는 '근본적인 문제'라고 할 수 있겠습니다.

③ #카테고리 나누기 #재진술 #화제의 흐름

여기에 '권력 분립 원칙' 또한 처음부터 실현 불가능하다는 이야기를 하고 있습니다. '근본적인 문제' 속에서 두 가지 카테고리로 나뉘는 모습이네요. 확실하게 구분해줄 수 있겠죠?

나아가 이때 '법률의 제정=입법기관의 영역', '법률의 적용=사법기관의 영역'이라는 점은 당연한 지식으로 가지고 있을 것이라고 믿습니다. 2021학년도 9월 모의평가 '행정입법' 지문을 제대로 공부한 학생이라면, 이는 '사법기관'에 속하는 '법관'이 '입법기관'의 역할인 '법제정'을 하는 것처럼 '의미를 구성'하는 것이기에 문제라는 점을 쉽게 파악할 수 있을 것입니다. 즉, '해석'을 '의미 구성'으로 보는 순간 '근대법의 기획'은 '권력 분립 원칙의 위반'이라는 '근본적인 문제'를 가지게 되는 것입니다. '법관의 자의적 해석'을 막겠다는 '근대법의 기획'의 대전제도 깨지게 되는 것이구요.

이렇게 두 가지 '근본적인 문제'를 가진 '근대법의 기획'은 허점투성이인 것 같습니다. 이대로 '근대법의 기획'을 공격하는 식으로 지문이 마무리되거나, 이러한 비판에 '근대법의 기획'이 대응하는 식으로 진행되겠죠? 계속해서 '능동적인 생각'으로 지문의 흐름을 만들면서 읽어보도록 합시다.

하이라이트 문장

> ①한편 법의 적용을 위한 해석을 이미 주어져 있는 대상에 대한 인식에 지나지 않는 것으로 여기는 시각이 아니라, 법문의 의미를 구성해 내는 활동으로 보는 시각에서는 근본적인 문제를 제기한다.

'이미 주어져 있는 대상에 대한 인식'이 앞문단까지의 내용을 재진술한 것임을, 그리고 '법문의 의미를 구성해 내는 활동'이 '법문의 한계를 넘어서는 방편'을 재진술한 것임을 파악할 수 있어야 합니다. 후자의 입장에서는 '근대법의 기획'이 '근본적인 문제'를 가지고 있다고 본다는 점까지 생각해야 하겠구요.

나아가, 3번 문장에서도 이야기하는 '권력 분립 원칙'에 대한 배경지식을 바탕으로 '법문의 의미를 구성해 내는 활동'이 굉장히 큰 문제라는 것도 생각할 수 있어야 합니다. 기출에서 반복되는 수준의 배경지식을 가지고 있을 때 지문 이해가 훨씬 깊어진다는 것을 경험하세요.

①그렇다면 근대법의 기획은 그 자체가 허구적이거나 불가능한 것으로 포기되어야 하는가? ②이 물음에 대해서는 다음과 같이 대답할 수 있다. ③첫째, 법의 해석이 의미를 구성하는 기능을 갖는다는 통찰로부터 곧바로 그와 같은 구성적 활동이 해석자의 자의와 주관적 판단에 완전히 맡겨져 있다는 결론을 내릴 수는 없다. ④단어의 의미는 곧 그 단어가 사용되는 방식에 따라 확정되는 것이지만, 이 경우의 언어 사용은 사적인 것이 아니라 집단적인 것이며, 따라서 언어 사용 그 자체가 사회적 규칙에 의해 지도된다는 사실과 마찬가지로 법의 해석과 관련한 다양한 방법론적 규칙들 또한 <u>해석자의 자유를 적절히 제한하기 때문이다.</u> ⑤둘째, 해석의 한계나 법률의 명확성 원칙은 법의 해석을 담당하는 <u>법관과 같은 전문가를 겨냥한 것으로 파악함으로써 문제를 감축하거나 해소할 수 있다.</u> ⑥다시 말해서 법률이 다소 모호하게 제정되어 평균적인 일반인이 직접 그 의미 내용을 정확히 파악할 수 없다 하더라도 법관의 보충적인 해석을 통해서 그 의미 내용을 확인할 수 있다면 크게 문제되지 않는다는 것이다.

①~② #화제의 흐름

이렇게 여러 문제를 가진 '근대법의 기획'을 포기해야 하는가에 대한 대답을 하겠다고 합니다. 우리가 처음 예상한 것처럼 '근대법의 기획'에 제기된 여러 비판들에 대응하는 흐름으로 이어지는 것이네요. 그렇다면 일단 '법률의 해석'이라는 행위에 대해 어떤 비판들이 있었는지 생각해보면 좋을 것 같습니다.

일단 '입법자의 의사·법률 그 자체의 객관적 목적'과 같은 내용이 너무나 '추상적'이라는 것이 문제였습니다. 따라서 이것을 객관적으로 확정할 수 없고, 결국 법의 '해석'이라는 것이 객관적으로 이루어지기 어렵다는 것이죠. 또한 이러한 맥락에서 '추상적'인 법 '해석'을 일반 국민이 행하기는 어렵다는 것이 문제였습니다. 심지어 이는 '법문의 한계를 넘어서는 방편'이 되기도 하여, 법관이 스스로 '의미를 구성'하는 수준에 이르면 아예 국민의 법적 행위에 대한 예상이 불가능해지고 '권력 분립 원칙'도 지킬 수가 없게 되는 것이었죠.

'근대법의 기획'에서는 이러한 비판들에 대응해야 합니다. 1문단에서도 언급했듯이 '해석'이라는 행위는 불가피하기 때문에, '해석'을 허용하면서도 위의 문제들을 해결할 수 있는 방법을 찾아야 해요.

③~④ #재진술

먼저 '법의 해석이 의미를 구성하는 기능을 갖는다는 통찰', 즉 3문단의 비판으로부터 곧바로 '해석자의 자의·주관적 판단'을 끌어낼 수는 없다고 합니다. 말이 조금 어려우니 4번 문장의 내용과 엮어서 이해할 수 있어야겠죠?

4번 문장에 따르면, 단어의 의미는 곧 '그 단어가 사용되는 방식'에 따라 확정된다고 합니다. 여기서 '단어의 의미'는 '법문의 의미'로, '그 단어의 사용되는 방식'은 '법의 해석'으로 바꿔서 이해할 수 있겠죠? 즉, 법을 어떻게 '해석'하느냐에 따라서 '법문의 의미'가 달라지는 건 맞다는 것이죠. 하지만 이 경우의 '언어 사용', 즉 '법의 해석'과 같은 행위는 사적인 것이 아니라 '집단적'이라고 합니다. 충분히 납득할 수 있을 것 같습니다. 우리가 사용하는 언어는 우리가 속한 집단의 영향을 받을 수밖에 없으니까요.

이렇게 '언어 사용'이 '사회적 규칙'에 의해 지도되는 것처럼, 즉 '집단적'인 것처럼 '법의 해석'과 관련한 내용들도 해석자의 자유를 적절히 제한한다고 합니다. '법의 해석'이라는 것도 '언어 사용'의 일부이기 때문에, 우려하는 것처럼 법관이 자기 마음대로 해석하는 것은 쉽지 않다는 것이죠. '사회적 규칙'에 의해서 그 해석이 어느 정도 제한되기 때문에요!

굉장히 긴 문장이었지만, 이해하고 나니 결국 핵심은 '법관의 자의적 해석' 자체가 큰 문제가 되지 않는다는 것이었습니다. 이렇게 되면 이로부터 파생된 다른 비판들, 즉 해석이라는 과정이 '추상적'이라는 비판과 '권력 분립 원칙'을 위반한다는 비판 등에 대응할 수 있겠네요.

⑤~⑥ #카테고리 나누기 #재진술

하나의 대답으로 여러 비판에 대응하기는 했지만, 아직 문제가 남아 있습니다. 아무리 법관의 자의적 해석이 어느 정도 제한된다고 해도, 국민들이 그러한 해석을 고려하면서 법률에 따르는 것은 쉽지 않다는 것이에요. 5번 문장에서는 이에 대답하고 있네요. '비판에 대한 대답'이 두 가지 카테고리로 나뉘고 있다는 걸 인지하면서 읽어보도록 합시다.

이에 따르면, '해석의 한계', '법률의 명확성 원칙' 같은 것은 '전문가'를 겨냥한 것으로 파악하면 문제가 해결된다고 합니다. 즉, 어느 정도 제한된 '해석'을 바탕으로 '법률'을 명확하게 만들고 해석하는 것은 법관과 같은 '전문가'가 부담하면 되는 것이라는 말이죠. 6번 문장에서 말하는 것처럼, 평균적인 일반인이 의미 파악을 제대로 하지 못한다고 해도 법관이 해석을 도와준다면 큰 문제가 되지 않는다는 것이죠. 애초에 국민들이 '법률의 명확성 원칙'을 고려할 필요가 없다면, 2~3문단에 제시된 비판도 무의미해진다고 할 수 있겠습니다. 애초에 국민은 고려할 필요가 없는 것이었으니까요.

하이라이트 문장

> ①그렇다면 근대법의 기획은 그 자체가 허구적이거나 불가능한 것으로 포기되어야 하는가?

앞 문단에서 했던 예측들 중 '근대법의 기획의 비판에 대한 대응'이라는 흐름으로 이어진다는 것을 생각하게 해 주는 문장입니다. 이 문장을 보고서 이러한 흐름을 생각하는 것은 기본이고, 앞에서 제시되었던 비판에는 무엇이 있는지 한 번 더 정리해보는 여유까지 부릴 수 있다면 좋을 것 같습니다.

5문단

> [A]
> ①다만 이와 같은 대답에 대하여는 여전히 의문이 생긴다. ②국민 각자가 법이 요구하는 바를 이해할 수 있어야 된다는 이념은 사실 '일반인'이라는 추상화된 개념의 도입을 통해 한 차례 타협을 겪은 것이었다. ③그런데 '전문가'라는 기준을 도입함으로써 입법자의 부담을 재차 줄이면 근대법의 기획이 제기한 문제의 본질로부터 너무 멀어져 버릴 수도 있는 것이다.

①~③ #화제의 흐름 #정의 제시
#이면의 내용 추론하기 #재진술

이렇게 '근대법의 기획'에서 잘 대응한 줄 알았더니, 여전히 의문이 생긴다고 합니다. 도대체 무슨 의문일까요?

'국민 각자가 법이 요구하는 바를 이해할 수 있어야 된다는 이념', 즉 '근대법의 기획' 자체는 '일반인'이라는 개념을 도입하면서 '한 차례 타협'을 겪은 것이라고 합니다. 한 번에 와닿지 않을 것이기 때문에 속도를 줄여서 확실하게 이해해야 합니다.

먼저 여기서 말하는 '일반인'을 정의할 수 있어야 합니다. 지문에 제시되지는 않았지만, '타협'이라는 말을 바탕으로 충분히 생각할 수 있을 것 같습니다. 원래는 '국민 각자'가 법을 이해할 수 있어야 한다고 생각했는데, 이것은 현실적으로 쉽지 않기에 '근대법은 기획'은 '일반인'이 이해할 정도면 된다고 '타협'을 한 상태인 것입니다. 즉, 여기서 말하는 '일반인'은 '어느 정도 법을 이해할 만한 능력이 있는 사람' 정도를 의미한다는 것이죠. 따라서 '일반인이 아닌 국민'은 이해하지 못하더라도 어쩔 수 없다는 식의 '타협'이 이루어진 것입니다. 이렇게 지문에 명시되지 않은 개념의 정의를 추론하는 능력도 갖추고 있어야 합니다.

그런데 4문단에 따르면, '근대법의 기획'은 '전문가'라는 기준까지 도입해버린 모습입니다. '국민 각자'에서 '일반인'으로 이미 타협한 상태인데, 여기서 '전문가'로 한 번 더 타협해버리는 모습인 것이죠. 이렇게 되면 입법자의 부담이 '재차' 줄어드는 것이 된다고 합니다. '재차'라는 말의 의미에 주목하며 읽을 수 있어야 해요. 즉, '국민 각자→일반인→전문가'의 흐름에서 '입법자의 부담'은 줄어들고 있다는 것을 추론해야 한다는 것입니다. 법을 만드는 사람의 입장에서, 모든 국민이 이해하게 만드는 것보다는 조금 똑똑한 사람 정도가 되면 이해하게 만드는 것이, 그리고 또 그것보다는 법의 전문가들만이 이해하면 될 정도로 만드는 것이 더 쉬울 것입니다. 문장 이면의 내용을 추론해내는 것을 요구하는 어려운 문장이었네요.

어쨌든, 이렇게 '입법자의 부담'을 계속 줄여버리면 애초에 '국민 개개인'이 법을 이해하게 한다는 '근대법의 기획'이 제기한 문제의 본질로부터 멀어지게 되는 결과가 나타납니다. 결국 '근대법의 기획'은 애초에 법문의 내용을 명확하게 써서 '해석'의 여지를 차단하고 국민 각자가 이해할 수 있는 수준이 아니면 실현되기 어려운 것이었어요.

하이라이트 문장

> ③그런데 '전문가'라는 기준을 도입함으로써 입법자의 부담을 재차 줄이면 근대법의 기획이 제기한 문제의 본질로부터 너무 멀어져 버릴 수도 있는 것이다.

2번 문장과 엮어서, '국민 각자→일반인→전문가'라는 흐름을 읽어낼 수 있어야 합니다. 그리고 이 흐름 속에 '타협', '입법자의 부담 줄이기'라는 내용이 들어간다는 것도 추론할 수 있어야 해요. 굉장히 어렵지만 최근 평가원이 즐겨 사용하는 형태의 문장입니다. 확실하게 머릿속에 익히도록 합시다.

선지	①	②	③	④	⑤
선택률(예상)	7%	60%	5%	13%	15%

42 근대법의 기획에 관한 설명으로 가장 적절한 것은? ②

– 이 지문의 화제 그 자체를 묻는 문제입니다. 국민 각자가 이해할 수 있는 법을 명확하게 만들어 법관의 자의적 해석을 막는 것! 이것이 바로 '근대법의 기획'이었어요. 이와 관련된 내용을 찾아봅시다.

> ① 사법 권력으로 입법 권력의 통제를 꾀하였다.

명시적 근거	–
실전에서의 판단 과정	권력끼리 통제하는 이야기가 아니지.

해설	'근대법의 기획'은 '해석'을 배제하지 않기에, '사법 권력'과 '입법 권력'의 분립 원칙을 어길 수 있는 문제가 있었습니다. 하지만 이것은 '사법 권력'이 '입법 권력'의 역할을 하는 결과를 낳을 수도 있다는 것이지, '통제'를 의도하는 것은 아닙니다. 애초에 이 지문의 내용과 아무런 관련이 없는 선지네요.

② 금지된 행위임을 알고도 그 행위를 했다는 점을 형사 처벌의 기본 근거로 삼는다.

명시적 근거	1문단 3번 문장
실전에서의 판단 과정	법을 명확하게 해서 국민이 이해하게 하고 그로부터 행위를 평가하는 게 핵심이지.
해설	이 지문의 화제와 맞닿아 있는 선지입니다. '근대법의 기획'에서는 국민 각자가 제대로 이해할 수 있을 정도로 법률을 명확하게 만들어야 한다고 했습니다. 그렇게 해야 법을 근거로 국민의 행위를 평가하는 명분이 생기니까요. 즉, 법을 이해하고 있기에 그 행위가 금지되었다는 걸 알고 있을 것인데 그럼에도 그 행위를 했다는 건 처벌을 받을 명분으로 작용할 수 있다는 것이죠. 지문에 명시되지는 않았지만 충분히 추론할 수 있는 내용이었습니다.

③ 법관의 해석 없이도 잘 작동하는 법률을 만들고자 했던 기획은 마침내 성공하였다

명시적 근거	1문단 8번 문장
실전에서의 판단 과정	해석의 필요성을 배제할 수는 없지.
해설	'근대법의 기획'에서는 해석의 필요성을 배제하지 않습니다. 이로 인해 여러 가지 문제점이 나타나는 것이었죠. 애초에 '법관의 해석 없이도 잘 작동하는 법률'을 기획한 적이 없기 때문에 틀린 선지네요.

④ 이해 가능성이 없는 법률에 대한 해석의 부담을 법관이 아니라 국민에게 전가하고 있다.

명시적 근거	4문단 5번~6번 문장
실전에서의 판단 과정	해석의 부담은 법관에게 전가했지.
해설	일단 선지 자체가 지문의 내용과 너무 동떨어지기도 했지만, '해석의 부담'은 법관과 같은 '전문가'에게 지우면 된다는 것이 '근대법의 기획'에서 비판에 대응하기 위해 이야기한 내용이었죠? 국민

이 '이해'할 수 있는 법률을 만드는 것은 중요하지만, '해석'의 부담은 '법관'에게 전가하면 된다는 것이 핵심이었습니다.

⑤ 자의적 해석 가능성만 없다면 국민이 이해할 수 없는 법률로도 국민의 행위를 평가할 수 있다고 본다.

명시적 근거	1문단 2번 문장
실전에서의 판단 과정	국민이 이해해야 할 수 있어야 한다는 것이 핵심이었지.
해설	국민의 행위를 평가하기 위해서는 국민이 이해할 수 있어야 한다는 것, '근대법의 기획'에서 가장 중요한 대전제였습니다.

FAQ

Q 근대법의 기획 쪽에서는 전문가에게 부담을 넘긴다고 하지 않았나요?

A 정확하게 봐야 합니다. 법관과 같은 전문가에게 법의 '해석'에 대한 부담을 넘긴다고 했을 뿐, 법의 '이해'가 국민 수준에서 이루어져야 한다는 것은 부정한 적이 없습니다. 국민들이 법의 전체적인 내용만 '이해'할 수 있다면, 어차피 사회적인 언어 규칙 내에서 이루어질 법관의 '해석'은 큰 문제가 되지 않는다는 것이 '근대법의 기획' 쪽에서 이야기하는 내용이었죠. '이해'와 '해석'처럼 비슷하지만 확실하게 다른 단어들의 뉘앙스를 정확히 살려주는 독해 태도를 갖추주도록 합시다.

선지	①	②	③	④	⑤
선택률(예상)	66%	7%	10%	11%	6%

43 윗글을 바탕으로 ㉠을 비판할 때, 논거로 사용하기에 적절하지 <u>않은</u> 것은? ①

㉠ 법률의 내용은 명확해야 한다는 원리

- '근대법의 기획'에서 가장 강조하는 원칙이자, '해석'의 필요성을 배제하지 않아 여러 가지 문제를 낳는 내용이라고 할 수 있습니다. 나아가 이 원리를 비판하는 것이 이 지문의 내용 자체이기 때문에, 사실상 내용일치 문제로 봐도 괜찮다고 할 수 있겠습니다.

① 전문가인 법관에 의해 법문의 의미가 구성되지 않으면 자의적 법문 해석에서 벗어나기 어렵다.

명시적 근거	3문단 2번 문장
실전에서의 판단 과정	법관이 법문의 의미를 구성하는 건 자의적 해석 그 자체라고 봐야지.
해설	㉠에 대한 비판 내용을 정면으로 부정하는 선지입니다. ㉠은 법관의 '해석'을 배제하지 않는 개념인데, 지문에서는 이러한 '해석'이 법문의 의미를 새롭게 구성하는 행위로 이어질 수 있다는 비판을 제기했습니다. 그리고 이는 곧 '자의적 법문 해석'을 의미하는 것입니다. 정리하면, 법문의 의미를 구성하지 않아야 비로소 자의적 법문 해석에서 벗어날 수 있다는 것을 의미하기 때문에 잘못된 선지네요.

② 법관의 해석을 통해서야 비로소 법의 의미가 구성될 경우에는 권력 분립 원칙이 훼손될 수 있다.

③ 법의 객관적 목적을 고려한 법문 해석은 법문 의미의 한계를 넘어서는 방편으로 남용되기도 한다.

④ 법관의 해석을 통해서야 비로소 법의 의미가 구성된다고 하면 법을 국민의 행동 지침으로 삼기 어렵다.

⑤ 국민이 입법자의 의사까지 일일이 확인하여 법문의 의미를 이해한다는 것은 현실적으로 기대하기 어렵다.

명시적 근거	2문단~3문단
실전에서의 판단 과정	지문에 있는 말 그대로네.
해설	2문단과 3문단에서 제시되었던 '근대법의 기획에 대한 비판' 카테고리 속 정보들이 그대로 선지화된 모습입니다. 가볍게 지워낼 수 있겠죠?

선지	①	②	③	④	⑤
선택률(예상)	21%	6%	56%	4%	13%

44 [A]로부터 추론한 내용으로 가장 적절한 것은? ③

– '국민 각자→일반인→전문가'의 흐름에서 '타협'과 '입법자의 부담 줄이기'라는 내용을 추론했어야 하는 부분이었습니다. 이걸 해냈다면 어렵지 않게 답을 고를 수 있을 거예요.

① 가장 이상적인 법은 '일반인'이 이해할 수 있는 법일 것이다.

명시적 근거	5문단 2번 문장
실전에서의 판단 과정	가장 이상적인 법은 국민 각자가 이해할 수 있는 수준이겠지.
해설	'일반인'이라는 기준은 '국민 각자'라는 기준에서 한 차례 '타협'을 겪은 것일 뿐, 가장 이상적인 법의 기준이라고 할 수 없습니다. '일반인'이 의미하는 바가 '어느 정도 법을 이해할 만한 능력이 있는 사람'이라는 것을 읽어냈는지를 물어보는 선지입니다.

② 법치국가의 이념을 구현하기 위해서는 법률 전문가의 역할이 확대되어야 할 것이다.

명시적 근거	5문단 3번 문장
실전에서의 판단 과정	전문가 기준 도입하는 게 안 좋다는 거잖아.
해설	[A]의 핵심은 '전문가'라는 기준을 도입하면 '근대법의 기획'의 본질에서 멀어진다는 것이었습니다. 이 내용과 정반대되는 말을 하고 있네요.

③ '일반인'이 이해할 수 있는 입법은 국민 각자가 이해할 수 있는 입법보다 입법자의 부담을 경감시킬 것이다.

명시적 근거	5문단 2번~3번 문장
실전에서의 판단 과정	미리 생각한 내용이네.
해설	'국민 각자→일반인'으로 가면서 '입법자의 부담'이 경감된다는 것. 지문에 명시되어 있지는 않지만 스스로 추론해야 하는 내용이었습니다. '재차'와 같은 단어의 의미와 문장의 관계를 바탕으로 이면의 내용을 추론하는 연습을 할 수 있어야 합니다.

④ 입법 과정에서 일상적인 의미와는 다른 법률 전문 용어의 도입을 확대하여 법문의 의미를 명확히 해야 할 것이다.

명시적 근거	–
실전에서의 판단 과정	뭔 헛소리야.
해설	법률 전문 용어의 도입이 확대되면 법률의 내용을 이해할 수 있는 사람의 수가 더 적어지게 됩니다. [A]는 이렇게 법률의 내용을 이해할 수 있는 사람의 수를 줄이는 '타협'을 비판하는 입장인데, 이와 정반대되는 말을 하는 선지네요.

⑤ 행위가 법률로 금지되는 것인지 여부를 행위 당시에 알 수 있었는지에 대하여 법관은 입법자의 입장에서 판단해야 할 것이다.

명시적 근거	–
실전에서의 판단 과정	[A]랑 아무 상관이 없는 말이네.
해설	[A]는 '전문가'라는 기준의 도입에 대한 비판이지, 법관의 해석 방법에 대한 내용이 아닙니다. 오히려 입법자의 부담을 줄이는 것을 비판하는 것이기 때문에 절대 답이 될 수 없는 선지네요.

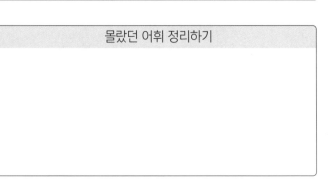

몰랐던 어휘 정리하기

| 핵심 **point** |

① 화제 check : 독서 지문 독해의 처음이자 끝. 첫 문단에서 잡은 '화제의 틀'을 마지막 문단까지 놓지 않아야 합니다.

② 재진술 인식 : 같은 말이라도 다르게 표현되는 경우가 많습니다. 심지어 아예 똑같은 말이 반복되는 경우도 많아요. 이 '같은 말'에 민감하게 반응하면, '정보량'을 줄이면서 읽을 수가 있습니다.

③ 카테고리 나누기 : 정보들의 범주가 나뉠 때, 그들이 서로 다른 카테고리에 속한다는 것을 인지해야 합니다. 이렇게 각 카테고리에 맞춰 정보를 정리하면 훨씬 깔끔하게 정리할 수 있다는 것을 기억해 주세요.

| 지문 내용 총정리 |

재진술, 카테고리 나누기, 이면의 내용 추론하기 등 중요한 독해 태도는 물론 '근대법의 기획'에 대한 기본적인 지식을 쌓기에 좋았던 지문이었습니다. 이는 오늘 배웠던 '법률의 해석'과 관련된 내용이었어요. 다시 한번 읽어 보면서 독해 태도와 지식들 모두 확실하게 정리하도록 합시다.

법 지문 관련 지식 정리

지금까지 기출문제에 출제되었던 다양한 법적 지식들을 정리하는 시간들을 가져보도록 합시다. 이러한 지식들을 가지고 있으면 아주 큰 도움이 될 거예요. 외우려고 애쓰기보다는, 관련된 지문들과 엮어 여러 번 공부하면서 익숙해지도록 합시다.

① 삼권 분립의 원칙

2021학년도 9월 모의평가 '행정입법'과 관련된 지문에서 정말 열심히 설명했던 내용이죠? '행정부'와 '사법부', 그리고 '입법부'의 권한은 엄격히 구분된다는 내용이었어요.

2013학년도 6월 모의평가

> 한편 우리 헌법은 "입법권은 국회에 속한다."(제40조), "국회의원은 국가 이익을 우선하여 양심에 따라 직무를 행한다."(제46조 제2항)라고 규정하고 있다. 이 규정은, 입법권이 국회에 속하는 이상 입법은 국회의원의 생각에 따라야 한다는 뜻이다.

2016학년도 LEET언어이해

> 재판의 공정성을 위하여 법관의 직무상 독립이 보장되고 있다는 점이다. 만일 법관이 재판을 함에 있어서 사실관계의 파악, 법령의 해석, 사실관계에 대한 법령의 적용에 잘못을 범하였다는 이유로 국가가 손해배상 책임을 지게 되면, 법관은 이러한 손해배상 책임에 대한 부담 때문에 소신껏 재판 업무에 임할 수 없게 될 것이다.

두 지문은 각각 '국회(입법부)'의 고유 권한과 '법관(사법부)'의 직무상 독립에 대해 설명하고 있습니다. '삼권 분립의 원칙'을 알고 있다면 너무 당연한 내용이죠?

앞에서 워낙 자세히 설명했던 내용이니 다시 설명하지는 않겠습니다. 법 지문 이해에 기본이 되는 지식이니 확실하게 알아 두도록 합시다.

② 권리와 의무
2021학년도 수능

> 채권은 어떤 사람이 다른 사람에게 특정 행위를 요구할 수 있는 권리이다. 이 특정 행위를 급부라 하고, 특정 행위를 해 주어야 할 의무를 채무라 한다. 채무자가

> 채권을 가진 이에게 급부를 이행하면 채권에 대응하는 채무는 소멸한다.

이 지문에서 정말 친절하게 설명이 되어 있는 내용입니다. 예를 들어, 저와 오르비북스 사이의 계약의 내용을 생각해볼까요? 제가 오르비북스와 출판 계약을 체결한 순간, 저와 오르비북스는 서로 어떠한 '권리'를 가지게 됩니다. 오르비북스는 저에게 좋은 원고를 공급할 것을 요구할 '권리'를 가지게 되고, 저는 오르비북스에게 적절한 금액의 인세를 요구할 '권리'를 가지게 되는 것이죠.

그런데 이렇게 서로의 '권리'는, 상대방의 입장에서 보면 '의무'가 되겠죠? 저는 좋은 원고를 공급해야 하는 '의무'가 있고, 오르비북스는 저에게 인세를 지급해야 하는 '의무'가 있는 것이에요. 이 지문에서 이야기하는 것처럼, 계약과 같은 행위에 의해 어떠한 행위를 요구할 수 있는 권리를 '채권', 요구받는 의무를 '채무'라고 합니다.

그리고 이때의 '행위'를 '급부'라고 부릅니다. 결국 계약의 쌍방은 '급부 이행'이라는 것을 반드시 해야 할 '채무'를 지는데, 이러한 '급부'를 이행하면 '채무'와 그에 대응하는 '채권'이 사라지게 됩니다. 이를 '변제'라고 해요. 다음 지문들에서도 이러한 개념이 사용되고 있다는 것을 알 수 있습니다.

2019학년도 6월 모의평가

> 이 경우 계약 내용에 따른 행동인 급부(給付)를 할 의무가 인정되어, ~

2019학년도 수능

> 이처럼 의사 표시를 필수적 요소로 하여 법률 효과를 발생시키는 행위들을 법률 행위라 한다. 계약은 법률 행위의 일종으로서, 당사자에게 일정한 청구권과 이행 의무를 발생시킨다. 청구권을 내용으로 하는 권리가 채권이고, 그에 따라 이행을 해야 할 의무가 채무이다. 따라서 채권과 채무는 발생한 법률 효과가 동전의 양면처럼 서로 다른 방향에서 파악되는 것이라 할 수 있다. 채무자가 채무의 내용대로 이행하여 채권을 소멸시키는 것을 변제라 한다.

③ 삼심 제도 (확정 판결)

2016학년도 LEET언어이해

> 재판에는 심급 제도가 마련되어 있다는 점도 특수성으로 볼 수 있다. 심급 제도는 법원의 재판에 대하여 불만이 있는 경우 상위 등급의 법원에서 다시 재판을 받을 수 있도록 하는 제도이다. 소송 당사자는 법률에 의하여 정해진 불복 절차에 따라 상급심에서 법관의 업무 수행에 잘못이 있음을 주장하여 하급심의 잘못된 결과를 시정할 수 있다.

기본적으로 우리나라는 하나의 사건에 대해 세 번 재판을 받을 수 있도록 하고 있습니다. '세 번 심판받는다'는 의미에서 '삼/심' 제도라고 부르는 것이죠. 또한 '심'판에 '급'을 나눈다는 의미에서 앞의 지문처럼 '심급 제도'라고도 부릅니다. 어떠한 사건이 발생하면 먼저 각 지역의 '지방 법원'에서 재판을 받게 되는데, 이 판결에 한 쪽이 승복하지 못하면 서울·대전·부산·대구·광주·수원에 있는 '고등 법원'에서 다시 재판받을 것을 요구할 수 있습니다. 이를 '항소'라고 부릅니다.

만약 여기서의 판결도 마음에 들지 않는다면, 서울에만 존재하는 '대법원'에서 다시 재판받을 것을 요청할 수 있습니다. 이를 '상고'라고 부릅니다. 대법원에서의 판결은 더 이상 항소나 상고가 불가능하기에 '최종 판결'이 됩니다. 다만, 극히 중요한 사유가 있을 때에는 '재심'을 청구하여 대법원의 판결을 뒤집을 수 있는 경우도 있습니다.

그리고 아래의 지문들에서 이야기하듯, 특정한 기간 내에 '항소'나 '상고'가 제기되지 않거나 대법원의 '최종 판결'이 내려져 삼심 제도를 모두 사용한 경우 그 판결은 '확정'되었다고 하며, 이때 그 판결은 '기판력'을 가진다고 합니다. 자세한 내용은 아래 지문들을 참고하도록 합시다.

2016학년도 수능 AB형 공통

> 민사 소송에서 판결에 대하여 상소, 곧 항소나 상고가 그 기간 안에 제기되지 않아서 사안이 종결되든가, 그 사안에 대해 대법원에서 최종 판결이 선고되든가 하면, 이제 더 이상 그 일을 다툴 길이 없어진다. 이때 판결은 확정되었다고 한다. 확정 판결에 대하여는 '기판력(旣判力)'이라는 것을 인정한다. 기판력이 있는 판결에 대해서는 더 이상 같은 사안으로 소송에서 다툴 수 없다. 예를 들어, 계약서를 제시하지 못해 매매 사실을 입증하지 못하고 패소한 판결이 확정되면, 이후에 계약서를 발견하더라도 그 사안에 대하여는 다시 소송하지 못한다.

같은 사안에 대해 서로 모순되는 확정 판결이 존재하도록 할 수는 없는 것이다.

2016학년도 LEET언어이해

> 기판력은 당사자가 불복하지 않아서 판결이 확정되거나 최상급 법원의 판단으로 판결이 확정되면, 동일한 사항이 다시 소송에서 문제가 되었을 때 당사자가 이에 저촉되는 청구를 할 수 없고 법원도 이에 저촉되는 판결을 할 수 없게 되는 구속력을 의미한다. 이는 부단히 반복될 수 있는 법적 분쟁을 일정 시점에서 사법권의 공적 권위로써 확정하여 법질서를 유지하고자 하는 것이다.

④ 민사 소송 vs 형사 소송

많은 인문계 학생들이 꿈꾸는 '검사'는 어떤 일을 하는 사람일까요? 단순히 '나쁜 놈들 응징하는 직업' 정도로 생각할 수도 있지만, 조금 더 정확하게 정의하자면 '형사 소송에서의 원고'라고 할 수 있습니다. '원고'와 '피고'는 각각 '판결을 요구하는 사람'과 '판결을 요구받는 사람'을 의미합니다. 쉽게 말해서 "쟤가 잘못했으니까 대가를 치르게 해 주세요."라는 주장을 하는 쪽이 '원고'이고, 이때의 '쟤'가 바로 '피고'에 해당하는 겁니다. '검사'는 '형사 소송'에서 피고의 잘못에 대한 판결을 요구하는 사람이에요. (참고로 형사 소송에서는 '피고인'이라고 해야 정확하지만, 편의상 '피고'라고 부르도록 할게요.) 다르게 이야기하면, '민사 소송'에서는 '검사'의 역할이 없다는 것이죠.

그렇다면 '형사 소송'은 무엇일까요? '刑형벌 형 / 事일 사' 소송이라는 한자에서 확인할 수 있듯이, 잘못을 저지른 사람에게 '형벌'을 내리기 위한 소송을 의미합니다. 앞에서도 이야기했듯이 '원고'인 '검사'가 잘못을 저지른 '피고'에게 어떠한 '형벌'을 내려줄 것을 판사에게 요구하는 소송이죠. 목적 자체가 '피고에 대한 형벌'인 거예요.

한편 '민사 소송'은 '民백성 민 / 事일 사' 소송이라는 뜻으로, 개인 사이에 일어나는 권리 또는 법률관계의 다툼을 다루는 소송입니다. 돈을 빌려줬는데 갚지 않는다거나, 이혼 시 재산분할에 대한 다툼이 있거나 하는 경우에 진행할 수 있는 것이죠. 이 소송에는 '검사'가 참여하지 않기 때문에, 원고가 판사로 하여금 피고에게 '형벌'을 내려달라고 요구할 수는 없습니다. '형벌'을 요구하는 것은 '검사'의 고유 권한이니까요. 대신, 원고 혹은 원고 측 대리인(보통 변호사겠죠?)은 피고에게 자신이 당한 피해를 갚아줄 것을 요구할 수 있습니다. 이러한 '피해 구제'가 민사 소송의 목적이라고 할 수 있는 것이죠.

앞서 확인했던 것처럼 '기판력'이 있는 판결의 경우, 다시는 똑같은 사안으로 재판을 진행할 수 없습니다. '형사 소송'에서 흉악범의 형량이 일반적인 시민들의 생각보다 낮게 부여된 판결이 확정되면 여러 사람이 분노하는 이유가 여기에 있는 것이에요. 이를 '일사부재리(一한 일 / 事일 사 / 不아닐 부 / 再두 재 / 理다스릴 리)의 원칙'이라고 불러요.

2016학년도 6월 모의평가 AB형 공통

현행법상 불법 행위에 대한 금전적 제재 수단에는 민사적 수단인 손해 배상, 형사적 수단인 벌금, 행정적 수단인 과징금이 있으며, 이들은 각각 피해자의 구제, 가해자의 징벌, 법 위반 상태의 시정을 목적으로 한다.

참고로 '행정 소송'이라는 것도 존재합니다. 위생 상태가 좋지 못하다는 이유로 영업정지라는 행정 처분을 받은 식당이 있을 때, 이 식당은 먼저 행정 기관에 '행정 심판'을 청구할 수 있어요. 이때 행정 기관의 심판이 마음에 들지 않으면, 법원에 '행정 소송'을 제기할 수 있는 것입니다. '행정 소송'에 대해서는 이 정도로만 알고 계시면 될 것 같아요.

⑤ 입증 책임

앞에서 '원고'와 '피고'에 대해서 알아보았습니다. 각 소송은 기본적으로 검사나 피해자가 소송을 제기하는 방식으로 시작됩니다. 이때 검사가 소송을 제기하는 행위는 '기소'라고 불러요. 뉴스에서 '어떤 사람이 기소를 당했다.'라는 말을 들으면, 그 사람에 대한 형사 재판이 열릴 것이라고 생각할 수 있는 것이죠.

아무튼, 일단 재판이 열리고 나면 원고는 피고의 잘못을 입증할 수 있는 여러 증거들을 제시하여야 합니다. 이때 원고가 지는 책임을 '입증 책임'이라고 불러요. 단어의 의미 그대로, 피고의 잘못을 '입증'할 '책임'인 것이죠. 어떤 일이 일어나지 않았다는 것을 증명하는 것보다 일어났다는 것을 증명하는 게 훨씬 쉽기 때문에, 기본적으로 각 소송에서는 원고가 '입증 책임'을 지고 피고의 잘못이 있었다는 것을 증명해야 합니다. 물론 원고의 주장이 틀렸다는 것을 증명하기 위해서는 당연히 피고가 '입증 책임'을 지고 증거를 제시해야겠죠. 이렇게 민사 소송의 경우, 원고가 먼저 '입증 책임'을 지고 여러 증거를 제시한 뒤 피고가 받아치는 식으로 진행되는 것이 일반적입니다.

2014학년도 6월 모의평가 A형

대체로 어떤 사실이 존재함을 증명하는 것이 존재하지 않음을 증명하는 것보다 쉽다. 이 둘 가운데 어느 한쪽에 부담을 지워야 한다면, 쉬운 쪽에 지우는 것이 공평할 것이다. 이런 형평성을 고려하여 특정한 사실의 발생을 주장하는 이에게 그 사실의 존재에 대한 입증 책임을 지도록 하였다. 그리하여 상대방에게 불법 행위의 책

임이 있다고 주장하는 피해자는 소송에서 원고가 되어, 민법 조문에서 규정하는 요건들이 이루어졌다고 입증해야 한다.

참고로, '형사 소송'에서는 원고(검사)가 피고인의 잘못을 '입증'하여 판사가 최종적으로 유죄 판결을 내리기 전에는 '무죄'로 '추정'한다는 '무죄 추정의 원칙'을 따릅니다. '의심스러울 땐 피고인에게 유리하게'라는 원칙으로 일컬어지는 내용인데, 열 명의 진범을 놓치더라도 단 한 명의 억울한 누명을 쓰는 사람을 만들어서는 안 된다는 정신을 담고 있어요. 비록 심증이 있고 정황상 확실하여 피고인에게 죄가 있다고 의심되더라도, 피고인의 잘못을 '입증'할 수 있는 증거가 없다면 '무죄'로 '추정'해야 한다는 것이죠. 이러한 원칙이 있기에 형사 재판의 원고인 검사는 더욱 철저하게 조사할 필요가 있는 것이에요.

⑥ 손해 배상

여러 지문들에서 반복해서 확인할 수 있는 '손해 배상'에 대해서도 정리해 보도록 합시다. 누군가의 잘못으로 인해 손해를 입었다면 민사 소송 등의 절차를 통해 배상을 요청할 수 있어요. 그런데 이때 '배상'의 방법은 반드시 '금전'을 이용한다는 '금전배상주의'를 따릅니다. 물론 명예훼손 사건이나 당사자의 특별한 요청이 있는 예외 사항도 있지만, 손해는 무조건 돈으로 갚아야 한다는 것이 기본적인 원칙이에요. '눈에는 눈, 이에는 이'라는 생각을 하면서 상대가 나를 때렸다고 나도 똑같이 때리면 그저 쌍방 폭행이 될 뿐입니다. 맞아서 생긴 상처에 대한 치료비와 위자료 정도에 만족해야 하는 것이죠. 나아가 이때의 배상은 자신이 손해를 본 만큼만 이루어집니다. '손해 배상'은 말 그대로 '손해'를 '배상'하기 위한 것이지 상대방에게 금전적인 이득을 주기 위한 것이 아니기 때문이에요. 이러한 메커니즘은 생각보다 자주 나오는 내용이니, 다음 지문들을 바탕으로 확실하게 정리해 봅시다.

2014학년도 9월 모의평가 AB형 공통

위 사건에서 수만 명의 가입자가 손해를 입었지만, 배상받을 금액이 적은 탓에 대부분은 소송에 참여하지 않았다. 그리하여 전체 피해 규모가 엄청난 데 비하면, 승소해서 받게 될 배상금의 총액은 매우 적을 것이다.

2017학년도 수능

일반적으로 법에서 의무를 위반하게 되면 위반한 자에게 그 의무를 이행하도록 강제하거나 손해 배상을 청구할 수 있는 것과 달리, 보험 가입자가 고지 의무를 위반했을 때에는 보험사가 해지권만 행사할 수 있다.

2021학년도 수능

일반적으로 급부가 이행되지 않아 채권자에게 손해가 발생한 경우 채무자는 자신의 고의나 과실에서 비롯된 것이 아님을 증명하지 못하는 한 채무 불이행 책임을 진다. 이로 인해 채무의 내용이 바뀌는데 원래의 급부 내용이 무엇이든 채권자의 손해를 돈으로 물어야 하는 손해 배상 채무로 바뀐다.

~ 법률에 의하면 누구든 고의나 과실에 의해 타인에게 피해를 끼치는 행위를 하고 그 행위의 위법성이 인정되면 불법행위 책임이 성립하여, 가해자는 피해자에게 손해를 돈으로 배상할 채무를 지기 때문이다.

2016학년도 6월 모의평가 AB형 공통

~ 일반적인 손해 배상 제도에서는 피해자가 손해액을 초과하여 배상받는 것이 불가능하지만 ~

2023학년도 수능

채무자의 잘못으로 계약 내용이 실현되지 못하여 계약 위반이 발생하면, 이로 인해 손해를 입은 채권자가 손해 액수를 증명해야 그 액수만큼 손해 배상금을 받을 수 있다. 그러나 손해 배상 예정액이 정해져 있었다면 채권자는 손해 액수를 증명하지 않아도 손해 배상 예정액만큼 손해 배상금을 받을 수 있다. 이때 손해 액수가 얼마로 증명되든 손해 배상 예정액보다 더 받을 수는 없다.

⑦ 과잉 금지의 원칙 (비례 원칙)

- 국가가 개인에게 벌을 주거나 보상을 하는 경우 잘못한 만큼만 벌을 줄 수 있고, 적당한 수준의 보상만을 할 수 있다는 원칙입니다. 말 그대로 잘못이나 피해에 '비례'한 수준의 처분이 내려져야 하고, 잘못이나 피해에 비해 '과잉' 처분을 받으면 안 된다는 내용입니다. 법 체계에서 중요하게 다뤄지는 내용이니 알아두도록 합시다.

2016학년도 6월 모의평가 AB형 공통

현행법상 불법 행위에 대한 금전적 제재 수단에는 민사적 수단인 손해 배상, 형사적 수단인 벌금, 행정적 수단인 과징금이 있으며, 이들은 각각 피해자의 구제, 가해자의 징벌, 법 위반 상태의 시정을 목적으로 한다. 예를 들어 기업들이 담합하여 제품 가격을 인상했다가 적발된 경우, 그 기업들은 피해자에게 손해 배상 소송을 제기당하거나 법원으로부터 벌금형을 선고받을 수 있고 행정 기관으로부터 과징금도 부과 받을 수 있다. 이처럼 하나의 불법 행위에 대해 세 가지 금전적 제재가 내려질 수 있지만 제재의 목적이 서로 다르므로 중복 제재는 아니라는 것이 법원의 판단이다.(→ 전제 : 중복 제재는 과잉 제재가 되므로 문제가 된다.)

2019학년도 6월 모의평가

국가가 개인 간의 계약에 개입하는 것은 국가 안보, 사회 질서, 공공복리 등의 정당한 입법 목적을 달성하기 위해서이다. 이 경우 계약의 자유를 제한하려면 필요한 만큼만 최소로 제한해야 한다는 '비례 원칙'이 적용된다. 이로 인해 국가가 계약 당사자들에게 미치는 영향이 다양하게 나타나는 것이다.

2022학년도 6월 모의평가

결국 범죄를 가로막는 방벽으로 형벌을 바라보는 것이다. 이 울타리의 높이는 살인인지 절도인지 등에 따라 달리해야 한다. 공익을 훼손한 정도에 비례해야 하는 것이다. 그것을 넘어서는 처벌은 폭압이며 불필요하다. 베카리아는 말한다. 상이한 피해를 일으키는 두 범죄에 동일한 형벌을 적용한다면 더 무거운 죄에 대한 억지력이 상실되지 않겠는가.

⑧ 법실증주의와 해석의 문제

인간은 누구나 마음속에 정의롭고 도덕적인 법을 가지고 있는데, 이렇게 인간 본성에 자연스럽게 자리잡고 있는 법을 '자연법'이라고 부릅니다. 이와 반대로 입법 기관에서 제정하여 문서화된 법을 '실정법'이라고 불러요. 우리나라에서는 기본적으로 이렇게 '실증'적인 '법'에만 기반하여 법 집행이 이루어져야 한다는 '법실증주의'를 채택하고 있습니다. '자연법'과 같은 주관적인 내용이 아니라 법전에 적힌 '실정법'만이 진정한 법이라는 것이죠.

2015학년도 수능 A형

때와 장소에 관계없이 누구에게나 보편적으로 받아들여질 수 있는 정의롭고 도덕적인 법을 떠올리게 되는 것은 자연스러운 일이다. 전통적으로 이런 법을 '자연법'이라 부르며 논의해 왔다.

~ 그러나 19세기에 들어서자 현실적으로 자연법을

명확히 확정하기 어렵다는 비판 속에서 자연법 사상은 퇴조하는 경향을 보였다. 이때 비판의 선봉에 서며 새롭게 등장한 이론이 이른바 '법률실증주의'이다. 법률실증주의는 국가의 입법 기관에서 제정하여 현실적으로 효력을 갖는 법률인 실정법만이 법으로 인정될 수 있다는 입장이다.

그리고 이러한 '법실증주의'의 정신이 형사 소송에 적용되면 '죄형법정주의'의 정신으로 이어집니다. 범'죄'에 대한 '형'벌은 '법'이 '정'해야 한다는 입장이죠. 법조문에 적혀 있지 않은 내용을 근거로 형벌을 내리는 것은 불가능하다는 것이에요.

2022학년도 6월 모의평가

> 그리고 이러한 손익 관계를 누구나 알 수 있도록 처벌 체계는 명확히 성문법으로 규정되어야 하고, 그 집행의 확실성도 갖추어져야 한다.

그리고 이 내용은, 직전에 공부했던 두 지문에서 확인한 '해석의 문제'로 이어집니다. 추후 출제될 가능성이 높은 소재이기도 하니, 다시 한번 복습하면서 정리합시다.

⑨ 사회의 효율성 (거래 안전, 사적 자치의 원칙)

이렇게 '법실증주의'의 관점에서 법의 절대성을 강조하더라도, 모든 상황에 이 잣대를 지나치게 들이대는 것은 조금 비효율적입니다. 어쨌든 사회가 잘 굴러가게 하는 것이 '법'의 목적이기 때문에, 법은 몇 가지 '효율성'을 위한 수단을 가지고 있어요.

그중 하나가 바로 '거래 안전'입니다. 단어의 의미 그대로, '거래'는 '안전'하게 이루어져야 한다는 것이에요. 2020학년도 9월 모의평가 '점유' 관련 지문에서는 '선의취득'이라는 개념을 설명하며 '거래 안전'을 언급하는데, 이는 실제 소유자의 권리를 보호하는 것보다는 해당 거래가 안전하게 이루어지는 것이 더 중요하다는 내용을 담고 있었어요. 일단 관련 지문을 확인해볼까요?

2020학년도 9월 모의평가

> 점유로 공시되는 동산의 경우 양수인이 충분히 주의를 했는데도 양도인이 소유자가 아님을 알지 못한 채 양도인과 유효한 계약을 하고, 점유 인도로 공시를 했다면 양수인은 소유권을 취득한다. 이것을 '선의취득'이라 한다.
> ~ 이러한 고가의 재산에 대해 선의취득을 허용하게 되면 원래 소유자의 의사에 반하는 소유권 박탈이 일어

나게 된다. 이것은 거래 안전에만 치중하고 원래 소유자의 권리 보호를 경시한 것이 되어 바람직하지 않다고 볼 수 있다.

해당 지문 해설에서도 언급했지만, 고가의 재산의 경우 '선의취득'이 허용되지 않는 이유는 '거래 안전'보다 '원래 소유자의 권리 보호'가 더 중요했기 때문입니다. 이를 다르게 표현하면, 고가의 재산이 아닌 대부분의 물건에 대해서는 '선의취득'이 허용된다고 할 수 있었고, 이는 '원래 소유자의 권리 보호'보다 '거래 안전'이 더 중요하기 때문이었죠.

만약 주인이 아닌 사람이 양도인이나 매도인이 되어 소유권을 이전할 때, '원래 소유자의 권리 보호'를 중시하여 자잘한 물건 하나하나의 거래를 모두 무효 처리한다면 거래가 활발하게 일어나기 어려울 것입니다. 즉, 지금 맺고 있는 '거래'가 유효할 것이라는 '안전성'에 대한 신뢰가 깨지게 되는 것이죠. 이는 거래의 활성화를 막아 자본주의 경제 발전의 걸림돌이 될 수 있으니, 과감하게 '원래 소유자의 권리 보호'보다 '거래 안전'을 중시하는 결정을 한 것입니다. 이는 반드시 '선의취득' 상황에만 국한되는 것은 아니고, 거래 당사자와 당사자가 아닌 자와의 이해가 충돌하는 여러 상황에 적용됩니다.

이와 비슷한 원리로, 우리 사회에는 '사적 자치의 원리'라는 것도 적용되고 있습니다. 다음 지문에서 '계약 자유의 원칙'으로 소개된 내용이기도 한데, 한 번 확인해볼까요?

2019학년도 6월 모의평가

> 사법(私法)은 개인과 개인 사이의 재산, 가족 관계 등에 적용되는 법으로서 이 법의 영역에서는 '계약 자유의 원칙'이 적용된다. 계약의 구체적인 내용 결정 등은 당사자들 스스로 정할 수 있다는 것이다.

보시는 것처럼, 기본적으로 계약의 구체적인 내용은 당사자들이 '사적'으로, 그리고 '자치'적으로 정할 수 있습니다. 만약 계약의 내용을 하나하나 법과 비교하며 따지고 든다면, '거래 안전'에서 설명한 것과 비슷하게 사회에 큰 비효율성을 초래하겠죠? 따라서 법과 조금 어긋나는 것이 있더라도 계약 당사자들의 '사적 자치'를 존중하는 것입니다. 물론 이 지문에서 이야기했던 것처럼, '단속 법규'나 '강행 법규'가 적용되어 '사적 자치'를 인정하지 않는 경우도 존재하기는 합니다.

이 내용을 잘 알고 있으면 다음 지문의 내용을 너무나 쉽게 이해하면서 읽을 수 있겠죠?

계약의 본질을 당사자들의 자유로운 의사의 합치로 보는 사비니 이래의 근대적인 계약 이해 방식에 따르면 특정한 내용의 계약을 체결한 당사자들이 그 계약을 준수해야 하는 까닭은 바로 스스로가 그 계약 내용의 실현을 원했기 때문이다. 그렇다면 가령 계약 당사자들이 민법의 규정을 무시하고 선량한 풍속에 위반하는 사항의 실현을 자발적으로 원했을 경우에는 어떻게 할 것인가? 여전히 당사자들 사이에 자유로운 의사의 합치가 있었음을 이유로 그와 같은 계약도 그들을 구속한다고 보아야 할 것인가? 아니면 아무리 당사자들이 원했다 하더라도 법률이 정하고 있는 바에 어긋나는 내용의 계약은 당사자들을 구속할 수 없다고 봄으로써 근대적인 계약 이해 방식을 포기해야 할 것인가?

이것저것 내용이 많았네요. 다만 법 지문의 독해 포인트와 마찬가지로, 이 모든 내용들에는 '예외'가 존재합니다. 이러한 '예외'가 출제되면 당연히 지문에서 자세한 설명이 들어갈 것이니, 이 내용들을 '원칙'으로 기억하는 정도면 충분할 것 같아요. 이들을 이해하는 것은 기본이고, 앞으로 법 지문을 공부할 때마다 만나는 내용들은 배경지식으로 정리하는 습관을 들이도록 합시다.

나아가 예시로 사용한 지문들이 자주 반복된다는 느낌을 받으셨을 겁니다. 해당 지문들은 법 제재 관련 지식을 쌓기에 정말 좋은 지문들이니, 지문 전체를 독해하고 문제까지 풀어보는 것을 추천하겠습니다. 스스로 찾아서 공부해 보세요!

생각의 확장

제재별 독해 – 경제

> **DAY 34 [1~6]**
> 2020.11 [37~42] 사회(법+경제) '말랑말랑한 법(soft law)'
> ☆☆☆☆

1문단

①국제법에서 일반적으로 **조약**은 국가나 국제기구들이 그들 사이에 지켜야 할 구체적인 권리와 의무를 명시적으로 합의하여 창출하는 규범이며, **국제 관습법**은 조약 체결과 관계없이 국제 사회 일반이 받아들여 지키고 있는 보편적인 규범이다. ②반면에 경제 관련 국제기구에서 어떤 결정을 하였을 경우, 이 결정 사항 자체는 권고적 효력만 있을 뿐 법적 구속력은 없는 것이 일반적이다. ③그런데 국제결제은행 산하의 바젤위원회가 결정한 BIS 비율 규제와 같은 것들이 비회원인 국가에서도 엄격히 준수되는 모습을 종종 보게 된다. ④이처럼 일종의 규범적 성격이 나타나는 현실을 어떻게 이해할지에 대한 논의가 있다. ⑤이는 위반에 대한 제재를 통해 국제법의 효력을 확보하는 데 주안점을 두는 일반적 경향을 되돌아보게 한다. ⑥곧 신뢰가 형성하는 구속력에 주목하는 것이다.

① #정의 제시 #단어의 의미 살리기 #비교/대조

먼저 '조약'과 '국제 관습법'에 대해 설명하며 시작하고 있습니다. 시작부터 제시되는 개념의 정의는 당연히 확실하게 체크해야겠죠? 먼저 '조약'입니다. 여러 국가나 국제기구들이 서로 간에 지켜야 할 내용을 '명시적'으로 합의한 규범이라고 합니다. 우리가 알고 있는 '조약'이라는 말의 의미와 똑같죠? 어렵지 않게 받아들일 수 있겠습니다.

다음은 '국제 관습법'입니다. 단어의 의미를 살릴 수 있겠다는 생각이 들 때마다 잡아주셔야 합니다. '국제'적으로 '관습'처럼 지켜지는 '법'이라는 의미를 담고 있겠죠? '조약'의 체결이 없어도, 국제 사회 일반이 '관습'처럼 받아들이는 규범이 바로 '국제/관습/법'입니다.

이렇게 정의를 체크하는 건 기본이고, 두 개념이 비교되고 있다는 것을 인지한 그 순간 '공통점'과 '차이점'에 주목해야 합니다. 일단 '조약'과 '국제 관습법' 모두 '규범'이라는 점을 공통점으로 뽑을 수 있겠죠? 정의 체크를 집요하게 했다면 둘 다 '규범'으로 정의되었다는 것을 확인할 수 있으니까요. 나아가 '조약'은 '명시적'으로, '국제 관습법'은 '관습처럼' 만들어진 규범이라는 '차이점'도 잡아주시면 됩니다. 어렵지 않죠?

② #비교/대조 #재진술

아무튼 이렇게 국제 사회에서 지키고 있는 '규범'들과는 다르게, '경제 관련 국제기구의 결정 사항'은 '권고적'인 효력만 있고 '법적'인 구속력은 없다고 합니다. '권고적'이라는 말과 '법적'이라는 말을 바탕으로 비교 포인트를 만드는 건 어렵지 않겠죠? '경제 관련 국제기구'의 말은 '권고적'이므로 꼭 지킬 필요는 없다는 것이에요. 만약 '법적 구속력'을 가진다면 그것을 꼭 지켜야 할 테니까요!

이렇게 비교만 하고 넘어가면 좀 아쉽죠? 여러분은 여기서 '법적 구속력'이 의미하는 바가 바로 앞 문장에 나온 '규범'에 대한 이야기임을 인식할 수 있어야 합니다. '경제 관련 국제기구의 결정 사항'이 '규범'들과 비교되고 있다는 것만 인식했다면 충분히 할 수 있는 생각이에요. 이를 바탕으로 '조약'이나 '국제 관습법' 같은 '규범'들은 '법적'인 구속력을 가진다는 정보도 자연스럽게 챙겨가야겠네요.

③ #재진술 #예외 제시

그런데 이 '결정 사항' 중 BIS 비율 규제 같은 것은 '비회원', 즉 '굳이 지킬 필요 없는 나라'에서도 준수되는 모습이 보인다고 합니다. 이렇게 읽혀야 해요. 앞 문장들의 맥락 속에서 '비회원'이라는 단어가 의미하는 바를 재진술하면서 읽어낼 수 있어야 한다는 것이죠.

나아가 원래 '권고적 효력'만 있는 '경제 관련 국제기구의 결정 사항'이 마치 '법적 구속력'을 가지는 것처럼 보인다는 점에서 일종의 '예외'라고 봐 주셔도 좋습니다. 첫 문단부터 제시된 예외는 당연히 지문 전체의 흐름 속에서 중요한 역할을 하겠죠? 정신 똑바로 차리고 정리해야겠네요.

④~⑥ #화제 제시 #재진술 #비교/대조

이렇게 굳이 지킬 필요 없는 것을 마치 '법적 구속력'이 있는 것처럼 지키는 상황, 즉 '일종의 규범적 성격이 나타나는 현실'을 어떻게 이해할지에 대한 논의가 있다고 합니다. 예상 그대로 앞 문장에서 나타난 예외 상황이 '화제'가 되고 있는 모습입니다. 지킬 필요가 없는 결정 사항을 도대체 왜 엄격하게 지키는 것인지, 그 이유가 이 지문의 화제였던 것이에요.

나아가 이러한 '규범적 성격'에 대해 더 자세히 설명해주고 있습니다. '위반에 대한 제재'와 '신뢰가 형성하는 구속력'을 비교하면서 말이죠! 여기서 '제재'와 '신뢰'라는 이야기가 왜 나왔는지 반드시 생각해야 합니다. 일단 '제재'라는 말은 '법적 구속력'이라는 말과 이쁘게 연결되네요. 그런데 이 지문은 '신뢰'가 형성하는 구속력에 주목한다고 합니다. '신뢰'라는 말과 똑같은 말이 나오지는 않았지만, 앞에서 잡아둔 이 지문의 화제는 '권고적 효력만 있는 결정 사항의 규범적 성격'이기 때문에 이를 '신뢰'와 연결시켜야 하겠습니다. 즉, 지킬 필요가 없는 결정 사항을 엄격하게 지키는 이유는 '신뢰' 때문이라는 것이죠. '재진술'을 바탕으로 문장을 유기적으로 엮었더니, 지문의 화제를 확실하게 잡을 수 있게 되었습니다. 그렇다면 이제부터 '신뢰가 형성하는 구속력'이 정확히 무엇이고, 어떻게 만들어지는지 알아보러 가면 되겠죠?

하이라이트 문장

> ⑥곧 신뢰가 형성하는 구속력에 주목하는 것이다.

사실 이 지문의 첫 문단은 모든 문장이 하이라이트감입니다. 각 문장에서 해야 할 생각을 하나라도 못 하게 되면 지문 전체를 이해하기가 상당히 어려워져요. 하지만 그중에서도 이 문장이 가장 중요하겠습니다. 이 문장을 읽고, 앞 문장에 나온 '위반에 대한 제재'와 '신뢰'라는 두 가지 포인트가 무슨 말인지 '재진술'을 바탕으로 정확하게 이해하셔야 합니다. 이걸 놓치는 순간 이 지문의 완벽한 이해는 불가능해요.

2문단

> ①BIS 비율은 은행의 재무 건전성을 유지하는 데 필요한 최소한의 자기자본 비율을 설정하여 궁극적으로 예금자와 금융 시스템을 보호하기 위해 바젤위원회에서 도입한 것이다. ②바젤위원회에서는 BIS 비율이 적어도 규제 비율인 8 %는 되어야 한다는 기준을 제시하였다. ③이에 대한 식은 다음과 같다.
>
> $$\text{BIS 비율(\%)} = \frac{\text{자기자본}}{\text{위험가중자산}} \times 100 \geq 8(\%)$$
>
> ④〈여기서 **자기자본**은 은행의 기본자본, 보완자본 및 단기후순위채무의 합으로, **위험가중자산**은 보유 자산에 각 자산의 신용 위험에 대한 위험 가중치를 곱한 값들의 합으로 구하였다.〉 ⑤위험 가중치는 자산 유형별 신용 위험을 반영하는 것인데, OECD 국가의 국채는 0%, 회사채는 100%가 획일적으로 부여되었다. ⑥이후 금융 자산의 가격 변동에 따른 시장 위험도 반영해야 한다는 요구가 커지자, 바젤위원회는 **위험가중자산**을 신용 위험에 따른 부분과 시장 위험에 따른 부분의 합으로 새로 정의하여 BIS 비율을 산출하도록 하였다. ⑦〈신용 위험의 경우와 달리 시장 위험의 측정 방식은 감독 기관의 승인하에 은행의 선택에 따라 사용〉할 수 있게 하여 '바젤 I' 협약이 1996년에 완성되었다.

①~③ #정의 제시 #화제의 흐름

앞에서 '경제 관련 국제기구의 결정 사항'의 예시 중 하나로 체크했던 'BIS 비율'에 대해 소개하고 있습니다. 핵심은 은행의 '재무 건전성' 유지를 위한 '최저 자기자본 비율 설정'이네요. '바젤위원회'라는 국제기구에서는 이 '최저 자기자본 비율'이 최소한 8%는 넘어야 한다는 기준을 제시했다고 합니다. 못해도 8% 정도의 '자기자본'은 있어야 '재무 건전성'을 유지할 수 있다는 것이죠. 이렇게 최대한 납득하면서 주요 개념의 정의를 받아들일 수 있어야 합니다.

아니 그런데 무슨 식도 하나 나오고, 분위기가 심상치 않습니다. '신뢰가 형성하는 구속력'이라는 정의를 바로 설명하지 않고, 'BIS 비율'이라는 결정 사항에 대해 먼저 설명하려는 것 같아요. 화제의 흐름을 정확하게 잡으면서 긴장하고 읽어봅시다.

④~⑤ #정의 제시 #단어의 의미 살리기 #고정값

'BIS 비율'이라는 식을 구성하는 여러 요소들을 소개하고 있습니다. 먼저 분자인 '자기자본'입니다. 단어의 의미 그대로, '자기'가 가지고 있는 '자본'이라는 의미를 가지고 있겠죠? 이는 '기본자본', '보완자본', '단기후순위채무'의 합이라고 합니다. 역시 단어의 의미를 살려서, '기본'적인 자본, '보완'하는 자본, '단기'적으로 '후순위'인 '채무' 정도로 정리할 수 있어야 합니다. 전부 기억하는 것은 어렵겠지만, '기본', '보완', '단기후순위'와 같은 말들이 눈에 익어야 해요.

다음은 분모에 있는 '위험가중자산'입니다. 역시 단어의 의미 그대로, '위험'의 정도를 '가중'한 '자산'이라고 할 수 있겠죠? 은행이 가진 자산에 각 자산의 신용 위험에 대한 '위험 가중치'를 곱한 뒤 다 더하면 구해진다고 합니다. '위험 가중치'라는 말 역시 '위험'의 정도를 '가중'한 수'치'라는 방식으로 단어의 의미를 살려 납득할 수 있겠죠? 이렇게 '가중치'를 곱한 뒤에 다 더하는 방식은 여기저기서 많이 나오는 메커니즘이니 알아두도록 해요! 대표적으로 2017학년도 6월 모의평가 '인공 신경망 기술' 지문이 있습니다. 스스로 풀어봅시다!

아무튼 '위험가중자산'을 구하는 데 사용되는 '위험 가중치'는 자산별 '신용 위험'을 반영하는데, OECD 국가의 국채는 0%, 회사채는 100%가 '획일적'으로 부여되었다고 합니다. 여기서도 그냥 멍하게 받아들이는 게 아니라, '국가'가 발행한 '국채'는 믿을 만하니 '위험'의 정도를 0%로, '회사'가 발행한 '회사채'는 아무래도 믿기 힘드니 '위험의 정도'를 100%로 설정했다는 식으로 납득하고 넘어가셔야 합니다. 여기에 '위험 가중치'가 '획일적'으로, 즉 '고정값'으로 부여되었다는 것도 체크해주시면 더욱 훌륭하겠죠?

⑥ #정의 제시 #카테고리 나누기

이후 '시장 위험'이라는 것도 반영해야 한다는 요구가 커졌고, 바젤 위원회는 '위험가중자산'을 '신용 위험'에 따른 부분과 '시장 위험'에 따른 부분으로 나누었다고 합니다. 여기서 '신용 위험'과 '시장 위험'이라는 내용을 두 개의 카테고리로 나눠 생각할 수 있어야 합니다. 똑같은 '위험'으로만 치부할 게 아니에요. 앞에서 계속 '신용 위험'이라는 말이 반복되다가 '시장 위험'이라는 말이 새롭게 등장하고, 심지어 나누어 정의했다는 말까지 나왔기에 둘을 확실하게 구별할 수 있어야 합니다. '신용 위험'은 각 자산의 '신용'과 관련된 '위험'이겠고, '시장 위험'은 '시장'과 관련된 '위험'이겠죠? 단어의 의미를 살리면 더욱 확실하게 구별할 수 있습니다. '신용 위험'은 자산 자체의 '신용'상의 위험을 의미하고, '시장 위험'은 자산과는 상관없는 외부 '시장'의 위험을 의미하는 것이에요. 그 전에는 '자산 자체'에만 주목했다가 외부의 '시장'도 고려하는 방향으로 변한 것이죠!

⑦ #비교/대조 #재진술

이때 '신용 위험'과 달리 '시장 위험'의 측정 방식은 감독 기관의 승인만 있다면 은행이 자유롭게 선택할 수 있다고 합니다. 두 가지 카테고리를 비교하는 건 기본이고, 최대한 납득할 수 있어야 합니다. '신용 위험'의 경우, 각 은행이 가진 자산의 '신용도'를 고려합니다. 만약 이를 은행이 마음대로 선택할 수 있다면, 자신에게 유리하도록 신용도를 높일 수 있을 것입니다. 따라서 '신용 위험'은 은행이 측정 방식을 선택하지 못하게 하는 것이에요. 이는 국채와 회사채의 '위험 가중치'를 '고정값'으로 정해 둔 내용의 재진술이라고도 할 수 있겠죠? 은행이 결정하면 안 되는 값이니, 바젤위원회가 직접 고정값으로 결정해버린 것이에요.

한편 '시장 위험'의 경우, 금융 자산의 가격 변동성, 즉 '외부 시장 상황'에 의한 위험 정도를 의미합니다. 이는 어차피 은행만의 힘으로 결정되는 것이 아니므로, '감독 기관의 승인'만 받을 수 있다면 어느 정도 자유롭게 정할 수 있게 해 주는 것이네요. 충분히 납득할 수 있겠죠? 이렇게 '분자'와 '분모'가 정확하게 정해진 'BIS 비율'이 만들어졌고, 이를 '바젤 I 협약'이라고 부릅니다.

정보량이 상당합니다. 정리하기가 굉장히 힘들어요. 이럴 때일수록 속도를 줄여 납득할 정보는 납득하고, 재진술도 체크하고 하면서 최대한 '기억'할 정보를 줄여야 합니다. 그 뒤, '내가 지금 뭘 읽고 있는지'를 생각하며 카테고리를 만들어주시는 게 중요해요. 이렇게 해야 선지 판단을 훨씬 효율적으로 할 수 있으니까요. 우리는 지금 'BIS 비율'의 분자/분모를 이루는 개념들에 대해서 읽고 있습니다. 이걸 놓치면 안 돼요!

하이라이트 문장

①BIS 비율은 은행의 재무 건전성을 유지하는 데 필요한 최소한의 자기자본 비율을 설정하여 궁극적으로 예금자와 금융 시스템을 보호하기 위해 바젤위원회에서 도입한 것이다.

'BIS 비율'의 정의를 체크하는 것은 기본이고, 아래에 나오는 식 등을 보아하니 엄청난 정보들이 쏟아질 것임을 생각하고 긴장해야 합니다. 나아가 화제의 흐름이 변화했음을 인지해야 합니다. '내가 지금 뭘 읽고 있는지'에 대해서 끊임없이 인식해야 해요.

3문단

①금융 혁신의 진전으로 '바젤 I 협약'의 한계가 드러나자 2004년에 '바젤 II' 협약이 도입되었다. ②여기에서 BIS 비율의 위험가중자산은 신용 위험에 대한 위험 가중치에 자산의 유형과 신용도를 모두 고려하도록 수정되었다. ③신용 위험의 측정 방식은 표준 모형이나 내부 모형 가운데 하나를 은행이 이용할 수 있게 되었다. ④표준 모형에서는 OECD 국가의 국채는 0%에서 150%까지, 회사채는 20%에서 150%까지 위험 가중치를 구분하여 신용도가 높을수록 낮게 부과한다. ⑤〈예를 들어 실제 보유한 회사채가 100억 원인데 신용 위험 가중치가 20%라면 위험가중자산에서 그 회사채는 20억 원으로 계산된다.〉 ⑥내부 모형은 은행이 선택한 위험 측정 방식을 감독 기관의 승인하에 그 은행이 사용할 수 있도록 하는 것이다. ⑦또한 감독 기관은 필요시 위험가중자산에 대한 자기자본의 최저 비율이 규제 비율을 초과하도록 자국 은행에 요구할 수 있게 함으로써 자기자본의 경직된 기준을 보완하고자 했다.

①~③ #카테고리 나누기 #재진술

'바젤 I 협약'에서 '바젤 II 협약'으로 변화한 모습입니다. 카테고리를 새롭게 하나 만들어주시면서, 어떤 점들이 변화했는지 하나하나 체크하면 되겠죠?

먼저 분모에 해당하는 '위험가중자산'에 변화가 발생했습니다. '신용 위험'에 대한 위험 가중치에 '자산의 유형'과 '신용도'를 모두 고려하게 되었다고 해요! 단순히 받아들이기만 하는 게 아니라, 앞 문단의 '신용 위험 가중치' 부분으로 돌아가서 무엇이 달라졌는지를 따져야 합니다. '바젤 I 협약'에서는 '신용 위험 가중치'가 '고정값'이었습니다. 즉, '국채·회사채'라는 '자산의 유형'은 따졌지만, '신용도'는 고려하지 않고 일괄적으로 부여했다는 것이죠! 그런데 이제는 '신용도'도 고려하게 되었습니다. 각 나라나 회사의 '신용도'에 따라 '위험 가중치'가 달라질 수 있게 된 것이겠죠?

이러한 '신용 위험'의 측정 방식은 '표준 모형'과 '내부 모형' 중 하나를 선택할 수 있게 되었다고 합니다. 각 모형이 어떤 것인지 확실하게 이해할 준비를 해야겠죠?

④~⑤ #정의 제시 #단어의 의미 살리기 #재진술 #사례-원리 연결

먼저 '표준 모형'입니다. 단어의 의미를 살리면, '표준'적인 '모형'이라고 할 수 있겠네요. 이 모형에서는 OECD 국가의 '국채'는 '0%~150%' 범위 내에서, '회사채'는 '20%~150%' 범위 내에서 '위험 가중치'를 결정할 수 있다고 합니다. 신용도가 높을수록 낮게 부과된다는 건 너무나 당연한 말이죠? 신용도가 높다는 건 '위험'의 정도가 낮다는 것이니까요. 앞에서 이야기한 그대로, '신용 위험'에 대한 위험 가중치에 '신용도'까지 고려하고 있는 모습입니다.

당연한 말이지만, 혹시나 이해하지 못했을까봐 한 번 더 설명해 주고 있습니다. '실제 보유'한 회사채가 100억이고 신용도가 매우 높아 '위험 가중치'는 20%로 부과되었다면, '위험가중자산'에서는 20억(100억×20%)로 계산이 되는 것이죠! 이렇게 '위험가중자산'을 구하는 방법을 사례로 제시한 것입니다. 확실하게 이해할 수 있어야겠죠? 아무튼 이렇게 정해진 '위험 가중치'의 범위 내에서 선택할 수 있게 하는 것이 바로 '표준 모형'이었습니다.

⑥ #정의 제시 #단어의 의미 살리기 #재진술

다음은 '내부 모형'입니다. 단어의 의미를 살리면, '내부'적으로 처리하는 '모형'이라고 할 수 있겠죠? 감독 기관이 승인만 하면 은행이 선택한 위험 측정 방식을 사용할 수 있게 해 주는 것입니다. 은행이 '내부'적으로 알아서 선택할 수 있게 하는 것이죠! 이렇게 이해하는 건 기본이고, '내부 모형'이 '표준 모형'과 함께 '신용 위험의 측정 방식'에 속한다는 것을 생각할 수 있어야 합니다. 정보의 카테고리를 정확하게 설정하면서 읽을 수 있어야 해요.

나아가 '내부 모형'의 정의를 보면서 2문단에서 읽었던 '시장 위험의 측정 방식'이 떠올라야만 합니다. 그때 읽었던 내용과 '진짜로' 같은 말이 제시되고 있으니까요. 이렇게 분명히 체크했던 내용은 앞 문단에서 다시 끌고 오면서 붙여 읽는 것이 중요해요.

⑦ #예외 제시 #재진술 #카테고리 나누기

이게 끝이 아닙니다. 감독 기관은 '위험가중자산에 대한 자기자본의 최저 비율'이 '규제 비율'을 초과하도록 은행에 요구할 수 있게 되었다고 합니다. 여기서 이 말을 'BIS 비율이 8%를 초과하도록' 요구할

수 있게 되었다는 말로 바꿔 읽을 수 있어야겠죠? 핵심 개념인 'BIS 비율'의 정의를 생각하면 충분히 끌어올 수 있어요! 아무튼 이렇게 되면 '자기자본'의 비율을 더욱 높이도록 하여 '재무 건전성'을 훨씬 좋게 만들도록 할 수 있겠네요. 여기까지 이해할 수 있어야 합니다. 개념의 '정의'를 바탕으로 말이죠.

이번에도 장난이 아니었습니다. 하지만 여기서 이렇게 많은 정보들을 자유롭게 풀어놓으면, 선지 판단 과정에서 주워담기가 매우 어렵습니다. 여러분은 반드시 이 정보를 특정 '카테고리'로 묶어낼 수 있어야 해요. '강제적'으로라도 이 정보들을 하나의 카테고리 속에 넣어야 한다는 것이에요! 평가원은 절대 아무 생각 없이 정보를 나열하지 않으니까요.

이 생각을 했더니, 자기자본의 '경직된 기준을 보완'하고자 했다는 말이 눈에 들어옵니다. 물론 이는 'BIS 비율'이 8%를 초과할 수도 있게 했다는 이야기이지만, 사실 3문단에서 읽었던 모든 정보는 '경직된 기준 보완'이라는 하나의 틀에서 제시되고 있었거든요. '위험가중자산'을 구할 때 더 많은 정보를 고려하게 한 것, 고정값이던 '신용 위험'의 측정 방식을 선택할 수 있게 한 것, '8% 이상'이라는 경직된 기준에 예외를 허용한 것 등은 모두 '경직된 기준 보완'이라는 목표를 가리키고 있으니까요. 결국 우리는 '바젤 II 협약=경직된 기준 보완'이라는 식으로 '강제 카테고리화'를 시킬 수 있었던 겁니다.

사후적이라고, 억지라고 생각하지 않았으면 좋겠어요. '정보량이 감당되지 않으면 카테고리로 묶어둔다.'라는 대원칙이 갖춰져 있었다면 충분히 떠올릴 수 있는 생각이니까요. 이런 방식을 통해, 이번에도 정보량을 줄여내는 데 성공했습니다.

하이라이트 문장

> ⑦또한 감독 기관은 필요시 위험가중자산에 대한 자기자본의 최저 비율이 규제 비율을 초과하도록 자국 은행에 요구할 수 있게 함으로써 자기자본의 경직된 기준을 보완하고자 했다.

이 문장에는 나타나지 않은 'BIS 비율'과 '8%'를 떠올릴 수 있어야 합니다. 모든 문단이 유기적으로 엮여야 해요! 나아가 '경직된 기준 보완'이라는 말에 주목하며 3문단의 정보를 하나의 카테고리 속에 넣을 수 있어야 합니다. 기억하세요. 정보량이 많은 지문은 존재하지 않습니다!

①최근에는 '바젤 Ⅲ' 협약이 발표되면서 자기자본에서 단기후순위채무가 제외되었다. ②또한 위험가중자산에 대한 기본자본의 비율이 최소 6%가 되게 보완하여 자기자본의 손실 복원력을 강화하였다. ③이처럼 새롭게 발표되는 바젤 협약은 이전 협약에 들어 있는 관련 기준을 개정하는 효과가 있다.

①~② #카테고리 나누기 #재진술

이번엔 '바젤 Ⅲ 협약'입니다. 지긋지긋하네요. 일단 카테고리 다시 나눠 주고, 두 가지 변화 포인트를 잡아 줍시다. 일단 분자인 '자기자본'에서 '단기후순위채무'가 제외되었습니다. 원래는 '채무'도 '자본'의 하나로 인정했는데, 이제는 오로지 '기본자본'과 '보완자본'만으로 '자기자본'을 구성해야 하는 상황이 된 것이네요. 여기서 '단기후순위채무'를 보자마자 이렇게 '기본자본', '보완자본'을 끌어올 수 있어야 합니다. 우리는 지금 BIS 비율의 분자에 대해 읽고 있으니까요.

나아가 분모인 '위험가중자산' 대비 '기본자본'의 비율이 최소 6%가 되게 개정했다고 합니다. '위험가중자산' 대비 '자기자본'의 비율이 바로 'BIS 비율'인데, 그 '자기자본'을 구성하는 '기본자본'이 '위험가중자산' 대비 6% 이상은 있어야 한다는 것이네요. 이렇게 '기본'적으로 가지고 있는 '자본'이 많아지면, '자기자본'에 손실이 났을 때 '복원력'이 훨씬 강화된다고 할 수 있겠죠? 이렇게 최대한 납득하면서 읽어야 합 ㅣ다!

나아가 '바젤 Ⅲ 협약'이라는 카테고리는 '자기자본의 손실 복원력 강화'라는 말로 정리할 수 있겠죠? '단기후순위채무'를 제외한 것과 '기본자본'의 비율을 강화한 것 모두 순수한 '자기자본'의 비율을 높이는 것을 목적으로 하고 있으니까요. 이번에도 '강제 카테고리화'를 통해 정보량을 줄여내는 데 성공했습니다.

③ #화제의 흐름

이렇게 새롭게 '바젤 협약'을 발표하면 이전 협약의 기준을 개정할 수 있다고 합니다. 당연한 말이죠?

드디어 지겨운 '바젤 협약' 이야기가 끝난 것 같습니다. 여기서 다시 한번 '화제'에 대한 인식을 해 주시는 게 중요하겠네요. 사실 조금 잊고 있었지만, 이 지문의 진짜 화제는 '신뢰가 형성하는 구속력'이었습니다. 지금까지 읽었던 '바젤 협약'이 바로 '권고적 효력'만을 가진 '경제 관련 국제기구의 결정 사항'인데, 이 내용을 지킬 필요가 없는 '비회원'의 국가에서마저도 스스로 구속된다는 게 핵심이었어요. 그리고 그 이유는 '신뢰' 때문이었습니다. 이제 정확하게 이해하려 가봅시다.

하이라이트 문장

③이처럼 새롭게 발표되는 바젤 협약은 이전 협약에 들어 있는 관련 기준을 개정하는 효과가 있다.

'바젤 협약' 관련 정보가 마무리된다는 느낌을 받으면서, 동시에 '화제'가 무엇이었는지 다시 한번 떠올릴 수 있어야 합니다. 모든 정보는 결국 '화제 중심'으로 정리될 테니까요.

①바젤 협약은 우리나라를 비롯한 수많은 국가에서 채택하여 제도화하고 있다. ②현재 바젤위원회에는 28개국의 금융 당국들이 회원으로 가입되어 있으며, 우리 금융 당국은 2009년에 가입하였다. ③하지만 우리나라는 가입하기 훨씬 전부터 BIS 비율을 도입하여 시행하였으며, 현행 법제에도 이것이 반영되어 있다. ④바젤 기준을 따름으로써 은행이 믿을 만하다는 징표를 국제 금융 시장에 보여 주어야 했던 것이다. ⑤재무 건전성을 의심받는 은행은 국제 금융 시장에 자리를 잡지 못하거나, 심하면 아예 발을 들이지 못할 수도 있다.

①~③ #화제의 흐름 #재진술

이러한 '바젤 협약'은 우리나라를 비롯, 28개국의 금융 당국들이 가입되어 있다고 합니다. 그런데 우리나라는 가입 전부터 이걸 잘 지켰다고 해요. 나아가 수많은 국가에서 채택·제도화하고 있다고 합니다. 이는 1문단의 재진술에 불과한 내용이죠? '법적 구속력'이 없는 결정 사항을 스스로 나서서 지키는 상황이에요.

④~⑤ #화제의 흐름 #재진술

그 이유는 우리가 미리 정리한 대로 '신뢰' 때문이었습니다. 정확히 어떤 '신뢰'인가 했더니, 먼저 나서서 국제적 기준을 지킴으로써 은행이 '신뢰'를 줄 만하다는 신호를 보인다는 것이죠! 5번 문장에서 이야기하는 것처럼, 재무 건전성에서 '신뢰'를 받지 못하는 은행들은 국제 금융 시장에서 도태될 것이 뻔하니까요.

화제의 흐름으로 돌아왔다는 느낌 팍팍 받으시면서, 1문단의 내용을 재진술하며 어렵지 않게 납득할 수 있어야 합니다.

하이라이트 문장

> ④바젤 기준을 따름으로써 은행이 믿을 만하다는 징표를 국제 금융 시장에 보여 주어야 했던 것이다.

'믿을 만하다는 징표'를 보자마자 '신뢰를 통한 구속력'이 떠올라야 합니다. 결국 이 지문에서 하고 싶은 이야기는 이 내용이니까요.

6문단

> ①바젤위원회에서는 은행 감독 기준을 협의하여 제정한다. ②그 헌장에서는 회원들에게 바젤 기준을 자국에 도입할 의무를 부과한다. ③하지만 바젤위원회가 <u>초국가적 감독 권한이 없으며 그의 결정도 법적 구속력이 없다는 것</u> 또한 밝히고 있다. ④바젤 기준은 <u>100개가 넘는 국가가 채택하여 따른다.</u> ⑤이는 국제기구의 결정에 형식적으로 구속을 받지 않는 국가에서까지 자발적으로 받아들여 시행하고 있다는 것인데, 이런 현실을 **말랑말랑한 법**(soft law)의 모습이라 설명하기도 한다. ⑥이때 조약이나 국제 관습법은 그에 대비하여 **딱딱한 법**(hard law)이라 부르게 된다. ⑦바젤 기준도 장래에 딱딱하게 응고될지 모른다.

①~③ #재진술

앞에서 했던 말들의 반복입니다. 바젤위원회가 은행 감독 기준, 즉 'BIS 비율'을 협의하여 제정하고, 회원국들에게 이를 도입할 의무를 부과한다고 합니다. '회원'들은 '비회원'들과 달리 당연히 이를 지킬 의무가 있다고 할 수 있겠죠? 하지만 그들 스스로 이 규정에 '초국가적 감독 권한', '법적 구속력'이라는 것이 없다는 것도 밝히고 있다고 합니다. 여기서 '법적 구속력'을 보자마자 '조약'과 '국제 관습법'이라는 '규범'들이 떠올라야겠죠? 'BIS 비율'은 '규범'이 아니라는 것을 강조하는 것이에요!

④ #재진술

그런데 이러한 '바젤 기준'은 무려 100개가 넘는 국가가 채택했다고 합니다. 그냥 넘어가면 안 됩니다. 앞 문단에서는 분명 회원국이 28개국이라고 했습니다. 그런데 여기선 100개가 넘는 국가가 따르고 있다고 해요. 이는 1문단에서부터 말하던 '비회원의 국가에서도 엄격히 준수'되는 모습이라고 할 수 있겠네요. 결국 다 같은 말이었습니다. 이렇게 재진술을 잡아주면서 화제의 흐름을 정확하게 잡을 수 있어야 해요.

⑤~⑦ #수식된 정의 제시 #단어의 의미 살리기 #재진술 #비교/대조

이처럼 형식적으로 구속을 받지 않는 국가, 즉 '비회원' 국가에서도 국제기구의 결정을 받아들이는 모습을 '말랑말랑한 법'으로 부른다고 합니다. '말랑말랑'이라는 단어의 의미를 바탕으로 그 의미를 정확히 이해할 수 있겠죠. 나아가 이 '말랑말랑한 법'이 바로 '신뢰가 형성하는 구속력'을 의미한다는 것까지 생각할 수 있어야 합니다. 이 지문의 화제 그 자체인 것이에요!

한편 이와 반대되는 규범들은 '딱딱한 법'으로 불리네요, 훨씬 강제적이라는 의미를 담고 있겠죠? '바젤 기준'도 언젠가 '조약'이나 '국제 관습법'의 형태로 '규범'이 된다면, '딱딱한 법'이 될 수도 있다는 이야기로 마무리되고 있습니다.

하이라이트 문장

> ④바젤 기준은 100개가 넘는 국가가 채택하여 따른다.

굉장히 뜬금없다고 느낄 수 있는 문장입니다. 하지만 '신뢰가 형성하는 구속력'이라는 이 지문의 화제가 담긴 정말 중요한 문장이기도 했어요. '화제' 중심으로 문장마다 '해야 할 생각'을 정확히 하면서 읽어 나가는 것이 정말 중요합니다.

선지	①	②	③	④	⑤
선택률	63%	10%	8%	9%	10%

01 윗글의 내용 전개 방식으로 가장 적절한 것은? ①

- '내용 전개 방식' 문제입니다. 늘 그랬듯이, 주관식으로 답을 생각하고 갈 수 있어야 합니다. 이 지문은 '바젤 기준'이라는 국제기구의 결정 사항을 예로 들어 '신뢰가 형성하는 구속력'이라는 화제를 설명했습니다. 이런 생각과 가장 비슷한 내용을 골라보도록 합시다.

> ① 특정한 국제적 기준의 내용과 그 변화 양상을 서술하며 국제 사회에 작용하는 규범성을 설명하고 있다.

명시적 근거	지문 전체
실전에서의 판단 과정	바젤 기준 내용, 변화 양상 나왔고 국제 사회에 작용하는 규범성은 화제 그 자체네.
해설	특정한 국제적 기준(바젤 협약)의 내용과 그 변화 양상, 나아가 국제 사회에 작용하는 규범성(신뢰를 통한 구속력)까지. 완벽한 정답 선지입니다. 내용 전개 방식 문제는 답을 찾는 게 아니라 내가 지문을 잘 읽었는지 최종 확인하는 용도로 사용할 수 있어야 합니다. 그게 진짜 실력자예요!

② 특정한 국제적 기준이 제정된 원인을 서술하며 국제 사회의 규범을 감독 권한의 발생 원인에 따라 분류하고 있다.

명시적 근거	–
실전에서의 판단 과정	감독 권한의 발생 원인이 도대체 뭐냐.
해설	바젤 협약이라는 기준이 제정된 원인(은행의 재무 건전성 확보)은 나왔다고 할 수 있는데, 이런 규범을 '감독 권한의 발생 원인'에 따라 분류한 적은 없죠? 화제를 찾아야 합니다!

③ 특정한 국제적 기준의 필요성을 서술하며 국제 사회에 수용되는 규범의 필요성을 상반된 관점에서 논증하고 있다.

명시적 근거	–
실전에서의 판단 과정	규범이 필요하다는 이야기는 아니었지.
해설	규범의 '필요성'을 따지는 지문도 아니었고, '상반된 관점'이라는 것 역시 화제와 크게 어긋나죠?

④ 특정한 국제적 기준과 관련된 국내법의 특징을 서술하며 국제 사회에 받아들여지는 규범의 장단점을 설명하고 있다.

명시적 근거	–
실전에서의 판단 과정	국내법의 특징, 규범의 장단점... 화제와 너무 무관하네.
해설	애초에 '국내법'에 대한 이야기는 나온 적도 없고, 국제 사회에 받아들여지는 규범, 즉 '조약'이나 '국제 관습법'에 대한 내용이 핵심이 아니죠.

⑤ 특정한 국제적 기준의 설정 주체가 바뀐 사례를 서술하며 국제 사회에서 규범 설정 주체가 지닌 특징을 분석하고 있다.

명시적 근거	–
실전에서의 판단 과정	규범 설정 주체는 화제와 무관하지.
해설	'규범 설정 주체'가 핵심이 아니에요. 화제를 찾는 문제입니다!

여기서 오답 선지인 2~5번은 모두 '규범'이라는 말을 쓰고 있고, 정답 선지인 1번 선지만 '규범성'이라는 말을 쓰고 있다는 점이 주목할 만합니다. 이 지문의 화제는 '규범'에 해당하는 '조약/국제 관습법'이 아

니라 '규범성'을 지닌 '말랑말랑한 법'이었으니까요. 화제에 민감하게 반응할 것을 요구하는 평가원의 의도를 다시 한번 확인할 수 있죠?

선지	①	②	③	④	⑤
선택률	5%	10%	57%	17%	11%

02 윗글에서 알 수 있는 내용으로 적절하지 않은 것은? ③

① 조약은 체결한 국가들에 대하여 권리와 의무를 부과하는 것이 원칙이다.

명시적 근거	1문단 1번 문장
실전에서의 판단 과정	조약의 정의 자체네.
해설	'조약'은 체결한 국가들 간의 '권리와 의무'를 '명시적'으로 부과하는 규범이었습니다. 정의 그 자체를 묻고 있네요.

② 새로운 바젤 협약이 발표되면 기존 바젤 협약에서의 기준이 변경되는 경우가 있다.

명시적 근거	4문단 3번 문장
실전에서의 판단 과정	당연한 소리 아니야?
해설	이렇게 변경되는 바젤 기준의 내용을 정리하느라 그렇게 고생했는데, 이런 선지는 너무나 당연하게 지울 수 있겠죠?

③ 딱딱한 법에서는 일반적으로 제재보다는 신뢰로써 법적 구속력을 확보하는 데 주안점이 있다.

명시적 근거	1문단 5번 문장, 6문단 6번 문장
실전에서의 판단 과정	딱딱한 법은 제재가 형성하는 구속력을 의미하지.
해설	'딱딱한 법=제재가 형성하는 구속력', '말랑말랑한 법=신뢰가 형성하는 구속력'이라는 정보는 이 지문 전체를 끌고 가는 핵심 내용이었습니다. '화제'를 바탕으로 재진술하는 태도가 갖춰져 있었다면 보자마자 틀렸다는 것을 파악할 수 있는 선지네요.

④ 국제기구의 결정을 지키지 않을 때 입게 될 불이익은 그 결정이 준수되도록 하는 역할을 한다.

⑤ 세계 각국에서 바젤 기준을 법제화하는 것은 자국 은행의 재무 건전성을 대외적으로 인정받기 위해서이다.

명시적 근거	5문단 4번~5번 문장
실전에서의 판단 과정	신뢰를 확보하는 게 중요하지.
해설	'바젤 기준'과 같은 국제기구의 결정을 지키지 않을 경우, 국제 금융 시장에서 '신뢰'를 확보할 수 없다는 불이익을 얻습니다. 이를 고려하기 때문에 수많은 국가의 은행들이 자발적으로 '바젤 기준'을 지켜 '재무 건전성'을 인정받으려 한 것이죠? 역시 화제 그 자체를 물어보는 선지들이네요.

선지	①	②	③	④	⑤
선택률	10%	17%	14%	47%	12%

03 BIS 비율에 대한 이해로 가장 적절한 것은? ④

– 열심히 카테고리화시키며 정리했던 'BIS 비율'에 대한 문제입니다. 분자와 분모의 내용을 처음 정했던 '바젤 I 협약', 경직된 기준을 보완했던 '바젤 II 협약', 자기자본의 손실 복원력을 강화했던 '바젤 III 협약'의 내용들을 머릿속에 떠올리며 선지를 판단해봅시다.

① 바젤 I 협약에 따르면, 보유하고 있는 회사채의 신용도가 낮아질 경우 BIS 비율은 낮아지는 경향이 있다.

명시적 근거	2문단 5번 문장
실전에서의 판단 과정	바젤 I 협약에서는 회사채 신용도를 고려하지 않고 위험 가중치를 100%로 고정시켰지.
해설	바젤 I 협약에서의 회사채 '신용도'에 대해 묻고 있습니다. 바젤 I 협약의 핵심은 회사채와 국채의 '신용도'에 상관없이 '위험 가중치'를 고정시켰다는 것이었어요. '신용도'를 고려하게 된 것은 바젤 II 협약에서 만들어진 큰 차이점이었기 때문에, 이 내용이 머릿속에 확실하게 들어 있을 것입니다.

어쨌든 바젤 I 협약에 따르면, 회사채의 '신용도'가 아무리 낮아져도 'BIS 비율'에는 아무런 변화를 일으키지 못하겠죠. '위험 가중치'가 100%로 고정되어 있으니까요. |

② 바젤 II 협약에 따르면, 각국의 은행들이 준수해야 하는 위험가중자산 대비 자기자본의 최저 비율은 동일하다.

명시적 근거	3문단 7번 문장
실전에서의 판단 과정	바젤 II 협약의 핵심은 경직된 기준 보완이지.
해설	바젤 II 협약은 '경직된 기준의 보완'이라는 카테고리 속에서 변화가 일어났습니다. 그리고 그 중 하나가 바로 감독 기관에서 '위험가중자산 대비 자기자본의 최저 비율', 즉 'BIS 비율'이 8%를 초과하도록 은행에 요구할 수 있게 된 것이죠? 이 내용을 지문에서 찾아서 해결해도 좋지만, '경직된 기준 보완'이라는 카테고리를 활용하여 해결할 수 있었다면 더 좋을 것 같습니다.

③ 바젤 II 협약에 따르면, 보유하고 있는 OECD 국가의 국채를 매각한 뒤 이를 회사채에 투자한다면 BIS 비율은 항상 높아진다.

명시적 근거	3문단 3번~6번 문장
실전에서의 판단 과정	위험 가중치가 어떻게 될지 모르는데 BIS 비율이 항상 높아진다고 말할 수는 없지.
해설	바젤 II 협약에서는 각 자신의 '신용 위험'을 고려하여 '위험 가중치'를 결정하는데, 이때 은행은 '표준 모형'과 '내부 모형'을 선택할 수 있습니다. '내부 모형'을 선택하는 경우에는 은행이 마음대로 할 수 있기 때문에 '위험 가중치'가 어떻게 정해질지 알 수 없고, '표준 모형'을 선택하는 경우에도 국채와 회사채의 '위험 가중치'가 범위로 제시되기에 어떻게 정해질지 알 수 없습니다.

조금 더 자세히 설명해볼까요? 'BIS 비율'이 조정되려면 결국 분자인 '자기자본'이나 분모인 '위험가중자산'이 변해야 하는데, 이렇게 '위험 가중치'가 어떻게 결정될지 모르는 상황에서는 분모인 '위험가중자산'도 어떻게 결정될지 알 수 없고, 이는 결국 'BIS 비율' 자체가 어떻게 결정될지 알 수 없다는 이야기로 이어진다는 것입니다. 결국 국채를 매각하고 회사채에 투자하든, 그 반대로 투자하든 '위험 가중치'가 결정되지 않은 상황에서는 'BIS 비율'이 항상 높아진다고 할 수가 없는 것이죠.

물론 상식적으로 예측을 해 보면, 일반적으로 회사채의 '위험 가중치'가 국채보다 높을 것이므로 국채를 매각하고 회사채에 투자하면 '위험 가중치'가 높아져 분모가 커지고, 결국 'BIS 비율'은 낮아지는 결과를 낳을 것이라고 생각할 수 있습니다. 이 경우 역시 '항상' 그렇지는 않겠지만, 완벽하게 이해하면 여기까지도 생각할 수 있겠네요. |

④ 바젤Ⅱ 협약에 따르면, 시장 위험의 경우와 마찬가지로 감독 기관의 승인하에 은행이 선택하여 사용할 수 있는 신용 위험의 측정 방식이 있다.

명시적 근거	3문단 3번 문장, 3문단 6번 문장
실전에서의 판단 과정	내부 모형으로 신용 위험 측정하면 감독 기관 승인하에 은행이 선택할 수 있지.
해설	바젤Ⅱ 협약에서는 원래 '위험 가중치'를 고정값으로 제시하여 은행의 선택권이 없었던 '신용 위험의 측정 방식'을 선택할 수 있게 해 주는 방식으로 '경직된 기준을 보완'했어요. 그리고 그 측정 방식에는 '표준 모형'과 '내부 모형'이 있었죠. 이 중에서 '내부 모형'을 선택하면, '시장 위험'의 경우와 마찬가지로 감독 기관의 승인하에 은행이 신용 위험의 측정 방식을 선택할 수 있었습니다. 맞는 선지네요! '경직된 기준 보완'이라는 바젤Ⅱ 협약의 카테고리를 바탕으로, '내부 모형'이라는 정보가 '신용 위험 측정 방식'이라는 카테고리에 속한 정보였다는 것까지 생각했어야 하는 선지였습니다. 나아가 '감독 기관의 승인'이라는 '진짜로' 같은 말을 활용하며 읽는 태도도 중요했어요. 단순히 눈알을 굴려서 푸는 게 아니라, 이렇게 '생각'을 바탕으로 해결할 수 있는 여러분이 되었으면 좋겠습니다.

⑤ 바젤Ⅲ 협약에 따르면, 위험가중자산 대비 보완자본이 최소 2%는 되어야 보완된 BIS 비율 규제를 은행이 준수할 수 있다.

명시적 근거	4문단 2번 문장
실전에서의 판단 과정	기본자본이 6% 넘는 게 중요한 거 아니야?
해설	바젤Ⅲ 협약에서는 '위험가중자산 대비 기본자본'의 비율을 6% 이상으로 할 것을 요구했습니다. 이렇게 함으로써 '자기자본의 손실 복원력'을 강화하고자 한 것이죠. 그런데 '보완자본'이 2%가 되더라도, '기본자본'이 6%가 안 된다면 이 조건을 달성할 수가 없겠죠? '보완자본'과 '기본자본'을 헷갈렸다거나, '6+2=8'이라는 틀에 속았다거나 하는 변명은 통하지 않습니다! 단어 단위로 정확하게 독해하는 것부터 확실하게 할 수 있어야 해요.

선지	①	②	③	④	⑤
선택률	8%	22%	20%	26%	24%

04 윗글을 참고할 때, 〈보기〉에 대한 반응으로 적절하지 <u>않은</u> 것은? [3점] ⑤

[보기]

갑 은행이 어느 해 말에 발표한 자기자본 및 위험가중자산은 아래 표와 같다. 갑 은행은 OECD 국가의 국채와 회사채만을 자산으로 보유했으며, 바젤Ⅱ 협약의 표준 모형에 따라 BIS 비율을 산출하여 공시하였다. 이때 회사채에 반영된 위험 가중치는 50 %이다. 그 이외의 자본 및 자산은 모두 무시한다.

- 다른 건 가볍게 넘길 수 있는 정보인데, '바젤Ⅱ 협약의 표준 모형'이라는 말이 확 들어오네요. 이때 0%부터 150%까지 부여할 수 있는 '회사채의 위험 가중치'가 50%로 반영된 상황입니다. 이를 적극적으로 이용할 수 있어야겠죠?

항목	자기자본		
	기본자본	보완자본	단기후순위 채무
금액	50억 원	20억 원	40억 원

항목	위험 가중치를 반영하여 산출한 위험가중자산		
	신용 위험에 따른 위험가중자산		시장 위험에 따른 위험가중자산
	국채	회사채	
금액	300억 원	300억 원	400억 원

- 표를 보니, '자기자본'과 '위험가중자산'이 제시되어 있습니다. 대놓고 'BIS 비율'을 구하라는 것이네요. 갑 은행은 BIS 비율을 '바젤Ⅱ 협약'에 따라 공시했기에, '단기후순위채무'를 '자기자본'에 포함시켜야 합니다. 따라서 '자기자본'은 110억 원, '위험가중자산'은 1,000억 원이 되어 BIS 비율이 11%인 건전한 은행이라고 정리할 수 있겠습니다.

나아가 50%의 '위험 가중치'를 반영한 '회사채'의 위험가중자산이 300억 원이므로, 이 은행이 실제 가지고 있는 회사채는 600억 원이라는 것까지 정리할 수 있겠죠? 이 정도까지 디테일한 〈보기〉 정리를 할 수 있으면 좋겠어요.

① 갑 은행이 공시한 BIS 비율은 바젤위원회가 제시한 규제 비율을 상회하겠군.

명시적 근거	2문단 2번 문장
실전에서의 판단 과정	11%면 8% 이상이지.
해설	미리 생각한 정보죠? '갑 은행'은 규제 비율인 8%보다 높은 BIS 비율을 가진 건전한 은행이었습니다. 나아가 현재 '바젤 II 협약'을 따르고 있기 때문에, '단기후순위채무'를 제외하지 않고 '자기자본'을 구할 수 있는 상황이라는 것도 체크할 수 있으면 좋겠네요. 만약 '바젤 III 협약'을 따르는 상황이라면 '단기후순위채무'가 빠져 '자기자본'이 70억 원이 될 뿐 아니라, '기본자본'도 50억 원이어서 바젤위원회가 제시한 규제 비율을 지키지 못하게 되었을 것이에요.

② 갑 은행이 보유 중인 회사채의 위험 가중치가 20%였다면 BIS 비율은 공시된 비율보다 높았겠군.

명시적 근거	2문단 3번 문장, 3문단 4번~5번 문장
실전에서의 판단 과정	위험 가중치가 낮아지면 위험가중자산이 낮아져 BIS 비율은 높아지겠지.
해설	〈보기〉를 정리한 내용에 따르면, 회사채의 '위험 가중치'는 50%였습니다. 그런데 이것이 만약 20%였다는 건, '위험 가중치'가 낮아진 상황을 가정해보자는 것이죠? '위험 가중치'가 낮아지면 '위험가중자산'도 적어질 것이고, 분모가 작아지니 'BIS 비율'은 당연히 현재 공시된 비율에 비해 높아지겠습니다. 이걸 숫자 넣어가며 계산하고 있으면 안 돼요! 'BIS 비율'이라는 개념의 정의만 제대로 체크해도 어렵지 않게 할 수 있는 생각들입니다!

③ 갑 은행이 보유 중인 국채의 실제 규모가 회사채의 실제 규모보다 컸다면 위험 가중치는 국채가 회사채보다 낮았겠군.

명시적 근거	3문단 5번 문장
실전에서의 판단 과정	국채와 회사채의 위험가중자산이 같은데 실제 규모는 국채가 더 크다고? 그럼 더 적은 숫자를 곱한 거니까 위험 가중치는 낮다는 소리네.
해설	역시 무식하게 계산부터 하면 안 됩니다. (물론 시험장에서는 어떻게 해서든 답만 골라오면 됩니다.) '생각'의 힘으로 해결해봅시다. 먼저 〈보기〉를 보면, 국채와 회사채의 '위험가중자산'이 300억 원으로 동일하다는 것을 알 수 있습니다. 그런

데 국채의 '실제 규모'는 회사채보다 더 크다고 해요. 우리는 '표준 모형'과 관련된 예시를 읽으면서 '보유 자산(실제 규모)×위험 가중치=위험가중자산'이라는 걸 파악했습니다. '실제 규모'가 더 큰데 '위험가중자산'은 같으려면, '위험 가중치'가 낮다는 결론밖에 내릴 수가 없습니다.

아주 기초적인 수학적 감각만 있다면, 그리고 '위험가중자산'을 구하는 방법을 '사례'를 바탕으로 해서 확실하게 이해하고 있다면 충분히 해낼 수 있는 생각입니다. 잘 하고 있죠?

④ 갑 은행이 바젤 I 협약의 기준으로 신용 위험에 따른 위험가중자산을 산출한다면 회사채는 600억 원이 되겠군.

명시적 근거	2문단 5번 문장
실전에서의 판단 과정	바젤 I 협약이면 회사채 위험 가중치는 100%로 고정인데, 실제 규모가 600억 원이니 맞는 말이네.
해설	'바젤 I 협약'의 기준으로 '신용 위험'에 따른 위험가중자산을 산출한다고 합니다. '바젤 I 협약'에서는 '신용 위험'에 대한 위험 가중치가 국채 0%, 회사채 100%로 고정되어 있었습니다. '고정값'이기도 했고 '시장 위험'이라는 카테고리와의 차이점이기도 했기 때문에, 머릿속에 확실하게 남아 있는 정보였죠? 나아가 〈보기〉를 정리하는 과정에서, 회사채의 '실제 규모'가 600억 원이라는 것도 체크했었습니다. 그런데 회사채의 위험 가중치는 100%이므로, 회사채의 '위험가중자산' 역시 600억 원(600억×100%)이 나온다고 할 수 있겠네요. '강제 카테고리화'를 바탕으로 각 협약의 차이점을 정확하게 독해할 것을 요구하는 선지네요.

⑤ 갑 은행이 위험가중자산의 변동 없이 보완자본을 10억 원 증액한다면 바젤 III 협약에서 보완된 기준을 충족할 수 있겠군.

명시적 근거	4문단 1번~2번 문장
실전에서의 판단 과정	보완자본 10억 늘려도 위험가중자산 대비 기본자본의 비율이 6%가 안 되네.
해설	1번 선지를 판단하면서 했던 생각과 관련된 내용입니다. '바젤 III 협약'을 따르는 상황이라면 먼저 '자기자본'에서 '단기후순위채무'가 빠져야 합니다. 따라서 '자기자본'이 70억 원이 되어 BIS 비율은 7%로 계산되기에, 보완된 기준을 충족하는

데 실패하게 되는 것이죠. 그런데 이때 선지에서 이야기하는 대로 '보완자본'을 10억 원 늘린다면, BIS 비율을 8%로 만드는 데에는 성공할 수 있습니다.

여기까지만 생각하고 답을 고르지 못한 학생들이 굉장히 많았습니다. 하지만 우리는 '자기자본의 손실 복원력'이라는 카테고리에 하나의 조건이 더 있음을 체크했습니다. 바로 '위험가중자산 대비 기본자본의 비율'이죠? 이 비율이 6%가 되어야 한다고 했는데, '보완자본'을 아무리 늘려도 '기본자본'이 50억 원으로 '위험가중자산' 대비 5%를 유지하게 되므로, '바젤 III 협약'의 보완된 조건을 충족할 수 없게 됩니다.

결국 각 협약의 변화 양상을 억지로라도 '카테고리화'시키는 것이 중요하다는 걸 보여 주고 있네요. 카테고리화시키지 않고 개별적인 정보로만 처리했으면, 이 문제를 해결하는 데 정말 많은 시간과 노력을 쏟을 수밖에 없습니다. 그렇게라도 해서 답을 고르면 그나마 다행이지만, 시간만 허비하고 답은 고르지도 못하는 최악의 상황이 벌어질 수도 있을 것이에요. 이런 상황을 방지하기 위해서라도, '카테고리화'라는 강력한 도구를 바탕으로 정보량을 줄이는 연습을 게을리하지 말아야겠죠?

선지	①	②	③	④	⑤
선택률	8%	13%	15%	30%	34%

05 ㉠에 해당하는 사례로 가장 적절한 것은? ⑤

㉠ 말랑말랑한 법(soft law)

– '말랑말랑한 법'이라는, 이 지문의 '화제'를 물어보고 있습니다. '법적 구속력'은 없어도, '신뢰'를 바탕으로 이를 지키려 한다! 이 포인트를 잡은 채로 풀어봅시다.

① 바젤위원회가 국제 금융 현실에 맞지 않게 된 바젤 기준을 개정한다.

명시적 근거	6문단 5번 문장
실전에서의 판단 과정	바젤 기준 개정이랑은 상관없지.
해설	바젤위원회가 기준을 개정하는 건 아무 상관이 없죠? 그걸 지키는 경우를 찾아야 해요! '바젤 협약'에 대한 정보를 열심히 읽으면서도 '화제'를 잊지 말았어야 한다는 걸 보여 주는 선지네요.

② 바젤위원회가 가입 회원이 없는 국가에 바젤 기준을 준수하도록 요청한다.

명시적 근거	6문단 3번 문장~5번 문장
실전에서의 판단 과정	요청하지 않아도 알아서 지켜야 soft law지.
해설	바젤 기준을 준수하도록 '요청'하는 건 안 돼요! '알아서 지키는' 상황이 나와야 합니다. 답의 핵심 포인트를 정확하게 체크하고 있어야 해요.

③ 바젤위원회 회원의 국가가 준수 의무가 있는 바젤 기준을 실제로는 지키지 않는다.

명시적 근거	6문단 5번 문장
실전에서의 판단 과정	지켜야 한다니까!
해설	준수 의무가 있든 없든 지킨다는 게 핵심이라니까요!

④ 바젤위원회 회원의 국가가 강제성이 없는 바젤 기준에 대하여 준수 의무를 이행한다.

명시적 근거	6문단 5번 문장
실전에서의 판단 과정	회원은 구속을 받잖아.
해설	'강제성'이 없는 바젤 기준에 대하여 '준수 의무'를 이행한다는 말만 보고 답으로 골라버리면, 채점하면서 피눈물을 흘릴 수밖에 없겠죠? '선지에서 묻는 것'을 집요하게 따져야 합니다. 포인트는 바젤위원회 '회원'의 국가예요. '회원'은 어찌 되었든 바젤 기준을 지킬 '의무'가 있습니다. 즉, 강하진 않지만 '강제성'을 가지고 있기는 하다는 것이죠. '말랑말랑한 법'의 핵심은 '형식적으로 구속을 받지 않는 국가에서까지' 자발적으로 시행한다는 것이에요. '형식적으로 구속을 받는' 회원국들과는 무관한 이야기가 되겠네요.

'선지에서 묻는 것'을 생각하는 태도. 선지 판단의 기본입니다. 이 태도가 제대로 갖춰져 있어야 '의문사'라는 것을 방지할 수 있어요. |

⑤ 바젤위원회 회원이 없는 국가에서 바젤 기준을 제도화하여 국내에서 효력이 발생하도록 한다.

명시적 근거	6문단 5번 문장
실전에서의 판단 과정	회원이 없는 국가처럼 형식적으로 구속을 받지 않아도 알아서 잘 지키는 게 핵심이었지.

해설	바젤위원회 '회원이 없는 국가', 즉 지킬 필요가 없는 국가에서 바젤 기준을 '제도화', 즉 알아서 지키는 모습. 완벽한 '말랑말랑한 법'의 모습입니다. 문제에서 물어보는 포인트를 미리 생각했다면, 그리고 4번 선지에서 '선지에서 묻는 것'을 생각하며 '의문사' 당하지 않았다면 아주 쉽게 답으로 고를 수 있는 선지죠?

선지	①	②	③	④	⑤
선택률	4%	13%	47%	24%	12%

06 문맥상 ⓐ~ⓔ와 바꿔 쓰기에 적절하지 <u>않은</u> 것은? ③

– 2020학년도 수능에서는 기존에 이 자리를 차지하던 어휘 문제가 사라지고, 말 그대로 '문맥상' 적절하지 않은 것을 고르는 문제가 출제되었습니다. 어휘 문제의 경우 지문을 제대로 읽지 않고도 답을 고를 수 있는데, 그럴 가능성까지 차단하겠다는 평가원의 잔인한 면모가 드러나는 문제였습니다. 굉장히 당황스러웠겠지만, 변한 건 없습니다. 밑줄 문제네요. 어딜 봐야 하죠? '밑줄 근처'라는 대답이 나왔다면, 축하합니다. 정말 공부 잘 하셨어요. 그럼 근처를 보면서 그 맥락을 따져 봅시다. 나아가, 이런 유형의 경우 결국 '재진술'에 대한 인식을 잘 하고 있는지 묻는다는 것도 생각합시다.

① ⓐ : 반영하여 산출하도록

여기에서 BIS 비율의 위험가중자산은 신용 위험에 대한 위험 가중치에 자산의 유형과 신용도를 모두 ⓐ<u>고려하도록</u> 수정되었다.

명시적 근거	3문단 2번 문장
실전에서의 판단 과정	유형과 신용도를 반영하여 산출하는 거 맞지.
해설	무엇을 고려하는 것이죠? 근처를 봤더니, BIS 비율의 위험가중자산을 구하는, 즉 '산출하는' 방법이 변한 상황이네요. '자산의 유형'과 '신용도'를 '반영'해서 말이죠!

② ⓑ : 8%가 넘도록

또한 감독 기관은 필요시 위험가중자산에 대한 자기자본의 최저 비율이 ⓑ<u>규제</u> 비율을 초과하도록 자국 은행에 요구할 수 있게 함으로써 자기자본의 경직된 기준을 보완하고자 했다.

명시적 근거	2문단 2번 문장, 3문단 7번 문장
실전에서의 판단 과정	규제 비율은 8%였지.
해설	해당 부분을 읽으면서 이미 생각한 내용이죠? '위험가중자산에 대한 자기자본의 최저 비율'이 'BIS 비율'을 의미한다는 것을 생각했다면, 그 '규제 비율'이 8%임을 생각하는 건 그리 어렵지 않았을 것이에요. '초과하도록'을 '넘도록'으로 바꿔 쓴 것도 너무나 당연하구요.

③ ⓒ : 바젤위원회에 가입하지

재무 건전성을 의심받는 은행은 국제 금융 시장에 자리를 잡지 못하거나, 심하면 아예 ⓒ<u>발</u>을 들이지 못할 수도 있다.

명시적 근거	5문단 5번 문장
실전에서의 판단 과정	맥락을 보면 국제 금융 시장에 참여하지 못한다는 거잖아.
해설	역시 근처를 봅시다. 국제 금융 시장에 '발을 들이지' 못하는 건 '자리를 잡지 못하는' 것에서 더 심해진 것이라고 되어 있습니다. 이는 아예 참여조차 못하는 상황을 의미한다고 할 수 있겠네요. '바젤위원회'에 가입하는 것과 '국제 금융 시장'에 참여하지 못하는 건 서로 다른 이야기죠? 가볍게 답으로 골라주시면 되겠네요.

④ ⓓ : 권고적 효력이 있을 뿐이라는

하지만 바젤위원회가 초국가적 감독 권한이 없으며 그의 결정도 ⓓ<u>법적 구속력이 없다는</u> 것 또한 밝히고 있다.

명시적 근거	6문단 3번 문장
실전에서의 판단 과정	법적 구속력과 권고적 효력은 반대되는 것이지.
해설	지문의 화제를 관통하는 내용이네요. '법적 구속력'이 없다는 건 곧 '규범'이 아니라는 것이고, 이는 그저 '권고적 효력'만 있다는 의미가 되겠죠? 이 지문은 이렇게 '권고적 효력'만 있는 국제기구의 결정을 마치 '규범'처럼 여러 나라가 지키는 상황에 대해 이야기한 것이었구요.

⑤ ⓔ : 조약이나 국제 관습법이 될지

바젤 기준도 장래에 ⓔ 딱딱하게 응고될지 모른다.

명시적 근거	6문단 6번~7번 문장
실전에서의 판단 과정	딱딱한 법=규범이지.
해설	역시 마지막 문단에서 강조했던 내용이에요. 첫 문단에 나온 '신뢰, 제재'를 마지막 문단의 '말랑말랑, 딱딱'과 연결시켜 읽었죠? 딱딱하게 응고된다는 건 '제재'를 통해 구속력이 생긴다는 것이고, 이는 '조약과 국제 관습법'에 해당하는 내용이네요.

몰랐던 어휘 정리하기

| 핵심 point |

① **화제 check** : 독서 지문 독해의 처음이자 끝. 첫 문단에서 잡은 '화제의 틀'을 마지막 문단까지 놓지 않아야 합니다.

② **재진술 인식** : 같은 말이라도 다르게 표현되는 경우가 많습니다. 심지어 아예 똑같은 말이 반복되는 경우도 많아요. 이 '같은 말'에 민감하게 반응하면, '정보량'을 줄이면서 읽을 수가 있습니다.

③ **카테고리 나누기** : 정보들의 범주가 나뉠 때, 그들이 서로 다른 카테고리에 속한다는 것을 인지해야 합니다. 이렇게 각 카테고리에 맞춰 정보를 정리하면 훨씬 깔끔하게 정리할 수 있다는 것을 기억해주세요.

| 지문 내용 총정리 |

물론 모든 정보를 '화제 중심'으로 모은다는 대원칙을 한 번 더 확인할 수 있기도 했지만, 현실적으로 '바젤 협약'과 관련된 부분의 정보를 처리하는 게 관건인 지문이었습니다. 단어의 의미를 살리며 정의를 체크하고, 재진술을 체크하며 정보량을 줄이되 무수한 정보들을 하나의 카테고리에 넣어 정리할 수 있는 능력이 필요했을 것이에요. 나아가 기초적인 경제 제재의 배경 지식이 있는 경우 더 쉽게 납득할 수 있다는 것을 경험할 수 있기도 했죠?

1문단

①대한민국 정부가 해외에서 발행한 **채권의 CDS 프리미엄**은 우리가 매체에서 자주 접하는 경제 지표의 하나이다. ②이 지표를 이해하기 위해서는 채권의 '신용 위험'과 '신용 파산 스와프(CDS)'의 개념을 살펴볼 필요가 있다.

①~② #화제 제시 #카테고리 나누기

'채권의 CDS 프리미엄'이라는 개념에 대해 설명할 것임을 대놓고 말해주고 있습니다. 그리고 이를 이해하기 위해서는 채권의 '신용 위험'과 'CDS'라는 개념을 살펴볼 필요가 있다고 해요. 우리는 이 두 가지 카테고리를 바탕으로 'CDS 프리미엄'에 대해 설명할 것임을 '화제의 틀'로 만들어놓고 읽을 준비를 하면 되겠죠?

2문단

①채권은 정부나 기업이 자금을 조달하기 위해 발행하며 그 가격은 채권이 매매되는 채권 시장에서 결정된다. ②채권의 발행자는 정해진 날에 일정한 이자와 원금을 투자자에게 지급할 것을 약속한다. ③채권을 매입한 투자자는 이를 다시 매도하거나 이자를 받아 수익을 얻는다. ④그런데 채권 투자에는 발행자의 지급 능력 부족 등의 사유로 이자와 원금이 지급되지 않을 가능성인 **신용 위험**이 수반된다. ⑤이에 따라 각국은 채권의 신용 위험을 평가해 신용 등급으로 공시하는 **신용 평가 제도**를 도입하여 투자자를 보호하고 있다.

①~③ #정의 제시 #경제 제재 기본 지식

'채권'이라는 개념에 대해 더 자세히 소개하고 있습니다. 채권의 투자자는 원금에 대한 이자를 정기적으로 받다가 중간에 채권 시장에서 결정된 가격에 따라 매도하여 시세 차익을 얻을 수도 있고, 만기까지 이자를 받아 수익을 얻을 수도 있습니다. 이 정도는 안다는 가정하에 계속 읽어보도록 하겠습니다.

④~⑤ #수식된 정의 제시 #단어의 의미 살리기 #카테고리 나누기

이렇게 채권 투자를 통해 수익을 얻을 수도 있지만, '신용 위험'이 수반된다는 것에 주의해야 합니다. '신용 위험'은 단어의 의미 그대로, 채권의 발행자가 가진 '신용'에 대한 '위험'이라고 할 수 있겠습니다. 채권의 발행자가 지급 능력이 없으면 채권 투자자에게 이자와 원금을 제대로 줄 수 없을 테니까요. 이에 따라 각국은 '신용 평가 제도'를 도입해 각 채권의 신용도를 알려 준다고 합니다. 어렵지 않게 납득할 수 있겠죠?

이렇게 지문의 전반적인 흐름을 잡는 것은 기본이고, 이때 '신용 위험'이 1문단에서 만들어준 카테고리 중 하나임을 생각할 수 있어야 합니다. '신용 위험'으로부터 'CDS'를 이해하고, 또 이들을 바탕으로 'CDS 프리미엄'에 대해 정확히 이해하는 것이 이 지문의 '화제의 틀'이니까요.

하이라이트 문장

④그런데 채권 투자에는 발행자의 지급 능력 부족 등의 사유로 이자와 원금이 지급되지 않을 가능성인 신용 위험이 수반된다.

앞 문장들에서 '채권'이라는 것에 투자하여 수익을 얻는 방법에 대해 정확히 이해했다면, '신용 위험'이 수반된다는 내용도 어렵지 않게 납득할 수 있습니다. 나아가 이 '신용 위험'이 '화제의 틀'에서 중요한 역할을 한다는 점도 생각할 수 있어야겠죠?

3문단

①우리나라의 신용 평가 제도에서는 원화로 이자와 원금의 지급을 약속한 채권 가운데 발행자의 지급 능력이 최상급인 채권에 AAA라는 최고 신용 등급이 부여된다. ②원금과 이자가 지급되지 않아 부도가 난 채권에는 D라는 최저 신용 등급이 주어진다. ③그 외의 채권은 신용 위험이 커지는 순서에 따라 AA, A, BBB, BB 등 점차 낮아지는 등급 범주로 평가된다. ④이들 각 등급 범주 내에서도 신용 위험의 상대적인 크고 작음에 따라 각각 ' - '나 ' + '를 붙이거나 하여 각 범주가 세 단계의 신용 등급으로 세분되는 경우가 있다. ⑤채권의 신용 등급은 신용 위험의 변동에 따라 조정될 수 있다. ⑥다른 조건이 일정한 가운데 신용 위험이 커지면 채권 시장에서 해당 채권의 가격이 떨어진다.

①~④ #정의 제시

이러한 '신용 평가 제도' 중 우리나라의 경우에 대해 설명하고 있습니다. AAA가 '최고' 등급이고, D가 '최저' 등급이며, 그 사이에 AA, A+, B-처럼 +-를 활용한 여러 등급이 존재한다고 해요. '최고'와 '최저'만 정확하게 잡아주고 나머지는 간단하게 납득하면 되겠죠?

⑤~⑥ #재진술 #경제 제재 기본 지식

우리가 이미 생각하고 있는 것처럼, 이러한 '신용 평가 제도'는 '신용 위험'을 나타내기 위해 도입된 것입니다. 따라서 '신용 위험'이 변동되면 '신용 등급'이 변한다는 건 너무나 당연한 말이 되겠죠? 나아가 '신용 위험'이 커지면 해당 채권의 '가격'이 떨어진다는 것 역시 쉽게 납득할 수 있습니다. 2문단에 따르면 채권의 가격은 채권 시장에서 결정되는데, '신용 위험'이 커진 채권은 이자와 원금의 지급이 보장되지 않아 수요가 적을 테니까요. 수요가 적으면 가격도 낮아진다는 것, 경제학의 기본으로 알고 있는 내용이죠?

나아가 '신용 위험-신용 등급-채권의 가격'이 모두 연관되어 있다는 것까지 읽어낼 수 있어야 합니다. '신용 위험'이 커지면 '신용 등급'과 '채권의 가격'이 모두 낮아진다는 식으로 말이죠! 이렇게 연관된 정보들을 엮어 주면서 체감되는 정보량을 줄일 수 있어야 합니다.

하이라이트 문장

> ⑥다른 조건이 일정한 가운데 신용 위험이 커지면 채권 시장에서 해당 채권의 가격이 떨어진다.

수요-공급 법칙이라는 기본 지식을 바탕으로 그 내용을 납득하고, 3문단의 핵심 정보인 '신용 등급'과 엮어 '신용 위험-신용 등급-채권의 가격' 사이의 관계를 만들어야 합니다. 이렇게 지문의 유기성을 느끼면서 읽고 있는지 점검해보도록 해요.

4문단

> ①CDS는 채권 투자자들이 신용 위험을 피하려는 목적으로 활용하는 파생 금융 상품이다. ②CDS 거래는 '보장 매입자'와 '보장 매도자' 사이에서 이루어진다. ③여기서 '보장'이란 신용 위험으로부터의 보호를 뜻한다. ④보장 매도자는, 보장 매입자가 보유한 채권에서 부도가 나면 이에 따른 손실을 보상하는 역할을 한다. ⑤CDS 거래를 통해 채권의 신용 위험은 보장 매입자로부터 보장 매도자로 이전된다. ⑥CDS 거래에서 신용 위험의 이전이 일어나는 대상 자산을 '기초 자산'이라 한다.

> [A] ⑦가령 은행 갑은, 기업 을이 발행한 채권을 매입하면서 그것의 신용 위험을 피하기 위해 보험 회사 병과 CDS 계약을 체결할 수 있다. ⑧이때 기초 자산은 을이 발행한 채권이다.

① #정의 제시 #카테고리 나누기

'CDS'에 대해 설명하고 있습니다. 이 정의를 체크하는 것은 기본이고, 1문단에서 만들어준 카테고리 중 '신용 위험'에 이어 'CDS'까지 등장했음을 파악해야 합니다. 그리고 'CDS'는 앞에서 열심히 이해했던 '신용 위험'과 관련된 개념이네요. '신용 위험'을 피하기 위해 활용하는 상품이라고 하는데, 어떤 것인지 확실하게 이해해봅시다.

②~⑥ #정의 제시 #단어의 의미 살리기 #재진술

'CDS' 거래는 '보장 매입자'와 '보장 매도자' 사이에서 이루어집니다. 일단 '보장'이 의미하는 바부터 이해해야 합니다. 단어의 의미 그대로, '신용 위험'에 의해 손실을 입지 않도록 '보장'해준다는 것이네요.

이를 바탕으로 하면 '보장/매도자'와 '보장/매입자'라는 개념도 어렵지 않게 납득할 수 있겠죠? 각각 '보장'이라는 서비스를 '매도'하는 사람과 '매입'하는 사람인 것입니다. 따라서 CDS 거래를 통해 채권의 '신용 위험'이 '보장 매도자'에게 넘어가는 것이죠. 그 '신용 위험'을 '보장'해주는 서비스를 '매도'한 것이니까요. 이렇게 최대한 단어의 의미를 살리며 납득할 수 있어야 합니다.

나아가 '기초 자산'이라는 개념도 제시되고 있습니다. 역시 단어의 의미 그대로, '신용 위험'의 이전이 일어나는 데 '기초'가 되는 '자산'이네요. 이 지문에서는 '채권'이 바로 '기초 자산' 역할을 하는 것이죠?

⑦~⑧ #사례-원리 연결

지금까지 읽었던 내용을 더 자세히 설명하기 위해 사례를 들어주고 있습니다. 이를 바탕으로 'CDS' 거래에 대해 확실하게 이해하는 것이 중요하겠죠? '갑'은 '을'이 발행한 채권을 매입하고 있습니다. 이는 '보장'과는 무관한 상황으로, '갑'은 그냥 '채권 투자자'라고 할 수 있겠네요. 그런데 '갑'은 '을'이 발행한 채권의 신용 위험을 피하기 위해 '병'과 CDS 계약을 체결할 수 있다고 합니다. 즉, '병'은 '보상'이라는 서비스를 '매도'한 '보장 매도자'가 되고, '갑'은 '보장 매입자'가 되는 상황이 발생할 수 있다는 것이죠. 이때의 '기초 자산'이 '을'이 발행한 채권이라는 것 역시 어렵지 않게 납득할 수 있겠구요.

정리하면, '갑'은 '채권 투자자'이자 '보장 매입자'이고, '을'은 '채권 발행자', '병'은 '보장 매도자'가 되는 것입니다. 어렵지 않게 이해할 수 있겠죠? 이렇게 사례는 그 원리와 일대일로 대응시키면서 확실하게 정리할 수 있어야 합니다.

하이라이트 문장

> ⑦가령 은행 갑은, 기업 을이 발행한 채권을 매입하면서 그것의 신용 위험을 피하기 위해 보험 회사 병과 CDS 계약을 체결할 수 있다. ⑧이때 기초 자산은 을이 발행한 채권이다.

사례가 제시되고 있습니다. 그동안 설명되었던 모든 개념들을 총동원해서 확실하게 이해하고 넘어갈 수 있어야 합니다.

5문단

> ①보장 매도자는 기초 자산의 신용 위험을 부담하는 것에 대한 보상으로 보장 매입자로부터 일종의 보험료를 받는데, 이것의 요율이 CDS 프리미엄이다. ②CDS 프리미엄은 기초 자산의 신용 위험이나 보장 매도자의 유사시 지급 능력과 같은 여러 요인의 영향을 받는다. ③다른 요인이 동일한 경우, 기초 자산의 신용 위험이 크면 CDS 프리미엄도 크다. ④한편 보장 매도자의 지급 능력이 우수할수록 보장 매입자는 유사시 손실을 보다 확실히 보전받을 수 있으므로 보다 큰 CDS 프리미엄을 기꺼이 지불하는 경향이 있다. ⑤만약 보장 매도자가 발행한 채권이 있다면, 그 신용 등급으로 보장 매도자의 지급 능력을 판단할 수 있다. ⑥이에 따라 다른 요인이 동일한 경우, 보장 매도자가 발행한 채권의 신용 등급이 높으면 CDS 프리미엄은 크다.

① #수식된 정의 제시 #화제의 흐름

앞에서도 설명했지만, '보장 매도자'는 단어의 의미 그대로 '보장'이라는 서비스를 '매도'한 사람입니다. 무언가를 팔았다면, 그에 대한 대가를 받아야겠죠? 이에 대한 대가로 '보장 매입자'로부터 일종의 '보험료'를 받게 되는데, 이것의 요율이 바로 'CDS 프리미엄'이라고 합니다.

이러한 맥락을 이해하고 정의를 체크해주시면서, 드디어 우리가 기다리던 'CDS 프리미엄'에 대한 설명이 제시되었다는 걸 생각해주셔야 합니다. 이 지문의 진짜 화제에 대한 내용이었어요. 더욱 더 확실하게 이해하고 넘어가려고 애쓰셔야겠죠?

②~④ #재진술 #카테고리 나누기 #경제 제재 기본 지식

이러한 'CDS 프리미엄'은 여러 요인의 영향을 받는다고 합니다. 그 요인이 '기초 자산의 신용 위험'과 '보장 매도자의 지급 능력'이라는 카테고리로 나누어 설명되겠죠? 최대한 납득할 준비를 하면서 계속 읽어보도록 합시다.

일단 '기초 자산의 신용 위험'이 큰 경우입니다. 이는 '보장'의 대상이 된 자산이 이자, 원금을 지급하지 못할 가능성이 크다는 것이기에, '보장 매도자'의 입장에서 큰 리스크를 져야 하는 상황이에요. 따라서 당연히 이에 대한 보상인 'CDS 프리미엄'은 커진다고 할 수 있겠네요. 앞에서 체크한 '신용 위험'의 정의와 함께 '하이 리스크, 하이 리턴'이라는 경제학의 기본 전제를 바탕으로 어렵지 않게 납득할 수 있겠네요.

나아가 '보장 매도자의 지급 능력'에 대한 내용입니다. 생각해 보면, '기초 자산'에 대한 위험성이 있듯이 '보장 매도자'에 대한 위험성도 존재합니다. '보장'해준다고 약속했지만 돈이 없어서 못 준다고 하면 답이 없어지니까요. 따라서 '보장 매도자의 지급 능력'도 중요한데, 이것이 우수하다면 '보장 매입자'는 당연히 더 큰 비용(CDS 프리미엄)을 지불해야 할 것입니다. 일종의 '로우 리스크 로우 리턴'이죠.

이렇게 최대한 당연한 말로 납득해주시는 게 중요합니다. '합리적'인 사고를 바탕으로 읽어나가면 충분히 납득할 수 있습니다.

⑤~⑥ #재진술

이때 '보장 매도자'가 발행한 채권이 있다면 그 '신용 등급'으로 '지급 능력'을 판단할 수 있다고 합니다. 전부 다 앞에서 봤던 말들입니다. 확실하게 엮어서 읽어줘야겠죠? '보장 매도자의 지급 능력'이 중요한데, 이를 판단하기 위한 방법이 바로 그가 발행한 채권의 '신용 등급'을 활용하는 것입니다. '신용 등급'은 '신용 위험'을 반영하는 것이기에, 그가 발행한 채권의 '신용 위험'에 따라 '지급 능력'을 가늠해볼 수 있겠죠. 6번 문장에서 이야기하는 것처럼 '보장 매도자'가 발행한 채권의 '신용 등급'이 높으면 '지급 능력'이 높다고 볼 수 있고, 자연스레 'CDS 프리미엄'도 커지겠네요.

결국 '보장 매도자의 채권' 이야기는 '보장 매도자의 지급 능력'에 대한 이야기와 사실상 똑같은 말이었습니다. 이렇게 반복되는 단어를 바탕으로 재진술을 체크했다면 어렵지 않게 납득할 수 있었겠죠?

하이라이트 문장

> ②CDS 프리미엄은 기초 자산의 신용 위험이나 보장 매도자의 유사시 지급 능력과 같은 여러 요인의 영향을 받는다.

'CDS 프리미엄'이 여러 요인의 영향을 받는다는 수준으로 그치는 것이 아니라, '기초 자산의 신용 위험', '보장 매도자의 지급 능력'이라는 두 가지 카테고리로 나누어 서술될 것임을 생각할 수 있어야 합니다. 이러한 예측을 바탕으로 지문을 장악하면서 읽을 수 있어야 해요!

선지	①	②	③	④	⑤
선택률	2%	84%	4%	7%	3%

07 윗글의 내용과 일치하지 않는 것은? ②

① 정부는 자금을 조달하기 위해 채권을 발행한다.

명시적 근거	2문단 1번 문장
실전에서의 판단 과정	뭐 이런 걸 물어보냐.
해설	'채권'에 대한 기본적인 지식만 있다면 1초만에 지울 수 있는 선지입니다. 이러한 지식이 없었다고 해도, '채권'에 대한 기본적인 정보를 제시했던 2문단으로 돌아가서 확인해야겠다는 생각을 할 수 있겠죠? 돌아가면 그대로 적혀 있는 내용이네요.

② 채권 발행자의 지급 능력이 커지면 신용 위험은 커진다.

명시적 근거	2문단 4번 문장
실전에서의 판단 과정	지급 능력이 커지면 덜 위험한 건데?
해설	'신용 위험'이라는 중요 개념을 정확히 이해하고 있는지 물어보고 있습니다. 이는 단어의 의미 그대로 '신용'에 대한 '위험'인데, 채권 발행자의 '지급 능력'이 부족한 상황을 의미하는 것이었어요. 채권 발행자의 '지급 능력'이 커지면 '신용 위험'은 당연하게 줄어들겠죠. 상식적으로도 판단할 수 있는 간단한 선지였습니다.

③ 신용 평가 제도는 채권을 매입한 투자자를 보호하는 장치이다.

명시적 근거	2문단 5번 문장
실전에서의 판단 과정	그렇다고 했지.
해설	'신용 평가 제도'는 '신용 위험'을 나타내는 것입니다. 이를 통해 '채권 투자자'를 보호한다는 것, 너무나 당연하게 납득했었죠?

④ 다른 조건이 일정한 경우, 어떤 채권의 신용 등급이 낮아지면 해당 채권의 가격은 하락한다.

명시적 근거	3문단 전체
실전에서의 판단 과정	신용 등급이 낮다는 건 위험하다는 것이고, 당연히 가격은 하락하겠지.
해설	'신용 위험'이 커지면 '신용 등급'이 낮아지고, 이는 '채권의 가격'을 하락시킨다는 것. 3문단을 독해하면서 미리 생각했던 내용이었습니다. 어렵지 않게 지워낼 수 있겠죠?

⑤ 채권 발행자는 일정한 이자와 원금의 지급을 약속하지만, 채권에는 그 약속이 지켜지지 않을 위험이 수반된다.

명시적 근거	2문단 4번 문장
실전에서의 판단 과정	이게 신용 위험이지.
해설	'신용 위험'의 정의 그 자체죠? '신용 위험'은 'CDS 프리미엄'이라는 핵심 개념을 이끌어내는 데 큰 역할을 했기 때문에 확실하게 기억하고 있을 겁니다.

선지	①	②	③	④	⑤
선택률	5%	8%	9%	74%	4%

08 [A]의 ㉠~㉢에 대한 이해로 가장 적절한 것은? ④

> 가령 은행 ㉠갑은, 기업 ㉡을이 발행한 채권을 매입하면서 그것의 신용 위험을 피하기 위해 보험 회사 ㉢병과 CDS 계약을 체결할 수 있다. 이때 기초 자산은 을이 발행한 채권이다.

– 우리가 'CDS 거래'라는 원리를 이해하기 위해 확실하게 정리했던 사례에 대한 문제입니다. ㉠(갑)은 '채권 투자자'이자 '보장 매입자'였고, ㉡(을)은 '채권 발행자', ㉢(병)은 '보장 매도자'였어요. 이렇게 미리 생각하고 선지를 판단하셔야 합니다.

① ㉠은 기초 자산을 보유하지 않는다.

명시적 근거	2문단 3번 문장, 4문단 7번~8번 문장
실전에서의 판단 과정	투자자가 보유하지 그럼 누가 보유하냐.

해설	'갑'은 '채권 투자자'입니다. 당연히 '을'이 발행한 채권이라는 '기초 자산'을 보유하고 있겠죠.

② ㉠은 기초 자산에 부도가 나면 손실을 보상하는 역할을 한다.

명시적 근거	4문단 4번 문장, 4문단 7번 문장
실전에서의 판단 과정	보장 매도자는 병이었지.
해설	선지에서 이야기하는 것은 '보장 매도자'의 역할입니다. 이는 '갑'이 아닌 '병'이었죠?

③ ㉡은 신용 위험을 기피하는 채권 투자자이다.

명시적 근거	2문단 2번 문장, 4문단 7번 문장
실전에서의 판단 과정	을은 채권 발행자인데?
해설	'을'은 그저 '채권 발행자'일 뿐입니다. '신용 위험'을 무서워하는 '채권 투자자'는 '갑'이었죠.

④ ㉢은 신용 위험을 부담하는 보장 매도자이다.

명시적 근거	4문단 4번 문장, 4문단 7번 문장
실전에서의 판단 과정	그렇지.
해설	미리 생각한 내용 그 자체죠? 가볍게 답으로 골라 주시면 되겠습니다.

⑤ ㉢은 기초 자산에 부도가 나야만 이득을 본다.

명시적 근거	4문단 4번 문장, 4문단 7번 문장
실전에서의 판단 과정	부도나면 손해지.
해설	'병'은 '보장 매도자'로, '갑'의 '신용 위험'으로부터의 손해를 '보장'하는 역할을 합니다. '을'이 발행한 채권이라는 '기초 자산'에 부도가 나면 '갑'은 '병'에게 '보장'을 요구할 것이고, 이를 보상해주면 '병'은 손해를 보겠죠. '을'의 채권이 무사한 가운데 '갑'에게 'CDS 프리미엄'에 따른 보험료만 받는 것이 '병'에게 이득인 상황입니다.

선지	①	②	③	④	⑤
선택률	8%	42%	9%	21%	20%

09 〈보기〉의 ㉮~㉲ 중 CDS 프리미엄 이 두 번째로 큰 것은?

②

– 일단 발문부터 정확하게 체크해야 합니다. 'CDS 프리미엄'이 '두 번째로' 큰 것을 고르라고 합니다. '두 번째'라는 포인트에 주의하면서 〈보기〉부터 읽어봅시다.

[보기]

윗글의 ㉣과 ㉤을 기준으로 서로 다른 CDS 거래 ㉮~㉲를 비교하여 CDS 프리미엄의 크기에 순서를 매길 수 있다. (단, 기초 자산의 발행자와 보장 매도자는 한국 기업이며, ㉮~㉲에서 제시된 조건 외에 다른 조건은 동일하다.)

CDS 거래	기초 자산의 신용 등급	보장 매도자 발행 채권의 신용 등급
㉮	BB+	AAA
㉯	BB+	AA-
㉰	BBB-	A-
㉱	BBB-	AA-
㉲	BBB-	A+

다른 요인이 동일한 경우, ㉣ 기초 자산의 신용 위험이 크면 CDS 프리미엄도 크다. 한편 ㉤ 보장 매도자의 지급 능력이 우수할수록 보장 매입자는 유사시 손실을 보다 확실히 보전받을 수 있으므로 보다 큰 CDS 프리미엄을 기꺼이 지불하는 경향이 있다.

– 지문에서는 'CDS 프리미엄'을 결정하는 두 가지 요인으로 '기초 자산의 신용 위험'(㉣)과 '보장 매도자의 지급 능력'(㉤)을 제시했었습니다. 이 내용을 각각 '기초 자산의 신용 등급', '보장 매도자 발행 채권의 신용 등급'으로 바꿔 제시한 상태네요. 우리가 이해한 바에 따르면, 왼쪽이 낮을수록(기초 자산의 신용 위험이 클수록), 그리고 오른쪽이 높을수록(보장 매도자의 지급 능력이 우수할수록) 'CDS 프리미엄'은 커집니다.

먼저 '기초 자산의 신용 등급'부터 정리해봅시다. 이는 AAA에서 AA, A, BBB, BB … D로 갈수록 '신용 등급'이 낮다는 것, 즉 '신용 위험'은 높다는 것을 의미합니다. +-가 붙을 수는 있지만, 기본적으로는 위와 같은 순서대로 간다는 것이에요. 결국 ㉰~㉲에 비해 ㉮~㉯의

'신용 등급'이 더 낮고, 이에 따른 'CDS 프리미엄'도 더 높을 것임을 알 수 있네요. 우리는 지금 'CDS 프리미엄'이 높은 두 거래를 찾는 것이 목적이므로, ㉮와 ㉯를 먼저 따지는 것이 좋겠죠?

다음은 '보장 매도자 발행 채권의 신용 등급'입니다. 이것이 높을수록 'CDS 프리미엄'은 커지는데, ㉮에 비해 ㉯의 등급이 더 낮네요. 즉, ㉮의 'CDS 프리미엄'이 가장 크고, '두 번째'로 큰 것은 ㉯가 되겠습니다. ㉮와 ㉯의 '보장 매도자 발행 채권의 신용 등급'이 ㉰~㉲에 비해 높기 때문에, ㉰~㉲는 따지지 않고 ㉯의 'CDS 프리미엄'이 두 번째로 크다고 확정해도 되겠죠?

조금 헷갈리기는 하지만, 〈보기〉의 상황을 차분히 정리하는 것이 문제 해결의 핵심이라는 점을 한 번 더 확인할 수 있는 문제였습니다. 중구난방식으로 우왕좌왕하지 말고, 어떤 '생각'을 '전개'하면서 풀어야 하는지 천천히 정리해 보세요.

선지	①	②	③	④	⑤
선택률	6%	11%	54%	21%	8%

10 윗글을 바탕으로 〈보기〉를 이해한 내용으로 가장 적절한 것은? [3점] ③

[보기]

　X가 2015년 12월 31일에 이자와 원금의 지급이 완료되는 채권 Bx를 2011년 1월 1일에 발행했다. 발행 즉시 Bx 전량을 매입한 Y는 Bx를 기조 자산으로 하는 CDS 계약을 Z와 체결하고 보장 매입자가 되었다. 계약 체결 당시 Bx의 신용 등급은 A-, Z가 발행한 채권의 신용 등급은 AAA였다. 2011년 9월 17일, X의 재무 상황 악화로 Bx의 신용 위험에 대한 우려가 발생하였다. 2012년 12월 30일, X의 지급 능력이 2011년 8월 시점보다 개선되었다. 2013년 9월에는 Z가 발행한 채권의 신용 등급이 AA+로 변경되었다. 2013년 10월 2일, Bx의 CDS 프리미엄은 100bp*였다. (단, X, Y, Z는 모두 한국 기업이며 신용 등급은 매월 말일에 변경될 수 있다. 이 CDS 계약은 2015년 12월 31일까지 매월 1일에 갱신되며 CDS 프리미엄은 매월 1일에 변경될 수 있다. 제시된 것 외에 다른 요인에는 변화가 없다.)

- 〈보기〉의 상황이 아주 복잡합니다. 아래 제시된 연표를 중심으로 천천히 정리해봅시다.

먼저 X, Y, Z가 어떤 사람들인지부터 체크해야겠습니다. X는 채권 Bx를 발행한 '채권 발행자'이고, Y는 이 채권을 매입한 '채권 투자자'입니다. 그리고 Z는 Y에게 '보장'을 '매도'한 '보장 매도자'네요. 이러한 채권 발행과 채권 투자, 그리고 CDS 계약까지 모두 2011년 1월 1일에 이루어진 상황입니다. 이때의 Bx의 신용 등급은 A-, Z가 발행한 채권의 신용 등급은 AAA였네요. Z는 지급 능력이 최상급인 보장 매도자였습니다.

그러던 2011년 9월 17일, 채권을 발행한 X의 재무 상황이 악화되었다고 합니다. 아마 이때 Bx의 신용 등급이 떨어지는 일이 있었겠죠? 그러다가 2012년 12월 30일에는 X의 지급 능력이 2011년 8월 시점보다 개선되었다고 합니다. 재무 상황 악화는 2011년 9월 17일이었는데, 굳이 2011년 8월 시점보다 개선되었다고 한 것으로 보아 Bx의 신용 등급이 A-보다 더 높아졌을 수도 있겠네요.

한편, 2013년 9월 30일에는 Z가 발행한 채권의 신용 등급이 AA+로 낮아졌습니다. 이는 Z라는 '보장 매도자'의 지급 능력이 떨어졌다는 의미로, 'CDS 프리미엄'을 낮추는 요인이 되겠습니다. 나아가 2013년 10월 2일의 시점에서, Bx의 'CDS 프리미엄'은 100bp인 상황입니다.

그런데 ( ) 부분을 보니 '신용 등급'은 매월 말일, 'CDS 프리미엄'은 매월 1일에 변경된다고 하네요. 그렇다면 각 시점에서의 '신용 등급'과 'CDS 프리미엄'이 어떻게 되었을지 미리 생각해보면 더 좋을 것 같습니다. 이렇게 최대한 〈보기〉를 분석해놓고 넘어갈 수 있어야 해요.

먼저 2011년 9월 17일 이후의 첫 '매월 말일'인 2011년 9월 30일에는 미리 생각한 것처럼 Bx의 '신용 등급'이 낮아졌을 것입니다. 이에 따라 2011년 9월 17일 이후의 첫 '매월 1일'인 2011년 10월 1일에는 Y와 Z 사이의 'CDS 프리미엄'이 높아졌겠네요.

그러다 2012년 12월 30일, X의 지급 능력이 개선되면서 그 이후의 첫 '매월 말일'인 2012년 12월 31일에 Bx의 신용 등급 조정이 있었을 겁니다. 미리 생각한 것처럼, A-보다 더 높아졌을 가능성이 있겠죠? 나아가 이는 2013년 1월 1일에 Y와 Z 사이의 'CDS 프리미엄'을 낮추는 결과를 낳았겠네요.

2013년 9월 30일에는 Z가 발행한 채권의 신용 등급이 AA+로 낮아졌습니다. 이에 따라 2013년 10월 1일에 미리 생각한 것처럼 Y와 Z 사이의 'CDS 프리미엄'이 낮아졌겠죠? 이렇게 '낮아진 CDS 프리미엄'이 바로 100bp였던 것입니다.

상당히 복잡합니다. 조금 과하다는 생각이 들 정도이기는 해요. 실제 시험장에서는 앞에서 설명했던 내용들을 요약하여 연표 위에 필기해 두는 것이 필요했겠습니다. 이렇게 정리했다면 답을 고르는 것 자체는 어렵지 않았을 것 같아요.

① 2011년 1월에는 Bx에 대한 CDS 계약으로 X가 신용 위험을 부담하게 되었겠군.

명시적 근거	4문단 4번 문장, 〈보기〉
실전에서의 판단 과정	Z가 하겠지.
해설	'신용 위험 부담'은 '보장 매도자'가 하는 것입니다. 그리고 이는 Z였죠?

② 2011년 11월에는 Bx의 신용 등급이 A-보다 높았겠군.

명시적 근거	3문단 3번 문장, 〈보기〉
실전에서의 판단 과정	재무 상황 악화되었으니 신용 등급은 낮아졌겠지.
해설	2011년 9월 30일, Bx의 신용 등급은 A-보다 낮아진 상태입니다. 이는 2012년 12월 31일까지 이어졌겠죠?

③ 2013년 1월에는 Bx의 신용 위험으로 Z가 손실을 입을 가능성이 2011년 10월보다 작아졌겠군.

명시적 근거	3문단 3번 문장, 4문단 4번 문장, 〈보기〉
실전에서의 판단 과정	2012년 12월 31일부터 Bx의 신용 등급은 높아졌을 테니 맞는 말이네.
해설	일단 선지에서 묻는 '신용 위험으로 Z가 손실을 입을 가능성'이 의미하는 바를 파악해야 합니다. 이는 'Bx의 신용 위험'에 비례하는 것이라고 할 수 있겠죠? '보장 매도자'인 Z는 Bx에 부도가 나는 경우에 손실을 입으니까요.

그리고 Bx의 신용 등급은 2011년 9월 30일에 A-보다 낮아졌다가 2012년 12월 31일에 A-보다 더 높아졌을 것이라 정리한 상태입니다. 이는 Bx에 부도가 날 확률이 더 낮아진 상태이고, 결국 Z가 손실을 입을 가능성도 작아진 상태라고 할 수 있겠죠.

'Z가 손실을 입을 가능성'이라는 말이 지문의 어떤 내용을 재진술하고 있는지 생각했어야 하는 선지입니다. 선지는 결국 지문의 재진술이라는 점, 확실하게 정리하도록 합시다. |

④ 2013년 3월에는 Bx에 대한 CDS 프리미엄이 100bp보다 작았겠군.

명시적 근거	5문단 6번 문장, 〈보기〉
실전에서의 판단 과정	2013년 10월에 낮아진 게 100bp였지.
해설	2013년 10월 1일, 여러 이유로 'CDS 프리미엄'이 낮아지게 됩니다. 그리고 이때의 'CDS 프리미엄'은 100bp였어요. 즉, 2013년 3월의 'CDS 프리미엄'은 100bp보다 큰 상태였다는 것이죠.

⑤ 2013년 4월에는 Bx의 신용 등급이 BB-보다 낮았겠군.

명시적 근거	3문단 3번 문장, 〈보기〉
실전에서의 판단 과정	2012년 12월 31일에 A-보다 더 높아졌을 텐데?
해설	미리 정리한 대로, 2012년 12월 31일 이후에 Bx의 신용 등급은 A-보다 높은 상태였을 겁니다. 적어도 A-보다 낮지는 않았을 것이기 때문에, BB-보다 낮을 수는 없었겠네요.

선지	①	②	③	④	⑤
선택률	85%	8%	3%	2%	2%

11 문맥상 ⓐ의 의미와 가장 가까운 의미로 쓰인 것은? ①

① 오늘 아침에는 기온이 영하로 떨어졌다.
② 과자 한 봉지를 팔면 내게 100원이 떨어진다.
③ 더위를 먹었는지 입맛이 떨어지고 기운이 없다.
④ 신발이 떨어져서 걸을 때마다 빗물이 스며든다.
⑤ 선생님 말씀이 떨어지자마자 모두 자리에 앉았다.

몰랐던 어휘 정리하기

| 핵심 point |

① **화제 check** : 독서 지문 독해의 처음이자 끝. 첫 문단에서 잡은 '화제의 틀'을 마지막 문단까지 놓지 않아야 합니다.

② **정의 인식** : 단어의 의미를 살린 상태로, 지문에 제시된 정의와 붙여서 이해할 수 있어야 합니다. 정의를 '기억'하는 게 아니라, '납득'해서 본인의 말로 정리할 수 있어야 해요.

③ **재진술 인식** : 같은 말이라도 다르게 표현되는 경우가 많습니다. 심지어 아예 똑같은 말이 반복되는 경우도 많아요. 이 '같은 말'에 민감하게 반응하면, '정보량'을 줄이면서 읽을 수가 있습니다.

④ **사례-원리 연결** : 모든 사례는 어떠한 추상적인 원리를 구체화하는 역할을 합니다. 둘을 연결지으며 확실하게 이해하고 가는 태도가 중요합니다.

⑤ **카테고리 나누기** : 정보들의 범주가 나뉠 때, 그들이 서로 다른 카테고리에 속한다는 것을 인지해야 합니다. 이렇게 각 카테고리에 맞춰 정보를 정리하면 훨씬 깔끔하게 정리할 수 있다는 것을 기억해주세요.

| 지문 내용 총정리 |

경제학의 기본적인 지식과 함께, '화제' 중심으로 '정의'를 인식하면서 읽어나간다는 원칙만 있으면 어렵지 않게 해결할 수 있는 지문이었습니다. 나아가 던져지는 정보들을 최대한 '납득'하면서 읽는 것이 얼마나 중요한지도 잘 배울 수 있는 지문이었어요. 확실하게 복습하여 자기 것으로 만들도록 합시다.

1문단

①채권은 사업에 필요한 자금을 조달하기 위해 발행하는 유가증권으로, 국채나 회사채 등 발행 주체에 따라 그 종류가 다양하다. ②채권의 액면 금액, 액면 이자율, 만기일 등의 **지급 조건**은 채권 발행 시 정해지며, 채권 소유자는 매입 후에 정기적으로 이자액을 받고, 만기일에는 마지막 이자액과 액면 금액을 지급 받는다. ③이때 **이자액**은 액면 이자율을 액면 금액에 곱한 것으로 대개 연 단위로 지급된다. ④채권은 만기일 전에 거래되기도 하는데, 이때 **채권 가격**은 현재 가치, 만기, 지급 불능 위험 등 여러 요인에 따라 결정된다.

① #정의 제시 #단어의 의미 살리기

'채권'의 정의가 나오네요. '채권'과 관련된 지문인가 봐요. 우선 정의부터 제대로 체크해야겠죠? '유가증권'이란 말을 몰라도, '사업에 필요한 자금을 조달하기 위해 발행하는 것' 정도로만 이해하시면 됩니다. 이는 '발행 주체'에 따라 종류가 다양하다고 하네요. '국채'는 '국가'가 발행한 것이겠고, '회사채'는 '회사'가 발행한 것이겠어요. 이렇게 단어의 의미를 살려서 이해해주면 훌륭합니다.

② #정의 제시 #고정값

이러한 채권에는 '지급 조건'이라는 게 있는데, '액면 금액, 액면 이자율, 만기일' 등이 여기 속하며 채권 발행 시 '정해지는 것'이라고 합니다. 일단 저 세 가지 정보를 '지급 조건'이라는 큰 카테고리 속으로 모아 주는 것은 기본이겠고, '정해지는 것'이라는 말에 주목할 수 있어야겠죠? 이는 '고정'되어 있다는 것이기 때문에, 확실하게 체크하고 넘어갈 필요가 있겠습니다. 고정값은 언제나 중요하니까요! 다시 한 번, '지급 조건'은 '채권 발행 시' 정해지는 '고정값'이에요.

한편, 채권 소유자는 정기적으로 '이자액'을 받고 '만기일'에는 '마지막 이자액+액면 금액'을 지급받는다고 합니다. '이자'니까 '정기적'으로 받고, '만기일'이니까 마지막 날짜에 '마지막 이자액'을 받는 것이겠죠? '액면 금액'은 단어의 의미 그대로 채권의 '액면'에 적힌 '금액'일텐데, 이 역시 마지막 날짜에 같이 받는다고 체크해주면 되겠네요. 당연한 내용입니다. 이자를 받다가 마지막에는 원금의 역할을 하는 '액면 금액'까지 한 번에 받는 메커니즘이에요.

③ #정의 제시 #재진술

'이자액'의 정의가 등장합니다. 바로 앞 문장의 '정기적으로 지급받는 것'이라는 정의를 한 번 더 생각하며 정의를 확인해 봅시다. 이는 '액면 이자율'에 '액면 금액'을 곱한 값으로, 대개 '연 단위'로 지급된다고 합니다. 일단 앞 문장에서 말했던 '정기적'이라는 것이 '연 단위'였다는 것을 알 수 있네요. 나아가 '대개' 연 단위라고 했으니, 다른 단위로 지급받는 것도 가능하다는 것을 생각할 수 있겠죠? 이렇게 문장들을 쫀쫀하게 연결하고 이면의 내용을 추론하면서 읽는 습관이 들어야 합니다.

이때, '이자액'의 정의가 '액면 이자율'과 '액면 금액'을 곱한 값이라는 내용을 확실하게 납득할 수 있어야 합니다. '이자'라는 단어의 의미를 살려서 상식적으로 이해하면 됩니다. 보통 '이자'라고 하면 '일정 금액'에 '이자율'을 곱한 것을 뜻하죠? 예를 들어, 은행에서 '1억 원'을 빌리고, '연 이자율'이 '10%'라면 '1년'에 1억의 10%에 해당하는 금액인 '1,000만 원'을 이자로 내야 합니다. 비슷하게 '이자액'을 이해하시면 되겠습니다. '액면'의 의미를 모른다고 하더라도, 어떤 '금액'에 '이자율'을 곱하면 '이자'가 된다는 사실은 어느 정도 알고 있으니까요. '금액×이자율'에 각각 '액면'이라는 말만 붙여주면 되겠네요. 이렇게 납득하면 '이자액'의 정의가 조금 더 깊게 납득되겠죠?

④ #화제 제시

여러 가지 정의를 체크하고 마지막 문장을 읽으니, 화제가 보이네요. '만기일 전의 채권 가격 결정'에 대한 지문인가 봅니다. '채권'은 여러 가지 요소로 이루어져 있기 때문에, 그 가격에 영향을 미치는 요소도 여러 가지가 있을 겁니다. 그럼 현재 가치, 만기, 지급 불능 위험 등이 채권의 '가격'에 어떤 영향을 미치는지 알아보러 갑시다. 이런 생각을 할 수 있어야 해요! 지문 전체의 '화제의 틀'을 제시하는 것이나 다름없는 친절한 문장이니까요.

하이라이트 문장

④채권은 만기일 전에 거래되기도 하는데, 이때 채권 가격은 현재 가치, 만기, 지급 불능 위험 등 여러 요인에 따라 결정된다.

앞으로의 지문 구조를 결정해 주는 매우 중요한 문장입니다. 분명히 채권 가격이 '현재 가치', '만기', '지급 불능 위험'에 어떻게 영향을 받는지 서술될 텐데, 이를 미리 예측하면 그만큼 지문에 대한 이해도가 높아지겠죠?

①채권 투자자는 정기적으로 받게 될 이자액과 액면 금액을 각각 현재 시점에서 평가한 값들의 합계인 **채권의 현재 가치**에서 채권의 매입 가격을 뺀 **순수익의 크기**를 따진다. ②채권 보유로 미래에 받을 수 있는 금액을 현재 가치로 환산하여 평가할 때는 금리를 반영한다. ③가령 금리가 연 10%이고, 내년에 지급받게 될 금액이 110원이라면, 110원의 현재 가치는 100원이다. ④즉 **금리**는 현재 가치에 반대 방향으로 영향을 준다. ⑤따라서 금리가 상승하면 채권의 현재 가치가 하락하게 되고 이에 따라 채권의 가격도 하락하게 되는 결과로 이어진다. ⑥이처럼 수시로 변동되는 시중 금리는 현재 가치의 평가 구조상 채권 가격의 변동에 영향을 주는 요인이 된다.

① #화제의 흐름 #수식된 정의 제시
#단어의 의미 살리기

본격적으로 '채권의 가격'을 결정하는 요인들에 대한 설명이 제시될 것인데, 먼저 '채권의 현재 가치'가 나오고 있습니다. 이는 1문단에서 제시했던 첫 번째 카테고리의 정보였죠? 확실하게 이해해봅시다.

'채권의 현재 가치'는 '이자액'과 '액면 금액'을 '현재 시점에서 평가'한 값들의 합계를 의미합니다. 여기서 '이자액'과 '액면 금액'은 앞에서 읽었던 '지급 조건'의 일부였다는 걸 잊으면 안 돼요. '이자액'은 '지급 조건'에 해당하는 '액면 이자율'과 '액면 금액'을 곱한 값이기에, '이자액' 역시 '지급 조건'이니까요. 어쨌든 '채권의 현재 가치'는 이러한 '지급 조건'들을 '현재 시점에서 평가'한 값들의 합계라고 합니다. 이에 대해 자세하게 이해해볼까요?

핵심은 그냥 채권의 가치가 아니라, 채권의 '현재' 가치라는 것입니다. 따라서 '이자액'과 '액면 금액'을 '현재 시점'에서 평가하는 것이죠. 그런데 왜 저 값들을 모두 더하는 것일까요? 이는 채권 소유자가 만기일까지 받는 모든 금액을 생각해보면 됩니다. 채권 소유자는 정기적으로 '이자액'을 받고, 만기일에 '마지막 이자액+액면 금액'을 받아요. 그러니까 '채권의 가치'는 '모든 이자액의 합+액면 금액'이 되는 것이죠! 그런데 우리가 원하는 것은 채권의 '현재' 가치이므로 '현재 가치로 환산'한 값들을 구해 더하는 것입니다. 미래에 받을 '이자액+액면 금액'은 '현재'보다 분명히 가치가 낮을 것이기 때문에, '현재' 기준으로는 도대체 얼마인지를 알아내는 것이 중요한 것이죠. 천천히 생각해 보니까 너무 당연하죠? 지문 옆에 쓰고 메모하는 것보다, 이렇게 한 글자 한 글자 생각하는 행위를 통해 '납득'하는 것이 훨씬 중요합니다.

아무튼 이렇게 평가한 '채권의 현재 가치'에서 '매입 가격'을 빼면 당연히 '순수한 수익' 즉, '순/수익'이 나오게 됩니다. 내가 채권을 샀을 때의 금액인 '매입 가격'이 '현재 가치'보다 높으면 '현재 가치'보다 비싸게 산 것이니까 '순수익'이 마이너스일 것이고, '매입 가격'이 더 싸면 '현재 가치'가 더 높으니까 '순수익'이 플러스겠네요. 문장 자체를 깊이 납득해서, '당연한 정보'로 만드셔야 문제풀이에 제대로 활용할 수 있습니다.

그리고 이렇게 문장을 이해해주는 것과 동시에, 우리가 읽고 있는 것이 '현재 가치'라는 카테고리라는 건 잊으면 안 됩니다. 우리는 지금 '만기일 전의 채권 가격'을 결정하는 요소인 '현재 가치'를 이해하고 있는 것이에요! '현재 가치'라는 '카테고리'를 설정하고 계속해서 '무엇을 읽고 있는지' 점검합시다.

②~④ #사례-원리 연결 #재진술

이러한 '현재 가치'를 따질 때에는 '금리'를 활용한다고 합니다. 정확히 이해하지 못할 것이라고 생각했는지, '금리 반영'과 관련된 사례를 제시해주네요. '금리'에 대해서는 잘 알고 있으리라고 믿습니다. 한 번 제대로 이해해봅시다.

'금리', 즉 '이자율'이 '연 10%'일 때, '내년=1년 후'에 받게 될 금액이 '110'원이라고 합니다. 원금의 10%에 해당하는 '이자'를 포함한 금액이 110원인 것이에요. 그럼 110원의 '현재 가치'는 당연히 100원이 되어야겠네요. '현재 가치'에는 '미래'에 얻을 수 있는 수익인 '이자'가 빠져야 하는 것은 당연하니까요. 당연히 이해하고 계시겠지만, 이때의 '이자'는 '채권'의 '이자액'이 아니라 원금을 은행에 예금하고 있을 때 받을 수 있는 '이자'를 말하는 것입니다.

이후 '즉'이라는 재진술과 함께 결론을 내려주고 있습니다. '금리'가 '현재 가치'의 '반대 방향'으로 영향을 준다고 하네요. '금리'가 높다는 것은 미래의 어떤 돈을 만들기 위해 필요한 현재의 돈이 적다는 뜻입니다. 가령 미래에 받게 될 금액이 110원이라고 한다면, '금리'가 10%일 때 이 금액의 '현재 가치'는 100원이지만(미래의 110원을 만들기 위해서는 현재 100원이 필요하지만) '금리'가 20%일 때는 약 92원이 됩니다. 92원을 가만히 가지고 있으면 다음 해에는 이자인 약 18원이 붙어 110원이 될 것이니까요. 이때 110원을 미래에 받게 될 채권의 '이자액' 및 '액면 금액'이라고 하면, '금리'가 높을수록 채권의 '현재 가치'는 낮아지는 결과를 도출할 수 있겠네요. 이렇게 자세한 예시를 들지 않아도, '금리' 개념을 정확히 이해하고 있다면 너무나 당연하게 납득할 수 있을 것입니다.

⑤~⑥ #재진술 #화제의 흐름

이렇게 '금리'는 '채권의 현재 가치'에 영향을 줍니다. 충분히 이해할 수 있겠죠? '금리'가 높으면 높을수록 현재의 '이자액'과 '액면 금액'의 가치가 낮게 평가되어 '현재 가치'는 낮아질 것이고, 이에 따라서

'채권 가격'도 낮아질 수밖에 없겠네요. '현재 가치'가 낮으니 그에 따라 '가격'도 낮아진다는 것은 어렵지 않게 납득할 수 있을 겁니다.

물론 중요한 것은, 여기서 '채권의 가격'이라는 화제를 다시 생각해 내는 것입니다. '금리'를 통해 '현재 가치'를 이해시킨 이유는 '금리'가 '채권의 가격'에 영향을 줄 수 있다는 것을 설명하기 위해서니까요. 단순히 '금리'라는 강력한 정보만 기억하는 것이 아니라, '현재 가치'와 엮어 '채권의 가격'이라는 화제 중심으로 정보를 모을 수 있어야 합니다. 이렇게 정보량을 줄여내는 것이에요!

하이라이트 문장

> ②채권 보유로 미래에 받을 수 있는 금액을 현재 가치로 환산하여 평가할 때는 금리를 반영한다.

'금리'에 초점을 맞춰서 '현재 가치'가 어떻게 달라지는지 생각해야겠다는 신호를 주는 문장입니다. 나아가 이 문장을 보고서도 '채권의 가격'이라는 화제는 잊지 말아야 해요.

3문단

> ①채권의 매입 시점부터 만기일까지의 기간인 **만기**도 채권의 가격에 영향을 준다. ②일반적으로 다른 지급 조건이 동일하다면 만기가 긴 채권일수록 가격은 금리 변화에 더 민감하므로 가격 변동의 위험이 크다. ③채권은 발행된 이후에는 만기가 점점 짧아지므로 만기일이 다가올수록 채권 가격은 금리 변화에 덜 민감해진다. ④따라서 투자자들은 만기가 긴 채권일수록 높은 순수익을 기대하므로 액면 이자율이 더 높은 채권을 선호한다.

① #카테고리 나누기 #수식된 정의 제시

이번엔 '만기'라는 개념이 나옵니다! 이 역시 '채권의 가격'에 영향을 준다고 하는데, 이는 우리가 이미 알고 있는 정보입니다. '만기'라는 카테고리 내에서의 '채권 가격 변동'에 대해 이해하면 되겠네요. '만기'는 어떤 방식으로 '채권 가격'에 영향을 줄까요?

한편, '만기'의 정의가 '수식된 정의'로 제시되어 있습니다. '매입 시점 – 만기일'의 '기간'을 '만기'라고 하네요. 여러분이 기본적인 어휘로 알고 있을 내용이니, 당연하게 받아들일 수 있으면 좋겠네요.

②~③ #화제의 흐름 #재진술

이러한 '만기'가 길수록, 가격이 '금리 변화'에 더 민감하다고 합니다. 어디서 많이 봤던 단어가 등장했죠? '금리'입니다. 앞에서 본 '금리'

라는 말을 확인한 순간 끌고 와서 확실하게 이해하려고 해요. 그렇다면 왜 '만기'가 길수록 '금리 변화'에 가격이 민감하게 반응하는 것일까요?

간단합니다. '금리 변화'는 '현재 가치'에 영향을 주기 때문입니다. 앞에서 읽었던 내용이죠? '만기'가 길다는 것은 '금리 변화'와 같은 변수가 생기기에 충분한 시간이 있다는 것이고, 어떠한 채권에 투자한 사람의 입장에선 '금리 변화'가 자신이 가진 채권의 '현재 가치'를 깎을 수 있기 때문에 '만기'까지 많은 시간이 남은 경우 투자하기가 부담스러울 것입니다. '이자액'은 변하지 않는 '고정값'이기 때문에 투자자가 정기적으로 받는 금액 자체에는 변화가 없겠지만, '현재 가치'가 낮게 평가되면 '순수익'이 낮아지는 것이 되니까요. 따라서 투자자들은 '만기'가 긴 채권에 투자할 때 '가격 변동의 위험'을 가져 오는 '금리 변화'의 가능성에 민감하게 반응할 수밖에 없는 것이죠.

3번 문장은 위의 내용과 반대되는 상황에 대한 내용이니, 어렵지 않게 납득할 수 있겠습니다. 만기일이 다가올수록 '금리 변화'라는 변수가 발생할 가능성이 낮아지고, 따라서 채권 투자자는 현재의 금리 수준을 참고하여 채권의 '현재 가치'를 계산할 수 있을 것입니다.

중요한 것은 '채권의 가격'이라는 화제 속으로 정보를 모아 주는 것입니다. 이처럼 '만기'가 얼마나 남았느냐에 따라서, '금리'가 '채권의 가격'에 영향을 미치는 메커니즘이 발현될 가능성도 달라집니다. 즉, '만기' 자체가 곧바로 '채권의 가격'에 영향을 주는 것은 아니고, '만기'가 얼마나 남았느냐에 따라 '채권의 가격'에 영향을 주는 '금리'의 영향력이 달라지는 것입니다. 결국 이 정보들도 2문단의 정보들을 '재진술'한 것에 불과했던 것이에요.

④ #재진술

이렇게 '만기'가 긴 채권에 투자한다는 것은 '금리 변화'라는 변수를 감수하겠다는 의미가 됩니다. 즉, 언제든 '현재 가치 변동'의 위험이 있을 수 있다는 걸 감수하겠다는 것이죠. 이렇게 위험한 채권에 투자하는 것은 그만큼 높은 보상을 원하기 때문일 것입니다. 여기서는 높은 '순수익'을 기대한다는 식으로 표현하고 있네요. 여기서 '순수익'은 앞에서 본 말과 '진짜로' 같은 말입니다. 2문단에서 '순수익'은 '채권의 현재 가치'에서 '채권의 매입 가격'을 뺀 값으로 정의되었어요. 따라서 높은 '순수익'은 곧 높은 '채권의 현재 가치'나 낮은 '채권의 매입 가격'을 의미한다고 할 수 있겠습니다. 결국, '만기'가 긴 채권에 투자하는 투자자들은 '현재 가치'가 높거나 '매입 가격'이 낮은 채권을 원한다는 것이에요. 이렇게 '진짜로' 같은 말을 활용해서 확실하게 납득할 수 있어야 합니다.

4번 문장에서는 '만기'가 긴 채권에 투자하려는 투자자들이 '액면 이자율'이 더 높은 채권을 선호한다고 합니다. 당연하게 받아들여야 합니다. '액면 이자율'이 높다는 것은 '금리' 변화를 견딜 만큼 높은 '이자액'이 보장된다는 것이고, '이자액'의 액수 자체가 크다면 그 채권의

'현재 가치'도 높다고 할 수 있는 것이니까요. 나아가, 지문에는 제시되어 있지 않지만 '만기'가 긴 채권에 투자하려는 투자자들은 '매입 가격'이 낮은 채권을 선호할 것이라는 점도 추론할 수 있어야 합니다. 이 역시 높은 '순수익'을 보장하니까요.

하이라이트 문장

> ②일반적으로 다른 지급 조건이 동일하다면 만기가 긴 채권일수록 가격은 금리 변화에 더 민감하므로 가격 변동의 위험이 크다.

우리가 관심을 두는 부분은 '만기'와 '채권 가격'의 관계입니다. 그리고 이 내용이 '금리'라는, 앞 문단에서 읽었던 내용과 연계되어 제시되고 있어요. 그렇다면 최선을 다해서 '금리'와 '현재 가치'라는 말을 바탕으로 '채권의 가격'을 결정한다는 이 문장의 내용을 확실하게 납득하려고 해야겠습니다.

> ④따라서 투자자들은 만기가 긴 채권일수록 높은 순수익을 기대하므로 액면 이자율이 더 높은 채권을 선호한다.

'순수익'이라는 '진짜로' 같은 말을 보자마자, 2문단에서 그 정의를 가져 와 납득할 수 있어야 합니다. 정보량이 많은 지문은 존재하지 않는다는 것, 확실하게 느낄 수 있겠죠?

(4문단)

> ①또 액면 금액과 이자액을 약정된 일자에 지급할 수 없는 지급 불능 위험도 채권 가격에 영향을 준다. ②예를 들어 채권을 발행한 기업의 경영 환경이 악화될 경우, 그 기업은 지급 능력이 떨어질 수 있다. ③이런 채권에 투자하는 사람들은 위험을 감수해야 하므로 이에 대한 보상을 요구하게 되고, 이에 따라 채권 가격은 상대적으로 낮게 형성된다.

① #카테고리 나누기 #수식된 정의 제시
#단어의 의미 살리기

'채권 가격'에 영향을 미치는 요소에는 '지급 불능 위험'도 있었습니다. '현재 가치', '만기'와 함께 하나의 독립적인 '카테고리'를 이룰 수 있게 해 주시면 되겠습니다. 단어의 의미 그대로, 투자자에게 지급해야 할 '액면 금액'과 '이자액'의 '지급'이 '불가능'한 '위험'을 의미하네요.

②~③ #사례-원리 적용 #재진술 #화제의 흐름

바로 사례가 제시되고 있네요. 기업의 경영 환경이 악화되면, 그 기업의 '지급 능력'은 당연히 떨어질 수 있습니다. 이는 '지급 불능 위험'을 높게 되고, 이 채권 투자자들은 당연하게 '보상'을 요구합니다. 여기선 그 '보상'이 '낮은 채권 가격'으로 제시되어 있어요. 어렵지 않게 납득할 수 있겠죠? 싸게 살 수 있다면 그건 '보상'이라고 할 수 있으니까요.

나아가, '낮은 채권 가격' 역시 일종의 '진짜로' 같은 말입니다. '낮은 매입 가격'은 앞에서 '높은 순수익'의 동의어로 처리하면서 한 번 더 확인한 내용이었으니까요. 그렇다면 여기서 말하는 '보상'은 곧 '높은 순수익'을 의미한다고 할 수 있겠습니다. 이번에도 '진짜로' 같은 말을 통해 정보량을 크게 줄여냈네요. '만기'가 긴 채권처럼, '지급 불능 위험'이 높은 채권에 투자하려는 투자자들은 '높은 순수익'을 원하는 것입니다. 위험한 채권에 투자하려고 하니, 당연히 많은 보상을 원하겠죠. 쉽게 납득할 수 있을 것 같아요.

하이라이트 문장

> ③이런 채권에 투자하는 사람들은 위험을 감수해야 하므로 이에 대한 보상을 요구하게 되고, 이에 따라 채권 가격은 상대적으로 낮게 형성된다.

'채권 가격은 상대적으로 낮게 형성된다.'를 보고서 아무런 생각이 들지 않으면 안 됩니다. '어디서 본 말인데?'라는 생각을 하면서 '높은 순수익'을 끌어올 수 있어야 해요

| 생각 심화 |

여기서 2~4문단에 제시된 세 가지 카테고리는 사실상 '순수익'이라는 하나의 정보로 정리된 것임을 파악할 수 있습니다. '현재 가치', '만기', '지급 불능 위험' 모두 '높은 순수익 추구'라는 채권 투자자들의 목표에 연결되어 있거든요. 애초에 이 지문의 화제인 '채권의 가격'이라는 것은 채권 투자자들의 '수요'에 따라 결정되는 것이고, '현재 가치', '만기', '지급 불능 위험'은 모두 이러한 '수요'를 결정하는 요인이라는 것입니다

따라서 '현재 가치'가 낮을 때, '만기'가 길 때, '지급 불능 위험'이 높은 채권에 투자하고자 할 때는 모두 공통적으로 '높은 순수익'을 기대하며 '채권 가격'이 낮거나, '액면 이자율'과 같은 '지급 조건'이 좋은 채권에 투자할 수밖에 없는 것이죠. 결국 '하이 리스크, 하이 리턴'이 이 지문의 진짜 화제였습니다. 어렵기는 하지만, 여기까지 볼 수 있다면 지문의 내용을 완벽하게 파악했다고 할 수 있겠습니다. 채권, 가격, 금리 등 경제 제재에 대한 기본적인 지식이 확실하게 잡혀 있었다면 이러한 생각을 하는 것이 더 쉬웠겠죠?

5문단

> ① 한편 채권은 서로 대체가 가능한 금융 자산의 하나이기 때문에, 다른 자산 시장의 상황에 따라 가격에 영향을 받기도 한다. ② 가령 주식 시장이 호황이어서 주식 투자를 통한 수익이 커지면 상대적으로 채권에 대한 수요가 줄어 채권 가격이 하락할 수도 있다.

① #화제의 흐름

1문단에서 정리했던 '현재 가치', '만기', '지급 불능 위험' 외에도 '채권 가격'에 영향을 미치는 요소가 존재하네요. '다른 자산 시장의 상황'도 영향을 미칠 수 있나 봅니다.

② #사례-원리 제시

'주식 시장'이라는 '다른 자산 시장'을 사례로 해서 이러한 '원리'를 이해시켜 주고 있네요. '주식'이 잘 된다면 굳이 '채권'에 투자하지 않을 겁니다. 이렇게 '채권'에 대한 수요가 줄어드니까 '채권 가격'은 당연히 떨어지겠죠? '수요와 가격'이라는 경제학의 기본 지식은 당연히 알고 있을 것이라고 생각합니다.

선지	①	②	③	④	⑤
선택률	4%	8%	59%	9%	20%

12 윗글의 설명 방식으로 적절하지 <u>않은</u> 것은? ③

① 채권 가격을 결정하는 데 영향을 미치는 요인을 몇 가지로 나누어 설명하고 있다.

명시적 근거	1문단 4번 문장
실전에서의 판단 과정	화제네.
해설	완전 화제네요. 당연히 맞죠?

② 채권의 지급 불능 위험과 채권 가격 간의 관계를 설명하기 위해 예를 들고 있다.

명시적 근거	4문단 2번 문장
실전에서의 판단 과정	예시가 있는지 확인해봐야겠다. 있네.
해설	'지급 불능 위험'을 설명할 때 예를 들고 있었습니다. 기억이 안 났다면, 그 카테고리를 설명하던 4문단으로 돌아가서 확인했으면 돼요!

③ 유사한 원리를 보이는 현상에 빗대어 채권의 특성을 설명하고 있다.

명시적 근거	-
실전에서의 판단 과정	다른 현상에 빗대는 건 없지.
해설	지문 전체적으로 '채권'이라는 정보에만 집중하고 있습니다. '유사한 원리를 보이는 현상'이라고 할 만한 정보를 찾기가 어렵죠.

④ 금리가 채권 가격에 미치는 영향을 인과적으로 설명하고 있다.

명시적 근거	2문단 5번 문장
실전에서의 판단 과정	금리 변화와 가격 변화를 이어서 설명했네.
해설	금리 변화가 '현재 가치'에 영향을 주고, 이것이 '채권의 가격'에 영향을 미친다는 것. 당연하게 납득했던 '인과 관계'였죠?

⑤ 채권의 의미를 밝히고 그 종류를 들고 있다.

명시적 근거	1문단 1번 문장
실전에서의 판단 과정	채권의 정의와 종류가 나왔으니까.
해설	채권을 정의한 다음, 종류(국채, 회사채)도 짧게 언급을 하고 있었으니 맞는 선지네요! 기억하기 어려운 정보인 것은 맞지만, '국채'와 '회사채'가 가진 단어의 의미를 살리는 과정 등이 있었다면 어렴풋이 떠올릴 수는 있는 내용이라고 생각해요.

| 생각 심화 |

사실 '국채', '회사채', '금융채' 등 채권의 종류가 다양하다는 것을 미리 알고 있었다면 1문단의 1번 문장을 더 확실하게 납득했을 것이고, 이 선지에 낚일 일이 없었을 것입니다. 경제 제재 지문을 제대로 해결하기 위해서는 배경지식이 꼭 필요하다는 것, 확실하게 알아둡시다.

선지	①	②	③	④	⑤
선택률	11%	24%	22%	28%	15%

13 윗글로 미루어 알 수 있는 것은? ④

① 채권이 발행될 때 정해지는 액면 금액은 채권의 현재 가치에서 이자액을 뺀 것이다.

명시적 근거	1문단 2번 문장, 2문단 1번 문장
실전에서의 판단 과정	액면 금액은 그냥 정해지는 거잖아?
해설	'액면 금액'은 어떠한 과정을 통해서 구하는 것이 아니라, 그냥 채권 발행 시 '정해지는 값'이었습니다. 즉, '고정값'인 것이죠! 그런데 '채권의 현재 가치'는 '금리'라는 요소에 따라 계속해서 변하는 것입니다. 변하는 것에서 '이자액'이라는 고정값을 뺐더니 '액면 금액'이라는 고정값이 나온다는 건 성립할 수 없기 때문에 틀린 선지가 됩니다. 조금 어렵다면, 다르게 접근해봅시다. '채권의 현재 가치'를 '이자액'과 '액면 금액'을 통해 구하는 것은 맞지만, 핵심은 이들을 그대로 더하는 것이 아니라 '현재 가치'로 바꾸어 더하는 것이었죠? 따라서 '현재 가치'에서 '이자액의 현재 가치'를 빼면 '액면 금액의 현재 가치'가 나온다고 할 수는 있지만, '이자액'을 빼서 '액면 금액'이 나온다고 할 수는 없는 것입니다. 개념의 정의와 선지에서 묻는 것을 정말 디테일하게 따지는 것이 중요했습니다.

② 채권의 순수익은 정기적으로 지급될 이자액을 합산하여 현재 가치로 환산한 값이다.

명시적 근거	2문단 1번 문장
실전에서의 판단 과정	순수익은 현재 가치에서 매입 가격을 뺀 것이지.
해설	'순수익'의 정의를 묻고 있습니다. 자연스럽게 '채권의 현재 가치'에서 '매입 가격'을 뺀 값이라고 이야기할 수 있어야 해요. 그런데 선지에서 이야기하는 것처럼 그저 '이자액'을 합산하여 '현재 가치'로 환산한 값이라면, '매입 가격'을 고려하지 않은 것이기에 틀린 선지가 되겠습니다. 심지어 '현재 가치'를 구할 때 '액면 금액'을 따지지도 않았구요. 총체적으로 틀린 선지네요.

③ 다른 지급 조건이 같다면 채권의 액면 이자율이 높을수록 채권 가격은 하락한다.

명시적 근거	1문단 2번 문장, 2문단~4문단 전체
실전에서의 판단 과정	액면 이자율이 높다는 것만으로 채권 가격에 영향을 줄 수는 없지.
해설	선지에서 물어보는 것을 정확하게 따져야 합니다. 다른 지급 조건이 모두 같을 때, '액면 이자율'과 '채권 가격'의 관계를 묻고 있습니다. '액면 이자율'이 높다는 것은 그 채권을 통해 얻을 수 있는 '이자액'이 많다는 것을 의미합니다. 이렇게 얻을 수 있는 보상이 많으니, 채권의 가격도 당연히 높아야 하지 않겠냐고 생각할 수 있어요. 하지만 높은 '액면 이자율'이 '채권 가격'을 하락시키지는 못합니다. '채권 가격'을 결정하는 요소들은 '지급 조건' 외에도 '채권의 현재 가치', '만기', '지급 불능 위험' 등 너무나 많기 때문에, 단순히 '액면 이자율'이 높다는 것만으로 '채권 가격'이 어떻게 될 것이라는 예측을 할 수는 없습니다. 따라서 틀린 선지로 볼 수 있겠네요. '채권의 가격'을 하락시키는 요인들은 너무나 많은데 그것을 하나로 한정지었을 뿐 아니라, 심지어 '채권의 가치'를 높이는 요소를 제시하고 있으니까요. 나아가, 이 선지가 물어보는 것이 채권 가격이 '낮다'는 것이 아니라 '하락한다'라는 것에 주목할 수 있어야 합니다. '하락한다'라는 것은 시간적 흐름을 전제하는 표현이기 때문에, 시간적 흐름이 존재하지 않는 고정값인 '액면 이자율'이 낳을 수 있는 결과가 아닌 것이에요. 조금 어렵게 보면 여기까지 생각할 수도 있었네요! 어쨌든 핵심은 '액면 이자율'이라는 '고정값'을 정확하게 체크하는 것과, 이 선지가 물어보는 것이 무엇인지를 정확하게 인식하는 것이었습니다. 고난도 선지 판단의 기본이죠?

④ 지급 불능 위험이 커진 채권을 매입하려는 투자자는 높은 순수익을 기대한다.

명시적 근거	2문단 1번 문장, 4문단 3번 문장
실전에서의 판단 과정	하이 리스크, 하이 리턴이었지.
해설	지문을 읽으면서 미리 생각했던 내용입니다. '지급 불능 위험'이 커진 채권처럼 위험한 채권에 투자하려는 투자자는, 마치 '만기'가 긴 채권에 투자할 때처럼 '높은 순수익'을 기대할 것입니다. 이는 채권의 '높은 현재 가치'나 '낮은 매입 가격' 중

| | 하나 이상의 조건이 충족되면 얻을 수 있는 것인데, 지문에서는 '낮은 매입 가격'을 제시했었죠?

이렇게 지문을 완벽하게 이해해서 바로 답으로 골라내는 것이 가장 이상적입니다. 그렇다면 지문에서 이 내용을 미리 생각하지 못했다면 어떤 사고과정을 거쳐야 할까요?

이번에도 선지에서 묻는 내용을 차분하게 따져보는 것에서 시작합니다. 이 선지에서는 '지급 불능 위험'과 '투자자의 높은 순수익 기대' 사이의 관계를 묻고 있어요. 우리가 지문을 읽으면서 납득했던 내용을 최대한 활용해야 합니다.

먼저 '지급 불능 위험'입니다. 지문에 따르면, 이러한 채권에 투자하는 사람은 '위험을 감수'하는 것이기에 '보상'을 요구하게 되고, 그 '보상'이 '낮은 채권 가격'의 형태로 나타난다고 했습니다. 그렇다면 이 내용을 선지에서 물어보는 '높은 순수익 기대'와 연결지어 생각해보아야겠죠? '낮은 가격'과 '높은 순수익' 사이에는 어떤 관계가 있을까요?

이러한 생각을 이어가다 보면, '순수익'이 '채권의 현재 가치'에서 '매입 가격'을 뺀 가격이었다는 걸 생각할 수 있습니다. 그리고 이때의 '매입 가격'은 바로 '채권의 가격'이죠? 따라서 '낮은 채권 가격'이 형성되는 것은 그것이 '높은 순수익'을 의미하기 때문이라고 할 수 있다는 것을 추론할 수 있겠습니다. '지급 불능 위험'이 높은 채권은 '현재 가치'가 얼마든 그것을 아예 받지 못할 위험이 있는 채권이기에, 대신 상대적으로 '낮은 매입 가격'을 통해 '순수익'의 증가를 노릴 수 있다는 것이죠. 읽다 보니, 지문 독해 과정에서 해설한 내용과 똑같은 말을 하고 있다는 것을 알 수 있겠죠? 이처럼 지문 독해 과정에서 '해야 할 생각'을 제대로 하지 못하는 경우, 그와 똑같은 사고과정을 선지 판단 과정에서 해내야 합니다. 그리고 답을 골라야 한다는 조급함을 가진 채로 복잡한 사고과정을 차분하게 전개하는 것은 결코 쉽지 않습니다. 이런 이유로 계속해서 처음부터 지문을 잘 읽어야 함을 강조하는 것입니다. |

⑤ 일반적으로 지급 불능 위험이 낮으면 상대적으로 액면 이자율이 높다.

명시적 근거	1문단 2번 문장, 4문단 3번 문장
실전에서의 판단 과정	지급 불능 위험이 낮으면 액면 이자율을 높게 할 필요가 없지.

해설	'지급 불능 위험'은 말 그대로 '위험'을 의미합니다. 따라서, '지급 불능 위험'이 낮다는 건 아주 안전하게 이자액과 액면 금액을 지급할 수 있는 채권이라는 것이죠. 이러한 채권에 투자하는 사람들은 조금은 더 안정적인 투자를 하는 것이므로, '높은 순수익'을 위한 '높은 액면 이자율'을 기대하기 어려울 것입니다. 결국 일반적으로 '지급 불능 위험'이 낮으면 '액면 이자율'도 낮게 형성될 것이라 추론할 수 있겠네요. '로우 리스크, 로우 리턴'인 것이죠.

선지	①	②	③	④	⑤
선택률	8%	16%	61%	9%	6%

14 〈보기〉의 A는 어떤 채권의 가격과 금리 간의 관계를 나타낸 그래프이다. 윗글의 ㉠과 ㉡에 따른 A의 변화 결과를 바르게 예측한 것은? ③

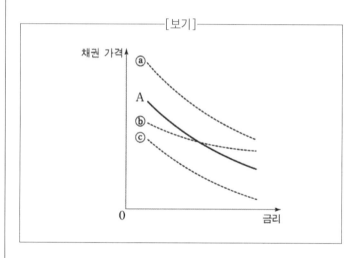

ㅡ [보기]

ㅡ 발문이 독특합니다. 정확하게 물어보는 것을 체크하고 가야 합니다. 이 문제에 제시된 그래프는 '채권의 가격'과 '금리' 간의 관계를 나타내고 있어요. 모든 그래프 해석의 기본은 'x축, y축 확인'이기 때문에, x축이 '금리', y축이 '채권 가격'이라는 것부터 확인해야겠네요.

> ㉠ 만기일이 다가올수록 채권 가격은 금리 변화에 덜 민감해진다.

먼저 ㉠에 대응되는 것부터 확인해봅시다. y축에 해당하는 '채권 가격'과 x축에 해당하는 '금리' 변화가 제시되어 있는데, 중요한 건 '덜 민감해진다.'라는 말이네요. 단순히 '증가한다/감소한다'가 아니라 '민감해진다.'이기 때문에, 그래프의 '기울기'가 작아지는 그래프를 고르면 되겠습니다. 현재의 상태(A)의 경우와 기울기가 달라지는 상태(ⓑ)를 비교하면, '금리'가 똑같이 변할 때 '채권 가격'의 변화 정도는 ⓑ가 훨씬 작다는 것을 알 수 있죠? 이것이 바로 '덜 민감'한 상태라고 할 수 있겠습니다. 따라서 ⓐ의 경우에는 ⓑ와 대응된다고 할 수 있겠네요.

> ⓛ 주식 투자를 통한 수익이 커지면 상대적으로 채권에 대한 수요가 줄어 채권 가격이 하락

다음은 ⓛ입니다. 이때는 주식 시장의 수요가 늘어 채권에 대한 수요가 줄고, 이에 따라 채권 가격이 '하락'하는 경우를 의미합니다. x축 '금리'를 고려하지 않고 y축인 '채권 가격'만을 하락시켰으니, y축의 그래프가 그대로 내려오는 ⓒ를 정답으로 고를 수 있겠네요.

	ㄱ	ㄴ
①	ⓐ	ⓒ
②	ⓑ	ⓐ
③	ⓑ	ⓒ
④	ⓒ	ⓐ
⑤	ⓒ	ⓑ

몰랐던 어휘 정리하기

| 핵심 point |

① **화제 check** : 독서 지문 독해의 처음이자 끝. 첫 문단에서 잡은 '화제의 틀'을 마지막 문단까지 놓지 않아야 합니다.

② **카테고리 나누기** : 정보들의 범주가 나뉠 때, 그들이 서로 다른 카테고리에 속한다는 것을 인지해야 합니다. 이렇게 각 카테고리에 맞춰 정보를 정리하면 훨씬 깔끔하게 정리할 수 있다는 것을 기억해주세요.

③ **재진술 인식** : 같은 말이라도 다르게 표현되는 경우가 많습니다. 심지어 아예 똑같은 말이 빈복되는 경우도 많아요. 이 '같은 말'에 민감하게 반응하면, '정보량'을 줄이면서 읽을 수가 있습니다.

④ **비교/대조** : 비교되는 대상이 나오면, '공통점'과 '차이점' 중심으로 읽어나가면 됩니다.

⑤ **선지에서 묻는 것** : 모든 선지 판단의 시작은 '묻는 것'이 무엇인지 인식하는 것에서부터입니다. 특히 특정 개념에 대해 묻는 경우에는 그 개념의 '정의'를 확인하는 것이 중요합니다.

| 지문 내용 총정리 |

첫 문단에서 제시한 카테고리에 맞춰 지문 전개를 예측하고, '채권의 가격'이라는 하나의 화제로 모든 정보를 모아가며 읽는 것이 중요한 지문이었습니다. 나아가 앞에서 제시된 정보들을 최대한 끌어오며 정보량을 줄이는 태도도 중요하게 다뤄졌었죠? 또한 선지 판단 과정에서 배울 것이 많았습니다. '선지에서 묻는 것'과 '지문 속에서 확인한 정보' 사이의 간극을 메우는 '필연적 사고의 과정', 확실하게 연습하도록 합시다.

1문단

①통화 정책은 중앙은행이 물가 안정과 같은 경제적 목적의 달성을 위해 이자율이나 통화량을 조절하는 것이다. ②대표적인 통화 정책 수단인 '공개 시장 운영'은 중앙은행이 민간 금융기관을 상대로 채권을 매매해 금융 시장의 이자율을 정책적으로 결정한 기준 금리 수준으로 접근시키는 것이다. ③중앙은행이 채권을 매수하면 이자율은 하락하고, 채권을 매도하면 이자율은 상승한다. ④이자율이 하락하면 소비와 투자가 확대되어 경기가 활성화되고 물가 상승률이 오르며, 이자율이 상승하면 경기가 위축되고 물가 상승률이 떨어진다. ⑤이와 같이 공개 시장 운영의 영향은 경제 전반에 파급된다.

①~② #정의 제시 #재진술

'통화 정책'의 정의로 지문이 시작하고 있습니다. 특정한 경제 목적의 달성을 위해, '이자율'이나 '통화량'을 조절하는 게 바로 '통화/정책'이네요. '통화'(통용되는 화폐)와 관련된 '정책'이라는 뜻이겠죠? 이러한 '통화 정책'의 대표적인 것으로는 '공개 시장 운영'이 있다고 합니다. 이는 중앙은행이 민간 금융기관의 '채권'을 매매해서 '이자율'을 '기준 금리' 수준으로 접근시키는 것이네요! '통화 정책'의 방법 중에서, '이자율'을 조절하는 방법이 바로 '공개 시장 운영'인 것입니다! 핵심은 '시장 이자율'을 '기준 금리' 수준으로 접근시키는 것이죠? 이렇게 두 개념(통화 정책, 공개 시장 운영)의 정의를 엮어 완벽하게 이해하고 가는 것이 중요합니다.

③~⑤ #경제 기본 지식 활용 #재진술

'공개 시장 운영'의 자세한 메커니즘을 설명해주고 있습니다. 3번 문장을 보니, '채권 매수'와 '채권 매도'의 상황이 모두 제시되어 있네요. 이처럼 반대되는 상황에 대한 비례/증감 관계를 제시하는 경우에는, 조금 더 이해하기 쉬운 상황만을 기준으로 정리하는 것이 좋습니다. 여기서는 '채권 매수'의 상황만 정리해두면, '채권 매도'의 상황은 자연스레 반대되는 것으로 이해할 수 있겠죠? 이렇게 하면 정보량을 반으로 줄인 상태로 지문을 읽을 수 있는 겁니다.

본격적으로 읽어봅시다. '채권'을 매수하면 '이자율'이 하락한다고 합니다. 그리고 '이자율'이 하락하면? '소비 · 투자'가 확대되고 '경기 활성화' 및 '물가 상승률 증가'의 결과가 나타난다고 해요. 이는 우리가 앞에서 다 배운 내용이네요. 평가원이 경제 지문에서는 이 정도의

지식을 요구한다고 했습니다. 당연하게 납득하도록 합시다.

아무튼 이와 같이 '공개 시장 운영'을 하면, '채권 매매'라는 행위가 사회 전반적으로 큰 영향을 끼치게 되네요. 어렵지 않게 납득할 수 있겠습니다.

| 생각 심화 |

그런데 사실 '공개 시장 운영'은 '이자율' 뿐만 아니라 '통화량'도 조절하는 정책이라고 할 수 있어요. 이는 '중앙은행이 민간 금융기관의 채권을 매매'할 때 일어나는 것입니다. '채권'이 무엇인지에 대해서도 앞에서 잘 배웠으니, 우리는 그 이유를 충분히 이해할 수 있을 것이에요.

먼저 중앙은행이 민간 금융기관으로부터 채권을 매수하는 상황에 대해 생각해봅시다. 이 경우 이자율은 왜 하락하는 것일까요? 앞에서 '채권'이란 일종의 '증서'라고 했습니다. 즉, 거래할 수 있는 '물건'의 일종이라는 것이죠. 민간 금융기관이 가진 '채권' 역시 하나의 물건이라고 할 수 있는데, 중앙은행이 이 '채권'을 사 오는 경우 당연히 그 대가로 '돈'을 지불해야 할 것입니다. 이 경우 민간 금융기관이 가지고 있는 현금이 늘어나게 되고, 이는 대출 재원으로 사용될 수 있겠죠. 즉, '채권 매수'의 결과 '통화량 증가'의 효과가 나타나게 되는 것입니다. '통화량'이 증가하면 '이자율'이 하락하게 된다는 점 역시 잘 배워뒀죠?

물론 이를 알아야만 지문을 이해하고 문제를 풀 수 있는 것은 아니지만, 평가원이 워낙 자주 출제하는 내용이니 확실하게 이해하고 넘어가도록 합시다.

2문단

①중앙은행의 통화 정책이 의도한 효과를 얻기 위한 요건 중에는 '선제성'과 '정책 신뢰성'이 있다. ②먼저 통화 정책이 선제적이라는 것은 중앙은행이 경제 변동을 예측해 이에 미리 대처한다는 것이다. ③기준 금리를 결정하고 공개 시장 운영을 실시하여 그 효과가 실제로 나타날 때까지는 시차가 발생하는데 이를 '정책 외부 시차'라 하며, 이 때문에 선제성이 문제가 된다. ④예를 들어 중앙은행이 경기 침체 국면에 들어서야 비로소 기준 금리를 인하한다면, 정책 외부 시차로 인해 경제가 스스로 침체 국면을 벗어난 다음에야 정책 효과가 발현될 수도 있다. ⑤이 경우 경기 과열과 같은 부작용이 수반될 수 있다. ⑥따라서 중앙은행은 통화 정책을 선제적으로 운용하는 것이 바람직하다.

① #카테고리 나누기

이렇게 중앙은행의 통화 정책, 즉 '공개 시장 운영' 같은 것이 의도한 효과를 얻기 위해서는 '선제성'과 '정책 신뢰성'이 중요하다고 합니다. 여기서 단순히 '선제성과 정책 신뢰성으로 나뉘는구나!' 정도의 생각에 머무는 게 아니라, '통화 정책이 효과를 얻기 위한 요건'이라는 카테고리를 정확하게 잡아주시면서 읽을 수 있어야 합니다. 화제의 흐름이 정확하게 잡힐 수 있도록 말이죠! '선제성'과 '정책 신뢰성'이라는 정보의 역할이기도 하니까요.

②~③ #정의 제시

먼저 '선제성'에 대해 설명을 해주고 있네요. '선제/성'은 단어 그대로 '미리 대처'하는 게 중요하다는 것이네요. 미리 대처해야, '의도된 효과'를 얻을 수가 있는 것입니다. '기준 금리 결정', '공개 시장 운영' 등의 정책을 펼친 뒤에는 바로 효과가 나타나는 게 아니라 '정책 외부 시차'가 지나간 뒤에 효과가 나타난다고 해요. 이러니 그 효과가 적절할 때 나타날 수 있도록 '선제적'으로 정책을 집행하는 게 중요한 것이겠죠?

④~⑤ #사례-원리 연결 #경제 기본 지식 활용

꽤 중요한 정보인 것 같습니다. 예시까지 들어주고 있네요! 경기 침체 국면에 들어서야 비로소 기준 금리를 인하하는 경우입니다. 1문단에서 확인한 정보와 우리의 상식을 바탕으로, 이 경우에는 '경기 활성화'의 효과가 나타날 것이라는 점을 잘 알고 있습니다. 그런데 '정책 외부 시차' 때문에 이 효과는 바로 나타나지 않습니다. 만약 그 사이에 경제가 정책의 효과가 아닌 스스로의 힘으로 침체를 벗어나게 되면, 이미 경기가 어느 정두 활성화되어 있는 상태가 되겠죠? 여기서 '기준 금리 인하'의 효과가 뒤늦게 나타나게 되면, 결국 '경기 과열'이라는 부작용이 나타날 수 있는 것이네요. 기본적인 경제 지식과 함께, '사례-원리 연결'이라는 태도를 바탕으로 어렵지 않게 이해할 수 있는 내용이었습니다.

⑥ #재진술

그렇기 때문에 '선제적 운용'이 바람직한 것이죠. 뭐 어렵지 않네요. 가볍게 재진술 잡아주고 넘어가면 되겠습니다.

하이라이트 문장

> ①중앙은행의 통화 정책이 의도한 효과를 얻기 위한 요건 중에는 '선제성'과 '정책 신뢰성'이 있다.

'중앙은행의 통화 정책이 의도한 효과를 얻기 위한 요건'이라는 카테고리를 설정하고, 이를 기준으로 '선제성'과 '정책 신뢰성'이라는 두 개념이 제시되고 있음을 파악할 수 있어야 합니다.

3문단

> ①또한 통화 정책은 민간의 신뢰가 없이는 성공을 거둘 수 없다. ②따라서 중앙은행은 **정책 신뢰성**이 손상되지 않게 유의해야 한다. ③그런데 어떻게 통화 정책이 민간의 신뢰를 얻을 수 있는지에 대해서는 견해 차이가 있다. ④경제학자 프리드먼은 중앙은행이 특정한 정책 목표나 운용 방식을 '준칙'으로 삼아 민간에 약속하고 어떤 상황에서도 이를 지키는 '준칙주의'를 주장한다. ⑤가령 중앙은행이 물가 상승률 목표치를 민간에 약속했다고 하자. ⑥민간이 이 약속을 신뢰하면 물가 불안 심리가 진정된다. ⑦그런데 물가가 일단 안정되고 나면 중앙은행으로서는 이제 경기를 부양하는 것도 고려해 볼 수 있다. ⑧문제는 민간이 이 비일관성을 인지하면 중앙은행에 대한 신뢰가 훼손된다는 점이다. ⑨준칙주의자들은 이런 경우에 중앙은행이 애초의 약속을 일관되게 지키는 편이 바람직하다고 주장한다.

①~② #카테고리 나누기 #재진술

이번엔 '민간의 신뢰'에 대한 내용입니다. 앞에서 나누었던 카테고리 중 '정책 신뢰성'이라는 내용에 대해 이야기하고 있네요. 이에 대해서도 이해해보도록 합시다.

③ #카테고리 나누기

그런데 여기서 또 한 번 카테고리를 나눠주고 있습니다. '민간의 신뢰'가 중요하다는 것은 알겠는데, 핵심은 '어떻게' 그 신뢰를 얻느냐는 것이네요. 이를 생각하면서 읽어나갈 수 있으셔야 합니다.

④ #정의 제시 #단어의 의미 살리기

먼저 '준칙주의'가 소개되고 있습니다. 단어의 의미 그대로, '준칙'을 지키는 것을 중시하는 '주의'가 되겠네요. '어떤 상황에서도' 지키는 걸 중시한다는 점이 특이한 내용이라고 할 수 있겠습니다. 특이하다는 걸 인지한 순간 머릿속에 확 들어오죠?

⑤~⑨ #사례-원리 연결 #재진술
#경제 기본 지식 활용

이번에도 '사례-원리 연결'입니다. 확실하게 이해해봅시다. 중앙은행이 '물가 상승률' 목표치를 제시한 상황입니다. 어느 정도까지만 올리겠다고 한 것이죠. 이를 민간이 신뢰하면, 물가 불안 심리가 진정된다고 해요. '신뢰'한다면 그럴 수 있겠네요. 그런데 이런 과정에서 물가가 일단 안정이 되면, 중앙은행이 '경기를 부양'하는 것도 고려해볼 수 있다고 해요. '물가'가 안정된 상황에서 '경기 부양'을 고려할 수 있다면, '경기 부양'이 곧 '물가 상승률 증가'와 같은 말이라는 걸 생각해낼 수 있겠네요. 물론 이는 경제 지문과 관련되어 미리 알고 있어야 하는 기본 지식이라고 할 수 있겠죠?

그런데 이는 원래의 '약속', 즉 '준칙'과 어긋납니다. '준칙'과 어긋난다는 것을 인지한 민간은 중앙은행에 대한 신뢰가 훼손되고, 이 경우 큰 혼란이 일어날 수 있겠죠. 따라서 '준칙주의자'들은 애초의 약속을 일관되게 지키는 것이 중요하다는 이야기를 하고 있네요. 이 경우 '신뢰'를 확보할 수 있다는 것이죠! 어렵지 않게 납득할 수 있을 것 같습니다.

하이라이트 문장

> ③그런데 어떻게 통화 정책이 민간의 신뢰를 얻을 수 있는지에 대해서는 견해 차이가 있다.

역시 '어떻게 신뢰를 얻을 수 있는지'라는 카테고리를 잡을 수 있어야 합니다. 정보는 항상 조직화되기 마련입니다.

4문단

> ①그러나 민간이 사후적인 결과만으로는 중앙은행이 준칙을 지키려했는지 판단하기 어렵고, 중앙은행에 준칙을 지킬 것을 강제할 수 없는 것도 사실이다. ②준칙주의와 대비되는 '**재량주의**'에서는 경제 여건 변화에 따른 신축적인 정책 대응을 지지하며 준칙주의의 엄격한 실천은 현실적으로 어렵다고 본다. ③아울러 준칙주의가 최선인지에 대해서도 물음을 던진다. ④예상보다 큰 경제 변동이 있으면 사전에 정해 둔 준칙이 장애물이 될 수 있기 때문이다. ⑤정책 신뢰성은 중요하지만, 이를 위해 중앙은행이 반드시 준칙에 얽매일 필요는 없다는 것이다.

① #비교/대조

이제 '어떻게 통화 정책이 민간의 신뢰를 얻을 수 있는지'에 대한 다른 입장이 나올 차례인가봅니다. '준칙주의'를 대차게 비판하고 있어요! 비판의 내용은 어렵지 않게 납득할 수 있겠죠?

② #정의 제시 #단어의 의미 살리기

그 입장은 '재량/주의'였습니다. 단어의 의미 그대로, 중앙은행이 '재량'껏, 즉 '신축적'으로 정책을 펴야 한다는 이야기겠죠? 어렵지 않네요.

③~⑤ #주장 제시 #재진술

'재량주의'에서는 '준칙주의'가 최선인지에 대해서도 물음을 던진다고 합니다. 4번 문장, 5번 문장은 이에 대한 재진술이죠? 어렵지 않게 납득하고 넘어갈 수 있겠네요. 핵심은, '준칙'에 얽매이지 않고도 '정책 신뢰성'을 확보할 수 있는 방법이 있다는 것이에요. 이렇게 '카테고리'에 대한 인식까지 놓치지 않은 채로 마무리해봅시다.

선지	①	②	③	④	⑤
선택률	54%	10%	14%	14%	8%

15 윗글에서 사용한 설명 방식에 해당하지 <u>않는</u> 것은? ①

– 우리는 지문의 내용을 완벽하게 꿰뚫고 있기 때문에, 어렵지 않게 해결할 수 있는 유형입니다. 여러분이 생각하기에 나온 적이 없는 것 같은 정보, 즉 '화제'와 직결되지 않는 정보가 정답일 겁니다.

① 통화 정책의 목적을 유형별로 나누어 제시하고 있다.

명시적 근거	–
실전에서의 판단 과정	이건 핵심 내용이 아니었지.
해설	이 지문의 핵심은 경제에 다양한 영향을 끼치는 '통화 정책'을 어떻게 펼칠 것인가이지, '통화 정책'의 목적을 나누는 것이 아니었습니다. 지문의 화제와 동떨어진 내용이기에, 답이 될 수 없어요. 실제로 1문단에서 잠깐 설명할 뿐, '목적'을 유형별로 나누는 모습은 확인할 수가 없죠.

② 통화 정책에서 선제적 대응의 필요성을 예를 들어 설명하고 있다.

명시적 근거	2문단 4번~6번 문장
실전에서의 판단 과정	그랬었지.
해설	사례-원리 연결을 바탕으로 '선제성'을 설명했다는 점, 열심히 처리했던 정보였죠?

③ 공개 시장 운영이 경제 전반에 영향을 미치는 과정을 인과적으로 설명하고 있다.

명시적 근거	1문단 3번~5번 문장
실전에서의 판단 과정	이자율과 경기 활성화의 관계 등이 나왔었지.
해설	우리의 지식을 바탕으로 가볍게 처리했던 인과관계, 다 기억하고 계시죠?

④ 관련된 주요 용어의 정의를 바탕으로 통화 정책의 대표적인 수단을 설명하고 있다.

명시적 근거	1문단 2번 문장
실전에서의 판단 과정	공개 시장 운영을 정의하면서 설명했었지.
해설	'공개 시장 운영'이라는 주요 용어의 정의를 바탕으로, '통화 정책'의 대표적인 수단인 '채권 매매'를 설명하고 있습니다.

⑤ 통화 정책의 신뢰성 확보를 위해 준칙을 지켜야 하는지에 대한 두 견해의 차이를 드러내고 있다.

명시적 근거	4문단 전체
실전에서의 판단 과정	준칙주의vs재량주의 나왔었지.
해설	'신뢰성 확보'라는 카테고리 속에서 '준칙주의'와 '재량주의'가 비교되는 양상 역시 어렵지 않게 체크할 수 있습니다.

선지	①	②	③	④	⑤
선택률	18%	19%	24%	19%	20%

16 윗글을 바탕으로 〈보기〉를 이해할 때 '경제학자 병'이 제안한 내용으로 가장 적절한 것은? [3점] ⑤

– 상당히 복잡해 보이지만, 아주 기초적인 경제 지식과 독해력만 있다면 어렵지 않게 해결할 수 있는 문제입니다. 〈보기〉가 길고 현란하다고 겁먹으면 안 돼요! 일단 기본적인 지식이 있다는 가정하에 해결해보도록 하겠습니다. 핵심은 '경제학자 병'의 주장을 찾는 겁니다!

─────[보기]─────

어떤 가상의 경제에서 20○○년 1월 1일부터 9월 30일까지 3개 분기 동안 중앙은행의 기준 금리가 4%로 유지되는 가운데 다양한 물가 변동 요인의 영향으로 물가 상승률은 아래 표와 같이 나타났다. 단, 각 분기의 물가 변동 요인은 서로 관련이 없다고 한다.

기간	1/1~3/31	4/1~6/30	7/1~9/30
	1분기	2분기	3분기
물가 상승률	2%	3%	3%

경제학자 병은 1월 1일에 위 표의 내용을 예측할 수 있었고 국민들의 생활 안정을 위해 물가 상승률을 매 분기

2%로 유지해야 한다고 주장하였다. 이를 위해 다음 사항을 고려한 선제적 통화 정책을 제안했으나 받아들여지지 않았다.

– '기준 금리'가 4%로 유지되는 가운데, 분기별 '물가 상승률'이 2%/3%/3%로 나타난 상황입니다. 그런데 똑똑한 '병'이 1월 1일에 이걸 예측했고, 물가 상승률이 3%로 올라가지 않고 2%로 유지되도록 하는 '선제적 통화 정책'을 제시했다고 합니다. 즉, '물가 상승률'을 실제 예상되는 현실에 비해 '낮추는' 정책을 제시한 것이네요.

─────[보기]─────

[경제학자 병의 고려 사항]

기준 금리가 4%로부터 1.5%p*만큼 변하면 물가 상승률은 위 표의 각 분기 값을 기준으로 1%p만큼 달라지며, 기준 금리 조정과 공개 시장 운영은 1월 1일과 4월 1일에 수행된다. 정책 외부 시차는 1개 분기이며 기준 금리 조정에 따른 물가상승률 변동 효과는 1개 분기 동안 지속된다.

* %p는 퍼센트 간의 차이를 말한다. 예를 들어 1%에서 2%로 변화하면 이는 1%p 상승한 것이다.

– '병'의 고려 사항을 보니, '기준 금리'와 '물가 상승률'의 관계를 고려하고 있습니다. 여기선 기준 금리가 '변하면', 물가 상승률이 '달라진다'고 했습니다. 우리는 이때의 '변하면'과 '달라진다'가 각각 '상승하면', '낮아진다'라는 걸 잘 알고 있습니다. '기준 금리'와 '물가 상승률' 사이의 관계는 기본적인 지식이니까요.

이때의 '금리 조정'과 '공개 시장 운영'은 1월 1일 / 4월 1일에 수행됩니다. 즉, 1분기와 2분기의 시작일에 수행되는 것이네요. 그런데 이때 1개 분기의 '정책 외부 시차'가 존재한다고 합니다. 즉, 1월 1일에 수행한 정책은 4월 1일부터 효과가 나타나고, 4월 1일에 수행한 정책은 7월 1일부터 효과가 나타난다는 것이죠. 이렇게 '시차'를 두고 나타나는 효과는 1개 분기 동안 지속된다고 합니다.

그렇다면 결론은 간단합니다. 1월 1일에 기준 금리를 4%에서 5.5%로 올려서, 4월 1일에 그 효과(물가 상승률이 3%에서 2%로 하락)가 나타나게 해야겠네요. 그리고 이를 4월 1일에 유지하면, 7월 1일에도 같은 효과가 나타난다고 할 수 있겠습니다. 어렵지 않게 답을 5번으로 고를 수 있겠네요.

① 중앙은행은 기준 금리를 1월 1일에 2.5%로 인하하고 4월 1일에도 이를 2.5%로 유지해야 한다.

② 중앙은행은 기준 금리를 1월 1일에 2.5%로 인하하고 4월 1일에는 이를 4%로 인상해야 한다.

③ 중앙은행은 기준 금리를 1월 1일에 4%로 유지하고 4월 1일에는 이를 5.5%로 인상해야 한다.

④ 중앙은행은 기준 금리를 1월 1일에 5.5%로 인상하고 4월 1일에는 이를 4%로 인하해야 한다.

⑤ 중앙은행은 기준 금리를 1월 1일에 5.5%로 인상하고 4월 1일에도 이를 5.5%로 유지해야 한다.

FAQ

Q 4월 1일에 왜 또 금리를 유지해야하나요? 금리를 올릴수록 물가 상승률이 떨어지는 거니까, 이미 5.5%로 올렸다면 다시 7%로 올려야 하는 것 아닌가요?

A 고려 사항을 자세히 봅시다. 그냥 금리가 상승하는 게 아니에요. '4%를 기준으로' 금리가 상승할 때 물가 상승률이 변하는 겁니다. 즉 4%에서 1.5%p 올리면 물가 상승률이 1%p 떨어지는 건데, 5.5%에서 1.5%p 올리면 어떻게 되는지는 아무도 모르는 것이죠! 이미 4%에서 1.5%p 올려서 물가 상승률을 1%p 떨어뜨려 놓은 상태이므로 다시 금리를 올릴 필요가 없는 겁니다. 이렇게 단어 하나하나를 집요하게 체크하지 않으면 실수할 확률이 아주 높습니다. 위의 긴 과정을 거치다가 저 단어 하나 못 봐서 해결하지 못한다면 너무 아쉽겠죠? 어려운 문제일수록, 단어 하나하나 곱씹으면서 해결해야 합니다!

이렇게 기본적인 경제 지식을 바탕으로 해결하라는 것이 평가원의 의도가 아닐까 싶지만, 만약 '금리=이자율'과 같은 정보를 몰랐다고 하면 어떻게 해결하면 되는지에 대해서도 알아봅시다.

일단 아래에서 확인할 수 있듯이, 지문에는 '이자율'과 '물가 상승률'의 관계만 명시적으로 드러나 있을 뿐, '기준 금리'와 '물가 상승률'의 관계가 명시적으로 드러나 있지는 않아요.

> ④ 이자율이 하락하면 소비와 투자가 확대되어 경기가 활성화되고 물가 상승률이 오르며, 이자율이 상승하면 경기가 위축되고 물가 상승률이 떨어진다.

하지만 모든 근거는 반드시 '지문 속'에 존재합니다. 이때 우리가 열심히 이해했던 2문단과 3문단의 '사례'를 이용할 수 있겠습니다. 분명히 거기서 '금리'에 대한 이야기를 읽었던 것 같거든요. 2문단의 사례를 보면, '기준 금리 인하'가 '경기 부양'의 효과가 있음을 알 수 있습니다. 나아가 3문단의 사례에서는 '물가 상승률 증가'가 '경기 부양'과 맞닿아 있는 정보라는 걸 확인할 수 있죠? 그렇다면 우리는 이 두 사례를 엮어서, '기준 금리 인하 → 경기 부양 → 물가 상승률 증가'라는 관계를 만들어 낼 수 있겠습니다. 결국 '기준 금리'와 '물가 상승률' 역시 일종의 반비례 관계를 이루고 있던 것이죠. '사례-원리

연결'에 충실했더니, 이렇게 숨어 있던 '비례 관계'를 잡아낼 수 있었습니다.

'배경지식'을 배제하고 풀 수 있어야만 한다는 출제원칙에 따라 후자의 풀이가 조금 더 바람직해보이기는 하지만, 전자의 풀이로도 해결할 수 있었으면 좋겠습니다. 이 정도의 지식은 있어야 경제 지문을 완벽하게 이해하며 읽을 수 있으니까요!

선지	①	②	③	④	⑤
선택률	55%	7%	10%	18%	10%

17 윗글의 ㉠과 ㉡에 대한 설명으로 가장 적절한 것은? ①

> ㉠ '준칙주의' / ㉡ '재량주의'

– '신뢰성 확보'라는 카테고리 속에서 열심히 비교되는 두 주장에 대한 문제입니다. 단어의 의미 그대로, '준칙을 중시', '재량권 중시'라는 포인트를 바탕으로 해결하면 되겠죠?

① ㉠에서는 중앙은행이 정책 운용에 관한 준칙을 지키느라 경제 변동에 신축적인 대응을 못해도 이를 바람직하다고 본다.

명시적 근거	3문단 4번 문장
실전에서의 판단 과정	어떤 상황에서도 준칙을 지키라고 했지.
해설	'준칙주의'는 '어떤 상황에서도' 준칙을 지켜야 한다고 했습니다. 정의를 체크하는 과정에서도, 사례를 원리와 연결시키는 과정에서도 확실하게 인식했던 정보죠? 결과적으로 나쁜 선택이었다고 해도, 반드시 '준칙'을 지켜 민간의 '신뢰'를 회복하는 게 중요한 것이었습니다.

② ㉡에서는 중앙은행이 스스로 정한 준칙을 지키는 것은 얼마든지 가능하다고 본다.

명시적 근거	4문단 1번 문장
실전에서의 판단 과정	준칙 지킬 것을 강제할 수 없다며.
해설	'재량주의'는 중앙은행이 스스로 정한 준칙을 지키는지 감시하기도, 강제하기도 어렵다고 했습니다. 나아가 '준칙'을 지키는 것에 초점을 두는 건 '재량주의'의 입장이라고 할 수 없겠죠?

③ ⊙에서는 ⓛ과 달리, 정책 운용에 관한 준칙을 지키지 않아도 민간의 신뢰를 확보할 수 있다고 본다.

명시적 근거	3문단 4번 문장
실전에서의 판단 과정	'준칙'주의잖아?
해설	'실전에서의 판단 과정' 그대로입니다. '준칙'주의인데, '준칙'을 지키지 않아도 된다고 하는 건 말도 안 되는 선지죠.

④ ⓛ에서는 ⊙과 달리, 통화 정책에서 민간의 신뢰 확보를 중요하게 여기지 않는다.

명시적 근거	3문단 3번 문장
실전에서의 판단 과정	⊙과 ⓛ은 모두 민간의 신뢰를 얻기 위한 방법이었지.
해설	선택률 보이시죠? '카테고리 인식'을 제대로 수행하지 못하는 학생이 이렇게나 많습니다. '준칙주의'와 '재량주의'는 모두 '신뢰성 확보'라는 카테고리 속에서 비교되는 정보였어요. '재량주의' 역시 민간의 신뢰 확보를 중시하는 입장이라는 겁니다. 그 방법이 꼭 '준칙'일 필요는 없다는 게 핵심이지, '신뢰성'을 중시하지 않는 게 아니었어요.

⑤ ⓛ에서는 ⊙과 달리, 경제 상황 변화에 대한 통화 정책의 탄력적 대응이 효과적이지 않다고 본다.

명시직 근거	4문단 2번 문장
실전에서의 판단 과정	탄력적으로 재량껏 해도 된다고 했지.
해설	'탄력적 대응', 즉 '재량권'을 발휘하여 정책을 펴는 것은 '재량주의'가 권장하는 것입니다. 어렵지 않게 지울 수 있는 선지죠?

선지	①	②	③	④	⑤
선택률	8%	13%	5%	3%	71%

18 ⓐ~ⓔ의 문맥적 의미를 활용하여 만든 문장으로 적절하지 않은 것은? ⑤

① ⓐ : 그의 노력으로 소비자 운동이 전국적으로 파급되었다.

② ⓑ : 의병 활동은 민중의 애국 애족 의식이 발현한 것이다.

③ ⓒ : 이 질병은 구토와 두통 증상을 수반하는 경우가 많다.

④ ⓓ : 기온과 습도가 높은 요즘 건강관리에 유의해야 한다.

⑤ ⓔ : 장남인 그가 늙으신 부모와 어린 동생들을 부양하고 있다.

몰랐던 어휘 정리하기

| 핵심 point |

① **경제 제재 기본 지식** : '금리', '통화량' 등의 변화로 나타나는 기본적인 경제의 흐름에 대해 이해하고 있을 필요가 있습니다.

② **사례-원리 연결** : 모든 사례는 어떠한 추상적인 원리를 구체화하는 역할을 합니다. 둘을 연결지으며 확실하게 이해하고 가는 태도가 중요합니다.

③ **카테고리 나누기** : 정보들의 범주가 나뉠 때, 그들이 서로 다른 카테고리에 속한다는 것을 인지해야 합니다. 이렇게 각 카테고리에 맞춰 정보를 정리하면 훨씬 깔끔하게 정리할 수 있다는 것을 기억해주세요.

④ **비교/대조** : 비교되는 대상이 나오면, '공통점'과 '차이점' 중심으로 읽어나가면 됩니다.

| 지문 내용 총정리 |

지문 자체가 엄청 어렵지는 않았겠지만, 평가원이 '금리'와 관련된 경제 지식을 다루는 방식에 대해 배울 수 있는 지문이었습니다. 다른 것보다도 이 내용과 <보기> 문제를 해결하는 방식에 주목하며 정리해보도록 해요.

1문단

> ①전통적인 통화 정책은 정책 금리를 활용하여 물가를 안정시키고 경제 안정을 도모하는 것을 목표로 한다. ②중앙은행은 경기가 과열되었을 때 정책 금리 인상을 통해 경기를 진정시키고자 한다. ③정책 금리 인상으로 시장 금리도 높아지면 가계 및 기업에 대한 대출 감소로 신용 공급이 축소된다. ④신용 공급의 축소는 경제 내 수요를 줄여 물가를 안정시키고 경기를 진정시킨다. ⑤반면 경기가 침체되었을 때는 반대의 과정을 통해 경기를 부양시키고자 한다.

①~⑤ #정의 제시 #경제 기본 지식 활용

'전통적'인 통화 정책에 대한 지문입니다. 일단 '전통적'이라는 말로부터, 발전된 형태의 '최근의 것'이 나올 것이라고 생각할 수 있겠죠? 그 정의는 '정책 금리'를 활용하여 '물가 안정' 및 '경제 안정'을 도모하는 것입니다. 이는 모두 본교재에서 충분하게 설명한 내용이죠? 경기가 과열되었을 때 왜 '정책 금리'를 인상하는지, 그리고 이것이 어떻게 '경기 진정'이라는 효과를 낳는지 완벽하게 이해할 수 있어야 합니다. 모르겠다면 본교재로 돌아가서 다시 정리하고 옵시다.

어쨌든 핵심은 '금리'를 이용한 '통화 정책' 이야기를 할 것이라는 점입니다. 계속해서 읽어봅시다.

2문단

> ①금융을 통화 정책의 전달 경로로만 보는 **전통적인 경제학**에서는 **금융감독 정책**이 개별 금융 회사의 건전성 확보를 통해 금융 안정을 달성하고자 하는 미시 건전성 정책에 집중해야 한다고 보았다. ②이러한 관점은 **금융**이 직접적인 생산 수단이 아니므로 단기적일 때와는 달리 장기적으로는 경제 성장에 영향을 미치지 못한다는 인식과, 자산 시장에서는 가격이 본질적 가치를 초과하여 폭등하는 버블이 존재하지 않는다는 효율적 시장 가설에 기인한다. ③**미시 건전성 정책**은 개별 금융 회사의 건전성에 대한 예방적 규제 성격을 가진 정책 수단을 활용하는데, 그 예로는 향후 손실에 대비하여 금융

회사의 자기자본 하한을 설정하는 최저 자기자본 규제를 들 수 있다.

① #수식된 정의 제시 #카테고리 나누기 #단어의 의미 살리기

'전통적'인 경제학에서는 '금융'을 '통화 정책의 전달 경로'로만 본다고 합니다. 어려운 말이지만, 이 '수식된 정의'를 우리가 알고 있는 것과 엮어서 최대한 이해해야 합니다. '통화 정책'은 '금리'를 활용하여 경제 안정을 도모하는 것이었는데, '금융'은 이 과정에서 일어나는 채권 발행, 대출 증감, 투자 및 소비 증감 등을 '전달'하는 '경로'의 역할만 한다는 것이죠. 애초에 '금융'이라는 단어의 의미 자체가 '돈의 흐름'이라는 것을 알고 있다면 조금 더 선명하게 정리할 수 있겠죠. 완벽하게 이해하긴 어렵지만, 이렇게 최대한 납득하려고 하면서 읽을 수 있어야 합니다.

그리고, 여기서 '경로로만'이라는 말에 주목할 수 있으면 좋겠어요. '금융'의 역할을 제한하고 있다는 의미를 품고 있으니까요. 보조사 '만'은 '한정의 의미'를 가지고 있는데, 이 의미를 살리면 훨씬 더 깊게 이해할 수 있는 경우가 많아요. 핵심은 '전통적인 경제학'에서 '금융'의 역할을 '전달 경로' 정도로만 과소평가했다는 겁니다!

문장이 정말 깁니다. 이러한 '전통적인 경제학'에서 말하는 '금융감독 정책'에 대해 이야기하고 있네요. 1문단까지는 '통화 정책'에 대해서 이야기를 했는데, 2문단부터는 '금융감독 정책'에 대해서 이야기를 하는 모습입니다. 카테고리가 나뉜다는 느낌을 확 받을 수 있어야 합니다. 이렇게 카테고리를 나눠놓고 단어의 의미를 살려보면, '금융'을 '감독'하는 '정책' 정도로 생각할 수 있겠죠?

어쨌든 이 '금융감독 정책'은 '미시 건전성 정책'에 집중해야 한다고 합니다. 이번에도 단어의 의미를 살릴 수 있습니다. '미시'적으로 '건전성'을 확보하는 '정책'으로 보이네요. 그 정의가 '개별' 금융 회사의 '건전성' 확보임을 생각하면, '개별=미시적'과 같은 방식으로 어렵지 않게 납득할 수 있겠습니다. 전통적인 경제학에서는 '금융감독 정책'이 '미시 건전성 정책'으로 이루어져야 하고, 그렇게 되면 '금융 안정'을 달성할 수 있다고 보았네요. '통화 정책'의 목적은 '경기 및 물가 안정'이었는데, '금융감독 정책'의 목적은 '금융 안정'이었던 겁니다. 단어의 의미 그대로 이해할 수 있겠네요.

첫 문장부터 정말 말도 안 되게 많은 '생각'을 요구하고 있습니다. 시험장에서 이런 문장을 만났을 때 속도를 줄여 확실하게 이해하고 넘어갈 수 있어야 합니다. 여기서 했던 생각들은 모두 앞으로 지문 독해에 정말 큰 역할을 할 것이니까요.

② #재진술 #수식된 정의 제시
#단어의 의미 살리기

이렇게 '금융감독 정책'이 '미시 건전성 정책'에 집중해야 한다고 보는 관점은 두 가지 내용에 바탕을 두고 있었습니다. 하나는 '금융'이 '장기적'으로는 '경제 성장'에 영향을 미치지 못한다는 것입니다. '단기적'으로는 여러 가지 변수에 의해 영향을 끼친다고 볼 수도 있겠지만, '장기적'으로 봤을 때 '금융'은 그저 '전달 경로'에 불과하기에, 즉 '직접적인 생산 수단'이 아니기 때문에 '경제 성장'에 영향을 주는 것은 불가능하다는 것이죠. 이 문장에 의하면, '경제 성장'에 영향을 주기 위해서는 '직접적인 생산 수단'이 되어야 한다는 것까지 잡아낼 수 있겠죠? 핵심은 이러한 인식 때문에 '미시 건전성 정책'에 집중해야 한다는 이야기가 나왔다는 것입니다. 어차피 '금융'의 효과는 미미하기에, 금융 회사 하나하나만 '건전'하면 '금융 안정'이 달성될 수 있다고 본 것이죠.

다음은 '효율적 시장 가설'입니다. 단어의 의미 그대로, '자산 시장'은 '효율적'이라는 가설이네요. 이때 '효율적'이라는 말은 '버블이 존재하지 않는다.' 정도로 정의할 수 있겠습니다. 이렇게 수식된 정의를 체크하면서, 역시 '미시 건전성 정책'이라는 말과 최대한 엮어서 이해해야 합니다. '자산 시장'이라는 것이 정확히 무엇인지는 모르겠지만, 1번 문장과 엮여 있다는 점에서 '금융'과 관련된 시장이라고 추측할 수 있겠습니다. 이렇게 '금융'과 관련된 시장은 '버블'이라는 게 존재할 수 없는 '효율적'인 시장이기 때문에, 이러한 '효율성'을 믿고 금융 회사 하나하나에만 신경을 쓰면 된다는 것이네요.

사실 이를 해당 문장들만으로 완벽하게 이해하는 건 불가능에 가깝다고 봅니다. 따라서 위의 내용들은 모두 '생각 심화'에 해당한다고 볼 수도 있을 것 같아요. 그래도 핵심은 '미시 건전성 정책'에 대한 설명이 재진술되고 있다는 걸 인식하면서, 최대한 엮어 읽으려는 태도에 있습니다. 이러한 과정에서 높아지는 여러분의 사고력을 만끽해 보세요.

③ #재진술 #사례-원리 연결 #수식된 정의 제시
#단어의 의미 살리기

계속해서 '미시 건전성 정책'에 대한 설명입니다. 이 정책은 우리가 알고 있는 대로 '개별 금융 회사'의 건전성에 집중하는 거예요. 그리고 이를 위해 '예방적'으로 '규제'하기 위한 정책 수단을 활용한다고 합니다. 이때 '최저 자기자본 규제'라는 사례가 제시되고 있죠? 단어의 의미를 살리며 수식된 정의를 체크하고, 이것이 결국 개별 금융 회사의 '최저 자기자본'을 규제하는 방식으로 '예방적 규제'하고 있음을 인식해주시면 되겠습니다.

| 생각 심화 |

'최저 자기자본 규제'라는 말, 어디서 많이 보지 않았나요? 바로 2020학년도 수능 [37~42] '말랑말랑한 법' 지문에 나왔던 'BIS 비율 규제'입니다. 며칠 전에도 만나볼 수 있었던 지문이었죠? 그 지문에서는 이 내용이 이렇게 설명되어 있었어요.

> BIS 비율은 은행의 재무 건전성을 유지하는 데 필요한 최소한의 자기자본 비율을 설정하여 궁극적으로 예금자와 금융 시스템을 보호하기 위해 바젤위원회에서 도입한 것이다. 바젤위원회에서는 BIS 비율이 적어도 규제 비율인 8 %는 되어야 한다는 기준을 제시하였다. 이에 대한 식은 다음과 같다.
>
> $$BIS\ 비율(\%) = \frac{자기자본}{위험가중자산} \times 100 \geq 8(\%)$$

우리가 지금 공부하고 있는 이 지문은 2020학년도 6월 모의평가 지문이었습니다. 이처럼 모의평가에 출제된 개념은 수능에서 재활용되기도 한다는 점, 확실하게 정리할 수 있겠죠?

우리가 지금 공부하고 있는 이 지문은 2020학년도 6월 모의평가 지문이었습니다. 이처럼 모의평가에 출제된 개념은 수능에서 재활용되기도 한다는 점, 확실하게 정리할 수 있겠죠?

하이라이트 문장

> ①금융을 통화 정책의 전달 경로로만 보는 전통적인 경제학에서는 금융감독 정책이 개별 금융 회사의 건전성 확보를 통해 금융 안정을 달성하고자 하는 미시 건전성 정책에 집중해야 한다고 보았다.

'통화 정책'에서 '금융감독 정책'으로 카테고리가 바뀌는 순간입니다. 여기서 '금융감독 정책'이라는 카테고리를 잡지 못했으면, '미시 건전성 정책'이라는 정보가 붕 뜨는 느낌을 받았을 거예요. 끊임없이 생각해야 합니다. '내가 지금 읽고 있는 게 뭐지? / 내가 지금부터 읽게 되는 정보가 뭐지?'

3문단

① 이처럼 전통적인 경제학에서는 금융감독 정책을 통해 금융 안정을, 통화 정책을 통해 물가 안정을 달성할 수 있다고 보는 **이원적인 접근 방식**이 지배적인 견해였다. ② 그러나 글로벌 금융 위기 이후 금융 시스템이 와해되어 경제 불안이 확산되면서 기존의 접근 방식에 대한 자성이 일어났다. ③ 이 당시 경기 부양을 목적으로 한 중앙은행의 저금리 정책이 자산 가격 버블에 따른 금융 불안을 야기하여 경제 안정이 훼손될 수 있다는데 공감대가 형성되었다. ④ 또한 금융 회사가 대형화되면서 개별 금융 회사의 부실이 금융 시스템의 붕괴를 야기할 수 있게 됨에 따라 금융 회사 규모가 금융 안정의 새로운 위험 요인으로 등장하였다. ⑤ 이에 기존의 정책으로는 금융 안정을 확보할 수 없고, 경제 안정을 위해서는 물가 안정뿐만 아니라 금융 안정도 필수적인 요건임이 밝혀졌다. ⑥ 그 결과 **미시 건전성 정책에 거시 건전성 정책이 추가된 금융감독 정책**과 물가 안정을 위한 **통화 정책** 간의 상호 보완을 통해 경제 안정을 달성해야 한다는 견해가 주류를 형성하게 되었다.

① #재진술

좀 새로운 이야기가 나오나 했더니, 계속해서 '전통적'인 경제학 이야기를 합니다. 그런데 이때 '금융감독 정책'을 통해 '금융 안정'을, '통화 정책'을 통해 '물가 안정'을 달성할 수 있다고 하는 건 그냥 앞 두 문단의 요약에 불과하네요. 나름대로 친절한 구성이었습니다. 이 문장을 '재진술'로 볼 수 있어야 합니다! 아무튼 이렇게 '이원적'으로 접근하는 것이 '전통적'인 경제학이었어요. 이제 진짜 최근의 것이 나오겠죠?

② #재진술

'글로벌 금융 위기'가 일어났습니다. 이때는 '금융 시스템'이 와해되었고, 이것이 '경제 불안'의 확산을 야기했다고 합니다. 2문단의 내용을 잘 납득하고 있었다면, 이것이 아주 큰 문제임을 인식할 수 있어야 합니다. 분명히 '금융'은 '경제 성장'에 영향을 끼치지 못한다고 했는데, '금융' 시스템의 와해가 '경제 성장'에 영향을 주는 모습이니까요. 아주 어려운 형태의 재진술이었던 거예요.

아무튼, 그동안 믿어왔던 인식이 깨져버렸으니 당연히 기존의 접근 방식에 대한 자성이 일어났겠죠? 정확히 어떤 양상이었을까요?

③ #재진술 #경제 기본 지식 활용

이 시기에는 '경기 부양'을 목적으로 저금리 정책을 폈다고 합니다. 우리가 알고 있는 '금융 조절 기제'에 따르면 당연한 내용이죠? '정책 금리'를 낮춰야 '경기 부양'이라는 결과가 나타날 것이니까요.

그런데 이 정책은 '자산 가격 버블'에 따른 '금융 불안'을 야기했다고 합니다. 나아가 이것은 '경제 안정 훼손'이라는 결과로 이어질 수 있다는 공감대가 형성되기 시작했다고 해요! 이 역시 2문단에서 이해한 정보의 재진술입니다. '자산 시장'은 '효율적'이기 때문에, 분명히 '버블'이 존재하지 않는다고 했습니다. 그런데 '저금리 정책'이 '버블'이라는 '비효율성'을 낳은 모습이에요! 나아가 또 '금융 불안'이 '경제 안정'에 영향을 주고 있다는 이야기까지 하고 있습니다. 결국 앞서 읽었던, '미시 건전성 정책'에 집중하는 것을 정당화했던 두 가지 인식이 모두 깨져버린 것이에요! 아주 어렵지만, '재진술'이라는 도구를 이렇게도 활용한다는 걸 배울 수 있는 문장들이었네요.

④ #재진술 #화제의 흐름

여기서 끝이 아닙니다. '개별 금융 회사'의 부실이 '금융 시스템'을 붕괴시킬 수도 있다는 이야기도 나오기 시작합니다. 개별적인 금융 회사가 너무나 커지다보니, 하나의 회사만 망해도 '금융 시스템' 전체가 무너질 수 있게 된 것이죠. 따라서 '금융 회사 규모'가 새로운 위험 요인으로 떠오르게 된 모습입니다. 충분히 납득할 수 있겠죠? 핵심은 이러한 내용들이 모두 '전통적인 경제학'이 무너지는 과정을 보여준다는 것을 인식하는 겁니다. 화제의 흐름을 정확하게 잡을 수 있어야 해요!

⑤~⑥ #화제의 흐름 #재진술

이러한 흐름을 통해 정리할 수 있는 내용은 크게 두 가지입니다. 하나는 기존의 정책, 즉 '미시 건전성 정책'만으로는 '금융 안정'을 확보하기 어렵다는 것입니다. '미시 건전성 정책'은 금융 회사의 '규모'를 고려하지 않기 때문이죠. 두 번째는 '경제 안정'에 '금융'이 영향을 미칠 수 있다는 것을 깨달았으니, 경제 안정을 위해서는 '물가 안정'뿐만 아니라 '금융 안정'까지 도모해야 한다는 겁니다. 역시 앞 문장의 내용들이 반복해서 재진술되고 있음을 인식할 수 있겠죠?

이러한 결과, '미시 건전성 정책'에 '거시 건전성 정책'이 추가된 '금융감독 정책'과 '통화 정책'이 '상호 보완'되는 형태로 진행되어야 한다는 견해가 주류를 형성하게 된 것이네요. 더 이상 '금융 안정'과 '물가 안정'은 '이원적'으로 바라볼 수 없는 요소가 된 것이에요! 여기서 '거시 건전성 정책'은 단어의 의미 그대로 '거시'적으로 보는, 금융 회사의 '규모'와 금융 '시스템' 전체를 고려하는 정책이라고 할 수 있겠죠? 개별 금융 회사의 건전성을 추구하는 것은 기본이고, '거시적'인 시스템까지 건전하게 유지해야 한다는 게 핵심이네요.

이러한 내용이 '전통'에서 벗어난 '최근의 경제학'에 해당하겠죠? 이러한 흐름까지 확실하게 챙기면서 읽어보도록 합시다. 내용이 아무리 어려워도, 일관된 '흐름'이라는 것은 존재할 것이니까요.

하이라이트 문장

> ②그러나 글로벌 금융 위기 이후 금융 시스템이 와해되어 경제 불안이 확산되면서 기존의 접근 방식에 대한 자성이 일어났다.

'글로벌 금융 위기 이후'라는 말에만 주목하는 것보다도, '금융' 시스템이 '경제 불안'에 영향을 주는 상황이 일어났다는 것을 인식할 수 있었으면 좋겠습니다. '미시 건전성 정책'에만 집중해야 할 이유가 사라졌다는 것을 미리 생각해야, 뒤에 나올 '거시 건전성 정책'이라는 정보가 훨씬 더 자연스럽게 자리잡을 테니까요.

4문단

> ①**거시 건전성**이란 개별 금융 회사 차원이 아니라 금융 시스템 차원의 위기 가능성이 낮아 건전한 상태를 말하고, 거시 건전성 정책은 금융 시스템의 건전성을 추구하는 규제 및 감독 등을 포괄하는 활동을 의미한다. ②이때, 거시 건전성 정책은 미시 건전성이 거시 건전성을 담보할 수 있는 충분조건이 되지 못한다는 '구성의 오류'에 논리적 기반을 두고 있다. ③거시 건전성 정책은 금융 시스템 위험 요인에 대한 예방적 규제를 통해 금융 시스템의 건전성을 추구한다는 점에서, 미시 건전성 정책과는 차별화된다.

① #정의 제시 #단어의 의미 살리기

'거시 건전성'에 대해 정확하게 정의해주고 있습니다. 우리가 미리 생각하고 있는 내용 그 자체죠? '개별' 금융 회사가 아니라 '금융 시스템' 차원의 건전성을 추구하는 것이에요.

② #화제의 흐름 #단어의 의미 살리기 #재진술

이러한 '거시 건전성 정책'은 '구성의 오류'라는 것에 논리적 기반을 두고 있다고 합니다. 천천히 이해해봅시다. '미시 건전성'이 '거시 건전성'을 담보할 수 있는 '충분조건'이 되지 못한다고 합니다. '충분조건'은 단어의 의미 그대로 '충분'한 '조건'이라고 할 수 있는데, '미시 건전성'은 '거시 건전성'을 담보하기에 '충분'하지 않다는 이야기네요. 이렇게 두 건전성의 '구성'에는 '오류'가 있기에 '거시 건전성'을 따로 고려하는 게 중요하다는 것이 핵심입니다. 어려운 말들에 현혹

되지 말고, 지문의 흐름을 되찾아오는 게 중요해요!

③ #재진술 #비교/대조

이러한 '거시 건전성 정책'은 '금융 시스템' 위험 요인에 대한 '예방적 규제'를 추구한다고 합니다. '예방적 규제'는 '미시 건전성 정책'에서 '최저 자기자본 규제'와 같은 예시를 통해 설명했던 내용이었어요. 즉, '예방적 규제'를 한다는 것 자체는 두 정책의 공통점이고, 여기서 어떤 것을 '예방'하느냐가 차이점이라고 할 수 있겠네요. 이렇게 비교 포인트까지 명확하게 잡아주셔야 합니다.

4문단의 모든 문장들은 사실상 앞에서 계속 이야기했던 내용의 반복이니, 어렵지 않게 정리하고 넘어갈 수 있어야 해요. 핵심은 '금융 시스템'을 고려하는 '거시 건전성 정책'이 추가되었다는 것입니다!

5문단

> ①**거시 건전성 정책**의 목표를 효과적으로 달성하기 위해서는 경기 변동과 금융 시스템 위험 요인 간의 상관관계를 감안한 정책 수단의 도입이 필요하다. ②금융 시스템 위험 요인은 경기 순응성을 가진다. ③즉 경기가 호황일 때는 금융 회사들이 대출을 늘려 신용 공급을 팽창시킴에 따라 자산 가격이 급등하고, 이는 다시 경기를 더 과열시키는 반면 불황일 때는 그 반대의 상황이 일어난다. ④이를 완화할 수 있는 정책 수단으로는 **경기 대응 완충자본 제도**를 들 수 있다. ⑤이 제도는 정책 당국이 경기 과열기에 금융 회사로 하여금 최저 자기자본에 추가적인 자기 자본, 즉 완충자본을 쌓도록 하여 과도한 신용 팽창을 억제시킨다. ⑥한편 적립된 완충자본은 경기 침체기에 대출 재원으로 쓰도록 함으로써 신용이 충분히 공급되도록 한다.

① #화제의 흐름 #재진술

이제 본격적으로 '거시 건전성 정책'의 목표를 달성하기 위한 방법을 소개하고 있습니다. 이렇게 지금부터 읽게 될 정보가 무엇인지에 대해 정확하게 인식하면서 읽을 수 있어야 합니다. 핵심은 '경기 변동'과 '금융 시스템 위험 요인' 간의 상관관계네요. 이들은 각각 '통화 정책'과 '금융감독 정책'에 대응되는 것인데, 원래 이들을 '이원적'으로 봤던 전통적인 경제학에서 '일원적'으로 보는 새로운 경제학으로 변화한 모습이 확실하게 드러나고 있습니다. 이런 것까지 볼 수 있으면 좋겠죠? 아무튼 둘은 어떤 상관관계를 가지고 있을까요?

② #단어의 의미 살리기

'금융 시스템 위험 요인'은 '경기'에 '순응'하는 성질을 가진다고 합니다. 이때 '금융 시스템 위험 요인'은 '자산 가격 버블'과 '금융 회사의 규모' 등이 있겠죠? 이것이 어떻게 '경기'에 '순응'하는 것일까요?

③ #경제 기본 지식 활용 #화제의 흐름

먼저 경기가 '호황'인 경우를 예로 들어 설명하고 있습니다. 잘 나가는 경기에 '순응'한 '금융 시스템', 즉 '금융 회사'들은 대출을 늘려 신용 공급을 팽창시킨다고 합니다. 그런데 우리가 알고 있는 지식에 따르면, 경기가 호황일 때는 대출을 줄여야 합니다. 투자와 소비를 줄여 경기를 진정시켜야 하니까요! 하지만 경기에 '순응'한 금융 회사들이 반대의 행동을 하는 것이죠. 이렇게 되면 계속해서 투자와 소비가 늘어 '자산 가격'이 급등하고, 이러한 '금융 불안'은 다시 경기를 과열시키는 '경제 불안'으로 이어지는 것이네요.

결국 '금융 시스템'의 '경기 순응성'은 우리가 알고 있는 일반적인 금리 조절 기제가 제대로 작동하지 못하게 하는 것이었네요. 이렇게 '금융 시스템'의 위험 요인이 '경제 안정'에 영향을 끼칠 수 있으므로, '거시 건전성 정책'이 꼭 필요했던 것입니다. 여기서 '거시 건전성 정책'에 대해 설명하고 있다는 흐름을 놓치면 안 돼요! 경제에 대한 기본 지식을 적극적으로 활용하면서 지문의 흐름을 완벽하게 파악할 수 있어야 합니다.

④~⑥ #해결책 제시 #단어의 의미 살리기
#경제 기본 지식 활용

이런 문제를 해결하기 위해서는 '경기 대응 완충자본 제도'라는 것을 사용할 수 있다고 합니다. 단어의 의미를 그대로 살리면, '경기'에 '대응'하기 위해 '완충자본'이라는 것을 쌓는 '제도'라고 할 수 있겠네요. 5번 문장에서 이야기하는 것처럼, 경기 과열기에 '추가적인 자기자본'을 강제적으로 쌓게 하면 앞에서 말했던 '경기 순응성'의 문제를 해결할 수 있습니다. 금융 기관들이 대출을 마음껏 해주지 못하고 자기자본을 쌓아야 한다면, 호황인 경기에 순응하고 싶어도 그렇게 하지 못할 테니까요. 반대로 불황기엔 강제로 '완충자본'을 대출 재원으로 사용하게 하면 되겠죠? 이렇게 되면 우리가 알고 있는 '금리 조절 기제'가 올바르게 작동할 수 있으니, 괜찮은 해결책이 될 것이라고 생각할 수 있겠습니다.

나아가, 결국 '경기 대응 완충자본 제도'가 '금융 시스템'을 건전하게 하기 위한 '거시 건전성 정책'의 일부임을 생각할 수 있어야 합니다. 금융 회사들이 경기에 순응하여 금융 불안을 낳기 전에 미리미리 대처하는 것이죠. 역시 '거시 건전성 정책'을 설명한다는 일관된 흐름 속에서 제시된 내용들이었습니다.

하이라이트 문장

> ① 거시 건전성 정책의 목표를 효과적으로 달성하기 위해서는 경기 변동과 금융 시스템 위험 요인 간의 상관관계를 감안한 정책 수단의 도입이 필요하다.

새로운 정보로 받아들이면 안 됩니다. '경기 변동'과 '금융 시스템 위험 요인' 간의 상관관계를 파악한다는 건 '통화 정책+금융감독 정책'이라는 내용을 재진술한 것에 불과해요. 이렇게 최대한 납득하고 재진술을 체크할 수 있다면, 정보량을 확실하게 줄이면서 읽어낼 수 있습니다.

선지	①	②	③	④	⑤
선택률	5%	5%	22%	63%	4%

19 윗글을 통해 알 수 있는 것은? ④

① 글로벌 금융 위기 이전에는, 금융이 단기적으로 경제 성장에 영향을 미치지 못한다고 보았다.

명시적 근거	2문단 2번 문장
실전에서의 판단 과정	단기적으로는 미친다고 했던 것 같은데?
해설	'금융'이 '경제 성장'에 영향을 미치지 못한다고 보았다는 것은 '거시 건전성 정책'을 이끌어내는 데 아주 중요한 역할을 한 정보입니다. 하지만 이는 '장기적'일 때의 이야기였어요. '단기적일 때와는 달리'라는 표현에 민감하게 반응했다면 어렵지 않게 지울 수 있는 선지였네요.

② 글로벌 금융 위기 이전에는, 개별 금융 회사가 건전하다고 해서 금융 안정이 달성되는 것은 아니라고 보았다.

명시적 근거	2문단 1번 문장
실전에서의 판단 과정	금융 위기 전엔 미시 건전성 정책으로 충분하다고 봤지.
해설	'글로벌 금융 위기 이전'은 '전통적인 경제학'이 득세하던 시기입니다. 이때는 '개별' 금융 회사의 건전성을 확보하는 '미시 건전성 정책'만으로도 '금융 안정'을 달성할 수 있는 '금융감독 정책'이 되기에 충분하다고 보았어요. 이 정도 임팩트있는 정보는 머릿속에 남길 수 있어야 합니다.

③ 글로벌 금융 위기 이전에는, 경기 침체기에는 통화 정책과 더불어 금융감독 정책을 통해 경기를 부양시켜야 한다고 보았다.

명시적 근거	3문단 1번 문장
실전에서의 판단 과정	금융 위기 전엔 두 정책을 이원적으로 봤지.
해설	'글로벌 금융 위기 이전'에는 '통화 정책'과 '금융감독 정책'을 '이원적'으로 보는 '전통적인 경제학'이 득세하고 있었습니다. 이 두 정책을 '더불어' 사용한다는 것은 말이 안 되겠죠. 애초에 '금융감독 정책'은 '경기 부양'에 영향을 주지 못한다고 강조하기도 했구요.

④ 글로벌 금융 위기 이후에는, 정책 금리 인하가 경제 안정을 훼손하는 요인이 될 수 있다고 보았다.

명시적 근거	3문단 3번 문장
실전에서의 판단 과정	저금리 정책이 금융 불안을 야기해서 경제 안정을 훼손할 수 있다고 했지.
해설	글로벌 금융 위기 즈음 경기 침체를 벗어나기 위해 저금리 정책을 펼쳤더니, '금융 불안'이 야기되어 '경제 안정'이 훼손되었다고 했어요. 이는 '금융 안정'이 '경제 안정'을 위해 꼭 필요한 요소임을 인식하는 중요한 계기가 되었고, 이 지문의 핵심인 '거시 건전성 정책'이 강조되는 결과도 낳았습니다. 결국 '정책 금리 인하'가 '경제 안정'을 훼손하는 요인이 될 수 있있다는 것이죠! '진통직인 경제학'에서 '최근의 경제학'으로 넘어가는 길목에서 핵심적인 역할을 한 정보이므로, 머릿속에 확실하게 남길 수 있었어야 해요.

⑤ 글로벌 금융 위기 이후에는, 경기 변동이 자산 가격 변동을 유발하나 자산 가격 변동은 경기 변동을 유발하지 않는다고 보았다.

명시적 근거	5문단 3번 문장
실전에서의 판단 과정	호황기라는 경기에 순응해서 대출 늘리면 자산 가격 오르고, 이건 다시 경기를 과열시키지.
해설	'경기 순응성'에 대해 잘 이해하고 있다면 바로 지울 수 있는 선지였습니다. '호황기'와 같은 경기 변동이 나타나면 금융 회사가 이에 '순응'하여 대출을 늘리고, 이는 '자산 가격'의 급등을 낳은 뒤 다시 '경기를 과열'시키는 악순환에 빠질 수 있다고 했어요. 이 내용을 기본적인 경제 지식을 바탕으로 확실하게 이해하고 있었다면, '경기'와 '자산 가격'의 관계를 묻고 있다는 것을 생각하자마자

마지막 문단의 정보를 활용할 수 있었을 거예요.

선지	①	②	③	④	⑤
선택률	9%	6%	62%	13%	10%

20 ㉠과 ㉡에 대한 설명으로 적절하지 않은 것은? ③

㉠ 미시 건전성 정책 / ㉡ 거시 건전성 정책

– '미시 건전성 정책'과 '거시 건전성 정책'을 비교하는 문제입니다. 둘 사이의 '공통점'은 '금융 안정'을 도모한다는 것과 '예방적 규제'를 사용한다는 것이었고, '차이점'은 각각 '개별 금융 회사'와 '금융 시스템'의 건전함을 추구한다는 점이었어요. 이런 내용을 확실하게 인지하고 선지 판단에 나서야 합니다.

① ㉠에서는 물가 안정을 위한 정책 수단과는 별개의 정책 수단을 통해 금융 안정을 달성하고자 한다.

명시적 근거	3문단 1번 문장
실전에서의 판단 과정	물가 안정과 금융 안정은 이원적으로 하는 거지.
해설	'미시 건전성 정책'은 '물가 안정'을 위한 정책 수단인 '통화 정책'과는 이원적으로, 즉 '별개의 것'으로 사용하는 '금융감독 정책'이었습니다. '이원적'이라는 말은 '전통적인 경지제학'과 관련된 핵심 정보였으니 머릿속에 확실하게 남아 있었어야 해요.

② ㉡에서는 신용 공급의 경기 순응성을 완화시키는 정책 수단이 필요하다.

명시적 근거	5문단 4번 문장
실전에서의 판단 과정	경기 대응 완충자본 제도!
해설	'경기 순응성'이라는 문제를 완화시키기 위해 '거시 건전성 정책'에서 사용하는 정책 수단으로는 '경기 대응 완충자본 제도'가 있었습니다. 이 제도가 나오게 된 흐름을 파악하고 있었다면 어렵지 않게 떠올릴 수 있었겠죠?

③ ㉠은 ㉡과 달리 예방적 규제 성격의 정책 수단을 사용하여 금융 안정을 달성하고자 한다.

명시적 근거	2문단 3번 문장, 4문단 3번 문장
실전에서의 판단 과정	예방적 규제는 공통점이었지.
해설	'예방적 규제'는 두 정책의 공통점이었습니다. 무엇을 '예방'하느냐에 따라 차이가 생길 뿐이었죠. 비교/대조되는 개념이 나올 때 '공통점'과 '차이점'에 주목한다는 지극히 당연한 생각을 했다면 아주 쉽게 답을 고를 수 있었겠네요.

④ ㉡은 ㉠과 달리 금융 시스템 위험 요인을 감독하는 정책 수단을 사용한다.

명시적 근거	4문단 1번 문장
실전에서의 판단 과정	둘의 가장 큰 차이점이네.
해설	'금융 시스템' 위험 요인에 주목하는 건 '거시 건전성 정책'의 특징이었죠? '미시'와 '거시'라는 단어의 의미를 살렸다면 훨씬 더 제대로 파악할 수 있었을 내용입니다.

⑤ ㉠과 ㉡은 모두 금융 안정을 달성하기 위해 금융 회사의 자기자본을 이용한 정책 수단을 사용한다.

명시적 근거	2문단 3번 문장, 5문단 5번 문장
실전에서의 판단 과정	최저 자기자본 제도랑 완충자본 제도 둘 다 자기자본 이용하는 거네.
해설	'미시 건전성 정책'에서 사용하는 정책 수단으로는 '최저 자기자본 규제'가 있었고, '거시 건전성 정책'에서 사용하는 정책 수단으로는 '경기 대응 완충자본 제도'가 있었습니다. 이때 '완충자본'은 추가적인 '자기자본'이었으므로, 두 정책 모두 금융 회사의 '자기자본'을 이용한 정책 수단을 사용한다고 할 수 있겠네요. 이를 기억하기는 힘들었겠지만, 두 정책의 '정책 수단'에 어떤 것이 있었는지를 떠올리는 것 정도는 할 수 있었어야 합니다!

선지	①	②	③	④	⑤
선택률	58%	7%	21%	8%	6%

21 윗글을 바탕으로 할 때, 〈보기〉의 A~D에 들어갈 말을 바르게 짝지은 것은? ①

[보기]

　미시 건전성 정책과 거시 건전성 정책 간에는 정책 수단 운용에서 입장 차이가 존재한다. 경기가 (A)일 때 (B) 건전성 정책에서는 완충자본을 (C)하도록 하고, (D) 건전성 정책에서는 최소 수준 이상의 자기자본을 유지하도록 하여 개별 금융 회사의 건전성을 확보하려 한다.

– '미시 건전성 정책'과 '거시 건전성 정책'의 '정책 수단 운용'에 대한 내용입니다. 완벽하게 이해하고 있는 내용이니, 〈보기〉의 흐름을 따라가면서 가볍게 해결해봅시다.

일단 A~C 부분을 보니 '완충자본'이라는 말이 보입니다. '완충자본'에 대한 이야기는 '거시 건전성 정책'에서만 다루었죠? 따라서 B에는 무조건 '거시'가 들어가야 하겠습니다. '경기 대응 완충자본 제도'의 핵심은 '과열기'에는 '적립'하고 '침체기'에는 '사용'한다는 것입니다. 그렇다면 A~C에 들어갈 말은 '호황or침체/거시/적립or사용'이 되겠습니다.

한편, D에 들어갈 말은 당연히 '미시'겠죠? '최소 수준 이상의 자기자본', '개별 금융 회사의 건전성'과 같은 말을 바탕으로 충분히 떠올릴 수 있을 겁니다.

정리해보면 답은 '호황-거시-적립-미시'거나 '불황-거시-사용-미시'여야 합니다. 전자는 선지에 없으니 후자인 1번이 정답이네요. 쉽죠?

선지	①	②	③	④	⑤
선택률	12%	9%	26%	16%	37%

22 윗글과 〈보기〉에 대한 이해로 적절하지 않은 것은? [3점]

③

– 늘 그렇듯이, 〈보기〉부터 확실하게 정리하고 가야겠죠?

[보기]

　현실에서의 통화 정책 효과는 경기에 대해 비대칭적인 것으로 알려져 있다. **통화 정책**은 경기 과열을 억제하는 데는 효과적이지만 경기 침체를 벗어나는 데는 효과가 미미하기 때문이다.

– 현실에서의 '통화 정책 효과'에 대해 설명하고 있습니다. 이는 경기에 대해 '비대칭적'이라고 해요. '경기 과열'을 억제하는 데는 효과가 좋지만, '경기 침체'를 벗어나는 데는 효과가 미미하다는 겁니다. 다음 문장들에서 그 이유를 자세히 설명하고 있네요.

---[보기]---

경기 침체를 극복하기 위해 중앙은행의 정책 금리 인하로 은행이 대출을 늘려 신용 공급을 확대하려 해도, 가계의 소비 심리가 위축되었거나 기업이 투자할 대상이 마땅치 않을 경우 전통적인 통화 정책에서 기대되는 효과는 나타나지 않게 된다.

– '경기 침체'의 상황에서 '정책 금리'를 인하하는 정책을 펼치면, '대출'과 '신용 공급'의 증가를 바탕으로 '소비와 투자의 활성화'라는 결과를 낳아야 합니다. 하지만 대출이 늘어 시중에 돈이 많이 풀려도, 막상 쓸 곳이 없다면 '경기 활성화'라는 결과는 나타나기 어렵다는 것이죠.

---[보기]---

오히려 확대된 신용 공급이 주식이나 부동산 등 자산 시장으로 과도하게 유입되어 의도치 않은 문제를 일으킬 수 있다.

– 오히려 이렇게 확대된 '신용 공급'이 '자산 시장'에 과도하게 유입되어 '의도치 않은 문제'를 일으킬 수 있다고 해요. 여기서 '자산 시장'이 '주식이나 부동산 시장'을 의미한다는 것을 체크해주시고, 이때의 '문제'가 곧 '버블'을 의미한다는 것을 생각할 수 있어야 합니다. 지문에서는 '저금리 정책'이 '자산 가격 버블'을 일으켰다고 했고, 여기서는 '저금리 정책'이 '자산 시장에서 의도치 않은 문제'를 일으키고 있다고 했으니, '자산 가격 버블=자산 시장에서 의도치 않은 문제'라는 식으로 생각할 수 있는 것이죠. 소비와 투자를 하라고 대출을 늘렸더니, 그것을 죄다 자산 시장에 투자하는 일이 일어난 것입니다!

결국 이 〈보기〉는 지문에서 말한 '자산 가격 버블'을 자세하게 설명해주는 역할을 하는 것이었어요. '저금리 정책'은 이와 같은 메커니즘으로 '금융 불안'을 야기할 수 있던 것이었습니다!

---[보기]---

경제학자들은 경제 주체들이 경기 상황에 대해 비대칭적으로 반응하기 때문에 나타나는 이러한 현상을 '끈 밀어올리기(pushing on a string)'라고 부른다. 이는 끈을 당겨서 아래로 내리는 것은 쉽지만, 밀어서 위로 올리는 것은 어렵다는 것에 빗댄 것이다.

– 이처럼 경제 주체들이 경기 상황에 '비대칭적'으로 반응하는 현상을 '끈 밀어올리기'라고 부른다고 합니다. 이때의 '비대칭적'은 〈보기〉 첫 문장의 '비대칭적'과는 다른 것이에요! 첫 문장에서는 '통화 정책 효과'가 비대칭적이라고 했고, 여기서는 '경제 주체들의 반응'이 비대칭적이라고 한 것입니다. 즉, 경기 과열기에는 경제 주체들이 대출을 줄이면 알아서 소비와 투자를 줄이는 식으로 잘 반응하지만, 경기 침체기에는 대출을 늘려도 소비와 투자를 제대로 늘리지 않는 식으로 이상하게 반응한다는 것이죠.

이런 식으로 〈보기〉를 확실하게 정리해놓고 선지 판단에 나서야 합니다. 나아가, 조금 어렵지만 이 내용을 모두 배경지식화하셔야 합니다. 앞으로 출제될 발전된 경제 지문에서는 당연한 내용으로 간주될 부분들이니까요.

① '끈 밀어올리기'를 통해 경기 침체기에 자산 가격 버블이 발생하는 경우를 설명할 수 있겠군.

명시적 근거	〈보기〉
실전에서의 판단 과정	경기 침체기에는 늘어난 신용 공급이 자산 시장에 모여서 버블이 발생하는 것이었지.
해설	〈보기〉를 이해한 내용 그 자체네요. 경기 침체기에 저금리 정책으로 인해 늘어난 '신용 공급'이 소비와 투자가 아닌 '자산 시장'에 모이기 때문에 '버블'이 발생하는 것이었습니다.

② 현실에서 경기가 침체되었을 경우 정책 금리 인하에 따른 경기 부양 효과는 경제 주체의 심리에 따라 달라질 수 있겠군.

명시적 근거	〈보기〉
실전에서의 판단 과정	끈 밀어올리기의 핵심 아니야?
해설	'끈 밀어올리기'라는 개념의 핵심 내용이네요. 경기가 침체되었을 때 경제 주체가 어떤 곳에 투자 심리를 보이느냐에 따라 '통화 정책'의 효과가 결정된다고 했습니다. 현실에서는 그 심리가 보통 '자산 시장'으로 향하기에 '경기 활성화'라는 결과를 만들지 못하는 것이었구요.

③ '끈 밀어올리기'가 있을 경우 경기 침체기에 금융 안정을 달성하려면 경기 대응 완충자본 제도의 도입이 필요하겠군.

명시적 근거	〈보기〉, 5문단 6번 문장
실전에서의 판단 과정	경기 대응 완충자본 제도도 결국 대출을 확대하는 것이고, 이는 계속 자산 가격 버블 일으키는 거 아냐?

	천천히 판단해봅시다. '끈 밀어올리기'가 있는 상황인데, 경기 침체기에 '금융 안정'을 달성하려고 하네요. '금융 안정'은 곧 '자산 시장의 안정'을 의미할 것이고, 이는 '자산 가격 버블'을 막아야 달성할 수 있는 것입니다. 선지에선 이를 위해 '경기 대응 완충자본 제도'의 도입이 필요한지 묻고 있습니다. '경기 대응 완충자본 제도'의 핵심은 '침체기'에 '완충자본'을 '대출 재원'으로 사용하자는 것입니다. 결국 '전통적인 통화 정책'과 똑같은 방법을 사용하는 것이죠! 이렇게 창출된 '대출'이 또 다시 '자산 시장'으로 흘러들어간다면, '자산 가격 버블'로 인해 오히려 '금융 안정'이 훼손될 것입니다. '경기 대응 완충자본 제도'는 이 선지에서 요구하는 해결책이 아니었네요. 〈보기〉에서 이야기하는 '버블 발생 기제'를 확실하게 이해할 것을 요구한 선지였습니다. 결국 '경기 대응 완충자본 제도'도 '전통적인 통화 정책'의 문제점을 해결하지는 못한 거예요.
해설	

하지만 이 선지는 '정책 금리 인상', 즉 '경기 과열기'에 대한 내용을 묻고 있습니다. '통화 정책 효과'는 경기에 대해 비대칭적이라, '경기 과열기'에는 효과가 좋다고 했어요. 즉, 이때는 '정책 금리 인상'이 '신용 공급'을 축소시키고, 이에 따라 소비와 투자가 적어지며 경기가 진정될 수 있다는 것이죠. '선지에서 묻는 것'에 대한 인식과 경제에 대한 기본 지식만 갖추고 있었다면 충분히 지워낼 수 있는 선지였습니다.

선지	①	②	③	④	⑤
선택률	2%	91%	3%	2%	2%

23 문맥상 의미가 ⓐ와 가장 가까운 것은? ②

① 나는 그 사람에게 친근감이 <u>든다</u>.
② 그는 목격자의 진술을 증거로 <u>들고</u> 있다.
③ 그분은 이미 대가의 경지에 <u>든</u> 학자이다.
④ 하반기에 <u>들자</u> 수출이 서서히 증가하기 시작했다.
⑤ 젊은 부부는 집을 마련하기 위해 적금을 <u>들기로</u> 했다.

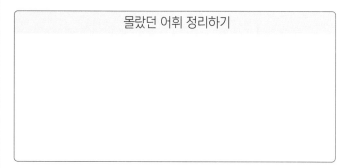

몰랐던 어휘 정리하기

④ 통화 정책 효과가 경기에 대해 비대칭적이라면 경기 침체기에는 정책 금리 조정 이외의 방안을 도입할 필요가 있겠군.

명시적 근거	〈보기〉
실전에서의 판단 과정	그렇지. 정책 금리 조정만으로는 답이 없지.
해설	'통화 정책 효과'가 경기에 대해 비대칭적이기 때문에, '침체기'에는 다른 방법을 강구해야 합니다. 이때 '정책 금리 조정'은 곧 '통화 정책'과 같은 말이죠? 당연히 다른 방안을 도입할 필요가 있겠죠.

⑤ 통화 정책 효과가 경기에 대해 비대칭적이라면 정책 금리 인상은 신용 공급을 축소시킴으로써 경기를 진정시킬 수 있겠군.

명시적 근거	〈보기〉, 1문단 2번~4번 문장
실전에서의 판단 과정	정책 금리 인상은 효과가 있지.
해설	'선지에서 묻는 것'을 정확하게 따지는 게 정말 중요하다는 것을 보여 준 선지였습니다. 1번 선지부터 4번 선지까지 모두 '경기 침체기'의 이야기를 하기에, 5번 선지도 당연히 그럴 것이라고 생각하기 쉬웠어요.

| 핵심 **point** |

① **화제 check :** 독서 지문 독해의 처음이자 끝. 첫 문단에서 잡은 '화제의 틀'을 마지막 문단까지 놓지 않아야 합니다.
② **카테고리 나누기 :** 정보들의 범주가 나뉠 때, 그들이 서로 다른 카테고리에 속한다는 것을 인지해야 합니다. 이렇게 각 카테고리에 맞춰 정보를 정리하면 훨씬 깔끔하게 정리할 수 있다는 것을 기억해 주세요.
③ **재진술 인식 :** 같은 말이라도 다르게 표현되는 경우가 많습니다. 심지어 아예 똑같은 말이 반복되는 경우도 많아요. 이 '같은 말'에 민감하게 반응하면, '정보량'을 줄이면서 읽을 수가 있습니다.
④ **경제 제재 기본 지식 :** '금리', '통화량' 등의 변화로 나타나는 기본적인 경제의 흐름에 대해 이해하고 있을 필요가 있습니다.

| 지문 내용 총정리 |

상당히 과한 지문이었습니다. 어떻게 눈알을 굴려서 답을 골라 내는 것은 할 수 있었겠지만, 지문의 내용을 완벽하게 이해하고 정리하는 건 시험장에선 불가능한 일이 아니었을까 하는 생각이 들 정도예요. 경제와 관련된 기본적인 어휘력, 금리 조절 기제에 대한 확실한 이해, 너무나 어려운 재진술 파악, 긴 문장 독해력 등 많은 능력을 필요로 한 지문이었습니다. 스스로 다시 정리해 보는 것은 기본이고, 이 지문과 〈보기〉 문제의 모든 내용은 여러 번 읽으면서 완벽하게 '배경지식화'하도록 합시다. 경제 지문의 기본적인 틀로 사용될 만한 지문이에요. 특히 LEET언어이해에 서 '글로벌 금융 위기'에 대해 정말 많이 다뤘다는 것을 생각하 면, 앞으로도 출제될 가능성이 높은 소재이니 더더욱 확실하게 정리하도록 해요.

1문단

> ①경제 이론은 경제 주체들의 행동에 관한 예측을 시도하는데, 현실에서 관찰되는 사람들의 행동이 이론에서의 예측과 다르게 나타나는 경우도 적지 않다. ②경제학은 이들 '이상 현상'을 분석하고 토론하는 과정에서 발전했는데, 최근 이 흐름은 사람들의 행동에 관한 전통적 경제학의 가정을 문제 삼는 행동경제학에 의해 주도되었다.

① #정의 제시 #화제 제시 #예외 제시

먼저 '경제 이론'을 정의하면서 시작하고 있습니다. '경제 주체들의 행동 예측'이 그 정의예요. 첫 문단의 첫 문장부터 제시하는 정의이므로, 확실하게 기억하고 넘어갈 필요가 있겠습니다.

그런데 현실에서 사람들의 행동은 '경제 이론'에서 예측하는 것과 다른 경우가 많다고 합니다. 이 지문은 당연히 이러한 '예외'에 주목하는 식으로 진행되겠죠? 화제를 명확하게 잡아둘 수 있겠네요.

② #단어의 의미 살리기 #비교/대조 #화제 제시

이렇게 예측과 다른 행동이 나타나는 것을 '이상 현상'이라고 부릅니다. 단어의 의미 그대로 '이상'한 '현상'이네요. 원래대로라면 이론에서 예측한 대로 사람들이 행동해야 하는데, 실제로는 그렇지 않고 '이상'하게 행동하는 '현상'이니까요.

이런 '이상 현상'을 분석하는 과정에서 경제학이 발전하는데, 이 흐름을 '전통적 경제학에 대한 행동경제학의 비판'이 주도했네요. 일단 '행동경제학'이 '전통적 경제학'과 비교된다는 것과 함께, '사람들의 행동에 관한 가정'이 그 비교 포인트라는 것이라는 점까지 생각해주시면 되겠습니다. 이 지문은 '사람들의 행동에 대한 가정'을 기준으로, 경제 주체들의 '이상 현상'을 '행동경제학'의 관점에서 분석할 거예요. 지문의 흐름이 명확하게 잡혔습니다. 이를 궁금해하면서 읽어보도록 합시다.

하이라이트 문장

> ②경제학은 이들 '이상 현상'을 분석하고 토론하는 과정에서 발전했는데, 최근 이 흐름은 사람들의 행동에 관한 전통적 경제학의 가정을 문제 삼는 행동경제학에 의해 주도되었다.

화제를 제시하는 문장이죠? '전통적 경제학'과 '행동경제학'이라는 정보가 제시될 것이라는 점을 생각하는 건 기본이고, '사람들의 행동에 대한 가정', '이상 현상'이라는 비교 포인트까지 살려서 읽어주셔야 합니다. 첫 문단에서 화제를 정확하게 잡아두면 이후의 독해가 굉장히 편해집니다!

2문단 (1)

> ①전통적 경제학과 행동경제학의 차이가 본격적으로 확인되는 대표적 영역이 저축과 소비에 관련한 분야이다. ②전통적 경제학에서는 사람들이 자신에게 무엇이 최선인지를 잘 알면서 전 생애 차원에서 최적의 소비 계획을 세우고 불굴의 의지로 실행한다고 가정한다. ③이들은 또한 돈에는 사용 범위를 제한하는 꼬리표 같은 것이 붙어 있지 않아 전용(轉用)이 가능하다고 가정하며, 이러한 '전용 가능성'이 자유롭고 유연한 선택을 촉진함으로써 후생을 높여 준다고도 믿는다. ④전통적 경제학은 이러한 인식을 근거로 사람들이 일생 동안 소비 수준을 비교적 고르게 유지할 것이며 소득의 경우 나이가 들면서 점점 증가하다가 퇴직 후 급속히 감소하는 패턴을 보인다는 점에 착안해, 연령에 따른 소비 패턴은 연령에 따른 소득 패턴과 독립적으로 유지될 것이라고 예측했다.

① #카테고리 나누기

본격적으로 '전통적 경제학'과 '행동경제학'을 비교할 것인데, 이들은 '저축과 소비'에 관련한 분야에서 큰 차이를 보인다고 합니다. 이때 자연스럽게 저축과 소비에 대한 '사람들의 행동'이 핵심이라는 점을 생각할 수 있어야 합니다. 비교되는 정보들은 항상 그 비교가 시작되는 비교 포인트를 중심으로 정리해야 해요! 아무튼, '저축과 소비'라는 카테고리 속에서 각 경제학의 주장을 정리해보도록 합시다.

②~③ #주장 제시 #단어의 의미 살리기

먼저 '전통적 경제학'의 견해가 등장하네요. 바로 사람들의 '행동'에 대한 '가정'이 나옵니다. 이 가정을 '행동경제학'이 비판할 것이므로, 아주 꼼꼼하게 읽어봅시다. 이에 따르면 사람들은 '최선'을 알고, '최적의 소비 계획'을 세울 수 있으며, 그 계획을 '불굴의 의지'로 실행한다고 합니다. 이렇게 나열되는 정보들은 한 마디로 정리하면서 처리하자고 했습니다. 한 마디로 정리하면, '합리적'이라는 말을 떠올릴 수 있겠네요. '전통적 경제학'은 사람들의 행동이 '합리적'이라고 '가정'한 것입니다.

또한 '전통적 경제학'에서는 우리가 사용하는 돈에 범위의 제한이 없다고 합니다. 그러니까 '전용' 즉, 돈 사용처의 '용'도를 '전'환하는 것이 자유롭겠죠? 항상 이렇게 단어의 의미를 살려서 이해할 수 있어야 합니다. '자유롭고 유연한 선택'을 촉진할 수 있는 것도, 돈의 사용 범위가 제한되어 있지 않기 때문이었던 것이죠. '전용'이 가능하다면 마음껏 선택할 수 있고, 이는 우리의 후생을 높여 준다는 것. 어렵지 않게 납득할 수 있겠습니다.

④ #주장 제시 #재진술

'전통적 경제학'은 이러한 인식을 바탕으로, 사람들의 '소비 수준'과 '소득 수준'에 대한 예측을 했습니다. '소비 수준'은 일생 동안 고르게 유지될 것이지만, '소득 수준'은 정규분포 그래프 모양을 그린다는 것이죠. 사람들은 전 생애 차원에서 자신에게 '최적'인 소비 계획을 세웠기 때문에, '소비 수준'이 일관되게 유지될 것이라고 생각할 수 있겠죠? 나아가 지금 우리가 '저축과 소비'에 대해 읽고 있으므로, '소득'이 '소비'를 초과하는 중년기에 비로소 '저축'이라는 것이 가능하다는 점까지 생각할 수 있겠습니다. '전통적 경제학'에서 '합리적'인 인간을 가정하며 '예측'한 인간들의 '행동'인 것이네요.

2문단 (2)

⑤그러나 사람들의 연령에 따른 실제 소비 패턴은 연령에 따른 소득 패턴과 상당히 유사하게 나타났다. ⑥전통적 경제학에서는 이러한 이상 현상을 '유동성 제약' 개념을 통해 해명했다. ⑦즉 금융 시장이 완전치 않아 미래 소득이나 보유 자산 등을 담보로 현재 소비에 충분한 유동성을 조달하는 데 제약이 존재하므로, 소비 수준이 이론의 예측에 비해 낮다는 것이다.

⑤ #문제점 제시 #화제의 흐름

그런데 문제가 생겼습니다. 실제로는 '소비 패턴'과 '소득 패턴'이 유사하다는 것이죠. 아주아주 중요한 부분입니다. '이론에서의 예측'과 '현실에서의 행동'이 다르게 나타나는 '이상 현상'이 발생했기 때문입니다. 이러한 '이상 현상'에 대한 '전통적 경제학'의 설명을 '행동경제학'이 비판할 거예요. 확실하게 정리할 수 있어야 합니다.

⑥~⑦ #해결책 제시 #단어의 의미 살리기
#정의 제시

'전통적 경제학'에서는 이를 '유동성 제약' 개념을 바탕으로 해명하고 있습니다. 단어의 의미 그대로, '유동성'을 조달하는 데 '제약'이 존재한다는 것이에요. '유동성'은 '流흐를 유 / 動움직일 동 / 性성품 성'이라는 한자로 구성된 단어인데, 돈이 '흐르고 움직이는 정도'를 의미한다고 보시면 됩니다. 즉, 현금을 시장에서 얼마나 잘 돌아가게

할 수 있는지를 의미하는 것이죠. '소득 수준'이 높지 않은 청년기와 노년기에는 이러한 '유동성 제약'이 있기 때문에, 돈을 쓰고 싶어도 '소득 수준' 정도까지만 쓸 수 있다는 것이죠. 쉽게 말하면 중년기에 높아질 미래 소득을 담보로 청년기에 대출을 받으려 하는 경우에도, 그리고 그동안 열심히 벌어 모은 자산을 담보로 대출을 받고 싶은 노년기에도 금융 시장이 제대로 유동성을 공급하지 않기 때문에, 버는 만큼만 쓸 수밖에 없다는 것입니다.

'유동성'과 같은 단어의 의미를 정확하게 알았다면, 그리고 '소비 수준'과 '소득 수준'에 대한 '전통적 경제학'의 입장을 정확하게 파악하고 있다면 어렵지 않게 읽어낼 수 있는 내용들입니다. 이러한 '전통적 경제학'의 '가정'을 비판하며 '행동경제학'이 등장하겠죠? 기대하면서 읽어봅시다.

하이라이트 문장

> ⑤그러나 사람들의 연령에 따른 실제 소비 패턴은 연령에 따른 소득 패턴과 상당히 유사하게 나타났다.

'전통적 경제학'의 이론적 '예측'이 '현실'에서 사람들의 행동과 다른 상황을 제시하고 있습니다. 이 문장에서 '이상 현상'이라는 화제를 생각할 수 있었어야 해요. 첫 문단에서부터 화제를 잡아놓는 게 얼마나 중요한지 알 수 있겠죠?

3문단

①행동경제학에서는 청년 시절과 노년 시절의 소비가 예측보다 적은 것은 외부 환경의 제약에 따른 어쩔 수 없는 행동이 아니라 자발적 선택의 결과물이라며, 이를 '심적 회계'에 의해 설명한다. ②사람들은 현금, 보통 예금, 저축 예금, 주택 등 각종 자산을 마음속 별개의 계정에 배치하고 그 사용에도 상이한 원리를 적용한다는 것이다. ③자산의 피라미드 중 맨 아래층에는 지출이 가장 용이한 형태인 현금이 있는데, 이는 대부분 지출에 사용된다. ④많은 이들은 급전이 필요할 경우 저축 예금이 있는데도 연리 20%가 넘는 신용카드 현금 대출 서비스를 받아 해결한다. ⑤금융적으로 바람직한 방법은 예금을 인출해 지출을 하는 것임에도, 높은 금리로 돈을 빌리고 낮은 금리로 저축을 하는 비합리적 행동을 하는 것이다. ⑥마음속 가장 신성한 계정에는 퇴직 연금이나 주택과 같이 노후 대비용 자산들이 놓여 있는데, 이들은 최악의 사태가 발생하지 않는 한 마지막까지 인출이

유보되는 자산들이다. ⑦심적 회계가 이런 방식으로 작동하는 경우 자산의 전용 가능성은 현저히 떨어지며, 특정 연도에 행하는 소비는 일생 동안의 소득 총액뿐 아니라 그 소득을 낳는 자산들이 마음속 어느 계정에 있는가에 따라서도 달라진다.

① #주장 제시 #재진술 #단어의 의미 살리기

드디어 '행동경제학'의 주장이 제시되고 있습니다. 청년기와 노년기의 소비가 예측보다 적은 것은 '외부 환경의 제약' 때문에 일어나는 일이 아니라고 해요. 여기서 '외부 환경의 제약'이라는 말은 '유동성 제약'의 재진술이라는 걸 어렵지 않게 파악할 수 있겠죠? 1문단에서 제시한 흐름 그대로, '전통적 경제학'의 주장을 비판하고 있는 것입니다.

이러한 소비의 패턴은 '자발적 선택'의 결과물이라고 해요. 이를 '심적 회계'를 통해 설명한다고 합니다. '자발적'인 행동에 주목하고 있으니 '심적' 회계라고 부르는 것이네요. 단어의 의미 최대한 살려 주시고, '심적 회계'라는 말이 어떻게 '자발적 행동'과 연결되는지 기대하면서 읽어봅시다.

② #재진술 #정의 제시

'심적 회계'라는 말을 재진술을 통해 정의하고 있습니다. 각종 자산을 마음속, 즉 '심적'으로 별개의 계정 속에 배치하고 다른 원리를 바탕으로 사용한다고 해요. 자산을 어떻게 사용할지 '자발적'으로 결정하는 것이네요! '저축과 소비'라는 카테고리는 잊지 않은 상태로 '심적 회계'에 대해 조금 더 알아보도록 합시다.

③~⑥ #재진술 #사례-원리 연결 #비교/대조

'자산의 피라미드'는 앞에서 말한 '별개의 계정들'에 해당할 것입니다. 이 피라미드의 맨 아래층에는 '현금'이라는 자산이 존재한다고 해요. 이는 대부분에 지출에 쓰인다고 하니, 피라미드 아래 쪽에 있을수록 지출에 쓰이는 자산이라고 생각할 수 있겠습니다. 이런 식으로 '심적 회계' 개념을 재진술하고 있는 거예요.

이를 좀 더 자세히 설명하기 위해, 사례까지 들어 주고 있습니다. 급전이 필요한 경우, '저축 예금'이라는 피라미드 상위의 자산을 사용하면 되는 데도 이자율이 매우 높은 '현금 대출 서비스'를 받는다고 합니다. 이는 20% 정도의 높은 금리로 돈을 빌리고 그보다 훨씬 낮은 금리로 '저축'을 하는 것인데, 사실 매우 '비합리적'인 행위라고 할 수 있겠습니다. 낮은 금리로 돈을 빌리고 높은 금리로 '저축'을 하는 게 '합리적'이니까요. 여기서 '전통적 경제학'과의 차이점이 보였다면 매우 훌륭하겠죠? '전통적 경제학'은 인간의 행동을 '합리적'으로 가정했으나 '행동경제학'은 그렇지 않다고 가정한 것이에요. '사람들의 행동에 대한 가정'이라는 비교 포인트가 그대로 살아 있는 모습이죠?

아무튼, 사람들은 '마음속 가장 신성한 계정'에 '노후 대비용 자산'들을 놓아 둔다고 합니다. 이런 자산들은 '최악의 사태'가 발생하기 전까지 '소비'를 최대한 미루는 자산들이에요. 그래서 급전이 필요할 때 '비합리적'으로 '현금 대출 서비스'를 이용하는 것이죠! 계속해서 '자산의 피라미드'로 비유된 '심적 회계'에 대해 설명하는 모습이네요.

⑦ #비교/대조 #재진술 #화제의 흐름

이렇게 '심적 회계'가 '소비를 제한'하는 방식으로 작동하면, '전용 가능성'이 떨어진다고 하네요. '소비 범위를 제한하는 것이 없는 상태'가 '전용 가능성'이 높은 경우이므로, 소비가 제한되면 당연히 '전용 가능성'이 떨어질 것입니다. 정의를 바탕으로 하면 어렵지 않게 이해할 수 있죠? 나아가 특정 연도에 행하는 '소비'가 '마음속 계정'에 따라 달라진다는 것 역시 '심적 회계'에 대한 설명이 재진술된 것으로 이해할 수 있겠습니다.

이렇게 '심적 회계'에 대해 이해하는 것은 기본이고, 지금 우리가 읽고 있는 것이 '저축과 소비'에 대한 '전통적 경제학'과 '행동경제학'의 주장 비교라는 것을 다시 상기해야 합니다. '전통적 경제학'은 사람의 행동이 '합리적'이라 가정하고 '저축과 소비'를 설명했다면, '행동경제학'에서는 사람의 행동이 '비합리적'이라 가정하고 '저축과 소비'를 설명한 것이죠. 이렇게 화제의 흐름을 다시 잡으면서 읽어주셔야 합니다!

하이라이트 문장

> ①행동경제학에서는 청년 시절과 노년 시절의 소비가 예측보다 적은 것은 외부 환경의 제약에 따른 어쩔 수 없는 행동이 아니라 자발적 선택의 결과물이라며, 이를 '심적 회계'에 의해 설명한다.

'전통적 경제학'과 '행동경제학'의 차이가 직접적으로 드러나는 문장입니다. '전통적 경제학'은 '이상 현상'을 '외부 환경에 따른 제약'으로 설명하고, '행동경제학'은 '자발적 선택'으로 설명합니다. '비교/대조'되는 동시에, 행동경제학의 주장이 드러나는 문장이니 확실하게 이해하고 넘어가야 하는 문장입니다.

4문단

> ①행동경제학에 따르면, 사람들은 자신에게 무엇이 최선인지 잘 알고 전 생애에 걸친 최적의 소비 계획을 세우지만, 미래보다 현재를 더 선호하고 유혹에 빠지기 쉽다. ②사람들은 자신과 가족의 장기적 안전을 지키기 위해 행동을 제약하기 위한 속박 장치를 마음속에 만들어 내는데, 이러한 자기 통제 기제가 바로 **심적 회계**이다. ③심적 회계의 측면에서 본다면, 전통적 경제학이 주목했던 **유동성 제약**은 장기적으로 자신에게 불리한 지출 행위를 사전에 차단하기 위한 자발적 선택의 결과로 이해될 수 있다. ④심적 회계가 당장의 유혹을 억누르고 현재의 지출을 미래로 미루는 행위, 곧 저축을 스스로 강제하는 기제라면, 퇴직 연금이나 국민 연금 제도는 이런 기제가 사회적 차원에서 구현된 것이다.

①~② #주장 제시 #비교/대조 #재진술

'행동경제학'에서도 사람들이 '최선'을 알고, '최적의 소비 계획'을 세운다는 것까지는 인정합니다. '전통적 경제학'에서 주장한 내용의 일부는 인정하는 것이죠! 그러나 '불굴의 의지'로 그 계획을 실행하는 게 아니라 '유혹'에 빠지기 쉽다고 하네요. '전통적 경제학'이 사람들을 '합리적'이라고 생각하는 것과 달리, '행동경제학'은 사람들이 '비합리적'이라고 생각한다는 말을 계속해서 해 주고 있는 것입니다.

이렇게 유혹에 빠지기 쉽기 때문에, 사람들은 '행동 제약 장치'를 '마음속'에 만들어냅니다. 그게 '심적 회계'이고요. 그냥 두면 현재의 유혹에 다 빠져버릴 수 있으니, '마음속 신성한 계정'을 만들어서 그 자산만큼은 '소비'를 자제하는 거죠. 앞에서 했던 말들의 재진술이에요.

③ #재진술

계속해서 같은 말을 반복하고 있습니다. '전통적 경제학'은 '유동성 제약'을 '외부적 요인'으로 설명하지만, '행동경제학'은 '자발적 선택'으로 설명하는 것이죠. 즉, 금융 시장에서 '유동성'을 공급하지 않는 것이 아니라, 스스로 '유동성'을 공급받는 것을 통제한 것입니다. 이렇게 자기를 스스로 통제하는 만큼, '자발적'이라고 할 수 있는 거예요. 이 정도면 '행동경제학'의 주장을 완벽하게 이해했다고 할 수 있겠죠?

④ #재진술 #비교/대조

이러한 '심적 회계'는 현재의 지출, 즉 '소비'를 미래로 미루어 '저축'을 강제하는 기제입니다. 이건 똑같은 말인데, 갑자기 '퇴직 연금'이나 '국민 연금 제도'에 대한 이야기를 하고 있습니다. 이는 사람들의 소비를 '사회적'으로 줄여주는 제도이므로, '저축 강제'라는 기제가 '사회적' 차원에서 구현되었다고 할 수 있겠습니다. 가볍게 '납득'하고 이해하면서, '심적 회계'와 '연금 제도'의 차이점을 잡아주셔야 합니다. 각각 '개인적', '사회적'인 차원에서 '저축 강제'의 기제가 발동하는 것이에요. 끊임없이 재진술되는 '심적 회계'에 대한 내용을 완벽하게 이해할 것을 요구하는 지문이었습니다.

하이라이트 문장

> ②사람들은 자신과 가족의 장기적 안전을 지키기 위해 행동을 제약하기 위한 속박 장치를 마음속에 만들어 내는데, 이러한 자기 통제 기제가 바로 심적 회계이다.

'심적 회계'의 정의가 등장하는 동시에, 재진술을 통해 '이상 현상'의 원인이 '자발적 선택'이라는 정보를 다시 한번 강조해주고 있습니다. 새로운 정보가 아니라, 이미 알고 있는 정보의 재진술일 뿐이에요. 화제를 중심으로 재진술하며 정보량을 줄이는 데 집중합시다.

선지	①	②	③	④	⑤
선택률(예상)	12%	10%	9%	16%	53%

24 윗글의 내용과 일치하지 않는 것은? ⑤

① 이상 현상에 대한 분석은 경제학을 발전시키는 자양분으로 작용했다.

명시적 근거	1문단 2번 문장
실전에서의 판단 과정	이상 현상을 분석하는 게 이 지문의 핵심이었지.
해설	'이상 현상'을 어떻게 분석하는지가 경제학의 발전을 이끌었다고 명시적으로 나와 있었고, 애초에 이 지문의 화제 그 자체였죠? 어렵지 않게 지워낼 수 있겠습니다.

② 퇴직 연금 제도는 개인의 심적 회계가 사회적 차원으로 확장된 것이다.

명시적 근거	4문단 4번 문장
실전에서의 판단 과정	퇴직 연금은 사회적이었지.

해설	'퇴직 연금 제도'는 '사회'가 사람들의 소비를 줄여 주는 제도이죠? '심적 회계'가 '사회적 차원'으로 확장되었다고 할 수 있겠네요.

③ 저축은 현재의 소비를 미룸으로써 미래의 지출 능력을 높이려는 행위이다.

명시적 근거	4문단 4번 문장
실전에서의 판단 과정	당연한 말 아니야?
해설	4문단에 명시적인 근거가 나타나기는 하지만, '저축'이라는 단어의 뜻을 고려했을 때 당연한 말이라고 할 수 있겠습니다. 이 지문의 핵심이 '저축과 소비'였기 때문에, 지문을 읽으면서 '저축'이라는 개념에 대해 제대로 이해하고 있는 것이 아주 중요했어요.

④ 심적 회계는 미래보다 현재를 중시하는 본능을 억제하려는 자기 통제 기제이다.

명시적 근거	4문단 1번~2번 문장
실전에서의 판단 과정	심적 회계의 핵심적인 내용이네.
해설	'심적 회계'는 미래보다 현재를 중시하는 본능, 즉 미래의 소득을 생각하지 않고 다 소비해버리는 본능을 억제하기 위한 '자기 통제 기제'였어요. 이 지문에서 몇 번이고 재진술한 내용이기 때문에, 머릿속에 확실하게 들어 있어야 하는 정보입니다.

⑤ 자산 피라미드의 하층부에 있는 자산일수록 인출을 하지 않으려는 계정에 배치된다.

명시적 근거	3문단 3번 문장
실전에서의 판단 과정	하층부에 있을수록 지출하는 거잖아.
해설	'자산 피라미드'의 하층부 중 가장 낮은 곳에 있는 자산은 '현금'인데, 이는 대부분 지출에 사용된다고 했습니다. 우리는 이 정보를 바탕으로 '하층부에 있는 자산일수록 지출에 쓰이는 자산이라는 생각을 했습니다. 어렵지 않게 답으로 골라낼 수 있겠네요.

선지	①	②	③	④	⑤
선택률(예상)	17%	11%	40%	14%	18%

25 ㉠과 ㉡을 비교한 내용으로 가장 적절한 것은? ③

㉠ 전통적 경제학 / ㉡ 행동경제학

– 이 지문의 핵심 정보들을 비교하는 문제입니다. 이들은 '사람들의 행동 가정'이라는 비교 포인트를 기반으로 각각 '합리적', '비합리적'이라는 가정을 세운 이론이에요. 이에 따라 '소비 패턴'에서 나타나는 '이상 현상'을 각각 '유동성 제약'이라는 '외부적 요인'과 '심적 회계'라는 '자발적 선택'으로 설명하는 이론들이었습니다. 이 정도는 정리해놓고 선지 판단에 나서야겠죠?

① ㉠과 ㉡에서는 사람들이 유혹에 취약한 존재라고 여긴다는 점에서 의견을 같이할 것이다.

명시적 근거	2문단 2번 문장, 4문단 1번 문장
실전에서의 판단 과정	전통적 경제학에서는 사람들이 엄청 합리적이라고 가정하잖아.
해설	'행동경제학'과 달리, '전통적 경제학'은 사람들을 유혹에 취약한 존재로 생각하지 않습니다. 유혹이 있어도 그걸 이겨내고 최적의 소비 계획을 실천하는 '불굴의 의지'를 지닌 존재로 생각하죠. 두 경제학의 차이점을 정확히 인식했다면 어렵지 않게 지울 수 있는 선지죠?

② ㉠에서는 연령대별 소비의 특성을 자발적 선택으로 이해하고, ㉡에서는 그 특성을 외부적 제약 요인에서 찾을 것이다.

명시적 근거	2문단 7번 문장, 3문단 1번 문장
실전에서의 판단 과정	반대로 써놨네.
해설	'자발적 선택'과 '외부적 제약 요인'은 두 경제학의 가장 큰 차이점이기 때문에, 완벽하게 이해하고 있을 겁니다. '전통적 경제학'은 '외부적 제약 요인'을, '행동경제학'은 '자발적 선택'을 강조하죠?

③ ㉠에서는 유동성 제약의 원인을 금융 시장의 불완전성에서 찾고, ㉡에서는 그 원인을 개인의 심리적 요인에서 찾을 것이다.

명시적 근거	2문단 7번 문장, 3문단 1번 문장
실전에서의 판단 과정	미리 잡아둔 차이점이네.
해설	'금융 시장의 불완전성'으로 인해 '유동성 제약'이 생긴다는 것이 '전통적 경제학'의 핵심 주장이었고, 개인의 '자발적 선택', 즉 '심리적 요인'으로 인해 '유동성 제약'이 나타난다는 것이 '행동경제학'의 주장이었습니다. 핵심적인 차이점에 해당하니, 확실하게 이해하고 있었어야 하는 내용이에요.

④ ㉠에서는 ㉡에서와 달리 유동성 제약이 심화되면 소비가 자유롭고 원활하게 행해진다고 볼 것이다.

명시적 근거	2문단 6번~7번 문장
실전에서의 판단 과정	유동성 제약은 곧 소비 제한인데 무슨 소리야.
해설	'전통적 경제학'과 '행동경제학' 모두 '유동성 제약'이 심화되면 '소비'가 제한된다고 생각합니다. '유동성 제약'이 나타나는 원인을 다르게 파악할 뿐이죠. '유동성 제약'의 정의를 바탕으로 쉽게 지워낼 수 있는 선지입니다.

⑤ ㉠과 ㉡에서는 모두 급전이 필요한 상황에서 신용카드 현금 대출 서비스를 받는 대신 저축 예금을 인출하는 선택이 금융적으로 바람직한 방법이라는 것을 부정적으로 판단할 것이다.

명시적 근거	3문단 4번~5번 문장
실전에서의 판단 과정	높은 금리의 대출보다 낮은 금리의 저축 예금을 인출하는 게 더 합리적인 건데 왜 부정적으로 판단해?
해설	'급전이 필요한 상황에서 신용카드 현금 대출 서비스를 받는 대신 저축 예금을 인출'하는 것은 '합리적' 상황이라는 말로 재진술할 수 있습니다. '행동경제학'에서 이야기하는 '비합리적' 행동은 높은 금리로 돈을 빌리고 낮은 금리로 저축하는 것인데, 5번 선지의 내용은 이와 정반대되는 것이니까요. '전통적 경제학'과 '행동경제학' 모두 '합리적'인 방법이 '바람직'하다는 것에 대해 '긍정적'으로 생각하겠죠?

선지	①	②	③	④	⑤
선택률(예상)	9%	30%	12%	18%	31%

26 윗글을 바탕으로 〈보기〉를 설명한 내용으로 적절하지 않은 것은? ②

──────[보기]──────

A 국가에서는 1980년대 후반에 세법을 개정하여, 세금 공제 대상을 줄였다. 자동차·카드·주택 등 여러 영역에서 허용되던 공제 대상을 주택 담보 대출로 제한함으로써 주택 소유의 확대를 유도했다.

─ A 국가가 세법을 개정하면서 세금 공제 대상을 줄인 모습입니다. '공제'와 같은 어휘는 알고 있을 거라고 믿습니다. '일정한 금액을 빼는 것'을 의미한다고 봐 주시면 돼요. 즉, '세금 공제'라는 것은 세금을 빼 주는 것을 의미하는 것이죠.

아무튼, 여러 영역에서 허용되던 공제 대상이 '주택 담보 대출'로 제한된 모습입니다. 다른 걸 담보로 대출받으면 세금을 많이 내야 하는데, '주택'을 살 때는 이를 공제해주는 거예요. 세금 혜택이 있으니, 당연히 많은 사람들이 주택을 소유하려고 했을 겁니다. 충분히 납득할 수 있겠죠?

──────[보기]──────

은행들은 주택가액과 기존 담보 대출액의 차액을 담보로 한 2차 대출 상품을 내놓는 방식으로 이에 대응하였다. 그 결과 다양한 대출 상품들이 생겨나고 주택 가격 거품이 부풀어 오름에 따라 주택을 최후의 보루로 삼던 사회적 규범이 결국 붕괴했고 노인 가구들도 2차 주택 담보 대출을 받는 상황이 초래되었다.

─ 이렇게 되자 은행들은 주택과 관련한 여러 가지 대출 상품을 내놓는 방식으로 대응했다고 합니다. 사람들의 주택에 대한 수요가 늘었을 것이니, 은행 입장에선 이를 최대한 이용해 큰 수익을 남기고자 한 것이죠. 이렇게 주택을 활용한 대출 상품이 늘어나면 주택에 대한 수요는 더 폭발할 것이고, 이것이 결국 '주택 가격 거품'을 불러일으킨 모습입니다. '거품', 즉 '버블'에 대해서는 앞에서 충분히 공부했었죠?

이렇게 되면서, 주택을 '최후의 보루'로 삼던 사회적 규범이 붕괴했다고 합니다. 여기서 '최후의 보루'를 보고 '마음속 가장 신성한 계정'을 떠올릴 수 있어야 해요! 결국 이 〈보기〉는 지문과 연관되는 내용일 테니까요. 사람들의 '심적 회계' 체계가 무너지게 되었고, 결국 원래는 '자발적 선택'으로 '유동성 제약'의 상황을 만들었던 노인 가구들도 대출을 늘리는 일이 발생했다고 합니다. '소득 수준'과 비슷하게 형성되어야 하는 '소비 수준'을 고려하면 노인 가구들의 '소비 수준'은 낮아야 하는데, '대출'을 통해 중년기와 비슷한 수준의 '소비'를 하게 된 것이죠. 즉, 노인들도 '자발적 선택'으로 '유동성 제약'에서 벗어나게 되고, '전용 가능성'이 나타난 거예요! 이런 식으로 정리할 수 있어야 합니다. 어렵지만 지문의 내용을 확실하게 이해했다면 충분히 해낼 수 있어요.

---[보기]---

또한 주택 가격 상승에 따른 <u>미실현 이익을 향유하며 지출을 늘리는 가구가 늘어나면서 경제의 불안정성은 커</u>졌고 마침내 20여 년 후 금융 위기 사태가 발발했다. 그 결과 <u>가계의 소득 감소와 소비 위축</u> 등으로 경기 침체가 나타났다.

- 여기서 끝이 아닙니다. '주택 가격 거품'에 따라 자신이 돈을 벌었다고 생각한 사람들은 '미실현 이익'을 향유하며 '지출', 즉 '소비'를 늘렸다고 해요. 집값이 올랐다고 해도 그걸 팔아야 자기 돈이 되는 건데, 팔기도 전에 마치 돈을 번 것처럼 생각하며 '소비'를 늘리는 행동을 한 것이죠! 역시 자신과 가족의 '장기적 안전'을 지키기 위한 '심적 회계'가 망가진 결과가 나타났다고 할 수 있는 거예요.

이렇게 되면 당연히 '경제의 불안정성'은 커질 것이고, 이는 '금융 위기'로 이어졌다고 합니다. 이 역시 앞에서 공부했던 '글로벌 금융 위기'에 대한 설명이네요. 이렇게 되면서 주택 가격 거품이 걷히자 사람들은 '소득'이 줄게 되었고, 자연스레 '소비'가 위축되면서 경기 침체에 빠지게 된 것입니다.

기본적인 경제 지식을 기반으로 지문의 '심적 회계'를 〈보기〉에 적용하는 것이 아주 중요했습니다. 이 정도 정리는 할 수 있어야 경제 지문을 마스터했다고 할 수 있는 거예요. 그럼 선지 판단해봅시다!

① 1980년대 후반의 새로운 조세 정책이 촉진한 새로운 대출 상품에 대한 A 국가 국민들의 대응으로 볼 때, 주택 자산이 전통적으로 지니던 '마음속 가장 신성한 계정'으로서의 성격이 약화되었겠군.

명시적 근거	〈보기〉, 3문단 6번 문장
실전에서의 판단 과정	미리 정리한 내용이네.
해설	새로운 조세 정책에 대해 A 국가의 국민은 '대출'을 늘렸죠? 이 과정에서 '주택'을 담보로 했구요. '마음속 가장 신성한 계정'으로 여겨서 최악의 사태가 아니면 사용하지 않는 주택을 '담보로' 했다는 것입니다. 이는 주택이 가지고 있던 기존의 성격이 약화된 것이라고 할 수 있겠네요. 이 정도는 〈보기〉를 보면서 미리 정리할 수 있었어야 합니다.

② 정부 정책과 금융 관행의 변화가 야기한 위기로 볼 때, 금융 위기 이후의 A 국가는 주택 소유자들이 '유동성 제약'을 완화하게끔 '심적 회계'의 작동 방식을 바꾸도록 유도하는 정책을 필요로 했겠군.

명시적 근거	2문단 6번~7번 문장, 〈보기〉
실전에서의 판단 과정	유동성 제약을 완화한다는 건 대출 더 많이 한다는 거잖아. 이러면 똑같은 일 반복이지.
해설	〈보기〉에 의하면, '금융 위기'는 사람들의 '심적 회계' 체계가 무너져 주택을 이용한 대출에 거리낌이 없어진 환경에서 발생한 것입니다. 즉, '유동성 제약'이 완화된 환경에서 발생한 것이죠! 그런데 '금융 위기 이후'의 A 국가가 주택 소유자들로 하여금 다시 '유동성 제약'을 완화하게끔 '심적 회계'의 작동 방식을 바꾸려 한다면, 지난 몇 십년 간 일어났던 일들을 다시 반복하는 것에 지나지 않게 되겠죠. 2번 선지의 내용은 결국 〈보기〉의 상황을 한 번 더 겪자는 것이기에, '금융 위기 이후'의 대처로 적절하다고 볼 수는 없겠습니다. 〈보기〉에서 말한 '금융 위기'의 원인을 정확하게 파악하고 있는지 물어보는 선지네요.

③ '자산의 전용 가능성' 제고가 경제의 불안정성 심화로 이어졌던 것으로 볼 때, A 국가에서 '자발적 선택 가능성'의 확대는 장기적으로 경제 활동을 위축시키는 부정적 결과를 낳았다고 평가할 수 있겠군.

명시적 근거	2문단 3번 문장, 3문단 1번 문장, 〈보기〉
실전에서의 판단 과정	대출 통해서 소비를 늘린 건 전용 가능성 제고, 자발적 선택 확대라고 할 수 있지.
해설	주택 담보 '대출'을 늘린 것은 곧 '자산의 전용 가능성' 제고와 '자발적 선택 가능성'의 확대로 재진술할 수 있습니다. 대출을 받는다는 건 자신이 가진 자산의 용도를 얼마든지 전환할 수 있음을, 그리고 '자발적'으로 사용할 수 있음을 의미하니까요. 이는 장기적으로 금융 위기를 통해 경제를 위축시키는 결과를 낳았죠?

④ 부동산 거품 현상으로 초래된 '사회적 규범'의 변화로 볼 때, 금융 위기 이전의 은행들은 주택을 저축이 아닌 소비 확대의 수단으로 바꾸도록 유도함으로써 A 국가 국민들이 장래를 대비할 여력을 약화시켰겠군.

명시적 근거	〈보기〉
실전에서의 판단 과정	주택을 통해 대출받아 소비하려고 했으니 장래를 대비할 여력을 약화시킨 것이지.

해설	'사회적 규범의 변화'는 주택을 가장 신성하다고 생각했던 '심적 회계'가 무너진 상황을 의미합니다. 즉, 금융 위기 이전의 은행들이 실시한 대출 정책 때문에 주택을 '저축'이 아닌 '소비'의 수단으로 바꾼 것이라고 이해할 수 있겠네요. 여기서의 주택은 '노후 대비용 자산'이었는데, 이것을 담보로 현재의 소비를 늘렸으니 당연히 '장래를 대비할 여력'을 약화시켰다고 할 수 있겠습니다.

⑤ 현재 소득이 없는 경제 주체들도 2차 주택 담보 대출 상품을 통해 추가적인 지출을 했던 것으로 볼 때, 전통적 경제학에서는 '소비 패턴은 연령에 따른 소득 패턴과 독립적으로 유지'되리라는 예측이 실현되었다고 여겼겠군.

명시적 근거	2문단 4번 문장, 〈보기〉
실전에서의 판단 과정	소득이 없는데도 소비를 했다는 건 전통적 경제학에서 이야기하는 소비 패턴 그래프의 모습이네.
해설	일단 〈보기〉 속에서 '소득이 없는 경제 주체'는 '노인'을 뜻한다고 할 수 있습니다. '소득'이 없어 그 수준까지만 '소비'해왔던 노인들까지 주택 담보 대출을 통한 '소비'를 하는 모습이었어요. 이는 '전통적 경제학'에서 말했던 '연령에 따른 소득 패턴과 소비 패턴'이 '독립적'으로 나타나는 모습이라고 할 수 있네요. '소득'이 없으면 '소비'도 함께 없어야 하는데, '소득'이 없음에도 불구하고 '소비'가 일어나니까요. '소득이 없는 경제 주체들'을 '노인'으로, '지출'을 '소비'로 독해할 수 있는 능력이 중요한 선지였습니다. 결국 모든 선지는 지문과 〈보기〉 내용의 재진술이라는 것을 잊지 맙시다.

몰랐던 어휘 정리하기

| 핵심 point |

① 화제 check : 독서 지문 독해의 처음이자 끝. 첫 문단에서 잡은 '화제의 틀'을 마지막 문단까지 놓지 않아야 합니다.
② 비교/대조 : 비교되는 대상이 나오면, '공통점'과 '차이점' 중심으로 읽어나가면 됩니다.
③ 재진술 인식 : 같은 말이라도 다르게 표현되는 경우가 많습니다. 심지어 아예 똑같은 말이 반복되는 경우도 많아요. 이 '같은 말'에 민감하게 반응하면, '정보량'을 줄이면서 읽을 수가 있습니다.
④ 경제 제재 기본 지식 : '금리', '통화량' 등의 변화로 나타나는 기본적인 경제의 흐름에 대해 이해하고 있을 필요가 있습니다.

| 지문 내용 총정리 |

'금리', '저축', '소비'에 대한 기본적인 지식만 갖추고 있었다면 어렵지 않게 이해할 수 있는 지문이었습니다. 다만 〈보기〉 문제의 난이도가 꽤 높았어요. 〈보기〉의 내용을 이해하기 위해서는 지문의 내용을 정확하게 대응시키는 것은 기본이고, '대출'과 '거품', '금융 위기' 등과 관련한 기본적인 지식이 필요했습니다. 앞에서 공부한 '끈 밀어올리기' 관련 〈보기〉 문제와 연계해서 경제 관련 배경지식을 넓혀보도록 합시다.

이번 지문은 내용을 이해하고 문제를 푸는 것도 물론 중요하지만, 앞으로 나올 수 있는 경제 지문들과 관련된 지식들을 얻는 것이 중요한 지문이에요. 늘 그렇게 하고 있겠지만, 특히 이 지문의 내용들은 확실하게 배경지식화하도록 합시다.

1문단

①과거에 일어난 금융위기에 대해 많은 연구가 진행되었어도 그 원인에 대해 <u>의견이 모아지지 않는 경우</u>가 대부분이다. ②이것은 금융위기가 여러 차원의 현상이 복잡하게 얽혀 발생하는 문제이기 때문이기도 하지만, 사람들의 행동이나 금융 시스템의 작동 방식을 이해하는 시각이 다양하기 때문이기도 하다. ③은행위기를 중심으로 금융위기에 관한 주요 시각을 다음과 같은 네 가지로 분류할 수 있다. ④이들이 서로 배타적인 것은 아니지만 주로 어떤 시각에 기초해서 금융위기를 이해하는가에 따라 그 <u>원인과 대책에 대한 의견</u>이 달라진다고 할 수 있다.

①~④ #화제 제시

첫 문단은 길지만 간단합니다. '과거에 일어난 금융위기의 원인'을 살피는 것이 이 지문의 전부예요. 총 네 가지가 나온다고 밝혔는데, 이들은 모두 '은행위기'를 중심으로 금융위기를 이해하는 것들이라고 합니다. '은행'이 '위기'를 맞으면 '금융위기'가 발생한다는 것이죠. 이들의 주장에 따르면 어떤 것들이 원인이 되었는지, 그리고 그 대책은 무엇일지 기대하면서 읽어봅시다.

2문단

①우선, <u>은행의 지불능력이 취약하다고 많은 예금주들이 예상하게 되면 실제로 은행의 지불능력이 취약해지는 현상</u>, 즉 **'자기 실현적 예상'**이라 불리는 현상을 강조하는 시각이 있다. ②예금주들이 예금을 인출하려는 요구에 대응하기 위해 <u>은행이 예금의 일부만을 지급준비금으로 보유하는 **부분준비제도**</u>는 현대 은행 시스템의 본질적 측면이다. ③이 제도에서는 은행의 지불능력이 변화하지 않더라도 <u>예금주들의 예상이 바뀌면</u> 예금

인출이 쇄도하는 사태가 일어날 수 있다. ④**예금**은 만기가 없고 선착순으로 지급하는 독특한 성격의 채무이기 때문에, 지불능력이 취약해져서 은행이 예금을 지급하지 못할 것이라고 예상하게 된 사람이라면 남보다 먼저 예금을 인출하는 것이 합리적이기 때문이다. ⑤이처럼 예금 인출이 쇄도하는 상황에서 예금 인출 요구를 충족시키려면 은행들은 현금 보유량을 늘려야 한다. ⑥이를 위해 은행들이 앞다투어 채권이나 주식, 부동산과 같은 자산을 매각하려고 하면 자산 가격이 하락하게 되므로 <u>은행들의 지불능력이 실제로 낮아진다</u>.

①~② #수식된 정의 제시 #단어의 의미 살리기

먼저 '자기 실현적 예상'이라는 현상으로 금융위기를 살피는 관점이 제시되고 있습니다. 정의는 간단해요. '은행의 지불능력이 취약하다고 예상하면 진짜 취약해진다.'라는 겁니다. '자기'가 '예상'한 내용대로 '실현'되는 현상인 것이죠! 이렇게 단어의 의미를 살리는 건 기본으로 하고 있죠?

그런데 갑자기 '부분준비제도'라는 것을 설명해주네요. 은행이 예금의 일부를 '지급준비금'으로 보유하는 제도라고 합니다. 사람들이 돈을 맡기면(예금) 은행은 그 돈을 바탕으로 다양한 투자 및 대출 사업 등을 하는데, 그 돈을 무한정 쓸 수는 없다는 거예요. 사람들이 자기가 맡긴 돈을 찾으러 왔을 때, 그 돈을 아무 문제없이 줄 수 있어야 하니까요! 그래서 일정 비율의 돈은 쓰지 않고 '지급준비금'으로 묶어 두는 것입니다. 수능에 충분히 등장할 수 있는 소재이니 이 정도는 알아두도록 해요. '지급'을 '준비'하는 '금'액, '부분'적으로 '준비'하는 '제도'라는 방식으로 단어의 의미를 살리는 것도 잊지 마시구요.

③~④ #정의 제시 #재진술

이런 '부분준비제도'에서는 은행의 지불능력에 아무런 문제가 없어도, 예금주들이 지불능력이 취약하다고 '예상'하는 것만으로 예금 인출이 쇄도할 수 있다고 해요. 그렇겠죠. 은행이 곧 망할 것이라고 '예상'하면 일단 자기가 넣어둔 돈부터 찾는 건 지극히 '합리적'이니까요. 이를 '만기가 없고 선착순으로 지급하는 독특한 성격의 채무'인 '예금'의 특성을 바탕으로 설명하고 있네요. 즉, 특정 날짜까지 맡기는 게 아니라 (만기가 없고) 맡긴 금액에 상관없이 언제든지 찾아갈 수 있는 (선착순) 것이기에, 은행이 곧 망한다면 빠르게 돈을 빼는 것이 합리적이라는 것이죠. '때문이다'라는 표지를 통해 제시되고 있는 재진술을 이용하면 어렵지 않게 납득할 수 있겠죠?

이를 감당하려는 은행은 당연히 현금 보유량을 늘려야 하고, 이를 위해 자산을 매각하다보면 자산의 공급량이 많아지면서 자산 가격이 하락하게 되고, 결국 은행들의 지불능력이 실제로 낮아지는 것입니다. 예금주들의 '예상'으로 인한 행동을 맞춰주려다가 그 예상이 정말로 실현되는 결과가 은행의 지불능력이 취약해지는 결과를 낳았다는 것이네요!

이렇게 정보를 처리하면서도, '금융위기의 원인'이라는 화제는 놓치면 안 돼요. 여기서 이야기하는 '은행의 지불능력이 취약해짐.'이라는 정보는 곧 '금융위기'의 원인이 되었다는 의미를 담고 있는 겁니다. 화제의 흐름을 놓치는 순간 지문 독해에 실패하는 거예요. 집중해서 챙겨가도록 합시다!

하이라이트 문장

> ⑥이를 위해 은행들이 앞다투어 채권이나 주식, 부동산과 같은 자산을 매각하려고 하면 자산 가격이 하락하게 되므로 은행들의 지불능력이 실제로 낮아진다.

'자기 실현적 예상'이라는 정보를 이해하는 것은 기본이고, '은행들의 지불능력이 실제로 낮아진다.'라는 정보의 의미가 곧 '금융위기의 원인이 되었다.'를 의미한다는 것을 생각할 수 있어야 합니다. 화제의 흐름을 정확히 인식하는 게 지문 독해의 핵심이니까요!

3문단

> ①둘째, 은행의 과도한 위험 추구를 강조하는 시각이 있다. ②주식회사에서 주주들은 회사의 모든 부채를 상환하고 남은 자산의 가치에 대한 청구권을 갖는 존재이고 통상적으로 유한책임을 진다. ③따라서 회사의 자산 가치가 부채액보다 더 커질수록 주주에게 돌아올 이익도 커지지만, 회사가 파산할 경우에 주주의 손실은 그 회사의 주식에 투자한 금액으로 제한된다. ④이러한 비대칭적인 이익 구조로 인해 수익에 대해서는 민감하지만 위험에 대해서는 둔감하게 된 주주들은 고위험 고수익 사업을 선호하게 된다. ⑤결과적으로 주주들이 더 높은 수익을 얻기 위해 감수해야 하는 위험을 채권자에게 전가하는 것인데, 자기자본비율이 낮을수록 이러한 동기는 더욱 강해진다. ⑥은행과 같은 금융 중개 기관들은 대부분 부채비율이 매우 높은 주식회사 형태를 띤다.

①~③ #카테고리 나누기 #단어의 의미 살리기 #재진술

다음은 '은행의 과도한 위험 추구'를 바탕으로 금융위기를 살피는 관점입니다. 카테고리 확실하게 나눠주면서 읽을 준비를 해야겠죠? 이번엔 '주식회사'의 이야기를 하고 있어요. 주식회사의 주주들은 회사의 모든 부채를 상환하고 '남은 자산의 가치에 대한 청구권'을 가지며, '유한책임'을 진다고 합니다. 무슨 말인지 이해하기 어려운데, 다음 문장에서 '따라서'라는 표지를 바탕으로 재진술하고 있어요. 반드시 이해하고 넘어가라는 뜻이겠죠?

즉, '자산 가치가 부채액보다 더 커질수록 주주에게 돌아올 이익도 커지지만'은 '남은 자산의 가치에 대한 청구권을 갖는 존재이고'와 같은 말이고, '회사가 파산할 경우에 주주의 손실은 그 회사의 주식에 투자한 금액으로 제한'이라는 말은 '유한책임'과 같은 말이 되는 것입니다! '자산 가치-부채액'이 곧 주주의 이익으로 이어지기에 회사가 돈을 많이 벌수록 주주에게 이득이 되는 반면, 주주는 자기가 투자한 금액만큼만 '유한'하게 책임을 지면 되기에 회사가 망하는 건 큰 상관이 없다는 거예요. '유한'이라는 단어의 의미를 살리니 훨씬 쉽게 이해할 수 있네요. 나아가, 이 내용은 배경지식으로 만들어 확실하게 정리하도록 합시다. '주식회사'가 가지는 중요한 성질 중 하나예요.

④~⑤ #단어의 의미 살리기 #재진술

아무튼, 이렇게 '비대칭적인 이익 구조'로 인해 주주들은 '고위험 고수익' 사업을 선호하게 된다고 합니다. 회사의 '이익'은 주주에게 중요하고 '손해'는 중요하지 않으니 '비대칭적'이라고 하는 것일 테고, 회사가 망하든 말든 주주 본인과는 큰 상관이 없으니 '고위험 고수익' 사업을 선호하게 되는 겁니다. 이는 결과적으로 그 회사와 회사의 채권자들(대표적으로 회사에게 돈을 빌려준 사람/기업 등이 있겠죠?)에게 책임을 전가하는 것이 되는 겁니다. 자기자본비율이 낮을수록 이러한 동기는 더욱 강해진다는 것 역시 쉽게 '납득'할 수 있겠죠? 어차피 '자기자본'이 적어 파산할 확률이 높다면, 주주 입장에선 도박 한 번 할 수 있는 것이니까요.

⑥ #화제의 흐름 #재진술

아니 그런데 우리가 읽고 있는 건 '금융위기'의 원인 아니었나요? 갑자기 '주식회사' 이야기를 왜 이렇게 길게 하나 했더니, 미지막 문장에서 그 이유를 설명하고 있습니다. '은행'과 같은 금융 중개 기관들은 대부분 부채비율이 매우 높은, 즉 '자기자본비율이 매우 낮은' '주식회사' 형태를 띤다고 해요. '부채비율이 높다=자기자본비율이 낮다'라는 재진술은 어렵지 않게 해낼 수 있겠죠? 이런 맥락에서 은행의 주주들이 고위험 고수익 사업을 추구했고, 이 사업들이 실패하면서 '금융위기'가 발생했다고 보는 것이네요. 주주들이 은행의 붕괴에 '유한'한 책임, 즉 자신이 투자한 만큼만 책임을 지고 모른 척했더니 그 은행의 채권자들, 이를테면 예금주들이 피해를 입게 되는 상황이 발생한 거죠. 2문단에서 '예금'을 일종의 '채무'로 설명했다는 걸 생각하면 '채권자=예금주'라는 생각도 가능했을 겁니다. '채권'과 '채무'에 대해서는 법 지문 파트에서 확실하게 정리한 내용이죠?

하이라이트 문장

> ⑥은행과 같은 금융 중개 기관들은 대부분 부채비율이 매우 높은 주식회사 형태를 띤다.

'주식회사'에 대한 정보들을 처리하다가, '은행'을 보자마자 다시 '금융위기'라는 화제를 생각해낼 수 있어야 합니다. 결국 우리가 읽고 있는 모든 정보는 하나의 화제로 모이는 거예요.

4문단

> ①셋째, 은행가의 은행 약탈을 강조하는 시각이 있다. ②전통적인 경제 이론에서는 은행의 부실을 과도한 위험 추구의 결과로 이해해왔다. ③하지만 최근에는 은행가들에 의한 은행 약탈의 결과로 은행이 부실해진다는 인식도 강해지고 있다. ④과도한 위험 추구는 은행의 수익률을 높이려는 목적으로 은행의 재무 상태를 악화시킬 위험이 큰 행위를 은행가가 선택하는 것이다. ⑤이에 비해 은행 약탈은 은행가가 자신에게 돌아올 이익을 추구하여 은행에 손실을 초래하는 행위를 선택하는 것이다. ⑥예를 들어 은행가들이 자신이 지배하는 은행으로부터 남보다 유리한 조건으로 대출을 받는다거나, 장기적으로 은행에 손실을 초래할 것을 알면서도 자신의 성과급을 높이기 위해 단기적인 성과만을 추구하는 행위 등은, 지배 주주나 고위 경영자의 지위를 가진 은행가가 은행에 대한 지배력을 사적인 이익을 위해 사용한다는 의미에서 약탈이라고 할 수 있다.

①~③ #카테고리 나누기 #비교/대조

다음으론 '은행가의 은행 약탈'에 대해 소개하고 있습니다. 새롭게 카테고리화시킬 필요가 있겠죠? 이 내용은 '전통적인 경제 이론'에서 이야기하는 '과도한 위험 추구'와 비교/대조하면서 설명되고 있습니다. 여기서 말하는 '과도한 위험 추구'는 3문단에서 이야기한 '고위험 고수익' 사업을 말하는 것이죠? 결국 3문단의 내용은 '전통적'인 이야기이고, 최근에는 '은행 약탈'이라는 것을 강조하는 경우가 많아졌다는 거네요.

④~⑤ #비교/대조 #단어의 의미 제시

비교/대조되고 있으니, 이들이 정확히 어떤 점에서 차이점을 가지는지 인식해야 합니다. '과도한 위험 추구'가 은행의 '수익률'에 목표를 두고 있다면, '은행 약탈'은 은행가의 '사적인 이익'에 목표를 두는 것이네요. 모두 공통적으로 '은행의 재무 상태 악화'라는 결과를 만들 수 있지만, 그 목적에서 큰 차이점을 보이는 것입니다. 단어의 의미 그대로, '은행'을 '약탈'한다는 뜻이었네요.

⑥ #사례-원리 연결 #화제의 흐름

이를 사례까지 들어주면서 친절하게 설명하고 있네요. 남보다 유리한 조건으로 대출을 받는 것, 자신의 성과급을 위해 단기적 성과만을 추구하는 것은 모두 은행가의 '사적인 이익' 때문에 은행에게 '손실'을 입히는 것입니다. 어렵지 않게 이해할 수 있겠네요. 핵심은 이러한 '은행 약탈'이 '은행위기'를 낳았고, 이것이 '금융위기'로 이어졌다고 보는 것이 이들의 주장이었습니다.

하이라이트 문장

> ②전통적인 경제 이론에서는 은행의 부실을 과도한 위험 추구의 결과로 이해해왔다.

이 문단의 내용을 이해하는 데 있어 핵심이 되는 문장은 아니지만, '과도한 위험 추구'를 보고 3문단의 내용을 끌고 올 수 있는 독해력이 있는지 확인해볼 수 있는 문장이었습니다. 앞에서 봤던 말에 주목하는 것. 지문 독해의 수준을 크게 높여주는 중요한 태도입니다.

5문단

> ①넷째, 이상 과열을 강조하는 시각이 있다. ②위의 세 가지 시각과 달리 이 시각은 경제 주체의 행동이 항상 합리적으로 이루어지는 것은 아니라는 관찰에 기초하고 있다. ③예컨대 많은 사람들이 자산 가격이 일정 기간 상승하면 앞으로도 계속 상승할 것이라 예상하고, 일정 기간 하락하면 앞으로도 계속 하락할 것이라 예상하는 경향을 보인다. ④이 경우 자산 가격 상승은 부채의 증가를 낳고 이는 다시 자산 가격의 더 큰 상승을 낳는다. ⑤이러한 상승작용으로 인해 거품이 커지는 과정은 경제 주체들의 부채가 과도하게 늘어나 금융 시스템을 취약하게 만들게 되므로, 거품이 터져 금융 시스템이 붕괴하고 금융위기가 일어날 현실적 조건을 강화시킨다.

마지막은 '이상 과열'입니다. 앞에서 이야기한 세 가지 시각과 달리, 경제 주체의 행동이 항상 '합리적'인 것은 아니라는 관찰에 기초한 시각이라고 해요. 그럼 여기서 자연스럽게 앞의 세 가지 시각은 모두 '경제 주체의 행동이 항상 합리적'이라고 가정한다는 것을 알 수 있겠죠? 그렇다면 '비합리적'인 경제 주체들의 행동이 '이상'한 '과열'을 낳아 '금융위기'가 터졌다고 보는 것이 이번 카테고리의 내용이겠네요.

이를 정확히 이해시키기 위해, 사례를 들어주고 있습니다. 많은 사람들은 자산 가격의 상승/하락을 보고 그 경향이 계속 이어질 것이라 예상하는 경향이 있다고 해요. '자산 가격'은 일반적으로 특정한 주기를 가지고 오르고 내리는 것이라 예상하는 것이 '합리적'인데, 현재의 흐름이 계속해서 이어질 것이라고 예상하는 '비합리적'인 생각을 하는 것이죠.

따라서 자산 가격이 상승하면 계속해서 상승할 것이라고 믿고 거기에 투자하기 위해 '부채'를 늘리며, 이렇게 수요가 몰린 자산의 가격은 더 크게 상승하게 되는 것입니다. 다른 경제 지문들에서 수도 없이 확인했었던 '자산 시장의 버블'이 사람들의 '비합리적' 행동 때문에 나타나게 된 것입니다.

결국 자산 시장의 거품은 경제 주체들에게 과도한 부채를 안겨주게 되었고, 금융위기가 일어날 조건을 강화시키는데 큰 영향을 주었다는 것이네요.

다시 강조하지만, 이 지문의 내용들은 모두 배경지식화하는 걸 목표로 합시다. 물론 이 정도의 내용을 모른다고 전혀 이해할 수 없는 경제 지문이 나오지는 않겠지만, 이런 내용들을 알고 있다면 훨씬 수월하게 읽어낼 수 있다는 건 자명하니까요.

선지	①	②	③	④	⑤
선택률(예상)	8%	13%	6%	24%	49%

27 ㉠~㉣에 대한 설명으로 적절하지 **않은** 것은? ⑤

> ㉠ '자기 실현적 예상'이라 불리는 현상을 강조하는 시각
> ㉡ 은행의 과도한 위험 추구를 강조하는 시각
> ㉢ 은행가의 은행 약탈을 강조하는 시각
> ㉣ 이상 과열을 강조하는 시각

– 사실상 이 지문의 전체 내용을 묻는 문제죠? 완벽하게 이해하고 있으니, 가볍게 해결해보도록 합시다.

---

① ㉠은 은행 시스템의 제도적 취약성을 바탕으로 나타나는 예금주들의 행동에 주목하여 금융위기를 설명한다.

명시적 근거	2문단 전체
실전에서의 판단 과정	부분준비제도의 취약성 때문에 자기 실현적 예상이 일어나는 것이었지.
해설	㉠은 '부분준비제도'라는 제도가 가진 취약성을 바탕으로 금융위기의 원인을 설명하는 관점입니다. 이 제도에서 '자기 실현적 예상'을 하게 되는 예금주들의 행동이 핵심이 되었죠?

② ㉡은 경영자들이 예금주들의 이익보다 주주들의 이익을 우선한다는 전제 하에 금융위기를 설명한다.

명시적 근거	3문단 전체
실전에서의 판단 과정	결국 주주들의 말을 들어준 거니까 경영자들이 주주들의 이익을 우선시한거네.
해설	㉡은 '주주'들의 '고위험 고수익 사업' 추구 경향을 바탕으로 금융위기를 설명하는 관점입니다. 은행의 경영자들이 예금주와 같은 '채권자'들의 이익보다는 주주들의 이익을 고려했으니 이러한 사업들을 승인한 것이라고 보겠죠.

③ ㉢은 은행의 일부 구성원들의 이익 추구가 은행을 부실하게 만들 가능성에 기초하여 금융위기를 이해한다.

명시적 근거	4문단 전체
실전에서의 판단 과정	은행가도 일부 구성원이니까 맞지.
해설	㉢은 '은행가'라는 일부 구성원들의 이익 추구가 은행을 부실하게 만드는 가능성을 바탕으로 금융위기를 이해합니다.

④ ㉣은 경제 주체의 행동에 대한 귀납적 접근에 기초하여 금융위기를 이해한다.

명시적 근거	5문단 2번 문장
실전에서의 판단 과정	관찰을 이용했으니 귀납적 접근이라고도 할 수 있겠다.
해설	㉣은 ㉠~㉢과는 달리 경제 주체의 행동이 항상 합리적인 것은 아니라는 '관찰'에 기초하여 금융위기를 이해합니다. 사람들의 예상을 '관찰'한 내용을 바탕으로 금융위기를 이해하는 것, '귀납적 접근'이라고 볼 수 있겠죠? 지금까지의 수능 수준을 생각하면 조금 선을 넘은 선지라고도 할 수 있는데, 앞으로는 '귀납' 정도의 개념은 알고 있다고 가정하고 출제하는 것도 충분히 가능하니 적응하

셨으면 좋겠습니다. 어쨌든 '귀납'이라는 개념은 중고등학교 교육과정에서 배우는 것이니까요.

⑤ ㄱ과 ㄹ은 모두 경제 주체들의 예상이 그대로 실현된 결과가 금융위기라고 본다.

명시적 근거	2문단 1번 문장, 5문단 3번~5번 문장
실전에서의 판단 과정	ㄹ은 계속 오를 거라고 믿었는데 폭락하는 상황이 금융위기의 조건이 된다고 했잖아.
해설	ㄱ에 한해서는 맞는 선지입니다. '자기 실현적 예상'의 정의 자체가 경제 주체의 예상이 그대로 실현된 것이니까요. 반면 ㄹ은 경제 주체들의 '비합리적'인 예상이 '거품 발생'이라는 금융위기의 원인을 낳았다고 했습니다. 경제 주체들의 예상은 '자산 가격 상승'이었는데, 실제론 거품이 터져 금융 시스템이 붕괴되는, 예상과 다른 현상이 나타났다는 것이죠! 각 관점을 잘 이해했다면 어렵지 않게 답으로 고를 수 있었겠네요.

선지	①	②	③	④	⑤
선택률(예상)	6%	6%	12%	16%	60%

28 ⓐ와 관련한 설명으로 적절하지 않은 것은? ⑤

ⓐ 비대칭적인 이익 구조

– ⓐ는 여러 재진술을 바탕으로 확실하게 이해하고 있는 내용이었습니다. 핵심은 '자산 가치-부채액'이 곧 '주주의 몫'이 된다는 것과 함께 은행이 망해도 주주의 손실은 자신의 투자액으로 '유한'하기에 '이익 구조'가 '비대칭적'이라는 것이었어요. 가볍게 해결해봅시다.

① 파산한 회사의 자산 가치가 부채액에 못 미칠 경우에 주주들이 져야 할 책임은 한정되어 있다.

명시적 근거	3문단 2번~3번 문장
실전에서의 판단 과정	유한책임의 정의 그 자체네.
해설	파산한 회사의 '자산 가치'가 '부채액'에 미치지 못한다는 것은 '주주의 몫'이 없다는 뜻입니다. 이 경우 주주들의 책임은 자신들이 투자한 금액만큼으로 '유한'합니다. 즉, '한정'되어 있다는 것이죠.

② 회사의 자산 가치에서 부채액을 뺀 값이 0보다 클 경우에, 그 값은 원칙적으로 주주의 몫이 된다.

명시적 근거	3문단 2번~4번 문장
실전에서의 판단 과정	자산 가치-부채액이 곧 주주의 몫이었지.
해설	'자산 가치-부채액'이 '주주의 몫'이라는 건 미리 정리한 내용이죠? 이 값이 0보다 크다면 그것은 모두 주주가 가져갈 수 있을 거예요.

③ 회사가 자산을 다 팔아도 부채를 다 갚지 못할 경우에, 얼마나 많이 못 갚는지는 주주들의 이해와 무관하다.

명시적 근거	3문단 2번~3번 문장
실전에서의 판단 과정	유한책임!
해설	주주의 책임은 '유한'합니다. 회사가 이익을 보지 못하는 경우에 부채를 얼마나 많이 못 갚는지와 무관하게, 주주는 자기가 투자한 금액만큼만 '유한'하게 손해를 보면 되는 거예요.

④ 주주들이 선호하는 고위험 고수익 사업은 성공한다면 회사가 큰 수익을 얻지만, 실패한다면 회사가 큰 손실을 입을 가능성이 높다.

명시적 근거	3문단 2번~4번 문장
실전에서의 판단 과정	당연한 말 아니야?
해설	역시 맞는 말이죠? 물론 성공한다면 주주가 엄청난 이익을 보겠지만, 회사가 이익을 보는 것 자체도 틀린 말은 아니니까요. 하지만 이게 실패한다면 주주와 달리 회사만 큰 손실을 입게 되고, 은행에서 이런 일이 일어난 것이 곧 '금융위기'를 낳았다는 게 ㄴ의 핵심이었습니다.

⑤ 주주들이 고위험 고수익 사업을 선호하는 것은, 이런 사업이 회사의 자산 가치와 부채액 사이의 차이가 줄어들 가능성을 높이기 때문이다.

명시적 근거	3문단 2번~5번 문장
실전에서의 판단 과정	자산 가치-부채액이 줄어들면 주주한테 안 좋은 거잖아.
해설	주주들이 고위험 고수익 사업을 선호하는 것은 본인의 이익을 위해서예요! 그리고 본인의 이익을 높이기 위해선, '자산 가치-부채액'이 커져야 합니다. 이것이 곧 '주주의 몫'이니까요. 그런데 이 차이가 줄어들 가능성을 높이려 한다니요. 이는

선지	①	②	③	④	⑤
선택률(예상)	7%	13%	12%	16%	52%

29 윗글에 제시된 네 가지 시각으로 〈보기〉의 사례를 평가할 때 가장 적절한 것은? ⑤

[보기]

1980년대 후반에 A국에서 장기 주택담보 대출에 전문화한 은행인 저축대부조합들이 대량 파산하였다. 이 사태와 관련하여 다음과 같은 사실들이 주목받았다.

– 무언가 복잡해보이지만, 〈보기〉에 나온 다양한 사실들을 ㉠~㉣과 연결하여 정리만 하면 될 것 같다는 느낌도 함께 받으셨으면 좋겠어요! 〈보기〉가 길다고 겁먹을 필요가 전혀 없습니다. A국에서 은행들이 대량 파산한 이유가 무엇일까요?

[보기]

○ 1970년대 이후 석유 가격 상승으로 인해 부동산 가격이 많이 오른 지역에서 저축대부조합들의 파산이 가장 많았다.

– 먼저 1970년대 이후 부동산 가격이 많이 오른 지역에서 저축대부업체들의 파산이 가장 많았다고 합니다. 많이 오른 '부동산 가격'은 대표적인 '거품'의 예시라고 할 수 있겠네요.

[보기]

○ 부동산 가격의 상승을 보고 앞으로도 자산 가격의 상승이 지속될 것을 예상하고 빚을 얻어 자산을 구입하는 경제 주체들이 늘어났다.

– 아니나 다를까 이를 본 많은 경제 주체들이 빚을 얻어 자산을 구입하는 경우가 많아졌네요. ㉣이 이야기하는 '이상 과열' 현상이 발생한 것이죠? 부동산 가격이 지속적으로 상승할 것이라는 '비합리적'인 기대가 '자산 가격 거품'이라는 금융위기의 원인으로 이어진 것이죠.

[보기]

○ A국의 정부는 투자 상황을 낙관하여 저축대부조합이 고위험채권에 투자할 수 있도록 규제를 완화하였다.
○ 예금주들이 주인이 되는 상호회사 형태였던 저축대부조합들 중 다수가 1980년대에 주식회사 형태로 전환하였다.

– 여기에 정부까지 '이상 과열' 현상에 동참한 모습입니다. 저축대부조합이 '고위험'채권에 투자할 수 있도록 규제를 완화했다고 해요. 심지어 채권자인 '예금주'가 주인이었던 대부분의 은행들이 '주식회사' 형태로 전환하였다고 합니다. ㉢에서 이야기하는 '과도한 위험 추구'가 일어나기 딱 좋은 상황이 된 것이죠?

[보기]

○ 파산 전에 저축대부조합의 대주주와 경영자들에 대한 보상이 대폭 확대되었다.

– 그런데 파산 직전, 대주주와 경영자들에 대한 보상이 대폭 확대되었다고 합니다. ㉢이 이야기하는 '은행 약탈'까지 일어났겠어요. 파산 직전 자신의 이익이라도 챙기기 위한 은행가들이 자신에게 보상을 많이 주는 방식으로 '약탈'을 감행한 것이죠.

어렵지 않게 정리할 수 있겠죠? 사실상 ㉠을 제외한 모든 시각이 맞아 들어간 모습입니다. 그럼 선지 판단해봅시다.

① ㉠은 위험을 감수하고 고위험채권에 투자한 정도와 고위 경영자들에게 성과급 형태로 보상을 지급한 정도가 비례했다는 점을 들어, 은행의 고위 경영자들을 비판할 것이다.

명시적 근거	〈보기〉
실전에서의 판단 과정	자기 실현적 예상에 대한 내용은 〈보기〉에 없는데?
해설	애초에 ㉠은 〈보기〉의 내용과 아무런 상관이 없어요. 나아가 '위험을 감수하고 고위험채권에 투자한 정도와 고위 경영자들에게 성과급 형태로 보상을 지급한 정도가 비례했다는 점을 들어'라는 건 〈보기〉에서 알 수도 없고, ㉠의 관점과 일치하지도 않죠. 전체적으로 헛소리를 하는 선지입니다.

② ⓒ은 부동산 가격 상승에 대한 기대 때문에 예금주들이 책임질 수 없을 정도로 빚을 늘려 은행이 위기에 빠진 점을 들어, 예금주의 과도한 위험 추구 행태를 비판할 것이다.

명시적 근거	5문단 3번~5번 문장, 〈보기〉
실전에서의 판단 과정	이건 ⓔ에 대한 이야기잖아?
해설	이건 '이상 과열'에 해당하는 현상으로, ⓔ에서 강조하는 내용일 겁니다. ⓒ은 '고위험 고수익' 사업에 집중하는 주식회사의 주주들을 비판하는 내용을 언급해야 해요.

③ ⓒ은 저축대부조합들이 주식회사로 전환한 점을 들어, 고위험채권 투자를 감행한 결정이 궁극적으로 예금주의 이익을 더욱 증가시켰다고 은행을 옹호할 것이다.

명시적 근거	3문단 전체, 〈보기〉
실전에서의 판단 과정	주식회사 이야기는 ⓒ에서 해야 하는 거 아냐?
해설	'주식회사', '고위험채권' 등을 강조하는 건 ⓒ이 아니라 ⓒ일 것입니다. 나아가 '고위험채권 투자'를 감행한 결정이 '예금주'의 이익을 증가시켰다는 건 말이 안 되겠죠? '고위험채권 투자'는 '주주들'의 이익을 위한 것이니까요.

④ ⓒ은 저축대부조합이 정부의 규제 완화를 틈타 고위험채권에 투자하는 공격적인 경영을 한 점을 들어, 저축대부조합들의 행태를 용인한 예금주들을 비판할 것이다.

명시적 근거	3문단 전체, 〈보기〉
실전에서의 판단 과정	고위험채권 투자는 ⓒ에서 이야기해야지!
해설	역시 ⓒ이 이런 이야기를 해야 하고, 이를 용인한 건 '예금주'가 아니라 '경영주'들이겠죠? '예금주'들은 아무것도 모르고 있다가 당하기만 한 거예요. '주주', '경영주', '예금주'와 같은 주체들을 정확하게 구분하는 것도 굉장히 중요했었네요.

⑤ ⓔ은 차입을 늘린 투자자들, 고위험채권에 투자한 저축대부조합들, 규제를 완화한 정부 모두 낙관적인 투자 상황이 지속될 것이라고 예상한 점을 들어, 그 경제 주체 모두를 비판할 것이다.

명시적 근거	5문단 3번~5번 문장, 〈보기〉
실전에서의 판단 과정	전부 낙관적인 투자 상황이 지속될 것이라고 비합리적으로 예상했으니 ⓔ에서 비판할 만하지.
해설	ⓔ의 핵심은 '비합리적인 예상'이 낳은 '이상 과열'이 금융위기의 원인이 되었다는 것입니다. 〈보기〉에 나오는 모든 경제 주체들은 부동산과 같은 자산 가격이 지속적으로 상승할 것이라는 '비합리적 믿음' 속에서 금융위기로 나아가고 있었어요. ⓔ은 당연히 이러한 경제 주체들을 모두 비판하겠죠.

선지	①	②	③	④	⑤
선택률(예상)	11%	40%	22%	10%	17%

30 ⓐ~ⓔ에 따른 금융위기 대책에 대한 설명으로 적절하지 않은 것은? ②

- 사실 1문단에서는 금융위기의 '원인' 뿐만 아니라 '대책'까지도 화제로 제시했었습니다. 이것이 지문 속에선 전혀 드러나지 않았는데, 문제로 제시된 모습입니다. 최근의 어려운 수능에서도 충분히 사용할 수 있는 추론 문제의 형태네요. 결국 우리가 이해한 내용을 바탕으로 하면 해결할 수 있을 겁니다.

① 은행이 파산하는 경우에도 예금 지급을 보장하는 예금 보험 제도는 ⓐ에 따른 대책이다.

명시적 근거	2문단 4번 문장
실전에서의 판단 과정	파산해도 예금을 지급해준다면 굳이 빠르게 예금을 인출하려고 하지 않겠네.
해설	은행이 파산하는 경우에도 예금 지급을 보장한다면, 예금주들이 섣불리 예금을 인출하지 않을 것입니다. 어차피 돈을 받을 수 있으니 굳이 서두를 필요가 없는 거죠. 이 경우 '자기 실현적 예상'이라는 현상이 나타나지 않을 테니, 이를 ⓐ에 따른 대책이라고 할 수 있겠습니다.

② 일정 금액 이상의 고액 예금은 예금 보험 제도의 보장 대상에서 제외하는 정책은 ⓐ에 따른 대책이다.

명시적 근거	2문단 4번 문장
실전에서의 판단 과정	고액이든 소액이든 다 보호해야 ⓐ이 안 일어나지.
해설	특이하게 1번 선지에서 이야기한 '예금 보호 제도'를 또 가져오고 있습니다. 그런데 고액 예금을 여기서 제외해버리면, 고액의 돈을 많이 맡긴 예금주들이 은행의 지불 능력이 낮다는 예상을 하는

순간 서둘러 인출하겠죠? 고액의 예금들이 인출된다는 것은 은행의 파산이 더욱 빠르게 진행될 수 있음을 의미하므로, 이 경우 ㉠을 막을 수는 없겠습니다.

③ 은행들로 하여금 자기자본비율을 일정 수준 이상으로 유지하도록 하는 건전성 규제는 ㉡에 따른 대책이다.

명시적 근거	3문단 5번 문장
실전에서의 판단 과정	자기자본비율이 높으면 고위험 고수익 사업에 투자하려는 성향이 좀 낮아지겠지.
해설	'자기자본비율'이 낮을수록 '고위험 고수익' 사업에 대한 주주들의 선호는 높아진다고 했습니다. 그럼 자기자본비율을 일정 수준 이상으로 유지하게 해서 '고위험 고수익' 사업에 대한 선호를 낮추는 건 ㉡에 따르는 대책이라고 할 수 있겠습니다. '자기자본비율'과 관련된 정보를 납득하고 넘어가지 않았다면 쉽게 지우기 힘든 선지였을 거예요. 지문의 모든 내용을 최대한 납득하는 태도를 갖춰주도록 합시다.

| 생각 심화 |

이 선지에서 말하는 '자기자본비율 규제'는 앞에서 봤던 '최저 자기자본 규제'를 의미한다는 걸 쉽게 생각할 수 있겠죠? 이는 미시 '건전성 규제'에 해당하는 것이었다는 것까지도 말이죠. 이 'BIS 비율 규제'에 대한 내용이 이렇게 많이 반복되고 있다는 걸 알았다면, 이제 이 내용도 배경지식으로 만들 시기가 왔다는 것을 의미한다고 할 수 있겠습니다.

④ 금융 감독 기관이 은행 대주주의 특수 관계인들의 금융 거래에 대해 공시 의무를 강조하는 정책은 ㉢에 따른 대책이다.

명시적 근거	4문단 5번 문장
실전에서의 판단 과정	대주주 금융 거래를 반드시 공시해야 하면 약탈을 하기 어려워지겠지.
해설	'은행 대주주'의 특수 관계인들의 금융 거래에 대해 공시 의무를 강조한다면, '은행 약탈'이 일어나기 어렵겠죠? 이는 ㉢에 따른 대책이라고 볼 수 있겠네요.

⑤ 주택 가격이 상승하여 서민들의 주택 구입이 어려워질 때 담보 가치 대비 대출 한도 비율을 줄이는 정책은 ㉣에 따른 대책이다.

명시적 근거	5문단 5번 문장
실전에서의 판단 과정	주택 담보 대출을 받기가 어려우면 주택 가격 상승을 따라가기 위해 빚을 늘리기 어려워지겠지.
해설	'담보 가치 대비 대출 한도 비율'을 줄이면, 대출을 받는 게 어려워지겠죠? 그럼 아무리 주택 가격이 상승할 것이라 생각해도 대출을 받는 게 어려워질 것이니, '이상 과열' 현상이 발생하기 어렵겠네요. ㉣에 따른 대책이라고 볼 수 있겠습니다.

몰랐던 어휘 정리하기

| 핵심 point |

① 화제 check : 독서 지문 독해의 처음이자 끝. 첫 문단에서 잡은 '화제의 틀'을 마지막 문단까지 놓지 않아야 합니다.
② 카테고리 나누기 : 정보들의 범주가 나뉠 때, 그들이 서로 다른 카테고리에 속한다는 것을 인지해야 합니다. 이렇게 각 카테고리에 맞춰 정보를 정리하면 훨씬 깔끔하게 정리할 수 있다는 것을 기억해 주세요.
③ 재진술 인식 : 같은 말이라도 다르게 표현되는 경우가 많습니다. 심지어 아예 똑같은 말이 반복되는 경우도 많아요. 이 '같은 말'에 민감하게 반응하면, '정보량'을 줄이면서 읽을 수가 있습니다.
④ 경제 기본 지식 : '금융위기'가 일어나게 된 원인에 대한 내용들은 기본적인 경제 지식으로 알아두시는 게 좋습니다.

| 지문 내용 총정리 |

해설의 첫 부분에서도 밝혔듯이, 이 지문은 '글로벌 금융위기'에 대한 여러 가지 지식들을 제공하는 역할을 하고 있습니다. 지문의 내용을 이해하고 정리하는 데 필요한 '생각'을 점검하는 것도 당연히 중요하겠지만, 여기서 얻은 지식들을 가져가는 데에 초점을 두도록 합시다. 앞으로 경제 지문을 만날 때마다 정말 큰 힘이 될 거예요.

1문단

①정부는 국민 생활에 영향을 미치는 활동의 총체인 정책의 목표를 효과적으로 달성하기 위해 정책 수단의 특성을 고려하여 정책을 수행한다. ②정책 수단은 강제성, 직접성, 자동성, 가시성의 네 가지 측면에서 다양한 특성을 갖는다. ③**강제성**은 정부가 개인이나 집단의 행위를 제한하는 정도로서, 유해 식품 판매 규제는 강제성이 높다. ④**직접성**은 정부가 공공 활동의 수행과 재원 조달에 직접 관여하는 정도를 의미한다. ⑤정부가 정책을 직접 수행하지 않고 민간에 위탁하여 수행하게 하는 것은 직접성이 낮다. ⑥**자동성**은 정책을 수행하기 위해 별도의 행정 기구를 설립하지 않고 기존의 조직을 활용하는 정도를 말한다. ⑦전기 자동차 보조금 제도를 기존의 시청 환경과에서 시행하는 것은 자동성이 높다. ⑧**가시성**은 예산 수립 과정에서 정책을 수행하기 위한 재원이 명시적으로 드러나는 정도이다. ⑨일반적으로 사회 규제의 정도를 조절하는 것은 예산 지출을 수반하지 않으므로 가시성이 낮다.

① #수식된 정의 제시 #화제 제시

'정책'이라는 개념을 정의하고, 이 목표를 달성하기 위해 '정책 수단의 특성'을 고려한다는 이야기를 하고 있습니다. '정책'이라는 개념이 어려운 말은 아니지만, '국민 생활에 영향을 미치는 활동의 총체'라는 정의가 수식되어 제시되고 있다는 걸 체크할 수 있어야 해요! 아무튼, '정책 수단의 특성'에 대해 이야기를 하겠다는 걸 읽어낼 수 있겠습니다. 어떤 것들이 있을까요?

②~⑧ #정의 제시 #단어의 의미 살리기
#사례-원리 연결

'정책 수단의 특성'이라는 화제와 관련된 개념들을 쭉 나열하고 있습니다. '강제성', '직접성', '자동성', '가시성'이라는 특성들의 정의를 쭉 체크해주시면 되겠습니다. 이때 '강제', '직접', '자동', '가시'라는 단어의 의미를 살려주면, '행위 제한 정도', '직접 관여 정도', '기존 조직 활용 정도', '재원 명시 정도'라는 정의들을 완벽하게 납득하면서 읽어낼 수 있겠네요. 각 개념마다 붙어있는 사례 역시 어렵지 않게 붙여낼 수 있겠죠? 이 네 가지 특성을 억지로 외우는 게 아니라, 너무나 당연한 정보로 만들 수 있어야 합니다!

하이라이트 문장

> ①정부는 국민 생활에 영향을 미치는 활동의 총체인 정책의 목표를 효과적으로 달성하기 위해 정책 수단의 특성을 고려하여 정책을 수행한다.

'수식된 정의'도 놓치지 않아야 합니다. 이 지문에선 별로 중요하지 않게 나왔어도, 이런 사소한 정의를 놓치는 순간 지문의 흐름을 잃어버리게 되는 지문도 굉장히 많아요.

2문단

①정책 수단 선택의 사례로 환율과 관련된 경제 현상을 살펴보자. ②외국 통화에 대한 자국 통화의 교환 비율을 의미하는 **환율**은 장기적으로 한 국가의 생산성과 물가 등 기초 경제 여건을 반영하는 수준으로 수렴된다. ③그러나 단기적으로 환율은 이와 괴리되어 움직이는 경우가 있다. ④만약 환율이 예상과는 다른 방향으로 움직이거나 또는 비록 예상과 같은 방향으로 움직이더라도 변동 폭이 예상보다 크게 나타날 경우 경제 주체들은 과도한 위험에 노출될 수 있다. ⑤환율이나 주가 등 경제 변수가 단기에 지나치게 상승 또는 하락하는 현상을 **오버슈팅(overshooting)**이라고 한다. ⑥이러한 오버슈팅은 물가 경직성 또는 금융 시장 변동에 따른 불안 심리 등에 의해 촉발되는 것으로 알려져 있다. ⑦여기서 **물가 경직성**은 시장에서 가격이 조정되기 어려운 정도를 의미한다.

① #화제의 흐름 제시

화제인 '정책 수단 선택'의 '사례'를 설명하겠다고 하면서, '환율'과 관련된 경제 상황을 제시하고 있습니다. 무언가 엄청난 폭풍이 몰아칠 것만 같습니다. 긴장하고 읽어봅시다.

②~④ #수식된 정의 제시 #단어의 의미 살리기
#비교/대조 #예외 제시

이 '환율'이란 개념의 정의를 보니까, '외국 통화에 대한 자국 통화의 교환 비율'이자 '장기적으로 한 국가의 기초 경제 여건을 반영하는 수준으로 수렴'되는 것이네요. 수식된 정의와 일반적인 정의 모두 완벽하게 챙겨갈 수 있겠죠? 이 지문에서 굉장히 중요한 개념일 것이기 때문에, 그 정의를 확실하게 체크해주셔야 합니다. 물론 우리는 '외국 통화의 자국 통화 기준 가격'이라는 개념으로 이해하고 있죠?

나아가 '기초/경제/여건'이라는 단어의 의미를 살려 '생산성과 물가'라는 정의를 자연스럽게 받아들이고 넘어가는 것 역시 꼭 해야 할 생각의 일종이겠습니다. 그런데 환율은 '단기적으로는' 이와 괴리되어 움직이기도 한다고 해요. 최소한으로 하실 일은 환율에 대해 '장기vs단기'로 비교되고 있다는 생각을 해주시는 것이겠죠? '장기'에는 '기초 경제 여건'을 반영하고, '단기'에는 그렇지 않을 수 있다!

여기에 평가원은 항상 '특수한' 상황을 묻는다는 것까지 챙겨갑시다. 단기에 예상과 다른 방향으로 움직이거나, 예상보다 변동 폭이 크면 경제 주체들이 위험에 처할 수 있다고 하죠? 이런 '특수한' 상황이 항상 핵심이 되는 경우가 많으니, 혹시나 지문을 읽다가 예외 같은 특수한 상황이 나오면 주목하면서 읽는 습관을 들입시다. '단기적'으로 '환율'이 예상과 다르게 움직이는 상황에 대해서 읽게 될 것이에요!

⑤~⑦ #수식된 정의 제시 #카테고리 나누기
#단어의 의미 살리기

이렇게 환율이나 주가 등의 경제 변수가 '단기'에 지나치게 변동하는 현상을 '오버슈팅'이라고 부릅니다. 단어의 의미 그대로, '오버'해서 '슈팅'되는 것이라고 이해할 수 있겠죠? 이 정의를 체크하면서, 계속 '단기'라는 '예외'에 주목하고 있다는 생각을 하셔야 해요.

이러한 '오버슈팅'이 발생하는 원인은 '물가 경직성' 또는 '불안 심리'라고 합니다. '오버슈팅의 원인'이라는 카테고리 속에서 두 가지 정보가 제시된 것이에요. 그중 '물가 경직성'의 정의는 '시장에서 가격이 조정되기 어려운 정도'구요. '물가/경직성'이라는 단어의 의미 그대로네요. 확실하게 납득할 수 있겠죠? 이 정의를 납득하면서, '물가 경직성'과 '불안 심리'라는 두 가지 카테고리 중 '물가 경직성'에 주목하고 있다는 생각을 해 주시면 됩니다.

정보량이 상당히 많아 보였지만, '단기'라는 '예외'를 중심으로 정리하면 그리 어렵지 않을 것이에요. 우리는 '단기'에 환율이 갑자기 크게 변하는 '오버슈팅'에 대해 읽을 것이고, 그 원인 중 '물가 경직성'에 주목할 겁니다. 이렇게 핵심이 되는 정보를 추출한 채로 계속 읽어봅시다.

하이라이트 문장

> ③그러나 단기적으로 환율은 이와 괴리되어 움직이는 경우가 있다.

이 지문에서 가장 중요한 문장 하나를 꼽으라면 이 문장을 뽑겠습니다. '단기적'으로 일어나는 '환율' 관련 예외 상황을 설명하겠다는 식으로 '카테고리'를 만들어주는 문장이에요. 앞으로 나오는 모든 정보는 이 문장으로 모일 겁니다. '단기, 괴리'라는 카테고리 속으로 수많은 정보를 모아 봅시다.

3문단

> ①물가 경직성에 따른 환율의 오버슈팅을 이해하기 위해 통화를 금융 자산의 일종으로 보고 경제 충격에 대해 장기와 단기에 환율이 어떻게 조정되는지 알아보자. ②경제에 충격이 발생할 때 물가나 환율은 충격을 흡수하는 조정 과정을 거치게 된다. ③물가는 단기에는 장기 계약 및 공공요금 규제 등으로 인해 경직적이지만 장기에는 신축적으로 조정된다. ④반면 환율은 단기에서도 신축적인 조정이 가능하다. ⑤이러한 물가와 환율의 조정 속도 차이가 오버슈팅을 초래한다. ⑥물가와 환율이 모두 신축적으로 조정되는 장기에서의 환율은 구매력 평가설에 의해 설명되는데, 이에 의하면 장기의 환율은 자국 물가 수준을 외국 물가 수준으로 나눈 비율로 나타나며, 이를 균형 환율로 본다. ⑦가령 국내 통화량이 증가하여 유지될 경우 장기에서는 자국 물가도 높아져 장기의 환율은 상승한다. ⑧이때 통화량을 물가로 나눈 실질 통화량은 변하지 않는다.

① #화제의 흐름 제시

이전 문단에서 오버슈팅은 '물가 경직성'에 의해 촉발된다고 했습니다. 이번 문단에서는 그래서 '물가 경직성'이 어떻게 오버슈팅을 일으키는지에 대해 말해주려나 봐요. 이 카테고리를 정확하게 잡아주셔야 합니다. 이를 위해 '통화'를 '금융/자산'의 일종으로 보겠다고 합니다. '통화', 쉽게 설명하면 '돈'을 교환이 가능한 '자산'으로 보셨다는 것이죠. '통화'가 교환이 가능한 상황에서, 경제 충격에 대해 '장기'와 '단기'에 환율이 어떻게 조정되는지 알아보자고 합니다.

굉장히 많은 생각을 요구하는 문장입니다. 우리는 이제 '물가 경직성에 따른 오버슈팅'에 대해 이해하게 될 것이고, 이를 위해 먼저 '장기/단기의 환율 조정'에 대해 읽게 될 것이에요. '장기/단기의 환율 조정' 중에선 당연히 '단기'의 환율 조정이 더 중요하겠죠? 이때 '오버슈팅'이 일어난다고 했으니까요. 이러한 생각들을 하면서 읽어보도록 합시다.

②~④ #비교/대조

계속 읽어보니, 경제에 충격이 발생하면 '조정 과정'이라는 것이 일어난다고 합니다. 충격을 흡수하는 건 뭐 당연하게 납득할 수 있을 것 같아요. 그런데 이 '조정'이 물가의 경우 '단기'에는 경직적으로 진행되지만, '장기'에는 신축적으로 진행된다고 해요. 반면 환율은 '단기'부터 신축적으로 조정할 수가 있다고 합니다. 머릿속이 꼬이겠지만, 우리가 중시하는 '단기' 위주로 정보를 정리하면 됩니다. 핵심은 '단기'에는 '물가'가 '경직적'이라는 것이에요. 그리고 이게 바로 '물가/경직성'인 것이죠! 결국 '물가 경직성에 따른 오버슈팅'은 '단기'에 '물가'의 조정 속도가 느리기 때문에 일어나는 것이었습니다. 확실하게 정리할 수 있겠죠? '물가 경직성'이라는, '진짜로' 같은 말이 또 나왔다는 것을 인지하고 윗문단에서 정보를 당겨올 수 있어야 합니다.

⑤ #재진술

이 문장은 우리가 미리 생각한 내용 그대로 재진술해주는 문장이네요. 최근 시험이 어려워지면서, 이러한 문장이 빠지고 바로 선지화되는 경향을 보이고 있어요. 문장 하나하나 곱씹으며 완벽하게 납득하는 연습이 필요합니다!

⑥ #정의 제시 #단어의 의미 살리기 #재진술

이 상태로 계속 읽어보는데, 물가와 환율이 모두 신축적으로 조정되는 '장기'에서의 환율에 대해 소개하고 있습니다. 사실 우리가 궁금한 것은 '단기'에 어떤 일이 일어나는지이기 때문에, 화제와 직결되는 내용은 아닐 것이에요. 조금 힘을 빼도 괜찮을 것 같죠?

'장기'의 환율은 '구매력 평가설'이라는 것에 의해 설명된다고 합니다. 단어의 의미를 살려보니 '구매력'을 '평가'하는 '설'인 것 같은데, 이에 따르면 장기의 환율은 '$\frac{\text{자국물가수준}}{\text{외국물가수준}}$'이라고 합니다. '물가 수준'을 바탕으로 '구매력'을 '평가'한다는 이야기인 것 같네요. 우리가 알고 있는 바에 따르면, '환율'은 곧 외국 통화의 '가격'을 의미합니다. 따라서 분자에 해당하는 '자국 물가 수준'이 분모에 해당하는 '외국 물가 수준'보다 높으면, 즉 자국의 전반적인 '가격' 수준이 외국보다 높으면 '환율'이라는 '가격'도 높아진다는 식으로 납득할 수 있겠네요. 그리고 이게 곧 '균형/환율'이라고 해요. '장기'에 수렴하는 '환율'은 '구매력'을 '평가'하는 '균형' 수준으로 도달한다는 게 핵심입니다!

그리고 여기서, '장기에서의 환율'이라는 말을 보고 2문단의 2번 문장이 떠올랐으면 좋겠어요. 해당 문장에서는 '장기에서의 환율'이 '기초 경제 여건'을 반영하는 수준으로 수렴된다고 했습니다. 이때의 '기초 경제 여건'이 곧 '구매력'과 같은 말이라고 할 수 있겠고, 결국 또 같은 말을 한 번 더 한 것에 지나지 않은 상황이네요. 이런 독해가 과하지 않다고 생각할 수 있으면 좋겠어요. 같은 말을 본 기억이 있으면, 그 말을 당겨서 연결할 수 있어야 합니다!

⑦~⑧ #사례-원리 연결 #수식된 정의 제시
#단어의 의미 살리기 #경제 기본 지식 활용

이걸 확실하게 이해시키고 싶은지, 예시까지 들어주고 있습니다. 만약 '국내 통화량'이 증가하여 유지될 경우, 장기에서는 자국의 물가가 높아질 겁니다. 이게 왜 그런지는 충분히 납득할 수 있죠? '통화량'이 많아지면 '금리'가 낮아지게 되고, 이는 결국 '물가 상승률 증

가'라는 결과를 낳아요. 이 정도의 지식은 가지고 있자고 했습니다. 앞 문장의 내용과 연결하면, '물가'가 '장기'에 '신축적'으로 조정된 상태라고 할 수 있네요!

아무튼, 자국의 물가가 높아지면 '균형 환율'에서의 분자가 커지는 결과가 나타나네요. 이는 국내의 '구매력', 즉 '기초 경제 여건'이 좋아졌다는 것과 같은 말이기에, 이를 '평가'하며 수렴하는 '장기에서의 환율'은 상승한다고 할 수 있는 겁니다. 확실하게 이해할 수 있겠죠?

그리고 이때 '실질 통화량'은 변하지 않는다고 합니다. 단어의 의미 그대로 '실질'적인 '통화량'을 의미할 텐데, 정의를 보니 '통화량'을 '물가'로 나눈 값이네요. '물가'에 비해 '통화량'이 얼마나 더 많아졌느냐를 따져야 '실질'적으로 '통화량'이 증가했다고 할 수 있으니, 이를 '실질 통화량'이라고 부르나 봐요. 이렇게 최대한 납득할 수 있어야 합니다!

그런데 이 예시에서는 '통화량'과 '물가'가 모두 상승했기 때문에, '실질 통화량'에는 변화가 없을 겁니다. 이렇게 제시된 정보를 아무 생각없이 받아들이는 게 아니라 '당연한 말'로 인식하며 읽어낼 수 있어야 합니다. 많이 어렵지만, 끊임없이 '생각'하고 '고민'하는 과정을 통해 도달하셔야 하는 경지입니다.

여기에 한 가지 더! 우리는 지금 '단기'에 일어나는 '오버슈팅'에 대해 읽고 있었습니다. 그렇다면 이 문단에 나온 '장기'의 이야기보다, 아마 앞으로 나오게 될 '단기'의 이야기가 훨씬 중요하다는 생각을 할 수 있겠죠? 재진술을 체크한 그대로, '장기'에는 '환율'이 '구매력'을 반영하는 수준으로 수렴되는 일이 일어납니다. 그렇다면 '단기'에 이와 괴리되어 움직이는 이유는 무엇일까요? '물가 경직성'이라는 원인 잊지 않은 채로 계속 읽어보도록 합시다.

하이라이트 문장

> ⑥물가와 환율이 모두 신축적으로 조정되는 장기에서의 환율은 구매력 평가설에 의해 설명되는데, 이에 의하면 장기의 환율은 자국 물가 수준을 외국 물가 수준으로 나눈 비율로 나타나며, 이를 균형 환율로 본다.

'장기에서의 환율' 이야기를 보자마자 2문단의 '기초 경제 여건'을 끌고 올 수 있었어야 합니다. 이를 바탕으로 '구매력 평가설'이라는 게 새로운 정보가 아닌, 앞에서 이미 확인한 정보라는 걸 인식할 수 있어야 해요! 이렇게 정보량을 줄여내는 것, 어려워진 수능 국어의 핵심입니다.

┌─────────────────────────────────────┐
└─ ①그런데 **단기**에는 물가의 경직성으로 인해 구매력 평가설에 기초한 환율과는 <u>다른 움직임</u>이 나타나면서 <u>오버슈팅</u>이 발생할 수 있다. ②가령 국내 통화량이 증가하여 유지될 경우, 물가가 경직적이어서 <u>실질 통화량은 증가하고 이에 따라 시장 금리는 하락</u>한다. ③국가 간 자본 이동이 자유로운 상황에서, 시장 금리 하락은 <u>투자의 기대 수익률 하락</u>으로 이어져, 단기성 외국인 투자 자금이 해외로 빠져나가거나 신규 해외 투자 자금 유입을 위축시키는 결과를 초래한다. ④이 과정에서 <u>자국 통화의 가치는 하락하고 환율은 상승</u>한다.
└─────────────────────────────────────┘

① #비교/대조 #재진술

윗 문단에서는 환율과 물가가 모두 신축적으로 조정되는 '장기'에 대한 이야기를 하고 있었는데, 이번엔 우리가 기다리고 기다리던 '단기'에 대한 이야기를 하고 있네요. 여기서부터는 집중력을 한껏 끌어올려야 합니다. '단기'에는 물가가 경직적으로 조정된다고 했습니다. 이것 때문에 '구매력 평가설'이라는, 일종의 '예상'과는 다른 움직임(괴리된 움직임)이 나타나면서 오버슈팅이 발생하는 것이죠. 또 똑같은 말을 해 주고 있죠? 이런 문장을 당연하게 받아들여야 해요! 앞에서 한 말과 똑같은 말이니까요. 어떻게 진행되는지 알아볼까요?

②~④ #사례-원리 연결 #경제 기본 지식 활용

이 '다른 움직임'이 무엇인지 확실하게 이해시키기 위해 또 사례를 들어 주고 있습니다. 이번에도 '통화량'에 대한 이야기네요. '단기'에서는 국내 통화량이 증가하여 유지되면 실질 통화량이 증가하고, 시장 금리가 낮아진다고 합니다. 이로 인해 투자의 기대 수익률이 낮아지고, 단기성 외국인 투자 자금이 줄며, 신규 해외 투자 자금 유입이 적어진다고 해요. 이는 결국 자국 통화 가치를 낮추고, 환율을 상승시키는 결과를 낳는다고 합니다. 넋놓고 밑줄만 치고 있으면 안 돼요! 최대한 납득해야 합니다.

'국내 통화량'이 증가하여 유지될 경우, '물가'는 '단기'에는 경직적입니다. 이런 '물가 경직성'으로 인해, 통화량을 물가로 나눈 '실질 통화량'은 분자만 커지게 되므로 증가하는 것이죠. 시장에 물가에 비해 더 많은 돈이 '실질적'으로 풀려 있는 상태이므로, 은행들은 더 많은 대출 유치를 위해 '시장 금리'를 하락시킬 것이에요. 그런데 이는 해외 투자의 위축을 불러옵니다. 해외 투자가 위축되면, 국내에 외국 통화의 공급이 적어지는 결과로 이어질 것입니다. 이렇게 외국 통화의 공급이 적어지면, 외국 통화의 '가격'인 '환율'은 상승한다고 할 수 있겠죠? 이는 상대적으로 자국 통화의 가치가 하락하는 결과라고도 할 수 있겠구요. 기본적인 지식을 활용하여 충분히 납득할 수 있습니다.

FAQ

Q 시장 금리가 하락하면 왜 해외 투자가 위축되나요? 시장 금리가 낮아지면 투자 수요가 증가하는 거 아니었나요?

A 잘 알고 계십니다. 기본적으로 시장 금리가 하락하면, 대출에 대한 비용이 낮아지는 것이기에 대출량이 증가하고 이에 따라 소비 및 투자 수요가 증가하는 것이 일반적이에요. 국내에서는 이렇게 되는 것이 일반적이지만, 해외 투자자의 입장은 다릅니다. 일반적으로 해외 투자자는 국내 금융 기관에서 대출을 받는 것이 쉽지 않기 때문에, 해외 투자자에게는 시장 금리 하락이 투자 수요 증가의 요인이 되지 않습니다.

해외 투자자들에게 시장 금리 하락은, 오히려 투자 수요 감소의 요인이라고 할 수 있습니다. 일단 기본적으로 시장 금리가 하락한 국가의 은행에 돈을 예금하는 것이 매력적이지 않기 때문에, 시장 금리가 상대적으로 높게 형성되어 있는 다른 국가의 은행으로 돈을 옮기는 것이 합리적이니까요.

나아가 2011학년도 수능 '채권의 가격' 관련 지문에서 배웠듯이, 시장 금리가 하락하면 해당 국가에서 이미 발행된 채권의 '현재 가치'가 높아집니다. 금리가 낮아 미래에 받게 될 액면 금액 및 이자액이 현재 기준으로 환산해도 꽤 큰 금액처럼 느껴지니까요. 이는 이미 발행된 채권의 가격을 높여, 해외 투자자의 투자를 꺼리는 요인이 되는 것입니다. 채권의 가격이 높으면 해외 투자자의 '순수익'이 낮아지게 되니까요.

여기에 새로 발행되는 채권의 '액면 이자율' 역시 기본적으로 시장 금리에 연동되어 낮게 형성될 것이기 때문에, 새로 발행되는 채권에 투자하는 것도 매력적이지 않게 됩니다. 채권의 액면 이자율이 낮아도 해외 투자자의 '순수익'이 낮아지게 되니까요. 이러한 이유로 인해 시장 금리가 하락하면 해외 투자가 위축되고 신규 유입도 적어지는 것입니다.

많이 어려울 것입니다. 하지만 평가원은 경제 지문에서만큼은 이렇게 지식을 활용한 독해를 요구한다는 걸 강조했어요. 다른 기출문제와 엮어서, 여러 번 읽어보면서 확실하게 이해하도록 합시다.

하이라이트 문장

> ①그런데 단기에는 물가의 경직성으로 인해 구매력 평가설에 기초한 환율과는 다른 움직임이 나타나면서 오버슈팅이 발생할 수 있다.

앞에서부터 계속 강조했던 '단기'에서의 환율 변화에 대해 소개할 것을 이야기하는 문장입니다. 긴장하고 읽을 준비를 했어야 합니다. 사실상 이 지문의 전부니까요.

4문단 (2)

> [가]
> ⑤통화량의 증가로 인한 효과는 물가가 신축적인 경우에 예상되는 환율 상승에, 금리 하락에 따른 자금의 해외 유출이 유발하는 추가적인 환율 상승이 더해진 것으로 나타난다. ⑥이러한 추가적인 상승 현상이 환율의 오버슈팅인데, 오버슈팅의 정도 및 지속성은 물가 경직성이 클수록 더 크게 나타난다. ⑦시간이 경과함에 따라 〈물가가 상승하여 실질 통화량이 원래 수준으로 돌아오고 해외로 유출되었던 자금이 시장 금리의 반등으로 국내로 복귀하면서, 단기에 과도하게 상승했던 환율은 장기에는 구매력 평가설에 기초한 환율로 수렴된다.〉

⑤ #사례-원리 연결 #재진술

계속해서 같은 사례의 상황입니다. '통화량의 증가'로 인한 효과는 두 가지가 더해진 것인데, 하나는 '물가가 신축적인 경우'에 예상되는 환율 상승이라고 해요. 여기서 차분하게 '물가 신축=장기'로 끌고 올 수 있어야겠죠? '장기'에는 통화량이 증가할 때 자연스럽게 환율이 상승한다고 했는데 그 효과를 말하는 것입니다. 여기에 '금리 하락~추가적인 환율 상승'이 바로 앞에서 읽었던 '단기'의 상황인데, 여기서의 환율 상승까지 더해지면 당연히 환율이 엄청나게 오를 수 있겠네요. 즉, 그 나라의 '기초 경제 여건=구매력'을 뛰어넘는 수준으로 환율이 상승하는 '괴리된 움직임'이 나타난다는 겁니다. 결국 다 같은 말이죠?

⑥ #수식된 정의 제시 #재진술

그리고 이렇게 이중으로 환율이 상승하는 것을 '환율의 오버슈팅'이라고 부르는 것이네요! 결국 이번에도 물가가 경직적인 '단기'에 '오버슈팅'이 발생한다는 이야기를 하고 있는 겁니다. 정말 많은 정보가 나온 것 같았지만, 사실은 다 같은 말이었던 것이에요! 이런 생각을 하고 나면, '물가 경직성'이 클수록 오버슈팅의 정도 및 지속성은 더

강해진다는 비례/증감 관계는 아무렇지 않게 납득할 수 있겠습니다. 당연한 말이죠. 우리가 지금 읽고 있는 게 '물가 경직성에 따른 오버슈팅'이고, '물가 경직성'이 큰 '단기'에 '오버슈팅'이 일어날 수 있다는 걸 납득했으니까요. '화제의 흐름'을 잡고 있다면 이렇게 정보량을 줄일 수 있습니다!

⑦ #경제 기본 지식 활용 #재진술

아무튼 '단기'에는 이렇게 엄청난 변화를 일으켰다가 (물가의 신축적인 조정이 가능해지는 '장기'에는) 다시 물가가 상승하며 실질 통화량이 원래 수준으로 돌아오고, (분모의 상승을 바탕으로 낮아진다는 이야기겠죠?) '금리'가 반등하게 된다고 합니다. 물가가 상승한 상황이니 경기 진정을 위해 '금리'를 높이는 과정은 꼭 필요하겠죠? 이렇게 되면 투자 수익률도 올라갈 것이고, 이에 영향을 받은 해외 자금도 국내로 복귀하면서 환율이 결국 구매력 평가설이라는 '예상'에 기초한 환율로 돌아온다고 합니다. 이 이야기는 3문단 마지막에 제시했던 '장기'에서의 환율 변화와 똑같은 내용이네요. 이런 생각이 드는 순간 이 지문의 정보량이 조금은 가볍게 느껴집니다.

상당히 어려운 문단이지만, '환율의 오버슈팅'이 발생하는, 즉 '물가 경직성'이 나타나는 '단기'에서의 메커니즘을 소개하고, 이후 '구매력 평가설'이라는 예상에 따라 움직이는 '장기'에서의 메커니즘으로 이어가고 있다는 식으로 흐름을 잡아주시면 좋을 것 같아요.

하이라이트 문장

> ⑦시간이 경과함에 따라 물가가 상승하여 실질 통화량이 원래 수준으로 돌아오고 해외로 유출되었던 자금이 시장 금리의 반등으로 국내로 복귀하면서, 단기에 과도하게 상승했던 환율은 장기에는 구매력 평가설에 기초한 환율로 수렴된다.

'시간이 경과함에 따라'라는 말을 통해, 앞에서 계속 이야기하던 것과는 달리 '장기'에서의 환율 변동에 대해 소개할 것이라고 알려 주는 문장입니다. 이 말이 없더라도, '구매력 평가설'이라는 내용을 보고 '장기'에서의 환율 변동이라는 카테고리를 잡을 수 있어야 합니다.

5문단

①단기의 환율이 기초 경제 여건과 괴리되어 과도하게 급등락하거나 균형 환율 수준으로부터 장기간 이탈하는 등의 문제가 심화되는 경우를 예방하고 이에 대처하기 위해 정부는 다양한 정책 수단을 동원한다. ②오버슈팅의 원인인 물가 경직성을 완화하기 위한 정책 수단 중 강제성이 낮은 사례로는 외환의 수급 불균형 해소를 위해 관련 정보를 신속하고 정확하게 공개하거나, 불필요한 가격 규제를 축소하는 것을 들 수 있다. ③한편 오버슈팅에 따른 부정적 파급 효과를 완화하기 위해 정부는 환율 변동으로 가격이 급등한 수입 필수 품목에 대한 세금을 조절함으로써 내수가 급격히 위축되는 것을 방지하려고 하기도 한다. ④또한 환율 급등락으로 인한 피해에 대비하여 수출입 기업에 환율 변동 보험을 제공하거나, 외화 차입 시 지급 보증을 제공하기도 한다. ⑤이러한 정책 수단은 직접성이 높은 특성을 가진다. ⑥이와 같이 정부는 기초 경제 여건을 반영한 환율의 추세는 용인하되, 사전적 또는 사후적인 미세 조정 정책 수단을 활용하여 환율의 단기 급등락에 따른 위험으로부터 실물 경제와 금융 시장의 안정을 도모하는 정책을 수행한다.

① #화제의 흐름 제시 #카테고리 나누기

그동안 '오버슈팅'이라는 어마어마한 정보에 눌려 깜빡하고 있었는데, 사실 이 지문은 '정책 수단의 선택'이라는 화제를 가지고 있었습니다. '환율' 이야기는 모두 예시였을 뿐이었어요! 정부는 이렇게 '오버슈팅'과 같은 상황이 발생하는 문제를 해결하기 위해 다양한 정책 수단을 동원한답니다. 이때 '예방'과 '대처'라는 두 가지 카테고리로 나뉘어 정보가 제시되고 있다는 것도 볼 수 있으면 좋겠어요. 평가원이 자주 사용하는 전개 방식이에요. 앞으로 나올 '정책 수단'은 '예방' 혹은 '대처' 둘 중 하나일 겁니다.

② #사례-원리 연결 #카테고리 나누기

'오버슈팅'이라는 문제를 해결하기 위해선, 그 원인인 '물가 경직성'을 완화하면 될 것입니다. 즉, '단기'에도 물가가 신축적으로 조정되기만 하면 '금리 하락'으로 인한 추가적인 환율 상승이 일어나지 않을 것이에요. 이를 위한 대책 중 '강제성'이 낮은 사례로 '정보 공개'와 '가격 규제 축소'가 있다고 합니다. 통화량의 증가 예상과 같은 '정보'를 보다 빠르게 공개하면 개별 기업들이 가격을 빠르게 올리는 것과 같은 대응을 하게 할 수 있고, '가격 규제'를 축소하면 역시 가격을 빠르게 올려 '신축적'인 물가 변동을 이끌 수 있겠죠. 이는 '행위를 제한'하는 것이 아니기 때문에, '강제성이 낮은 사례'라고 할 수 있는

겁니다. 또한 앞에서 잡아 둔 카테고리에 따르면, 이는 오버슈팅을 '예방'하는 방법이라고 할 수 있겠죠? 여기까지 생각할 수 있으면 좋겠습니다.

③ #사례-원리 연결 #카테고리 나누기
#경제 기본 지식 활용

한편 오버슈팅에 따른 부정적 파급 효과 완화를 위해, 즉 오버슈팅이 일어난 후의 '대처'를 위해 가격이 급등한 수입 필수 품목에 대한 '세금 조절'을 하는 경우도 있다고 합니다. 오버슈팅이 일어났다는 건 '환율'이 상승했다는 것이고, 이는 수입품 가격 상승으로 인한 수입 감소·경상 수지 개선의 결과를 낳습니다. 이렇게 오버슈팅 때문에 힘든 수입 업체에 대한 대책으로, '세금 조절'이라는 혜택을 줄 수 있는 것이죠. 이렇게 읽어낼 수 있겠죠?

'강제성이 낮은 사례'에서 '예방'과 '대처'를 위한 수단이 제시된 모습입니다. 이렇게 카테고리를 나누는 것까지 할 수 있으면 더 좋겠어요.

④~⑤ #사례-원리 연결 #카테고리 나누기

여기에 '환율 변동 보험'과 '지급 보증'이라는 정책 수단도 사용한다고 합니다. 이때 '환율 변동 보험'은 '예방' 카테고리에, '지급 보증'은 '대처' 카테고리에 속한다고 할 수 있겠죠? '보험'은 미리 대비하는 것이고, 기업이 외화를 더 쉽게 차입(대출받는 개념이라고 보시면 됩니다.)할 수 있도록 하는 건 오버슈팅의 악영향에서 빠르게 벗어나게 해 주기 위한 대책이니까요. 이러한 정책 수단은 정부가 '직접' 무언가 해 주는 것이기에, '직접성'이 높은 특성을 가진다고 합니다

이번엔 '직접성이 높은 사례'에서 '예방'과 '대처'를 위한 수단이 제시된 모습이네요. 평가원의 치밀한 문장 구성을 보여 주고 있습니다. 시험장에서 이를 보는 건 어려울 수 있지만, 최대한 해낼 수 있도록 준비해야 해요. 최근 시험이 우리에게 그걸 요구하고 있으니까요.

⑥ #수식된 정의 제시 #재진술

이처럼 정부는 '기초 경제 여건을 반영한 환율', 즉 '장기의 환율 상승'이라는 추세는 용인하면서도 '미세 조정 정책 수단'을 활용해 그 부정적 효과를 최소화한다고 합니다. '미세 조정 정책 수단'이 '사전적' 또는 '사후적'이라는 건, '예방'하는 것과 '대처'하는 것으로 나뉜다는 이야기의 재진술이죠? 마지막까지도 무서울 정도로 치밀하게 쓴 모습이네요.

하이라이트 문장

> ①단기의 환율이 기초 경제 여건과 괴리되어 과도하게 급등락하거나 균형 환율 수준으로부터 장기간 이탈하는 등의 문제가 심화되는 경우를 예방하고 이에 대처하기 위해 정부는 다양한 정책 수단을 동원한다.

어쨌든 독서 지문에서 가장 중요한 건 '화제'를 인식하는 것입니다. 이 문장을 바탕으로 '정책 수단의 선택'이라는 화제를 다시금 잡을 수 있어야 합니다. 나아가 '예방'과 '대처'라는 카테고리까지 잡을 수 있다면 금상첨화겠네요.

선지	①	②	③	④	⑤
선택률	54%	12%	12%	11%	11%

31 윗글에 대한 이해로 적절하지 않은 것은? ①

① 국내 통화량이 증가하여 유지될 경우 장기에는 실질 통화량이 변하지 않으므로 장기의 환율도 변함이 없을 것이다.

명시적 근거	3문단 7번 문장
실전에서의 판단 과정	통화량 증가하면 환율 증가한다며.
해설	3문단 7번 문장에서 분명히 국내 통화량이 증가하여 유지되는 경우 장기의 환율은 '상승'한다고 했습니다. 이에 따라 '실질 통화량'에도 변함이 없다고 했구요. 이렇게 근거를 잡아서 풀기보다는, 지문 해설에서 한 것처럼 '통화량 증가'와 '환율'의 관계가 어떠한지 납득하여 바로 해결할 수 있으면 좋겠습니다. 최근 평가원은 이렇게 '눈알 굴리기'로 해결 가능한 선지를 거의 출제하지 않으니까요.

② 물가가 신축적인 경우가 경직적인 경우에 비해 국내 통화량 증가에 따른 국내 시장 금리 하락 폭이 작을 것이다.

명시적 근거	3문단 3번 문장, 4문단 2번 문장
실전에서의 판단 과정	단기의 경우에는 금리가 크게 하락하지.
해설	'물가가 신축적인 경우'는 곧 '장기'이고, '경직적인 경우'는 곧 '단기'입니다. 이렇게 바꿔 이해할 수 있죠? '단기'에는 국내 통화량 증가에 따라 시장 금리가 하락하게 되는데, '장기'에는 이것이 다

시 '반등'한다고 했습니다. 그렇다면 '하락 폭'은 '장기'일 때 더 작겠네요. 예를 들어 시장 금리가 5%였다가 2%가 된 뒤 4%가 되었다면, '단기'에는 3%p 하락한 것이지만 '장기'에는 1%p 하락한 것이니까요. '금리 변화'라는 흐름을 정확히 이해하고 있는지 물어보는 선지입니다.

조금 더 엄밀하게 따지면, 애초에 '금리 하락'이라는 상황은 '물가 경직성' 때문에 일어나는 것이었습니다. 따라서 '금리 변화'에 대해 물어보는 것은 곧 '물가 경직성'이라는 오버슈팅의 원인을 정확히 체크하고 있는지 물어보는 것과 같은 것이네요. 지문에서 미리 납득하고, 이를 바탕으로 선지 판단에 나설 수 있었으면 좋겠습니다.

③ 물가 경직성에 따른 환율의 오버슈팅은 물가의 조정 속도보다 환율의 조정 속도가 빠르기 때문에 발생하는 것이다.

명시적 근거	3문단 5번 문장
실전에서의 판단 과정	물가는 경직적이고 환율은 신축적이라 오버슈팅이 발생했지.
해설	'환율의 오버슈팅'은 물가의 조정 속도와 환율의 조정 속도의 차이로 발생한다고 했어요. 물가와 환율이 비교되고 있었다는 생각을 했다면 돌아가서라도 환율의 조정 속도가 더 빠르다는 걸 알 수 있겠죠. 물론 정말 완벽하게 해결하기 위해서는, 오버슈팅을 발생시키는 것이 '물가 경직성'이니, 환율은 단기에 '경직'적인 물가보다는 조정 속도가 더 빠를 것이라는 내용을 바로 생각해낼 수 있어야겠죠.

④ 환율의 오버슈팅이 발생한 상황에서 외국인 투자 자금이 국내 시장 금리에 민감하게 반응할수록 오버슈팅 정도는 커질 것이다.

명시적 근거	4문단 3번 문장
실전에서의 판단 과정	시장 금리에 민감하면 외국인 자금이 더 빨리 빠져 나가고, 그러면 오버슈팅 정도도 커지겠지.
해설	환율의 오버슈팅이 발생한 상황이면, 국내의 '시장 금리'가 낮아진 상태일 겁니다. 여기에 외국인들이 민감하게 반응하면, 낮은 수익률 때문에 더욱 빨리 자금을 빼겠죠. 이러면 자국의 통화 가치가 더 빨리 떨어지고, 오버슈팅의 정도는 커질 것입니다.

⑤ 환율의 오버슈팅이 발생한 상황에서 물가 경직성이 클수록 구매력 평가설에 기초한 환율로 수렴되는 데 걸리는 기간이 길어질 것이다.

명시적 근거	4문단 6번 문장
실전에서의 판단 과정	물가 경직성 크면 오버슈팅이 오래 지속되지.
해설	'구매력 평가설에 기초한 환율로 수렴되는 것'은 '장기'에서의 환율에 대한 내용이죠? 그런데 선지에서 묻는 '물가 경직성'은 '단기'에 발생하는 '환율의 오버슈팅'을 일으키는 것이었어요. 이것이 크다면 '구매력 평가설에 기초한 환율', 즉 '장기에서의 환율'로 수렴되는 데 걸리는 기간이 길어지는 건 당연하겠죠. 애초에 '환율의 오버슈팅' 상태가 마무리되어야 '구매력 평가설'에 기초한 환율로 수렴될 수 있는 것이니까요.

선지	①	②	③	④	⑤
선택률	9%	8%	8%	10%	65%

32 ㉮를 바탕으로 정책 수단의 특성을 이해한 것으로 가장 적절한 것은? ⑤

> 정책 수단은 강제성, 직접성, 자동성, 가시성의 ㉮ 네 가지 측면에서 다양한 특성을 갖는다.

– 단어의 의미를 살려 완벽하게 납득했던 네 가지 특성입니다. 각 특성의 정의 한 번 더 인식해주시고, 가볍게 답 골라봅시다.

① 다자녀 가정에 출산 장려금을 지급하는 것은, 불법 주차 차량에 과태료를 부과하는 것보다 강제성이 높다.

명시적 근거	1문단 3번 문장
실전에서의 판단 과정	과태료 부과하는 게 더 강제성이 높은 거잖아.
해설	'출산 장려금'을 지급하는 것은 '출산'이라는 행위를 장려하는 것인데, '불법 주차'에 과태료를 부과하는 것은 '불법 주차'라는 행위를 제한하는 것입니다. 둘 중에는 당연히 후자가 강제성이 높다고 해야겠죠? 선지는 전자가 더 높다고 했으니 틀렸네요.

② 전기 제품 안전 규제를 강화하는 것은, 학교 급식을 제공하기 위한 재원을 정부 예산에 편성하는 것보다 가시성이 높다.

명시적 근거	1문단 8번 문장
실전에서의 판단 과정	예산 편성하는 게 가시성이 더 높지.
해설	'안전 규제'는 '강제성'이 높은 사례이고, '예산 편성'을 하면 급식의 재원이 '명시적'으로 드러날 테니 '가시성'이 높겠죠. 이번에도 반대로 써놨네요.

③ 문화재를 발견하여 신고할 경우 포상금을 주는 것은, 자연 보존 지역에서 개발 행위를 금지하는 것보다 강제성이 높다.

명시적 근거	1문단 3번 문장
실전에서의 판단 과정	포상금 주는 게 왜 강제성이 높아.
해설	'포상금'을 주는 것은 역시 '문화재 발견'이라는 행위를 장려하는 것이라 할 수 있는데, 이것이 '개발 행위 금지'라는 '행위 제한'의 사례보다 강제성이 높다고 할 수는 없겠죠.

④ 쓰레기 처리를 민간 업체에 맡겨서 수행하게 하는 것은, 정부 기관에서 주민등록 관련 행정 업무를 수행하는 것보다 직접성이 높다.

명시적 근거	1문단 4번 문장
실전에서의 판단 과정	민간 업체에 맡기는데 직접성이 왜 높냐.
해설	'민간 업체'에 맡기는 건 정부가 직접 하지 않는 것이지만, '정부 기관'이 행정 업무를 수행하는 건 정부가 '직접' 하는, 즉 '직접성'이 높은 정책이죠?

⑤ 담당 부서에서 문화 소외 계층에 제공하던 복지 카드의 혜택을 늘리는 것은, 전담 부처를 신설하여 상수원 보호 구역을 감독하는 것보다 자동성이 높다.

명시적 근거	1문단 5번 문장
실전에서의 판단 과정	부서 신설 안 하면 자동성이 높은 거지.
해설	전담 부처를 신설하지 않으면 '자동'으로 하던 일을 계속 하게 되는 것이죠? 정의 체크만 잘 했어도 상당히 쉽게 해결할 수 있는 선지였네요.

선지	①	②	③	④	⑤
선택률	28%	9%	20%	19%	24%

33 윗글을 바탕으로 할 때, 〈보기〉의 'A국' 경제 상황에 대한 '경제학자 갑'의 견해를 추론한 것으로 적절하지 <u>않은</u> 것은? ①

- 'A국'의 경제 상황이 어떠한지, 그리고 '경제학자 갑'의 의견은 무엇일지 차근차근 따져보도록 합시다.

───────[보기]───────

　A국 경제학자 갑은 자국의 최근 경제 상황을 다음과 같이 진단했다.

　금융 시장 불안의 여파로 A국의 주식, 채권 등 금융 자산의 가격 하락에 대한 우려가 확산되면서 안전 자산으로 인식되는 B국의 채권에 대한 수요가 증가하고 있다. 이로 인해 외환 시장에서는 <u>A국에 투자되고 있던 단기성 외국인 자금이 B국으로 유출되면서 A국의 환율이 급등하고 있다.</u>

─────────────────

- A국의 환율이 급등하고 있습니다. 〈보기〉에 따르면 외국인 자금 유출이 이 현상을 부추기고 있으니, A국에 '환율의 오버슈팅'이 발생하고 있음을 추정할 수 있겠네요. '단기'적으로 A국의 구매력과 괴리된 움직임이 나타나고 있습니다.

───────[보기]───────

　B국에서는 해외 자금 유입에 따른 통화량 증가로 <u>B국의 시장 금리가 변동할 것으로 예상된다. 이에 따라 A국의 환율 급등은 향후 다소 진정될 것이다.</u> 또한 양국 간 교역 및 금융 의존도가 높은 현실을 감안할 때, A국의 환율 상승은 수입품의 가격 상승 등에 따른 부작용을 초래할 것으로 예상되지만 한편으로는 수출이 증대되는 효과도 있다. 그러므로 <u>정부는 시장 개입을 가능한 한 자제하고</u> 환율이 시장 원리에 따라 자율적으로 균형 환율 수준으로 수렴되도록 두어야 한다.

─────────────────

- 이로 인해 B국에서는 해외 자금이 유입되어 '통화량'이 증가한다고 합니다. 그 결과 B국의 '금리'가 '변동'된다고 하네요. 여기선 '변동'이라고 표현했지만, 우리는 '하락'이라는 걸 당연하게 추론할 수 있겠죠? 배경 지식으로도, 지문의 내용으로도 알고 있으니까요. 이렇게 되면 B국에 투자되던 외국인 투자 자금이 빠져나가 A국으로 다시 들어갈 수 있겠고, 이에 힘입어 A국이 '환율의 오버슈팅'에서 탈출할 수 있겠네요. '경제학자 갑'은 이렇게 시간이 흐르면 자연스럽게 '환율의 오버슈팅'이 해결될 것이라고 보고 있습니다.

나아가, A국에 발생한 '환율의 오버슈팅'은 '수입품의 가격 상승' 등의 부작용도 있지만, '수출 증대'와 같은 효과도 있습니다. '환율'과 '무역'의 관계에 대해 알고 있으니 충분히 납득할 수 있겠죠? 아무튼 이렇게 장단점이 있으니 정부는 나대지 말고 가만히 있으라고 하는 게 '경제학자 갑'의 주장입니다.

| 생각 심화 |

물론 엄밀하게 보면 A국의 상황이 꼭 '오버슈팅'이 발생한 것이라고 볼 수는 없습니다. 단순히 환율이 상승하기만 한 것이지, '오버슈팅'이라고 부를 만큼 상승했는지는 알 수 없으니까요. 아래의 선지들도 '오버슈팅'의 상황을 가정한 경우와 그렇지 않은 경우로 나누는 모습이구요. 다만 이렇게까지 구분하게 하는 문제가 나오기는 쉽지 않으니, A국에 오버슈팅이 발생한 상황이라 가정하고 문제를 풀어보겠습니다.

① A국에 환율의 오버슈팅이 발생한 상황에서 B국의 시장 금리가 하락한다면 오버슈팅의 정도는 커질 것이다.

명시적 근거	4문단 2번 문장, 〈보기〉
실전에서의 판단 과정	B국 시장 금리 하락하면 A국 오버슈팅 진정된다며.
해설	'A국에 환율의 오버슈팅이 발생한 상황'은 곧 〈보기〉의 상황 그 자체입니다. 〈보기〉 정리를 잘 했다면 충분히 생각해볼 수 있었겠죠? 그런데 〈보기〉를 정리한 바에 따르면, B국의 시장 금리가 '하락'할 때 A국의 오버슈팅은 진정될 것이라는 점을 알 수 있습니다. A국으로 다시 외국인 자금이 들어갈 테니까요. 정답 선지가 내용일치 수준에서 단순하게 출제되었지만, 최근의 수능이라면 훨씬 복잡하게 출제되었을 것이에요. 이 해설처럼 완벽한 '납득'을 바탕으로 해결할 수 있도록 합시다.

② A국에 환율의 오버슈팅이 발생하였다면 이는 금융 시장 변동에 따른 불안 심리에 의해 촉발된 것으로 볼 수 있다.

명시적 근거	2문단 6번 문장
실전에서의 판단 과정	불안 심리도 오버슈팅의 원인 중 하나였지.
해설	'물가 경직성'에 묻혀서 까먹고 있었지만, 오버슈팅의 원인 중 하나로 '불안 심리'도 있었습니다. 충분히 맞다고 할 수 있겠죠. 다만 조금 엄밀하게 보면, A국의 채권에 대한 불안감이 커져 외국인 투자 자금이 빠져나간 것이니

애초에 '물가 경직성'에 따른 오버슈팅은 '불안 심리'와 관련되어 있다고 할 수도 있겠습니다.

③ A국에 환율의 오버슈팅이 발생할지라도 시장의 조정을 통해 환율이 장기에는 균형 환율 수준에 도달할 수 있을 것이다.

명시적 근거	4문단 7번 문장, 〈보기〉
실전에서의 판단 과정	장기적으론 오버슈팅에서 탈출한다고 했지.
해설	오버슈팅이 '단기'적으로 발생한다고 해도, '장기'적으로는 '구매력'을 반영하는 '균형 환율' 수준에 도달할 수 있다는 게 지문의 핵심 내용이었습니다. 나아가 '경제학자 갑'도 이러한 시장의 조정을 기대하고 정부의 개입에 반대한 것이겠죠?

④ A국의 환율 상승이 수출을 증대시키는 긍정적인 효과도 동반하므로 A국의 정책 당국은 외환 시장 개입에 신중해야 한다.

명시적 근거	〈보기〉
실전에서의 판단 과정	그렇다고 했지.
해설	〈보기〉에 이 내용이 그대로 있죠? 환율 상승은 수입품의 가격 상승이라는 부작용을 낳지만, 한편으론 수출품의 가격 경쟁력을 높여 수출을 증대시키는 효과도 낳습니다. 이건 상식으로 알아두세요!

⑤ A국의 환율 상승은 B국으로부터 수입하는 상품의 가격을 인상시킴으로써 A국의 내수를 위축시키는 결과를 초래할 수 있다.

명시적 근거	5문단 3번 문장, 〈보기〉
실전에서의 판단 과정	그렇다고 했지.
해설	A국의 환율이 상승하면, 수입품의 가격 상승이라는 부작용이 나타날 수 있습니다. 이 경우 A국의 '내수', 즉 '국내 수요'는 위축될 수 있겠죠? B국에서 수입하는 상품이 A국 국민들에게 중요한 것이라면, 비싸서 못 사는 결과가 나타날 수 있으니까요. '내수'라는 단어는 확실히 챙겨두도록 합시다!

선지	①	②	③	④	⑤
선택률	8%	20%	16%	46%	10%

34 〈보기〉에 제시된 그래프의 세로축 a, b, c는 [가]의 ㉠~㉢과 하나씩 대응된다. 이를 바르게 짝지은 것은? [3점]

④

> ㉠실질 통화량 / ㉡시장 금리 / ㉢환율

– 그래프가 나오네요. 그래프가 나온다면, x축과 y축을 따지는 게 아주 중요합니다. 여기 나온 그래프의 y축은 ㉠~㉢에 대응되는 것이네요. 천천히 해결해봅시다.

---[보기]---

다음 그래프들은 [가]에서 국내 통화량이 t시점에서 증가하여 유지된 경우 예상되는 ㉠~㉢의 시간에 따른 변화를 순서 없이 나열한 것이다.

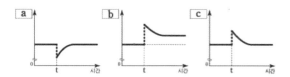

(단, t시점 근처에서 그래프의 형태는 개략적으로 표현하였으며, t시점 이전에는 모든 경제 변수들의 값이 일정한 수준에서 유지되어 왔다고 가정한다. 장기 균형으로 수렴되는 기간은 변수마다 상이하다.)

명시적 근거	4문단 전체
실전에서의 판단 과정	'해설'과 동일
해설	t시점에서 국내 통화량이 증가하여 유지된다고 합니다. 이 경우, ㉠인 '실질 통화량'은 '단기'에는 증가하고, '장기'에는 원래 수준으로 복귀합니다. 이 그래프를 찾으면 c라고 할 수 있네요. 한편 ㉡인 '시장 금리'는 '단기'에는 감소했다가, '장기'에는 반등한다고 했어요. 이는 a 그래프에 대응되네요. ㉢인 '환율'은 '단기'에 '오버슈팅'되었다가 '장기'에 조금 더 상승하죠? 이에 대응되는 그래프는 b입니다.

사실 상당히 어려운 내용입니다만, [가]의 내용을 완벽하게 납득했다면 쉽게 해결할 수 있는 문제였습니다. 만약 제대로 이해하지 못했더라도 지문의 내용과 적당히 대응시키면 해결할 수 있었겠지만, |

	최근 수능에선 그런 요행은 통하지 않는다고 했어요. 어렵더라도 계속해서 납득하는 연습을 하도록 합시다.

| 생각 심화 |

추가적으로, '그래서 환율은 왜 원래 수준으로 돌아오지 않을까.' 에 대해서도 생각해보면 좋겠죠. 지문의 내용에 따르면, 물가가 상승하여 실질 통화량이 원래 수준으로 돌아오면서 환율이 결국 '구매력 평가설'에 기초한 환율로 수렴된다고 했습니다. 그런데 '구매력 평가설'에 의한 환율이 의미하는 것이 무엇이었죠?

그렇죠. '$\dfrac{\text{자국물가수준}}{\text{외국물가수준}}$'이었어요. 자국의 물가, 즉 분자가 상승했으니 환율도 당연히 상승하는 것이죠. 이해되시나요? 결국 오버슈팅된 환율은 떨어지지만, 통화량이 증가되기 이전의 환율보다는 더 크다는 겁니다!

위의 내용을 생각해내지는 못해도, 최소한 설명을 이해해 주셔야해요. 그 어떤 배경지식도 개입시키지 않고 순수하게 '지문'에 근거해서 찾은 내용이잖아요!

선지	①	②	③	④	⑤
선택률	10%	9%	52%	16%	13%

35 미세 조정 정책 수단의 사례로 적절하지 않은 것은? ③

– 마지막 문단에서 '예방'과 '대처'라는 카테고리를 나눠서 설명했던 내용에 대한 문제입니다. 완벽하게 납득하고 있으니, 어렵지 않게 답을 고를 수 있겠죠?

① 예기치 못한 외환 손실에 대비한 환율 변동 보험을 수출 주력 중소기업에 제공한다.

명시적 근거	5문단 4번 문장
실전에서의 판단 과정	수출입 기업에 변동 보험 줄 수 있다고 했지.
해설	오버슈팅과 같은 상황을 '예방'하기 위한 '직접성이 높은 사례'로 '환율 변동 보험'이 제시되었습니다. 간단하게 지울 수 있네요.

② 원유와 같이 수입 의존도가 높은 상품의 경우 해당 상품에 적용하는 세율을 환율 변동에 따라 조정한다.

명시적 근거	5문단 3번 문장
실전에서의 판단 과정	세금 조절도 방법이었지.

해설	환율 변동에 따른 부정적 효과에 '대처'하기 위해, '세금 조절'이라는 강제성이 낮은 방법을 사용할 수도 있다고 했습니다.

③ 환율의 급등락으로 금융 시장이 불안정할 경우 해외 자금 유출과 유입을 통제하여 환율의 추세를 바꾼다.

명시적 근거	5문단 6번 문장
실전에서의 판단 과정	환율의 추세는 용인한다며.
해설	'미세 조정 정책 수단'의 핵심은 '환율의 추세 용인'입니다. 환율을 인위적으로 바꾸려 하는 게 아니라, '환율의 추세' 속에서 기업들을 보호하는 여러 가지 정책을 펼치는 것이에요. '미세 조정 정책 수단' 자체는 '환율 급상승'에 '예방'하고 '대처'하는 것일 뿐, 환율 자체를 뒤바꾸는 건 아니니까요.

④ 환율 급등으로 수입 물가가 가파르게 상승했을 때, 수입 대금 지급을 위해 외화를 빌리는 수입 업체에 지급 보증을 제공한다.

명시적 근거	5문단 4번 문장
실전에서의 판단 과정	지급 보증도 대책이었지.
해설	환율 급등으로 인한 피해에 '대처'하는 방안 중 하나로 '지급 보증 제공'도 제시되었죠?

⑤ 수출입 기업을 대상으로 국내외 금리 변동, 해외 투자 자금 동향 등 환율 변동에 영향을 주는 요인들에 대한 정보를 제공한다.

명시적 근거	5문단 2번 문장
실전에서의 판단 과정	정보 공개 역시 방법 중 하나였지.
해설	오버슈팅을 '예방'하기 위한 방법 중 하나로 '물가 경직성'을 빠르게 해소하기 위한 '정보 제공' 역시 제시되었습니다.

36 문맥상 ⓐ~ⓔ와 바꿔 쓰기에 적절하지 <u>않은</u> 것은? ②

① ⓐ : 동떨어져

② ⓑ : 드러낼

③ ⓒ : 불러온다

④ ⓓ : 되돌아오면서

⑤ ⓔ : 꾀하는

몰랐던 어휘 정리하기

| 핵심 point |

① **화제 check** : 독서 지문 독해의 처음이자 끝. 첫 문단에서 잡은 '화제의 틀'을 마지막 문단까지 놓지 않아야 합니다.

② **재진술 인식** : 같은 말이라도 다르게 표현되는 경우가 많습니다. 심지어 아예 똑같은 말이 반복되는 경우도 많아요. 이 '같은 말'에 민감하게 반응하면, '정보량'을 줄이면서 읽을 수가 있습니다.

③ **경제 제재 기본 지식** : '금리', '통화량' 등의 변화로 나타나는 기본적인 경제의 흐름에 대해 이해하고 있을 필요가 있습니다.

| 지문 내용 총정리 |

답만 골라내는 건 그렇게까지 어렵지 않을 수 있지만, 지문의 모든 문장을 완벽하게 납득하며 읽는 건 상당히 어려웠습니다. 앞에서 본 말은 당겨 읽기, 단어의 의미를 살리며 정의 인식하기, 기본적인 경제 지식 활용하여 납득하기, 화제를 중심으로 중요 정보 선별하기 등 수많은 태도를 필요로 하는 지문이었어요. 복습하면서 완벽하게 이해하도록 합시다.

1문단

> ①기축 통화는 국제 거래에 결제 수단으로 통용되고 환율 결정에 기준이 되는 통화이다. ②1960년 트리핀 교수는 브레턴우즈 체제에서의 기축 통화인 달러화의 구조적 모순을 지적했다. ③한 국가의 재화와 서비스의 수출입 간 차이인 경상 수지는 수입이 수출을 초과하면 적자이고, 수출이 수입을 초과하면 흑자이다. ④그는 "미국이 경상 수지 적자를 허용하지 않아 국제 유동성 공급이 중단되면 세계 경제는 크게 위축될 것"이라면서도 "반면 적자 상태가 지속돼 달러화가 과잉 공급되면 준비 자산으로서의 신뢰도가 저하되고 고정 환율 제도도 붕괴될 것"이라고 말했다.

① #정의 제시 #단어의 의미 살리기

'기축 통화'라는 개념을 정의하면서 시작하고 있습니다. 단어의 의미 그대로, 국제 거래에서 '기축'(어떤 활동의 중심이 되는 중요한 부분) 역할을 하는 '통화'네요. 국제 거래의 '결제 수단'이 되면서, 환율 결정의 '기준'이 된다는 정의를 확실하게 납득할 수 있을 것 같습니다.

② #화제 제시

그런데 '트리핀 교수'라는 사람이 브레턴우즈 체제에서의 '기축 통화'인 달러화의 '구조적 모순'을 지적했다고 해요. '브레턴우즈 체제'가 도대체 무엇인지는 모르겠지만, 이 체제에서의 '기축 통화'는 '달러화'라고 합니다. 지금도 그러하니 어렵지 않게 납득할 수 있겠죠? 중요한 건 이 '달러화'가 '구조적 모순'을 가지고 있다는 것이에요. 어떤 모순인지 궁금해하면서 읽어야겠습니다. 나아가 이 내용이 화제에 해당할 것이라는 예상까지 하면서 말이에요!

③ #수식된 정의 제시

먼저 '경상 수지'를 정의하고 있습니다. 경제 제재 지문 관련 배경지식을 정리할 때 배웠던 내용이죠? 핵심은 '수출입 간 차이'입니다. 사들인 것(수입)이 판 것(수출)보다 많으면 적자이고, 그 반대의 경우에는 흑자라는 점, 어렵지 않게 납득할 수 있겠죠?

④ #화제의 흐름 #재진술 #경제 기본 지식 활용

하지만 중요한 것은 '트리핀' 교수가 말한 '달러화의 구조적 모순'입니다. 4번 문장에서 이에 대해 설명되고 있는 것 같아요. 먼저 미국

이 경상 수지 '적자'를 허용하지 않는 경우에 대해 이야기하고 있습니다. '적자'를 허용하지 않는다는 건, '수입'을 줄이고 '수출'을 늘리겠다는 이야기라고 할 수 있겠죠? 그런데 이렇게 되면 '국제 유동성 공급'이 중단된다고 합니다. 지금 줄이는 것은 '수입'인데 중단되는 것도 '국제 유동성 공급'이라고 하니, '국제 유동성 공급'이라는 어려운 말은 '수입'과 관련되어 있는 것으로 보입니다. 조금만 생각해보니, 미국 입장에서 '수입'은 어떠한 재화나 서비스를 가져 오는 대가로 '달러화'를 공급하는 것을 의미합니다. 이러한 '달러화 공급'을 줄인다는 말이 곧 '국제 유동성 공급'을 중단한다는 것과 같은 말이니, '달러화=국제 유동성'이라는 재진술을 잡아낼 수 있겠네요. 아주 어렵지만 우리가 읽고 있는 이 정보가 '달러화'의 구조적 모순이라는 걸 생각하면 충분히 해 낼 수 있습니다.

한편, '적자' 상태가 지속되면 '달러화'는 과잉 공급된다고 합니다. 우리가 납득한 내용 그대로죠? '적자 상태=수출보다 수입이 많은 상태=달러화가 많이 공급되는 상태'이니까요. 아무튼 이렇게 '달러화'가 시장에 너무 많이 공급되면, '준비 자산'으로서의 '신뢰도'가 저하되고 고정 환율 제도도 붕괴될 것이라고 합니다. '준비 자산'이라는 말도 이해가 되지 않고, '고정 환율 제도'라는 것도 무엇인지 모르겠지만, 핵심은 '달러화'의 공급량이 많아지면 그 가치가 떨어진다는 경제학의 기본적인 원리를 담고 있는 것이죠? 이렇게 여러분의 지식을 활용해서 할 수 있는 만큼 최대한 납득해 주시면 됩니다.

정리하자면, '트리핀' 교수가 이야기했던 '달러화의 구조적 모순'은 '국제 유동성', 즉 '달러화'의 공급이 중단되어도 문제이고, 그렇다고 그 공급을 늘려도 문제라는 내용이 되겠습니다. '달러화'가 기축 통화 역할을 하는 '구조'에서는 공급과 관련된 '모순'이 존재할 수밖에 없다는 것이죠. 이 내용을 확실하게 납득할 수 있어야 합니다. 첫 문단부터 제시한 '화제'에 해당하니까요.

하이라이트 문장

> ④그는 "미국이 경상 수지 적자를 허용하지 않아 국제 유동성 공급이 중단되면 세계 경제는 크게 위축될 것"이라면서도 "반면 적자 상태가 지속돼 달러화가 과잉 공급되면 준비 자산으로서의 신뢰도가 저하되고 고정 환율 제도도 붕괴될 것"이라고 말했다.

많이 어렵지만, '달러화=기축 통화'가 가지고 있는 '구조적 모순'에 대한 설명이라는 생각을 하면서 최대한 납득할 수 있어야 합니다. 나아가 미국 입장에서 '수입=달러화 공급'이라는 재진술까지 인식해야 했어요. 이런 생각을 해 내려면 시간을 많이 들였어야겠죠? 이는 첫 문단에서부터 제시한 화제이기 때문에, 납득하고 이해하지 못하면 뒷 내용을 파악하기가 매우 어려울 것입니다.

2문단 (1)

> ① 이러한 트리핀 딜레마는 국제 유동성 확보와 달러화의 신뢰도 간의 문제이다. ② **국제 유동성**이란 국제적으로 보편적인 통용력을 갖는 지불 수단을 말하는데, 금 본위 체제에서는 금이 국제 유동성의 역할을 했으며, 각 국가의 통화 가치는 정해진 양의 금의 가치에 고정되었다. ③ 이에 따라 국가 간 통화의 교환 비율인 **환율**은 자동적으로 결정되었다.

① #재진술 #화제의 흐름

앞에서 읽은 '달러화의 구조적 모순'은 '트리핀 딜레마'라고 불린다고 합니다. 이는 '국제 유동성 확보'와 '달러화의 신뢰도' 간의 문제라고 해요. 앞 문장의 재진술이죠? '달러화'라는 '국제 유동성'이 충분히 확보되어야 하면서도, 그 '신뢰도'를 잃을 정도가 되면 안 된다는 이야기입니다.

② #정의 제시 #단어의 의미 살리기 #재진술

1문단에서부터 계속 나오고 있는 '국제 유동성'을 드디어 정의해주고 있습니다. 단어의 의미 그대로, '국제'적인 관점에서 자산이 '유동'적으로 흐를 수 있게 해 주는 것을 의미하네요. 여기서 '보편적인 통용력을 갖는 지불 수단'이라는 말을 보자마자, 1문단의 첫 문장이 떠올라야 합니다. '기축 통화'의 정의인 '결제 수단으로 통용'된다는 말과 같은 말이니까요! 결국 '기축 통화'와 '국제 유동성'은 사실상 같은 말이었습니다. 지언스럽게 '기축 통화'기 기지고 있는 또 디른 정의인 '환율 결정에 기준이 되는 통화'도 '국제 유동성'의 정의로 받아들일 수 있겠죠?

그런데 '금 본위 체제'에서는 금이 '국제 유동성=기축 통화'의 역할을 했다고 합니다. '금'을 '본위'로 하는 '체제'이므로, 당연한 말이겠죠? 나아가 '금'이 '기축 통화'라면, 각 국가의 통화 가치도 '금'의 가치에 고정될 것입니다. '금'이 '기준'이니까요.

③ #수식된 정의 제시 #재진술

그리고 이에 따라 '환율'이 자동적으로 결정되었다고 합니다. 일단 '환율'이라는 개념이 수식되어 정의되고 있으니 확실하게 체크하는 게 좋겠죠? 다 아는 내용이지만, '국가 간 통화의 교환 비율'이라는 말을 확실하게 인식하고 넘어가도록 합시다.

이것보다도 더 중요한 건, 이러한 '환율'이 '자동적으로 결정'된다는 것이에요. 각 국가의 통화 가치가 '금'에 고정되었으니, 그 교환 비율도 당연히 '금'을 기준으로 정해지는 것이겠죠. '금'은 '국제 유동성'이자 '기축 통화'이기에, 그 정의에 따라 '환율 결정'에 기준이 될 것이라는 점을 미리 생각했습니다. 각 국가의 통화 가치를 고정해버

리기에, '환율'에 대한 '기준'도 될 수 있는 것이었네요. '국제 유동성=기축 통화'라는 주요 개념의 정의가 내용을 납득하는 데 아주 큰 역할을 하는 모습이죠?

하이라이트 문장

> ② 국제 유동성이란 국제적으로 보편적인 통용력을 갖는 지불 수단을 말하는데, 금 본위 체제에서는 금이 국제 유동성의 역할을 했으며, 각 국가의 통화 가치는 정해진 양의 금의 가치에 고정되었다.

'국제 유동성'이라는 개념의 정의를 체크하는 것을 넘어서, 그 정의가 '기축 통화'와 같다는 것을 인식할 수 있어야 합니다. 이를 바탕으로 '환율 결정의 기준'이라는 정의까지 끌고 내려올 수 있어야 해요. 그래야 뒷 문장까지 완벽하게 납득할 수 있으니까요.

'국제적으로 통용'과 같은, 앞에서 봤던 말이 등장하는 경우에는 그 내용을 끌고 내려오며 재진술을 잡을 수 있어야 합니다. 이 태도를 확실하게 갖춰주도록 하세요! 불친절함을 없애고, 정보량을 줄이는 가장 효과적인 방법이니까요.

2문단 (2)

> ④ 이후 **브레턴우즈 체제**에서는 국제 유동성으로 달러화가 추가되어 '금 환 본위제'가 되었다. ⑤ 1944년에 성립된 이 체제는 미국의 중앙은행에 '금 태환 조항'에 따라 금 1온스와 35달러를 언제나 맞교환해 주어야 한다는 의무를 지게 했다. ⑥ 다른 국가들은 달러화에 대한 자국 통화의 가치를 고정했고, 달러화로만 금을 매입할 수 있었다. ⑦ 환율은 경상 수지의 구조적 불균형이 있는 예외적인 경우를 제외하면 ±1% 내에서의 변동만을 허용했다. ⑧ 이에 따라 기축 통화인 달러화를 제외한 다른 통화들 간 환율인 **교차 환율**은 자동적으로 결정되었다.

④~⑤ #정의 제시 #재진술

이러한 '금 본위 체제'에서 '브레턴우즈 체제'로의 변화가 있었다고 합니다. '브레턴우즈 체제'는 '트리핀 딜레마'가 제시된 배경이었어요. 조금 더 집중해서 읽어야겠다는 생각을 할 수 있겠죠? 이 시기에는 '국제 유동성=기축 통화'로 '달러화'가 추가되었다고 해요. 그래서 '달러화'에 대한 '구조적 모순'을 이야기할 수 있었던 것이네요.

이 체제에서는 미국이 '금'을 '달러화'와 언제나 특정 비율로 맞교환

해 주어야 한다는 의무가 있었다고 합니다. '금'과 '달러화'가 모두 '국제 유동성=기축 통화'가 된 것이니, 둘은 고정된 가치를 가져야만 했던 것이에요. 충분히 납득할 수 있겠죠?

⑥ #재진술

이렇게 '달러화'가 새로운 '기준'이 되었기 때문에, 다른 국가들의 통화 가치는 '달러화'를 기준으로 고정되었다고 합니다. 나아가 다른 통화와 달리 '달러화'에 대한 '금'의 가치는 언제나 일정하기에, '금'을 매입하려면 반드시 '달러화'를 이용해야 한다는 것도 충분히 납득할 수 있겠네요.

⑦~⑧ #예외 제시 #수식된 정의 제시 #재진술
#화제의 흐름

여기서 끝이 아닙니다. '환율'에 대한 변동도 아주 제한적으로 허용했다고 해요. '경상 수지의 구조적 불균형'이라는 '예외' 상황이 아니라면 말이죠. 우리는 '환율'과 '경상 수지' 사이의 관계를 배우기 때문에, 이 말이 무슨 뜻인지 대충이나마 이해할 수 있습니다. '환율'을 조절하면 '경상 수지'에 영향을 줄 수 있는데, 이렇게 '구조적 불균형'이 있어 '환율' 조절이 불가피한 경우가 아니면 환율 변동은 아주 조금만 가능하다는 거예요. '예외'가 제시되었으니 민감하게 반응할 수 있어야겠죠?

이런 상황에서, 달러화를 제외한 다른 통화들 간의 환율, 즉 '교차 환율'은 자동적으로 결정되었다고 합니다. 일단 단어의 의미를 살리며, '교차 환율'이라는 개념의 수식된 정의를 정확하게 체크해주셔야겠죠? 달러화를 제외한 나머지 통화들이 '교차'할 때 결정되는 '환율'이라는 의미인 것 같아요. '금 본위 체제'에서의 '금'이 '환율 결정의 기준'이었던 것처럼 '달러화'가 기준이 되어 다른 나라끼리의 환율을 자동적으로 결정하는 것입니다. 결국 '국제 유동성=기축 통화'의 역할을 계속해서 재진술해주고 있는 것이네요. '환율 결정의 기준'이 되는 거예요!

아무리 어려워도, 모든 정보는 결국 '트리핀 딜레마'라는 화제 중심으로 모인다는 것을 잊으면 안 돼요! 이렇게 '환율'을 결정할 정도로 보편적인 통용력을 가지는 '국제 유동성=기축 통화'는 충분히 공급되어야 하지만, 그 공급이 넘쳐 '신뢰도'를 잃을 정도가 되면 안 된다는 것이 핵심입니다. 이에 대한 내용을 생각하면서 계속 읽어보도록 합시다.

3문단 (1)

①1970년대 초에 미국은 경상 수지 적자가 누적되기 시작하고 달러화가 과잉 공급되어 미국의 금 준비량이 급감했다. ②이에 따라 미국은 달러화의 금 태환 의무를 더 이상 감당할 수 없는 상황에 도달했다.

① #화제의 흐름

이렇게 '국제 유동성=기축 통화'에 대한 여러 가지 지식을 던져주다가, 1970년대 초의 미국 이야기를 하고 있습니다. 이때는 '경상 수지 적자'가 누적되어 '달러화'가 과잉 공급되었다고 해요. 이는 '트리핀 딜레마'에서 언급했던 내용 중 하나죠? 이렇게 되면 '국제 유동성=기축 통화' 역할을 하는 '달러화'의 '신뢰도'가 훼손될 것입니다. 이 문장을 보고서 '트리핀 딜레마'를 떠올리고, 그 내용을 끌고 와서 '신뢰도'라는 포인트를 생각할 수 있어야 합니다. 반복되는 단어를 이용해서 재진술을 인식하고 화제의 흐름을 잡아내는 거예요!

② #재진술 #문제점 제시

그 양상이 2번 문장에서 제시되고 있네요. '달러화'가 전 세계에 너무 많이 공급되었기에, 미국이 가진 '달러화'가 점점 부족해졌겠죠? 따라서 이를 계속 '금'으로 바꿔 주면 미국이 가지고 있는 '금'이 너무나 부족해질 것이고, 이러한 상황이 '달러화의 금 태환 의무'를 감당할 수 없게 한 것입니다.

| 생각 심화 |

나아가, 이것이 바로 '달러화'의 '신뢰도'가 훼손된 상황이라는 점을 생각할 수 있겠죠? 언제든 '금'으로 바꿀 수 있다는 점에서 '달러화'는 '신뢰도'를 가지고 있었는데, 이것이 훼손된 것입니다. 그리고 이 내용이 바로 1문단에서 이야기했던 '준비 자산으로서의 신뢰도 저하'가 되는 것이네요. 언제든 '금'으로 바꿀 수 있도록 '준비'된 자산인 '달러화'의 '신뢰도'가 낮아진 것입니다! 굉장히 어려운 형태의 재진술이었어요. 억지로나마 길을 잡아드리면, '준비'라는 '진짜로' 같은 말이 반복되었다는 것을 인식하고 끌고 내려왔어야 한다고 할 수도 있겠네요. 매우 어렵지만 결국 모든 정보는 유기적으로 엮인다는 것을 인식하도록 합시다.

이러한 문제가 있다면, 당연히 그 원인도 있다고 할 수 있겠죠? 할 수 있다면 이렇게 문제의 '원인'에 대해 생각해보시는 것이 좋습니다. '금 준비량 급감으로 인한 신뢰도 저하'라는 문제의 근본적인 원인은 크게 두 가지입니다. 하나는 '달러화의 과잉 공급'이에요. 경상 수지 적자의 누적으로 전세계에 달러화가 너무 많이 공급되었고, 다들 이 달러화를 들고 와서 금으로 바꿔 달라고 하니 금이 부족할 수밖에 없는 것이죠.

또 하나는 '금 태환 의무' 그 자체라고 할 수도 있습니다. 애초에 달러를 금으로 바꿔줘야 하는 의무 때문에 '신뢰도'라는 개념도 생긴 것이니, 이 의무를 포기하면 자연스럽게 문제를 해결할 수 있는 것이죠.

이렇게 '원인의 제거'라는 방식으로 문제가 해결될 것이라는 점을 예상하면서 계속해서 읽어보도록 합시다. 달러화를 덜 공급하거나, '금 태환 의무'를 포기하면 이 문제를 해결할 수 있을 거예요!

3문단 (2)

> ③이를 해결할 수 있는 방법은 달러화의 가치를 내리는 **평가 절하**, 또는 달러화에 대한 여타국 통화의 환율을 하락시켜 그 가치를 올리는 **평가 절상**이었다. ④하지만 브레턴우즈 체제하에서 달러화의 평가 절하는 규정상 불가능했고, 당시 대규모 대미 무역 흑자 상태였던 독일, 일본 등 주요국들은 평가 절상에 나서려고 하지 않았다.

③ #해결책 제시 #수식된 정의 제시
#단어의 의미 살리기

바로 해결책이 제시되고 있습니다. 두 가지가 있는데, 하나는 달러화의 '평가 절하', 그리고 다른 나라의 통화 가치를 올리는 '평가 절상'이라고 해요. '절하(下)'와 '절상(上)'이라는 단어의 의미를 살리면 그 정의를 확실하게 납득할 수 있겠죠? 특히 '달러화에 대한 여타국 통화의 환율'을 하락시키면 그 가치가 오른다는 것도 이해할 수 있어야 합니다. '환율'은 '교환 비율'인데, '달러화에 대한 환율'이 낮아지면 그 통화와 달러화 사이의 차이가 작아지는 것이니, 상대적으로 '가치'가 오른다고 할 수 있는 거예요. 예를 들어 1달러를 1,500원으로 바꿀 수 있다가 1,000원으로 바꿀 수 있게 되면, 달러화와 원화 사이의 차이가 작아졌으니 원화의 가치가 오른 것이라고 할 수 있는 것이죠. 똑같은 원화를 가지고 바꿀 수 있는 달러화의 양이 많아지는 것이기에 '가치'가 오르는 것과 같다고 이해하셔도 좋겠습니다.

그렇다면 이들은 왜 해결책이 되는 걸까요? 현재 나타난 문제의 핵심은 미국이 '달러화'를 '금'으로 바꿔 주는 것이 부담스럽다는 것입니다. 그리고 모든 나라가 '금'을 사는 방법은 오로지 '달러화'를 사용하는 것뿐이에요. 따라서 '달러화'의 가치를 내려서 '금'을 사는 데 많은 '달러화'가 필요하게 한다면, 다른 나라들이 '금'을 사는 것에 부담을 느낄 것이기에 '금 준비량 급감'이라는 문제를 해결할 수 있는 것이죠. 이는 달러화가 과잉 공급되었다는 문제의 원인을 제거할 수 있는 해결책이라고 할 수 있습니다. 지금까지 과잉 공급된 만큼 미국이 다시 회수할 수 있는 방법이니까요.

한편 달러화에 대한 다른 나라 통화의 환율을 낮추는 방법으로 가치를 올리게 되면, 자신들의 통화로 바꿀 수 있는 달러의 양이 많아져 이를 '금'을 사는 데 더 많이 이용할 수 있을 것으로 보입니다. 그렇다면 '평가 절상'은 해결책이라고 보기 어려운 것 같은데, 왜 언급이 된 것일까요? 이렇게 궁금증을 가지면서 읽어보도록 합시다.

④ #재진술 #경제 기본 지식 활용

이러한 두 가지 해결책 중 '달러화의 평가 절하'의 경우, 규정상 불가능했다고 합니다. 어떤 규정이죠? 애초에 '브레턴우즈 체제'에서 '규정'이라고 할 만한 것은 '금 1온스=35달러'밖에 없으니, 이를 생각할 수 있겠네요. 즉 '달러화'의 가치는 '금'에 고정되어 있기 때문에, 함부로 '평가 절하'에 나설 수가 없는 것입니다. 충분히 납득할 수 있겠네요.

다음은 의문이 있던 '다른 나라 통화의 평가 절상'입니다. '독일, 일본'과 같은 주요국들은 '평가 절상'에 나서려고 하지를 않았다고 해요. 그리고 그 맥락으로 '대미 무역 흑자 상태'가 제시되고 있습니다. 미국과의 무역에서 '흑자'를 보고 있다는 것이죠! 결국 '독일, 일본'은 대미 무역 흑자 상태를 유지하고 싶어 '평가 절상'을 반대했다는 의미가 되고, 이 문장의 이면에 있는 내용을 추론하면 '통화가 평가 절상되는 순간(=달러화에 대한 환율이 하락하는 순간) 대미 무역 흑자 상태에서 벗어난다.'라는 것을 알아낼 수 있습니다. 인간적으로 너무 어렵기는 하지만, 사실 '환율'과 '경상 수지'의 관계는 우리가 '경제 기본 지식'으로 미리 정리해둔 내용이죠? 기출문제에서도 자주 제시된 내용이니, 이에 대한 지식이 있었다면 훨씬 쉽게 추론할 수 있는 내용일 거예요. 경제 지문에서 '지식'이 가지는 중요성을 한 번 더 인식할 수 있으면 좋겠습니다!

아무튼 '다른 나라 통화의 평가 절상'이 '미국의 금 준비량 급감'이라는 문제에 대한 해결책이 되는 이유는, 이것이 해당 나라의 '경상 수지'에 부정적인 영향을 끼치기 때문이에요! 자국의 통화가 '평가 절상'이 되는 경우 미국과의 무역에서 '수입'이 많아지고 '수출'이 적어져 결론적으로 그 나라가 얻을 수 있는 '달러화'가 적어지게 되는 것이죠. 이렇게 되면 '달러화'를 '금'으로 바꾸는 것이 더 어려워지기 때문에, '달러화의 과잉 공급'이라는 원인이 제거되어 '미국의 금 준비량 급감'이라는 문제를 해결할 수 있게 되는 것입니다.

뭐 아무튼, '독일, 일본' 같은 나라 입장에서는 미국과의 무역에서 굳이 불리해질 이유가 없습니다. 따라서 '평가 절상'을 반대했다고 해요. 진짜 말도 안 되게 어렵지만, 핵심은 결국 문장의 이면에 있는 내용을 추론해내는 것이었습니다. '평가 절상에 나서려고 하지 않았다.'라는 문장을 보고서 '왜?'라는 물음을 떠올리고, 이를 '대미 무역 흑자 상태'와 엮어 추론할 수 있었어야 하는 거예요.

| 생각 심화 |

조금 더 깊게 읽어낸다면, 여기서 2문단의 7번 문장 내용을 떠올릴 수 있으면 좋겠습니다. 다음 문장이에요.

> 환율은 경상 수지의 구조적 불균형이 있는 예외적인 경우를 제외하면 ±1% 내에서의 변동만을 허용했다.

'예외'에 해당하는 중요한 정보로 처리했던 내용이었죠? '평가 절상'은 '환율의 변동'과 같은 말인데, 이것을 언급했다는 건 지금의 상황이 '경상 수지의 구조적 불균형이 있는 경우'를 의미한다는 것이니까요. 즉, 미국은 독일, 일본과 같은 나라와의 무역에서 적자만 보고, 독일, 일본은 미국과의 무역에서 흑자만 보는 '구조적 불균형'이 있으니, ±1% 수준을 넘는 '환율 변동'을 통해 이 불균형을 해소하겠다는 것입니다. 정말 어렵다는 생각이 들면서도, 또 너무나 얄밉게 모든 정보를 유기적으로 엮어 놓은 평가원의 능력을 엿볼 수 있네요.

| 생각 심화 |

그리고 하나 더, 달러화에 대한 여타국 통화의 환율을 하락시켜 평가 절상하는 것이 '미국의 금 준비량 급감'이라는 문제에 대한 해결책이 될 수 있는 이유는 '달러화'가 '기축 통화=국제 유동성'이기 때문이라는 것도 생각할 수 있습니다. 1문단에서 '기축 통화'의 두 가지 정의로 제시된 것은 바로 '국제 거래의 결제 수단'과 '환율 결정의 기준'이었어요. 이 중에서 '환율 결정의 기준'으로 쓰이는 경우에 대한 이야기는 2문단에서 이야기를 했고, 3문단에서는 '국제 거래의 결제 수단'으로 쓰이는 경우에 대한 이야기를 하고 있는 것입니다. '달러화'가 국제 거래, 즉 '무역'에서의 '결제 수단'이기 때문에 수입·수출 과정에서 달러화가 공급된다는 이야기를 하는 것이죠! 시험장에서 생각하기에는 너무나 어려운 내용이지만, 중요 개념의 정의는 정말 여기저기 영향력을 발휘한다는 것을 알 수 있는 대목입니다.

하이라이트 문장

> ④하지만 브레턴우즈 체제하에서 달러화의 평가 절하는 규정상 불가능했고, 당시 대규모 대미 무역 흑자 상태였던 독일, 일본 등 주요국들은 평가 절상에 나서려고 하지 않았다.

'달러화의 평가 절하'를 불가능하게 한 '규정'은 무엇인지, 그리고 '독일, 일본'과 같은 나라들이 '평가 절상'에 나서려고 하지 않은 이유는 무엇인지 추론할 수 있어야 합니다. 최근의 평가원 지문은 굉장히 짧고 불친절하기 때문에, 이렇게 엄청난 추론을 요구하는 문장들이 많

3문단 (3)

> ⑤이 상황이 유지되기 어려울 것이라는 전망으로 독일의 마르크화와 일본의 엔화에 대한 투기적 수요가 증가했고, 결국 환율의 변동 압력은 더욱 커질 수밖에 없었다. ⑥이러한 상황에서 각국은 보유한 달러화를 대규모로 금으로 바꾸기를 원했다. ⑦미국은 결국 1971년 달러화의 금 태환 정지를 선언한 닉슨 쇼크를 단행했고, 브레턴우즈 체제는 붕괴되었다.

⑤~⑦ #재진술 #화제의 흐름

하지만 현대 사회의 국제 사회는 미국의 의지대로 흘러가는 것이 현실입니다. 이를 알고 있는 투자자들은 '독일'과 '일본'의 화폐에 관심을 보였다고 해요. 이들의 화폐 '가치'가 오를 것이니 미리 사 두어야 한다는 것이겠죠. 앞에서도 계속 생각했듯이, 독일의 마르크화와 일본의 엔화의 가치가 오르면, 즉 달러화에 대한 환율이 하락하면 같은 금액의 마르크화·엔화로 살 수 있는 달러화의 양, 나아가 금의 양이 증가하는 것이기에 '투기적 수요'가 증가할 만하다는 것입니다. 이렇게 되면 환율의 변동 압력은 더욱 거세질 수밖에 없을 것입니다. '투기적 수요'가 더 몰리기 전에, 빨리 '평가 절상'에 나서야 한다는 것이겠죠.

심지어 각국은 보유한 달러화를 대규모로 금으로 바꾸기를 원했다고 합니다. 곧 어떠한 방식으로든 '달러화'의 상대적인 가치가 떨어질 것이라 예상하고 있으니, 그 전에 미리 안전한 자산인 금으로 바꿔놓고자 하는 것이죠. 안 그래도 '금 준비량 급감'으로 인해 힘든 미국은 결국 '달러화의 금 태환 정지'를 선언하고, '브레턴우즈 체제'는 붕괴되었다고 합니다. 우리가 앞에서 생각했던 것처럼, 결국 미국 '달러화'의 '금 태환 의무'를 포기하며 '금 준비량 급감'이라는 문제를 해결하는 모습입니다. 어찌 되었든 원인을 제거하면 문제가 해결된다는 것은 변하지 않네요.

결국 '트리핀'이 지적했던 것처럼, '달러화의 과잉 공급'은 '달러화'라는 준비 자산, 즉 '국제 유동성=기축 통화'의 '신뢰도'를 저하시켜 '금 태환 의무 정지=브레턴우즈 체제의 붕괴'라는 초유의 사태를 발생시킨 것입니다. 나아가 더 이상 '달러화'가 '금'과의 가치를 고정하여 다른 나라와의 '환율'을 '고정'시키는 것도 불가능해졌기에, 1문단에서 말한 것처럼 '고정 환율 제도'도 붕괴된 것이죠. 정말 어렵지만, 어쨌든 화제의 흐름은 명확하게 살아 있는 모습입니다.

지문에 따르면, 미국은 '금 태환 의무' 자체를 포기하는 방식으로 문제를 해결했습니다. 즉, 우리가 미리 생각한 두 가지 원인 중 하나의 방식으로 해결한 것이죠. 이건 좋은데, 그렇다면 미국은 왜 '달러화의 과잉 공급'이라는 문제의 원인을 제거하지는 않은 것일까요? 앞에서 이야기한 것처럼 독일, 일본 같은 나라의 달러에 대한 환율을 하락시켜 '평가 절상'하면 이들의 '경상 수지'가 악화되어 '달러화의 과잉 공급'이라는 원인을 제거할 수 있었는데 말이죠. 지문 속에서 충분히 답을 찾을 수 있으니, 여러분이 스스로 생각해보고 아래 해설을 읽어보도록 합시다.

답은 바로 '마르크화와 엔화에 대한 투기적 수요'에 있습니다. 마르크화와 엔화가 평가 절상된다는 소문이 돌자, 발빠른 투자자들은 이들에 대한 '투기적 수요'를 보여 주었습니다. 그렇다면 이 통화가 '평가 절상'되는 경우 투자자들에게 어떤 이득이 생기는 것일까요?

'환율'은 쉽게 말하면 '외화의 가격'이라고 할 수 있습니다. 따라서 달러화와 같은 외화에 대한 수요가 늘면 '가격'인 '환율'도 오르는 것이 일반적이죠. 그런데 이 시점에서 달러화에 대한 환율은 사실상 고정되어 있기 때문에, 투자자들은 '수요'에도 불구하고 비슷한 환율에 마르크화와 엔화를 사들일 수 있습니다. 예를 들어 1달러에 100엔으로 환율이 고정되어 있다고 가정해봅시다. 이 경우 어떤 투자자가 100달러를 투자하는 경우, 총 10,000엔을 살 수 있습니다. 예상대로 엔화가 '평가 절상'되어 1달러에 50엔 정도의 환율이 형성되었다고 해봅시다. 달러화에 대한 엔의 환율이 하락해야 하니까요! 그렇다면 10,000엔을 잘 가지고 있던 투자자는 이를 200달러로 바꿀 수 있습니다. 엔의 가치가 올랐기에, 이를 바탕으로 살 수 있는 달러의 양이 많아지는 것이죠.

그런데 달러화의 가치는 여전히 '금 1온스=35달러'로 고정되어 있습니다. 이런 상황에서 위의 투자자는 기존에 100달러를 가지고 있을 때보다 훨씬 많은 양의 금을 얻을 수 있게 됩니다. 결국 '달러화의 과잉 공급'이라는 문제의 원인을 제거하고자 마르크화·엔화의 평가 절상을 단행해도, 미리 마르크화·엔화를 사둔 투자자들에 의해 '금 준비량 급감'이라는 문제가 가속화되는 것이죠. 결국 미국이 '금 태환 의무'를 지고 있는 이상, '여타국 통화의 평가 절상'은 문제의 해결책이 될 수 없던 것입니다. 따라서 '금 태환 의무' 자체를 포기하는 방식으로 문제를 해결하게 된 것이에요.

상당히 어렵죠? 너무나 치사하게도, 지문에서는 '여타국 통화의 평가 절상'을 해결책인 것처럼 제시해놓고 그것을 해결책으로 사용하지 않았음을 명시적으로 밝히지 않고 있습니다. 물론 문제에서 여기까지 물어보지는 않았지만, 얼마나 불친절하게 지문을 쓰고 있는지 알 수 있는 부분이라고 할 수 있죠? 결국 수능 국어에서 초고득점을 하고 싶다면, 이 정도 수준에 근접한 생각

을 할 수 있어야 한다는 것을 다시 한번 깨달을 수 있습니다. 시험장에서 이 정도로 생각하지 못하더라도, 공부하는 지금 이 순간 최대한 '생각의 힘'을 키우겠다는 목적으로 덤비셔야 합니다. 어렵다고 포기하면 발전할 수 없어요.

하이라이트 문장

⑦미국은 결국 1971년 달러화의 금 태환 정지를 선언한 닉슨 쇼크를 단행했고, 브레턴우즈 체제는 붕괴되었다.

이 문장을 보고서 1문단의 '트리핀 딜레마'를 떠올릴 수 있어야 합니다. '브레턴우즈 체제 붕괴'는 곧 '고정 환율 제도 붕괴'와 같은 말이니까요. 이러한 생각을 통해, 아무리 어려운 지문이라도 결국 모든 정보는 화제 중심으로 모인다는 것을 인식할 수 있겠죠?

4문단

①그러나 붕괴 이후에도 달러화의 기축 통화 역할은 계속되었다. ②그 이유로 규모의 경제를 생각할 수 있다. ③세계의 모든 국가에서 어떠한 기축 통화도 없이 각각 다른 통화가 사용되는 경우 두 국가를 짝짓는 경우의 수만큼 환율의 가짓수가 생긴다. ④그러나 하나의 기축 통화를 중심으로 외환 거래를 하면 비용을 절감하고 규모의 경제를 달성할 수 있다.

①~② #카테고리 나누기

이렇게 '브레턴우즈 체제'가 붕괴된 이후에도, '달러화'의 '기축 통화' 역할은 계속되었다고 합니다. '달러화'는 더 이상 '금'과 같은 가치를 통해 '환율의 기준'이라는 역할을 수행할 수 없는 데도 불구하고, 어떻게 '기축 통화'의 지위를 유지한 것일까요? 그 이유로는 '규모의 경제'를 제시하고 있습니다. '달러화가 기축 통화의 지위를 유지한 이유'라는 카테고리를 나눠놓은 채, '규모의 경제'가 어떤 내용인지 확실하게 이해해보도록 합시다.

③~④ #정의 제시 #재진술

만약 '기축 통화'가 없는 상황에서 각 나라가 서로 다른 통화를 사용하는 경우, 두 국가를 짝짓는 경우의 수만큼 환율의 가짓수가 생긴다고 해요. '경우의 수'에 대해 배웠다면 너무나 당연한 말이죠? 하지만 '달러화'와 같은 '기축 통화'를 중심으로 환율을 결정하면, 굳이 모든 나라와의 환율을 따질 필요 없이 '달러화'와의 환율만 생각하면 됩니

다. 이는 '환율의 경우의 수'를 늘려 발생할 수 있는 '비용'을 절감시켜주고, 이것이 바로 '규모의 경제'가 달성된 상황이라고 해요. 여기서 '규모의 경제'의 정의가 곧 '외환 거래에서 비용을 절감하는 것'이라는 점을 생각할 수 있겠네요. 이처럼 '기축 통화'가 있으면 효율적이기 때문에, 가장 파워가 있는 '달러화'를 '기축 통화'로 삼아 외환 거래를 하는 것이네요.

이렇게 마지막 문단에서 다른 이야기를 하는 것 같지만, 사실 여기서도 '기축 통화'가 '환율 결정의 기준'이라는 이야기를 반복하고 있다는 것을 인식할 수 있으면 좋겠어요. 비록 '금 태환 의무'를 저버려서 다른 나라의 환율을 '고정'시키지는 못하지만, 여전히 세계 여러 나라의 환율을 결정하는 '기준'으로 '기축 통화'인 '달러화'가 사용된다는 거예요. 처음부터 끝까지 똑같은 말만 하고 있죠?

선지	①	②	③	④	⑤
선택률	6%	51%	12%	12%	19%

37 윗글을 통해 답을 찾을 수 없는 질문은? ②

– 항상 보던 유형입니다. 정답은 결국 '화제'와 무관한 내용일 거예요. 이를 찾아봅시다.

① 브레턴우즈 체제 붕괴 이후에도 달러화가 기축 통화로서 역할을 할 수 있었던 이유는 무엇인가?

명시적 근거	4문단 1번~2번 문장
실전에서의 판단 과정	규모의 경제!
해설	마지막 문단에서 봤던 내용이니 머릿속에 생생하게 남아 있죠? 외환 거래 시장에서 '규모의 경제'를 달성하기 위해서는 '기축 통화'가 필요하고, 그 역할을 '달러화'가 하는 것입니다.

② 브레턴우즈 체제 붕괴 이후의 세계 경제 위축에 대해 트리핀은 어떤 전망을 했는가?

명시적 근거	–
실전에서의 판단 과정	브레턴우즈 체제 붕괴 이후는 이 지문의 화제와 무관한데?
해설	이 지문은 '기축 통화'의 역할을 바탕으로 '브레턴우즈 체제'의 붕괴가 일어난 이유에 대해 설명하고 있습니다. 그 이후의 상황은 이러한 화제와 무관하기 때문에, 이에 대한 답을 찾기는 어렵겠네요. 역시 '화제'에 대한 인식이 문제풀이의 핵심이 되는 모습입니다.

③ 브레턴우즈 체제에서 미국 중앙은행은 어떤 의무를 수행해야 했는가?

명시적 근거	2문단 5번 문장
실전에서의 판단 과정	금 태환 의무를 수행해야 했지.
해설	이 선지를 보자마자 '달러화의 금 태환 의무'라는 말을 떠올릴 수 있어야 합니다. 이 지문의 핵심인 '브레턴우즈 체제'가 붕괴되는 데에 큰 역할을 한 정보니까요.

④ 브레턴우즈 체제에서 국제 유동성의 역할을 한 것은 무엇인가?

명시적 근거	2문단 2번 문장, 2문단 4번 문장
실전에서의 판단 과정	금이랑 달러화지.
해설	'브레턴우즈 체제'는 '금 환 본위제'로, '금'과 '달러화'가 '국제 유동성=기축 통화'의 역할을 했습니다.

⑤ 브레턴우즈 체제에서 달러화 신뢰도 하락의 원인은 무엇인가?

명시적 근거	1문단 4번 문장, 3문단 1번 문장
실전에서의 판단 과정	달러화가 과잉 공급되었기 때문이지.
해설	역시 화제와 직결되는 중요한 정보죠? '브레턴우즈 체제'에서 '달러화 신뢰도 하락'은 미국의 경상 수지 적자 누적으로 인해 발생한 '달러화 과잉 공급' 때문이었습니다. '브레턴우즈 체제'의 붕괴는 결국 '달러화 신뢰도 하락=금 태환 의무를 감당하지 못함'으로 인해 발생했다는 것을 이해하고 있는지 묻는 선지입니다.

선지	①	②	③	④	⑤
선택률	15%	25%	20%	13%	27%

38 윗글을 바탕으로 추론한 내용으로 적절하지 않은 것은? ⑤

– 발문 그대로, 지문에 적힌 말 이면에 있는 정보를 추론할 것을 요구한 문제입니다. 아무리 추론 문제라도 시작은 지문에 대한 이해일 것입니다. 자신 있게 문제 풀어봅시다.

① 닉슨 쇼크가 단행된 이후 달러화의 고평가 문제를 해결할 수 있는 달러화의 평가 절하가 가능해졌다.

명시적 근거	3문단 4번 문장, 3문단 7번 문장
실전에서의 판단 과정	닉슨 쇼크 이후에는 달러화의 가치를 고정할 필요가 없지.
해설	'닉슨 쇼크' 전에는 '달러화'가 '과잉 공급'되어 가치가 떨어져야 함에도 불구하고, '금 1온스'의 가격이 '35달러'로 고정되어 '고평가'되는 문제가 있었습니다. 가치가 떨어졌다면 '금 1온스'를 사는 데 더 많은 달러가 필요한 것이 인지상정인데, 여전히 '35달러'면 충분하게끔 고평가된 것이죠. 이에 떨어진 '달러화'의 가치를 반영하기 위한 '평가 절하'가 필요했지만, 위의 규정으로 인해 불가능한 상황이었습니다. 하지만 '달러화의 금 태환 의무'를 포기한 '닉슨 쇼크' 이후, 더 이상 위의 규정을 따를 필요가 없게 되었습니다. 즉, '달러화'의 가치가 고정되지 않게 된 것이니 '평가 절하'와 같은 '가치 변동'이 가능해진 것이죠. '달러화의 평가 절하'가 왜 해결책이 될 수 없는지 정확히 이해했어야 지워낼 수 있었겠네요.

② 브레턴우즈 체제에서 마르크화와 엔화의 투기적 수요가 증가한 것은 이들 통화의 평가 절상을 예상했기 때문이다.

명시적 근거	3문단 4번~5번 문장
실전에서의 판단 과정	평가 절상을 예상했으니 많이 사들인 것이지.
해설	당연하게 납득했던 내용이죠? '독일과 일본'이 '평가 절상'에 나서지 않는 상황이 유지되기 어려울 것이라고 생각했기 때문에, 즉 결국엔 그들 통화의 가치가 '평가 절상'될 것이라고 예상했기에 투기적 수요가 증가한 것이었습니다.

③ 금의 생산량 증가를 통한 국제 유동성 공급량의 증가는 트리핀 딜레마 상황을 완화하는 한 가지 방법이 될 수 있다.

명시적 근거	1문단 4번 문장, 3문단 1번 문장
실전에서의 판단 과정	금 준비량이 적어서 문제가 된 것이니, 금을 많이 생산하면 해결할 수 있겠지.
해설	'트리핀 딜레마' 중 '브레턴우즈 체제'의 붕괴를 불러 온 '달러화의 신뢰도 하락'이라는 문제는 결국 미국의 '금 준비량 급감'이라는 상황과 연관되어 있습니다. 이는 '달러화'의 과잉 공급 때문이었는데, 이와 더불어 '금'이라는 '국제 유동성'을 더 많

이 공급하면(='금'의 상대적 가치를 떨어뜨리면) 이에 맞춰 '달러화'의 신뢰도 하락을 막을 수 있을 뿐만 아니라 미국으로 하여금 더 많은 '금'을 준비할 수 있게 할 수 있겠죠. 이렇게 되면 '트리핀 딜레마' 상황을 완화할 수 있을 것입니다.

④ 트리핀 딜레마는 달러화를 통한 국제 유동성 공급을 중단할 수도 없고 공급량을 무한정 늘릴 수도 없는 상황을 말한다.

명시적 근거	1문단 4번 문장
실전에서의 판단 과정	트리핀 딜레마에 대해 납득한 내용 그대로네.
해설	'트리핀 딜레마'에 대한 정보를 읽고 우리가 생각한 내용 그대로조? '달러화'와 같은 '국제 유동성'의 공급이 적어도 문제이고, 많아도 문제인 '구조적 모순'을 '트리핀 딜레마'라고 불렀습니다.

⑤ 브레턴우즈 체제에서 마르크화가 달러화에 대해 평가 절상되면, 같은 금액의 마르크화로 구입 가능한 금의 양은 감소한다.

명시적 근거	2문단 5번~6번 문장, 3문단 3번 문장
실전에서의 판단 과정	마르크화 가치가 오르면 금을 더 많이 살 수 있는 것이지.
해설	'마르크화'가 '달러화'에 대해 '평가 절상'된다는 것은, '마르크화'의 가치가 오른다는 뜻입니다. 이는 '마르크화'로 구할 수 있는 '달러화'의 양이 많아진다는 것이고, 이렇게 되면 1온스에 35달러로 가격이 고정되어 있는 '금'을 더 많이 살 수 있게 되겠죠. '화폐의 가치 상승'이 의미하는 바를 조금만 생각해봤다면 어렵지 않게 지워낼 수 있는 선지였습니다. 나아가 '마르크화 · 엔화의 평가 절상'을 예상한 투기적 수요자들이 기대한 것이 무엇이었을지 생각해봤다면 더욱 쉽게 지워낼 수 있었을 겁니다. '평가 절상'되었을 때 구입 가능한 금의 양이 감소한다면 구태여 미리 투자할 필요가 없었겠죠.

선지	①	②	③	④	⑤
선택률	5%	16%	20%	21%	38%

39 미국을 포함한 세 국가가 존재하고 각각 다른 통화를 사용할 때, ㉠~㉢에 대한 설명으로 적절한 것은? ⑤

㉠ 금 본위 체제

㉡ 브레턴우즈 체제

㉢ 어떠한 기축 통화도 없이 각각 다른 통화가 사용되는 경우

– '미국을 포함한 세 국가'라는 발문의 가정부터 확인해야 합니다. 지문에 나온 국가들을 활용하여, '미국, 독일, 일본'이 존재하고 서로 다른 통화를 사용한다고 생각해볼 수 있겠죠? 이때 각 체제에서는 어떤 일이 일어날까요? 선지 판단해봅시다.

① ㉠에서 자동적으로 결정되는 환율의 가짓수는 금에 자국 통화의 가치를 고정한 국가 수보다 하나 적다.

명시적 근거	2문단 3번 문장
실전에서의 판단 과정	㉠에서는 세 국가 모두 금에 통화 가치를 고정하고, 환율의 가짓수도 세 가지지.
해설	㉠에서는 모든 국가가 '금'에 통화 가치를 고정하기에, 모든 환율은 '자동적으로 결정'이 된다고 했어요. 발문에 따르면 '미국, 독일, 일본'의 세 나라만 존재한다고 할 수 있으니, 환율의 가짓수도 '미국-독일', '미국-일본', '독일-일본'의 세 가지밖에 없네요. 이것이 바로 '자동적으로 결정되는 환율의 가짓수'를 의미하니, 이 숫자는 3이라고 할 수 있네요. 한편 ㉠은 '금 본위 체제'인데, 여기서는 모든 국가가 '금'에 통화 가치를 고정합니다. 그렇다면 '금에 자국 통화의 가치를 고정한 국가 수'도 3이네요. 둘은 같은 수이므로 틀린 선지네요.

② ㉡이 붕괴된 이후에도 여전히 달러화가 기축 통화라면 ㉡에 비해 교차 환율의 가짓수는 적어진다.

명시적 근거	2문단 8번 문장
실전에서의 판단 과정	기축 통화가 똑같으면 교차 환율의 가짓수는 같지.
해설	선지에서 물어보는 '교차 환율'의 정의는 '기축 통화를 제외한 다른 통화들 간 환율'입니다. ㉡에서도, 선지의 가정에서도 '달러화'가 '기축 통화'이므로, 이를 제외한 통화들 간의 환율인 '교차 환율'의 가짓수는 같아야 합니다. 굳이 따지자면 '독일-일본'의 한 가지밖에 없었죠?

③ ㉢에서 국가 수가 하나씩 증가할 때마다 환율의 전체 가짓수도 하나씩 증가한다.

명시적 근거	4문단 3번 문장
실전에서의 판단 과정	원래 있던 국가의 수만큼 증가해야지.
해설	기본적인 경우의 수에 대한 감이 있다면 매우 쉽게 지울 수 있는 선지입니다. ㉢은 '기축 통화'가 없는 상황이기 때문에, 두 국가를 짝짓는 경우의 수만큼 환율의 가짓수가 생깁니다. 예를 들어 '미국, 독일, 일본'만 있는 상황에서 '한국'이 추가된다면, '미국-한국', '독일-한국', '일본-한국'으로 총 세 가지의 환율 가짓수가 추가되어야 해요. 즉, ㉢에서는 국가 수가 하나씩 증가할 때마다 원래 있던 국가의 수만큼 환율의 가짓수가 증가해야 하는 것입니다. 경우의 수에 대한 감이 없는 학생들에게는 조금 낯선 문제 풀이 과정이라고도 할 수 있겠어요. 이 학생들을 위해 세 국가만 존재하는 단순한 상황을 제시한 것이겠죠?

④ ㉠에서 ㉡으로 바뀌면 자동적으로 결정되는 환율의 가짓수가 많아진다.

명시적 근거	2문단 3번 문장, 2문단 6번 문장, 2문단 8번 문장
실전에서의 판단 과정	㉡으로 바뀌면 미국이 빠지니까 적어지네.
해설	1번 선지를 판단하는 과정에서 생각했듯이, ㉠에서 '자동적으로 결정되는 환율의 가짓수'는 '미국-독일', '미국-일본', '독일-일본'의 세 가지였습니다. 그런데 ㉡에서는 '달러화'가 '기축 통화'로 추가되면서, 다른 나라의 통화는 '달러화'에 그 가치를 고정시켰습니다. 즉, '미국-독일', '미국-일본'의 환율은 '자동적'으로 결정되는 것이 아니라 임의로 고정시키는 환율이라는 것이죠. ㉡에서 '자동적으로 결정되는 환율'은 '교차 환율', 즉 '독일-일본'처럼 달러화를 제외한 다른 통화들 간의 환율입니다. 그렇다면 ㉠에서 ㉡으로 바뀔 때 '자동적으로 결정되는 환율의 가짓수'가 3에서 1이 되는 것이니, 많아진다고 하면 안 되겠습니다. 선지에서 물어보는 '자동적으로 결정되는 환율의 가짓수'가 지문의 어떤 내용을 재진술한 것인지 파악하는 게 아주 중요했습니다.

⑤ ⓛ에서 교차 환율의 가짓수는 ⓒ에서 생기는 환율의 가짓수보다 적다.

명시적 근거	2문단 6번 문장, 2문단 8번 문장, 4문단 3번 문장
실전에서의 판단 과정	ⓛ에서 교차 환율은 한 개, ⓒ에서의 환율 가짓수는 세 개네.
해설	앞 선지들을 판단하는 과정에서 얻은 결과들을 활용하시면 됩니다. ⓛ에서 '교차 환율'의 가짓수는 '독일-일본'의 한 가지입니다. 한편 ⓒ에서 생기는 환율의 가짓수는 '미국-독일', '미국-일본', '독일-일본'의 세 가지였죠. 한 가지는 세 가지보다 적죠?

| 생각 심화 |

사실 5번 선지는 생각보다 중요한 내용을 담고 있습니다. 바로 ⓛ이 ⓒ보다 더 효율적이라는 것이죠. 4문단에서 '규모의 경제'에 대한 내용을 제시하며 언급한 것은 결국 '기축 통화'의 존재가 외환 거래의 비용을 절감시켜준다는 것이었습니다. 따라서 '기축 통화'가 있는 ⓛ이 그렇지 않은 ⓒ에 비해 더 적은 환율의 가짓수를 가진다는 내용을 정답으로 제시할 명분이 생기는 것입니다. 수능은 언제나 화제와 직결되는 핵심적인 내용을 정답으로 제시하는 경향을 보이니까요.

선지	①	②	③	④	⑤
선택률	12%	25%	20%	28%	15%

40 윗글을 참고할 때, 〈보기〉에 대한 반응으로 가장 적절한 것은? [3점] ④

– 역대급 킬러 문제입니다. 경제에 대한 기본적인 지식과 이를 바탕으로 한 〈보기〉 정리, 나아가 치밀한 추론까지 요구한 어려운 문제예요. 긴장하고 〈보기〉부터 정리해봅시다.

[보기]

브레턴우즈 체제가 붕괴된 이후 두 차례의 석유 가격 급등을 겪으면서 기축 통화국인 A국의 금리는 인상되었고 통화 공급은 감소했다.

– '브레턴우즈 체제'가 붕괴된 이후의 이야기입니다. 일단 여기에 주목할 수 있어야 합니다. 미국이 더 이상 '금 태환 의무'를 지지 않는 것이니까요. 이는 '준비 자산으로서의 신뢰도'라는 문제를 더 이상 걱정할 필요가 없다는 것을 의미합니다. 지문에 제시되지 않은 완전히 새로운 상황이라고 생각해야겠네요.

아무튼, 석유 가격 급등이라는 상황에서 '기축 통화국'인 A국의 금리가 인상되고 통화 공급이 감소했다고 해요. 산업 전반에 영향을 미치는 '석유 가격'의 급등은 곧 '물가 상승률 급등'을 가져올 수 있는데, 이런 상황에서 자연스럽게 금리가 인상되고 통화 공급이 감소된 모습이네요. 계속해서 강조했던 대로, '금리'에 대한 기본적인 지식은 갖춰주셔야 합니다. 그래야 이 내용을 납득할 수 있어요.

중요한 것은 '통화 공급의 감소'라고 할 수 있습니다. A국에서 통화 공급이 감소했다는 것은 '기축 통화=국제 유동성'의 공급이 되지 않는 상황을 의미하기에, '트리핀'도 지적했듯이 전세계적인 경제 침체를 불러일으킬 수도 있어요.

[보기]

여기에 A국 정부의 소득세 감면과 군비 증대는 A국의 금리를 인상시켰으며, 높은 금리로 인해 대량으로 외국 자본이 유입되었다.

– 여기에 A국 정부는 '소득세 감면'과 '군비 증대'라는 정책을 펼쳤다고 합니다. '소득세'가 감면되면 사람들이 쓸 수 있는 돈이 많아지므로 사회 전체적으로 '소비'가 증가한다고 할 수 있겠죠? 나아가 '군비 증대'는 군대를 위한 비용이 증가한다는 것이기에, 이와 관련된 '수요'가 증가한다고 할 수 있겠습니다. 이는 앞서 읽었던 '석유 가격 급등'과 비슷하게 경기를 지나치게 과열시키는 문제를 낳을 수 있겠습니다. 이에 대응하기 위해 A국의 '금리'는 당연히 인상될 것이고, '금리'가 높다는 것은 곧 외국인의 투자 수익률도 높다는 것이기에 (예금 금리도 높고, 기존 발행된 채권의 가격도 낮을 것이며, 새로 발행할 채권의 액면 이자율도 낮을 것이니까요.) 대량으로 외국 자본이 유입되겠죠?

종합하면, A국의 통화 공급은 감소하는데 외국에서 자본만 유입되고 있는 상황인 것입니다. '국제 거래의 결제 수단'이라는 '기축 통화'의 정의를 고려할 때, 이는 A국에 '기축 통화'가 모이고 있는 상황이라고 할 수 있겠습니다. 결국 전세계에 '기축 통화'가 부족한 상황이 된 것인데, 이 경우 '기축 통화'의 가치가 높아져 '기축 통화'에 대한 여타국 통화의 환율이 상승하는 결과가 나타나겠네요. 그리고 이 결과는 '브레턴우즈 체제'의 붕괴 직전 독일과 일본이 대미 무역에서 큰 흑자를 보고 있던 상황과 정확히 일치한다고 볼 수 있겠습니다. 즉, A국은 현재 큰 폭의 경상 수지 적자 상태에 빠져 있다는 겁니다. '기축 통화'의 공급이 적은데 경상 수지는 적자인 아이러니한 상황에 빠져 있는 것이죠.

A국은 이로 인한 상황을 해소하기 위한 국제적 합의를 주도하여, 서로 교역을 하며 각각 다른 통화를 사용하는 세 국가 A, B, C는 외환 시장에 대한 개입을 합의했다. 이로 인해 A국 통화에 대한 B국 통화와 C국 통화의 환율은 각각 50%, 30% 하락했다.

– 이러한 상황에서, A국 통화에 대한 B국과 C국 통화의 환율을 폭락시키는 합의가 이루어졌습니다. 이는 B국과 C국 통화를 '평가 절상'시킨 것으로, 앞서 제시한 문제를 해결하기에 충분한 조치라고 할 수 있겠습니다. 3문단의 마지막 '생각 심화'와 엮어서 생각하면, '브레턴우즈 체제'가 붕괴되기 전에는 '금 태환 의무'로 인한 투기적 수요 때문에 사용할 수 없었던 해결책인 '여타국 통화의 평가 절상'을 사용하는 모습이라고 할 수 있겠습니다. 나아가 B국이 C국에 비해 A국 통화에 대한 환율이 더 많이 하락했으니, 상대적으로 통화의 가치는 더 많이 상승했다는 것까지 잡아낼 수 있겠죠?

만약 전반적인 A국의 상황을 제대로 이해하지 못했더라도, 해결책이 '여타국 통화의 A국 통화에 대한 환율 하락'이라는 것을 보고 현재 A국의 상황이 '경상 수지 적자' 상태임을 파악할 수 있었어야 합니다. 지문에 따르면 '여타국 통화의 달러화에 대한 환율 하락'이라는 해결책은 '경상 수지 적자' 때 사용한다고 했으니까요.

인간적으로 너무 어렵습니다. 사실 다른 건 전혀 이해하지 못해도, B국과 C국 통화의 '평가 절상'이 일어났다는 것, 그리고 B국 통화가 더 가치가 높아졌다는 것만 체크해도 문제를 푸는 데에는 큰 지장이 없습니다. 다만 공부를 하는 입장에서는 우리가 알고 있는 '금리 조절 기제'라는 지식과 함께 〈보기〉를 완벽하게 정리하는 공부를 할 수 있어야 합니다. 기출문제 공부의 목적은 '생각의 힘 극대화'이니까요.

| 생각 심화 |

지문과 달리 〈보기〉에서는 '기축 통화'의 공급이 적을 때 미국의 '경상 수지'가 적자인 것을 알 수 있습니다. 왜 이런 일이 일어난 것일까요? 스스로 생각해보면 더 좋겠어요.

〈보기〉의 '기축 통화'가 '달러화'라고 가정하고 설명해보겠습니다. 먼저 지문의 상황(브레턴우즈 체제)에서는 '금 태환 의무' 때문에 달러화의 가치 변동이 불가능했습니다. 이에 달러화가 과잉 공급되어 그 가치가 떨어져야 할 때 떨어지지 못하고 고평가되는 것이었죠. 따라서 일본 · 독일 등 다른 나라의 통화가 상대적으로 낮은 가치를 가지는 것처럼 되어 달러화에 대한 환율이 높아졌고, 결국 일본 · 독일은 대미 무역 흑자, 미국은 대일 · 대독 무역 적자에 빠져 있던 것입니다.

한편 〈보기〉의 상황은 브레턴우즈 체제가 종료된, 즉 '금 태환 의무'가 사라진 상황입니다. 또한 자연스럽게 '고정 환율 제도'가 붕괴되어 달러화의 가치 변동이 가능해진 것이죠. 따라서 앞의 설명처럼 달러화가 과잉 공급되면 그에 맞게 가치가 떨어지게 되고, 이는 달러화에 대한 엔화 · 마르크화 등의 환율을 낮추게 되어 미국이 경상 수지에서 이득을 보게 됩니다.

하지만 달러화가 제대로 공급되지 않으면, 이번엔 달러화의 가치가 상승하여 달러화에 대한 엔화 · 마르크화 등의 환율이 높아지게 됩니다. 이는 앞서 설명했던 것처럼 미국의 경상 수지 적자, 일본 · 독일의 경상 수지 흑자라는 결과를 불러일으키는 것이죠. 이를 참지 못한 미국은 결국 〈보기〉에서 이야기한 합의를 통해 달러화에 대한 엔화 · 마르크화 환율을 강제로 낮추는 선택을 한 것입니다.

결국 이 문제는 지문의 상황과 반대되는 상황에 대해 이해할 수 있는지 물어봤던 것입니다. 너무나 어렵지만, 확실하게 이해하고 넘어갈 수 있도록 합시다.

어쨌든, 이 내용을 바탕으로 선지 판단해 보도록 합시다.

① A국의 금리 인상과 통화 공급 감소로 인해 A국 통화의 신뢰도가 낮아진 것은 외국 자본이 대량으로 유입되었기 때문이겠군.

명시적 근거	1문단 4번 문장, 〈보기〉
실전에서의 판단 과정	통화 공급이 감소되면 신뢰도가 높아지는 거지.
해설	A국의 금리 인상과 통화 공급 감소는 '기축 통화'의 가치, 즉 '신뢰도'를 높이는 결과를 낳았습니다. 물론 '신뢰도'라는 말이 〈보기〉에 직접적으로 사용되지는 않았지만, 그 단어의 의미를 생각하면 '가치'와 비슷한 말로 바꿔 이해할 수 있겠죠? 나아가, '외국 자본 대량 유입'은 금리 인상, 통화 공급 감소와 같은 상황의 '결과'입니다. 그런데 이 선지는 이를 '원인'이라고 이야기하고 있네요. 전체적으로 틀린 선지라고 할 수 있겠습니다.

② 국제적 합의로 인한 A국 통화에 대한 B국 통화의 환율 하락으로 국제 유동성 공급량이 증가하여 A국 통화의 가치가 상승했겠군.

명시적 근거	1문단 4번 문장, 〈보기〉
실전에서의 판단 과정	A국 통화의 가치를 떨어뜨리는 게 핵심이지.
해설	A국 통화에 대한 B국 통화의 환율 하락으로 A국 통화의 '국제 유동성 공급량'이 증가하는 것까지는 맞습니다. B국 통화를 '평가 절상'하여 상대적으로 A국 통화의 가치를 떨어뜨리면 A국의 경상 수지가 개선될 것이니까요. 만약 환율의 변동이 없는 상황에서 경상 수지 적자가 계속되면 A국은 이를 막기 위해 '국제 유동성 공급량'을 더 줄이는 선택을 할 수밖에 없었는데, B국 통화의 환율 하락 덕에 경상 수지가 개선되어 '국제 유동성 공급량'을 충분히 늘릴 수 있게 되는 것입니다. 하지만 이 과정은 모두 A국 통화의 가치를 '하락'시키기 위한 것입니다. 애초에 '공급량'이 증가하는데 '가치'가 증가한다는 것 자체가 말이 되지 않죠? 통화의 '가치'가 '경상 수지'와 어떤 관계를 맺고 있는지 추론할 것을 요구한 아주 어려운 선지였습니다.

③ 다른 모든 조건이 변하지 않았다면, 국제적 합의로 인해 A국 통화에 대한 B국 통화의 환율과 B국 통화에 대한 C국 통화의 환율은 모두 하락했겠군.

명시적 근거	〈보기〉
실전에서의 판단 과정	A국 통화에 대한 B국 통화의 환율이 더 많이 하락했으니 B국 통화에 대한 C국 통화의 환율은 상승해야지.
해설	B국은 C국에 비해 A국 통화에 대한 환율이 더 많이 하락했습니다. 따라서 B국 통화에 대한 C국 통화의 환율은 상승했다고 해야겠네요. 한 번에 이해하기가 어렵다면, A국 통화가 '기축 통화'이므로, 이를 '기준'으로 환율을 결정한다고 생각하면 됩니다. A국 통화를 '기준'으로 했을 때 B국 통화의 환율이 C국 통화보다 더 많이 떨어졌으니, B국 통화와 C국 통화를 비교하면 상대적으로 C국 통화의 환율이 더 높아졌다고 할 수 있는 것이죠.

④ 다른 모든 조건이 변하지 않았다면, 국제적 합의로 인해 A국 통화에 대한 B국과 C국 통화의 환율이 하락하여, B국에 대한 C국의 경상 수지는 개선되었겠군.

명시적 근거	3문단 3번~4번 문장, 〈보기〉
실전에서의 판단 과정	B국에 대한 C국의 환율이 높아졌으니 경상 수지는 개선된 것이지.
해설	우리가 알고 있는 '환율'과 '경상 수지' 관련 배경 지식을 활용하면 정말 쉽게 판단할 수 있는 선지입니다. 참고로 이 내용은 예전부터 경제 지문의 기본 지식으로 강조하던 내용이에요. 2011학년도 9월 모의평가와 2018학년도 수능에서 반복되어 출제된 내용이므로, 이를 미리 알고 해결할 수 있었다면 더욱 좋았을 것이라는 점을 먼저 알고 가도록 합시다. 자 그렇다면 다시, 이 내용을 몰랐다면 어떻게 해결하면 될까요? 선지가 물어보는 것은 B국에 대한 C국의 '경상 수지'를 B국과 C국 통화의 '환율'을 바탕으로 생각해보라는 것입니다. 그런데 우리는 '독일, 일본'의 입장을 이해하면서, 이들이 '평가 절상', 즉 '환율 하락'을 받아들이지 않는 이유가 '경상 수지 흑자' 때문임을 파악했어요. 이를 바탕으로 하면, '환율'이 하락하는 경우 '경상 수지'가 악화된다는 것을 추론할 수 있습니다. 그렇다면 반대로, 환율이 '상승'하는 경우에는 '경상 수지'가 개선된다고 할 수 있겠네요. 3번 선지에서 파악한 바에 따르면, B국에 대한 C국의 환율은 '상승'했습니다. 따라서 B국에 대한 C국의 경상 수지도 '개선'된다고 할 수 있겠네요. 정말 짜증나지만, 어쨌든 선지 판단의 모든 근거는 지문 속에 있다는 대전제 자체는 변하지 않은 모습입니다. '배경지식'은 문제풀이를 훨씬 수월하게 만들어주지만, 이것이 없다고 문제를 푸는 것 자체가 불가능하지는 않다는 걸 인식하도록 해요.

⑤ 다른 모든 조건이 변하지 않았다면, A국의 소득세 감면과 군비 증대로 A국의 경상 수지가 악화되며, 그 완화 방안 중 하나는 A국 통화에 대한 B국 통화의 환율을 상승시키는 것이겠군.

명시적 근거	3문단 3번 문장, 〈보기〉
실전에서의 판단 과정	A국 통화에 대한 B국 통화의 환율을 하락시켜야지.
해설	A국의 '소득세 감면'과 '군비 증대'는 '외국 자본의 대량 유입', 즉 '경상 수지 악화'라는 결과를 낳는다는 것은 〈보기〉 정리를 통해 파악할 수 있었습니다. 이것을 파악하지 못했다고 해도, 해결책이 '타국 통화의 평가 절상'이었다는 것을 토대로 '소득세 감면'과 '군비 증대'가 '경상 수지 악화'라는 결과를 낳는다는 것을 알 수 있었죠. 핵심은 이에 대한 대책이 타국 통화의 '평가 절상'이라는 것입니다. 이는 곧 A국 통화에 대한 B국, C국 통화의 환율을 '하락'시키는 것이기에 틀린 선지로 판단할 수 있겠습니다.

글만 읽어서는 이 문제를 정확히 이해하기 어려운 학생들을 위해, 해당 문제에 대한 강의를 공개해두었습니다. 강의를 듣고 다시 해설을 읽으면 이해가 될 거예요. 많이 참고하시기 바랍니다.

몰랐던 어휘 정리하기

| 핵심 point |
① 화제 check : 독서 지문 독해의 처음이자 끝. 첫 문단에서 잡은 '화제의 틀'을 마지막 문단까지 놓지 않아야 합니다.
② 정의 인식 : 단어의 의미를 살린 상태로, 지문에 제시된 정의와 붙여서 이해할 수 있어야 합니다. 정의를 '기억'하는 게 아니라, '납득'해서 본인의 말로 정리할 수 있어야 해요.
③ 재진술 인식 : 같은 말이라도 다르게 표현되는 경우가 많습니다. 심지어 아예 똑같은 말이 반복되는 경우도 많아요. 이 '같은 말'에 민감하게 반응하면, '정보량'을 줄이면서 읽을 수가 있습니다.
④ 경제 기본 지식 : 금리, 환율과 관련된 경제 지식들은 미리 알아두어야 합니다. 교재에 있는 내용만이라도 확실하게 정리하도록 합시다.

| 지문 내용 총정리 |

그야말로 역대급 지문입니다. '기축 통화=국제 유동성'이라는 개념의 정의를 정확하게 인식해야 하고, 이를 바탕으로 '환율과 경상 수지'에 대한 내용을 완벽하게 납득해야 하며, 〈보기〉에서는 '금리'를 활용한 정리까지 요구한 초고난도 지문이었어요. 하지만 늘 그렇듯, 아무리 어려워도 필요한 능력 자체는 변하지 않았습니다. 정의는 정확하게 체크하고, 앞에서 봤던 말을 끌어 오며 이해하고, 이면의 내용을 추론하며 읽어내는 것. 한 마디로 '해야 할 생각'을 정확하게 하면서 글을 읽어내는 것이 핵심이었어요. 어렵다고 포기하지 말고, 몇 번이고 스스로 읽어보면서 완벽하게 이해해보도록 합시다.

생각의 확장

2025학년도 수능

DAY 41~42 [1~3]
2025.11 [01~03] 독서론(인문) '밑줄 긋기' ☆

1문단

①밑줄 긋기는 일상적으로 유용하게 활용할 수 있는 독서 전략이다. ②밑줄 긋기는 정보를 머릿속에 저장하고 기억한 내용을 떠올리는 데 도움이 된다. ③독자로 하여금 표시한 부분에 주의를 기울이도록 해 정보를 머릿속에 저장하도록 돕고, 표시한 부분이 독자에게 시각적 자극을 주어 기억한 내용을 떠올리는 데 단서가 되기 때문이다. ④이러한 점에서 밑줄 긋기는 일반적인 독서 상황뿐 아니라 학습 상황에서도 유용하다. ⑤또한 밑줄 긋기는 방대한 정보들 가운데 주요한 정보를 추리는 데에도 효과적이며, 표시한 부분이 일종의 색인과 같은 역할을 하여 독자가 내용을 다시 찾아보는 데에도 용이하다.

①~③ #화제 제시 #재진술

'밑줄 긋기'라는 독서 전략에 대해 설명하면서 시작하고 있습니다. 이는 '정보를 머릿속에 저장'하고 '기억한 내용을 떠올리는' 데 도움이 된다고 해요. 3번 문장은 이에 대한 재진술로 가볍게 처리할 수 있겠죠? 독자는 밑줄을 그으면서 표시한 부분에 주의를 기울이기에 '정보를 머릿속에 저장'할 수 있고, 또 표시한 부분이 독자에게 시각적 자극을 주기에 '기억한 내용을 떠올리는' 데 단서가 된다는 것이죠. 너무나 당연하게 납득하면서 읽을 수 있겠습니다.

④~⑤ #카테고리 나누기 #재진술

이런 이유로 '밑줄 긋기'는 '학습 상황'에서도 유용하다고 합니다. '학습 상황'이라는 새로운 카테고리를 만들어주시면서, '주요한 정보 추리기', '내용 다시 찾아보기'라는 '학습 상황'에서 '밑줄 긋기'가 가져다주는 장점을 납득해주시면 되겠습니다. 나아가 '내용 다시 찾아보기'와 같은 것은 '색인'이라는 단어의 의미를 살려 확실하게 납득하고 넘어갈 수 있겠죠? '색인'이 있으면 원하는 정보를 빠르게 찾을 수 있듯이, 밑줄이 그어진 부분을 바탕으로 독자가 중요하다고 생각한 부분을 다시 찾아보는 것이 용이하다는 것입니다. 아무리 쉬운 지문이라도 이렇게 문장을 장악하며 읽으려는 태도를 갖춰주셔야 해요.

하이라이트 문장

④이러한 점에서 밑줄 긋기는 일반적인 독서 상황뿐 아니라 학습 상황에서도 유용하다.

카테고리가 나뉘는 문장입니다. 이렇게 쉬운 지문이 아니라면 이런 문장에 어떻게 반응하느냐에 따라 지문 전체의 체감 난이도가 결정될 수 있습니다. 내가 지금 읽고 있는 정보가 어떤 내용인지 확실하게 따지는 것이 무엇보다 중요하다는 걸 잊지 마세요.

2문단

①통상적으로 독자는 글을 읽는 중에 바로바로 밑줄 긋기를 한다. ②그러다 보면 밑줄이 많아지고 복잡해져 밑줄 긋기의 효과가 줄어든다. ③또한 밑줄 긋기를 신중하게 하지 않으면 잘못 표시한 밑줄을 삭제하기 위해 되돌아가느라 독서의 흐름이 방해받게 되므로 효과적으로 밑줄 긋기를 하는 것이 중요하다.

①~③ #카테고리 나누기 #재진술

이렇게 '밑줄 긋기'는 아주 효과적인 독서 전략이지만, 글을 읽는 중에 바로바로 '밑줄 긋기'를 하면서 밑줄이 많아지고 복잡해지면 '밑줄 긋기'의 효과가 줄어든다고 합니다. 또한 신중하지 않게 아무 곳이나 밑줄을 그으면 잘못 표시한 밑줄을 삭제하기 위해 되돌아가느라 독서의 흐름이 방해받기도 한다고 해요. 이에 효과적으로 '밑줄 긋기'를 하는 게 중요하다고 합니다. 너무나 당연하게 납득할 수 있는 내용이죠? 보통 국어를 처음 공부하는 학생들이 밑줄을 남발하다가 글을 제대로 이해하지 못하는 경우가 많은데, 이런 경험이 있는 학생들이라면 더 쉽게 납득할 수 있을 것 같습니다. 나아가 이제부터는 '효과적인 밑줄 긋기'라는 카테고리가 만들어질 것이라는 예상도 할 수 있겠죠? 이런 생각을 하면서 계속 읽어보도록 합시다.

하이라이트 문장

③또한 밑줄 긋기를 신중하게 하지 않으면 잘못 표시한 밑줄을 삭제하기 위해 되돌아가느라 독서의 흐름이 방해받게 되므로 효과적으로 밑줄 긋기를 하는 것이 중요하다.

단순히 납득하는 것을 넘어, '효과적인 밑줄 긋기'라는 카테고리가 만들어질 것이라는 생각도 할 수 있어야 합니다. 독서론 지문을 읽을 때는 이렇게 '카테고리'가 핵심이 되는 경우가 많아요. 이에 주목한다면 조금 더 수월하게 시험지 첫 장을 넘길 수 있을 겁니다.

3문단

①밑줄 긋기의 효과를 얻기 위한 방법에는 몇 가지가 있다. ②우선 글을 읽는 중에는 문장이나 문단에 나타난 정보 간의 상대적 중요도를 결정할 때까지 밑줄 긋기를 잠시 늦추었다가 주요한 정보에 밑줄 긋기를 한다. ③이때 주요한 정보는 독서 목적에 따라 달라질 수 있다는 점을 고려한다. ④또한 자신만의 밑줄 긋기 표시 체계를 세워 밑줄 이외에 다른 기호도 사용할 수 있다. ⑤밑줄 긋기 표시 체계는 밑줄 긋기가 필요한 부분에 특정 기호를 사용하여 표시하기로 독자가 미리 정해 놓는 것이다. ⑥예를 들면 하나의 기준으로 묶을 수 있는 정보들에 동일한 기호를 붙이거나 순차적인 번호를 붙이기로 하는 것 등이다. ⑦이는 기본적인 밑줄 긋기를 확장한 방식이라 할 수 있다.

① #카테고리 나누기 #재진술

'밑줄 긋기의 효과를 얻기 위한 방법'이라는 카테고리가 제시되고 있습니다. 이게 바로 앞에서 말한 '효과적인 밑줄 긋기'에 해당하는 것이겠죠? 이렇게 문단의 내용을 연결지으면서, 어떤 것들이 있는지 납득할 준비를 해봅시다.

②~③ #재진술

먼저, 정보 간의 '상대적 중요도'를 결정할 때까지 '밑줄 긋기'를 잠시 늦추는 방법입니다. 1문단에서부터 언급했듯이, '학습 상황'에서 '밑줄 긋기'의 장점은 '주요한 정보'를 추릴 수 있다는 것이었습니다. 이 장점을 제대로 발휘할 수 있도록, '밑줄 긋기'를 조금 늦추는 것이죠. 나아가 이때 '주요한 정보'는 독서의 목적에 따라 달라질 수 있다고 합니다. 역시 당연한 말이라고 할 수 있겠습니다.

④~⑦ #재진술 #사례-원리 연결

또한 '자신만의 밑줄 긋기 표시 체계'를 세울 수도 있다고 합니다. 이 경우 밑줄 이외에 다른 기호도 사용할 수 있겠죠? 독자는 미리 정해 놓은 본인만의 표시 체계를 통해, 동일한 기호를 붙이거나 순차적인 번호를 붙이기도 하는 등 '밑줄 긋기'를 확장된 방식으로 사용할 수 있다고 합니다. 이 역시 어렵지 않게 납득할 수 있겠네요. 아마 이렇게 '자신만의 밑줄 긋기 표시 체계'를 세워 두고 잘 활용하고 있는 학생들도 많겠죠?

하이라이트 문장

①밑줄 긋기의 효과를 얻기 위한 방법에는 몇 가지가 있다.

새로운 정보로 보이면 안 됩니다. 앞 문단에서 말한 '효과적인 밑줄 긋기'가 바로 떠올라야 해요! 정보량이 많은 지문은 존재하지 않는다는 대원칙을 잊으면 안 됩니다.

4문단

①밑줄 긋기는 어떠한 수준의 독자라도 쉽게 사용할 수 있다는 점 때문에 연습 없이 능숙하게 사용할 수 있다고 오해되어 온 경향이 있다. ②그러나 본질적으로 밑줄 긋기는 주요한 정보가 무엇인지에 대한 판단이 선행되어야 한다는 점에서 단순하지 않다. ③밑줄 긋기의 방법을 이해하고 잘 사용하는 것은 글을 능동적으로 읽어 나가는 데 도움이 될 수 있다.

①~③ #재진술

'밑줄 긋기'는 누구나 쉽게 사용할 수 있어 연습 없이 능숙하게 사용할 수 있다고 오해되어 왔지만, 본질적으로 '밑줄 긋기'는 '주요한 정보'가 무엇인지에 대한 판단이 선행되어야 '효과적'입니다. 따라서 단순하지 않은, 훈련이 필요한 영역이라고 할 수 있다는 것이죠. 이처럼 '밑줄 긋기'는 잘 이해하고 잘 사용하면 글을 능동적으로 읽어 나가는 데 도움이 되는, 아주 좋은 '독서 전략'이었습니다. 똑같은 말을 끝까지 반복하면서 마무리하고 있네요.

선지	①	②	③	④	⑤
선택률	1%	2%	94%	2%	1%

01 윗글의 내용과 일치하지 <u>않는</u> 것은? ③

① 밑줄 긋기는 일반적인 독서 상황에서 도움이 된다.

명시적 근거	1문단 4번 문장
실전에서의 판단 과정	일반적인 독서 상황에서도, 학습 상황에서도 도움이 된다고 했지.
해설	이 지문의 화제인 '밑줄 긋기'는 일반적인 독서 상황과 학습 상황을 가리지 않고 유용하게 사용할 수 있는 독서 전략이었습니다. 이 정도는 기억하고 있을 수 있겠죠?

② 밑줄 이외의 다른 기호를 밑줄 긋기에 사용하는 것이 가능하다.

명시적 근거	3문단 5번~7번 문장
실전에서의 판단 과정	기본적인 밑줄 긋기를 확장할 수 있지.
해설	기본적인 '밑줄 긋기'를 확장하여 밑줄 이외의 기호, 순차적인 번호 등을 사용할 수 있다고 했습니다. 이렇게 '밑줄 긋기 표시 체계'를 활용하는 것은 '밑줄 긋기'의 효과를 얻기 위해 좋은 방법 중 하나였어요.

③ <u>밑줄 긋기는 누구나 연습 없이도 능숙하게 사용할 수 있는 선략이다.</u>

명시적 근거	4문단 1번~2번 문장
실전에서의 판단 과정	아니라니까.
해설	'밑줄 긋기'는 누구나 연습 없이 능숙하게 사용할 수 있는 전략으로 오해되어 왔지만, 본질적으로 주요한 정보가 무엇인지에 대한 판단이 선행되어야 한다는 점에서 단순하지 않다고 했어요. 마지막 문단의 내용이었기에 기억이 생생할 것입니다. 가볍게 답으로 고를 수 있겠네요.

④ 밑줄 긋기로 표시한 부분은 독자가 내용을 다시 찾아보는 데 유용하다.

명시적 근거	1문단 5번 문장
실전에서의 판단 과정	색인!
해설	'색인'이라는 단어의 의미를 살리면서 확실하게 납득했던 내용이죠? 이렇게 풀 수 있어야 합니다. 단순히 눈알 굴리기를 했다면 반성해야 해요.

⑤ 밑줄 긋기로 표시한 부분이 독자에게 시각적인 자극을 주어 기억한 내용을 떠올리는 데 도움이 된다.

명시적 근거	1문단 3번 문장
실전에서의 판단 과정	그렇지.
해설	역시 확실하게 납득했던 내용입니다. 아무리 쉬운 지문이어도 최대한 '납득'하면서 읽어야 선지 판단의 속도를 높일 수 있어요.

선지	①	②	③	④	⑤
선택률	1%	3%	1%	94%	1%

02 ㉠에 해당하는 내용으로 가장 적절한 것은? ④

> ㉠ 밑줄 긋기의 방법을 이해하고 잘 사용하는 것

– 이 지문의 화제에 해당하는 내용입니다. 사실상 '윗글의 내용과 일치하는 것으로 가장 적절한 것은?'이라는 발문과 같은 문제네요.

① 글을 다시 읽을 때를 대비해서 되도록 많은 부분에 밑줄 긋기를 하며 읽는다.

명시적 근거	2문단 2번 문장
실전에서의 판단 과정	밑줄이 많아지면 효과가 줄어든다고 했는데?
해설	밑줄이 많아지고 복잡해지면 '밑줄 긋기'의 효과가 줄어들기에, '밑줄 긋기'를 신중하게 하는 것이 중요하다고 했습니다. 상식적으로 생각해도 밑줄이 너무 많으면 좋을 리가 없겠죠?

② 글 전체에 주의를 기울일 수 있도록 글을 읽고 있을 때에는 밑줄 긋기를 하지 않는다.

명시적 근거	3문단 2번 문장
실전에서의 판단 과정	잠시 멈출 뿐이지.
해설	물론 글을 읽는 중에 바로바로 '밑줄 긋기'를 하는 것은 좋지 않지만, 글을 읽는 중에 '밑줄 긋기'를 잠시 멈추었다가 주요한 정보에 '밑줄 긋기'를 하는 전략은 아주 훌륭하다고 했습니다. 즉, 글을 읽고 있을 때 '밑줄 긋기'를 하는 것 자체는 나쁜 것이 아니었어요.

③ 정보의 중요도를 판정하기 어려우면 우선 밑줄 긋기를 한 후 잘못 그은 밑줄을 삭제한다.

명시적 근거	3문단 2번 문장
실전에서의 판단 과정	판정하고 그으라니까.
해설	앞 선지에서도 확인했듯이, 정보의 중요도를 판정한 뒤 '밑줄 긋기'를 하는 것이었습니다. 일단 긋고 잘못 그은 밑줄을 삭제하는 것에 대해서는 언급된 적이 없어.

④ 주요한 정보를 추릴 수 있도록 자신이 만든 밑줄 긋기 표시 체계에 따라 밑줄 긋기를 한다.

명시적 근거	3문단 4번 문장
실전에서의 판단 과정	자신만의 밑줄 긋기 표시 체계가 있으면 좋지.
해설	'자신만의 밑줄 긋기 표시 체계'에 따라 '밑줄 긋기'를 하는 것은 아주 효과적이라고 했습니다. 나아가 '주요한 정보를 추릴 수 있도록'이라는 말은 이 지문의 화제인 '밑줄 긋기'의 목적으로 계속 언급되고 있는 내용이었죠?

⑤ 글에 반복되는 어휘나 의미가 비슷한 문장이 나올 때마다 바로바로 밑줄 긋기를 하며 글을 읽는다.

명시적 근거	–
실전에서의 판단 과정	이런 말은 한 적 없는데?
해설	'반복되는 어휘나 의미가 비슷한 문장'과 관련된 언급이 지문 속에 나타나질 않았습니다. 나아가 바로바로 밑줄을 긋는 것이 아니라, 주요한 정보를 추린 다음 밑줄을 그으라고 했죠? 여러모로 틀린 선지네요.

03 윗글을 바탕으로 학생이 다음과 같이 밑줄 긋기를 했다고 할 때, 이에 대한 평가로 적절하지 **않은** 것은? [3점] ⑤

[독서 목적] 고래의 외형적 특징에 대한 정보 습득
[표시 기호] ☐ , _1)_ , _2)_ , ✓ , ~~~~

[독서 자료]

고래는 육지 포유동물 에서 기원했지만, 수중 생활에 적응하여 새끼를 수중에서 낳는다. 1)암컷들은 새끼를 낳을 때 서로 도와주며, 2)어미들은 새끼들을 정성껏 보호한다.

고래의 생김새 는 고래의 종류마다 다른데, ✓대체로 몸길이는 1.3m에서 30m에 이른다. ✓피부에는 털이 없거나 아주 짧게 나 있다. 지느러미는 배를 젓는 노와 같은 형태이고, 헤엄칠 때 수평을 유지하는 기능을 한다.

고래는 폐로 호흡하므로 물속에서 숨을 쉴 수 없다. 고래의 머리 꼭대기에는 분수공이 있다. 물속에서 참았던 숨을 분수공으로 내뿜고 다시 숨을 들이마신 뒤 잠수한다. 작은 고래들은 몇 분밖에 숨을 참지 못하지만, 큰 고래들은 1시간 정도 물속에 머물 수 있다.

– '자신만의 밑줄 긋기 표시 체계'를 활용하여 '밑줄 긋기'를 한 모습입니다. 이때 '독서 목적'에 주목해야겠죠? '독서 목적'에 따라 '주요한 정보'가 달라진다고 했으니까요. 사실 '독서 목적'을 언급하는 것이 3문단 3번 문장 한 번밖에 없기 때문에, 지문을 읽는 과정에서 인상 깊게 남기기는 어려운 정보입니다. 하지만 주어진 자료에 [독서 목적]이 제시되었으니, 이를 활용해야겠다는 생각은 할 수 있어야 합니다. 이 생각을 했다면 3문단 3번 문장의 내용도 충분히 떠올릴 수 있을 거예요. 한 번 납득했던 정보니까요!

어쨌든, 이 학생은 '고래의 외형적 특징'과 관련된 정보를 '주요한 정보'로 삼아 '밑줄 긋기'를 해야 합니다. 이를 잘 수행했는지 확인해봅시다.

① 독서 목적을 고려하면, 1문단에서 '⬚'로 표시한 부분은 적절하지 않게 밑줄 긋기를 하였군.

명시적 근거	〈보기〉, 3문단 2번~3번 문장
실전에서의 판단 과정	포유동물은 외형적 특징이 아니지.
해설	미리 생각했듯이, 이 학생은 '고래의 외형적 특징'과 관련된 정보를 '주요한 정보'로 삼아야 합니다. 그런데 1문단에서 '⬚'로 표시한 부분은 '포유동물'이네요. 이는 '고래의 외형적 특징'과 무관하기에, 적절하지 않게 밑줄 긋기를 한 것이라고 볼 수 있겠습니다.

② 독서 목적을 고려하면, 1문단에서 '1) ___', '2) ___'와 같이 순차적인 번호로 표시한 부분은 적절하지 않게 밑줄 긋기를 하였군.

명시적 근거	〈보기〉, 3문단 2번~3번 문장
실전에서의 판단 과정	저것도 전부 외형적 특징이 아니네.
해설	역시 1문단에서 '1) ___', '2) ___'와 같이 순차적인 번호로 표시한 부분은 '독서 목적'과 관련된 '주요한 정보'인 '고래의 외형적 특징'과 무관한 내용입니다. 적절하지 않게 '밑줄 긋기'를 했네요.

③ 2문단에서 '⬚'로 표시한 부분을 보니, 독서 목적에 관련된 주요 어구에 밑줄 긋기를 하였군.

명시적 근거	〈보기〉, 3문단 2번~3번 문장
실전에서의 판단 과정	고래의 생김새는 외형적 특징이지.
해설	이번엔 '고래의 외형적 특징'이라는 '주요한 정보'와 관련된 '고래의 생김새' 부분에 잘 표시했네요.

④ 독서 목적을 고려하면, 2문단에서는 '지느러미는 배를 젓는 노와 같은 형태'에 '✓___'를 누락하였군.

명시적 근거	〈보기〉, 3문단 2번~3번 문장
실전에서의 판단 과정	외형적 특징인데 표시를 안 했네.
해설	'지느러미는 배를 젓는 노와 같은 형태'라는 정보는 '고래의 외형적 특징'에 해당하는 내용입니다. 이는 '주요한 정보'에 해당하기에 '밑줄 긋기'를 했어야 하는데, '✓___'와 같은 표시를 누락한 모습이네요.

⑤ '~~~'로 표시한 부분을 보니, 독서 목적을 고려하여 3문단 내에서 정보 간의 상대적인 중요도를 판단해 주요한 문장에 밑줄 긋기를 하였군.

명시적 근거	〈보기〉, 3문단 2번~3번 문장
실전에서의 판단 과정	외형적 특징이 아닌데?
해설	고래가 폐로 호흡하므로 물속에서 숨을 쉴 수 없다는 것은 '고래의 외형적 특징'이 아닙니다. 3문단 내에서 정보 간의 상대적인 중요도를 판단하면, '고래의 머리 꼭대기에는 분수공이 있다.'와 같은 부분에 '밑줄 긋기'를 했어야겠죠. 이런 생각을 전개하면 당연하게 틀린 선지로 판단할 수 있겠습니다.

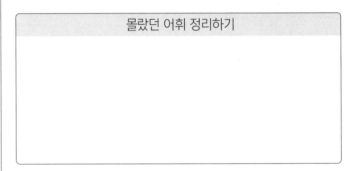

몰랐던 어휘 정리하기

| 핵심 point |

① 화제 check : 독서 지문 독해의 처음이자 끝. 첫 문단에서 잡은 '화제의 틀'을 마지막 문단까지 놓지 않아야 합니다.
② 재진술 인식 : 같은 말이라도 다르게 표현되는 경우가 많습니다. 심지어 아예 똑같은 말이 반복되는 경우노 많아요. 이 '같은 말'에 민감하게 반응하면, '정보량'을 줄이면서 읽을 수가 있습니다.
③ 카테고리 나누기 : 정보들의 범주가 나뉠 때, 그들이 서로 다른 카테고리에 속한다는 것을 인지해야 합니다. 이렇게 각 카테고리에 맞춰 정보를 정리하면 훨씬 깔끔하게 정리할 수 있다는 것을 기억해 주세요.

| 지문 내용 총정리 |

간단하게 해결할 수 있는 독서론 지문이었지만, '독서 목적'과 관련된 생각을 제대로 전개하지 못했다면 3번 문제에서 당황했을 수도 있었을 겁니다. 중구난방식으로 글을 읽고 문제를 푸는 게 아니라, '납득'하며 정보를 처리하고 문제에서 묻는 바를 정확하게 파악한다는 기본적인 태도가 시험장에서 큰 차이를 가져온다는 것을 잊지 마세요.

(가) 1문단

①서양의 과학과 기술, 천주교의 수용을 반대했던 이항로를 비롯한 **척사파**의 주장은 개항 이후에도 지속되었지만, 개화는 거스를 수 없는 대세로 자리 잡았다. ②개물성무(開物成務)와 화민성속(化民成俗)의 앞 글자를 딴 개화는 **개항 이전**에는 통치자의 통치 행위로서 변화하는 세상에 대한 지식 확장과 피통치자에 대한 교화를 의미했다.

① #수식된 정의 제시

서양의 과학과 기술, 천주교의 수용을 반대했던 이들을 '척사파'로 정의하면서 시작하고 있습니다. 한국사를 공부해봤다면 당연히 알고 있는 내용이죠? 대표적인 인물에는 '이항로'라는 사람이 있다고 하니, '이항로' 역시 서양이 과학과 기술 및 천주교의 수용을 반대했을 것이라고 생각할 수 있어야겠습니다.

어쨌든 이들은 심지어 '개항 이후'에도 이러한 주장을 펼쳤다고 합니다. 개항이 되었다는 것은 서양의 문물을 받아들이기로 결정했다는 것인데, 그럼에도 저런 주장을 폈다는 것은 '척사파'의 입장이 상당히 완고했다는 의미라고 할 수 있겠죠? 하지만 이들의 주장에도 불구하고, '개화'는 거스를 수 없는 대세로 자리 잡았다고 합니다.

② #화제 제시 #정의 제시

결국 이 지문의 화제는 '척사파'의 주장이 아니라 '개화'에 대한 내용일 것 같습니다. '개화'는 '개'물성무와 '화'민성속의 앞 글자를 딴 것으로, '개항 이전'에는 '통치자의 통치 행위'를 의미했다고 합니다. 나아가 '변화하는 세상에 대한 지식 확장'과 '피통치자에 대한 교화'를 의미했다고 해요. 자연스럽게 전자를 '개물성무'의 정의로, 후자를 '화민성속'의 정의로 잡고 읽을 수 있겠죠?

앞으로도 계속해서 '개화'에 대한 이야기를 한다면, 이 두 개념의 정의를 일종의 '화제의 틀'로 인식하고 읽을 수 있겠습니다. 앞으로 나오는 모든 말들이 '변화하는 세상에 대한 지식 확장' 및 '피통치자에 대한 교화'를 의미하는 '통치자의 통치 행위'와 같은 의미를 공유할 것이라는 거죠. 물론 '개항 이후'의 상황이 제시된다면 조금 더 확장되고 심화된 의미로 표현되겠지만 말이에요. 어쨌든 '개화'라는 핵심 개념의 정의를 정확하게 인식한 채로 계속 읽어봅시다.

하이라이트 문장

②개물성무(開物成務)와 화민성속(化民成俗)의 앞 글자를 딴 개화는 개항 이전에는 통치자의 통치 행위로서 변화하는 세상에 대한 지식 확장과 피통치자에 대한 교화를 의미했다.

'개물성무'와 '화민성속'이라는 개념을 은근슬쩍 정의하고 있습니다. 이런 부분을 놓치지 않아야 합니다. 나아가 이 정의는 '개항 이전'에 국한되는 것임을 생각할 수 있어야겠죠? 만약 '개항 이후'가 제시된다면 새로운 정의가 나타날 것이니, 혹은 조금 더 확장된 정의가 나타날 것이니 정확하게 체크할 준비를 해야 합니다.

(가) 2문단

①**개항 이후** 서양 문명에 대한 긍정적 인식이 확산되면서 서양 문명의 수용을 뜻하는 **개화 개념**이 자리 잡았다. ②임오군란 이후, 고종은 자강 정책을 추진하면서 반(反)서양 정서의 교정을 위해 『**한성순보**』를 발간했다. ③이 신문의 개화 개념은 서양 기술과 제도의 도입을 통한 인지의 발달과 풍속의 진보를 뜻했다. ④이 개념에는 인민이 국가의 독립 주권의 소중함을 깨닫는 의식의 변화가 내포되었고, 통치자의 입장에서 수용 가능한 문명의 장점을 받아들여 국가의 진보를 달성한다는 의미도 담겼다.

① #카테고리 나누기 #수식된 정의 제시

바로 '개항 이후'가 제시되고 있습니다. 원래 '변화하는 세상에 대한 지식 확장'과 '피통치자에 대한 교화'를 의미했던 '개화' 개념은 '서양 문명의 수용'을 뜻하는 것으로 자리 잡았다고 해요. 기존의 정의는 그대로 가져가면서, 이를 '서양 문명의 수용'을 통해 이룰 수 있다는 식으로 이해할 수 있겠네요. '개항 이후'라는 새로운 카테고리를 만들어놓고 계속 읽어보도록 합시다. 우리가 미리 생각한 것처럼 '개화'라는 개념의 정의가 심화된 모습이에요!

②~③ #수식된 정의 제시 #재진술

구체적으로, '고종'은 '반서양 정서의 교정'을 위해 '한성순보'를 발간합니다. 이제부터 '서양 문명'을 기반으로 '개화'할 것인데, '반서양 정서'가 남아 있으면 이것이 어려우니 백성들을 설득하기 위한 방법으로 신문의 발간을 택한 것이죠. 이 '한성순보'라는 신문의 '개화' 개념은 서양 기술과 제도, 즉 문명을 도입하여 '인지의 발달'과 '풍속의 진보'를 이루자는 것이었다고 합니다. 이것이 각각 '변화하는 세상에 대한 지식 확장'과 '피통치자에 대한 교화'라는 말과 대응된다는 것도 생각할 수 있겠죠? 지식 확장을 통해 인지를 발달시키고, 풍속의 진보를 이룰 수 있게끔 교화시킨다는 것입니다. 이를 '고종'과 같은 '통치자'가 '한성순보'의 발간을 지시하는 등의 '통치 행위'로 이루려고 한 것이구요.

④ #재진술

나아가, 이 개념에는 인민이 국가의 독립 주권의 소중함을 깨닫는 '의식의 변화'가 내포되었다고 합니다. 이 역시 '피통치자에 대한 교화', 즉 '화민성속'이라는 개념의 정의와 '의미상' 같은 말이라고 할 수 있겠네요. 그리고 통치자의 입장에서 서양 문명의 장점을 받아들여 국가의 진보를 달성한다는 것은 '통치자의 통치 행위'라는 '개화'의 기본적인 개념이 확장된 것이라고 할 수 있겠구요. 이렇게 앞문단의 내용과 붙여 읽으면서 '개화'라는 정보에 살이 붙는 느낌이 들어야 합니다. 별개의 정보가 나열되고 있다는 느낌이 들면 안 돼요!

하이라이트 문장

> ①개항 이후 서양 문명에 대한 긍정적 인식이 확산되면서 서양 문명의 수용을 뜻하는 개화 개념이 자리 잡았다.

'개항 이후'라는 말을 보면서, '개화' 개념의 정의가 조금 더 확장되어 제시될 것이라는 생각을 할 수 있어야 합니다. 즉, '서양 문명의 수용'이라는 정의를 새로운 정보가 아닌, 앞문단에 제시된 정보의 확장 버전으로 생각하고 받아들일 수 있어야 한다는 거예요.

(가) 3문단

> ①개화당의 한 인사가 제시한 개화 개념은 성문화된 규정에 따른 대민 정치에서의 법적 처리 절차 실현 등 서양 근대 국가의 통치 방식으로의 변화를 내포하는 것이었다. ②그는 개화 실행 주체를 여전히 왕으로 생각했고, 개화 실행 주체로서 왕의 역할이 사라진 것은 갑신정변에서였다. ③풍속의 진보와 통치 방식 변화라는 의미를 내포한 갑신정변의 개화 개념은 통치권에 대한 도전으로뿐 아니라 개인의 사욕을 위한 것으로 표상되었다. ④이후 개화 개념은 국가 구성원을 조직하고 동원하기 위해 부정적 이미지에서 벗어나야 했고, 유길준은 『서유견문』을 저술하며 개화 개념에 덧씌워진 부정적 이미지를 떼어 내고자 했다. ⑤이후 간행된 『대한매일신보』 등의 개화 개념은 국가 구성원 전체를 실행 주체로 하여 근대 국가 주권을 향해 그들을 조직하고 동원하는 것을 의미했다.

①~② #카테고리 나누기 #정의 제시

이번에는 '개화당의 한 인사가 제시한 개화 개념'이 소개되고 있습니다. 이제 보니 이 지문은 '개화 개념'의 변천사를 소개하는 지문이라고 봐도 무방할 것 같아요. 여러 가지 '개화 개념'을 1문단에서 제시한 정의를 기준으로 확장시켜 이해하는 것이 핵심이겠죠?

어쨌든, '개화당의 한 인사가 제시한 개화 개념'은 '서양 근대 국가의 통치 방식으로의 변화'를 내포하는 것이었다고 합니다. 개화 실행 주체를 여전히 왕으로 생각했다는 것은, 그 역시 '개화'를 '통치자의 통치 행위'로 보고 '통치 방식'을 바꾸는 게 중요하다는 이야기를 한 것이네요. 조금씩 다른 듯하지만 결국 같은 말이 반복되고 있다는 게 느껴지시죠?

한편, '갑신정변'이 일어날 때쯤에는 '개화'의 실행 주체로서 왕의 역할이 사라졌다고 합니다. 여기선 집중을 해주셔야겠죠? 계속해서 1문단에 제시된 정의를 따라가던 '개화 개념'의 정의가 크게 바뀌는 순간이니까요. 중요한 포인트이니 확실하게 체크하고 기억할 수 있어야 합니다.

③ #카테고리 나누기 #정의 제시 #재진술

이번엔 '갑신정변의 개화 개념'입니다. 이는 '풍속의 진보와 통치 방식 변화'를 의미한다고 해요. '한성순보'에서 말하던 '풍속의 진보'와 '개화당'에서 말하던 '통치 방식 변화'를 모두 수용한 모습이죠? 이렇게 앞의 내용과 연결지으면 정보량이 크게 줄어듭니다.

아무튼 이는 '통치권에 대한 도전', 그리고 나아가 '개인의 사욕을 위한 것'으로 표상되었다고 합니다. '개화당'과 똑같이 '통치 방식 변화'를 주장했는데, 왜 여기서만 이런 평가를 받은 것일까요? 그건 바로 '개화'의 주체를 왕으로 설정하지 않았기 때문이겠네요. 이렇게 생각하면 너무나 당연한게 납득할 수 있는 정보라고 할 수 있겠습니다. 이런 식으로 최대한 '납득'하면서 읽을 수 있어야 해요.

④~⑤ #정의 제시 #재진술

하지만 '갑신정변' 이후, 국가 구성원을 조직하고 동원하기 위해 '개화 개념'의 부정적 이미지를 떼어 내기 위해 '유길준'은 '서유견문'을 저술했다고 합니다. 나아가 '대한매일신보' 등의 신문에서는 '개화 개념'이 '국가 구성원 전체'가 실행 주체가 되어 근대 국가 주권을 향해 그들을 조직·동원하는 것을 의미했다고 해요. 다 똑같은 말이라는 느낌이 들어야 합니다. '갑신정변' 이후 '개화 개념'의 실행 주체는 더 이상 왕이 아니었고, 이에 '통치권에 대한 도전' 및 '개인의 사욕을 위한 것' 등으로 '개화 개념'에 부정적 이미지가 심어졌고, 이를 벗어나기 위해 노력하며 결국 '국가 구성원 전체'가 실행 주체가 되는 새로운 '개화 개념'이 탄생한 것입니다. 이런 흐름이 확실하게 잡혀야 해요.

하이라이트 문장

> ③풍속의 진보와 통치 방식 변화라는 의미를 내포한 갑신정변의 개화 개념은 통치권에 대한 도전으로뿐 아니라 개인의 사욕을 위한 것으로 표상되었다.

그냥 그렇구나~ 하고 넘어간 학생과 왜 이런 부정적 이미지가 만들어진 것인지 '생각'하고 넘어간 학생 사이에는 엄청난 차이가 생깁니다. 최근에는 지문의 전체적인 난이도를 조금 내리고, 대신 이렇게 디테일한 '생각'의 차이로 문제 풀이의 난이도를 조절하려는 경향을 보이고 있다는 것을 잊지 마세요.

(가) 4문단

> ①을사늑약 이후, 개화 논의는 문명에 대한 본격적인 논의로 이어졌다. ②대한 자강회의 주요 인사들은 서양 근대 문명을 수용하여 근대 국가를 건설하고자, 앞서 문명화를 이룬 일본의 지도를 받아야 한다고 보았다. ③이들은 서양 근대 문명의 주체를 주체 인식의 준거로 삼았기 때문에 민족 주체성을 간과했다. ④이러한 상황에서 박은식은 근대 국가 건설과 새로운 주체의 형성에 주목하여 문명에 대한 견해를 제시했다. ⑤그의 기본 전략은 문명의 물질적 측면인 과학은 서양으로부터 수용하되, 문명의 정신적 측면인 철학은 유학을 혁신하여 재구성하는 것이었다. ⑥그는 생존과 편리 증진을 위해 과학 연구가 시급하지만, 가치관 정립과 인격 수양을 위해 철학 또한 필수적이라고 보았다. ⑦자국 철학 전통의 정립이라는 당시 동아시아의 사상적 흐름 속에서 그가 제시한 근대 주체는 과학적·철학적 인식의 주체이자 실천적 도덕 수양의 주체로서의 성격을 띠는 것이었다.

①~③ #카테고리 나누기 #주장 제시 #재진술

시간은 계속 흘러, '을사늑약' 이후입니다. 이때부터는 단순히 '개화'에 대한 논의가 '개화 개념'의 정의가 무엇이냐를 넘어, '문명에 대한 본격적인 논의'로 이어졌다고 해요. 먼저, '대한 자강회'의 주요 인사들은 서양 근대 문명의 수용을 강조하면서 앞서 문명화를 이룬 일본의 지도를 받아야 한다고 보았다고 합니다. 서양 근대 문명의 주체, 즉 서양과 일본 등을 주체 인식의 준거로 보고, 이들처럼 세상을 인식해야 한다고 주장한 것이죠. 이는 '민족 주체성'을 간과한 주장이라고 합니다.

지문 전체적으로 '개화 개념'의 정의 자체는 크게 변하지 않지만, 그

행위 주체에 대한 변화가 제시되고 있다는 것을 인식할 수 있어야 합니다. 원래는 '왕'이었다가, '국가 구성원 전체'였다가, 이제는 '서양 근대 문명의 주체'인 '일본'까지 온 것이죠. 이렇게 시간의 흐름에 따라 전개되는 지문에서는 '변화 양상'을 정확하게 잡아내는 것이 무엇보다 중요하다는 걸 잊지 마세요.

④~⑦ #카테고리 나누기 #주장 제시 #재진술

이에 등장한 것이 '박은식'입니다. 그는 문명의 물질적 측면인 '과학'은 서양으로부터 수용하되, 문명의 정신적 측면인 '철학'은 유학을 혁신하여 재구성하는 것을 전략으로 삼았다고 해요. 과학 연구뿐만 아니라, 가치관 정립과 인격 수양을 위해 '철학' 또한 필수적이라는 것이죠. 이렇게 하면 서양 문명을 수용하면서도 '민족 주체성'을 지킬 수 있다는 장점이 있을 것입니다. 결국, 다시 한번 '개화'의 주체가 '국가 구성원 전체'로 돌아온 모습이네요.

나아가 이렇게 자국 철학 전통을 정립하는 것은 당시 동아시아의 사상적 흐름이었다고 합니다. '박은식'은 이러한 흐름 속에서 '근대 주체'를 과학적·철학적 인식의 주체이자 실천적 도덕 수양의 주체로서의 성격을 띠는 것으로 설정한 것이죠. '박은식'의 주장을 계속해서 재진술하는 것에 불과하니, 어렵지 않게 납득할 수 있겠죠?

하이라이트 문장

> ③이들은 서양 근대 문명의 주체를 주체 인식의 준거로 삼았기 때문에 민족 주체성을 간과했다.

이 문장을 단순한 정보가 아니라, '개화의 주체'가 이 지문에서 상정한 '변화 양상'이라는 것을 알려주는 표지로 인식할 수 있어야 합니다. 결국 처음부터 끝까지 '개화'의 개념은 유지되는 가운데 주체만 달라지고 있던 것이었어요.

(나) 1문단

> ①중국이 서양의 과학과 기술에 전면적인 관심을 기울인 때는 아편 전쟁 이후였다. ②전쟁 패배에 따른 위기감은 반세기에 걸쳐 근대화의 추진과 함께 의욕적인 기술 수용으로 이어졌지만, 청일 전쟁의 패배는 기술 수용만으로는 부족하다는 인식을 낳았다. ③이에 따라 20세기 초반 진정한 근대를 이루기 위해 기술 배후에서 작용하는 과학 정신을 사회 전체에 이식하려는 시도가 구체화되었다.

이번엔 '중국'의 이야기입니다. 중국은 '아편 전쟁'에 패배한 뒤 위기감을 가지며 서양의 과학과 기술에 전면적인 관심을 기울였다고 해요. 하지만 '청일 전쟁'까지 패배하면서, 기술 수용만으로는 부족하고 결국 기술 배후에서 작용하는 '과학 정신'을 사회 전체에 이식하려는 시도가 구체화되었다고 합니다. 이는 자칫 '대한 자강회'의 주장처럼 '민족 정체성'을 간과하는 결과로 이어질 수도 있겠죠? 이에 대해 중국 내에서는 어떤 논의가 나왔을지 기대하면서 읽어봅시다.

(나) 2문단

> ①옌푸는 국가 간에 벌어지는 약육강식의 경쟁을 부각하고, 경쟁에서 승리하려면 기술뿐 아니라 국민의 정신적 자질이 뒷받침되어야 한다고 보았다. ②정신적 자질 중 과학적 사유 능력이 가장 중요하다고 파악한 그에게 과학 정신이 전제되지 않은 정치적 변혁은 뿌리내릴 수 없는 것이었다. ③그는 인과 실증의 방법에 근거한 근대 학문 전체를 과학이라 파악하고, 과학을 습득하여 전통 학문의 폐단에서 벗어나야 한다고 주장했다. ④그의 입장은 1910년대 후반 신문화 운동을 주도한 천두슈에게 이어졌다.

①~④ #주장 제시 #재진술

먼저 '옌푸'의 주장입니다. 그는 국가 간에 벌어지는, 그리고 숭국이 처절하게 경험했던 약육강식의 경쟁을 부각하면서, 경쟁에서 승리하기 위한 조건으로 기술뿐 아니라 국민의 '정신적 자질'을 강조합니다. 이는 1문단에서 말했던 '과학 정신'을 의미하는 것이겠죠? 2번 문장을 보면, 우리가 예상한 그대로 '옌푸'가 '정신적 자질' 중 '과학적 사유 능력'을 가장 중요시했음을 알 수 있습니다. 그는 '인과 실증의 방법'에 근거한 '과학'을 습득하여 전통 학문의 폐단에서 벗어나고, 이를 통해 정치적 변혁을 꾀해야 한다고 보았어요. 상당히 급진적인 주장이죠? 이 주장을 이어받은 '천두슈'는 어떤 말을 했을지 기대하면서 읽어봅시다.

하이라이트 문장

> ①옌푸는 국가 간에 벌어지는 약육강식의 경쟁을 부각하고, 경쟁에서 승리하려면 기술뿐 아니라 국민의 정신적 자질이 뒷받침되어야 한다고 보았다.

새로운 정보가 아닙니다. 1문단의 화제가 그대로 제시되고 있다고 느끼면서, '정신적 자질'을 '과학 정신'으로 바꿔 이해할 수 있어야 해요.

(나) 3문단

> ①천두슈를 비롯한 신문화 운동의 지식인들은 과학의 근거 위에서만 민주 정치의 실현이 가능하다고 주장했다. ②중국이 달성해야 할 신문화는 과학 및 과학의 방법에 근거한 문화라 보고, 신문화를 이루기 위해 전통문화 전반에 대해 철저한 부정과 비판을 시도했다. ③사상이나 철학이 과학의 방법을 이용하지 않으면 공상(空想)에 그칠 뿐이라고 주장한 천두슈는 사회와 인간의 삶에 대한 연구도 과학의 연구 방법을 이용해야 한다고 보았다. ④그는 제1차 세계 대전의 비극은 과학을 이용해 저지른 죄악의 결과일 뿐 과학 자체의 죄악이 아니라고 주장하며 과학에 대한 자신의 생각을 지속했다.

① #주장 제시 #재진술

'천두슈'를 비롯한 신문화 운동의 지식인들은 '과학'의 근거 위에서만 '민주 정치의 실현'이라는 정치적 변혁이 가능하다고 주장했습니다. 이는 '옌푸'의 주장과 완전히 똑같은 말이죠? 이렇게 앞문단의 정보와 연결지어서 정보량을 줄여내야 합니다.

②~④ #주장 제시 #재진술

심지어 신문화를 이루기 위해 전통문화 전반에 대해 철저한 부정과 비판을 했다는 것까지 '옌푸'의 주장과 똑같습니다. (가)의 '박은식'과는 다르게, '천두슈'는 사상이나 철학도 '과학'의 방법을 이용해야만 한다고 수상했어요. 제1차 세계 내전과 같은 비극은 '과학'을 이용해 저지른 죄악의 결과일 뿐, '과학' 자체가 잘못한 것은 아니라고 하면서 '과학'에 대한 찬양을 이어가는 모습을 보였네요. 다 똑같은 말이니 어렵지 않게 납득할 수 있겠죠?

하이라이트 문장

> ①천두슈를 비롯한 신문화 운동의 지식인들은 과학의 근거 위에서만 민주 정치의 실현이 가능하다고 주장했다.

'천두슈'의 주장이 '옌푸'와 완전히 똑같음을 인식하고 부담을 던 채로 읽어나갈 수 있어야 합니다. '한 사람은 하나의 주장만 한다.'라는 인문 지문의 메커니즘을 고려하면, 결국 2문단과 3문단은 다 똑같은 말로만 이루어져 있을 테니까요.

①한편, 제1차 세계 대전 이후 유럽을 시찰했던 **장쥔마이**는 통제되지 않은 과학이 불러온 역작용을 목도한 후, 과학이 어떻게 발달하든 그것이 인생관의 문제를 해결할 수는 없다며 서양 근대 문명을 비판했다. ②근대 과학 문명에서 초래된 사상적 위기가 주체의 책임 부재에서 비롯된 것이라는 주장에 동의했던 그는 과학적 방법을 부정하지 않았지만, 인생관의 문제에는 과학적 방법이 적용될 수 없다고 지적했다. ③그는 인생관을 과학과 별개로 파악했고, 과학만능주의에 기초한 신문화 운동에 의해 부정된 중국 전통 가치관의 수호를 내세웠다.

①~③ #카테고리 나누기 #주장 제시 #재진술

이런 상황에서, 제1차 세계 대전의 끔찍한 참상을 지켜본 '장쥔마이'는 '과학'이 '인생관의 문제'를 해결할 수는 없다며 서양 근대 문명을 비판합니다. '장쥔마이'는 '과학적 방법' 자체를 부정한 것은 아닙니다. 근대 과학 문명에서 초래된 사상적 위기, 이를테면 제1차 세계 대전의 원인이 된 제국주의, 민족주의와 같은 것들은 '과학'을 이용하는 주체들의 책임 부재에서 비롯된 것일 뿐, '과학' 그 자체가 문제는 아니라는 것이죠. 이는 '천두슈'의 주장과도 궤를 같이 하죠?

하지만 '장쥔마이'가 분명히 말하고자 하는 바는 '인생관의 문제'에 '과학적 방법'이 적용될 수 없다는 것입니다. 그는 '인생관의 문제'를 다루기 위해 신문화 운동에 의해 부정된 '중국 전통 가치관의 수호'를 내세웠다고 해요. '박은식'의 주장과도 유사하다고 할 수 있겠네요.

하이라이트 문장

③그는 인생관을 과학과 별개로 파악했고, 과학만능주의에 기초한 신문화 운동에 의해 부정된 중국 전통 가치관의 수호를 내세웠다.

'장쥔마이'의 주장이 재진술되는 문장입니다. 이를 확실하게 인식하면서, 자연스럽게 '박은식'의 이름을 떠올릴 수 있어야 합니다. 사실상 같은 말로 이루어져 있으니까요.

선지	①	②	③	④	⑤
선택률	11%	5%	6%	64%	14%

04 윗글에 대한 이해로 적절하지 **않은** 것은? ④

① (가): 서양 과학과 기술의 국내 유입을 반대하는 주장이 개항 이후에도 이어졌다.

명시적 근거	(가) 1문단 1번 문장
실전에서의 판단 과정	척사파의 주장이 꽤나 완고했지.
해설	개항이 되었는데도 서양 과학과 기술의 국내 유입을 반대하는 '척사파'의 주장은 계속되었다고 했습니다. 그만큼 이들의 주장이 거셌다는 식으로 납득했던 기억이 있죠? 이렇게 납득하면서 읽는 습관이 있어야 이런 선지를 빠르게 판단할 수 있어요.

② (가): 유학을 혁신하여 철학으로 재구성하는 것이 필요하다는 견해가 을사늑약 이후에 제기되었다.

명시적 근거	(가) 4문단 5번 문장
실전에서의 판단 과정	박은식의 주장이지.
해설	문명의 정신적 측면인 '철학'은 유학을 혁신하여 재구성해야 한다는 것, '을사늑약' 이후에 제기되었던 '박은식'의 주장 그 자체였습니다.

③ (나): 진정한 근대를 이루려면 기술 수용의 차원을 넘어서야 한다는 인식이 등장하였다.

명시적 근거	(나) 1문단 3번 문장
실전에서의 판단 과정	화제네.
해설	(나)의 화제 그 자체입니다. '아편 전쟁'과 '청일 전쟁'에서 연달아 패배한 중국에는 진정한 근대를 이루려면 기술 수용의 차원을 넘어 '과학 정신'의 이식이 필요하다는 인식이 등장했다고 했어요.

④ (나): 과학 정신이 사회에 자리 잡으려면 정치적 변혁이 선행되어야 한다는 주장이 제기되었다.

명시적 근거	(나) 2문단 2번 문장, (나) 3문단 1번 문장
실전에서의 판단 과정	과학 정신이 바탕이 되어야 정치적 변혁이 가능하다고 한 거지.
해설	(나)의 '옌푸'와 '천두슈'는 '과학 정신'의 이식이 먼저 이루어져야 비로소 민주 정치로의 변화라는 '정치적 변혁'이 가능하다고 주장했습니다. 이러한 주장을 정반대로 이해한 내용이니 가볍게 답으로 고를 수 있겠죠? (나)에 나온 또 다른 사람인 '장쥔마이'는 애초에 '정치적 변혁'에 대한 이야기를 한 적이 없기에 굳이 고려할 필요가 없겠구요.

⑤ (나): 근대 과학 문명에 대한 비판적 인식을 바탕으로 전통 가치관에 주목하는 견해가 제시되었다.

명시적 근거	(나) 4문단 1번 문장, (나) 4문단 3번 문장
실전에서의 판단 과정	장쥔마이!
해설	'장쥔마이'의 주장 그 자체죠? 그는 근대 과학 문명은 '인생관의 문제'를 해결할 수 없다고 비판하면서, 중국 전통 가치관의 수호를 강조했습니다.

선지	①	②	③	④	⑤
선택률	6%	18%	13%	9%	54%

05 개화 에 대한 이해로 적절하지 **않은** 것은? ⑤

– (가)의 화제 그 자체입니다. '변화하는 세상에 대한 지식 확장'과 '피통치자에 대한 교화'라는 의미를 가지면서, '왕 → 국가 구성원 → 서양 근대 문명의 주체 → 근대 주체'로 그 행위 주체가 변해 왔던 개념이었어요. 이를 바탕으로 가볍게 답을 골라봅시다.

① 개항 이전의 개화 개념은 백성을 다스리는 통치자로서의 역할과 관련 있었다.

명시적 근거	(가) 1문단 2번 문장
실전에서의 판단 과정	그랬지.
해설	'개항 이전'의 '개화 개념'은 '통치자의 통치 행위'였습니다. 이 개념은 '갑신정변' 이후 변하게 되었죠.

② 『한성순보』의 개화 개념은 서양 기술과 제도의 선별적 수용을 통한 국가 진보의 의미를 포함하였다.

명시적 근거	(가) 2문단 2번~4번 문장
실전에서의 판단 과정	그렇지.
해설	'한성순보'에서 말하는 '개화'는 서양 기술과 제도의 도입을 통한 인지의 발달과 풍속의 진보를 뜻했습니다. 이 내용을 그대로 적어둔 선지죠? 구체적으로는, 통치자의 입장에서 수용 가능한 문명만 '선별적'으로 받아들여 국가의 진보를 달성한다는 의미였어요.

③ 『한성순보』와 개화당의 한 인사의 개화 개념은 통치권자인 왕을 개화의 실행 주체로 상정하였다.

명시적 근거	(가) 2문단 2번 문장, (가) 3문단 1번~2번 문장
실전에서의 판단 과정	그랬지.
해설	'개화'의 실행 주체가 '왕'이 아니게 된 것은 '갑신정변' 이후였습니다. 그 전에 발간된 '한성순보'(애초에 왕인 고종이 발간한 것이죠.)나, 그 전에 활동했던 개화당의 한 인사는 모두 '왕'이라는 통치자를 '개화'의 실행 주체로 상정했었죠.

④ 개화의 실행 주체로 왕에게 역할을 부여하지 않은 갑신정변의 개화 개념은 통치권에 대한 도전으로 이해되었다.

명시적 근거	(가) 3문단 2번~3번 문장
실전에서의 판단 과정	납득했던 내용이네.
해설	'갑신정변'에 이르자, '왕'은 더 이상 '개화'의 실행 주체가 아니게 되었습니다. 이에 이때의 '개화 개념'은 '통치권에 대한 도전' 및 '개인의 사욕을 위한 것'으로 표상되었죠? 지문을 읽으면서부터 미리 납득했던 내용이니, 빠르게 지워낼 수 있어야 해요.

⑤ 『대한매일신보』의 발간에 이르러서야 국가의 주권과 결부한 개화 개념이 제기되었다.

명시적 근거	(가) 2문단 4번 문장
실전에서의 판단 과정	한성순보에서도 주권의 소중함을 깨닫게 하는 식으로 피통치자에 대한 교화를 시도했었는데?
해설	'대한매일신보'에서 '국가 구성원 전체'를 실행 주체로 하여 근대 국가 주권을 향해 그들을 조직하고 동원하는 것을 '개화 개념'으로 삼은 것은 맞습니다. 하지만 그 이전에 발간된 '한성순보'에서도 인민이 국가의 독립 주권의 소중함을 깨닫는 의식의 변화를 '개화 개념'에 내포시켰었죠? 이를 1문단의 '피통치자에 대한 교화'와 연결지어 납득했던 기억이 있기 때문에, 가볍게 답으로 골라낼 수 있겠네요. 이렇게 지문에서 '납득'했던 기억을 바탕으로 선지 판단을 빠르게 해내는 것이 국어를 잘하는 학생들의 공통적인 특징임을 잊지 맙시다.

선지	①	②	③	④	⑤
선택률	9%	8%	67%	7%	9%

06 (나)의 '천두슈'와 '장쥔마이'가 모두 동의할 수 있는 진술로 가장 적절한 것은? ③

– 공통점 문제입니다. 미리 답을 생각해놓고 갑시다. '천두슈'는 '과학'이 최고라고 하면서 모든 것을 '과학'의 근거 위에서 정해야 한다고 주장했어요. 한편 '장쥔마이'는 '과학적 방법' 자체를 부정하지는 않지만, 그것이 '인생관의 문제'에는 큰 역할을 하지 못한다는 주장을 했죠? 그렇다면 이들이 모두 동의할 수 있는 진술은 '과학적 방법 자체는 의미가 있다.'가 되겠습니다. 이 말을 찾아봅시다.

① 전통 사상은 과학 및 과학 정신과 양립할 수 없는 관계에 놓여 있다.

명시적 근거	(나) 3문단 2번 문장, (나) 4문단 3번 문장
실전에서의 판단 과정	장쥔마이는 동의 못하지.
해설	전통문화 전반에 대한 철저한 부정과 비판을 시도한 '천두슈'는 당연히 동의하겠지만, '인생관의 문제'는 중국 전통 가치관을 바탕으로 다뤄야 한다고 주장한 '장쥔마이'는 절대 동의할 수 없는 주장이네요. 가볍게 지워낼 수 있겠죠?

② 전통 사상의 폐단은 과학 정신이 뿌리내리지 못한 사회 체질에서 비롯된 것이다.

명시적 근거	(나) 2문단 3번~4번 문장, (나) 4문단 3번 문장
실전에서의 판단 과정	장쥔마이는 전통 사상 좋아한다니까!
해설	일단 '천두슈'는 '전통 사상의 폐단'에 대해서 직접적으로 언급한 적이 없습니다. 이는 '옌푸'가 주장했던 내용이었어요. 하지만 '천두슈'가 '옌푸'의 입장을 이어받았다고 했으니, '천두슈' 역시 이러한 주장에 동의할 것이라고 추론할 수 있겠습니다. 하지만 '전통 가치관의 수호'를 주장한 '장쥔마이'가 '전통 사상의 폐단'을 언급할 리가 없겠죠? '장쥔마이'의 주장을 정확하게 이해했다면 답으로 고를 수가 없는 선지입니다.

③ 과학을 이용하는 과정에서 문제가 발생했다고 해도 과학적 방법을 부정할 수 없다.

명시적 근거	(나) 3문단 4번 문장, (나) 4문단 2번 문장
실전에서의 판단 과정	미리 생각한 내용이네.
해설	미리 생각했던 내용이죠? '과학'을 이용하는 과정에서 제1차 세계 대전과 같은 문제가 발생했다고 해도, '과학적 방법'을 부정할 수는 없습니다. '천두슈'는 이를 그저 '과학'을 이용해 저지른 죄악의 결과라고 말했고, '장쥔마이'는 '과학'을 사용하는 주체의 책임 부재로 인한 결과라고 말했어요.

④ 서양의 과학 정신을 전면적으로 도입하면 당면한 국가의 위기를 충분히 극복할 수 있다.

명시적 근거	(나) 3문단 1번~2번 문장, (나) 4문단 전체
실전에서의 판단 과정	장쥔마이가 기겁하겠네.
해설	서양의 '과학 정신'을 전면적으로 도입하여 당면한 국가의 위기를 극복하자는 것은 신문화 운동을 주도했던 '천두슈'가 당연히 동의할 만한 내용입니다. 하지만 '인생관의 문제'에는 '과학'이 적용될 수 없다고 주장한 '장쥔마이'의 입장에서는 절대로 동의할 수 없는 내용이죠?

⑤ 국가의 위기는 과학적 방법으로 사상을 재구성할 필요가 있다는 인식이 부재한 데에서 비롯된 것이다.

명시적 근거	(나) 3문단 1번~2번 문장, (나) 4문단 전체
실전에서의 판단 과정	아니 계속 똑같은 선지네.
해설	정답인 3번 선지를 제외하고는 다 똑같은 말로 이루어져 있는 것 같습니다. '천두슈'는 당연히 동의하겠지만, '장쥔마이'는 동의하지 못하겠죠. '장쥔마이'는 사상, 즉 '인생관의 문제'는 '과학'으로 다룰 수 없다고 생각했으니까요.

선지	①	②	③	④	⑤
선택률	7%	27%	33%	13%	20%

07 ⊙과 ⓒ에 대한 이해로 가장 적절한 것은? ②

이러한 상황에서 박은식은 ⊙근대 국가 건설과 새로운 주체의 형성에 주목하여 문명에 대한 견해를 제시했다.

천두슈를 비롯한 신문화 운동의 지식인들은 ⓒ과학의 근거 위에서만 민주 정치의 실현이 가능하다고 주장했다.

– '박은식'과 '천두슈'의 주장을 묻는 문제입니다. 문명의 물질적 측면인 '과학'은 수용하되 정신적 측면인 '철학'은 유학을 고쳐 쓰자고 주장한 '박은식'과, 모든 것을 '과학'을 기반으로 조성하자고 주장한 '천두슈'의 입장을 생각하면서 문제를 풀어봅시다.

① ⊙은 인격의 수양을 동반하는 근대 주체의 정립에, ⓒ은 전통적 사유 방식에 기반을 둔 신문화의 달성에 동의하는 입장이다.

명시적 근거	(가) 4문단 6번~7번 문장, (나) 3문단 2번 문장
실전에서의 판단 과정	천두슈가 전통적 사유 방식에 기반을 둔다고?
해설	'박은식'이 인격의 수양을 동반하는 '근대 주체'의 정립을 이끈 것은 맞습니다. 하지만 '천두슈'가 '전통적 사유 방식'에 기반을 둔 신문화의 달성에 동의할 리가 없죠. '천두슈'는 모든 것을 '과학' 중심으로 구성해야 한다고 주장하면서 '전통문화 전반'에 대해 철저한 부정과 비판을 시도했으니까요.

② ⊙은 주체 인식의 준거가 서양 근대 문명의 주체라는 인식에, ⓒ은 철학이 과학의 방법에 근거할 수 없다는 생각에 반대하는 입장이다.

명시적 근거	(가) 4문단 3번~4번 문장, (나) 3문단 3번 문장
실전에서의 판단 과정	그렇지.
해설	'박은식'은 주체 인식의 준거가 서양 근대 문명의 주체라는 인식, 즉 '대한 자강회'의 한 인사가 보여준 인식이 반대하면서 자신의 주장을 펼쳤습니다. 이는 '개화 개념의 행위 주체'라는 (가)의 화제와 직결되는 정보였으니, 확실하게 머릿속에 넣어놓고 있던 것이죠? 나아가, '천두슈'는 사상이나 철학 역시 '과학의 방법'을 이용해야 공상에 그치지 않는다고 주장했습니다. 따라서 당연히 철학이 과학의 방법에 근거할 수 없다는 생각에 반대하는 입장을 보이겠죠. 결국 '개화 개념의 행위 주체'라는 화제, '모든 것을 과학으로 본다'는 핵심 주장을 선지화시키고 있습니다. 가볍게 답으로 고를 수 있어야 합니다.

③ ⊙은 생존과 편리 증진을 위한 과학 연구의 시급성을, ⓒ은 과학의 방법에 영향 받지 않는 사상이나 철학을 부인하는 입장이다.

명시적 근거	(가) 4문단 6번 문장, (나) 3문단 3번 문장
실전에서의 판단 과정	박은식도 과학 연구가 시급하다고 하긴 했지.
해설	'박은식'이 철학을 강조하기는 했지만, 그렇다고 '과학'을 경시한 것은 아닙니다. 문명의 물질적 측면인 '과학'을 수용하는 것 역시 강조하면서, 생존과 편리 증진을 위해 '과학 연구'가 시급하다고 주장했어요. 따라서 '박은식'의 입장이 과학 연구의 시급성을 부인하는 입장이라고 보기는 어렵죠. 한편, '천두슈'는 모든 것을 '과학'으로 해결할 수 있다고 보는 입장입니다. 계속 이 한마디만 반복하고 있죠? 따라서 '과학'의 방법에 영향 받지 않는 사상이 철학 따위는 없다고 주장하겠죠.

④ ㉠은 앞서 근대 문명을 이룬 국가를 추종하는 태도를, ㉡은 전쟁의 폐해가 과학을 오용한 자들의 탓이라는 주장을 비판하는 입장이다.

명시적 근거	(가) 4문단 3번~4번 문장, (나) 3문단 4번 문장
실전에서의 판단 과정	천두슈도 저렇게 주장했는데?
해설	'박은식'은 앞서 근대 문명을 이룬 일본을 추종하는 '대한 자강회'의 한 인사가 보여 준 태도에 대한 비판으로 자신의 주장을 펼쳤습니다. 따라서 ㉠ 부분은 적절하다고 할 수 있네요. 한편, '천두슈'는 전쟁의 폐해가 과학을 이용해 저지른 죄악의 결과라고 보았어요. 이는 과학을 오용한 자들의 탓이라는 주장과 같은 맥락이기 때문에, ㉡이 이러한 주장을 비판하는 입장이라고 보기는 어렵겠습니다.

⑤ ㉠은 과학과 철학이 문명의 두 축을 이루는 학문이라는 견해에, ㉡은 철학보다 과학이 우위임을 인정할 수 없다는 견해에 동의하는 입장이다.

명시적 근거	(가) 4문단 5번 문장, (나) 4문단 3번 문장
실전에서의 판단 과정	천두슈는 과학이 짱이라고 생각한다니까?
해설	일단 '박은식'은 '과학'이 문명의 물질적 측면을, '철학'이 문명의 정신적 측면을 이룬다고 주장했어요. 이는 '과학'과 '철학'이 문명의 두 축을 이루는 학문이라는 견해에 동의하는 모습이라고 할 수 있겠죠. 한편, '천두슈'는 '과학'이 최고라고 생각하고, '철학' 역시 '과학의 방법'을 이용해야 한다고 생각합니다. 이러한 '천두슈'의 입장에서 '철학'보다 '과학'이 우위임을 인정할 수 없다는 견해는 절대 동의할 수 없겠죠.

선지	①	②	③	④	⑤
선택률	18%	28%	17%	26%	11%

08 (가), (나)를 이해한 학생이 〈보기〉에 대해 보인 반응으로 적절하지 않은 것은? [3점] ①

─────[보기]─────

A마을은 가난했지만 전통문화와 공동체적 삶을 중시하며 이웃 마을들과 조화롭게 살아왔다. 오래전, 정부는 마을의 경제 발전을 목표로 서양의 생산 기술을 도입하는 정책을 시행했다. 마을 사람들은 정책의 필요성에 공감하면서도 자신들이 발전을 이뤄 낼 수 있다는 확신이 부족했다. 이에 정부는 마을 사람들을 독려하기 위해 마을의 역량으로 달성할 수 있는 미래상을 지속해서 홍보했다.

─ '정부'가 주도하여 가난했지만 전통문화와 공동체적 삶을 중시하던 A마을에 서양의 생산 기술을 도입하는 정책을 시행하고 있습니다. '정부'라는 보자마자 '통치자'가 떠올랐으면 좋겠습니다. '갑신정변' 이전의 우리나라처럼, '통치자'가 '개화'의 행위 주체가 되고 있는 것이에요. 마을 사람들은 이러한 정책의 필요성에 공감하긴 했지만, 자신감이 부족했습니다. '정부'는 마을 사람들을 독려하기 위해 긍정적인 미래상을 지속해서 홍보하는 노력을 보였네요.

─────[보기]─────

이후 마을은 물질적 풍요를 누리게 되었지만 경제적 이권을 두고 이웃 마을들과 경쟁하며 갈등하게 되었다. 격화된 경쟁에서 A마을은 새로운 기술의 수용만을 우선시했고, 과거에 중시되었던 협력과 나눔의 인생관은 낡은 관념이 되었다. 젊은이들에게 전통문화는 서양 문화에 비해 열등한 것으로 여겨졌다.

─ 그 덕에 A마을은 물질적 풍요를 누리게 되었지만, 그에 따른 여러 가지 사상적 문제가 발생했습니다. 이에 과거에 중시되었던 전통문화는 낡은 관념, 열등한 것으로 치부되고 있어요. 마치 중국에서 '옌푸'와 '천두슈' 같은 사람들이 득세할 때와 비슷하다고 할 수 있겠죠? 이 정도로 지문과 연결시켜놓고 문제를 풀어보도록 합시다.

① (가)에서 『한성순보』를 간행한 취지는 서양에 대한 반감을 줄이는 데에 있다는 점에서, 〈보기〉에서 정부가 서양의 생산 기술 도입으로 변화하게 될 마을을 홍보한 취지와 부합하겠군.

명시적 근거	(가) 2문단 2번 문장, 〈보기〉
실전에서의 판단 과정	엥 〈보기〉에선 그냥 자신감 심어주려고 한 건데?
해설	(가)에서 '한성순보'를 간행한 취지는 '서양에 대한 반감'을 줄이기 위함이었습니다. 하지만 〈보기〉에서 정부가 서양의 생산 기술 도입으로 변화하게 될 마을의 미래상을 홍보한 것은 자신들이 발전을 이뤄 낼 수 있다는 확신이 부족했던 마을 사람들을 독려하기 위해서였죠? 두 정책의 취지가 서로 다르기 때문에, 충분히 답으로 고를 수 있겠습니다. 충격적인 정답률에 비해 생각보다 간단한 문제였습니다. 그렇다면 학생들은 이 문제의 답을 왜 제대로 골라내지 못했을까요? 답이 1번이라는 특수성도 있지만, 이 문제가 가지고 있는 독특한 점이 있다면 〈보기〉의 내용을 단순히 지문과 연결짓는 걸 넘어 독립적인 '독해'를 요구했다는 것이에요. 〈보기〉의 내용을 잘 독해했다면 정부가 왜 저런 미래상을 홍보했는지 충분히 인식할 수 있었을 것인데, 학생들은 마음이 급한 나머지 지문과의 유사성만 대강 체크했기에 이 선지를 빠르게 답으로 고르지 못했던 것입니다. 〈보기〉 역시 꼼꼼한 독해의 대상이라는 것을 절대 잊지 맙시다.

② (가)에서 개화당의 한 인사의 개화 개념에 내포된 개화의 지향점은 통치 방식의 변화와 관련 있다는 점에서, 〈보기〉에서 정부가 서양의 생산 기술을 도입하며 내세운 목표와 다르겠군.

명시적 근거	(가) 3문단 1번 문장, 〈보기〉
실전에서의 판단 과정	그러네. 〈보기〉에선 그저 잘 살아 보자는 것이었지.
해설	(가)에서 '개화당'의 한 인사가 주장한 '개화 개념'은 '서양 근대 국가의 통치 방식'으로의 변화를 내포하는 것이었습니다. 하지만 〈보기〉에서 정부가 서양의 생산 기술을 도입하며 내세운 목표는 '경제 발전'이었어요. 이렇게 서로 다른 목표를 가지고 있다는 걸 알 수 있네요.

③ (가)에서 박은식은 과학과 구별되는 철학의 중요성을 강조했으므로, 〈보기〉에서 젊은이들의 자문화에 대한 인식 변화는 가치관 정립을 위한 철학이 부재했기 때문이라고 보겠군.

명시적 근거	(가) 4문단 5번~6번 문장, 〈보기〉
실전에서의 판단 과정	박은식은 그렇게 말할 수 있겠다.
해설	선지에서 이야기하듯이, '박은식'은 '과학'과 구별되는 '철학'의 중요성을 강조하면서 유학을 혁신하여 재구성할 것을 주장했습니다. 그가 보기에, 〈보기〉에서 젊은이들이 자문화에 대해 열등한 것으로 인식하는 것은 '가치관 정립'이라는 목적을 가진 '철학'이 부재했기 때문이겠죠. 다시 말해, 자국 철학 전통의 정립이라는 당시 동아시아의 사상적 흐름을 받아들인 '박은식'의 입장에서는 자국의 문화를 바탕으로 한 '철학'이 정립되지 않았기에 젊은이들이 전통문화를 경시한 것이라고 생각되겠죠.

④ (나)에서 옌푸는 경쟁에서 승리하기 위한 조건으로 기술과 정신적 자질을 강조했으므로, 〈보기〉에서 마을이 기술의 수용만을 중시하면 마을 간 경쟁에서 승리할 수 없다고 보겠군.

명시적 근거	(나) 2문단 1번 문장, 〈보기〉
실전에서의 판단 과정	옌푸의 입장에선 정신적 자질도 중요하지.
해설	'옌푸'는 국가 간에 벌어지는 약육강식의 경쟁에서 승리하기 위해서는 기술뿐 아니라 국민의 '정신적 자질'이 뒷받침되어야 한다고 주장했습니다. 즉, '과학 정신'을 갖춰야 한다는 것이죠. 그런데 〈보기〉의 A마을처럼 기술의 수용만을 강조하면, 국민들이 '과학 정신'을 제대로 갖추지 못하게 됩니다. '옌푸'의 입장에서 이는 마을 간 경쟁에서 승리할 수 없다는 문제를 낳겠네요.

⑤ (나)에서 장쥔마이는 과학적 방법의 한계를 지적했으므로, 〈보기〉에서 마을이 과거에 중시했던 인생관이 더 이상 유효하지 않게 된 문제는 과학적 방법으로 해결할 수 없다고 보겠군.

명시적 근거	(나) 4문단 전체, 〈보기〉
실전에서의 판단 과정	장쥔마이는 인생관의 문제를 과학으로 해결할 수 없다고 보겠지.
해설	'장쥔마이'는 '인생관의 문제'를 다룰 수 없는 '과학적 방법'의 한계를 지적했습니다. 이에 〈보기〉의 A 마을에서 과거에 중시했던 '인생관'이 더 이상 유효하지 않게 된 상황은 '과학적 방법'이 아닌 '전통 가치관의 수호'를 통해 해결할 수 있을 것이라고 보겠죠. 결국 인물의 주장을 묻고 있는 것입니다.

선지	①	②	③	④	⑤
선택률	3%	78%	1%	4%	14%

09 ⓐ와 문맥상 의미가 가장 가까운 것은? ②

① 다행히 비는 그사이에 <u>그쳐</u> 있었다.
② 우리 학교는 이번에 16강에 <u>그쳤다</u>.
③ 아이 울음이 좀처럼 <u>그치지</u> 않았다.
④ 그는 만류에도 말을 <u>그치지</u> 않았다.
⑤ 저 사람들은 불평이 <u>그칠</u> 날이 없다.

몰랐던 어휘 정리하기

| 핵심 point |

① **화제 check** : 독서 지문 독해의 처음이자 끝. 첫 문단에서 잡은 '화제의 틀'을 마지막 문단까지 놓지 않아야 합니다.
② **재진술 인식** : 같은 말이라도 다르게 표현되는 경우가 많습니다. 심지어 아예 똑같은 말이 반복되는 경우도 많아요. 이 '같은 말'에 민감하게 반응하면, '정보량'을 줄이면서 읽을 수가 있습니다.
③ **카테고리 나누기** : 정보들의 범주가 나뉠 때, 그들이 서로 다른 카테고리에 속한다는 것을 인지해야 합니다. 이렇게 각 카테고리에 맞춰 정보를 정리하면 훨씬 깔끔하게 정리할 수 있다는 것을 기억해 주세요.

| 지문 내용 총정리 |

지문의 내용을 겉핥기식으로 이해하기에는 크게 어렵지 않지만, 이 경우 선지 판단이 매우 힘들어졌을 전형적인 최근 기조의 지문입니다. 겉으로 보기에 쉬워 보이더라도 한 문장 한 문장 해야 할 '생각'을 하며 연결짓고 납득하는 과정이 필요했어요. 이 과정을 잘 거쳤다면 대부분의 선지가 매우 빠르게 해결되고, 해설지를 보는 과정에서 정답률을 보고 의아했을 것입니다. 여러분도 그런 경험을 했길 바랍니다. 핵심은 '한 사람은 한마디만 한다.'라는 인문 제재의 대전제를 바탕으로 정보량을 줄여내는 것이었습니다.

1문단

①문장이나 영상, 음성을 만들어 내는 인공 지능 생성 모델 중 **확산 모델**은 영상의 복원, 생성 및 변환에 뛰어난 성능을 보인다. ②확산 모델의 기본 발상은, 원본 이미지에 노이즈를 점진적으로 추가하였다가 그 노이즈를 다시 제거해 나가면 원본 이미지를 복원할 수 있다는 것이다. ③노이즈는 불필요하거나 원하지 않는 값을 의미한다. ④원하는 값만 들어 있는 원본 이미지에 노이즈를 단계별로 더하면 노이즈가 포함된 **확산 이미지**가 되고, 여러 단계를 거치면 결국 원본 이미지가 어떤 이미지였는지 전혀 알아볼 수 없는 **노이즈 이미지**가 된다. ⑤역으로, 단계별로 더해진 노이즈를 알 수 있다면 노이즈 이미지에서 원본 이미지를 복원할 수 있다. ⑥확산 모델은 〈노이즈 생성기, 이미지 연산기, 노이즈 예측기〉로 구성되며, 순확산 과정과 역확산 과정 순으로 작동한다.

①~② #정의 제시 #화제 제시 #단어의 의미 살리기

인공 지능 생성 모델 중 '확산 모델'에 대해서 설명하며 시작하고 있습니다. 이는 '영상의 복원, 생성 및 변환'에 뛰어난 성능을 보이는 모델이라고 해요. 일단 이 지문이 '영상의 복원, 생성 및 변환'에 대한 이야기를 할 것이라는 느낌을 받을 수 있겠죠? 이렇게 화제를 인식한 상태로 2번 문장을 읽어 보니, '확산 모델'이 어떻게 저 기능을 하는지 소개하고 있습니다. 원본 이미지에 '노이즈'를 점진적으로 추가하였다가 '노이즈'를 다시 제거해 나가는 방식으로 원본 이미지를 '복원'하는 것이 핵심이에요. 단어의 의미 그대로, '노이즈'를 추가하며 이미지를 '확산'해나가는 '모델'이라는 식으로 이해할 수 있겠죠?

③~⑤ #정의 제시 #단어의 의미 살리기 #재진술

이때 '노이즈'는 '시끄럽고 거슬리는 소리'라는 단어의 의미 그대로 '불필요하거나 원하지 않는 값'을 의미합니다. 단어의 의미를 살리며 정의를 확실하게 납득할 수 있겠죠? 원하는 값만 들어 있는 원본 이미지에 '노이즈'를 단계별로 붙여 '확산'된 '이미지'를 만들고, 이 과정을 거쳐 결국 전혀 알아볼 수 없는 '노이즈'로 가득한 '이미지'를 만드는 것입니다. 반대로 어떤 '노이즈'를 단계별로 더했는지 알 수 있다면 '노이즈 이미지'에서 원본 이미지를 '복원'할 수도 있겠죠? 2번 문장에서 이야기한 내용을 몇 가지 개념의 정의만 추가하여 그대로 재진술한 것이니, 어렵지 않게 납득할 수 있겠습니다.

⑥ #기술의 구성 요소 #카테고리 나누기

이러한 '확산 모델'은 '노이즈 생성기', '이미지 연산기', '노이즈 예측기'로 구성된다고 합니다. 기술의 구성 요소가 설명되고 있으니, 이제부터 이들의 역할이 무엇인지 살피며 원리를 이해하면 되겠습니다. 나아가 '순확산 과정'과 '역확산 과정'이라는 두 가지 과정이 나타날 것이니, 이들도 하나씩 카테고리를 만들어놓고 이해할 준비를 하면 되겠네요.

하이라이트 문장

②확산 모델의 기본 발상은, 원본 이미지에 노이즈를 점진적으로 추가하였다가 그 노이즈를 다시 제거해 나가면 원본 이미지를 복원할 수 있다는 것이다.

과학·기술 제재의 지문을 읽을 때는 초반부 정보를 잘 정리하는 것이 중요합니다. '확산 모델'이라는, 화제와 직결되는 기술의 작동 원리가 제시되고 있으니 확실하게 인식해야 합니다. 이제부터 이 원리를 바탕으로 정보가 확장될 것이니까요.

2문단

①순확산 과정은 이미지에 노이즈를 추가하면서 노이즈 예측기를 학습시키는 과정이다. ②첫 단계에서는, **노이즈 생성기**에서 노이즈를 만든 후 이미지 연산기가 이 노이즈를 원본 이미지에 더해서 노이즈가 포함된 확산 이미지를 출력한다. ③다음 단계부터는 노이즈 생성기에서 만든 노이즈를 이전 단계에서 출력된 확산 이미지에 더한다. ④이러한 단계를 충분히 반복하면 최종적으로 노이즈 이미지가 출력된다. ⑤이때 더해지는 노이즈는 크기나 분포 양상 등 그 특성이 단계별로 다르다. ⑥따라서 **노이즈 예측기**는 단계별로 확산 이미지를 입력받아 이미지에 포함된 노이즈의 특성을 추출하여 수치들로 표현하고, 이 수치들을 바탕으로 노이즈를 예측한다. ⑦노이즈 예측기 내부의 이러한 수치들을 **잠재 표현**이라고 한다. ⑧노이즈 예측기는 잠재 표현을 구하고 노이즈를 예측하는 방식을 학습한다.

① #정의 제시 #단어의 의미 살리기

먼저 '순확산 과정'입니다. 단어의 의미 그대로, 이미지에 '노이즈'를 추가하는 '순'수한 '확산 과정'을 거치는 것이라 할 수 있겠네요. 나아가 이를 통해 '노이즈 예측기'를 학습시킨다고 합니다. 그렇다면 우리는 '노이즈'를 추가하는 과정에서 '노이즈 예측기'가 어떻게 학습하는지 궁금해하며 읽을 필요가 있겠죠?

첫 단계입니다. '노이즈 생성기'가 '노이즈'를 '생성'합니다. 그러면 '이미지 연산기'가 이 '노이즈'를 원본 이미지에 더해서 '확산 이미지'를 출력하네요. 역시 단어의 의미 그대로, '이미지'에 '노이즈'를 더하는 방식으로 '연산'하는 것이 '이미지 연산기'의 역할인 것입니다. 그 뒤 '노이즈 생성기'는 계속해서 '노이즈'를 '생성'하고, '이미지 연산기'가 또 '확산 이미지'를 만드는 과정을 거치면 '노이즈 이미지'가 출력됩니다. 1문단에서 이해하고 있는 과정 그대로입니다. 계속 똑같은 말만 하고 있으니, 확실하게 납득하며 이해할 수 있어야 합니다. 그저 몇몇 개념들의 정의만 추가되고 있을 뿐이니까요. 심지어 그 정의는 단어의 의미를 살리면 쉽게 이해되구요.

이때 더해지는 '노이즈', 즉 '노이즈 생성기'가 만들어낸 '노이즈'는 그 특성이 단계별로 다르다고 합니다. 항상 똑같은 '노이즈'를 더하는 게 아니네요. 이에 '노이즈 예측기'는 단계별로 입력받은 '확산 이미지'에 포함된 '노이즈'의 특성을 추출하여 수치들로 표현하고, 이 수치들을 바탕으로 '노이즈'를 '예측'한다고 합니다. 이번에도 단어의 의미 그대로 그 역할을 이해할 수 있네요. '노이즈 예측기' 내부의 이러한 수치들은 '잠재 표현'이라고 부르네요. 역시 단어의 의미 그대로, 어떤 '노이즈'의 특성인지 '잠재'적으로 알 수 있는 수치 '표현'이라는 식으로 이해할 수 있겠습니다.

1번 문장에서 확인했듯이, '순확산 과정'의 핵심은 '노이즈 예측기'의 학습이었습니다. 그리고 이 학습은 '노이즈 예측기'가 '잠재 표현'을 구하고 이로부터 '노이즈'를 예측하는 방식을 익히는 식으로 이루어지는 것이었네요.

여기서 한 단계 더 나아가봅시다. 1문단에서 파악한 '확산 모델'의 역할은 영상의 '복원', 생성 및 변환이었습니다. '생성 및 변환'은 '확산 이미지'의 생성, '노이즈 이미지'로의 변환 등을 뜻하는 것이겠죠? 그렇다면 '노이즈 예측기'가 이렇게 '노이즈'를 예측하는 방식을 학습하는 이유는 '복원'을 위해서임을 추론할 수 있겠습니다. 1문단에서도 단계별로 더해진 '노이즈'를 알 수 있다면(예측할 수 있다면) 원본 이미지를 '복원'할 수 있다고도 했으니까요. 결국 모든 정보는 이렇게 화제 중심으로 모이는 것입니다.

하이라이트 문장

> ① 순확산 과정은 이미지에 노이즈를 추가하면서 노이즈 예측기를 학습시키는 과정이다.

'순확산 과정'을 정의하고 있습니다. '노이즈 추가'뿐만 아니라 '노이즈 예측기의 학습'까지 생각하면서 읽어야 합니다. 이를 통해 2문단의 정보를 조직화해서 받아들일 수 있어야 해요.

3문단

> ① 노이즈 예측기의 학습 방법은 기계 학습 중에서 지도 학습에 해당한다. ② **지도 학습**은 학습 데이터에 정답이 주어져 출력과 정답의 차이가 작아지도록 모델을 학습시키는 방법이다. ③ 노이즈 예측기를 학습시킬 때는 노이즈 생성기에서 만들어 넣어 준 노이즈가 정답에 해당하며 이 노이즈와 예측된 노이즈 사이의 차이가 작아지도록 학습시킨다.

이러한 '노이즈 예측기'의 학습 방법은 '지도 학습'에 해당한다고 합니다. 단어의 의미를 살려 정의를 이해하면, '정답'을 제시하여 '출력'과 '정답'의 차이가 작아지도록 모델을 '지도'하는 '학습' 방법이라고 할 수 있겠죠? '노이즈 예측기'의 경우에는 '노이즈 생성기'에서 만들어 넣어 준 '노이즈'가 당연히 '정답'에 해당할 것이고, '노이즈 예측기'가 '잠재 표현'을 통해 예측한 '노이즈'가 '출력'에 해당하겠죠? 이 차이가 작아지게끔 '지도'하는 것이 '노이즈 예측기'의 학습 방법이었습니다.

4문단

> ① **역확산 과정**은 노이즈 이미지에서 노이즈를 제거하여 원본 이미지를 복원하는 과정이다. ② 노이즈를 제거하려면 이미지에 단계별로 어떤 특성의 노이즈가 더해졌는지 알아야 하는데 노이즈 예측기가 이 역할을 한다. ③ 노이즈 이미지 또는 중간 단계에서의 확산 이미지를 노이즈 예측기에 입력하면 이미지에 포함된 노이즈의 특성을 추출하여 잠재 표현을 구하고 이를 바탕으로 노이즈를 예측한다. ④ 이미지 연산기는 입력된 확산 이미지로부터 이 노이즈를 빼서 현 단계의 노이즈를 제거한 확산 이미지를 출력한다. ⑤ 확산 이미지에 이런 단계를 반복하면 결국 노이즈가 대부분 제거되어 원본 이미지에 가까운 이미지만 남게 된다.

'역확산 과정'입니다. 우리가 미리 예상한 것처럼, '노이즈 이미지'에서 '노이즈'를 제거하여 원본 이미지를 '복원'하는 과정이네요. '확산 과정'을 '역'으로 진행하는 것이라고 이해하면 되겠죠? 열심히 '지도 학습'을 한 '노이즈 예측기'가 단계별 이미지 속 '잠재 표현'을 통해 '노이즈'를 예측하고, 이를 바탕으로 '이미지 연산기'가 '노이즈'를 뺀

'이미지'를 '연산'하여 새로운 '확산 이미지'를 만들고, 이를 반복하여 원본 이미지를 '복원'해내는 것입니다. 완벽하게 납득하고 있는 내용이니 어렵지 않게 이해할 수 있을 겁니다.

하이라이트 문장

> ①역확산 과정은 노이즈 이미지에서 노이즈를 제거하여 원본 이미지를 복원하는 과정이다.

지문을 잘 읽었다면, 이 문장만으로도 4문단 전체의 내용이 예상되어야 합니다. 그 경지에 올랐길 바랍니다!

5문단

> ①한편, 많은 종류의 이미지를 학습시킨 후 학습된 이미지의 잠재 표현에 고유 번호를 붙이면 역확산 과정에서 이미지를 선택하여 생성할 수 있다. ②또한 잠재 표현의 수치들을 조정하면 다른 특성의 노이즈가 생성되어 여러 이미지를 혼합하거나 실재하지 않는 이미지를 만들어 낼 수도 있다.

①~② #카테고리 나누기

이렇게 일반적인 방법으로 '확산 모델'을 이용할 수도 있지만, 응용도 가능하다고 합니다. 많은 종류의 이미지를 학습시키고, 학습된 이미지의 '잠재 표현'에 고유 번호를 붙이면 어떻게 될까요? '역확산 과정'에서 '노이즈 예측기'는 '잠재 표현'을 통해 '노이즈'를 예측하기 때문에, 고유 번호를 붙여 원하는 '잠재 표현'을 입력시키면 원하는 '노이즈'만 제거할 수 있겠죠. 예를 들어, 총 4단계를 거쳐 '노이즈 이미지'를 만들었다면, 일반적으로 '복원'할 때는 가장 나중에 입력한 '노이즈'부터 역순으로 제거해나가지만 2단계 '노이즈'의 '잠재 표현'에 고유 번호가 붙어 있다면 이 고유 번호를 입력하여 2단계 '노이즈'만 제거한 '확산 이미지'를 얻을 수도 있는 것입니다. 이렇게 다소 추상적인 내용이 나왔다면 스스로 예시를 만들어 이해할 수도 있어야 해요!

또한, '잠재 표현'의 수치들을 조정하면 당연히 다른 특성의 '노이즈'가 만들어질 것입니다. '잠재 표현'은 '노이즈'의 특성을 수치화한 것이니까요. 이 경우 여러 이미지를 혼합하거나 실재하지 않는 이미지를 만들 수도 있겠네요. 결국 '확산 모델'은 단순히 원본 이미지를 새로운 이미지로 바꾼 뒤 그대로 복원하는 것 외에 아예 다른 이미지로 '변환'시킬 수도 있는 것입니다. 결국 이 지문은 '순확산 과정'을 통해 영상의 '생성'을, '역확산 과정'을 통해 영상의 '복원'을, 그리고 마지막 문단을 통해 영상의 '변환'을 설명하는 구조였네요. 이렇게 모든 정보는 화제로 모인다는 걸 적극적으로 활용하며 지문을 장악해보세요.

선지	①	②	③	④	⑤
선택률	5%	15%	64%	9%	7%

10 학생이 윗글을 읽은 방법으로 적절하지 않은 것은? ③

– 독특한 형태의 발문입니다. 하지만 결국 지문 내용을 잘 이해했는지 묻는 문제라는 건 변하지 않을 거예요. 가볍게 해결해봅시다.

① 확산 모델이 지도 학습을 사용한다는 점에 주목하고, 지도 학습 방법이 확산 모델에 어떻게 적용되는지 확인하며 읽었다.

명시적 근거	3문단 전체
실전에서의 판단 과정	3문단 내용 그 자체네.
해설	3문단에서 '확산 모델'은 '지도 학습'을 사용한다고 소개하며, '노이즈 예측기'가 이를 통해 학습하는 법을 제시했습니다. 따라서 이를 확인하며 읽는 것은 아주 적절하네요.

② 확산 모델이 두 가지 과정으로 이루어진다는 점에 주목하고, 두 과정 중 어느 과정이 선행되어야 하는지 살피며 읽었다.

명시적 근거	1문단 6번 문장, 2문단 1번 문장, 4문단 1번 문장
실전에서의 판단 과정	잘했네.
해설	우리도 했던 생각이죠? 사실 당연히 '순확산 과정'이 선행될 것이라고 예상할 수 있기는 하지만, 어쨌든 1문단에서 '순확산 과정'과 '역확산 과정'의 두 가지 카테고리를 제시했으니 어느 과정이 먼저인지 살피며 원리를 이해하려고 한 것은 아주 적절한 독서 방법이라고 할 수 있겠습니다.

③ 확산 모델에서 노이즈의 중요성을 파악하고, 사용되는 노이즈의 종류가 모델의 성능에 미치는 영향을 이해하며 읽었다.

명시적 근거	–
실전에서의 판단 과정	노이즈의 종류가 나온 적이 없는데 이걸 어떻게 이해했냐.
해설	'확산 모델'에서 '노이즈'가 중요한 것은 맞지만, 사용되는 '노이즈'의 종류가 제시된 적은 없습니다. 지문에 제시된 적이 없는 내용을 이해하며 읽었다는 것은 적절하지 않겠죠?

④ 잠재 표현의 개념을 파악하고, 그 개념을 바탕으로 확산 모델이 노이즈를 예측하고 제거하는 원리를 이해하며 읽었다.

명시적 근거	2문단 6번~7번 문장, 4문단 2번~4번 문장
실전에서의 판단 과정	잠재 표현 잘 이해했네.
해설	'잠재 표현'은 '확산 모델'이 '노이즈'를 예측하고 제거할 수 있게끔 수치화된 것입니다. 이 개념을 파악하고 원리를 이해한 것은 훌륭한 독서네요.

⑤ 확산 모델의 구성 요소를 파악하고, 그 구성 요소가 노이즈 처리 과정에서 어떤 기능을 하는지 확인하며 읽었다.

명시적 근거	1문단 6번 문장, 2문단~4문단 전체
실전에서의 판단 과정	구성 요소 중요하지.
해설	기술 지문에서 '구성 요소'가 제시되면 이런 식으로 읽어야 한다는 것을 알려 주는 선지입니다. '확산 모델'의 세 가지 구성 요소가 어떤 역할을 하는지를 중심으로 정보를 처리했더니 깔끔하게 이해되는 경험을 했었죠? 이 학생도 그런 경험을 했나 봐요.

선지	①	②	③	④	⑤
선택률	50%	7%	20%	18%	5%

11 윗글을 이해한 내용으로 가장 적절한 것은? ①

① 노이즈 생성기는 순확산 과정에서만 작동한다.

명시적 근거	2문단 2번~3번 문장, 4문단 전체
실전에서의 판단 과정	역확산 과정에서는 노이즈를 만들 필요가 없지.
해설	'노이즈 생성기'는 단어의 의미 그대로 '노이즈'를 '생성'하는 부분입니다. 또한 '노이즈'를 생성하여 이미지를 '확산'하는 것은 '순확산 과정'이었어요. '역확산 과정'에서는 '노이즈'를 예측하며 제거해야 할 뿐, '생성'할 일이 없기 때문에 '노이즈 생성기'가 작동할 일이 없을 것입니다. '확산 모델'을 이루는 구성 요소의 역할을 정확하게 이해하고 있는지 물어보는 선지였네요.

② 확산 모델에서의 학습은 역확산 과정에서 이루어진다.

명시적 근거	2문단 1번 문장
실전에서의 판단 과정	학습은 순확산 과정에서 하고, 역확산 과정 때 배운 걸 써먹는 거지.
해설	'순확산 과정'의 정의 자체가 '노이즈 예측기'를 '학습'시키는 과정이었습니다. '노이즈 예측기'는 '순확산 과정'에서 '노이즈'를 예측하는 연습을 한 다음, '역확산 과정'에 투입되는 것이었죠? 이런 메커니즘을 정확하게 이해하고 한 번에 지워내야 합니다.

③ 이미지 연산기와 노이즈 예측기는 모두 확산 이미지를 출력한다.

명시적 근거	2문단 2번~6번 문장
실전에서의 판단 과정	노이즈 예측기가 왜 이미지를 출력하냐.
해설	'이미지 연산기'는 '노이즈'를 바탕으로 '연산'하여 '확산 이미지'를 만들어내는 역할을 했습니다. '노이즈 예측기'는 이 과정에서 '노이즈'를 예측할 뿐이에요. 단어의 의미를 살리면서 각 구성 요소의 역할을 정확히 이해할 필요가 있었습니다.

④ 노이즈 예측기를 학습시킬 때는 예측된 노이즈가 정답으로 사용된다.

명시적 근거	3문단 3번 문장
실전에서의 판단 과정	학생이 낸 답이 정답으로 사용되는 꼴인데 무슨.
해설	'노이즈 예측기'를 학습시킬 때는 '노이즈 생성기'에서 만들어 넣어 준 '노이즈'가 '정답'에 해당합니다. 당연하죠? 실제로 만들어 준 걸 '정답'으로 하고, '노이즈 예측기'가 예측한 걸 '출력'으로 해서 이들의 차이를 줄이는 게 핵심이었습니다. 이 선지가 맞는 선지라면 '실전에서의 판단 과정'에서 말한 것처럼 말도 안 되는 상황이 만들어지는 거예요.

⑤ 역확산 과정에서 단계가 반복될수록 출력되는 확산 이미지는 원본 이미지와의 유사성이 줄어든다.

명시적 근거	4문단 4번~5번 문장
실전에서의 판단 과정	역확산 과정은 복원하는 단계인데 무슨 소리야.
해설	'역확산 과정'은 단계를 반복하며 '노이즈 이미지'를 원본 이미지로 '복원'하는 과정입니다. 즉, 중간에 만들어지는 '확산 이미지'는 점점 원본 이미지와 유사해진다는 것이죠. 이러한 메커니즘을 이해했다면 완전히 반대로 이야기하는 선지임을 파악할 수 있겠네요.

선지	①	②	③	④	⑤
선택률	7%	9%	15%	10%	59%

12 잠재 표현 에 대한 설명으로 적절하지 않은 것은? ⑤

– '잠재 표현'은 '노이즈 이미지' 및 '확산 이미지'에 포함된 '노이즈'를 수치화한 것입니다. '노이즈 예측기'는 이를 통해 '노이즈'를 예측했어요. 나아가 여기에 고유 번호를 붙이면 '역확산 과정'에서 이미지를 선택할 수도 있고, 수치들을 조정하면 여러 이미지를 혼합하거나 실재하지 않는 이미지를 만들어 낼 수도 있었습니다. 이렇게 완벽하게 이해하고 있으니 가볍게 해결할 수 있겠죠?

① 잠재 표현의 수치들을 조정하면 여러 이미지를 혼합할 수 있다.

명시적 근거	5문단 2번 문장
실전에서의 판단 과정	그랬지.
해설	마지막 문단의 마지막 문장 내용이자, 우리가 미리 생각했던 내용이기도 합니다. 가볍게 지워낼 수 있어야 합니다.

② 역확산 과정에서 잠재 표현이 다르면 예측되는 노이즈가 다르다.

명시적 근거	4문단 3번 문장
실전에서의 판단 과정	잠재 표현을 통해 노이즈를 예측하는 거지.
해설	미리 생각한 것처럼, '노이즈 예측기'는 '잠재 표현'을 통해 '노이즈'를 예측합니다. 당연히 '잠재 표현'이 다르면 예측되는 '노이즈'도 다르겠죠.

③ 확산 모델의 학습에는 잠재 표현을 구하는 방식이 포함되어 있다.

명시적 근거	2문단 8번 문장
실전에서의 판단 과정	당연히 이것도 배워야지.
해설	'확산 모델'의 학습은 곧 '노이즈 예측기'의 학습입니다. '노이즈 예측기'는 '잠재 표현'을 통해 '노이즈'를 예측하기 때문에, '잠재 표현'을 구하는 방식은 당연히 학습해두어야겠죠. 2문단 8번 문장의 직접적인 근거를 찾으려고 하기보다도, '확산 모델의 학습'에 대해 완벽하게 이해한 상태로 빠르게 해결할 수 있으면 좋겠습니다.

④ 잠재 표현은 이미지에 더해진 노이즈의 크기나 분포 양상에 따라 다른 값들이 얻어진다.

명시적 근거	2문단 5번~7번 문장
실전에서의 판단 과정	노이즈가 다르면 잠재 표현도 달라지겠지.
해설	'잠재 표현'은 '노이즈'의 크기나 분포 양상에 따라 달라지는 특성을 수치화한 것입니다. 당연히 이에 따라 '잠재 표현'은 다른 값들이 얻어지겠죠. '잠재 표현'이라는 개념의 정의를 정확하게 이해하고 있다면 쉽게 지워낼 수 있겠습니다.

⑤ 잠재 표현은 노이즈 예측기가 원본 이미지를 입력받아 노이즈의 특성을 추출한 결과이다.

명시적 근거	2문단 5번~7번 문장
실전에서의 판단 과정	원본 이미지에 노이즈가 어딨냐.
해설	'잠재 표현'은 '노이즈 예측기'가 단계별로 '확산 이미지'를 입력받아 그로부터 '노이즈'의 특성을 추출해 수치화한 것입니다. 애초에 원본 이미지는 '불필요하거나 원하지 않는 값'인 '노이즈'가 없는 이미지이기 때문에, 이로부터 '노이즈'를 추출한다는 것 자체가 틀린 말이네요.

선지	①	②	③	④	⑤
선택률	6%	11%	43%	17%	23%

13 윗글을 바탕으로 〈보기〉를 이해한 내용으로 적절하지 않은 것은? [3점] ③

[보기]

A단계는 확산 모델 과정 중 한 단계이다. ㉠은 원본 이미지이고, ㉡은 확산 이미지 중의 하나이며, ㉢은 노이즈 이미지이다. (가)는 이미지가 A단계로 입력되는 부분이고, (나)는 이미지가 A단계에서 출력되는 부분이다.

– A단계는 '확산 모델' 과정 중 한 단계라고 했으니, '순확산 과정'일 수도 있고 '역확산 과정'일 수도 있습니다. ㉠ → ㉢으로 가는 건 '순확산 과정', ㉢ → ㉠으로 가는 건 '역확산 과정'이라고 할 수 있겠죠? 각 과

정의 메커니즘을 완벽하게 이해하고 있으니 가볍게 해결해봅시다.

① (가)에 ㉠이 입력된다면, A단계의 이미지 연산기에서는 ㉠에 노이즈를 더하겠군.

명시적 근거	〈보기〉, 2문단 2번 문장
실전에서의 판단 과정	원본 이미지가 입력되었으니 노이즈를 더해야지.
해설	㉠은 원본 이미지입니다. 이를 (가)에 입력했으니, A단계는 '순확산 과정'일 것입니다. 원본 이미지는 '역확산 과정'을 통해 '복원'할 수 없으니까요. '순확산 과정'에서는 '이미지 연산기'가 '노이즈 생성기'에서 만든 '노이즈'를 더한 '확산 이미지'를 출력합니다. 이 내용을 그대로 선지화시켜두었네요.

② (나)에 ㉢이 출력된다면, A단계의 노이즈 생성기에서 생성된 노이즈가 이미지 연산기에서 확산 이미지에 더해졌겠군.

명시적 근거	〈보기〉, 2문단 2번~4번 문장
실전에서의 판단 과정	최종적으로 노이즈 이미지가 나온 거면 순확산 과정을 거친 거네.
해설	(나)에 ㉢이 출력되었다는 것은 최종적으로 '노이즈 이미지'가 출력되었다는 것, 즉 '순확산 과정'을 거쳤다는 것입니다. 이는 '노이즈 생성기'에서 생성된 '노이즈'가 '이미지 연산기'에서 '확산 이미지'에 더해지는 방식으로 만들어진 것이죠? '순확산 과정' 자체를 제시하는 선지이기에 어렵지 않게 지워낼 수 있겠습니다.

③ 순확산 과정에서 (가)에 ㉡이 입력된다면, A단계의 노이즈 예측기에서 예측한 노이즈가 이미지 연산기에 입력되겠군.

명시적 근거	〈보기〉, 4문단 3번~4번 문장
실전에서의 판단 과정	순확산 과정에선 노이즈 생성기가 만든 노이즈를 입력하지.
해설	A단계를 '순확산 과정'으로 정한 상황에서 (가)에 ㉡이 입력되었습니다. 그럼 '노이즈 생성기'에서 만든 '노이즈'가 ㉡에 입력되어 ㉢이라는 '노이즈 이미지'가 만들어지겠죠? 선지에서 말하는 것처럼 '노이즈 예측기'에서 예측한 '노이즈'를 활용하는 것은 '역확산 과정'이었습니다. 정확히는 이 '노이즈'를 ㉢과 같은 '노이즈 이미지'에서 제거하여 ㉠과 같은 원본 이미지로 '복원'하는 것이었어요. 계속해서 강조하지만, 이 메커니즘을 완벽하게 이해하고 있는 상태에서 빠르게 해결할 수 있어야 합니다.

④ 역확산 과정에서 (가)에 ㉢이 입력된다면, A단계의 이미지 연산기에서는 ㉢에서 노이즈를 빼겠군.

명시적 근거	〈보기〉, 4문단 4번 문장
실전에서의 판단 과정	그렇지.
해설	이번엔 A단계를 '역확산 과정'으로 정한 상황입니다. 여기서 (가)에 ㉢이 입력되었어요. 그럼 '노이즈 예측기'에서 예측한 '노이즈'를 '이미지 연산기'에서 제거하는 방식으로 '복원'을 시도하겠죠? 이 내용을 그대로 담고 있습니다.

⑤ 역확산 과정에서 (나)에 ㉡이 출력된다면, A단계의 노이즈 예측기에서 예측한 노이즈가 이미지 연산기에 입력되었겠군.

명시적 근거	〈보기〉, 4문단 3번~4번 문장
실전에서의 판단 과정	그렇지.
해설	A단계를 '역확산 과정'으로 정한 상황에서 (나)에 ㉡이 출력되었습니다. 이는 (가)에 ㉢이 입력되었다는 말로 이해할 수 있겠죠? 이 경우 '노이즈 예측기'에서 예측한 ㉢의 '노이즈'를 '이미지 연산기'에서 제거하는 방식으로 ㉡으로의 '복원'을 시도했을 것입니다. 4번 선지와 똑같은 걸 묻고 있어요. 정말로 똑같은 선지로 느껴져야 합니다.

몰랐던 어휘 정리하기

| 핵심 point |

① **화제 check** : 독서 지문 독해의 처음이자 끝. 첫 문단에서 잡은 '화제의 틀'을 마지막 문단까지 놓지 않아야 합니다.

② **정의 인식** : 단어의 의미를 살린 상태로, 지문에 제시된 정의와 붙여서 이해할 수 있어야 합니다. 정의를 '기억'하는 게 아니라, '납득'해서 본인의 말로 정리할 수 있어야 해요.

③ **재진술 인식** : 같은 말이라도 다르게 표현되는 경우가 많습니다. 심지어 아예 똑같은 말이 반복되는 경우도 많아요. 이 '같은 말'에 민감하게 반응하면, '정보량'을 줄이면서 읽을 수가 있습니다.

④ **초반 정보 견디기** : 과학·기술 지문에서는 초반부에 정보를 잔뜩 던지고, 후반부에는 그 정보를 활용해서 어떤 논의를 이어가는 경우가 많아요. 초반부의 정보만 잘 견디면 뒤에서 편해집니다.

| 지문 내용 총정리 |

기술의 목적을 화제로 제시하고, 그 목적을 달성하기 위한 원리를 '구성 요소의 역할'을 바탕으로 설명하는 아주 전형적인 기술 지문이었습니다. 나아가 1문단, 2문단, 4문단은 사실상 같은 말로 이루어진 재진술의 향연이기도 했어요. 실력에 따라 체감 난이도가 크게 차이나는 지문이니, 정말 쉽다고 느껴질 때까지 열심히 복습해보도록 합시다.

1문단

①**리프킨**은 사회적 상호 작용에서의 <u>자기표현은 본질적으로 연극적</u>이며, **표면 연기와 심층 연기**로 이루어진다고 언급했다. ②**표면 연기**는 내면의 자연스러운 감정보다 의례적인 표현과 같은 형식에 집중하여 연기하는 것이고, **심층 연기**는 내면의 솔직한 정서를 불러내어 자신의 진정성을 보여 주는 것이다. ③인터넷에서의 커뮤니케이션에 주목한 리프킨은 <u>가상 공간에서 자기표현이 더욱 활발히 이루어진다</u>고 보았다.

①~② #주장 제시 #정의 제시 #단어의 의미 살리기

'리프킨'이라는 사람의 주장으로 시작하고 있습니다. 그는 사회적 상호 작용에서의 '자기표현'이 본질적으로 '연극적'이라고 생각했다고 해요. 마치 '연극'을 하듯이 연기를 한다는 건데, 이 연기는 '표면 연기'와 '심층 연기'로 이루어진다고 합니다. 단어의 의미 그대로, 전자는 '표면'의 형식에만 집중하여 '연기'하는 것을, 후자는 내면의 '심층'적인 정서를 불러내며 '연기'하는 것을 의미합니다. 사람들은 이렇게 '연기'를 하면서 사회적 상호 작용을 한다는 것이 '리프킨'의 주장입니다. 사람들이 연기를 하면서 살아간다는 것, 많이들 해 본 생각일 테니 충분히 납득할 수 있겠죠?

③ #화제 제시

'리프킨'은 인터넷에서의 커뮤니케이션에 주목했다고 합니다. 그는 인터넷이라는 '가상 공간'에서 사람들이 '연기'를 하며 '자기표현'을 더욱 활발히 한다고 생각했다고 해요. 결국 이 지문은 단순한 '자기표현'이 아닌 '인터넷에서의 자기표현'에 대해 이야기하는 지문인 것 같습니다. 이렇게 화제를 인식한 상태로 계속 읽어봅시다.

하이라이트 문장

③인터넷에서의 커뮤니케이션에 주목한 리프킨은 가상 공간에서 자기표현이 더욱 활발히 이루어진다고 보았다.

화제를 제시하는 문장입니다. 특정 개념을 소개한 뒤 그 개념을 어떤 상황에 국한시키고 있는 경우, 그 상황에 해당 개념을 적용하는 것이 화제인 경우가 많습니다. 다만 이렇게 억지로 유형화시키며 정리하기보다는, 그냥 왠지 이 부분이 화제인 것 같다는 감이 생기면 좋겠어요. 많은 경험을 통해 자연스럽게 체득할 수 있을 겁니다.

2문단

①<u>가상 공간의 특성에 주목한 연구자들은 사람들과의 관계 속에서 드러나는 고유한 존재로서의 위상</u>을 뜻하는 **자기 정체성**이 가상 공간에서 다양하게 나타난다고 본다. ②가상 공간에서는 익명성이 작동하므로 현실에서 위축되는 사람도 적극적으로 자기표현을 할 수 있다. ③아울러 현실에서의 자기 정체성을 감추고 다른 인격체로 활동하거나 현실에서 억압된 정서를 공격적으로 드러내기도 한다. ④게임 아이디, 닉네임, 아바타 등 가상 공간에서 개별적 대상으로 인식되는 <u>'인터넷 ID'에 대한 사이버 폭력이 넘쳐 나는 현실도 이와 무관하지 않다.</u>

①~③ #수식된 정의 제시 #단어의 의미 살리기 #재진술

여러 연구자들은, 사람들과의 관계 속에서 드러나는 고유한 존재로서의 위상인 '자기 정체성'이 '가상 공간'에서 다양하게 나타난다고 합니다. 인터넷에 익숙한 우리 입장에서는 당연한 말이죠? 일단 사람들과의 관계 속에서 드러나는 '자기'의 '정체성'이라는 식으로 단어의 의미를 살려 '자기 정체성'의 정의를 납득하고, '익명성'이라는 너무나 당연한 '가상 공간'의 특징을 통해 2번, 3번 문장을 납득해주시면 되겠습니다. 현실에서 위축되는 사람도 어차피 '익명성'이 작동하니 '자기표현'을 적극적으로 하기도 하고, 현실에서의 '자기 정체성'을 감추고 다른 인격체로 활동하거나 현실에서 억압된 정서를 공격적으로 드러내기도 하는 것, 인터넷을 하면서 많이 경험했던 상황이죠? 나아가 '리프킨'의 주장에 따르면 사람들은 '가상 공간'에서 '익명성'에 기대 '심층 연기'를 한다는 식으로도 이해할 수 있겠습니다.

④ #수식된 정의 제시 #화제의 흐름

게임 아이디, 닉네임, 아바타 등은 '가상 공간'에서 사람들이 사용하는 또 다른 정체성인 '인터넷 ID'입니다. 지문을 보면, 이는 '가상 공간에서 개별적 대상으로 인식되는' 것으로 정의되어 있네요. '인터넷 ID'라는 개념 자체는 너무나 익숙하겠지만, '가상 공간에서 개별적 대상으로 인식'된다는 것은 일반적으로 생각하고 있는 내용은 아니니 확실하게 체크할 필요가 있겠습니다. 이 지문에서는 '인터넷 ID'를 현실의 자아와 '개별적 대상'으로 보고 있는 것이에요.

이러한 '인터넷 ID'에 대한 사이버 폭력이 넘쳐 나는 현실도 사람들이 적극적으로 '자기표현'하는 현실과 무관하지 않다고 합니다. 결국 이 지문에서 진짜 말하고자 하는 바는 '인터넷에서의 자기표현'이 현실의 자아와 '개별적 대상'으로 인식되는 '인터넷 ID'에 대한 '사이버 폭력'으로 번지는 현상에 대한 것이었습니다. 화제가 구체화되는 게 느껴지시죠? '사이버 폭력'이라는 새로운 흐름을 인식하면서 계속 읽어보도록 해요.

하이라이트 문장

> ④게임 아이디, 닉네임, 아바타 등 가상 공간에서 개별적 대상으로 인식되는 '인터넷 ID'에 대한 사이버 폭력이 넘쳐 나는 현실도 이와 무관하지 않다.

'화제'를 인식하겠다는 목적 의식을 가지고 있으면, 이런 문장을 그냥 넘길 수가 없습니다. 화제가 구체화된다는 느낌을 받으며 앞으로 나올 정보를 '인터넷 ID에 대한 사이버 폭력'으로 모아 줄 필요가 있습니다.

3문단

> ①사이버 폭력과 관련하여, 인터넷 ID만을 알고 있는 상황에서 그에 대해 명예훼손이나 모욕 등의 공격이 있을 때 가해자에게 법적인 책임을 물을 수 있는지에 대한 논란이 있어 왔다. ②이는 인터넷 ID가 사회적 평판인 **명예**의 주체로 인정될 수 있는가와 관련된다. ③인터넷 ID의 명예 주체성을 **인정하는 입장**에 따르면, **자기 정체성**은 일원적·고정적인 것이 아니라 현실 세계와 가상 공간에 걸쳐 존재하고 상호 작용하는 복합적인 것이다. ④인터넷에서의 자기 정체성은 사용자 개인의 자기 정체성의 일부이기 때문에 자기 정체성을 가진 인터넷 ID의 명예 역시 보호되어야 한다. ⑤반면 **인정하지 않는 입장**에 따르면, 생성·변경·소멸이 자유롭고 복수로 개설이 가능한 인터넷 ID는 그 사용자인 개인을 가상 공간에서 구별하는 장치에 불과하다. ⑥인터넷 ID는 현실에서의 성명과 달리 그 사용자인 개인과 동일시될 수 없고, 인터넷 ID 자체는 사람이 아니므로 명예 주체성을 인정할 수 없다는 것이다.

①~② #화제의 흐름 #수식된 정의 제시

우리가 예상한 대로, '사이버 폭력'에 대한 이야기로 흘러가고 있습니다. 다른 정보는 모르고 '인터넷 ID'만을 알고 있는 상황에서 그에 대해 명예훼손이나 모욕 등의 공격이 있을 때 가해자에게 법적인 책임을 물을 수 있는지가 진짜 하고 싶은 말이었네요. '인터넷 ID'는 현실 속 자아와 '개별적'인 대상이기 때문에, 이런 논란이 있는 것도 충분히 이해할 수 있을 것 같습니다. 이는 '인터넷 ID'가 '사회적 평판'으로 정의되어 있는 '명예'의 주체로 인정될 수 있는가와 관련되어 있다고 합니다. '인터넷 ID'도 '명예 주체성'을 가진다면 그에 대한 공격 역시 명예훼손 및 모욕으로 볼 수 있으니 가해자에게 법적 책임을 물을 수 있다는 것이죠.

③~④ #주장 제시 #재진술

먼저 '인터넷 ID'의 '명예 주체성'을 인정하는 입장입니다. 이에 따르면 '자기 정체성'은 현실 세계와 '가상 공간'에 걸쳐 존재하고 상호 작용하는 복합적인 것이라고 합니다. 여기서 '자기 정체성'이라는 '진짜로' 같은 말이 나왔으니, 그 정의를 끌고 와서 연결할 수 있어야겠죠? '자기 정체성'은 '사람들과의 관계 속에서 드러나는 고유한 존재로서의 위상'으로 정의되어 있었습니다. 즉, 이 입장은 사람들은 '가상 공간'에서도 '사람들과의 관계'를 맺게 되고, 이에 '고유한 존재로서의 위상'이 '인터넷 ID'에도 존재하기에 '명예 주체성'을 가지는 것이라고 주장하는 것이죠. 비록 '인터넷 ID'가 현실 속 자아와 구별되기는 하지만, 자아의 일부라는 점은 부정할 수 없다는 것입니다.

이렇게 미리 생각했더니, 4번 문장이 쉽게 납득됩니다. 인터넷에서의 '자기 정체성' 역시 사용자 개인의 것이기 때문에, '인터넷 ID'의 명예 역시 보호되어야 한다는 것이죠. 다시 말해 '인터넷 ID'에 대한 '사이버 폭력'은 법적으로 책임을 지게 해야 한다는 것입니다. 이렇게 문장에 끌려 다니는 것이 아닌, 능동적인 생각을 통해 문장을 리드하는 느낌을 받아야 해요.

⑤~⑥ #주장 제시 #재진술

반대 입장도 있습니다. 이에 따르면 '인터넷 ID'는 처분이 자유롭고 복수 개설도 가능합니다. 이는 그저 '가상 공간'에서 개인을 구별하는 장치에 불과하기에, 현실 속 개인의 '자기 정체성'과 연결할 수 없다는 주장으로 이어질 수 있습니다. '인터넷 ID'는 개인과 구별되는 대상이고, 사람이 아니기에 '명예 주체성'을 인정할 수 없다는 것이죠. 따라서 '인터넷 ID'에 대한 공격에는 법적 책임을 물을 수가 없다는 것입니다. 어렵지 않게 납득할 수 있겠죠?

하이라이트 문장

> ③인터넷 ID의 명예 주체성을 인정하는 입장에 따르면, 자기 정체성은 일원적·고정적인 것이 아니라 현실 세계와 가상 공간에 걸쳐 존재하고 상호 작용하는 복합적인 것이다.

진짜 화제를 제시하는 1번 문장도 중요하지만, '자기 정체성'이라는 '진짜로' 같은 말을 통해 깊은 사고를 할 수 있게 유도한다는 점에서 이 문장을 '하이라이트 문장'으로 선택했습니다. '자기 정체성'처럼 익숙하지만 독특하게 정의된 개념의 정의는 더더욱 다시 확인하는 습관이 필요해요. 본인도 모르게 지문에서 제시한 방향이 아닌 스스로가 알고 있는 개념의 정의를 바탕으로 읽어서 지문을 오독할 수가 있거든요. 그냥 무언가 중요해보이던 말이 반복되면 일단 멈춰서 연결한다는 태도를 갖춰주시는 것이 가장 좋습니다.

①**대법원**은 실명을 거론한 경우는 물론, 실명을 거론하지 않았더라도 주위 사정을 종합할 때 지목된 사람이 누구인지를 제3자가 알 수 있는 경우에는 명예훼손이나 모욕에 대한 가해자의 법적 책임이 성립한다고 판시해 왔다. ②이를 수용한 헌법재판소에서는 인터넷 ID와 관련된 명예훼손·모욕 사건의 헌법 소원에 대한 결정을 내린 바 있다. ③이 결정에서 **다수 의견**은 인터넷 ID만을 알 수 있을 뿐 그 사용자가 누구인지 제3자가 알 수 없다면 피해자가 특정되지 않아 명예훼손이나 모욕에 대한 가해자의 법적 책임이 성립하지 않는다고 보았다. ④반면 인터넷 ID는 가상 공간에서 성명과 같은 기능을 하므로 제3자의 인식 여부가 법적 책임의 근거가 될 수 없다는 **소수 의견**도 제시되었다.

① #주장 제시 #재진술

'대법원'의 입장이 나오고 있습니다. 과연 우리나라 '대법원'에서는 이 중 어떤 의견을 받아들일까요? 기본적으로는 '가해자의 법적 책임이 성립한다'는 말이 보입니다. 그런데 조건이 있네요. '지목된 사람이 누구인지를 제3자가 알 수 있는 경우'입니다. 지목된 사람이 현실의 누구인지를 안다면 말 그대로 현실 속 개인의 '자기 정체성'이 '가상 공간'의 '인터넷 ID'와 연결되는 셈이고, 이에 '인터넷 ID'에도 '명예 주체성'을 부여할 수 있다는 것이죠. 이런 식으로 앞문단의 내용과 연결지어 이해할 수 있겠죠?

②~③ #주장 제시 #재진술

'헌법재판소'에서는 이를 수용했다고 합니다. '다수 의견'의 경우, '인터넷 ID'의 사용자를 알 수 없다면 피해자가 특정되지 않아 가해자의 법적 책임이 성립하지 않는다고 보았습니다. 새로운 정보가 아닙니다. '대법원'의 주장을 반대로 써 두었을 뿐이에요. '대법원'의 주장은 '피해자 신상 특정 가능 → 처벌o'이고, '헌법재판소'의 '다수 의견'은 '피해자 신상 특정 불가 → 처벌x'라고 써 둔 것일 뿐입니다. 이렇기에 '이를 수용했다'는 표현을 쓴 것이겠죠? 다 같은 말이에요.

④ #주장 제시 #재진술

그런데 '소수 의견'도 있습니다. 이들은 '인터넷 ID' 자체가 '가상 공간'의 '성명'과 같은 역할, 이를테면 '자기 주체성'을 가진 것과 같은 역할을 하기 때문에 제3자의 인식 여부가 법적 책임의 근거가 될 수 없다는 주장을 했네요. 그냥 넘어가는 게 아니라 정확하게 이해해야 합니다. 이들의 주장은 그래서 가해자가 법적 책임을 진다는 것일까요? 지지 않는다는 것일까요?

맞습니다. 가해자가 무조건 법적 책임을 진다는 것입니다. 일단 '소수 의견'이긴 하지만 '헌법재판소'는 '대법원'의 결정, 즉 가해자가 책임을 진다는 것을 수용했습니다. 이에 제3자의 인식 여부가 법적 책임의 근거가 될 수 없다는 것은 '인터넷 ID'에 대한 '사이버 폭력'도 무조건 법적 책임의 대상이 된다는 것으로 이해할 수 있는 것이죠. '소수 의견'이 '다수 의견'보다 훨씬 더 강경하게 '사이버 폭력'을 대하는 것이라고 이해하시면 되겠습니다. 이렇게 확실하게 정리한 상태로 마무리해야 해요.

결국 화제인 '인터넷 ID에 대한 공격을 한 가해자에게 법적 책임을 물을 수 있는가?'에 대한 답은 '우리나라는 그렇게 본다.'였네요. 이렇게 생각한 상태로 문제를 풀어봅시다.

하이라이트 문장

③이 결정에서 다수 의견은 인터넷 ID만을 알 수 있을 뿐 그 사용자가 누구인지 제3자가 알 수 없다면 피해자가 특정되지 않아 명예훼손이나 모욕에 대한 가해자의 법적 책임이 성립하지 않는다고 보았다.

이 문장을 새로운 정보로 인식하지 않는 것이 실력입니다. '대법원'의 주장을 정확히 이해한 상태로 문장을 이해했다면, 결국 똑같은 말을 하고 있다는 것을 느낄 수 있을 거예요.

선지	①	②	③	④	⑤
선택률	66%	4%	8%	8%	14%

14 윗글의 내용과 일치하지 <u>않는</u> 것은? ①

① <u>심층 연기는 내면의 진솔한 정서를 드러내기 위해 형식에 집중하는 자기표현이다.</u>

명시적 근거	1문단 2번 문장
실전에서의 판단 과정	형식은 표면 연기지.
해설	'심층 연기'의 정의를 묻고 있습니다. 선지를 끝까지 읽어야 합니다. '내면의 진솔한 정서를 드러내기 위해'까지는 맞는데, '형식에 집중'은 '표면 연기'의 정의였죠? 어렵지 않게 답으로 고를 수 있네요.

② 리프킨은 현실 세계보다 가상 공간에서 자기표현이 더욱 왕성하게 드러난다고 보았다.

명시적 근거	1문단 3번 문장
실전에서의 판단 과정	화제로 이어지는 내용이었지.
해설	'리프킨'의 이러한 생각을 바탕으로 '가상 공간에서의 사이버 폭력'이라는 화제로 이어지는 흐름, 확실하게 체크하고 있죠?

③ 가상 공간에서 개별적인 것으로 인식되는 아바타는 사이버 폭력의 대상이 될 수 있다.

명시적 근거	2문단 4번 문장
실전에서의 판단 과정	화제와 연결되는 내용이네.
해설	역시 화제와 이어지는 내용입니다. 아바타와 같은 '인터넷 ID'에 대한 '사이버 폭력'이 법적으로 책임질 수 있는 행위인지에 대해 이야기하는 것이 이 지문의 화제였어요.

④ 익명성은 가상 공간에서 자기 정체성이 다양하게 나타나는 데 영향을 미치는 가상 공간의 특성이다.

명시적 근거	2문단 1번~3번 문장
실전에서의 판단 과정	그랬지.
해설	'익명성'이라는 '가상 공간'에서의 특징을 바탕으로 사람들이 적극적으로 '자기표현'하며 '자기 정체성'을 다양하게 나타낸다는 것, 완벽하게 납득하고 있는 내용이죠?

⑤ 가상 공간에서의 자기 정체성은 현실에서의 자기 정체성과 마찬가지로 타인과의 관계 속에서 나타난다.

명시적 근거	2문단 1번 문장
실전에서의 판단 과정	자기 정체성의 정의네.
해설	'자기 정체성'은 '사람들과의 관계 속에서 드러나는 고유한 존재로서의 위상'으로 정의되어 있습니다. 이것이 '가상 공간'에서 다양하게 나타난다고 했으니, 당연히 '가상 공간'에서도 이 정의가 그대로 적용된다고 할 수 있겠죠. 지문에 직접적으로 드러나지 않는 말이 선지화되었을 때는 이렇게 선지 속 핵심 개념의 '정의'부터 체크해보세요. 선지 판단의 길이 열리는 경우가 많습니다.

선지	①	②	③	④	⑤
선택률	5%	75%	6%	8%	6%

15 ㉠과 ㉡에 대한 이해로 가장 적절한 것은? ②

인터넷 ID의 명예 주체성을 ㉠인정하는 입장
㉡인정하지 않는 입장

– 완벽하게 납득하고 있는 내용이죠? ㉠은 '인터넷 ID'의 '자기 정체성'이 곧 사용자 개인의 '자기 정체성'의 일부이기 때문에 '인터넷 ID'도 '명예 주체성'을 가진다는 입장이고, ㉡은 '인터넷 ID'는 사용자 개인을 '가상 공간'에서 구별하는 장치에 불과하기에 '명예 주체성'을 인정할 수 없다는 입장이었습니다.

① ㉠은 ㉡과 달리 자기 정체성을 단일하고 고정적인 것으로 파악하겠군.

명시적 근거	3문단 3번 문장
실전에서의 판단 과정	㉠은 자기 정체성을 복잡한 것으로 보는데?
해설	㉠은 '자기 정체성'이 현실 세계와 '가상 공간'에 걸쳐 존재하고 상호 작용하는 복합적인 것이라고 생각합니다. 이에 현실 속 개인의 '자기 정체성'과도 연결될 수 있는 것이었죠? 따라서 ㉠이 '자기 정체성'을 단일하고 고정적인 것으로 파악한다는 것은 틀린 말이네요. 추가적으로 ㉡은 그저 개인의 '자기 정체성'과 '인터넷 ID'가 동일시될 수 없다는 말을 했을 뿐, '자기 정체성'이 단일하고 고정적인지 아니면 유동적인지에 대해서 이야기한 적은 없습니다.

② ㉠은 ㉡과 달리 인터넷 ID에 대한 공격을 그 사용자인 개인에 대한 공격이라고 보겠군.

명시적 근거	3문단 3번~4번 문장
실전에서의 판단 과정	미리 생각한 내용이네.
해설	㉠과 ㉡의 가장 큰 차이점을 이야기하는 선지가 정답으로 제시되었습니다. ㉠은 '인터넷 ID'의 '자기 정체성'이 곧 사용자인 개인의 것의 일부라고 보기에, '인터넷 ID'에 대한 공격을 개인에 대한 공격으로 볼 것입니다. 이에 가해자에게 법적 책임을 물을 수 있다고 보는 것이었죠? 한편, ㉡은 '인터넷 ID'는 사용자 개인과 동일시할

수 없다고 주장합니다. 이에 '인터넷 ID'에 대한 공격은 사용자 개인에 대한 공격이 아니고, 결국 가해자에게 법적 책임을 물을 수 없다는 것이죠. 발문을 보면서부터 할 수 있는 생각이어야 합니다.

③ ㉡은 ㉠과 달리 인터넷에서의 자기 정체성과 현실 세계의 자기 정체성이 상호 작용을 한다고 보겠군.

명시적 근거	3문단 3번 문장
실전에서의 판단 과정	이건 ㉠이 할 말이지.
해설	1번 선지에서 확인했던 내용이죠? 이건 ㉠에서 할 이야기입니다.

④ ㉡은 ㉠과 달리 인터넷 ID는 복수 개설이 가능하므로 자기 정체성이 복합적으로 구성된다고 보겠군.

명시적 근거	3문단 3번 문장, 3문단 5번 문장
실전에서의 판단 과정	언제 복합적으로 구성된다고 했냐.
해설	㉡이 '인터넷 ID는 복수 개설이 가능'하다고 한 것은 맞습니다. 하지만 '자기 정체성'이 복합적으로 구성된다는 이야기를 한 적은 없죠? 이는 오히려 ㉠에서 했던 말입니다. 이렇게 지문에 있는 말들을 대충 조합한 선지에 주의하세요. 지문과 문제가 이것보다 더 어려워지면 충분히 낚일 수 있습니다.

⑤ ㉠과 ㉡은 모두, 인터넷 ID마다 개인의 자기 정체성이 다르다고 보겠군.

명시적 근거	3문단 4번 문장, 3문단 6번 문장
실전에서의 판단 과정	㉡은 인터넷 ID에 그렇게 큰 의미부여를 하지 않지.
해설	㉠은 '인터넷 ID'는 개인의 '자기 정체성'이 담겨 있다고 했기 때문에, '인터넷 ID'마다 개인의 '자기 정체성'이 다르다고 볼 것입니다. 하지만 ㉡은 애초에 '인터넷 ID'가 개인의 '자기 정체성'과 관련된 대단한 것으로 보지를 않죠? 그저 '가상 공간'에서 개인을 구별하기 위한 장치에 불과하다고 보기에 이와 같은 진술에 동의하지 않을 것입니다.

선지	①	②	③	④	⑤
선택률	17%	30%	21%	22%	10%

16 윗글을 바탕으로 〈보기〉를 이해한 내용으로 적절하지 않은 것은? [3점] ②

[보기]

○○인터넷 카페의 이용자 A는 a, B는 b, C는 c라는 ID를 사용한다. 박사 학위 소지자인 A는 □□전시관의 해설사이고, B는 같은 전시관에서 물고기 관리를 혼자 전담한다. 이 전시관의 누리집에는 직무별로 담당자가 공개되어 있다. 어떤 사람이 □□전시관에서 A의 해설을 듣고 A의 실명을 언급한 후기를 카페 게시판에 올리자 다음과 같은 댓글이 달렸다.

– 재밌는 문제입니다. 늘 하던 대로, 〈보기〉에 사례가 제시되었으니 완벽하게 분석한 상태로 가볍게 해결해봅시다. 먼저 A, B, C는 실명이고, a, b, c는 '인터넷 ID'입니다. 나아가 A와 B는 경우에 따라 제3자가 누구인지 알 수 있습니다. 이것이 ㉮, ㉯와 ㉰의 입장을 가르는 데 있어 핵심적인 포인트가 되겠죠? 나아가 선지를 쭉 보면 모두 ㉮~㉰의 입장에 대해 묻고 있으니, 이들의 입장을 생각해보는 식으로 〈보기〉를 정리하면 되겠습니다.

[보기]

A의 해설에 대한 후기

└ b A가 박사인지 의심스럽다. A는 #~#.
  └ a □□ 전시관에서 물고기를 관리하는 b는 #~#.
    └ c 게시판 분위기를 흐리는 a는 #~#.

(단, '#~#'는 명예를 훼손하거나 모욕을 주는 표현이고 A, B, C는 실명이다. ID로는 그 사용자의 개인 정보를 알 수 없으며, A, B, C의 법적 책임에 영향을 미치는 다른 요소는 고려하지 않는다.)

– 후기를 보니, B는 A의 실명을 거론하면서 소신 있게 모욕을 하고 있는 모습입니다. 이는 ㉮~㉰의 그 어떤 입장을 취하더라도 쉴드가 불가능한 범죄 행위입니다. 그런데 이에 대응한 A 역시 B를 특정할 수 있게끔 댓글을 단 상태입니다. 이 전시관의 누리집에서는 직무별로 담당자가 공개되어 있기에, 저렇게 직무를 공개해버리면 그 사람이 누군지 특정할 수 있으니까요. 이 역시 ㉮~㉰의 그 어떤 입장을 취하더라도 범죄 행위로 인정할 것입니다.

한편, C는 A의 '인터넷 ID'만을 언급했습니다. 이것만으로는 a가 A

인지 알 수 있는 방법이 없기 때문에, ㉮와 ㉯에서는 C가 법적 책임을 질 필요가 없다고 할 것입니다. 하지만 '인터넷 ID'에 대한 공격을 무조건 처벌해야 한다고 보는 ㉰의 입장에서는 C 역시 법적 책임을 져야 하는 대상이라고 할 수 있겠죠? 지금까지 생각한 내용을 정리해봅시다.

	A	B	C
㉮	법적 책임 O	법적 책임 O	법적 책임 X
㉯	법적 책임 O	법적 책임 O	법적 책임 X
㉰	법적 책임 O	법적 책임 O	법적 책임 O

이렇게 정리하면, 선지 해설은 굳이 해드릴 필요가 없겠죠? 중요한 것은 사례 제시형 〈보기〉 문제는 이렇게 〈보기〉 내용을 완벽하게 정리한 상태로 선지를 판단해야 한다는 것입니다. 이렇게 하지 않으면 선지를 판단하는 과정이 오래 걸릴 뿐만 아니라, 중간에 생각이 꼬여 버리면서 실수를 하게 될 가능성이 높아져요. 법 지문의 〈보기〉 문제는 90% 이상의 확률로 사례 제시형이니, 이런 형태의 풀이에 익숙해져야 합니다.

① ㉮는 B가 가해자로서의 법적 책임을 져야 하지만 C는 가해자로서의 법적 책임을 지지 않는다고 보겠군.

② ㉯는 B가 가해자로서의 법적 책임을 져야 하지만 A는 가해자로서의 법적 책임을 지지 않는다고 보겠군.

③ ㉮와 ㉰는 A가 가해자로서의 법적 책임을 져야 하는지의 여부에 대해 같게 보겠군.

④ ㉯와 ㉰는 B가 가해자로서의 법적 책임을 져야 하는지의 여부에 대해 같게 보셨군.

⑤ ㉮, ㉯, ㉰가, C가 가해자로서의 법적 책임을 져야 하는지의 여부에 대해 판단한 내용이 모두 같지는 않겠군.

선지	①	②	③	④	⑤
선택률	3%	2%	91%	2%	2%

17 문맥상 ⓐ~ⓔ와 바꿔 쓰기에 가장 적절한 것은? ③

① ⓐ: 완성(完成)된다고
② ⓑ: 요청(要請)하여
③ ⓒ: 표출(表出)된다고
④ ⓓ: 기만(欺瞞)하고
⑤ ⓔ: 확충(擴充)되는

| 핵심 point |

① 화제 check : 독서 지문 독해의 처음이자 끝. 첫 문단에서 잡은 '화제의 틀'을 마지막 문단까지 놓지 않아야 합니다.

② 정의 인식 : 단어의 의미를 살린 상태로, 지문에 제시된 정의와 붙여서 이해할 수 있어야 합니다. 정의를 '기억'하는 게 아니라, '납득'해서 본인의 말로 정리할 수 있어야 해요.

③ 재진술 인식 : 같은 말이라도 다르게 표현되는 경우가 많습니다. 심지어 아예 똑같은 말이 반복되는 경우도 많아요. 이 '같은 말'에 민감하게 반응하면, '정보량'을 줄이면서 읽을 수가 있습니다.

| 지문 내용 총정리 |

화제를 점점 구체화하며 진짜 하고 싶은 말을 찾게끔 하는 지문이었습니다. 나아가 '재진술'이라는 포인트를 통해 정보량을 줄이고 문단을 연결짓는 연습을 하기에도 좋았죠? 여기에 사례 제시형 〈보기〉 문제를 다루는 방법까지 익힐 수 있는 좋은 기회였습니다. 지금 당장은 이 지문이 어려워도 괜찮지만, 수능날에도 이 정도 지문이 어렵다고 말하는 a는 #·#.

빠른 정답 (독서편 2권)

생각의 확장

Day 20~Day 23

제재별 독해 – 인문

[01~04] 2022.06 [10~13]					
01	02	03	04		
③	⑤	④	②		

[05~09] 2017.11 [16~20]					
05	06	07	08	09	
②	④	⑤	⑤	②	

[10~15] 2024.06 [12~17]					
10	11	12	13	14	15
①	③	①	②	③	④

[16~21] 2024.11 [12~17]					
16	17	18	19	20	21
③	①	④	④	⑤	④

[22~27] 2023.09 [4~9]					
22	23	24	25	26	27
③	①	⑤	⑤	③	①

[28~33] 2022.11 [4~9]					
28	29	30	31	32	33
①	③	④	③	②	③

[34~36] 2019LEET [19~21]		
34	35	36
③	②	④

[37~39] 2023LEET [28~30]		
37	38	39
⑤	⑤	③

Day 24~Day 28

제재별 독해 – 과학 · 기술

[01~03] 2014.11A [28~30]				
01	02	03		
④	④	⑤		

[04~08] 2018.06 [30~34]				
04	05	06	07	08
④	③	②	⑤	②

[09~13] 2018.11 [38~42]				
09	10	11	12	13
②	②	⑤	④	④

[14~16] 2013.11 [43~45]			
14	15	16	
③	③	④	

[17~20] 2025.06 [8~11]			
17	18	19	20
④	①	③	③

[21~24] 2017.11 [33~36]			
21	22	23	24
⑤	④	①	③

[25~28] 2023.06 [10~13]			
25	26	27	28
①	②	④	③

[29~32] 2019.06 [35~38]			
29	30	31	32
③	①	④	②

[33~34] 2016.11B [29~30]	
33	34
④	⑤

[35~39] 2022예시[30~34]				
35	36	37	38	39
②	②	②	③	⑤

Day 29~Day 33

제재별 독해 – 법

[01~05] 2017.09 [35~39]				
01	02	03	04	05
⑤	①	⑤	⑤	②

[06~10] 2019.06 [22~26]				
06	07	08	09	10
③	②	①	③	⑤

[11~14] 2023.09 [10~13]			
11	12	13	14
②	④	②	④

[15~19] 2020.09 [27~31]				
15	16	17	18	19
⑤	⑤	②	③	①

[20~24] 2019.11 [16~20]				
20	21	22	23	24
③	⑤	①	③	①

[25~29] 2021.12 [26~30]				
25	26	27	28	29
⑤	③	①	④	②

[30~34] 2021.09 [26~30]				
30	31	32	33	34
⑤	①	⑤	④	③

[35~38] 2023.11 [10~13]			
35	36	37	38
④	⑤	②	⑤

[39~41] 2014예비A [22~24]		
39	40	41
①	⑤	②

[42~44] 2019LEET [28~30]		
42	43	44
②	①	③

Day 34~Day 40

제재별 독해 – 경제

[01~06] 2020.11 [37~42]					
01	02	03	04	05	06
①	③	④	⑤	⑤	③

[07~11] 2019.09 [21~25]				
07	08	09	10	11
②	④	②	③	①

[12~14] 2011.11 [44~46]		
12	13	14
③	④	③

[15~18] 2018.06 [22~25]			
15	16	17	18
①	⑤	①	⑤

[19~23] 2020.06 [27~31]				
19	20	21	22	23
④	③	①	③	②

[24~26] 2019LEET [16~18]		
24	25	26
⑤	③	②

[27~30] 2017LEET [14~17]			
27	28	29	30
⑤	⑤	⑤	②

[31~36] 2018.11 [27~32]					
31	32	33	34	35	36
①	⑤	①	④	③	②

[37~40] 2022.11 [10~13]			
37	38	39	40
②	⑤	⑤	④

Day 41~Day 42

2025학년도 수능

[01~03] 2025.11 [1~3]		
01	**02**	**03**
③	④	⑤

[04~09] 2025.11 [4~9]					
04	**05**	**06**	**07**	**08**	**09**
④	⑤	③	②	①	②

[10~13] 2025.11 [10~13]			
10	**11**	**12**	**13**
③	①	⑤	③

[14~17] 2025.11 [14~17]			
14	**15**	**16**	**17**
①	②	②	③

이제 **오르비가**
학원을 재발명합니다

smart is sexy
Orbi.kr

오르비학원은

모든 시스템이 수험생 중심으로 더 강화됩니다.

모든 시설이 최고의 결과가 나올 수 있도록 설계됩니다.

집중을 위해 오르비학원이 수험생 옆으로 다가갑니다.

오르비학원과 시작하면

원하는 대학문이 가장 빠르게 열립니다.

전화 : 02-522-0207 문자 전용 : 010-9124-0207 주소 : 강남구 삼성로 61길 15 (은마사거리 도보 3분)

출발의 습관은 수능날까지 계속됩니다.
형식적인 상담이나
관리하고 있다는 모습만 보이거나
학습에 전혀 도움이 되지 않는
보여주기식의 모든 것을 배척합니다.

쓸모없는 강좌와 할 수 없는 계획을 강요하거나
무모한 혹은 무리한 스케줄로
1년의 출발을 무의미하게 하지 않습니다.
형식은 모방해도 내용은 모방할 수 없습니다.

smart is sexy

Orbi.kr

개인의 능력을 극대화 시킬 모든 계획이 오르비학원에 있습니다.

PiRAM

PROLOGUE

"공부란 '머릿속에 지식을 쑤셔넣는 행위'가 아니라

'세상의 해상도를 올리는 행위'라고 생각한다.

뉴스의 배경음악에 불과했던 코스피 평균 주가가 의미를 지닌 숫자가 되거나

외국인 관광객의 대화를 알아들을 수 있게 되거나

단순한 가로수가 '개화 시기를 맞이한 배롱나무'가 되기도 한다.

이 '해상도 업그레이드감'을 즐기는 사람은 강하다."

인터넷에서 우연히 보고 큰 감명을 받았던 글입니다.

왜 공부를 해야 하는가에 대한 막연한 의문을 꽤 구체적으로 풀어준 것만 같은 느낌이 들었습니다. 흐릿하던 세상의 모든 요소들이 점점 뚜렷하게 보이는 과정, 이것이 바로 '공부'의 진짜 목적이었습니다.

수능 국어 공부도 마찬가지라고 생각합니다. 단순한 활자의 조합으로 보였던 지문이 하나의 유기성을 가진 '글'로 보이고, 다 다른 이야기를 하는 것 같던 여러 지문들이 사실은 다 같은 원리로 이루어졌다는 것을 깨닫는 과정, 이렇게 '수능 국어의 해상도'가 업그레이드되는 과정을 즐기는 것이 진정한 국어 공부의 의의가 아닐까 하는 생각이 듭니다.

"상상력의 한계가 그 사람의 한계가 된다."라고 합니다. 어쩌면 우리는 우리가 바라볼 수 있는 세상의 해상도를 지나치게 낮은 한계 속에 가둬두고 있는지도 모르겠습니다. 이 교재는 학생들이 만나게 될 세상의 해상도를 높이는, 그를 바탕으로 학생 스스로의 상상력 한계치를 높여 주기 위한 하나의 프로젝트입니다. 수능 국어에 대해 아무것도 모른 채 지방에서 공부하는 학생도, 서울 강남에서 훌륭한 교육을 받으며 공부하는 학생도 제대로 된 공부를 할 수 있도록. 열심히 하지 않아서가 아닌, 잘 몰라서 성적이 나오지 않는 일이 일어나지 않도록. 그래서 그 학생의 상상력에 한계가 생기지 않도록. 그런 세상을 위한 작은 노력의 일부입니다.

이 교재는 하위권부터 상위권, 나아가 대치동 학원 강사까지 모두 경험한 저의 경험이 녹아 있습니다. 특정 지문, 특정 제재에서만 통하는 잡기술이 아닌, 근본적인 '생각의 힘'을 키울 수 있는 당연한 이야기들만 적혀 있습니다. 여러분은 이 교재에서 이야기하는 내용을 바탕으로, '생각'하고 '고민'하는 습관을 들여 주시면 됩니다.

'생각'하고 '고민'하는 과정은 역설적이게도 즐겁습니다. 내 사고력의 한계가 뚫리는 느낌을 받고, 처음에 어려웠던 내용이 사실 별 것 아니라는 것을 깨닫고, 내가 더 큰 상상을 할 자격이 있는 사람임을 인지하는 것은 정말로 즐거운 과정입니다. 힘들고 외로운 수험생활에서 이 '즐거움'이 작은 위로가 되었으면 좋겠습니다. 그리고 이 교재가 그 과정에 큰 도움이 되었으면 좋겠습니다. 너무나 냉정한 수능 결과에 상관없이, '올 한해 국어 공부 즐겁게 했다.'라는 생각이 앞으로의 인생을 상상할 수 있는 원동력이 되었으면 좋겠습니다.

아직 저는 많이 부족한 사람입니다. 다른 사람들의 인생에 영향을 줄 만큼 대단한 업적을 이루거나, 엄청난 깨달음을 얻은 사람도 아닙니다. 그래도 미래를 '상상'하고, 그 상상을 '현실'로 만들기 위해 노력하는 과정은 너무나 즐겁다는 건 잘 알고 있습니다. 그저 그것을 알려 드리고 싶을 뿐입니다. 여러분도 이 즐거움을 함께 느꼈으면 좋겠습니다. 이 교재와 함께, 저도 열심히 돕겠습니다.

범람하는 컨텐츠의 홍수 속에서 기꺼이 이 교재를 선택해주신 수험생 여러분께 진심으로 감사합니다. 여러분의 선택이 헛되지 않았음을 증명하겠습니다. 이 교재와 함께, 즐거운 국어 공부를 시작해봅시다.

P.I.R.A.M 국어 저자 김민재

CONTENTS

본교재와 해설지 모두 맨 뒤쪽에는 '빠른 정답'이 있습니다. 해설지를 보기 전 채점을 하고 싶으시다면 활용하시기 바랍니다.

P.I.R.A.M 국어 생각의 전개 독서편

2권   **P.I.R.A.M 국어 생각의 전개 독서편**

교재를 마무리한 후

지문 목차 _ 독서편

복습시 이용할 수 있도록 각 지문의 목차를 정리했습니다. 설명을 위해 예시로 들었던 지문을 제외하고, 한 지문 단위로 공부해보았던 지문만 정리했습니다.

P . I . R . A . M

PART 3

생각의 확장 〈Day 20~Day 42〉

지금까지 배운 독해의 기본기를 바탕으로, 제재별 핵심 포인트와 필수 배경지식을 정리하는 단계입니다. 나아가 2025학년도 수능 문제들을 통해 실전 전략을 수립하는 시간까지 가져 볼 것입니다. 마지막 단계도 최선을 다해서 공부해 보도록 합시다.

늘 수능 시험지의 한자리를 차지하고 있는 '인문' 제재 지문에 대한 대처법을 배우고 적용해 보는 날입니다. 앞에서 배웠던 내용의 복습으로 볼 수도 있는 파트이니, 열심히 연습하고 정리하도록 합시다.

제재별 독해 – 인문

인문' 제재의 지문을 조금 더 자세하게 나누면, '동양철학', '서양철학', '예술', '논리학' 등으로 나눌 수 있습니다. 이를 더 자세하게 나누고 대처법을 만들 수도 있겠지만, 결국 누군가의 '주장'을 체크하는 것이 핵심이라는 점에서는 모두 같다고 할 수 있습니다. '인문학'이라는 것은 답이 없는 철학적 물음에 대해 학자들 나름대로의 의견을 제시하는 과정이기 때문에, 필연적으로 사람들의 '주장'이 중요하게 제시될 수밖에 없는 것이죠. 우리는 이 '주장'이 어떻게 전개되는지를 잘 체크해주기만 하면 되는 것이에요.

그렇다면, '주장' 체크에 도움을 주는 태도에는 어떤 것들이 있을까요? 하나씩 정리해 봅시다. 다 배운 것들이에요!

1) 재진술

지금까지 계속해서 연습하던 그 '재진술' 맞습니다. 우리는 '같은 말'에 민감하게 반응하면서, '화제' 중심으로 정보들을 엮어주는 연습을 많이 했습니다. 인문 지문에서는 대부분 그 '화제'가 어떤 사람의 '주장'이라고 할 수 있습니다. 따라서 많게만 느껴지던 정보들은 모두 '주장'에 대한 재진술이라고 할 수 있고, 우리는 그 '재진술'을 인식하면서 '주장'을 확실하게 이해해주시면 되는 것이에요! 다 다른 말을 하는 것 같지만, 사실은 다 똑같은 말을 하고 있었다는 것이죠! 예를 들어 볼까요?

---

①과거는 지나가 버렸기 때문에 역사가가 과거의 사실과 직접 만나는 것은 불가능하다. ②역사가는 사료를 매개로 과거와 만난다. ③사료는 과거를 그대로 재현하는 것은 아니기 때문에 불완전하다. ④사료의 불완전성은 역사 연구의 범위를 제한하지만, 그 불완전성 때문에 역사학이 학문이 될 수 있으며 역사는 끝없이 다시 서술된다. ⑤매개를 거치지 않은 채 손실되지 않은 과거와 만날 수 있다면 역사학이 설 자리가 없을 것이다. ⑥역사학은 전통적으로 문헌 사료를 주로 활용해 왔다. ⑦그러나 유물, 그림, 구전 등 과거가 남긴 흔적은 모두 사료로 활용될 수 있다. ⑧역사가들은 새로운 사료를 발굴하기 위해 노력한다. ⑨알려지지 않았던 사료를 찾아내기도 하지만, 중요하지 않게 여겨졌던 자료를 새롭게 사료로 활용하거나 기존의 사료를 새로운 방향에서 파악하기도 한다. ⑩평범한 사람들의 삶의 모습을 중점적인 주제로 다루었던 미시사 연구에서 재판 기록, 일기, 편지, 탄원서, 설화집 등의 이른바 '서사적' 자료에 주목한 것도 사료 발굴을 위한 노력의 결과이다.   -2020학년도 9월 모의평가

지문을 읽어 나가면서, 궁극적으로 이 지문에서 이야기하는 '주장'이 무엇인지 체크해 봅시다. 다 같은 말이라고 했어요! 이 많은 정보들이 결국 어떤 주장의 재진술인지 미리 체크해 보고, 다음 페이지의 설명을 읽어 보도록 합시다.

①~② 역사가가 과거의 사실과 직접 만나는 것은 불가능합니다. '그래서' 역사가는 사료를 매개로 과거와 만난다고 해요. 첫 두 문장은 사실상 같은 말입니다. '역사가가 사료를 이용한다.'라는 문장을 강조하는 것이니까요.

③~④ '그런데' 사료는 불완전하다고 합니다. 과거를 그대로 보여 주는 것은 아니니까요. 역사가는 사료를 이용하긴 하지만, 사료는 불완전한 것이에요. 이러면 문제가 될 것 같지만, 이 '불완전성' 때문에 '역사학'에 의미가 생긴다고 합니다. 역사가는 '불완전한' 사료를 사용하지만, 이것 덕분에 역사학이 의미가 있다는 뜻이에요. 무슨 말인지 이해하기 어렵지만, 뒤에서 '재진술'하면서 이해시켜줄 것이라고 믿으면서 읽어봅시다.

⑤ 매개를 거치지 않고 손실되지 않은 과거와 만날 수 있다면, 역사학은 설 자리가 없을 것이라고 해요. 일리가 있네요. 애초에 '역사학'이라는 학문의 의의가 '사료 해석'에 있다고 할 수 있으니까요. 즉, 사료가 '불완전'하기 때문에 역설적으로 역사학이 의미가 있다는 내용입니다. 사실 많은 정보가 제시된 것 같지만, 지금까지 한 말은 딱 하나예요. '역사학자들은 사료를 사용한다.' 납득되시나요? 모든 정보가 이 한마디로 모이고 있습니다.

⑥~⑧ 이러한 '사료' 중에서, 전통적으로는 '문헌 사료'를 많이 사용했지만 과거의 흔적은 모두 사료로 활용될 수 있다고 합니다. '그래서' 역사가들은 새로운 사료 발굴에 힘쓴다고 해요. 모든 흔적은 과거와 만나는 '매개체'가 될 수 있으니까요. 이 내용들도 모두 '역사학자들은 사료를 사용한다.'와 같은 말이라고 할 수 있겠죠. 조금 더 정확히 말하자면, 역사학자들은 '문헌 외에도 다양한' 사료를 사용한다는 게 되는 것입니다. 계속 똑같은 말만 하고 있는 것이에요.

⑨~⑩ 뒤에 나온 모든 정보들은 이 내용에 대한 일종의 '사례'죠? '새로운 사료'를 발굴하는 방법, 과거의 '미시사 연구'에서 다양한 '사료' 발굴을 위해 노력한 내용들 모두 '역사학자들은 다양한 사료를 활용하여 과거와 만난다.'라는 내용의 재진술인 것입니다. 정신 똑바로 차리고 재진술되는 하나의 '주장'을 찾았더니, 이 많은 정보들이 깔끔하게 정리가 되는 모습입니다. 수많은 인문 지문들이 위와 같은 방식으로 해결되니, 재진술되는 하나의 '주장'에 주목하여 읽는 태도가 큰 힘을 발휘할 수 있겠다는 생각이 들죠?

사실 앞에서도 인문 지문을 만날 때마다 해설지에서 은근슬쩍 언급했던 내용들이기도 해요. 인문 지문을 읽을 때는, 이러한 '믿음'을 가지고 읽어 주셔야 합니다. "한 사람은 딱 하나의 주장만 한다."

2) 카테고리화

역시 계속 강조하고 있는 내용 중 하나입니다. 인문 지문이 결국 하나의 주장에 대한 '재진술'이라면, 대부분의 내용은 그 주장에 대한 '근거'로 이루어져 있다고 할 수 있습니다. 앞에서도 '역사학자들이 사료를 이용한다.'라는 주장에 대한 다양한 근거들을 나열한 모습이니까요.

그런데 이 '근거'들은, 생각보다 그리 많이 제시되지 않습니다. 몇 가지의 근거를 다시 '재진술'하면서 지문을 길게 늘어뜨리는 게 일반적인 구조가 되는 거죠. 따라서 우리는 이렇게 '재진술'되는 주장의 근거들을 하나씩 '카테고리화'시키면서 정리할 수 있는 것입니다. 이번에도 예시를 들면서 이해해봅시다. 역시 먼저 '카테고리화'시키면서 재진술되는 주장을 체크해보고 설명을 읽도록 해요. 늘 여러분이 먼저 움직여야 합니다!

---

①그러나 동물 실험을 반대하는 쪽은 유효성을 주장하는 쪽을 유비 논증과 관련하여 두 가지 측면에서 비판한다. ②첫째, 인간과 실험동물 사이에는 위와 같은 유사성이 있다고 말하지만 그것은 기능적 차원에서의 유사성일 뿐이라는 것이다. ③인간과 실험동물의 기능이 유사하다고 해도 그 기능을 구현하는 인과적 메커니즘은 동물마다 차이가 있다는 과학적 근거가 있는데도 말이다. ④둘째, 기능적 유사성에만 주목하면서도 막상 인간과 동물이 고통을 느낀다는 기능적 유사성에는 주목하지 않는다는 것이다. ⑤인간은 자신의 고통과 달리 동물의 고통은 직접 느낄 수 없지만 무엇인가에 맞았을 때 신음소리를 내거나 몸을 움츠리는 동물의 행동이 인간과 기능적으로 유사하다는 것을 보고 유비 논증으로 동물이 고통을 느낀다는 것을 알 수 있는데도 말이다.   —2017학년도 6월 모의평가

---

① '동물 실험을 반대하는 쪽'의 주장을 소개하는 문단입니다. 이 지문에서는 친절하게 '두 가지 측면'이라는 말을 통해 카테고리를 이쁘게 나눠 주고 있네요. 어려워지면 이런 내용이 삭제될 것이라는 점도 쉽게 생각할 수 있겠죠? 이 두 가지 '근거'를 카테고리화시키면서, '동물 실험 반대'라는 주장의 근거가 무엇인지 확실하게 이해해봅시다.

②~③ 첫째, 인간과 실험동물 사이의 유사성은 '기능적 차원'에서의 유사성이라는 내용입니다. 뒷문장은 이 주장의 재진술이죠? '기능적'으로 드러나는 건 유사하지만, 그것을 구현하는 메커니즘은 동물마다 차이가 있다는 것이에요. 이걸 '동물 실험 반대'라는 주장에 맞추어 정리하면, '인간과 동물은 기능만 같을 뿐 메커니즘이 동일하지 않으니 동물 실험은 의미가 없다.'라는 근거를 끌어낼 수 있겠죠. 이렇게 '추론력'을 발휘하면서 읽을 수 있겠죠?

④~⑤ 둘째, '기능적 유사성'을 그렇게 강조하면서, 막상 '고통을 느낀다'라는 기능적 유사성에는 주목하지 않는 모순이 있습니다. 동물의 여러 모습을 보고 고통 느끼는 걸 충분히 알 수 있는데 그건 외면한다는 것이죠. 역시 이면의 내용을 추론하면, '동물도 아프니까 실험하면 안 돼!'라는 결론을 이끌어 낼 수 있겠네요.

이렇게 두 가지 근거를 카테고리화시켜서 이해하면, '동물 실험 반대'라는 주장을 더 확실하게 납득할 수 있게 되는 겁니다. 물론 이 지문에서는 너무나 명시적으로 카테고리를 제시했기에 어렵지 않았을 것이지만, 최근의 어려운 지문들은 이러한 카테고리를 명시적으로 나눠 주지 않는 경우가 많아요. 여러분 스스로의 '능동적인 생각'을 바탕으로 카테고리를 나누며 읽을 수 있어야 합니다!

자 그럼 마지막으로 다시 정리해 봅시다.

〈하나의 주장으로 재진술하며 읽되, 다양한 근거를 카테고리화한다.〉

대부분의 인문 지문을 깔끔하게 처리할 수 있는 태도입니다. 인문 지문을 읽을 때마다 이에 대한 '믿음'을 가지고, 결국 다 '같은 말'만 한다는 것을 체크할 수 있어야 합니다. 나아가, 동양과 서양의 철학에서는 반복되어 등장하는 개념들이 존재해요. 이들을 배경지식화하는 것도 아주 중요한 태도인데, 이에 대해서 해설지 중간중간 다뤄 드리겠습니다. 이 정도는 알고 있자는 식으로 이야기하는 내용들은 꼭 배경지식으로 만들어 주세요!

사실상 앞에서 다 배운 내용이기에, 그렇게 새로운 느낌은 없을 것 같아요. 이 내용 머릿속에 딱 넣어둔 채로, 더 많은 지문으로 연습해봅시다.

─── (해설 p.008) ───

1764년에 발간된 체사레 베카리아의 「범죄와 형벌」은 커다란 반향을 일으켰다. 형벌에 관한 논리 정연하고 새로운 주장들에 유럽의 지식 사회가 매료된 것이다. 자유와 행복을 추구하는 이성적인 인간을 상정하는 당시 계몽주의 사조에 베카리아는 충실히 호응하여, 이익을 저울질할 줄 알고 그에 따라 행동하는 존재로서 인간을 전제하였다. 사람은 대가 없이 공익만을 위하여 자유를 내어놓지는 않는다. 끊임없는 전쟁과 같은 상태에서 벗어나기 위하여 자유의 일부를 떼어 주고 나머지 자유의 몫을 평온하게 ⓐ누리기로 합의한 것이다. 저마다 할애한 자유의 총합이 주권을 구성하고, 주권자가 이를 위탁받아 관리한다. 따라서 사회의 형성과 지속을 위한 조건이라 할 법은 저마다의 행복을 증진시킬 때 가장 잘 준수되며, 전체 복리를 위해 법 위반자에게 설정된 것이 형벌이다. 이런 논증으로 베카리아는 형벌권의 행사는 양도의 범위를 벗어날 수 없다는 출발점을 세웠다.

베카리아가 볼 때, 형벌은 범죄가 일으킨 결과를 되돌려 놓을 수 없다. 또한 인간을 괴롭히는 것 자체가 그 목적인 것도 아니다. 형벌의 목적은 오로지 범죄자가 또다시 피해를 끼치지 못하도록 억제하고, 다른 사람들이 그같은 행위를 하지 못하도록 예방하는 데 있을 뿐이다. 이는 범죄로 얻을 이득, 곧 공익이 입게 되는 그만큼의 손실보다 형벌이 가하는 손해가 조금이라도 크기만 하면 달성된다. 그리고 이러한 손익 관계를 누구나 알 수 있도록 처벌 체계는 명확히 성문법으로 규정되어야 하고, 그 집행의 확실성도 갖추어져야 한다. 결국 범죄를 ⓑ가로막는 방벽으로 형벌을 바라보는 것이다. 이 ㉠울타리의 높이는 살인인지 절도인지 등에 따라 달리해야 한다. 공익을 훼손한 정도에 비례해야 하는 것이다. 그것을 넘어서는 처벌은 폭압이며 불필요하다. 베카리아는 말한다. 상이한 피해를 일으키는 두 범죄에 동일한 형벌을 적용한다면 더 무거운 죄에 대한 억지력이 상실되지 않겠는가.

그는 인간이 감각적인 존재라는 사실에 맞추어 제도가 운용될 것을 역설한다. 가장 잔혹한 형벌도 계속 시행되다 보면 사회 일반은 그에 ⓒ무디어져 마침내 그런 것을 봐도 옥살이에 대한 공포 이상을 느끼지 못한다. 인간의 정신에 ⓓ크나큰 효과를 끼치는 것은 형벌의 강도가 아니라 지속이다. 죽는 장면의 목격은 무시무시한 경험이지만 그 기억은 일시적이고, 자유를 박탈당한 인간이 속죄하는 고통의 모습을 오랫동안 대하는 것이 더

욱 강력한 억제 효과를 갖는다는 주장이다. 더욱 중요한 것을 지키기 위해 희생한 자유에는 무엇보다도 값진 생명이 포함될 수 없다고도 말한다. 이처럼 베카리아는 잔혹한 형벌을 반대하여 휴머니스트로, 최대 다수의 최대 행복을 말하여 공리주의자로, 자유로운 인간들 사이의 합의를 바탕으로 논의를 전개하여 사회 계약론자로 이해된다. 형법학에서도 형벌로 되갚아 준다는 응보주의를 탈피하여 장래의 범죄 발생을 방지한다는 일반 예방주의로 나아가는 토대를 ⓔ세웠다는 평가를 받는다.

01 윗글에서 베카리아의 관점으로 보기 어려운 것은?

① 공동체를 이루는 합의가 유지되는 데는 법이 필요하다.
② 사람은 이성적이고 타산적인 존재이자 감각적 존재이다.
③ 개개인의 국민은 주권자로서 형벌을 시행하는 주체이다.
④ 잔혹함이 주는 공포의 효과는 시간이 흐르면서 감소한다.
⑤ 형벌권 행사의 범위는 양도된 자유의 총합을 넘을 수 없다.

02 ㉠에 대한 설명으로 적절하지 않은 것은?

① 재범을 방지하는 역할을 수행한다.
② 법률로 엮어 뚜렷이 알아볼 수 있도록 해야 한다.
③ 범죄가 유발하는 손실에 따라 높낮이를 정해야 한다.
④ 손익을 저울질하는 인간의 이성을 목적 달성에 활용한다.
⑤ 지키려는 공익보다 높게 설정할수록 방어 효과가 증가한다.

03 윗글을 바탕으로 베카리아의 입장을 추론한 내용으로 가장 적절한 것은? [3점]

① 형벌이 사회적 행복 증진을 저해한다고 보는 공리주의의 입장에서 사형을 반대한다.

② 사형은 범죄 예방의 효과가 없으므로 일반 예방주의의 입장에서 폐지되어야 한다고 주장한다.

③ 사형은 사람의 기억에 영구히 각인되는 잔혹한 형벌이어서 휴머니즘의 입장에서 인정하지 못한다.

④ 가장 큰 가치를 내어주는 합의가 있을 수 없다는 이유로 사회 계약론의 입장에서 사형을 비판한다.

⑤ 피해 회복의 관점으로 형벌을 바라보는 형법학의 입장에서 사형을 무기 징역으로 대체하는 데 찬성하지 않는다.

04 문맥상 ⓐ~ⓔ와 바꿔 쓰기에 적절하지 <u>않은</u> 것은?

① ⓐ : 향유(享有)하기로

② ⓑ : 단절(斷絕)하는

③ ⓒ : 둔감(鈍感)해져

④ ⓓ : 지대(至大)한

⑤ ⓔ : 수립(樹立)하였다는

(해설 p.014)

　　㉠논리실증주의자와 포퍼는 지식을 수학적 지식이나 논리학 지식처럼 경험과 무관한 것과 과학적 지식처럼 경험에 의존하는 것으로 구분한다. 그중 과학적 지식은 과학적 방법에 의해 누적된다고 주장한다. 가설은 과학적 지식의 후보가 되는 것인데, 그들은 가설로부터 논리적으로 도출된 예측을 관찰이나 실험 등의 경험을 통해 맞는지 틀리는지 판단함으로써 그 가설을 시험하는 과학적 방법을 제시한다. 논리실증주의자는 예측이 맞을 경우에, 포퍼는 예측이 틀리지 않는 한, 그 예측을 도출한 가설이 하나씩 새로운 지식으로 추가된다고 주장한다.

　　하지만 ㉡콰인은 가설만 가지고서 예측을 논리적으로 도출할 수 없다고 본다. 예를 들어 ⓐ새로 발견된 금속 M은 열을 받으면 팽창한다는 가설만 가지고는 ⓑ열을 받은 M이 팽창할 것이라는 예측을 이끌어낼 수 없다. 먼저 지금까지 관찰한 모든 금속은 열을 받으면 팽창한다는 기존의 지식과 M에 열을 가했다는 조건 등이 필요하다. 이렇게 예측은 가설, 기존의 지식들, 여러 조건 등을 모두 합쳐야만 논리적으로 도출된다는 것이다. 그러므로 예측이 거짓으로 밝혀지면 정확히 무엇 때문에 예측에 실패한 것인지 알 수 없다는 것이다. 이로부터 콰인은 개별적인 가설뿐만 아니라 ⓒ기존의 지식들과 여러 조건 등을 모두 포함하는 전체 지식이 경험을 통한 시험의 대상이 된다는 총체주의를 제안한다.

　　논리실증주의자와 포퍼는 수학적 지식이나 논리학 지식처럼 경험과 무관하게 참으로 판별되는 분석 명제와, 과학적 지식처럼 경험을 통해 참으로 판별되는 종합 명제를 서로 다른 종류라고 구분한다. 그러나 콰인은 총체주의를 정당화하기 위해 이 구분을 부정하는 논증을 다음과 같이 제시한다. 논리실증주의자와 포퍼의 구분에 따르면 "총각은 총각이다."와 같은 동어 반복 명제와, "총각은 미혼의 성인 남성이다."처럼 동어 반복 명제로 환원할 수 있는 것은 모두 분석 명제이다. 그런데 후자가 분석 명제인 까닭은 전자로 환원할 수 있기 때문이다. 이러한 환원이 가능한 것은 '총각'과 '미혼의 성인 남성'이 동의적 표현이기 때문인데 그게 왜 동의적 표현인지 물어보면, 이 둘을 서로 대체하더라도 명제의 참 또는 거짓이 바뀌지 않기 때문이라고 할 것이다. 하지만 이것만으로는 두 표현의 의미가 같다는 것을 보장하지 못해서, 동의적 표현은 언제나 반드시 대체 가능해야 한다는 필연성 개념에 다시 의존하게 된다. 이렇게 되면 동의적 표현이 동어 반복 명제로 환원 가능하게 하는 것

이 되어, 필연성 개념은 다시 분석 명제 개념에 의존하게 되는 순환론에 빠진다. 따라서 콰인은 종합 명제와 구분되는 분석 명제가 존재한다는 주장은 근거가 없다는 결론에 ㉢도달한다.

　　콰인은 분석 명제와 종합 명제로 지식을 엄격히 구분하는 대신, 경험과 직접 충돌하지 않는 중심부 지식과, 경험과 직접 충돌할 수 있는 주변부 지식을 상정한다. 경험과 직접 충돌하여 참과 거짓이 쉽게 바뀌는 주변부 지식과 달리 주변부 지식의 토대가 되는 중심부 지식은 상대적으로 견고하다. 그러나 이 둘의 경계를 명확히 나눌 수 없기 때문에, 콰인은 중심부 지식과 주변부 지식을 다른 종류라고 하지 않는다. 수학적 지식이나 논리학 지식은 중심부 지식의 한가운데에 있어 경험에서 가장 멀리 떨어져 있지만 그렇다고 경험과 무관한 것은 아니라는 것이다. 그런데 주변부 지식이 경험과 충돌하여 거짓으로 밝혀지면 전체 지식의 어느 부분을 수정해야 할지 고민하게 된다. 주변부 지식을 수정하면 전체 지식의 변화가 크지 않지만 중심부 지식을 수정하면 관련된 다른 지식이 많기 때문에 전체 지식도 크게 변화하게 된다. 그래서 대부분의 경우에는 주변부 지식을 수정하는 쪽을 선택하겠지만 실용적 필요 때문에 중심부 지식을 수정하는 경우도 있다. 그리하여 콰인은 중심부 지식과 주변부 지식이 원칙적으로 모두 수정의 대상이 될 수 있고, 지식의 변화도 더 이상 개별적 지식이 단순히 누적되는 과정이 아니라고 주장한다.

　　총체주의는 특정 가설에 대해 제기되는 반박이 결정적인 것처럼 보이더라도 그 가설이 실용적으로 필요하다고 인정되면 언제든 그와 같은 반박을 피하는 방법을 강구하여 그 가설을 받아들일 수 있다. 그러나 총체주의는 "A이면서 동시에 A가 아닐 수는 없다."와 같은 논리학의 법칙처럼 아무도 의심하지 않는 지식은 분석 명제로 분류해야 하는 것이 아니냐는 비판에 답해야 하는 어려움이 있다.

05 윗글을 바탕으로 할 때, ㉠과 ㉡이 모두 '아니요'라고 답변할 질문은?

① 과학적 지식은 개별적으로 누적되는가?
② 경험을 통하지 않고 가설을 시험할 수 있는가?
③ 경험과 무관하게 참이 되는 지식이 존재하는가?
④ 예측은 가설로부터 논리적으로 도출될 수 있는가?
⑤ 수학적 지식과 과학적 지식은 종류가 다른 것인가?

06 윗글에 대해 이해한 내용으로 가장 적절한 것은?

① 포퍼가 제시한 과학적 방법에 따르면, 예측이 틀리지 않았을 경우보다는 맞을 경우에 그 예측을 도출한 가설이 지식으로 인정된다.
② 논리실증주의자에 따르면, "총각은 미혼의 성인 남성이다."가 분석 명제인 것은 총각을 한 명 한 명 조사해 보니 모두 미혼의 성인 남성으로 밝혀졌기 때문이다.
③ 콰인은 관찰과 실험에 의존하는 지식이 관찰과 실험에 의존하지 않는 지식과 근본적으로 다르다고 한다.
④ 콰인은 분석 명제가 무엇인지는 동의적 표현이란 무엇인지에 의존하고, 다시 이는 필연성 개념에, 필연성 개념은 다시 분석 명제 개념에 의존한다고 본다.
⑤ 콰인은 어떤 명제에, 의미가 다를 뿐만 아니라 서로 대체할 경우 그 명제의 참 또는 거짓이 바뀌는 표현을 사용할 수 있으면, 그 명제는 동어 반복 명제라고 본다.

07 윗글을 바탕으로 총체주의의 입장에서 ⓐ~ⓒ에 대해 평가한 것으로 적절하지 <u>않은</u> 것은? [3점]

① ⓑ가 거짓으로 밝혀지더라도 그것이 ⓐ 때문이라고 단정하지 못하겠군.
② ⓑ가 거짓으로 밝혀지면 ⓒ의 어느 부분을 수정하느냐는 실용적 필요에 따라 달라지겠군.
③ ⓑ는 ⓐ와 ⓒ로부터 논리적으로 도출된다고 하겠군.
④ ⓑ가 거짓으로 밝혀지면 ⓑ는 ⓒ의 주변부에서 경험과 직접 충돌한 것이라고 하겠군.
⑤ ⓑ가 거짓으로 밝혀지면 ⓒ를 수정하는 방법으로는 ⓐ를 받아들일 수 없다고 하겠군.

08 윗글의 총체주의에 대한 비판으로 가장 적절한 것은?

① 가설로부터 논리적으로 도출된 예측이 경험과 충돌하더라도 그 충돌 때문에 가설이 틀렸다고 할 수 없다.
② 논리학 지식이나 수학적 지식이 중심부 지식의 한가운데에 위치한다고 해서 경험과 무관한 것은 아니다.
③ 전체 지식은 어떤 결정적인 반박일지라도 피할 수 있기 때문에 수정 대상을 주변부 지식으로 한정하는 것은 잘못이다.
④ 중심부 지식을 수정하면 주변부 지식도 수정해야 하겠지만, 주변부 지식을 수정한다고 해서 중심부 지식을 수정해야 하는 것은 아니다.
⑤ 중심부 지식과 주변부 지식 간의 경계가 불분명하다 해도 중심부 지식 중에는 주변부 지식들과 종류가 다른 지식이 존재한다.

09 문맥상 ㉢과 바꿔 쓰기에 가장 적절한 것은?

① 잇따른다
② 다다른다
③ 봉착한다
④ 회귀한다
⑤ 기인한다

[10~15] 다음 글을 읽고 물음에 답하시오   2024.06 [12~17]

(해설 p.025)

(가)

심리 철학에서 동일론은 의식이 뇌의 물질적 상태와 동일하다고 @본다. 이와 달리 기능주의는 의식은 기능이며, 서로 다른 물질에서 같은 기능이 구현될 수 있다고 주장한다. 이때 기능이란 어떤 입력이 주어졌을 때 특정한 출력을 내놓는 함수적 역할로 정의되며, 함수적 역할의 일치는 입력과 출력의 쌍이 일치함을 의미한다. 실리콘 칩으로 구성된 로봇이 찔림이라는 입력에 대해 고통을 출력으로 내놓는 기능을 가진다면, 로봇과 우리는 같은 의식을 가진다는 것이다. 이처럼 기능주의는 의식을 구현하는 물질이 무엇인지는 중요하지 않다고 본다.

설(Searle)은 기능주의를 반박하는 사고 실험을 제시한다. '중국어 방' 안에 중국어를 모르는 한 사람만 있다고 하자. 그는 중국어로 된 입력이 들어오면 정해진 규칙에 따라 중국어로 된 출력을 내놓는다. 설에 의하면 방 안의 사람은 중국어 사용자와 함수적 역할이 같지만 중국어를 아는 것은 아니다. 기능이 같으면서 의식은 다른 사례가 있다는 것이다.

동일론, 기능주의, 설은 모두 의식에 대한 논의를 의식을 구현하는 몸의 내부로만 한정하고 있다. 하지만 의식의 하나인 '인지' 즉 '무언가를 알게 됨'은 몸 바깥에서 ⓑ일어나는 일과 맞물려 벌어진다. 기억나지 않는 정보를 노트북에 저장된 파일을 열람하여 확인하는 것이 한 예이다. 로랜즈의 확장 인지 이론은 이를 설명하는 이론이다.

그에 ⓒ따르면 인지 과정은 주체에게 '심적 상태'가 생겨나게 하는 과정이다. 기억이나 믿음이 심적 상태의 예이다. 심적 상태는 어떤 것에도 의존함이 없이 주체에게 의미를 나타낸다. 예를 들어, 무언가를 기억하는 사람은 자기의 기억이 무엇인지 ⓓ알아보기 위해 아무것에도 의존할 필요가 없다. 이와 달리 '파생적 상태'는 주체의 해석에 의존해서만 또는 사회적 합의에 의존해서만 의미를 나타내는 상태로 정의된다. 앞의 예에서 노트북에 저장된 정보는 전자적 신호가 나열된 상태로서 파생적 상태이다. 주체에 의해 열람된 후에도 노트북의 정보는 여전히 파생적 상태이다. 하지만 열람 후 주체에게는 기억이 생겨난다. 로랜즈에게 인지 과정은 파생적 상태가 심적 상태로 변환되는 과정이 아니라, 파생적 상태

를 조작함으로써 심적 상태를 생겨나게 하는 과정이다. 심적 상태가 주체의 몸 외부로 확장되는 것이 아니라, 심적 상태를 생겨나게 하는 인지 과정이 확장되는 것이다. 이러한 ㉠확장된 인지 과정은 인지 주체의 것일 때에만, 다시 말해 환경의 변화를 탐지하고 그에 맞춰 행위를 조절하는 주체와 통합되어 있을 때에만 성립할 수 있다. 즉 로랜즈에게 주체 없는 인지란 있을 수 없다. 확장 인지 이론은 의식의 문제를 몸 안으로 한정하지 않고 바깥으로까지 넓혀 설명한다는 의의를 지닌다.

(나)

일반적으로 '지각'이란 몸의 감각 기관을 통해 사물에 대해 아는 것을 의미한다. 이러한 지각을 분석할 때 두 가지 사실에 직면한다. 첫째, 그 사물과 내 몸은 물질세계에 있다. 둘째, 그 사물에 대한 나의 의식은 물질세계가 아닌 다른 세계에 있다. 즉 몸으로서의 나는 사물과 같은 세계에 속하는 동시에 의식으로서의 나는 사물과 다른 세계에 속한다.

이에 대한 객관주의 철학의 입장은 두 가지로 나뉜다. 의식을 포함한 모든 것을 물질로 환원하여 의식은 물질에 불과하다고 주장하거나, 의식을 물질과 구분되는 독자적 실체로 규정함으로써 의식과 물질의 본질적 차이를 주장한다. 전자에 의하면 지각은 사물로부터의 감각 자극에 따른 주체의 물질적 반응으로 이해되며, 후자에 의하면 지각은 감각된 사물에 대한 주체 즉 의식의 판단으로 이해된다. 이처럼 양자 모두 주체와 대상의 분리를 전제하고 지각을 이해한다. 주체와 대상은 지각 이전에 이미 확정되어 각각 존재한다는 것이다.

하지만 지각은 주체와 대상이 각자로서 존재하기 이전에 나타나는 얽힘의 체험이다. 예를 들어 다른 사람과 손이 맞닿을 때 내가 누군가의 손을 ⓔ만지는 동시에 나의 손 역시 누군가에 의해 만져진다. 감각하는 것이 동시에 감각되는 것이 되는 얽힘의 순간에, 나는 나와 대상을 확연히 구분한다. 지각이라는 얽힘의 작용이 있어야 주체와 대상이 분리될 수 있다. 다시 말해 주체와 대상은 지각이 일어난 이후 비로소 확정된다. 따라서 ㉡지각과 감각은 서로 구분되지 않는다.

지각은 물질적 반응이나 의식의 판단이 아니라, 내 몸의 체험이다. 지각은 나의 몸에 의해 이루어지는 것이고, 지각이 이루어지게 하는 것은 모두 나의 몸이다.

10 다음은 윗글을 읽은 학생이 정리한 내용이다. ㉮와 ㉯에 들어갈 말로 가장 적절한 것은?

> (가)는 기능주의를 소개한 후 ㉮ 은/는 같지 않다는 설(Searle)의 비판을 제시하고 있다. 그리고 인지 과정이 몸바깥으로까지 확장된다고 주장하는 확장 인지 이론을 설명하고 있다. (나)는 인지 중에서도 감각 기관을 통한 인지, 즉 지각을 주제로 하고 있다. (나)는 지각에 대한 객관주의 철학의 입장을 비판하고, ㉯ 으로서의 지각을 주장하고 있다.

	㉮	㉯
①	의식과 함수적 역할	내 몸의 체험
②	의식과 함수적 역할	물질적 반응
③	의식과 뇌의 상태	의식의 판단
④	의식과 뇌의 상태	내 몸의 체험
⑤	입력과 출력	의식의 판단

11 (가)에서 알 수 있는 내용으로 적절하지 않은 것은?

① 동일론자들은 뇌가 존재하지 않으면 의식도 존재하지 않는다고 볼 것이다.

② 설(Searle)은 '중국어 방' 안의 사람과 중국어를 아는 사람의 의식이 다르다고 볼 것이다.

③ 로랜즈는 기억이 주체의 몸 바깥으로 확장될 수 있다고 볼 것이다.

④ 로랜즈는 인지 과정이 파생적 상태를 조작하는 과정을 포함한다고 볼 것이다.

⑤ 로랜즈는 노트북에 저장된 정보가 그 자체로는 심적 상태가 아니라고 볼 것이다.

12 (나)의 필자의 관점에서 ㉠을 평가한 내용으로 가장 적절한 것은?

① 확장된 인지 과정이 인지 주체의 것일 때에만 성립할 수 있다는 주장은, 지각 이전에 확정된 주체를 전제한 것이므로 타당하지 않다.

② 확장된 인지 과정이 인지 주체의 것일 때에만 성립할 수 있다는 주장은, 의식이 세계를 구성하는 독자적 실체라고 규정하는 것이므로 타당하다.

③ 주체와 통합된 경우에만 확장된 인지 과정이 성립할 수 있다는 주장은, 의식은 물질에 불과하다고 본 것이므로 타당하다.

④ 주체와 통합된 경우에만 확장된 인지 과정이 성립할 수 있다는 주장은, 외부 세계에 대한 지각이 이루어질 수 없다고 보는 것이므로 타당하지 않다.

⑤ 주체와 통합된 경우에만 확장된 인지 과정이 성립할 수 있다는 주장은, 주체와 대상의 분리를 통해서만 지각이 이루어질 수 있다고 보는 것이므로 타당하다.

13 ㉡의 이유로 가장 적절한 것은?

① 감각과 지각 모두 물질세계에서 이루어지기 때문에

② 감각하는 것이 동시에 감각되는 것이 되는 얽힘의 작용이 지각이기 때문에

③ 지각은 몸에 의해 이루어지지만 감각은 몸에 의해 이루어지지 않기 때문에

④ 지각은 의식으로서의 주체가 외부의 대상을 감각하여 판단한 결과이기 때문에

⑤ 주체와 대상이 분리되기 이전에 감각과 지각이 분리된 채로 존재하기 때문에

14 (가), (나)를 바탕으로 〈보기〉의 상황을 이해한 내용으로 적절하지 <u>않은</u> 것은? [3점]

─────[보기]─────

빛이 완전히 차단된 암실에 A와 B 두 명의 사람이 있다. A는 막대기로 주변을 더듬어 사물의 위치를 파악한다. 막대기 사용에 익숙한 A는 사물에 부딪친 막대기의 진동을 통해 사물의 위치를 파악할 수 있다. B는 초음파 센서로 탐지한 사물의 위치 정보를 '뇌-컴퓨터 인터페이스(BCI)'를 사용하여 전달받는다. 이를 통해 B는 사물의 위치를 파악할 수 있다. BCI는 사람의 뇌에 컴퓨터를 연결하여 외부 정보를 뇌에 전달할 수 있는 기술이다.

① (가)의 기능주의에 따르면, A와 B가 암실 내 동일한 사물의 위치를 묻는 질문에 동일한 대답을 내놓는 경우 이때 둘의 의식은 차이가 없겠군.

② (가)의 확장 인지 이론에 따르면, BCI로 암실 내 사물의 위치를 파악하는 것이 B의 인지 과정인 경우 B에게 사물의 위치에 대한 심적 상태가 생겨나겠군.

③ (가)의 확장 인지 이론에 따르면, 암실 내 사물에 부딪친 막대기의 진동이 A의 해석에 의존해서만 의미를 나타내는 경우 그 진동 상태는 파생적 상태가 아니겠군.

④ (나)에서 몸에 의한 지각을 주장하는 입장에 따르면, 막대기에 의해 A가 사물의 위치를 지각하는 경우 막대기는 A의 몸의 일부라고 할 수 있겠군.

⑤ (나)에서 의식을 물질로 환원하는 입장에 따르면, BCI를 통해 입력된 정보로부터 B의 지각이 일어난 경우 BCI를 통해 들어온 자극에 따른 B의 물질적 반응이 일어난 것이겠군.

15 문맥상 ⓐ~ⓔ의 단어와 가장 가까운 의미로 쓰인 것은?

① ⓐ : 그간의 사정을 <u>봐서</u> 그를 용서해 주었나.
② ⓑ : 이사 후에 가난하던 살림살이가 <u>일어났다</u>.
③ ⓒ : 개발에 <u>따른</u> 자연 훼손 문제가 심각해졌다.
④ ⓓ : 단어의 뜻을 <u>알아보기</u> 위해 사전을 펼쳤다.
⑤ ⓔ : 그는 컴퓨터 프로그램을 제법 <u>만질</u> 줄 안다.

───── (해설 p.035) ─────

(가)

『한비자』는 중국 전국 시대의 한비자가 제시한 사상이 ⓐ담긴 저작이다. 여러 나라가 패권을 다투던 혼란기를 맞아 엄격한 법치를 통해 부국강병을 꾀한 한비자는 『노자』에 대한 해석을 통해 자신의 법치 사상을 뒷받침했고, 이러한 면모는 『한비자』의 「해로」, 「유로」 등에서 확인할 수 있다.

『노자』에서 '도(道)'는 만물 생성의 근원으로 묘사된다. 도를 천지 만물의 존재와 본질의 근거라고 본 한비자의 이해도 이와 다르지 않다. 그는 자연과 인간 사회의 모든 현상은 도의 영향을 받지 않을 수 없다고 보고, 인간 사회의 일은 도에 따라 제대로 행했는가의 여부에 따라 그 성패가 드러나는 것이라고 이해했다.

한비자는 『노자』에 제시된 영구불변하는 도의 항상성에 대해 도가 천지와 더불어 영원히 존재한다는 것을 의미하는 것이지, 도가 모습과 이치를 일정하게 유지하는 것은 아니라고 이해했다. 그리고 도는 형체가 없을 뿐 아니라 일정하게 고정되어 있지 않기 때문에 때와 상황에 따라 유연하게 변화하는 것이라고 파악했다. 도가 가변성을 가지고 있어야 도가 일정한 곳에만 있지 않게 되고, 그래야만 도가 모든 사물의 존재와 본질의 근거가 될 수 있다고 파악한 것이다. 그는 도가 가변적이기 때문에 통치술도 고정되어서는 안 된다고 주장했다.

한편, 한비자는 도를 구체적인 사물과 사건에 내재한 개별 법칙의 통합으로 보고, 『노자』의 도에 시비 판단의 근거라는 새로운 의미를 부여했다. 항상 존재하는 도는 개별 법칙을 포괄하기 때문에 다양한 개별 사건의 시비를 판단하는 기준이 될 수 있고, 이러한 도에 근거해서 입법해야 다양한 사건을 판단할 수 있다고 본 것이다. 이러한 이해를 바탕으로 그는 만족을 모르는 인간의 욕망을 사회 혼란의 원인으로 지목한 『노자』의 견해에 동의하면서도, 『노자』에서처럼 욕망을 없애야 한다고 주장하지 않고 인간은 욕망을 필연적으로 가질 수밖에 없음을 지적하며 욕망을 제어하기 위해 법이 필요하다고 강조했다.

(나)

유학자들은 도를 인간 삶의 올바른 길을 의미하는 것이라고 보았다. 중국 송나라 이후, 유학자들은 이러한 유학의 도를 기반으로 현상 세계 너머의 근원으로서 도가의 도에 주목하여 『노자』 주석을 전개했다.

혼란기를 거친 송나라 초기에 중앙집권화가 추진된 이후 정치적 갈등이 드러나면서 개혁의 분위기가 조성됐다. 이러한 분위기하에서 유학자이자 개혁 사상가인 왕안석은 『노자주』를 저술했다. 그는 『노자』의 도를 만물의 물질적 근원인 '기(氣)'라고 파악하고, 현상 세계에 앞서 존재하는 기의 작용에 의해 사물이 형성된다고 보았다. 그는 기가 시시각각 변화하듯 현상 세계도 변화한다고 이해했다. 인위적인 것을 제거해야만 도가 드러나고 인간 사회가 안정된다는 『노자』를 비판한 그는 자연과 달리 인간 사회의 안정을 위해서는 제도와 규범의 제정과 같은 인간의 적극적인 개입이 필요하다고 주장했다. 지혜와 덕이 뛰어난 사람이 제정한 사회 제도와 규범도 현실 사회의 변화에 따라 새롭게 해야 한다고 주장한 것이다. 『노자』의 이상 정치가 실현되려면 유학 이념이 실질적 수단으로 사용되어야 한다고 주장하는 등 왕안석은 『노자』를 유학의 실천적 측면과 결부하여 이해했다.

송 이후 원나라에 이르러 성행하던 도교는 유학과 불교 등을 받아들여 체계화되었지만, 오징에게는 주술적인 종교에 불과했다. ㉠유학자의 입장에서 그는 잘못된 가르침을 펴는 도교에 사람들이 빠지는 것을 경계했다. 그는 도교의 시조로 간주된 노자의 가르침이 공자의 학문과 크게 다르지 않음을 밝히고자 『도덕진경주』를 저술했다. 그는 도와 유학 이념을 관련짓는 구절을 추가하는 등 『노자』의 일부 내용을 바꾸고 기존 구성 체제를 재편했다. 『노자』의 도를 근원적인 불변하는 도로 본 그는 모든 이치를 내재한 도가 현실화하여 천지 만물이 생성된다고 이해했다. 이런 관점에서 그는 유학의 인의예지가 도의 쇠퇴 때문에 나타난 것이라는 『노자』와 달리 도가 현실화하여 드러난 것으로 해석하고, 인간이 마땅히 따라야 할 사회 규범과 사회 질서 체계도 도가 현실화한 결과로 파악했다.

원이 쇠퇴하고 명나라가 들어선 이후 유학과 도가 등 여러 사상이 합류하는 사조가 무르익는 가운데, 유학자인 설혜는 자신의 ㉡학문적 소신에 따라 『노자』를 주석한 『노자집해』를 저술했다. 그는 공자도 존중했던 스승이 노자이므로 노자 사상에 대한 오해를 불식해야 한다고 보았다. 그는 기존의 주석서가 『노자』의 진정한 의미를 제대로 밝히지 못했기 때문에 유학자들이 노자 사상을 이단으로 치부했다고 파악한 것이다. 다양한 경전을 인용하여 『노자』를 해석하면서 그는 『노자』의 도를 인간의 도덕 본성과 그것의 근거인 천명으로 이해하고, 본성과 천명의 이치를 탐구한다는 점에서 노자 사상과 유학이 다르지 않다고 보았다. 또한 그는 『노자』에서 인의 등을 비판한 것은 도덕을 근본으로 삼게 하기 위한 충고라고 파악했다.

16 (가), (나)에 대한 설명으로 가장 적절한 것은?

① (가)는 『한비자』의 철학사적 의의를 설명하고 『한비자』와 『노자』의 사회적 파급력을 비교하고 있다.

② (가)는 한비자가 추구한 이상적인 사회를 소개하고 그 실현을 위해 『노자』를 수용한 입장의 한계를 설명하고 있다.

③ (나)는 특정 개념을 중심으로 『노자』에 대한 여러 학자의 견해를 시간의 흐름에 따라 제시하고 있다.

④ (나)는 여러 유학자가 『노자』를 해석한 의도를 각각 제시하고 그 차이로 인해 발생한 학자 간의 이견을 절충하고 있다.

⑤ (가)와 (나)는 모두, 『노자』에 대해 다양한 시각에서 제시된 비판이 심화되는 과정을 구체적 사례와 함께 설명하고 있다.

17 (가)에 제시된 한비자의 견해로 적절하지 <u>않은</u> 것은?

① 사건의 시비에 따라 달라지는 도에 근거하여 법이 제정되어야 한다.

② 인간은 무엇을 가지거나 누리고자 하는 마음에서 벗어날 수 없다.

③ 도는 고정된 모습 없이 때와 형편에 따라 변화하며 영원히 존재한다.

④ 인간 사회의 흥망성쇠는 사람이 도에 따라 올바르게 행하였는가의 여부에 좌우되는 것이다.

⑤ 도는 만물의 근원이면서 동시에 현실 사회의 개별 사물과 사건에 내재한 법칙을 포괄하는 것이다.

18 ㉠과 ㉡에 대한 이해로 가장 적절한 것은?

① ㉠은 유학 덕목의 등장을 긍정적으로 평가한 『노자』의 견해를 수용하는, ㉡은 유학 덕목에 대한 『노자』의 비판에 담긴 긍정적 의도를 밝히려는 것으로 표출되었다.

② ㉠은 유학에 유입되고 있는 주술성을 제거하는, ㉡은 노자 사상이 탐구하는 대상에 대한 이해를 근거로 노자 사상과 유학의 공통점을 제시하려는 것으로 표출되었다.

③ ㉠은 유학의 가르침을 차용한 종교가 사람들을 현혹하는 상황에 대응하는, ㉡은 『노자』를 해석한 경전들을 참고하여 유학 이론의 독창성을 밝히려는 것으로 표출되었다.

④ ㉠은 유학을 노자 사상과 연관 지어 유교적 사회 질서의 정당성을 확인하는, ㉡은 유학에서 이단으로 치부하는 사상의 진의를 밝혀 오해를 바로잡으려는 것으로 표출되었다.

⑤ ㉠은 특정 종교에서 추앙하는 사상가와 유학 이론의 관련성을 제시하는, ㉡은 유학의 사상적 우위를 입증하여 다른 학문을 통합할 수 있는 근거를 제시하려는 것으로 표출되었다.

19 (나)의 왕안석과 오징의 입장에서 다음의 ㄱ~ㄹ에 대해 판단한 것으로 가장 적절한 것은?

[보기]
ㄱ. 도는 만물을 통해 드러나는 것이지 만물에 앞서서 존재하는 것은 아니다.
ㄴ. 인간 사회의 규범은 이치를 내재한 근원적 존재인 도가 현실에 드러난 것이다.
ㄷ. 도는 현상 세계의 너머에만 머물러 있지 않고 세상일과 유기적으로 관련되는 것이다.
ㄹ. 도가 변화하듯이 현상 세계가 변하니, 현실 사회의 변화에 따라 인간 사회의 규범도 변해야 한다.

① 왕안석은 ㄱ에 동의하지 않고 ㄴ에 동의하겠군.
② 왕안석은 ㄴ과 ㄹ에 동의하겠군.
③ 왕안석은 ㄷ에 동의하고 ㄹ에 동의하지 않겠군.
④ 오징은 ㄱ과 ㄹ에 동의하지 않겠군.
⑤ 오징은 ㄴ에 동의하고 ㄷ에 동의하지 않겠군.

20 〈보기〉를 참고할 때, (가), (나)의 사상가에 대한 왕부지의 평가로 적절하지 <u>않은</u> 것은? [3점]

[보기]

청나라 초기의 유학자 왕부지는 『노자』의 본래 뜻을 드러내어 노자 사상을 비판하고자 『노자연』을 저술했다. 노자 사상의 비현실성을 드러내어 유학의 실용적 가치를 부각하고자 했던 그는 기존의 『노자』 주석서가 노자 사상이 아닌 사상을 기준으로 삼았기 때문에 『노자』뿐만 아니라 주석자의 사상마저 왜곡했다고 비판했다. 『노자』에서 아무런 행동을 하지 않아도 천하가 다스려진다고 한 것 등을 비판한 그는, 『노자』에서처럼 단순히 인간의 이기적 욕망을 없애는 것이 아니라 사회 질서 유지를 위해 유학 규범을 활용해야 한다고 강조했다.

① 왕부지는 인간의 욕망에 대한 『노자』의 대응 방식을 부정적으로 보았으므로, (가)의 한비자가 『노자』와 달리 사회에 대한 인위적 개입이 필요하다고 한 것에 대해서는 수긍하겠군.

② 왕부지는 『노자』에 제시된 소극적인 삶의 태도를 부정적으로 보았으므로, (나)의 왕안석이 사회 제도에 대한 『노자』의 견해를 비판하며 유학 이념의 활용을 주장한 것은 긍정하겠군.

③ 왕부지는 『노자』의 본래 뜻을 파악해야 한다고 보았으므로, (나)의 오징이 『노자』를 주석하면서 자신의 이해에 따라 원문의 구성과 내용을 수정한 것이 잘못이라고 보겠군.

④ 왕부지는 주석자가 유학을 기준으로 『노자』를 이해하면 주석자의 사상도 왜곡된다고 보았으므로, (나)의 오징이 유학의 인의예지를 『노자』의 도가 현실화한 것으로 본 것을 비판하겠군.

⑤ 왕부지는 『노자』에 담긴 비현실성을 드러내야 한다고 보았으므로, (나)의 설혜가 기존의 『노자』 주석서들을 비판하며 드러낸 학문적 입장이 유학의 실용적 가치를 부각한다고 보겠군.

21 ⓐ와 문맥상 의미가 가장 가까운 것은?

① 과일이 접시에 예쁘게 담겨 있다.
② 상자에 탁구공이 가득 담겨 있다.
③ 시원한 계곡물에 수박이 담겨 있다.
④ 화폭에 봄 경치가 그대로 담겨 있다.
⑤ 매실이 설탕물에 한 달째 담겨 있다.

DAY
22

[22~27] 다음 글을 읽고 물음에 답하시오.   2023.09 [4~9]

— (해설 p.046) —

(가)

아도르노는 문화 산업에 의해 양산되는 대중 예술이 이윤 극대화를 위한 상품으로 전락함으로써 예술의 본질을 상실했을 뿐 아니라 현대 사회의 모순과 부조리를 은폐하고 있다고 지적했다. 아도르노가 보는 대중 예술은 창작의 구성에서 표현까지 표준화되어 생산되는 상품에 불과하다. 그는 대중 예술의 규격성으로 인해 개인의 감상 능력 역시 표준화되고, 개인의 개성은 다른 개인의 그것과 다르지 않게 된다고 보았다. 특히 모든 것을 상품의 교환 가치로 환원하려는 자본주의 사회에서, 대중 예술은 개인의 정체성마저 상품으로 ⓐ전락시키는 기제로 작용한다는 것이다.

아도르노는 서로 다른 가치 체계를 하나의 가치 체계로 통일시키려는 속성을 동일성으로, 하나의 가치 체계로의 환원을 거부하는 속성을 비동일성으로 규정하고, 예술은 이러한 환원을 거부하는 비동일성을 지녀야 한다고 주장한다. 그렇기 때문에 예술은 대중이 원하는 아름다운 상품이 되기를 거부하고, 그 자체로 추하고 불쾌한 것이 되어야 한다는 것이다. 그에게 있어 예술은 예술가가 직시한 세계의 본질을 감상자들에게 체험하게 해야 한다. 예술은 동일화되지 않으려는, 일정한 형식이 없는 비정형화된 모습으로 나타남으로써 현대 사회의 부조리를 체험하게 하는 매개여야 한다는 것이다.

아도르노는 쇤베르크의 음악과 같은 전위 예술이 그 자체로 동일화에 저항하면서도, 저항이나 계몽을 직접적으로 드러내지 않는다는 것을 높게 평가한다. 저항이나 계몽을 직접 표현하는 것에는 비동일성을 동일화하려는 폭력적 의도가 내재되어 있다고 보기 때문이다. 불협화음으로 가득 찬 쇤베르크의 음악이 감상자들에게 불쾌함을 느끼게 했던 것처럼 예술은 그것에 드러난 비동일성을 체험하게 함으로써 동일화의 폭력에 저항해야 한다는 것이다.

아도르노에게 있어 예술은 사회적 산물이며, 그래서 미학은 작품에 침전된 사회의 고통스러운 상태를 읽기 위해 존재한다. 그는 비동일성 그 자체를 속성으로 하는 전위 예술을 예술이 추구해야 할 바람직한 모습으로 제시했다.

(나)

아도르노의 미학은 예술과 사회의 관계를 통해 예술의 자율성을 추구했다는 점에서 긍정적으로 평가된다. 예술은 사회적인 것인 동시에 사회에서 떨어져 사회의 본질을 직시하는 것이어야 한다고 보기 때문이다. 그의 미학은 기존의 예술에 대한 비판적 관점을 제공한다. 가령 사과를 표현한 세잔의 작품을 아도르노의 미학으로 읽어 낸다면, 이 그림은 사회의 본질과 ⓑ유리된 '아름다운 가상'을 표현한 것에 불과할 것이다.

하지만 세잔의 작품은 예술가의 주관적 인상을 붉은 색과 회색 등의 색채와 기하학적 형태로 표현한 미메시스일 수 있다. 미메시스란 세계를 바라보는 주체의 관념을 재현하는 것, 즉 감각될 수 없는 것을 감각 가능한 것으로 구현하는 것을 의미한다. 다시 말해 세잔의 작품은 눈에 보이는 특정의 사과가 아닌 예술가의 시선에 포착된 세계의 참모습, 곧 자연의 생명력과 그에 얽힌 농부의 삶 그리고 이를 ⓒ응시하는 예술가의 사유를 재현한 것이 된다.

아도르노는 예술이 예술가에게 포착된 세계의 본질을 감상자로 하여금 체험하게 하는 것이어야 한다고 본다. 그러나 그는 이러한 미적 체험을 현대 사회의 부조리에 국한시킴으로써, 진정한 예술을 감각적 대상인 형태 그 자체의 비정형성에 대한 체험으로 한정한다. 결국 ㉠아도르노의 미학에서는 주관의 재현이라는 미메시스가 부정되고 있다.

한편 아도르노의 미학은 예술의 영역을 극도로 축소시키고 있다. 즉 그 자신은 동일화의 폭력을 비판하지만, 자신이 추구하는 전위 예술만이 진정한 예술이라고 주장하며 ㉡전위 예술의 관점에서 예술의 동일화를 시도하고 있다. 특히 이는 현실 속 다양한 예술의 가치가 발견될 기회를 ⓓ박탈한다. 실수로 찍혀 작가의 어떠한 주관도 결여된 사진에서조차 새로운 예술 정신을 ⓔ발견하는 것이 가능하다는 베냐민의 지적처럼, 전위 예술이 아닌 예술에서도 미적 가치를 발견할 수 있다. 또한 대중음악이 사회적 저항의 메시지를 전달하는 사례도 있듯이, 자본의 논리에 편승한 대중 예술이라 하더라도 사회에 대한 비판적 기능을 수행하는 경우도 있다.

22 다음은 (가)와 (나)를 읽고 수행한 독서 활동지의 일부이다. Ⓐ~Ⓔ 중 적절하지 <u>않은</u> 것은?

	(가)	(나)
글의 화제	아도르노의 예술관 ⓐ	
서술 방식의 공통점	구체적인 예를 제시하고 그것에 담긴 의미를 설명함. ⓑ	
서술 방식의 차이점	(가)는 (나)와 달리 화제와 관련된 개념을 정의하고 개념의 변화 과정을 제시함. ⓒ	(나)는 (가)와 달리 논지를 강화하기 위해 다른 이의 견해를 인용함. ⓓ
서술된 내용 간의 관계	(가)에서 소개한 이론에 대해 (나)에서 의의를 밝히고 한계를 지적함. ⓔ	

① Ⓐ   ② Ⓑ   ③ Ⓒ
④ Ⓓ   ⑤ Ⓔ

23 아도르노가 보는 대중 예술 에 대한 이해로 적절하지 <u>않은</u> 것은?

① 문화 산업을 통해 상품화된 개인의 정체성과 대립적 관계를 형성한다.
② 일정한 규격에 맞춰 생산될 뿐 아니라 대중의 감상 능력을 표준화한다.
③ 자본주의의 교환 가치 체계에 종속된 것으로서 예술로 포장된 상품에 불과하다.
④ 모든 것을 상품의 교환 가치로 환원하려는 자본주의 사회의 속성을 은폐한다.
⑤ 문화 산업의 이윤 극대화 과정에서 개인들이 지닌 개성의 차이를 상실시킨다.

24 ㉠의 이유를 추론한 내용으로 가장 적절한 것은?

① 비정형적 형태뿐 아니라 정형적 형태 역시 재현되기 때문이다.
② 재현의 주체가 예술가로부터 예술 작품의 감상자로 전환되기 때문이다.
③ 미적 체험의 대상이 사회의 부조리에서 세계의 본질로 변화되기 때문이다.
④ 미적 체험의 과정에서 비정형적인 형태가 예술가의 주관으로 왜곡되기 때문이다.
⑤ 예술가의 주관이 가려지고 작품에 나타난 형태에 대한 체험만이 강조되기 때문이다.

25 (가)의 '아도르노'의 관점을 바탕으로 할 때, ㉡에 대해 반박할 수 있는 말로 가장 적절한 것은?

① 동일화는 애초에 예술과 무관하므로 예술의 동일화는 실현 불가능하다.
② 전위 예술의 속성은 부조리 그 자체를 폭로하는 것이므로 비동일성은 결국 동일성으로 귀결된다.
③ 동일성으로 환원된 대중 예술에서도 비동일성을 발견할 수 있으므로 예술의 동일화는 무의미하다.
④ 전위 예술은 동일성과 비동일성의 구분을 거부하므로 전위 예술로의 동일화는 새로운 차원의 비동일성으로 전환된다.
⑤ 동일화를 거부하는 속성이 전위 예술의 본질이므로 전위 예술을 추구하는 것은 동일화가 아니라 비동일화를 지향하는 것이다.

26 다음은 학생이 미술관에 다녀와서 작성한 감상문이다. 이에 대해 (가)의 '아도르노'의 관점(A)과 (나)의 글쓴이의 관점(B)에서 설명한 내용으로 적절하지 <u>않은</u> 것은? [3점]

> 주말 동안 미술관에서 작품을 관람했다. 기억에 남는 세 작품이 있었다. 첫 번째 작품의 제목은 「자화상」이었지만 얼굴의 형상을 전혀 찾아볼 수 없는 기괴한 모습이었고, 제각각의 형태와 색채들이 이곳저곳 흩어져 있어 불편한 감정만 느껴졌다. 두 번째 작품은 사회에 비판적인 유명 연예인의 얼굴을 묘사한 그림으로, 대량 복제되어 유통되는 작품이었다. 그리고 사용된 색채와 구도가 TV에서 본 상업 광고의 한 장면같이 익숙하게 느껴져서 좋았다. 세 번째 작품은 시골 마을의 서정적인 풍경을 사실적으로 묘사한 그림으로 색감과 조형미가 뛰어나 오랫동안 기억에 잔상으로 남았다.

① A: 첫 번째 작품에서 학생이 기괴함과 불편함을 느낀 것은 부조리한 사회에 대한 예술적 체험의 충격 때문일 수 있습니다.

② A: 두 번째 작품에서 학생이 느낀 익숙함은 현대 사회의 모순에 대한 무감각과 같은 것일 수 있습니다. 이는 문화 산업의 논리에 동일화되어 감각이 무뎌진 결과라 할 수 있습니다.

③ A: 세 번째 작품에 표현된 서정성과 조형미는 부조리에 대한 저항과는 괴리가 있습니다. 사회에 대한 저항을 직접적으로 드러낸 예술이어야 진정한 예술이라고 할 수 있습니다.

④ B: 첫 번째 작품의 흩어져 있는 형태와 색채가 예술가의 표현 의도를 담고 있지 않더라도 그 작품에서 예술적 가치를 발견할 수 있습니다.

⑤ B: 두 번째 작품은 대량 생산을 통해 제작된 것이지만 그 연예인의 사회 비판적 이미지를 이용해 현대 사회의 문제점을 고발하는 것일 수 있습니다.

27 문맥상 ⓐ~ⓔ와 바꿔 쓰기에 적절하지 <u>않은</u> 것은?

① ⓐ: 맞바꾸는
② ⓑ: 동떨어진
③ ⓒ: 바라보는
④ ⓓ: 빼앗는다
⑤ ⓔ: 찾아내는

──────── (해설 p.056) ────────

(가)

　㉠정립-반정립-종합. 변증법의 논리적 구조를 일컫는 말이다. 변증법에 따라 철학적 논증을 수행한 인물로는 단연 헤겔이 거명된다. 변증법은 대등한 위상을 지니는 세 범주의 병렬이 아니라, 대립적인 두 범주가 조화로운 통일을 이루어 가는 수렴적 상향성을 구조적 특징으로 한다. 헤겔에게서 변증법은 논증의 방식임을 넘어, 논증 대상 자체의 존재 방식이기도 하다. 즉 세계의 근원적 질서인 '이념'의 내적 구조도, 이념이 시·공간적 현실로서 드러나는 방식도 변증법적이기에, 이념과 현실은 하나의 체계를 이루며, 이 두 차원의 원리를 밝히는 철학적 논증도 변증법적 체계성을 ⓐ지녀야 한다.

　헤겔은 미학도 철저히 변증법적으로 구성된 체계 안에서 다루고자 한다. 그에게서 미학의 대상인 예술은 종교, 철학과 마찬가지로 '절대정신'의 한 형태이다. 절대정신은 절대적 진리인 '이념'을 인식하는 인간 정신의 영역을 ⓑ가리킨다. 예술·종교·철학은 절대적 진리를 동일한 내용으로 하며, 다만 인식 형식의 차이에 따라 구분된다. 절대정신의 세 형태에 각각 대응하는 형식은 직관·표상·사유이다. '직관'은 주어진 물질적 대상을 감각적으로 지각하는 지성이고, '표상'은 물질적 대상의 유무와 무관하게 내면에서 심상을 떠올리는 지성이며, '사유'는 대상을 개념을 통해 파악하는 순수한 논리적 지성이다. 이에 세 형태는 각각 '직관하는 절대정신', '표상하는 절대정신', '사유하는 절대정신'으로 규정된다. 헤겔에 따르면 직관의 외면성과 표상의 내면성은 사유에서 종합되고, 이에 맞춰 예술의 객관성과 종교의 주관성은 철학에서 종합된다.

　형식 간의 차이로 인해 내용의 인식 수준에는 중대한 차이가 발생한다. 헤겔에게서 절대정신의 내용인 절대적 진리는 본질적으로 논리적이고 이성적인 것이다. 이러한 내용을 예술은 직관하고 종교는 표상하며 철학은 사유하기에, 이 세 형태 간에는 단계적 등급이 매겨진다. 즉 예술은 초보 단계의, 종교는 성장 단계의, 철학은 완숙 단계의 절대정신이다. 이에 따라 ㉡예술-종교-철학 순의 진행에서 명실상부한 절대정신은 최고의 지성에 의거하는 것, 즉 철학뿐이며, 예술이 절대정신으로 기능할 수 있는 것은 인류의 보편적 지성이 미발달된 머나먼 과거로 한정된다.

(나)

　변증법의 매력은 '종합'에 있다. 종합의 범주는 두 대립적 범주 중 하나의 일방적 승리로 ⓒ끝나도 안 되고, 두 범주의 고유한 본질적 규정이 소멸되는 중화 상태로 나타나도 안 된다. 종합은 양자의 본질적 규정이 유기적 조화를 이루어 질적으로 고양된 최상의 범주가 생성됨으로써 성립하는 것이다.

　헤겔이 강조한 변증법의 탁월성도 바로 이것이다. 그러기에 변증법의 원칙에 최적화된 엄밀하고도 정합적인 학문 체계를 조탁하는 것이 바로 그의 철학적 기획이 아니었던가. 그런데 그가 내놓은 성과물들은 과연 그 기획을 어떤 흠결도 없이 완수한 것으로 평가될 수 있을까? 미학에 관한 한 '그렇다'는 답변은 쉽지 않을 것이다. 지성의 형식을 직관-표상-사유 순으로 구성하고 이에 맞춰 절대정신을 예술-종교-철학 순으로 편성한 전략은 외관상으로는 변증법 모델에 따른 전형적 구성으로 보인다. 그러나 실질적 내용을 ⓓ보면 직관으로부터 사유에 이르는 과정에서는 외면성이 점차 지워지고 내면성이 점증적으로 강화·완성되고 있음이, 예술로부터 철학에 이르는 과정에서는 객관성이 점차 지워지고 주관성이 점증적으로 강화·완성되고 있음이 확연히 드러날 뿐, 진정한 변증법적 종합은 ⓔ이루어지지 않는다. 직관의 외면성 및 예술의 객관성의 본질은 무엇보다도 감각적 지각성인데, 이러한 핵심 요소가 그가 말하는 종합의 단계에서는 완전히 소거되고 만다.

　변증법에 충실하려면 헤겔은 철학에서 성취된 완전한 주관성이 재객관화되는 단계의 절대정신을 추가했어야 할 것이다. 예술은 '철학 이후'의 자리를 차지할 수 있는 유력한 후보이다. 실제로 많은 예술 작품은 '사유'를 매개로 해서만 설명되지 않는가. 게다가 이는 누구보다도 풍부한 예술적 체험을 한 헤겔 스스로가 잘 알고 있지 않은가. 이 때문에 방법과 철학 체계 간의 이러한 불일치는 더욱 아쉬움을 준다.

28 (가)와 (나)에 대한 설명으로 가장 적절한 것은?

① (가)와 (나)는 모두 특정한 철학적 방법에 기반한 체계를 바탕으로 예술의 상대적 위상을 제시하고 있다.

② (가)와 (나)는 모두 특정한 철학적 방법에 대한 상반된 평가를 바탕으로 더 설득력 있는 미학 이론을 모색하고 있다.

③ (가)와 달리 (나)는 특정한 철학적 방법의 시대적 한계를 지적하고 이에 맞서는 혁신적 방법을 제안하고 있다.

④ (가)와 달리 (나)는 특정한 철학적 방법에서 파생된 미학 이론을 바탕으로 예술 장르를 범주적으로 유형화하고 있다.

⑤ (나)와 달리 (가)는 특정한 철학적 방법의 통시적인 변화 과정을 적용하여 철학사를 단계적으로 설명하고 있다.

29 (가)에서 알 수 있는 헤겔의 생각으로 적절하지 <u>않은</u> 것은?

① 예술·종교·철학 간에는 인식 내용의 동일성과 인식 형식의 상이성이 존재한다.

② 세계의 근원적 질서와 시·공간적 현실은 하나의 변증법적 체계를 이룬다.

③ 절대정신의 세 가지 형태는 지성의 세 가지 형식이 인식하는 대상이다.

④ 변증법은 철학적 논증의 방법이자 논증 대상의 존재 방식이다.

⑤ 절대정신의 내용은 본질적으로 논리적이고 이성적인 것이다.

30 (가)에 따라 직관·표상·사유의 개념을 적용한 것으로 적절하지 <u>않은</u> 것은?

① 먼 타향에서 밤하늘의 별들을 바라보는 것은 직관을 통해, 같은 곳에서 고향의 하늘을 상기하는 것은 표상을 통해 이루어지겠군.

② 타임머신을 타고 미래로 가는 자신의 모습을 상상하는 것과, 그 후 판타지 영화의 장면을 떠올려 보는 것은 모두 표상을 통해 이루어지겠군.

③ 초현실적 세계가 묘사된 그림을 보는 것은 직관을 통해, 그 작품을 상상력 개념에 의거한 이론에 따라 분석하는 것은 사유를 통해 이루어지겠군.

④ 예술의 새로운 개념을 설정하는 것은 사유를 통해, 이를 바탕으로 새로운 감각을 일깨우는 작품의 창작을 기획하는 것은 직관을 통해 이루어지겠군.

⑤ 도덕적 배려의 대상을 생물학적 상이성 개념에 따라 규정하는 것과, 이에 맞서 감수성 소유 여부를 새로운 기준으로 제시하는 것은 모두 사유를 통해 이루어지겠군.

31 (나)의 글쓴이의 관점에서 ㉠과 ㉡에 대한 헤겔의 이론을 분석한 것으로 적절하지 <u>않은</u> 것은?

① ㉠과 ㉡ 모두에서 첫 번째와 두 번째의 범주는 서로 대립한다.

② ㉠과 ㉡ 모두에서 두 번째와 세 번째 범주 간에는 수준상의 차이가 존재한다.

③ ㉠과 달리 ㉡에서는 범주 간 이행에서 첫 번째 범주의 특성이 갈수록 강해진다.

④ ㉡과 달리 ㉠에서는 세 번째 범주에서 첫 번째와 두 번째 범주의 조화로운 통일이 이루어진다.

⑤ ㉡과 달리 ㉠에서는 범주 간 이행에서 수렴적 상향성이 드러난다.

32 〈보기〉는 헤겔과 (나)의 글쓴이가 나누는 가상의 대화의 일부이다. ㉮에 들어갈 내용으로 가장 적절한 것은? [3점]

---[보기]---

헤겔 : 괴테와 실러의 문학 작품을 읽을 때 놓치지 않아야 할 점이 있네. 이 두 천재도 인생의 완숙기에 이르러서야 비로소 최고의 지성적 통찰을 진정한 예술미로 승화시킬 수 있었네. 그에 비해 초기의 작품들은 미적으로 세련되지 못해 결코 수준급이라 할 수 없었는데, 이는 그들이 아직 지적으로 미성숙했기 때문이었네.

(나)의 글쓴이 : 방금 그 말씀과 선생님의 기본 논증 방법을 연결하면 ㉮ 는 말이 됩니다.

---

① 이론에서는 대립적 범주들의 종합을 이루어야 하는 세 번째 단계가 현실에서는 그 범주들을 중화한다

② 이론에서는 외면성에 대응하는 예술이 현실에서는 내면성을 바탕으로 하는 절대정신일 수 있다

③ 이론에서는 반정립 단계에 위치하는 예술이 현실에서는 정립 단계에 있는 것으로 나타난다

④ 이론에서는 객관성을 본질로 하는 예술이 현실에서는 객관성이 사라진 주관성을 지닌다

⑤ 이론에서는 절대정신으로 규정되는 예술이 현실에서는 진리의 인식을 수행할 수 없다

33 문맥상 ⓐ~ⓔ와 바꾸어 쓰기에 가장 적절한 것은?

① ⓐ: 소지(所持)하여야

② ⓑ: 포착(捕捉)한다

③ ⓒ: 귀결(歸結)되어도

④ ⓓ: 간주(看做)하면

⑤ ⓔ: 결성(結成)되지

[34~36] 다음 글을 읽고 물음에 답하시오.   2019LEET [19~21]

— (해설 p.067) —

심신 문제는 정신과 물질의 관계에 대해 묻는 오래된 철학적 문제이다. 정신 상태와 물질 상태는 별개의 것이라고 주장하는 이원론이 오랫동안 널리 받아들여졌으나, 신경 과학이 발달한 현대에는 그 둘은 동일하다는 동일론이 더 많은 지지를 받고 있다. 그러나 똑같은 정신 상태라고 하더라도 사람마다 그 물질 상태가 다를 수 있고, 인간과 정신 상태는 같지만 물질 상태는 다른 로봇이 등장한다면 동일론에서는 그것을 설명할 수 없다는 문제가 생긴다. 그래서 어떤 입력이 들어올 때 어떤 출력을 내보낸다는 기능적·인과적 역할로써 정신을 정의하는 기능론이 각광을 받게 되었다. 기능론에서는 정신이 물질에 의해 구현되므로 그 둘이 별개의 것은 아니라고 주장한다는 점에서 이원론과 다르면서도, 정신의 인과적 역할이 뇌의 신경 세포에서든 로봇의 실리콘 칩에서든 어떤 물질에서도 구현될 수 있음을 보여 준다는 점에서 동일론의 문제점을 해결할 수 있기 때문이다.

그래도 정신 상태에는 물질 상태와 다른 무엇인가가 있다고 생각하는 이원론에서는 '나'가 어떤 주관적인 경험을 할 때 다른 사람에게 그 경험을 보여줄 수는 없지만 나는 분명히 경험하는 그 느낌에 주목한다. 잘 익은 토마토를 봤을 때의 빨간색의 느낌, 시디신 자두를 먹었을 때의 신 느낌, 꼬집힐 때의 아픈 느낌이 그런 예이다. 이런 질적이고 주관적인 감각 경험, 곧 현상적인 감각 경험을 철학자들은 '감각질'이라고 부른다. 이 감각질이 뒤집혔다고 가정하는 사고 실험을 통해 기능론에 대한 비판이 제기된다. 나에게 빨강으로 보이는 것이 어떤 사람에게는 초록으로 보이고 나에게 초록으로 보이는 것이 그에게는 빨강으로 보인다는 사고 실험이 그것이다. 다만 각자에게 느껴지는 감각질이 뒤집혀 있을 뿐이고 경험을 할 때 겉으로 드러난 행동과 하는 말은 똑같다. 예컨대 그 사람은 신호등이 있는 건널목에서 똑같이 초록 불일 때 건너고 빨간 불일 때는 멈추며, 초록 불을 보고 똑같이 "초록 불이네."라고 말한다. 그러나 그는 자신의 감각질이 뒤집혀 있는지 전혀 모른다. 감각질은 순전히 사적이며 다른 사람의 감각질과 같은지를 확인할 수 있는 방법이 없기 때문이다. 그렇다면 나와 어떤 사람의 정신 상태는 현상적으로 다르지만 기능적으로는 같으므로, 현상적 감각 경험은 배제하고 기능적·인과적 역할만으로 정신 상태를 설명하는 기능론은 잘못된 이론이라는 논박이 가능하다.

㉠뒤집힌 감각질 사고 실험에 의한 기능론 논박이 성공하려면 감각질이 뒤집힌 사람이 그렇지 않은 사람과 색 경험이 현상적으로는 다르지만 기능적으로 다르지 않다는 조건이 성립해야 한다. 두 경험이 기능적으로 다르지 않다면 두 사람의 색 경험 공간이 대칭적이어야 한다. 다시 말해서 색들이 가지는 관계들의 구조는 동일한 패턴을 가져야 하는 것이다. 예를 들어 나의 빨간색 경험과 노란색 경험 사이의 관계를 보여 주는 특성들이 다른 사람의 빨간색 경험(사실은 초록색 경험)과 노란색 경험 사이의 관계를 보여 주는 특성들과 동일해야 한다. 그래야 두 사람이 현상적으로 다른 경험을 하더라도 기능적으로 동일하기에 감각질이 뒤집혔다는 것이 탐지 불가능하다. 그러나 색을 경험한다는 것은 색 외적인 속성들, 예컨대 따뜻함과 생동감 따위와도 복잡하게 관련되어 있는데, 그것 때문에 색 경험 공간이 비대칭적이게 된다. ㉡빨강-초록의 감각질이 뒤집힌 사람은 익지 않은 초록색 토마토가 빨간색으로 보일 것인데, 이 경우 그가 초록이 가지는 생동감 대신 빨강이 가지는 따뜻함을 지각할 것이기 때문에 감각질이 뒤집히지 않은 사람과 다른 행동을 보일 것이다.

뒤집힌 감각질 사고 실험은 색 경험 공간이 대칭적이어야 성공하지만, 앞에서 제시한 문제점을 안고 있어서 비판 을 받기도 한다. 그런 까닭에 이 사고 실험에 의한 기능론 논박은 성공하지 못한다고 평가할 수 있다.

34 윗글의 내용과 일치하는 것은?

① 동일론에서는 물질 상태가 같으면 정신 상태도 같다는 것을 설명할 수 없다.

② 이원론에서는 어떤 사람의 행동과 말을 통해서 그 사람의 감각질이 어떠한지 확인한다.

③ 기능론에서는 인간과 로봇이 물질 상태는 달라도 정신 상태는 같을 수 있음을 설명할 수 있다.

④ 뒤집힌 감각질 사고 실험은 기능론으로는 정신의 인과적 측면을 설명할 수 없다는 것을 보여 주려고 한다.

⑤ 이원론과 기능론은 정신 상태를 갖는 존재의 물질 상태를 인정하지 않는다는 점에서 일치한다.

35 비판 의 내용으로 가장 적절한 것은?

① 색 경험 공간은 대칭적이어서, 감각질이 뒤집힌 사람이 그렇지 않은 사람과 현상적으로 동등하고 기능적으로 다를 경우는 발생할 수 없다.

② 색 경험 공간은 비대칭적이어서, 감각질이 뒤집힌 사람이 그렇지 않은 사람과 현상적으로 다르고 기능적으로 동등할 경우는 발생할 수 없다.

③ 감각질이 뒤집히지 않은 사람은 입력이 같으면 출력도 같으므로, 그의 감각질이 뒤집히지 않았다는 사실은 탐지할 수 없다.

④ 감각질이 뒤집힌 사람은 입력이 같아도 출력이 다르므로, 그의 감각질이 뒤집혔다는 사실은 탐지할 수 없다.

⑤ 정신 상태의 현상적 감각 경험을 배제할 수 없으므로, 기능적 역할만으로 정신 상태를 설명할 수 없다.

36 윗글과 〈보기〉를 바탕으로 ㉠과 ㉡을 설명할 때, 적절하지 않은 것은?

─────[보기]─────

빨강과 초록의 감각질이 뒤집힌 사람이 따뜻한 물로 손을 씻으러 세면대로 갔다. 세면대에는 따뜻한 물이 나오는 꼭지는 빨간색으로, 차가운 물이 나오는 꼭지는 파란색으로 되어 있었다.

① ㉠이 성공한다는 측은 ㉡에게는 빨간색 꼭지가 초록색으로 보인다고 설명하겠군.

② ㉠이 성공한다는 측은 ㉡이 빨간색 꼭지를 보고 "이게 빨간색이구나."라고 말한다고 설명하겠군.

③ ㉠이 실패한다는 측은 ㉡이 빨간색 꼭지를 보고 따뜻함을 지각하지 못할 것이라고 설명하겠군.

④ ㉠이 성공한다는 측과 실패한다는 측 모두 ㉡이 빨간색 꼭지를 틀지 않을 것이라고 설명하겠군.

⑤ ㉠이 성공한다는 측과 실패한다는 측 모두 ㉡이 빨간색 꼭지와 파란색 꼭지를 구별할 수 있다고 설명하겠군.

(해설 p.074)

벤야민은 폭력이 모든 합법적 권력의 탄생과 구성 과정에 개입함을, 그리고 그것이 금지하고 처벌하는 방식뿐만 아니라 법 자체를 제정하고 부과하며 유지하는 방식으로도 작동함을 밝히고자 했다. 「폭력 비판을 위하여」에서 그는 목적의 정의로움과 수단의 정당성에 대한 ㉠자연법론과 ㉡법실증주의의 입장 차이를 논의의 출발점으로 삼았다.

벤야민에 따르면, 고전적인 자연법론은 법 창출과 존속의 근거를 신이나 자연, 혹은 이성과 같은 형이상학적이고 외부적인 실체의 권위로부터 구한다. 또한 합당한 자격을 부여받은 외적 실체의 정당한 목적을 위해 사용되는 폭력은 문제가 되지 않는다고 본다. 반면 법실증주의는 폭력을 수단으로 사용하기 위한 절차적 정당성이 확보되었는지 여부에 주목한다. 벤야민은 자연법론보다는 법실증주의가 폭력 비판의 가설적 토대로 더 적합하다고 판단했다. 근본규범으로 전제된 헌법으로부터 법 효력의 근거를 도출하는 법실증주의는 법체계의 자기정초적 성격을 강조함으로써 법 제정 과정의 폭력을 읽어낼 단서를 제공해 주어, 폭력 보존의 계보에 대한 비판적 탐색을 가능케 하기 때문이다.

그렇지만 벤야민은 법실증주의가 목적과 수단의 관계에 대한 잘못된 전제를 자연법론과 공유한다고 보았다. 정당화된 수단이 목적의 정당성을 보증한다고 보는 경우든 정당한 목적을 통해 수단이 정당화될 수 있다고 보는 경우든, 목적과 수단의 상호지지적 관계를 전제로 폭력의 정당성을 판단한다. 그러나 법의 관심은 이러저러한 목적 혹은 수단을 평가하는 데 있는 것이 아니라 법의 폭력 자체를 수호하는 데 있다고 파악했다. 또한 법이 스스로 저지르는 폭력만을 정당한 '강제력'으로 상정하고 다른 모든 형태의 폭력적인 것들은 '폭력'으로 치부하는 문제에 관해 양편 모두 충분한 관심을 두지 않아 왔음을 지적했다.

벤야민은 자연법과 법실증주의가 감추어 온 법의 내재적 폭력성을 설명하기 위해 법정립적 폭력과 법보존적 폭력을 새롭게 개념화했다. 전자의 사례로 무정부적 위력이나 전쟁 등을, 후자의 사례로 행형제도와 경찰제도 등을 제시한 점에서 이들이 각각 근대 국가의 입법 권력과 행정 권력에 대응하는 한정된 개념으로 사용되었다고 보기 어렵다. 법정립적 폭력은 법 목적을 위한 강제력이 정당화된 폭력의 위치를 독점하는 과정을 보여 준다. 여기서 폭력은 법 제정의 수단으로 복무하지만,

목적한 바가 법으로 정립되는 순간 퇴각하는 것이 아니라 자신의 도구적 성격을 넘어서 힘 자체가 된다. 그렇기에 법과 폭력의 관계는 목적과 수단의 관계 또는 선후 관계로 편입될 수 없다. 한편 법보존적 폭력은 이미 만들어진 법을 확인하고 적용하고자 하는, 그리고 이로써 법의 규율 대상에 대한 구속력을 유지하고자 하는 반복적이고 제도화된 노력들이다. 법은 구속적인 것으로 확언됨으로써 보존되며, 그 보존을 통한 재확언이 다시금 법을 구속하는 것이다. 더 나아가 그는 법 정립과 법 보존의 이러한 순환 회로를 신화적 폭력이라 명명하면서 그것을 신적 폭력과 구별 짓는다. 신적 폭력은 법을 허물어뜨리는 순수하고 직접적인 폭력이다. 벤야민은 이것이 신화적 폭력의 순환 회로를 폭파하고 새로운 질서로 나아가게끔 하는 적극적 동력임을 주장한다.

출간 당시엔 크게 주목받지 못한 「폭력 비판을 위하여」가 반세기 넘게 지나 법과 폭력의 관계를 규명하려는 연구자들의 관심을 끌게 된 데에는 데리다의 비판적 독해가 주요한 계기를 제공했다. 데리다는 「법의 힘」에서 합법화된 폭력을 소급적으로 정립하는 법의 발화수반적 힘을 분석했다. 그는 법 언어 행위를 통해 적법한 권력과 부정의한 폭력 사이의 경계가 비로소 그어진다고 설명했다. 또한 법보존적 폭력은 법정립적 폭력에 이미 내재되어 있다고 보았다. 정립은 자기보존적인 반복에 대한 요구를 내포하며, 자신이 정립했다고 주장하는 것을 보존하기 위해 재정립되어야 하기 때문이다. 더 나아가 그는 법을 정립하고 보존하는 신화적 폭력과 법을 허물어뜨리는 신적 폭력이 뚜렷이 구분될 수 없으며, 만일 후자를 벤야민이 지지했던 방식으로 이해할 경우 자칫 메시아주의*로 귀결되거나 전체주의에 복무하는 것으로 해석될 여지가 있음을 지적했다.

* 메시아주의 : 세상이 사탄의 힘으로 지배되고 있다는 전제하에, 사탄을 물리칠 메시아의 도래를 기다리는 신앙.

37 윗글의 내용과 일치하는 것은?

① 벤야민은 법정립적 폭력을 신화적 폭력에, 법보존적 폭력을 신적 폭력에 각각 속하는 것으로 규정한다.

② 벤야민은 신적 폭력이 도래함으로써 법 정립과 법 보존의 순환 회로가 더 강고해질 수 있음을 우려한다.

③ 벤야민은 법의 수단으로 사용되는 폭력은 자신의 목적을 달성하는 순간 힘을 상실하여 소거된다고 주장한다.

④ 데리다는 폭력의 적법성이 법 언어 행위를 통해 사후적으로 정립되지 않는다고 본다.

⑤ 데리다는 법을 보존하기 위한 반복적이고 제도화된 폭력들이 법정립적 폭력에 포함되어 있다고 이해한다.

38 윗글을 바탕으로 ㉠과 ㉡을 이해한 것으로 적절하지 않은 것은?

① ㉠은 정당성 판단의 준거가 될 법적 권위를 법 바깥에서 구한다.

② ㉡은 수단의 절차적 정당화 여부에 따라 법의 폭력성을 판단해야 한다고 주장한다.

③ ㉠과 ㉡은 목적이나 수단 중 어느 한쪽이 정당화되면 다른 쪽의 정당성도 보증된다고 전제한다.

④ ㉠보다 ㉡이 법의 정립과 보존 과정에 내재된 폭력을 발견하는 데 더 유용하다.

⑤ ㉠과 달리 ㉡은 법적으로 승인된 폭력이 자신을 법 바깥의 폭력들과 차등화하는 문제에 주목한다.

39 윗글을 바탕으로 〈보기〉를 평가한 것으로 가장 적절한 것은?

---[보기]---

A : 민주적 정치체제에서 법 제정 권력을 다룰 때, 논의 대상은 의회의 입법권으로 좁혀져야 한다. 정치적 자유의 행사를 통해 구성된 권력이 아닌 강제적 힘에 의해 정초된 법은 처음부터 불법이다. 따라서 국가법이 제정되고 유지되는 과정에 폭력이 난입할 여지는 없다.

B : 국가법은 불법체류자 등을 법적 보호로부터 배제하는 동시에 바로 그 배제를 통해 규율 대상으로 포획한다. 이때 법과 폭력은 안과 바깥이 구분되지 않는 '뫼비우스의 띠' 안에서 무한히 순환한다. 우리는 더 나은, 혹은 덜 나쁜 법의 정립을 입법권의 자장 안에서 고민하기보다는 신화적 폭력을 넘어서 국가법 자체를 탈정립할 신적 폭력을 지지할 필요가 있다.

---

① A는 법 정립 과정에 폭력이 개입하지 않는다고 본 데서, 벤야민과 관점을 같이한다.

② A는 적법한 강제력과 적법하지 않은 폭력이 처음부터 다른 기원을 가진다고 주장한 데서, 벤야민과는 견해를 달리하고 데리다와는 견해를 같이한다.

③ B는 법과 폭력의 순환 고리를 끊어낼 순수하고 직접적인 폭력을 지지한 데서, 벤야민과 입장을 같이한다.

④ B는 신적 폭력과 신화적 폭력의 구분을 전제한 데서, 벤야민과는 견해를 달리하고 데리다와는 견해를 같이한다.

⑤ A와 B는 모두 법 정립 권력을 입법 권력에만 한정 지은 데서, 벤야민과 입장을 같이한다.

출제되기만 하면 항상 무섭게 느껴지는 과학·기술 제재에 대한 독해를 연습하는 시간입니다. 과학·기술 제재의 글을 독해하는 방법, 알아두면 좋은 배경지식에 대해 다뤄보도록 합시다. 과학에 자신이 있는 학생들은 대부분 잘 알고 있는 내용이기에 금방 공부하겠지만, 익숙하지 않은 학생들은 오늘 하루는 그냥 이 부분을 읽고 정리하는 것으로 끝내도 무방할 것 같아요. 본인의 상황에 맞게 주체적으로 공부하도록 합시다!

제재별 독해 – 과학·기술

과학·기술 제재의 지문은 언제나 고난도로 출제되고, 수많은 학생들은 어려워합니다. 그 이유는 간단합니다. '정보량'이 너무 많다고 생각되기 때문이에요. 많은 경우 엄청난 '정보량'에 치이면서 제대로 이해도 못한 채로 문제를 풀게 되기 때문에, 과학·기술 제재의 지문은 언제나 공포의 대상일 수밖에 없습니다.

하지만 앞서 열심히 공부했던 것처럼, 평가원은 그 수많은 '정보량'을 모두 기억할 수 있는지는 관심이 없습니다. 초반부에 제시한 '화제' 중심으로 정보를 모으고, '같은 말'과 '카테고리'를 바탕으로 '정보량'을 줄이면서 읽을 수 있는지에만 관심이 있습니다. 이는 과학·기술 제재의 지문에서도 마찬가지인데, 이 제재의 지문에서는 특히 '초반부 정보'가 핵심이 되는 경우가 많습니다. 즉, '초반부 정보'가 지문 전체적인 '정보량'을 줄이는 데 있어 핵심적인 역할을 한다는 것이죠.

조금 더 구체적으로 설명해 볼까요? '배경지식'을 익힌 뒤 그것을 바탕으로 다양한 원리에 적용하는 것이 '과학·기술'이라는 영역의 핵심 포인트라고 할 수 있습니다. 이에 평가원 과학·기술 제재의 지문은 초반부에서 전반적인 '배경지식'을 만들어주고, 이를 이용해서 후반부의 핵심 내용을 설명하는 방식으로 전개되는 경우가 많습니다. 따라서 여러분은 초반부에 제시되는 수많은 '정보량'들을 최대한 견디면서 정리할 수 있어야 해요. 오랜 시간을 써서라도 말이죠.

그리고 이런 '초반부 정보'를 제대로 이해하기 위해서, 나아가 이를 후반부의 핵심 내용과 더 잘 연결시키기 위해서 어느 정도의 과학적 배경지식을 갖추고 있을 필요가 있습니다. 이에 먼저 과학·기술 제재의 지문을 독해하는 데 필요한 '기본적인 배경지식'을 배워 봅시다. 이 지식들을 모두 완벽하게 암기할 필요는 없지만, 최대한 이해하고 납득하면서 익숙해지도록 하세요. 이 지식들은 과학·기술 제재의 지문 속에서 자주 사용되는 '메커니즘'들이기 때문에, 익숙해지면 지문을 이해하는 속도를 엄청나게 올릴 수 있을 겁니다. 앞에서도 이야기했지만, 이런 지식들에 익숙하지 않으신 분들은 오늘 하루를 모두 이 지식들의 이해에 쏟아부으셔도 돼요. 독서 지문이라고 생각하면서, 차분하게 읽고 납득하는 과정을 거쳐봅시다.

– 과학 · 기술 기본 배경지식

· 관성의 법칙

지구상에 존재하는 모든 자연물은 '관성의 법칙'을 따릅니다. 관성의 법칙을 정의하면, '외부에서 힘이 가해지지 않는 한 모든 물체는 자기의 상태를 그대로 유지하려고 하는 법칙'이라고 할 수 있습니다. 예를 들어, 앞으로 가고 있는 버스에 타고 있는 상상을 해 봅시다. 버스가 갑자기 멈추면 몸이 앞으로 쏠리게 되겠죠? 이는 우리의 몸이라는 물체가 '앞으로 가려고 하는 상태'를 '그대로 유지'하려는 성질 때문에 그런 것입니다. 반대로 버스가 갑자기 출발하는 상황을 상상해 보세요. 몸이 뒤로 쏠리는 느낌을 떠올릴 수 있죠? 이는 우리의 몸이 '멈춰 있으려는 상태'를 '그대로 유지'하려고 하는데 버스의 진행 방향이 앞쪽이 되기 때문에 그런 것이에요. 또 다른 예시로는 '엘리베이터'를 들 수 있습니다. 올라가던 엘리베이터가 멈추면 몸이 위로 붕 뜨는 기분을 느낄 수 있어요. 이 역시 마찬가지로 우리의 몸이 '위로 올라가려는 성질'을 '그대로 유지'하려고 하기 때문입니다.

여기서 포인트는 '자기의 상태를 그대로 유지'라는 메커니즘이에요. 즉, '변화를 거부'하는 메커니즘이죠. 이러한 '관성의 법칙'은 과학적인 영역뿐만 아니라 모든 지문의 독해 과정에서 납득을 도울 수 있습니다. 일단 침대에 누우면 일어나서 책상에 앉기 힘든 이유도 관성의 법칙이고, 갈릴레오가 지구가 돈다는 '지동설'을 주장했을 때 당시 교회에 의해 재판을 받았던 것도 변화를 받아들이기 싫었던 교회에게 작용한 '관성의 법칙'이라고 할 수 있는 것이죠. 어떤 제재의 글을 읽더라도, 이런 메커니즘을 가진 채로 독해하면 편하게 읽을 수 있는 부분이 생길 겁니다.

· 과학계의 패러다임 변화

과학계의 패러다임 변화는 '관성의 법칙'이라는 메커니즘 속에 있는 개념입니다. '변화를 거부'하는 것이죠! 아래 기출 예시를 읽어보면 쉽게 이해하실 수 있을 겁니다.

참고로 '패러다임'은, 쉽게 설명하면 '생각의 틀'과 같은 말이라고 할 수 있습니다. 지금까지 우리는 '재진술', '카테고리 만들기', '고정값에 주목하기' 등 어떤 독서 지문을 읽기 위해 필요한 '사고방식'에 대해 배웠습니다. 과학자들 역시 어떤 낯선 현상을 마주했을 때, 나름대로 그 현상을 설명하기 위한 이론을 만듭니다. 당연하게도 이 이론을 만드는 과정에서 과학자들 역시 어떤 '사고방식'을 활용할 텐데, 이를 '패러다임'이라고 할 수 있습니다.

> 성공적인 과학 이론은 '패러다임'이 되어 후속하는 과학 활동에 지대한 영향을 미친다. 과학자들은 패러다임에서 연구의 방법, 연구 주제 등을 발견한다. 이러한 '정상 과학' 활동에서 때때로 기존의 패러다임과 조화를 이룰 수 없는 과학적 발견인 '변칙 사례'들이 나타나기도 한다. 이러한 변칙 사례들이 패러다임을 당장에 '무효화'하지는 않는다. 하지만 변칙 사례가 누적되면서 위기가 도래한다. 이때 새로운 과학 이론이 등장하여 기존의 패러다임과 경쟁을 벌인다. 그러다가 어떤 이유로 새로운 이론이 과학자들에게 받아들여지면서 새로운 패러다임이 되는데, 이것이 '과학 혁명'이다.
>
> −2008학년도 수능

앞에서 공부했던 2019학년도 수능 '우주론' 관련 지문에서 '천동설'을 주장하는 자들이 '지동설'을 거부했다가 결국 받아들이게 된 과정과 똑같죠? '기존의 패러다임'이 '천동설'이고, '변칙 사례'가 '지동설'인 것이죠. 해당 지문에 따르면, 처음에는 지동설이 천동설을 '무효화'시키지 못했지만, 변칙 사례가 많아지고 그 사례들이 뉴턴의 만유인력 법칙에 의해 연역적으로 증명되면서 천동설(기존의 패러다임)을 이기게 되었어요. '천동설'이 '지동설'로 바뀌는 '과학 혁명'이 일어난 것이죠! 이렇게 과학 · 기술 지문에서 일어나는 패러다임 변화는 항상 비슷한 메커니즘으로 이루어집니다. 또 하나의 예시를 볼까요?

1894년, 화성에 고도로 진화한 지적 생명체가 존재한다는 주장이 언론의 주목을 받았다. 이러한 주장은 당시 화성의 지도들에 나타난, '운하'라고 불리던 복잡하게 얽힌 선들에 근거를 두고 있었다. 화성의 '운하'는 1878년에 처음 보고된 뒤 거의 30년간 여러 화성 지도에 계속해서 나타났다. 존재하지도 않는 화성의 '운하'들이 어떻게 그렇게 오랫동안 천문학자들에게 받아들여질 수 있었을까?

19세기 후반에 망원경 관측을 바탕으로 한 화성의 지도가 많이 제작되었다. 특히 1877년 9월은 지구가 화성과 태양에 동시에 가까워지는 시기여서 화성의 표면이 그 어느 때보다도 밝게 보였다. 영국의 아마추어 천문학자 그린은 대기가 청명한 포르투갈의 마데이라 섬으로 가서 13인치 반사 망원경을 사용해서 화성을 보이는 대로 직접 스케치했다. 그린은 화성 관측 경험이 많았으므로 이전부터 이루어진 자신의 관측 결과를 참고하고, 다른 천문학자들의 관측 결과까지 반영하여 당시로서는 가장 정교한 화성 지도를 제작하였다.

그런데 이듬해 이탈리아의 천문학자인 스키아파렐리의 화성 지도가 나오면서 이 지도의 정확성이 도전받았다. 그린과 같은 시기에 수행한 관측을 토대로 제작한 스키아파렐리의 지도에는, 그린의 지도에서 흐릿하게 표현된 지역에 평행한 선들이 그물 모양으로 교차하는 지형이 나타나 있었기 때문이었다. 스키아파렐리는 이것을 '카날리(canali)'라고 불렀는데, 이것은 '해협'이나 '운하'로 번역될 수 있는 용어였다.

절차적 측면에서 보면 그린이 스키아파렐리보다 우위를 점하고 있었다. 우선 스키아파렐리는 전문 천문학자였지만 화성 관측은 이때가 처음이었다. 게다가 그는 마데이라 섬보다 대기의 청명도가 떨어지는 자신의 천문대에서 관측을 했고, 배율이 상대적으로 낮은 8인치 반사 망원경을 사용했다. 또한 그는 짧은 시간에 특징만을 스케치하고 나중에 기억에 의존해 그것을 정교화했으며, 자신만의 관측을 토대로 지도를 제작했던 것이다.

그런데도 승리는 스키아파렐리에게 돌아갔다. 그가 천문학계에서 널리 알려진 존경받는 천문학자였던 것이 결정적이었다. 대다수의 천문학자들은 그들이 존경하는 천문학자가 눈에 보이지도 않는 지형을 지도에 그려 넣었으리라고는 생각하기 어려웠다. 게다가 스키아파렐리의 지도는 지리학의 채색법을 그대로 사용하여 그린의 지도보다 호소력이 강했다. 그 후 스키아파렐리가 몇 번 더 '운하'의 관측을 보고하자 다른 천문학자들도 '운하'의 존재를 보고하기 시작했고, 이후 더 많은 '운하'들이 화성 지도에 나타나게 되었다.

일단 권위자가 무엇인가를 발견했다고 알려지면 그것이 존재하지 않는다는 것을 입증하기란 쉽지 않다. 더구나 관측의 신뢰도를 결정하는 척도로 망원경의 성능보다 다른 조건들이 더 중시되던 당시 분위기에서는 이러한 오류가 수정되기 어려웠다. 성능이 더 좋아진 대형 망원경으로는 종종 '운하'가 보이지 않았는데, 놀랍게도 '운하' 가설 옹호자들은 이것에 대해 대형 망원경이 높은 배율 때문에 어떤 대기 상태에서는 오히려 왜곡이 심해서 소형 망원경보다 해상도가 떨어질 수 있다고 '해명'하곤 했던 것이다.

－2007학년도 수능

'그린'의 방법이 '스키아파렐리'보다 우위를 점하고 있었지만, '권위자'인 '스키아파렐리'에게 승리가 돌아가는 모습이죠? 과학계의 패러다임은 이만큼 변화하기 힘든 것이에요. '관성의 법칙'을 이용하면 '과학계의 패러다임 변화'라는 메커니즘 역시 쉽게 이해할 수 있을 것 같습니다.

· 부피 / 질량 / 밀도의 관계

분야를 막론하고, 과학에서 가장 기본이 되는 지식이라고 할 수 있습니다. 비슷한 것 같으면서 완전히 다른 세 개념, 정확하게 구분할 수 있어야 합니다. 하나씩 알아 볼까요?

부피

'물질이 차지하는 공간의 크기'를 '부피'라고 합니다. 풍선 속에 공기가 빵빵하게 들어 있는 모습을 상상해봅시다. 이 풍선을 바늘로 터뜨리면, 풍선의 '크기'가 작아지겠죠? 이때 풍선이 얼마나 큰 '공간'을 차지하고 있는지를 나타내기 위해 '부피'라는 개념을 사용합니다. 풍선을 터뜨리기 전 풍선의 '크기'가 클 때는 '풍선의 부피가 크다.'라고 하고, 바늘로 터뜨려서 작아지면 '풍선의 부피가 작다.'라고 말하는 것이에요. 부피는 이렇게 '물질이 차지하는 공간의 크기'를 나타내기 위해 사용하는 개념입니다.

질량 (feat. 무게)

한편, '장소나 상태에 따라 변하지 않는 물질의 고유한 양'을 '질량'이라고 합니다. 체중계에 표시되는 '무게'와는 조금 다른 개념이에요. 일단, '무게'는 '질량'이라는 '고유한 값'에 '중력'이 작용한 결과입니다. 반면 질량은 정의처럼 '고유한 양'을 뜻해요. 지구에서든, 달에서든, 우주에서든 '질량'은 변하지 않지만 '무게'는 변할 수 있어요. 달에 가면 몸무게가 낮아진다는 말 한 번쯤 들어보셨죠? 이건 달의 '중력'이 지구보다 작아서 그런 것이라고 할 수 있어요. '질량'에 '중력'을 반영한 값이 '무게'인데, 달의 '중력'이 지구보다 작으니 달에 가면 몸무게가 낮아지는 것이죠. '질량'은 변하지 않는 '고유한 값', '무게'는 중력에 따라 '변하는 값'이라고 정리하면 됩니다.

밀도

마지막으로 '밀도'는 어떤 물질의 '질량'을 '부피'로 나눈 값, 즉 '단위 부피당 질량'을 의미합니다. '밀도'를 이해하기 위해서는 '부피'와 '질량'부터 정의해야 하는 것이죠. 나아가 '밀도'의 정의에 따라, 〈밀도=질량/부피〉라는 공식이 성립합니다. 이 공식 하나만 정확히 이해해도 세 개념의 관계를 완벽하게 이해하고 있다고 할 수 있어요. 쉽게 설명하면, 한정된 '부피' 안에서 물질들의 '질량'이 큰 경우 '밀도'가 크다고 할 수 있습니다. 예를 들면 좁은 지하철에 사람이 많은 상황, 고속도로에 차가 많은 상황 모두 '밀도'가 크다고 할 수 있겠습니다. 같은 '부피' 안에 '사람'이나 '자동차'가 많이 몰려 '질량'도 커진 상태이니까요. 혹은 스티로폼과 철을 생각해 볼까요? 같은 '부피'의 스티로폼과 철이 있다고 해도, 철이 더 무겁다는 것은 상식적으로 받아들일 수 있죠? 이건 같은 '부피'이더라도 철의 '밀도'가 더 크기 때문입니다. '질량'은 '밀도'와 비례하는데, 같은 부피라면 '철'이 '스티로폼'에 비해 '고유의 양'이 훨씬 많기 때문에('질량'이 훨씬 크기 때문에) '밀도'도 훨씬 크게 나타나는 것이죠.

어느 정도 이해할 수 있겠죠? 부피, 질량, 밀도의 관계는 이제 배경지식으로 갖고 있어야 할 만큼 중요해졌습니다. 2016학년도 수능, 2019학년도 수능에서 두 번이나 초고난도 문제의 재료로 등장한 개념이기 때문이에요. 후자는 앞에서 공부했던 지문이니, (1권 Day 10) 이 문제의 복습도 할 겸 다시 읽어 보면서 이해하도록 합시다.

· 거리 / 속력 / 시간

수학을 싫어하는 사람이라면, 초등학교/중학교 때 정말 안 좋은 기억으로 남아있을 '거속시'입니다. 벌써부터 거부감이 생기더라도 꼭 참고 따라오면 극복이 가능할 거예요! '거속시' 개념에서 가장 중요한 것은 세 개념의 '관계'입니다. 이 세 개념은 '거리=속력X시간'의 관계를 갖습니다. 천천히 생각해보면 아주 쉬워요. 집 앞 편의점이 10이라는 거리만큼 떨어져 있는데, 내 걸음 속력이 2라면 가는데 5라는 시간이 들겠죠?

그럼 좀 더 어려운 문제를 풀어 볼까요? 여러분은 지금 친구와 달리기 시합 중입니다. 근데 친구가 좀 느려서 결승선에 10만큼 더 가까운 거리에서 출발할 수 있게 해 줬다고 가정해 볼게요. 출발 후 친구의 속력이 5이고, 여러분의 속력이 7이라면 얼마만큼의 시간이 지나야 여러분과 친구가 만날 수 있을까요? 답은 5입니다. 친구가 달리는 속력보다 여러분의 속력이 2만큼 빠르니까, 10이라는 거리를 단위 시간당 2씩 따라잡고 있는 것이죠. 그렇게 어렵지 않죠?

이제 조금 더 응용해 볼게요. 위와 같은 상황에서 출발 후 친구의 속력은 5이고, 여러분과 친구 사이의 거리는 10이라고 해 봅시다. 그런데 10초 후에 둘이 만나게 되었습니다. 그럼 여러분의 속력은 몇일까요? 답은 6입니다. 10이라는 거리를 10초 동안 달려서 따라잡은 것이니 친구보다 1만큼 빠른 것이죠. 위의 상황은 '시간'을 구해야 하는 상황이고, 이번 상황은 내 '속력'을 구해야 하는 상황이었습니다.

이번엔 '거리'를 한 번 구해 볼까요? 친구의 속력이 3이고 여러분의 속력이 5라고 합시다. 그런데 따라잡는 데 10이라는 시간이 걸렸다고 합니다. 그러면 처음 둘 사이의 거리는 얼마나 떨어져 있었을까요? 답은 20입니다. 2만큼 더 빠르게 10이라는 시간 동안 달리면 20만큼의 거리를 따라잡을 수 있겠죠?

이 정도의 사고과정이 자연스러워지면, '거리 / 속력 / 시간'을 활용한 개념들을 더욱 쉽게 이해할 수 있습니다. 사실 '거리 = 속력×시간'의 관계 정도만 확실하게 알고 있으면 되는데, 이 관계를 외운다기보다는 당연한 말로 '납득'할 수 있으면 좋겠습니다.

· 연산 속력과 시간의 관계

기술 지문에 자주 등장하는 메커니즘입니다. 연산 '속력'에 따라서 처리 '시간'이 커지거나 작아지거나 하는 것이죠. '속력'과 '시간'에 대한 내용이니, '거속시'의 관계로 이해하면 더 쉽겠죠? 어떤 기계가 처리해야 하는 정보량(거리)이 10만큼 있는데, 연산 속력(속력)이 2라고 해 봅시다. 그럼 이를 모두 처리하는데 5만큼의 시간이 들겠네요. 어렵지 않습니다. '거속시'의 관계를 그대로 가져오면 돼요. 이처럼 연산 '속력'이 빨라질수록 처리 '시간'이 줄어들고, 결국 '정보 처리'라는 목적지까지의 '거리'를 더 빠르게 도달할 수 있다는 것, 기출에 정말 자주 등장하는 메커니즘이니 정확히 인식하고 가시면 좋겠습니다.

> '선택 복사 방법'을 쓰면 입력 영상의 화소 중 표시되지 않는 부분이 생기기 때문에 영상이 왜곡되어 보인다. 특히 글자와 같이 가로세로로 방향으로 흑백의 영역이 뚜렷이 구별되는 영상의 경우에는 글자 모양이 변한다. 따라서 입력 영상의 인접한 4개의 화솟값의 평균값으로 가상 영상의 하나의 화솟값을 채우는 '영역 축소 방법'을 주로 사용한다. 그러나 이 방법은 연산량이 많아져 처리 시간이 늘어나고, 화솟값을 평균값으로 채우기 때문에 명암 대비가 강한 영상의 경우 명암 대비가 약해지는 단점이 있다.   -2015학년도 9월 모의평가

· 행성의 공전

지구과학적 개념을 다루는 지문에서 자주 등장하는 '행성의 공전' 역시 앞에서 배운 '거속시' 개념을 활용하면 쉽게 이해할 수 있습니다. 일단 '공전'이 무엇인지부터 알아야겠죠? 뒤에서 자전, 공전, 경도, 위도 등의 지구과학과 관련된 개념을 더 자세하게 배우긴 할 텐데, 우선 여기서 간단하게 알아보고 넘어갑시다.

지구뿐만 아니라 수성, 금성, 화성, 목성, 토성 등이 '태양 주위'를 도는 것을 모두 '공전한다'라고 합니다. 쉽게 설명하기 위해 태양계에 한정지어서 '공전' 개념을 설명했지만, 사실 태양뿐만 아니라 한 천체가 다른 천체를 중심으로 도는 것을 모두 '공전'이라고 해요. 어쨌든, 태양계 내에서는 천체가 태양을 중심으로 멀리 떨어져 있을수록 '공전'해야 하는 궤도가 커지겠죠? 태양을 중심으로 하는 원의 반지름이 커진다고 생각하면 쉽게 이해할 수 있을 거예요. 이때 행성 사이의 공전 '속력'이 엄청나게 차이나지 않는 이상, 태양으로부터 멀리 떨어져 있을수록 공전해야 하는 '거리'가 길어진다고 할 수 있습니다. 그리고 이에 따라 공전 주기, 즉 공전하는 데 걸리는 '시간'도 길어진다는 것도 생각할 수 있겠습니다. 이를 통해 앞에서 열심히 공부했던 '서양의 천문이론'에서의 한 문장을 완벽하게 이해할 수 있습니다.

> 그와 달리 코페르니쿠스는 태양을 우주의 중심에 고정하고 그 주위를 지구를 비롯한 행성들이 공전하며 지구가 자전하는 우주 모형을 만들었다. 그러자 프톨레마이오스보다 훨씬 적은 수의 원으로 행성들의 가시적인 운동을 설명할 수 있었고 행성이 태양에서 멀수록 공전 주기가 길어진다는 점에서 단순성이 충족되었다.   -2019학년도 수능

이제 '거속시'와 이를 활용한 개념에 대해 완벽하게 이해했을 것이라고 생각합니다. 언제든 비슷한 메커니즘이 등장하면 지금 연습한 걸 바탕으로 확실하게 이해해주면 되겠어요.

· 엔트로피 증가의 법칙 (높은 쪽 → 낮은 쪽)

이 법칙 역시 지구상의 모든 자연물에 적용되는 법칙입니다. '물리계의 무질서한 정도는 항상 증가한다'라고 생각하시면 되는데, 역시 말이 너무 어려우니 한 가지 예를 들어 보도록 하겠습니다. 여러분이 공부하시는 책상을 생각해 보세요. 매일 공부를 시작할 때마다 치우지 않는 한, 계속 어질러지죠? 혹은 물에 잉크 방울을 떨어뜨리는 상황을 생각해 볼까요? 잉크가 퍼지는 것을 확인할 수 있을 것이에요. 책상의 정리 상태가 '무질서'해지고, 잉크가 '무질서'하게 퍼지는 것과 같이, 지구상의 모든 물질은 자연 상태에서 '무질서도'가 증가하는 방향으로 변화한다고 할 수 있습니다.

'무질서도'라는 말을 계속 사용하면 조금 어렵습니다. 조금 더 쉽게 이해하기 위해, '높은 쪽 → 낮은 쪽'이라는 메커니즘을 사용하면 더 좋을 것 같아요. 책상 위의 물건들도, 물속 잉크 방울도 모두 밀도가 '낮아지는' 방향으로 변화했다는 것이죠. 기출 문제에서도 이에 대해 언급한 적이 있어요.

> 클라우지우스는 자연계에서는 열이 고온에서 저온으로만 흐르고 그와 반대되는 현상은 일어나지 않는 것과 같이 경험적으로 알 수 있는 방향성이 있다는 점에 주목하였다. 또한 일이 열로 전환될 때와는 달리, 열기관에서 열 전부를 일로 전환할 수 없다는, 즉 열효율이 100%가 될 수 없다는 상호 전환 방향에 관한 비대칭성이 있다는 사실에 주목하였다. 이러한 방향성과 비대칭성에 대한 논의는 이를 설명할 수 있는 새로운 물리량인 엔트로피의 개념을 낳았다.
>
> -2017학년도 9월 모의평가

자연계에서는 열이 '높은 온도'에서 '낮은 온도'로만 흐르고 그와 반대되는 현상은 일어나지 않는다는 것, 이미 옛날부터 잘 알려진 사실이었던 것입니다. 이러한 '높은 쪽 → 낮은 쪽' 메커니즘을 잘 알고 있으면, 과학 · 기술 제재의 지문에 제시되는 수많은 문장들을 쉽게 납득할 수 있어요. 지금부터 과학 · 기술 제재의 지문에 자주 제시되는 요소들을 이 '높은 쪽 → 낮은 쪽' 메커니즘으로 이해해 봅시다. 과학 지문에 대한 막연한 두려움이 조금씩 사라지는 느낌이 들 거예요!

열

앞에서 본 기출 지문에서도 확인할 수 있듯이, '열'은 온도가 높은 쪽에서 낮은 쪽으로 이동합니다. 쉽게 생각해 볼 수 있어요. 뜨거운 물 속에 얼음을 넣으면 얼음은 녹고, 뜨거운 물은 차가워지죠? 이는 뜨거운 물에 있던 '높은 온도'의 '열'이 '낮은 온도'의 얼음과 만나면서, 그 '열'이 더 '낮은 온도' 쪽으로 '무질서'하게 퍼지게 되어 일어나는 현상인 것입니다.

농도

잉크를 생각해 볼까요? 앞에서도 생각했듯이, 물에 잉크를 푸는 경우 잉크는 잉크의 '농도'가 높은 쪽에서 낮은 쪽으로 이동해요. 뭉쳐있던 잉크가 물속에서 '무질서'하게 퍼지면서 '농도'가 낮아지는 것이죠. 다른 예시로는 '삼투압'이 있어요. '삼투압'이란 '물이 농도가 낮은 쪽에서 높은 쪽으로 이동할 때 생겨나는 압력'을 말해요. 엥? 아까는 '높은 곳'에서 '낮은 곳'으로 방향성을 가진다면서요? 조금만 생각해보면, 이것도 마찬가지로 '높은 농도'를 '낮은 농도'로 만들기 위해 물이 이동하는 현상이라는 걸 알 수 있습니다. 농도를 낮추려면 물이 농도가 높은 쪽으로 이동해서 용액을 희석해줘야 하니까요. 즉, '삼투압' 현상은 '농도'를 낮추기 위한 물의 이동으로 인해 나타나는 현상인 것이죠.

압력

압력 역시 높은 쪽에서 낮은 쪽으로 작용해요. 먼저 '기압차에 의한 공기의 이동'부터 생각해 볼까요? 어려워 보이지만 간단해요. 한 지역의 온도가 높아진 상황을 가정해 봅시다. 이렇게 열을 받으면, 기체 분자는 운동에너지의 증가로 활발하게 움직이게 됩니다. 우리가 여름에는 덥다고 이불을 걷어차고, 겨울에는 춥다고 침대에 붙어서 웅크려 있는 것과 똑같은 것이죠. 기체 분자 역시 날씨가 따뜻해지면 활발하게 돌아다니고, 추우면 가만히 있는 겁니다. 그리고 기체 분자가 활발하게 움직이는 만큼, 분자가 차지하는 공간이 넓어지게 됩니다. 뛰어다니려면 공간이 충분해야 하니까요! 이렇게 공기가 뜨거워지면 강한 운동에너지를 가진 분자들의 이동으로 인해 팽창하게 되고, 위로 상승하게 됩니다. 상승하는 이유는 부력의 개념까지 알아야 하는데, 너무 어려우니 넘어가도록 합시다. 공기가 뜨거워지면 위로 상승하는 건 그냥 외워주세요. 촛불의 위쪽이 초를 잡고 있는 몸통 부분보다 훨씬 뜨거운 걸 생각하면 쉽게 납득할 수 있을 거예요!

어쨌든 공기가 위로 상승하게 되면, 아랫부분의 기체 분자의 양이 적어집니다. 이에 누르는 힘이 약해지고, 기체의 '압력', 즉 '기압'도 낮아지겠죠? 위에서 아래로 눌러줄 기체가 열 때문에 상승해서 사라졌으니까요. 그럼 기체 분자의 수가 많은 쪽에서 적은 쪽으로 이동해서 공기가 사라진 부분을 채워야겠네요! 기체 분자가 많은 쪽(고기압)에서 적은 쪽(저기압)으로 분자가 이동하는 것이죠. 참고로 이러한 기체 분자의 이동을 '바람'이라고 부릅니다. 어쨌든, 이렇게 '기압차에 의한 공기의 이동'도 '높은 쪽 → 낮은 쪽'의 메커니즘을 바탕으로 이해할 수 있겠죠? 공기가 많은 곳에서 적은 곳으로 이동하는 것이니까요.

이 말고도 '엔트로피 증가의 법칙'으로 설명할 수 있는 건 정말 많아요. 사람이 꽉 찬 지하철에서 사람이 없는 쪽으로 이동하려는 우리의 본능도, 공부를 열심히 하고 나면 쉬고 싶어지는 마음도 다 똑같아요. 놀고 싶은 마음이 자꾸 퍼지려는 본능을 참아가며 공부해야 하니까 공부가 어려운 것이죠. 공부를 열심히 한다는 건 물리계의 법칙을 거스르는 엄청난 행위라고 할 수 있는 것이죠. 엔트로피의 법칙을 역행하며 열심히 공부하고 있는 여러분을 응원합니다!

· 전자와 전류 (feat. 전압)

일단 '전자'의 경우, 쉽고 정확하게 정의하는 것이 어렵습니다. '음전하를 가지고 원자핵의 주위를 도는 소립자의 하나.'라고 정의할 수 있는데, 국어 시험을 위해서는 '전선을 돌아다니는 것' 정도로만 이해하시면 될 것 같습니다. 그리고 이러한 '전자의 이동'을 '전류'라고 부른다고 보시면 됩니다. 과학적으로 완벽하고 엄밀한 설명은 아니지만, 이 정도로만 알고 계셔도 아무런 문제 없이 글을 읽을 수 있을 것 같아요.

그리고 '전류'는 (+)극에서 (-)극으로 흐릅니다. 이는 (+)극의 '전기적 위치 에너지'가 (-)극보다 더 높기 때문에 그런 것이라고 이해할 수 있어요. 즉, 여기서도 '높은 쪽 → 낮은 쪽'의 메커니즘의 사용되는 것이죠. 그런데 (-)극을 띤 '전자'는 (-)에서 (+)로 이동해요. 방향이 반대죠? 뭔가 이상합니다. '전자의 이동'이 '전류'라고 했는데, 그러면 방향이 같아야 할 것 같은데 말이죠. 이는 전자의 이동이 '전류'라는 걸 모르고 있을 때, 과학자들끼리 전류의 흐름을 (+)에서 (-)로 약속했기 때문에 생긴 일이라고 합니다. 아직 기출에 두 개념의 관계가 나온 적은 없지만, 혹시 모르니 알아두도록 합시다.

그런데 이것보다 중요한 건, 그리고 꼭 알고 있어야 하는 건 '전자'가 (-)극을 띠고 있고 (-)극에서 (+)극으로 이동한다는 사실이에요. 자석이 같은 극끼리 붙을 수 없듯이, 전자도 같은 (-)극끼리는 서로 밀어내는 것이죠. 그리고 이렇게 밀려나다 보면 (+)로 끌려가는 겁니다. 기출문제를 통해 확인해 봅시다.

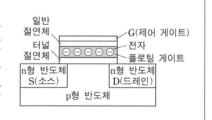

플래시 메모리에서 데이터를 읽을 때는 그림의 반도체 D에 3V의 양(+)의 전압을 가한다. 그러면 다른 한 쪽의 반도체인 S로부터 전자들이 D 쪽으로 이끌리게 된다. 플로팅 게이트에 전자가 들어 있을 때는 S로부터 오는 전자와 플로팅 게이트에 있는 전자가 마치 자석의 같은 극처럼 서로 반발하기 때문에 전자가 흐르기 힘들다. 한편 플로팅 게이드에 전자가 없는 상태에서는 S와 D 사이에 전자가 흐르기 쉽다. 이렇게 전자의 흐름 여부, 즉 S와 D 사이에 전류가 흐르는가로 셀의 값이 1인지 0인지를 판단한다.

-2014학년도 6월 모의평가 A형

D에 (+)를 가했더니 전자(-)가 S에서 D로 이끌린다고 하네요. 전자가 (-)에서 (+)로 이동한다는 걸 알 수 있습니다. 나아가 전자가 '마치 자석의 같은 극처럼' 서로 반발한다는 내용도 확인할 수 있네요. 이 지문 외에도 이 원리는 여러 과학·기술 제재의 지문에 등장하니까 알아두면 좋을 것 같아요.

여기서 많이들 헷갈리는 '전압'과 '전류'의 차이점을 간단히 짚고 넘어갑시다. 앞에서 설명한, 어떤 지점의 '전기적 위치 에너지'를 '전위'라고 부릅니다. 이때 '전압'은 '두 지점 간의 전위차'와 같은 말이라고 할 수 있어요. 전위차가 클수록 위치 에너지 차이가 큰 것이고, 그만큼 +1 쿨롱 전하가 이동할 수 있는 능력이 큰 것이죠. (여기서 '쿨롱'은 전하의 크기를 나타내는 단위라고 생각하시면 됩니다.) 어쨌든 '전위차'의 개념은 1층에서 공을 던지는 상황과 100층에서 공을 던지는 상황의 차이점을 생각하면 쉽게 이해하실 수 있습니다. 〈1층 – 지상〉과 〈100층 – 지상〉 중에 후자의 위치 에너지 차이가 훨씬 크죠? 전위차도 같은 개념입니다. 던져지는 '공'이 '+1짜리 전하'라고 생각하시면 돼요. 이때의 '전위차'가 '전압'인 것이죠.

이러한 '전압'은 '전류'를 흐르게 하는 능력을 가지고 있습니다. 즉, '전류'란 '전압'에 의해 발생한 전기적 '흐름'인 것이죠. 앞에서 예로 든 100층에서 떨어지는 공의 '흐름'을 '전류'라고 생각하면 이해하기 쉽겠죠? '전압'이 클수록 이동 능력이 크기에 '전류'도 더 쌩쌩 흐를 것입니다. 비슷한 개념이라 헷갈려 하실 수 있을 것 같아 설명했습니다. '전압'은 '전류'를 흐르게 하는 '힘'이고, '전류'는 '흐름' 그 자체라고 생각해주세요!

・원자의 구조

모든 물질의 최소 단위인 '원자'는 크게 양성자, 전자, 중성자로 구성되어 있습니다. 각각에 대해 이해해보도록 합시다.

양성자

중성자와 함께 '원자핵'을 구성하는 입자이며, 양의 전하(+)를 띠고 있습니다. 양의 전하를 띠고 있으니, '양성'을 띠는 '입자'라는 의미로 '양성/자'인 것입니다. 양성자 1개의 전하량은 전자(-) 1개와 크기가 같지만 부호가 반대이고, 전자보다 매우 큰 질량을 갖고 있다는 것도 알아두시면 좋습니다.

중성자

양성자와 함께 '원자핵'을 구성하는 입자입니다. 단어의 의미 그대로, (+)나 (-)를 띠지 않는 '중성' 입자'이기에 '중성/자'입니다. 양성자보다 약간 무겁긴 하지만, 무시해도 될 정도로 작은 차이입니다. 전자(-)보다는 훨씬 무겁습니다.

전자

음전하를 갖고 있는 기본 입자입니다. (-) 전하를 띠고 있으며, 질량은 양성자나 중성자보다 매우 작습니다. 그리고 이처럼 질량이 작기 때문에, 자유롭게 움직일 수 있다는 특징이 있습니다. 이러한 전자의 흐름이 우리가 앞에서 배운 '전류'라고 생각하시면 됩니다.

이 세 입자 중 양성자와 중성자가 합쳐진 것이 '원자핵'이며, 전자의 질량은 너무 작기 때문에 원자의 질량은 일반적으로 원자핵의 질량이라고 생각하면 됩니다. 나아가 일반적인 원자는 '중성'이므로, 양성자의 개수와 전자의 개수가 같습니다. 전자의 '질량' 자체는 작더라도, '개수'는 같아 (+)와 (-)가 서로 상쇄된 형태라고 이해하시면 될 것 같습니다. 이는 납득하고 이해해야 하는 부분이 아니라 '암기'해야 할 부분이니 여러 번 읽으면서 외우셨으면 좋겠습니다! 기출 지문을 통해 한 번 더 복습하고 넘어갑시다. 앞에서 배운 내용들을 적용하면서 읽어보세요.

과거에는 물질이 더 이상 쪼개지지 않는 작은 원자들로 구성되어 있다고 생각되었지만, 오늘날에는 원자가 전자, 양성자, 중성자로 구성된 복잡한 구조라는 것이 밝혀졌다.

음전기를 띠고 있는 전자는 세 입자 중 가장 작고 가볍다. 1897년에 톰슨이 기체 방전관 실험에서 음전기의 흐름을 확인하여 전자를 발견하였다. 같은 음전기를 띠고 있는 전자들은 서로 반발하므로 원자 안에 모여 있기 어렵다. 이에 전자끼리 흩어지지 않고 원자의 형태를 유지하는 이유를 설명하기 위해 톰슨은 '건포도빵 모형'을 제안하였다. 양전기가 빵 반죽처럼 원자에 고르게 퍼져 있고, 전자는 건포도처럼 점점이 박혀 있어서 원자가 평소에 전기적으로 중성이라고 생각한 것이다.

양전기를 띠고 있는 양성자는 전자보다 대략 2,000배 정도 무거워서 작은 에너지로 전자처럼 분리해 내거나 가속시키기 쉽지 않다. 그러나 1898년 마리 퀴리가 천연 광물에서 라듐을 발견한 이후 새로운 실험이 가능해졌다. 라듐은 강한 방사성 물질이어서 양전기를 띤 알파 입자를 큰 에너지로 방출한다. 1911년에 러더퍼드는 라듐에서 방출되는 알파 입자를 얇은 금박에 충돌시키는 실험을 하였다. 그 결과 알파 입자는 금박의 대부분을 통과했지만 일부 지점들은 통과하지 못하고 튕겨 나갔다. 이 실험을 통해 러더퍼드는 양전기가 빵 반죽처럼 원자 전체에 퍼져 있는 것이 아니라 아주 좁은 구역에만 모여 있다는 것을 알게 되었고, 이 구역을 '원자핵'이라고 하였다. 그는 실험 결과를 바탕으로 태양이 행성들을 당겨 공전시키는 것처럼 양전기를 띤 원자핵도 전자를 잡아당겨 공전시킨다는 '태양계 모형'을 제안하여 톰슨의 모형을 수정하였다.

그런데 러더퍼드의 모형은 각각의 원자에서 나타나는 고유한 스펙트럼을 설명하지 못했다. 1913년에 닐스 보어는 전자가 핵 주위의 특정한 궤도만을 돌 수 있다는 '에너지 양자화 가설'이라는 것을 제안하였다. 이를 통해 양성자 1개와 전자 1개로 이루어져 구조가 단순한 수소 원자의 스펙트럼을 설명할 수 있었다. 1919년에 러더퍼드는 질소 원자에 대한 충돌 실험을 통하여 핵에서 떨어져 나오는 양성자를 확인하였다. 그는 또한 핵 속에 전기를 띠지 않는 입자인 중성자가 있다는 것을 예측하였다. 1932년에 채드윅은 전기적으로 중성이며 질량이 양성자와 비슷한 입자인 중성자를 발견하였다. 1935년에 일본의 유카와 히데키는 중성자가 중간자라는 입자를 통해 핵력이 작용하게 하여 양성자를 잡아당긴다는 가설을 제안하였다. 여러 개의 양성자를 가진 원자에서는 같은 양전기를 띠고 있는 양성자들이 서로 밀어내려 하는데, 이러한 반발력보다 더 큰 힘이 있어야만 여러 개의 양성자가 핵에 속박될 수 있다. 그의 제안을 이용하면 양성자들이 흩어지지 않고 핵 안에 모여 있음을 설명할 수 있었다.

－2016학년도 6월 모의평가 A형

밑줄 친 부분 위주로 읽으면, 앞에서 배운 내용들이 적극적으로 활용되고 있음을 알 수 있겠죠? 이 지식은 정말 다양한 분야의 과학·기술 지문에서 활용될 수 있으니, 확실하게 정리해두도록 합시다.

· 위도 / 경도

이제 지구과학과 관련된 지식을 배워봅시다. '위도'와 '경도'는 쉽게 말해 지구상의 우리 위치를 특정할 수 있는 하나의 좌표라고 생각하면 됩니다. 수학에서 배우는 좌표평면의 y축을 경도, x축을 위도로 생각해주시면 돼요.

위도

위도는 지구를 가로로 가른 가로선으로 생각하면 됩니다. 이는 '북위'와 '남위'로 나뉘는데, 가운데 '적도'를 기준으로 '북쪽'으로 가면 '북위', '남쪽'으로 가면 '남위'가 되는 것이죠. '북위'와 '남위'를 나누는 기준이 되는 '적도'는 당연하게도 위도가 0°입니다. 나아가, 북극이나 남극에 가까워질수록 위도가 커지므로 '고위도'라고 하며, 적도에 가까울수록 '저위도'라고 합니다. 남극에 가까워진다고 저위도가 아닙니다!

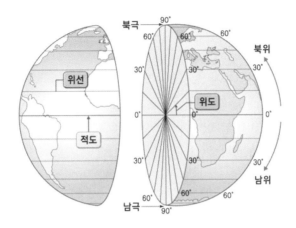

경도

경도는 북극과 남극을 이은 선이라고 생각하면 됩니다. 지구를 세로로 가른 것이죠. 위도가 '적도'를 기준으로 한다면, 경도는 '본초 자오선'이라는 것을 기준으로 합니다. 경도는 '동경'과 '서경'으로 나뉘는데, 본초 자오선을 기준으로 '동쪽'으로 가면 '동경'이고 '서쪽'으로 가면 '서경'입니다. 단어의 의미를 살리면서 이해하면 그리 어렵지 않죠?

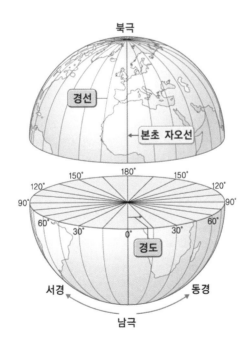

이러한 위도와 경도를 이용하면, 현재 우리의 위치를 특정할 수 있습니다. 좌표평면에서 y축의 좌표와 x축의 좌표를 알면 점 하나를 특정할 수 있는 것처럼 말이죠! 적도로부터 북쪽 혹은 남쪽으로 얼마나 떨어져 있는지, 본초 자오선을 기준으로 동쪽 혹은 서쪽으로 얼마나 떨어져 있는지 알면 지구의 한 지점을 특정할 수 있는 것입니다. 이러한 '위도/경도'와 더불어 여러 가지 정보를 활용하여 내비게이션이나 현 위치 측정 등 우리가 일상생활에서 자주 사용하는 기능들이 구현되는 것입니다.

· 공전 / 자전

이제 공전과 자전이 무엇인지 알아봅시다. 공전은 앞에서 한 번 배웠으니 복습한다는 생각으로 읽어주세요!

공전

앞에서도 설명했지만, '공전'은 천체가 다른 천체의 주위를 회전하는 운동입니다. 지구가 태양을 중심으로 도는 것도 공전이고, 달이 지구 주위를 도는 것도 공전인 것이죠. 한 바퀴 도는 데 걸리는 시간을 '공전 주기'라고 하며, 공전 주기를 알면 그 행성에서의 1년을 알 수 있습니다. 지구의 공전 주기가 365.2564일이라서 1년을 365일로 정한 것이죠. 그런데 문제는 이렇게 하면 0.2564일의 오차가 생기게 됩니다. 어떻게 해결했을까요? 과학자들은 '윤년'을 통해 이를 해결했습니다. 4년마다 한 번씩 2월이 29일까지 존재하게 해서 1년을 366일로 만든 것이죠. 0.2564일의 오차가 4번 생기면 거의 1일에 가까워지니까요. 어쨌든 공전이 '천체가 다른 천체 주위를 도는 궤도 운동'이라는 사실은 기억해주세요.

자전

공전이 천체 주위를 도는 것이었다면, 자전은 혼자 도는 것이라고 생각하면 쉽습니다. 하나의 행성은 자전을 하면서 동시에 공전을 하고 있습니다. 혼자 뱅글뱅글 돌면서 다른 천체 주위를 빙글빙글 돌고 있는 거예요. 이때 자전은 어떤 행성의 '하루'를 결정합니다. 지구가 자전하는 시간이 약 24시간이라 하루가 24시간으로 설정된 것이죠. 반면 금성은 245일이나 돼요. 해가 뜨고 지는 하루가 245일에 한 번 온다는 것입니다.

· DNA

최근 수능에서 과학 관련 지문이 나오면 대부분 생명과학의 내용이 나오기에, 기본적인 지식은 알아두는 것이 좋아요. 다만 지금까지 설명한 개념들은 평가원이 별다른 설명 없이 툭툭 던지는 내용들이었다면, 생명과학과 관련된 지식들은 지문 속에서 나름대로 정의해 주는 경우가 많습니다. 나아가 지금 여기서 다 정리하면 뒤에서 만나게 될 지문들을 통해 '생각의 힘'을 키울 기회를 박탈당할 수도 있으니, 아주 기본적인 개념인 DNA에 대해서만 알아보고 갑시다.

일단 'DNA'의 생명과학적 정의는 이중 나선 구조의 핵산 사슬입니다. 무슨 말인지 모르겠죠? 우리가 기억해야 할 것은 이러한 DNA가 '유전적 정보'를 담고 있다는 사실입니다. DNA에는 '유전적 정보'를 가지고 있는 부분과 그렇지 않은 부분이 있는데, 이렇게 DNA에서 '유전적 정보'를 가진 부분을 '유전자'라고 부릅니다. 이러한 '유전자'는 생물체의 모든 특징을 결정하는 하나의 '설계도' 같은 것이라고 생각하시면 돼요. 여러분이 부모님의 얼굴을 닮은 것도 부모님의 DNA 및 유전자가 여러분에게 전달되었기 때문이고, 사람들마다 모두 다르게 생긴 것도 각자 갖고 있는 DNA 및 유전자가 달라서 그런 것이죠.

이러한 과학적 지식을 알고 있는 것도 물론 중요하지만, 더욱 중요한 것은 이러한 지식을 습득하고 이해하는 과정을 통해 '과학적 사고'에 익숙해지는 것이에요. 제재별로 이루어지는 사고의 메커니즘이 어느 정도 존재하기 때문에, 과학을 싫어하더라도 과학적으로 생각하는 연습을 하시는 게 중요합니다.

과학과 관련된 배경지식은 모두 공부했으니, 이제 '기술'과 관련된 배경지식을 공부해봅시다. 사실 '배경지식'이라는 말보다는 '메커니즘'이라고 하는 게 더 적합할 것 같아요. 기술 제재는 워낙 다양한 소재가 출제될 수 있기 때문에, 수많은 기술에 대해 하나하나 공부하는 것은 불가능하거든요. 이러한 이유로 최근 평가원이 기술 제재 출제의 빈도를 높이고 있기도 하구요. 따라서 여기서는 기술, 즉 '공학'이라는 것의 본질에 대해서 정리하는 정도면 충분할 것 같습니다. 한번 정리해 봅시다!

· 정확성

우선 '기술'이란 것이 무엇인지부터 정의해야 합니다. '기술 제재'는 정확히 말하면 '기술'이 아니라 '공학'이라고 해야 합니다. 그렇다면 공학은 무엇일까요? 공학의 정의는 다음과 같습니다.

〈공학 : 천연자원을 '인간에 유용하게' 변환시키기 위하여
자연과학적 원리와 방법을 응용하는 공업기술에 대한 학문.〉

여기서 중요한 포인트는 '인간에 유용하게'입니다. '공학'은 결국 인간의 편리한 삶을 위해 존재한다는 것이죠. 스마트폰이 발명된 이후로 우리의 삶이 얼마나 윤택해졌는지 생각해보면 쉽게 이해할 수 있을 것입니다. 어쨌든, '공학'은 '인간'을 위해 존재합니다. 그렇기 때문에 '정확'해야 해요. 우리가 일상생활에서 사용하는 여러 기술들이 부정확하다고 생각해보세요. 검색을 했더니 틀린 정보가 나오고, 내비게이션이 길을 잘못 알려주고, 1층 가려고 엘리베이터를 탔더니 옥상으로 가는 것이죠. 생각만 해도 불편합니다. 이런 상황이 나오지 않으려면, 기술은 '정확'해야 합니다. 인간을 위해 사용하는 것이니까요.

여러분이 지금까지 공부했던 기술 지문도 마찬가지의 원리를 따릅니다. '정확'하게 연산하려 하고, 오차가 생기면 보정해서 '정확'하게 만드는 등 '문제'를 '해결'하는 것이죠. 단순히 '문제/해결' 구조로 기억하지 마시고, 상식적으로 이 메커니즘을 납득해 주세요. '공학'의 정의를 생각했을 때 아주 '당연'한 겁니다.

· 효율성

사실상 '정확성'과 같은 이야기입니다. 기술은 '효율적'이어야 한다는 것이죠. '공학'이 인간에게 유용한 기술을 만들기 위한 학문인 만큼, 당연히 갈수록 효율적인 방향으로 발전할 수밖에 없습니다. '정확'하게 만들기 위해 문제를 해결하든, 해결을 넘어서 기술을 '발전'시키든, 모두 '효율성'을 추구하는 겁니다. 그렇다면 어떤 경우에 효율적이라 할 수 있을까요?

– 정보 처리 속도가 빠를 경우 : '시간은 돈이다.'라는 말이 있죠? 1분 1초를 다투는 현대 사회에서 속도는 매우 중요합니다.
– 정확할 경우 : 아무리 빠르더라도 정확하지 않으면 안 됩니다. 오류가 생기는 순간 어떤 문제가 생길지 모르니까요.
– 동시에 많은 것을 할 수 있는 경우 : 빠른 경우랑 비슷하네요. 짧은 시간 안에 여러 가지를 동시에 하면 당연히 효율적일 겁니다.
– 같은 비용으로 높은 효율성을 내는 경우 : 가성비라고 생각하시면 됩니다. 적은 돈으로 큰 효율을 낸다면 아주 좋죠.

대표적으로 위와 같은 경우에 효율적이라 할 수 있겠네요. 위 상황을 외우는 것이 아니라, 가슴 깊이 당연하다고 느끼는 게 중요합니다. '저런 상황이면 진짜로 효율적이겠구나!'하고 말이죠.

· 기술의 목적

앞에서 우리는 기술이 '정확'해야 할 뿐만 아니라, '효율적'이어야 한다는 사실을 배웠습니다. 그렇다면 어떤 기술이 정말로 '정확'한지, '효율적'인지 어떻게 판단할 수 있을까요? 바로 '기술의 목적'을 고려하면 됩니다. 모든 기술은 '목적'이 있고, 그 목적을 달성함으로써 '인간의 삶을 편리하게' 만들어줍니다. 목적에 부합하는 방향으로 기술이 발전할수록 정확하고 효율적이게 변하는 것이죠. 따라서 여러분은 어떤 기술 지문을 읽더라도 그 '기술의 목적'을 '화제'로 생각하면서 읽을 수 있어야 합니다. 모든 정보는 그 '목적' 중심으로 모이게 되니까요.

앞에서 공부했던 2019학년도 9월 모의평가 'STM' 지문을 통해 더 자세히 살펴봅시다. '기술의 목적'을 중심으로 '정확성'과 '효율성'을 고려하며 독해해봅시다. STM이 무엇을 위해 존재하고, 어떻게 정확성과 효율성을 높이는지 생각해 보세요.

주사 터널링 현미경(STM)에서는 끝이 첨예한 금속 탐침과 도체 또는 반도체 시료 표면 간에 적당한 전압을 걸어 주고 둘 간의 거리를 좁히게 된다. 탐침과 시료의 거리가 매우 가까우면 양자 역학적 터널링 효과에 의해 둘이 접촉하지 않아도 전류가 흐른다. 이때 탐침과 시료 표면 간의 거리가 원자 단위 크기에서 변하더라도 전류의 크기는 민감하게 달라진다. 이 점을 이용하면 시료 표면의 높낮이를 원자 단위에서 측정할 수 있다. 하지만 전류가 흐를 수 없는 시료의 표면 상태는 STM을 이용하여 관찰할 수 없다. 이렇게 민감한 STM도 진공 기술의 뒷받침이 있었기에 널리 사용될 수 있었다.

STM은 대체로 진공 통 안에 설치되어 사용되는데 그 이유는 무엇일까? 기체 분자는 끊임없이 떠돌아다니다가 주변과 충돌한다. 이때 일부 기체 분자들은 관찰하려는 시료의 표면에 붙어 표면과 반응하거나 표면을 덮어 시료 표면의 관찰을 방해한다. 따라서 용이한 관찰을 위해 STM을 활용한 실험에서는 관찰하려고 하는 시료와 기체 분자의 접촉을 최대한 차단할 필요가 있어 진공이 요구되는 것이다. 진공이란 기체 압력이 대기압보다 낮은 상태를 통칭하며 기체 압력이 낮을수록 진공도가 높다고 한다. 진공 통 내부의 온도가 일정하고 한 종류의 기체 분자만 존재할 경우, 기체 분자의 종류와 상관없이 통 내부의 기체 압력은 단위 부피당 떠돌아다니는 기체 분자의 수에 비례한다. 따라서 기체 분자들을 진공 통에서 뽑아내거나 진공 통 내부에서 움직이지 못하게 고정하면 진공 통 내부의 기체 압력을 낮출 수 있다.

STM을 활용하는 실험에서 어느 정도의 진공도가 요구되는지를 이해하기 위해서는 '단분자층 형성 시간'의 개념을 이해할 필요가 있다. 진공 통 내부에서 떠돌아다니던 기체 분자들이 관찰하려는 시료의 표면에 달라붙어 한 층의 막을 형성하기까지 걸리는 시간을 단분자층 형성 시간이라 한다. 이 시간은 시료의 표면과 충돌한 기체 분자들이 표면에 달라붙을 확률이 클수록, 단위 면적당 기체 분자의 충돌 빈도가 높을수록 짧다. 또한 기체 운동론에 따르면 고정된 온도에서 기체 분자의 질량이 크거나 기체의 압력이 낮을수록 단분자층 형성 시간은 길다. 가

령 질소의 경우 20℃, 760토르* 대기압에서 단분자층 형성 시간은 3×10^{-9}초이지만, 같은 온도에서 압력이 10^{-9}토르로 낮아지면 대략 2,500초로 증가한다. 이런 이유로 STM에서는 시료의 관찰 가능 시간을 확보하기 위해 통상 10^{-9}토르 이하의 초고진공이 요구된다.

초고진공을 얻기 위해서는 스퍼터 이온 펌프가 널리 쓰인다. 스퍼터 이온 펌프는 진공 통 내부의 기체 분자가 펌프 내부로 유입되도록 진공 통과 연결하여 사용한다. 스퍼터 이온 펌프는 영구 자석, 금속 재질의 속이 뚫린 원통 모양 양극, 타이타늄으로 만든 판 형태의 음극으로 구성되어 있다. 자석 때문에 생기는 자기장이 원통 모양 양극의 축 방향으로 걸려 있고, 양극과 음극 간에는 2~7kV의 고전압이 걸려 있다. 양극과 음극 간에 걸린 고전압의 영향으로 음극에서 방출된 전자는 자기장의 영향을 받아 복잡한 형태의 궤적을 그리며 양극으로 이동한다. 이 과정에서 음극에서 방출된 전자는 주변의 기체 분자와 충돌하여 기체 분자를 그것의 구성 요소인 양이온과 전자로 분리시킨다. 여기서 자기장은 전자가 양극까지 이동하는 거리를 자기장이 없을 때보다 증가시켜 주어 전자와 기체 분자와의 충돌 빈도를 높여 준다. 이 과정에서 생성된 양이온은 전기력에 의해 음극으로 당겨져 음극에 박히게 되어 이동 불가능한 상태가 된다. 이 과정이 1차 펌프 작용이다. 또한 양이온이 음극에 충돌하면 타이타늄이 떨어져 나와 충돌 지점 주변에 들러붙는다. 이렇게 들러붙은 타이타늄은 높은 화학 반응성 때문에 여러 기체 분자와 쉽게 반응하여, 떠돌아다니던 기체 분자를 흡착한다. 이는 떠돌아다니는 기체 분자의 수를 줄이는 효과가 있으므로 이를 2차 펌프 작용이라 부른다. 이렇듯 1, 2차 펌프 작용을 통해 스퍼터 이온 펌프는 초고진공 상태를 만들 수 있다.

* 토르(torr) : 기체 압력의 단위.

먼저 STM의 '목적'을 먼저 생각해 봅시다. '시료 표면의 높낮이를 원자 단위에서 측정'하는 게 '목적'이네요. 공학에서는 '정확성'이 중요하다고 했죠? 조금이라도 더 '정확'하게 시료 표면의 높낮이를 측정해야 해요. 그래서 지문에는 '정확한 측정'이라는 '목적'을 달성하기 위한 조건으로 '진공'을 제시합니다. 나아가 1차, 2차 펌프 작용을 통해 '효율적'으로 기체 분자를 제거하는 것을 볼 수 있네요. 1차 펌프 작용을 통해 기체 분자가 '음극'에 박히게 한 후에 여기서 끝내지 않고 이를 통해 '타이타늄(음극)'을 다시 이용하는 방식으로 2차 펌프 작용을 유도하니까요. 무려 두 번이나 목적 달성을 위한 작용이 일어나는 모습이죠? '음극'이 '효율성'에 있어서 아주 중요한 역할을 하고 있네요.

이처럼 과학·기술 제재의 지문은 수많은 배경지식을 바탕으로 만들어집니다. 그런데, 우리 이런 배경지식을 왜 배우는 것이었죠? 분명히 앞에서 설명했습니다. 기억을 더듬어 보세요!

그렇죠. 초반부 정보를 제대로 견디기 위한 기초체력을 쌓기 위해서였습니다. 혹시나 이걸 잊으셨다면, 과학·기술 제재의 지문에 약한 학생일 확률이 높습니다. 지금 이 교재가 그랬듯, 평가원 과학·기술 제재의 지문에서는 '초반부 정보'를 중·후반부에 붙이면서 읽을 수 있도록 출제되는 경우가 많거든요. 중간에 무수히 많은 정보들이 들어오면 지금의 여러분처럼 '초반부 정보'를 잊게 되는 것이고, 평가원은 이 지점을 노려 문제를 만드는 것입니다.

계속 강조하지만, 과학·기술 제재의 지문은 초반부에 정말 수많은 정보가 쏟아집니다. 거기서 충분히 '시간'을 쓰고, 앞에서 배운 배경지식들을 활용하면서 최대한 견뎌내야 해요. 만약 시험장에서 이 부분의 정보량을 도저히 견디지 못하겠으면 차라리 다음 지문으로 넘어가는 게 나을 정도로 중요한 태도입니다. 그리고 그 정보들이 반복될 때, 계속해서 뒤쪽 내용에 붙이면서 활용해야 합니다. 우리가 앞에서부터 계속 연습했던 '정의 활용'과 똑같습니다. 조금 더 의식하고 노력해주시면 돼요.

마지막으로 정리해볼까요?

〈초반부 정보를 견디고, 그 정보를 활용하며 독해한다.〉

수많은 배경지식과 메커니즘들을 하나하나 외우려 하지 말고, 이제부터 풀 기출들에 천천히 적용한다는 생각으로 공부합시다. 앞 부분부터 다시 한번 정리한 후에 '초반부 정보 견디기'를 실천하러 갑시다!

*역시 '초반부'에 설명했듯이, 이미 이 정도 지식은 알고 있는 학생들의 경우 다음 두 지문을 푸는 것까지가 오늘의 공부입니다. 반면 이 정도 지식이 없었던 학생들에겐 이 문장을 읽은 뒤 한 번 복습해 보는 것 정도가 오늘의 공부가 되겠죠? 이 파트의 Day 구분은 전자의 학생 기준으로 되어 있으니, 맹목적으로 교재를 따라가기보다 자신의 상황에 맞게 '능동적'으로 공부할 수 있도록 합시다.

(해설 p.083)

CD 드라이브는 디스크 표면에 조사된 레이저 광선이 반사되거나 산란되는 효과를 이용해 정보를 판독한다. CD의 기록면 중 광선이 흩어짐 없이 반사되는 부분을 랜드, 광선의 일부가 산란되어 빛이 적게 반사되는 부분을 피트라고 한다. CD에는 나선 모양으로 돌아 나가는 단 하나의 트랙이 있는데 트랙을 따라 일렬로 랜드와 피트가 번갈아 배치되어 있다. 피트를 제외한 부분, 즉 이웃하는 트랙과 트랙 사이도 랜드에 해당한다.

CD 드라이브는 디스크 모터, 광 픽업 장치, 광학계 구동 모터로 구성된다. 디스크 모터는 CD를 회전시킨다. CD 아래에 있는 광 픽업 장치는 레

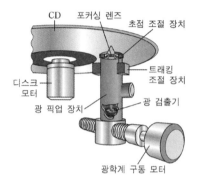

이저 광선을 발생시켜 CD 기록면에 조사하고, CD에서 반사된 광선은 광 픽업 장치 안의 광 검출기가 받아들인다. 광선의 경로 상에 있는 포커싱 렌즈는 광선을 트랙의 한 지점에 모으고, 광 검출기는 반사된 광선의 양을 측정하여 랜드와 피트의 정보를 읽어 낸다. 이때 CD의 회전 속도에 맞춰 트랙에 광선이 조사될 수 있도록 광학계 구동 모터가 광 픽업 장치를 CD의 중심부에서 바깥쪽으로 서서히 직선으로 이동시킨다.

CD의 고속 회전 등으로 진동이 생기면 광선의 위치가 트랙을 벗어나거나 초점이 맞지 않아 데이터를 잘못 읽을 수 있다. 이를 막으려면 트래킹 조절 장치와 초점 조절 장치를 제어해 실시간으로 편차를 보정해야 한다. 편차 보정에는 광 검출기가 사용된다. 광 검출기는 가운데를 기준으로 전후좌우의 네 영역으로 분할되어 있는데, 트랙의 방향과 같은 방향으로 전후 영역이, 직각 방향으로 좌우 영역이 배치되어 있다. 이때 각 영역에 조사되는 빛의 양이 많아지면 그 영역의 출력값도 커지며 네 영역의 출력값의 합을 통해 피트와 랜드를 구별한다.

레이저 광선이 트랙의 중앙에 초점이 맞은 상태로 정확히 조사되면 광 검출기 네 영역의 출력값은 모두 동일하다. 그런데 광선이 피트에 해당하는 지점에 조사될 때 트랙의 중앙을 벗어나 좌측으로 치우치면, 피트 왼편에 있는 랜드에서 반사되는 빛이 많아져 광 검출기의 좌 영역의 출력값이 우 영역보다 커진다. 이 경우 두 출력값의 차이에 대응하는 만큼 트래킹 조절 장치를 작동하여

광 픽업 장치를 오른쪽으로 움직여서 편차를 보정한다. 우측으로 치우쳐 조사된 경우에도 비슷한 과정을 거쳐 편차를 보정한다.

한편 광 검출기에 조사되는 광선의 모양은 초점의 상태에 따라 전후나 좌우 방향으로 길어진다. CD 기록면과 포커싱 렌즈 간의 거리가 가까워져 광선의 초점이 맞지 않으면, 조사된 모양이 전후 영역으로 길어지고 출력값도 상대적으로 커진다. 반면 둘 사이의 거리가 멀어지면 좌우 영역으로 길어지고 출력값도 상대적으로 커진다. 이때 광 검출기의 전후 영역 출력값의 합과 좌우 영역 출력값의 합을 구한 후, 그 둘의 차이에 해당하는 만큼 초점 조절 장치를 이용해 포커싱 렌즈의 위치를 CD 기록면과 가깝게 또는 멀게 이동시켜 초점이 맞도록 한다.

01 윗글에 나타난 여러 장치에 대한 설명으로 적절하지 <u>않은</u> 것은?

① 초점 조절 장치는 포커싱 렌즈의 위치를 이동시킨다.

② 포커싱 렌즈는 레이저 광선을 트랙의 한 지점에 모아 준다.

③ 광 검출기의 출력값은 트래킹 조절 장치를 제어하는 데 사용된다.

④ 광학계 구동 모터는 광 픽업 장치가 CD를 따라 회전할 수 있도록 해준다.

⑤ 광 픽업 장치에는 레이저 광선을 발생시키는 부분과 반사된 레이저 광선을 검출하는 부분이 있다.

02 윗글을 이해한 내용으로 적절하지 <u>않은</u> 것은?

① CD에 기록된 정보는 중심에서부터 바깥쪽으로 읽어
야 하겠군.

② 레이저 광선은 CD 기록면을 향해 아래에서 위쪽으로
조사되겠군.

③ 광 검출기에서 네 영역의 출력값의 합은 피트를 읽을
때보다 랜드를 읽을 때 더 크게 나타나겠군.

④ 렌즈의 초점이 맞지 않으면 광 검출기의 전 영역과 후
영역의 출력값의 차이를 이용하여 보정하겠군.

⑤ CD의 고속 회전에 의한 진동으로 인해 광 검출기에
조사된 레이저 광선의 모양이 길쭉해질 수 있겠군.

03 윗글을 바탕으로 〈보기〉에 대해 설명한 내용으로 적절한
것은? [3점]

┌─────────[보기]─────────┐

다음은 CD 기록면의 피트 위치에 레이저 광선이
조사되었을 때 〈상태1〉과 〈상태2〉에서 얻은 광 검출
기의 출력값이다.

영역	전	후	좌	우
상태1의 출력값	2	2	3	1
상태2의 출력값	5	5	3	3

└────────────────────────┘

① 광 검출기에 조사되는 레이저 광선의 총량은 〈상태1〉
보다 〈상태2〉가 작다.

② 〈상태1〉에서는 초점 조절 장치가 구동되어야 하지만,
〈상태2〉에서는 구동될 필요가 없다.

③ 〈상태1〉에서는 트래킹 조절 장치가 구동될 필요가 없
지만, 〈상태2〉에서는 구동되어야 한다.

④ 〈상태1〉에서는 레이저 광선이 트랙의 오른쪽에 치우
쳐 조사되고, 〈상태2〉에서는 가운데 조사된다.

⑤ 〈상태1〉에서는 포커싱 렌즈와 CD 기록면의 사이의 거
리를 조절할 필요가 없지만, 〈상태2〉에서는 멀게 해야
한다.

（해설 p.090）

DNS(도메인 네임 시스템) 스푸핑은 인터넷 사용자가 어떤 사이트에 접속하려 할 때 사용자를 위조 사이트로 접속시키는 행위를 말한다. 이는 도메인 네임을 IP 주소로 변환해 주는 과정에서 이루어진다.

인터넷에 연결된 컴퓨터들이 서로를 식별하고 통신하기 위해서 각 컴퓨터들은 IP(인터넷 프로토콜)에 따라 ㉠만들어지는 고유 IP 주소를 가져야 한다. 프로토콜은 컴퓨터들이 연결되어 서로 데이터를 주고받기 위해 사용하는 통신 규약으로 소프트웨어나 하드웨어로 구현된다. 현재 주로 사용하는 IP 주소는 '***.126.63.1'처럼 점으로 구분된 4개의 필드에 숫자를 사용하여 ㉡나타낸다. 이 주소를 중복 지정하거나 임의로 지정해서는 안 되고 공인 IP 주소를 부여받아야 한다.

공인 IP 주소에는 동일한 번호를 지속적으로 사용하는 고정 IP 주소와 번호가 변경되기도 하는 유동 IP 주소가 있다. 유동 IP 주소는 DHCP라는 프로토콜에 의해 부여된다. DHCP는 IP 주소가 필요한 컴퓨터의 요청을 받아 주소를 할당해 주고, 컴퓨터가 IP 주소를 사용하지 않으면 주소를 반환받아 다른 컴퓨터가 그 주소를 사용할 수 있도록 해 준다. 한편, 인터넷에 직접 접속은 안 되고 내부 네트워크에서만 서로를 식별할 수 있는 사설 IP 주소도 있다.

인터넷은 공인 IP 주소를 기반으로 동작하지만 우리가 인터넷을 사용할 때는 IP 주소 대신 사용하기 쉽게 'www.***.***' 등과 같이 문자로 ㉢이루어진 도메인 네임을 이용한다. 따라서 도메인 네임을 IP 주소로 변환해 주는 DNS가 필요하며 DNS를 운영하는 장치를 네임서버라고 한다. 컴퓨터에는 네임서버의 IP 주소가 기록되어 있어야 하는데, 유동 IP 주소를 할당받는 컴퓨터에는 IP 주소를 받을 때 네임서버의 IP 주소가 자동으로 기록되지만, 고정 IP 주소를 사용하는 컴퓨터에는 사용자가 네임서버의 IP 주소를 직접 기록해 놓아야 한다. 인터넷 통신사는 가입자들이 공동으로 사용할 수 있는 네임서버를 운영하고 있다.

㉮사용자가 어떤 사이트에 정상적으로 접속하는 과정을 살펴보자. 웹 사이트에 접속하려고 하는 컴퓨터를 클라이언트라 한다. 사용자가 방문하고자 하는 사이트의 도메인 네임을 주소창에 직접 입력하거나 포털 사이트에서 그 사이트를 검색해 클릭하면 클라이언트는 기록되어 있는 네임서버에 도메인 네임에 해당하는 IP 주소를 물어보는 질의 패킷을 보낸다. 네임서버는 해당 IP 주소가 자신의 목록에 있으면 클라이언트에 이 IP 주소를 알려 주는 응답 패킷을 보낸다. 응답 패킷에는 어느 질의 패킷에 대한 응답인지가 적혀 있다. 만일 해당 IP 주소가 목록에 없으면 네임서버는 다른 네임서버의 IP 주소를 알려 주는 응답 패킷을 보내고, 클라이언트는 다시 그 네임서버에 질의 패킷을 보내는 단계로 돌아가 같은 과정을 반복한다. 클라이언트는 이렇게 ㉣알아낸 IP 주소로 사이트를 찾아간다. 네임서버와 클라이언트는 UDP라는 프로토콜에 ㉤맞추어 패킷을 주고받는다. UDP는 패킷의 빠른 전송 속도를 확보하기 위해 상대에게 패킷을 보내기만 할 뿐 도착 여부는 확인하지 않으며, 특정 질의 패킷에 대해 처음 도착한 응답 패킷을 신뢰하고 다음에 도착한 패킷은 확인하지 않고 버린다. DNS 스푸핑은 UDP의 이런 허점들을 이용한다.

㉯DNS 스푸핑이 이루어지는 과정을 알아보자. 악성 코드에 감염되어 DNS 스푸핑을 행하는 컴퓨터를 공격자라 한다. 클라이언트가 네임서버에 특정 IP 주소를 묻는 질의 패킷을 보낼 때, 공격자에도 패킷이 전달되고 공격자는 위조 사이트의 IP 주소가 적힌 응답 패킷을 클라이언트에 보낸다. 공격자가 보낸 응답 패킷이 네임서버가 보낸 응답 패킷보다 클라이언트에 먼저 도착하고 클라이언트는 공격자가 보낸 응답 패킷을 옳은 패킷으로 인식하여 위조 사이트로 연결된다.

04 윗글의 '프로토콜'에 대한 설명으로 적절하지 않은 것은?

① 컴퓨터 사이의 통신을 위한 규약으로서 저마다 정해진 기능이 있다.

② IP에 따르면 현재 주로 사용하는 IP 주소는 4개의 필드에 적힌 숫자로 구성된다.

③ DHCP를 이용하는 컴퓨터는 IP 주소를 요청해야 IP 주소를 부여받을 수 있다.

④ DHCP를 이용하는 컴퓨터에는 네임서버의 IP 주소를 사용자가 기록해야 한다.

⑤ UDP는 패킷 전송 속도를 높이기 위해 패킷이 목적지에 제대로 도착했는지 확인하지 않는다.

05 〈보기〉는 ㉮ 또는 ㉯에서 이루어지는 클라이언트의 동작을 나타낸 것이다. 이에 대한 이해로 적절한 것은? [3점]

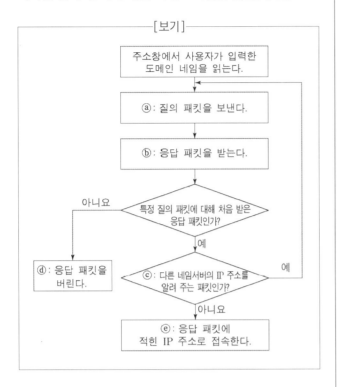

[보기]

주소창에서 사용자가 입력한 도메인 네임을 읽는다.

ⓐ: 질의 패킷을 보낸다.

ⓑ: 응답 패킷을 받는다.

특정 질의 패킷에 대해 처음 받은 응답 패킷인가?

아니요 → ⓓ: 응답 패킷을 버린다.

예 → ⓒ: 다른 네임서버의 IP 주소를 알려 주는 패킷인가?

예

아니요 → ⓔ: 응답 패킷에 적힌 IP 주소로 접속한다.

① ㉮: ⓐ가 두 번 동작했다면, 두 질의 내용이 동일하고 패킷을 받는 수신 측도 동일하다.

② ㉮: ⓑ가 두 번 동작했다면, 두 응답 내용이 서로 다르고 패킷을 보낸 송신 측은 동일하다.

③ ㉮: ⓒ는 ⓐ에서 질의한 도메인 네임에 해당하는 IP 주소를 네임서버가 찾았는지 여부를 확인하는 절차이다.

④ ㉯: ⓓ의 응답 패킷에는 공격자가 보내 온 IP 주소가 포함되어 있다.

⑤ ㉯: ⓔ의 IP 주소는 ⓐ에서 질의한 도메인 네임에 해당하는 IP 주소이다.

06 윗글을 바탕으로 알 수 있는 것은?

① DNS는 도메인 네임을 사설 IP 주소로 변환한다.

② 동일한 내부 네트워크에 연결된 컴퓨터들의 사설 IP 주소는 서로 달라야 한다.

③ 유동 IP 주소 방식의 컴퓨터들에는 동시에 동일한 공인 IP 주소를 할당할 수 있다.

④ 고정 IP 주소 방식의 컴퓨터들에는 동시에 동일한 공인 IP 주소를 부여할 수 있다.

⑤ IP 주소가 서로 다른 컴퓨터들은 각각에 기록되어 있는 네임서버의 IP 주소도 서로 달라야 한다.

07 윗글과 〈보기〉를 참고할 때, DNS 스푸핑을 피하기 위한 방법으로 적절한 것은?

[보기]

　DNS가 고안되기 전에는 특정 컴퓨터의 사용자가 'hosts'라는 파일에 모든 도메인 네임과 그에 해당하는 IP 주소를 적어 놓았고, 클라이언트들은 이 파일을 복사하여 사용하였다. 네임서버를 사용하는 현재에도 여전히 클라이언트는 질의 패킷을 보내기 전에 hosts 파일의 내용을 확인한다. 클라이언트가 이 파일에서 원하는 도메인 네임의 IP 주소를 찾으면 그 주소로 바로 접속하고, IP 주소를 찾지 못했을 때 클라이언트는 네임서버에 질의 패킷을 보낸다.

① 클라이언트에서 사용자가 hosts 파일을 찾아 삭제하면 되겠군.

② 클라이언트의 IP 주소를 사용자가 클라이언트의 hosts 파일에 적어 놓으면 되겠군.

③ 클라이언트에 hosts 파일이 없더라도 사용자가 주소창에 도메인 네임만 입력하면 되겠군.

④ 네임서버의 도메인 네임과 IP 주소를 사용자가 클라이언트의 hosts 파일에 적어 놓으면 되겠군.

⑤ 접속하려는 사이트의 도메인 네임과 IP 주소를 사용자가 클라이언트의 hosts 파일에 적어 놓으면 되겠군.

08 문맥상 ㉠~㉤과 바꿔 쓰기에 가장 적절한 것은?

① ㉠: 제조(製造)되는

② ㉡: 표시(標示)한다

③ ㉢: 발생(發生)된

④ ㉣: 인정(認定)한

⑤ ㉤: 비교(比較)해

[9~13] 다음 글을 읽고 물음에 답하시오.　　2018.11 [38~42]

— (해설 p.099) —

디지털 통신 시스템은 송신기, 채널, 수신기로 구성되며, ⓐ전송할 데이터를 빠르고 정확하게 전달하기 위해 부호화 과정을 거쳐 전송한다. 영상, 문자 등인 데이터는 ⓑ기호 집합에 있는 기호들의 조합이다. 예를 들어 기호 집합 {a, b, c, d, e, f}에서 기호들을 조합한 add, cab, beef 등이 데이터이다. 정보량은 어떤 기호가 발생했다는 것을 알았을 때 얻는 정보의 크기이다. 어떤 기호 집합에서 특정 기호의 발생 확률이 높으면 그 기호의 정보량은 적고, 발생 확률이 낮으면 그 기호의 정보량은 많다. 기호 집합의 평균 정보량*을 기호 집합의 엔트로피라고 하는데 모든 기호들이 동일한 발생 확률을 가질 때 그 기호 집합의 엔트로피는 최댓값을 갖는다.

송신기에서는 소스 부호화, 채널 부호화, 선 부호화를 거쳐 기호를 ⓒ부호로 변환한다. 소스 부호화는 데이터를 압축하기 위해 기호를 0과 1로 이루어진 부호로 변환하는 과정이다. 어떤 기호가 110과 같은 부호로 변환되었을 때 0 또는 1을 비트라고 하며 이 부호의 비트 수는 3이다. 이때 기호 집합의 엔트로피는 기호 집합에 있는 기호를 부호로 표현하는 데 필요한 평균 비트 수의 최솟값이다. 전송된 부호를 수신기에서 원래의 기호로 ⓓ복원하려면 부호들의 평균 비트 수가 기호 집합의 엔트로피보다 크거나 같아야 한다. 기호 집합을 엔트로피에 최대한 가까운 평균 비트 수를 갖는 부호들로 변환하는 것을 엔트로피 부호화라 한다. 그중 하나인 '허프만 부호화'에서는 발생 확률이 높은 기호에는 비트 수가 적은 부호를, 발생 확률이 낮은 기호에는 비트 수가 많은 부호를 할당한다.

채널 부호화는 오류를 검출하고 정정하기 위하여 부호에 잉여 정보를 추가하는 과정이다. 송신기에서 부호를 전송하면 채널의 잡음으로 인해 오류가 발생하는데 이 문제를 해결하기 위해 잉여 정보를 덧붙여 전송한다. 채널 부호화 중 하나인 '삼중 반복 부호화'는 0과 1을 각각 000과 111로 부호화한다. 이때 수신기에서는 수신한 부호에 0이 과반수인 경우에는 0으로 판단하고, 1이 과반수인 경우에는 1로 판단한다. 즉 수신기에서 수신된 부호가 000, 001, 010, 100 중 하나라면 0으로 판단하고, 그 이외에는 1로 판단한다. 이렇게 하면 000을 전송했을 때 하나의 비트에서 오류가 생겨 001을 수신해도 0으로

판단하므로 오류는 정정된다. 채널 부호화를 하기 전 부호의 비트 수를, 채널 부호화를 한 후 부호의 비트 수로 나눈 것을 부호율이라 한다. 삼중 반복 부호화의 부호율은 약 0.33이다.

채널 부호화를 거친 부호들을 채널을 통해 전송하려면 부호들을 전기 신호로 변환해야 한다. 0 또는 1에 해당하는 전기 신호의 전압을 결정하는 과정이 선 부호화이다. 전압의 ⓔ결정 방법은 선 부호화 방식에 따라 다르다. 선 부호화 중 하나인 '차동 부호화'는 부호의 비트가 0이면 전압을 유지하고 1이면 전압을 변화시킨다. 차동 부호화를 시작할 때는 기준 신호가 필요하다. 예를 들어 차동 부호화 직전의 기준 신호가 양(+)의 전압이라면 부호 0110은 '양, 음, 양, 양'의 전압을 갖는 전기 신호로 변환된다. 수신기에서는 송신기와 동일한 기준 신호를 사용하여, 전압의 변화가 있으면 1로 판단하고 변화가 없으면 0으로 판단한다.

* 평균 정보량: 각 기호의 발생 확률과 정보량을 서로 곱하여 모두 더한 것.

09 윗글에서 알 수 있는 내용으로 적절한 것은?

① 영상 데이터는 채널 부호화 과정에서 압축된다.
② 수신기에는 부호를 기호로 복원하는 기능이 있다.
③ 잉여 정보는 데이터를 압축하기 위해 추가한 정보이다.
④ 영상을 전송할 때는 잡음으로 인한 오류가 발생하지 않는다.
⑤ 소스 부호화는 전송할 기호에 정보를 추가하여 오류에 대비하는 과정이다.

10 윗글을 바탕으로, 2가지 기호로 이루어진 기호 집합에 대해 이해한 내용으로 적절하지 <u>않은</u> 것은?

① 기호들의 발생 확률이 모두 1/2인 경우, 각 기호의 정보량은 동일하다.

② 기호들의 발생 확률이 각각 1/4, 3/4인 경우의 평균 정보량이 최댓값이다.

③ 기호들의 발생 확률이 각각 1/4, 3/4인 경우, 기호의 정보량이 더 많은 것은 발생 확률이 1/4인 기호이다.

④ 기호들의 발생 확률이 모두 1/2인 경우, 기호를 부호화하는 데 필요한 평균 비트 수의 최솟값이 최대가 된다.

⑤ 기호들의 발생 확률이 각각 1/4, 3/4인 기호 집합의 엔트로피는 발생 확률이 각각 3/4, 1/4인 기호 집합의 엔트로피와 같다.

11 윗글의 '부호화'에 대한 내용으로 적절한 것은?

① 선 부호화에서는 수신기에서 부호를 전기 신호로 변환한다.

② 허프만 부호화에서는 정보량이 많은 기호에 상대적으로 비트 수가 적은 부호를 할당한다.

③ 채널 부호화를 거친 부호들은 채널로 전송하기 전에 잉여 정보를 제거한 후 선 부호화한다.

④ 채널 부호화 과정에서 부호에 일정 수 이상의 잉여 정보를 추가하면 부호율은 1보다 커진다.

⑤ 삼중 반복 부호화를 이용하여 0을 부호화한 경우, 수신된 부호에서 두 개의 비트에 오류가 있으면 오류는 정정되지 않는다.

12 윗글을 바탕으로 〈보기〉를 이해한 내용으로 적절한 것은? [3점]

───[보기]───

날씨 데이터를 전송하려고 한다. 날씨는 '맑음', '흐림', '비', '눈'으로만 분류하며, 각 날씨의 발생 확률은 모두 같다. 엔트로피 부호화를 통해 '맑음', '흐림', '비', '눈'을 각각 00, 01, 10, 11의 부호로 바꾼다.

① 기호 집합 {맑음, 흐림, 비, 눈}의 엔트로피는 2보다 크겠군.

② 엔트로피 부호화를 통해 4일 동안의 날씨 데이터 '흐림비맑음흐림'은 '01001001'로 바뀌겠군.

③ 삼중 반복 부호화를 이용하여 전송한 특정 날씨의 부호를 '110001'과 '101100'으로 각각 수신하였다면 서로 다른 날씨로 판단하겠군.

④ 날씨 '비'를 삼중 반복 부호화와 차동 부호화를 이용하여 부호화하는 경우, 기준 신호가 양(+)의 전압이면 '음, 양, 음, 음, 음, 음'의 전압을 갖는 전기 신호로 변환되겠군.

⑤ 삼중 반복 부호화와 차동 부호화를 이용하여 특정 날씨의 부호를 전송할 경우, 수신기에서 '음, 음, 음, 양, 양, 양'을 수신했다면 기준 신호가 양(+)의 전압일 때 '흐림'으로 판단하겠군.

13 문맥을 고려할 때, 밑줄 친 말이 ⓐ~ⓔ의 동음이의어가 <u>아닌</u> 것은?

① ⓐ: 공항에서 해외로 떠나는 친구를 <u>전송(餞送)</u>할 계획이다.

② ⓑ: 대중의 <u>기호(嗜好)</u>에 맞추어 상품을 개발한다.

③ ⓒ: 나는 가난하지만 귀족이나 <u>부호(富豪)</u>가 부럽지 않다.

④ ⓓ: 한번 금이 간 인간관계를 <u>복원(復原)</u>하기는 어렵다.

⑤ ⓔ: 이 작품은 그 화가의 오랜 노력의 <u>결정(結晶)</u>이다.

—— (해설 p.109)

음성 인식 기술은 컴퓨터가 사람이 말하는 소리를 인식하여 해당 문자열로 바꾸는 기술이다. 사람의 말은 음소들의 시간적 배열로 볼 수 있다. 컴퓨터는 각 단어의 음소들의 배열을 '기준 패턴'으로 미리 저장해 두고, 이를 입력된 음성에서 추출한 '입력 패턴'과 비교하여 단어를 인식한다.

음성을 인식하기 위해서 먼저 입력된 신호에서 잡음을 제거한 후 음성 신호만 추출한다. 그런 다음 음성 신호를 하나의 음소로 판단되는 구간인 '음소 추정 구간'들의 배열로 바꾸어 준다. 그런데 음성 신호를 음소 단위로 정확히 나누는 것은 쉽지 않다. 이를 해결하기 위해 먼저 음성 신호를 일정한 시간 간격의 '단위 구간'으로 나누고, 이 단위 구간 하나만으로 또는 연속된 단위 구간을 이어 붙여 음소 추정 구간들을 만든다.

음성의 비교는 음소 단위로 이루어지는데 음소 추정 구간에 해당하는 음소를 알아내기 위해서 각 구간에서 '특징 벡터'를 추출한다. 각 음소 추정 구간에서 추출하는 특징 벡터는 1개이다. 특징 벡터는 음소를 구별하는 데 필요한 정보를 수치로 나타낸 것으로, 음소 추정 구간의 길이에 상관없이 1개로만 추출된다. 특징 벡터는 음소의 특성을 잘 나타내는 정보들을 이용하지만 사람마다 다른 특성을 보이는 정보는 사용하지 않는다. 사용하는 정보의 가짓수가 많을수록 음소를 더 정확하게 인식할 수 있지만 그만큼 필요한 연산량이 많아져 처리 시간은 길어진다.

음성을 인식하려면 ㉠입력 패턴의 특징 벡터와 기준 패턴의 특징 벡터를 비교해야 한다. 이를 위해서 음소 추정 구간이 비교하려는 기준 패턴의 음소 개수와 동일한 개수가 되도록 단위 구간을 조합한다. 그리고 각 음소 추정 구간에서 추출된 특징 벡터를 구간 순서대로 배열하여 입력 패턴을 생성한다.

예를 들어 ㉡입력된 음성 신호를 S_1, S_2, S_3 3개의 단위 구간으로 나눈 경우를 생각해 보자. 만일 비교하려는 기준 패턴의 음소가 3개라면 3개의 음소 추정 구간으로부터 입력 패턴이 구성되어야 하므로 $[S_1, S_2, S_3]$의 음소 추정 구간 배열을 설정하고, 이로부터 입력 패턴을 생성한다. 그런 다음 이것을 순서대로 기준 패턴의 음소와 일대일 대응시키고 각각의 특징 벡터의 차이를 구한 뒤 이것들을 모두 합하여 '패턴 거리'를 구한다. 만일 기준 패턴의 음소가 2개라면 3개의 단위 구간을 조합하여 $[S_1, S_2{\sim}S_3]$, $[S_1{\sim}S_2, S_3]$로 2개의 음소 추정 구간 배열을 설정

하고, 이로부터 입력 패턴을 생성한다. 이와 같이 1개의 기준 패턴에 대해 여러 개의 입력 패턴이 만들어질 수 있는 경우에는 ⓐ생성 가능한 입력 패턴과 기준 패턴 사이의 패턴 거리를 모두 구하고, 그중의 최솟값을 그 기준 패턴에 대한 패턴 거리로 정한다. 만일 기준 패턴의 음소가 3개보다 크면 두 패턴을 일대일로 대응시킬 수 없으므로 비교가 불가능하다.

단위 구간의 시간 간격을 짧게 하여 그 개수를 늘리면 음소 추정 구간을 잘못 설정하여 발생하는 오류를 줄일 수 있다. 하지만 연산량이 많아져 처리 시간은 길어진다.

이와 같은 방법으로 컴퓨터에 저장된 모든 기준 패턴에 대해 패턴 거리를 구하고 그중 최솟값이 되는 기준 패턴을 선정한다. 최종적으로, 이 기준 패턴에 해당하는 문자열을 입력된 음성 신호에 대해 인식된 단어로 출력한다.

14 윗글의 내용과 일치하지 않는 것은?

① 음성 인식에서 말소리는 음소들의 시간적 배열로 본다.

② 입력 신호가 들어오면 잡음을 제거하고 음성 신호를 추출한다.

③ 개인의 독특한 목소리는 음성 인식을 위한 특징 벡터로 사용하기에 적당하다.

④ 입력 패턴은 음소 추정 구간의 특징 벡터들을 구간 순서로 배열한 것이다.

⑤ 패턴 거리가 최솟값인 기준 패턴에 해당하는 문자열을 인식된 단어로 출력한다.

15 하나의 기준 패턴에 대해 ㉠을 ㉡에 적용할 때, 이에 대한 설명으로 옳지 <u>않은</u> 것은?

① 기준 패턴의 음소 개수가 3개이면 입력 패턴에 들어 있는 특징 벡터는 3개이다.

② 기준 패턴의 음소 개수가 3개이면 산출되는 패턴 거리 는 1개이다.

③ 기준 패턴의 음소 개수가 2개이면 조합되는 음소 추정 구간 배열은 1개이다.

④ 기준 패턴의 음소 개수가 2개이면 생성 가능한 입력 패턴은 2개이다.

⑤ 기준 패턴의 음소 개수가 4개이면 패턴 비교가 불가능 하다.

16 ⓐ의 처리 시간을 증가시키는 요인으로 옳은 것은?

① 특징 벡터를 구성하는 정보의 가짓수의 감소
② 기준 패턴을 구성하는 음소 개수의 감소
③ 저장된 기준 패턴 가짓수의 감소
④ 단위 구간의 시간 간격의 감소
⑤ 음소 추정 구간 개수의 감소

[17~20] 다음 글을 읽고 물음에 답하시오.   2025.06 [8~11]

─── (해설 p.117) ───

식품 포장재, 세제 용기 등으로 사용되는 플라스틱은 생활에서 흔히 ⓐ접할 수 있다. 플라스틱은 '성형할 수 있는, 거푸집으로 조형이 가능한'이라는 의미의 '플라스티코스'라는 그리스어에서 온 말로, 열과 압력으로 성형할 수 있는 고분자 화합물을 이른다.

플라스틱은 단위체인 작은 분자가 수없이 반복 연결되는 중합을 통해 만들어진 거대 분자로 이루어져 있다. 단위체들은 공유 결합으로 연결되는데, 분자를 구성하는 원자들이 서로 전자를 공유하여 안정한 상태가 되는 결합을 공유 결합이라 한다. 두 원자가 각각 전자를 하나씩 내어놓아 그 두 개의 전자를 한 쌍으로 공유하면 단일 결합이라 하고, 두 쌍을 공유하면 이중 결합이라 한다. 공유 전자쌍이 많을수록 원자 간의 결합력은 강하다. 대부분의 원자는 가장 바깥 전자 껍질의 전자 수가 8개가 될 때 안정해진다. 탄소 원자는 가장 바깥 전자 껍질에 4개의 전자를 갖고 있어, 다른 원자들과 전자를 공유하여 안정해질 수 있으며 다양한 형태의 공유 결합이 가능하여 거대한 분자의 골격을 이룰 수 있다.

플라스틱의 한 종류인 폴리에틸렌은 에틸렌 분자들이 서로 연결되는 중합 과정을 거쳐 만들어진다. 에틸렌은 두 개의 탄소 원자와 네 개의 수소 원자로 이루어지는데, 두 개의 탄소 원자가 서로 이중 결합을 하고 각각의 탄소 원자는 두 개의 수소 원자와 단일 결합을 한다. 탄소 원자 간의 이중 결합에서는 한 결합이 다른 하나보다 끊어지기 쉽다.

에틸렌의 중합에는 여러 가지 방법이 있는데 그중에 하나는 과산화물 개시제를 사용하는 것이다. 열을 흡수한 과산화물 개시제는 가장 바깥 껍질에 7개의 전자가 있는 불안정한 상태의 원자를 가진 분자로 분해된다. 이 불안정한 원자는 안정해지기 위해 에틸렌이 가진 탄소의 이중 결합 중 더 약한 결합을 끊어 버리면서 에틸렌의 한쪽 탄소 원자와 전자를 공유하며 단일 결합한다. 그러면 다른 쪽 탄소 원자는 공유되지 못한, 홀로 남은 전자를 갖게 된다. 이 불안정한 탄소 원자는 같은 방식으로 다른 에틸렌 분자와 반응을 하게 되고, 이와 같은 반응이 이어지며 불안정해지는 탄소 원자가 계속 생성된다. 에틸렌 분자들이 결합하여 더해지면 이것들은 사슬 형태를 이루며, 이 사슬은 지속적으로 성장하고 사슬 끝에는

불안정한 탄소 원자가 존재하게 된다. 성장하는 두 사슬의 끝이 서로 만나 결합하여 안정한 상태가 되면 반복적인 반응이 멈추게 된다. ㉠이 중합 과정을 거쳐 에틸렌 분자들은 폴리에틸렌이라는 고분자 화합물이 된다.

플라스틱을 이루는 거대한 분자들은 길이가 길다. 그래서 사슬들이 일정한 방향으로 나란히 배열되어 있는 결정 영역은, 분자들 전체에서 기대할 수는 없지만 부분적으로 있을 수는 있다. 플라스틱에서 결정 영역이 차지하는 부분의 비율은 여러 조건에 따라 조절이 가능하고 물성에 영향을 미친다. 결정 영역이 많아질수록 플라스틱은 유연성이 낮아 충격에 약하고 가공성이 떨어지며 점점 불투명해지지만, 밀도가 높아져 단단해지고 화학 물질에 대한 민감성이 감소하며 열에 의해 잘 변형되지 않는다. 이런 성질을 활용하여 필요에 따라 다양한 종류의 플라스틱을 만들 수 있다.

17 윗글에서 알 수 있는 내용으로 적절하지 <u>않은</u> 것은?

① 단위체들은 중합을 거쳐 거대 분자를 이룰 수 있다.
② 에틸렌 분자에는 단일 결합과 이중 결합이 모두 존재한다.
③ 플라스틱이라는 명칭의 유래는 열과 압력으로 성형이 되는 성질과 관련이 있다.
④ 불안정한 원자를 가진 에틸렌은 과산화물을 개시제로 쓰면 분해되면서 안정해진다.
⑤ 탄소와 탄소 사이의 이중 결합 중 하나의 결합 세기는 나머지 하나의 결합 세기보다 크다.

18 ㉠에 대한 이해로 적절하지 <u>않은</u> 것은?

① 성장 중의 사슬은 그 양쪽 끝부분에서 불안정한 탄소 원자가 생성된다.
② 사슬의 중간에 두 탄소 원자가 서로 전자를 하나씩 내어놓아 공유하는 결합이 존재한다.
③ 상태가 불안정한 원자를 지닌 분자의 생성이 연속적인 사슬 성장 반응이 일어나는 계기가 된다.
④ 공유되지 못하고 홀로 남은 전자를 가진 탄소 원자는 사슬의 성장 과정이 종결되기 전까지 계속 발생한다.
⑤ 에틸렌 분자를 구성하는 탄소 원자들 사이의 이중 결합이 단일 결합으로 되면서 사슬의 성장 과정을 이어 간다.

19 윗글을 바탕으로 <보기>의 ㉮와 ㉯를 이해한 내용으로 가장 적절한 것은? [3점]

─────────[보기]─────────

　폴리에틸렌은 높은 압력과 온도에서 중합되어 사슬이 여기저기 가지를 친 구조로 만들어지기도 한다. ㉮가지를 친 구조의 사슬들은 조밀하게 배열되기 힘들다. 한편 특수한 촉매를 사용하여 저온에서 중합되면 탄소 원자들이 이루는 사슬이 한 줄로 쭉 이어진 직선형 구조로 만들어지기도 한다. 이 ㉯직선형 구조의 사슬들은 한 방향으로 서로 나란히 조밀하게 배열될 수 있다.

─────────────────────────

① 충격에 잘 깨지지 않도록 유연하게 하려면 ㉮보다 ㉯로 이루어진 소재가 적합하겠군.

② 포장된 물품이 잘 보이게 하려면 포장재로는 ㉮보다 ㉯로 이루어진 소재가 적합하겠군.

③ 보관 용기에서 화학 물질이 닿는 부분에는 ㉮보다 ㉯로 이루어진 소재를 쓰는 것이 좋겠군.

④ ㉯보다 ㉮로 이루어진 소재의 밀도가 더 높겠군.

⑤ 열에 잘 견디게 하려면 ㉯보다 ㉮로 이루어진 소재가 적합하겠군.

20 ⓐ와 문맥상 의미가 가장 가까운 것은?

① 요즘 신도시는 아파트가 대규모로 서로 접해 있다.

② 그는 자신의 수상 소식을 오늘에야 접하게 되었다.

③ 나는 교과서에서 접한 시를 모두 외웠다.

④ 우리나라는 삼면이 바다에 접해 있다.

⑤ 우리 집은 공원을 접하고 있다.

───────── (해설 p.124)

탄수화물은 사람을 비롯한 동물이 생존하는 데 필수적인 에너지원이다. 탄수화물은 섬유소와 비섬유소로 구분된다. 사람은 체내에서 합성한 효소를 이용하여 곡류의 녹말과 같은 비섬유소를 포도당으로 분해하고 이를 소장에서 흡수하여 에너지원으로 이용한다. 반면, 사람은 풀이나 채소의 주성분인 셀룰로스와 같은 섬유소를 포도당으로 분해하는 효소를 합성하지 못하므로, 섬유소를 소장에서 이용하지 못한다. ㉠소, 양, 사슴과 같은 반추 동물도 섬유소를 분해하는 효소를 합성하지 못하는 것은 마찬가지이지만, 비섬유소와 섬유소를 모두 에너지원으로 이용하며 살아간다.

위(胃)가 넷으로 나누어진 반추 동물의 첫째 위인 반추위에는 여러 종류의 미생물이 서식하고 있다. 반추 동물의 반추위에는 산소가 없는데, 이 환경에서 왕성하게 생장하는 반추위 미생물들은 다양한 생리적 특성을 가지고 있다. 그중 ⓐ피브로박터 숙시노젠(F)은 섬유소를 분해하는 대표적인 미생물이다. 식물체에서 셀룰로스는 그것을 둘러싼 다른 물질과 복잡하게 얽혀있는데, F가 가진 효소 복합체는 이 구조를 끊어 셀룰로스를 노출시킨 후 이를 포도당으로 분해한다. F는 이 포도당을 자신의 세포 내에서 대사 과정을 거쳐 에너지원으로 이용하여 생존을 유지하고 개체 수를 늘림으로써 생장한다. 이런 대사 과정에서 아세트산, 숙신산 등이 대사산물로 발생하고 이를 자신의 세포 외부로 배출한다. 반추위에서 미생물들이 생성한 아세트산은 반추 동물의 세포로 직접 흡수되어 생존에 필요한 에너지를 생성하는 데 주로 이용되고 체지방을 합성하는 데에도 쓰인다. 한편 반추위에서 숙신산은 프로피온산을 대사산물로 생성하는 다른 미생물의 에너지원으로 빠르게 소진된다. 이 과정에서 생성된 프로피온산은 반추 동물이 간(肝)에서 포도당을 합성하는 대사 과정에서 주요 재료로 이용된다.

반추위에는 비섬유소인 녹말을 분해하는 ⓑ스트렙토코쿠스 보비스(S)도 서식한다. 이 미생물은 반추 동물이 섭취한 녹말을 포도당으로 분해하고, 이 포도당을 자신의 세포 내에서 대사 과정을 통해 자신에게 필요한 에너지원으로 이용한다. 이때 S는 자신의 세포 내의 산성도에 따라 세포 외부로 배출하는 대사산물이 달라진다. 산성도를 알려 주는 수소 이온 농도 지수(pH)가 7.0 정도로 중성이고 생장 속도가 느린 경우에는 아세트산, 에탄올 등이 대사산물로 배출된다. 반면 산성도가 높아져 pH가 6.0 이하로 떨어지거나 녹말의 양이 충분하여 생장 속도

가 빠를 때는 젖산이 대사산물로 배출된다. 반추위에서 젖산은 반추동물의 세포로 직접 흡수되어 반추 동물에게 필요한 에너지를 생성하는 데 이용되거나 아세트산 또는 프로피온산을 대사산물로 배출하는 다른 미생물의 에너지원으로 이용된다.

그런데 S의 과도한 생장이 반추 동물에게 악영향을 끼치는 경우가 있다. 반추 동물이 짧은 시간에 과도한 양의 비섬유소를 섭취하면 S의 개체 수가 급격히 늘고 과도한 양의 젖산이 배출되어 반추위의 산성도가 높아진다. 이에 따라 산성의 환경에서 왕성히 생장하며 항상 젖산을 대사산물로 배출하는 ⓒ락토바실러스 루미니스(L)와 같은 젖산 생성 미생물들의 생장이 증가하며 다량의 젖산을 배출하기 시작한다. F를 비롯한 섬유소 분해 미생물들은 자신의 세포 내부의 pH를 중성으로 일정하게 유지하려는 특성이 있는데, 젖산 농도의 증가로 자신의 세포 외부의 pH가 낮아지면 자신의 세포 내의 항상성을 유지하기 위해 에너지를 사용하므로 생장이 감소한다. 만일 자신의 세포 외부의 pH가 5.8 이하로 떨어지면 에너지가 소진되어 생장을 멈추고 사멸하는 단계로 접어든다. 이와 달리 S와 L은 상대적으로 산성에 견디는 정도가 강해 자신의 세포 외부의 pH가 5.5 정도까지 떨어지더라도 이에 맞춰 자신의 세포 내부의 pH를 낮출 수 있어 자신의 에너지를 세포 내부의 pH를 유지하는 데 거의 사용하지 않고 생장을 지속하는 데 사용한다. 그러나 S도 자신의 세포 외부의 pH가 그 이하로 더 떨어지면 생장을 멈추고 사멸하는 단계로 접어들고, 산성에 더 강한 L을 비롯한 젖산 생성 미생물들이 반추위 미생물의 많은 부분을 차지하게 된다. 그렇게 되면 반추위의 pH가 5.0 이하가 되는 급성 반추위 산성증이 발병한다.

21 윗글을 읽고 알 수 있는 내용으로 가장 적절한 것은?

① 섬유소는 사람의 소장에서 포도당의 공급원으로 사용된다.

② 반추 동물의 세포에서 합성한 효소는 셀룰로스를 분해한다.

③ 반추위 미생물은 산소가 없는 환경에서 생장을 멈추고 사멸한다.

④ 반추 동물의 과도한 섬유소 섭취는 급성 반추위 산성증을 유발한다.

⑤ 피브로박터 숙시노젠(F)은 자신의 세포 내에서 포도당을 에너지원으로 이용하여 생장한다.

22 윗글로 볼 때, ⓐ~ⓒ에 대한 이해로 적절하지 <u>않은</u> 것은?

① ⓐ와 ⓑ는 모두 급성 반추위 산성증에 걸린 반추 동물의 반추위에서는 생장하지 못하겠군.

② ⓐ와 ⓑ는 모두 반추위에서 반추 동물의 체지방을 합성하는 물질을 생성할 수 있겠군.

③ 반추위의 pH가 6.0일 때, ⓐ는 ⓒ보다 자신의 세포 내의 산성도를 유지하는 데 더 많은 에너지를 쓰겠군.

④ ⓑ와 ⓒ는 모두 반추위의 산성도에 따라 다양한 종류의 대사산물을 배출하겠군.

⑤ 반추위에서 녹말의 양과 ⓑ의 생장이 증가할수록, ⓐ의 생장은 감소하고 ⓒ의 생장은 증가하겠군.

23 윗글을 바탕으로 ㉠이 가능한 이유를 진술한다고 할 때, 〈보기〉의 ㉮, ㉯에 들어갈 말로 가장 적절한 것은? [3점]

┌─────────────[보기]─────────────┐

　　반추 동물이 섭취한 섬유소와 비섬유소는 반추위에서 (㉮), 이를 이용하여 생장하는 (㉯)은 반추 동물의 에너지원으로 이용되기 때문이다.

└─────────────────────────────────┘

① ㉮ : 반추위 미생물의 에너지원이 되고
　㉯ : 반추위 미생물이 대사 과정을 통해 생성한 대사산물

② ㉮ : 반추위 미생물의 에너지원이 되고
　㉯ : 반추위 미생물이 대사 과정을 통해 생성한 포도당

③ ㉮ : 반추위 미생물에 의해 합성된 포도당이 되고
　㉯ : 반추 동물이 대사 과정을 통해 생성한 포도당

④ ㉮ : 반추위 미생물에 의해 합성된 포도당이 되고
　㉯ : 반추위 미생물이 대사 과정을 통해 생성한 대사산물

⑤ ㉮ : 반추위 미생물에 의해 합성된 포도당이 되고
　㉯ : 반추위 미생물이 대사 과정을 통해 생성한 포도당

24 윗글로 볼 때, 반추위 미생물에서 배출되는 숙신산과 젖산에 대한 설명으로 적절하지 <u>않은</u> 것은?

① 숙신산이 많이 배출될수록 반추 동물의 간에서 합성되는 포도당의 양도 늘어난다.

② 젖산은 반추 동물의 세포로 직접 흡수되어 반추 동물의 에너지원으로 이용될 수 있다.

③ 숙신산과 젖산은 반추위가 산성일 때보다 중성일 때 더 많이 배출된다.

④ 숙신산과 젖산은 반추위 미생물의 세포 내에서 대사 과정을 거쳐 생성된다.

⑤ 숙신산과 젖산은 프로피온산을 대사산물로 배출하는 다른 미생물의 에너지원으로 이용되기도 한다.

[25~28] 다음 글을 읽고 물음에 답하시오. 2023.06 [10~13]

───── (해설 p.133) ─────

혈액은 세포에 필요한 물질을 공급하고 노폐물을 제거한다. 만약 혈관 벽이 손상되어 출혈이 생기면 손상 부위의 혈액이 응고되어 혈액 손실을 막아야 한다. 혈액 응고는 섬유소 단백질인 피브린이 모여 형성된 섬유소 그물이 혈소판이 응집된 혈소판 마개와 뭉쳐 혈병이라는 덩어리를 만드는 현상이다. 혈액 응고는 혈관 속에서도 일어나는데, 이때의 혈병을 혈전이라 한다. 이물질이 쌓여 동맥 내벽이 두꺼워지는 동맥 경화가 일어나면 그 부위에 혈전 침착, 혈류 감소 등이 일어나 혈관 질환이 발생하기도 한다. 이러한 혈액의 응고 및 원활한 순환에 비타민 K가 중요한 역할을 한다.

비타민 K는 혈액이 응고되도록 돕는다. 지방을 뺀 사료를 먹인 병아리의 경우, 지방에 녹는 어떤 물질이 결핍되어 혈액 응고가 지연된다는 사실을 발견하고 그 물질을 비타민 K로 명명했다. 혈액 응고는 단백질로 이루어진 다양한 인자들이 관여하는 연쇄 반응에 의해 일어난다. 우선 여러 혈액 응고 인자들이 활성화된 이후 프로트롬빈이 활성화되어 트롬빈으로 전환되고, 트롬빈은 혈액에 녹아 있는 피브리노겐을 불용성인 피브린으로 바꾼다. 비타민 K는 프로트롬빈을 비롯한 혈액 응고 인자들이 간세포에서 합성될 때 이들의 활성화에 관여한다. 활성화는 칼슘 이온과의 결합을 통해 이루어지는데, 이들 혈액 단백질이 칼슘 이온과 결합하려면 카르복실화되어 있어야 한다. 카르복실화는 단백질을 구성하는 아미노산 중 글루탐산이 감마-카르복시글루탐산으로 전환되는 것을 말한다. 이처럼 비타민 K에 의해 카르복실화되어야 활성화가 가능한 표적 단백질을 비타민 K-의존성 단백질이라 한다.

비타민 K는 식물에서 합성되는 ㉠비타민 K_1과 동물 세포에서 합성되거나 미생물 발효로 생성되는 ㉡비타민 K_2로 나뉜다. 녹색 채소 등은 비타민 K_1을 충분히 함유하므로 일반적인 권장 식단을 따르면 혈액 응고에 차질이 생기지 않는다.

그런데 혈관 건강과 관련된 비타민 K의 또 다른 중요한 기능이 발견되었고, 이는 칼슘의 역설과도 관련이 있다. 나이가 들면 뼈 조직의 칼슘 밀도가 낮아져 골다공증이 생기기 쉬운데, 이를 방지하고자 칼슘 보충제를 섭취한다. 하지만 칼슘 보충제를 섭취해서 혈액 내 칼슘 농도는 높아지나 골밀도는 높아지지 않고, 혈관 벽에 칼슘염이 침착되는 혈관 석회화가 진행되어 동맥 경화 및 혈관 질환이 발생하는 경우가 생긴다. 혈관 석회화는 혈관 근육 세포 등에서 생성되는 MGP라는 단백질에 의해 억제되는데, 이 단백질이 비타민 K-의존성 단백질이다. 비타민 K가 부족하면 MGP 단백질이 활성화되지 못해 혈관 석회화가 유발된다는 것이다.

비타민 K_1과 K_2는 모두 비타민 K-의존성 단백질의 활성화를 유도하지만 K_1은 간세포에서, K_2는 그 외의 세포에서 활성이 높다. 그러므로 혈액 응고 인자의 활성화는 주로 K_1이, 그 외의 세포에서 합성되는 단백질의 활성화는 주로 K_2가 담당한다. 이에 따라 일부 연구자들은 비타민 K의 권장량을 K_1과 K_2로 구분하여 설정해야 하며, K_2가 함유된 치즈, 버터 등의 동물성 식품과 발효 식품의 섭취를 늘려야 한다고 권고한다.

25 윗글에서 알 수 있는 내용으로 적절하지 <u>않은</u> 것은?

① 혈전이 형성되면 섬유소 그물이 뭉쳐 혈액의 손실을 막는다.

② 혈액의 응고가 이루어지려면 혈소판 마개가 형성되어야 한다.

③ 혈관 손상 부위에 혈병이 생기려면 혈소판이 응집되어야 한다.

④ 혈관 경화를 방지하려면 이물질이 침착되지 않게 해야 한다.

⑤ 혈관 석회화가 계속되면 동맥 내벽과 혈류에 변화가 생긴다.

26 칼슘의 역설에 대한 이해로 가장 적절한 것은?

① 칼슘 보충제를 섭취하면 오히려 비타민 K₁의 효용성이 감소된다는 것이겠군.

② 칼슘 보충제를 섭취해도 뼈 조직에서는 칼슘이 여전히 필요하다는 것이겠군.

③ 칼슘 보충제를 섭취해도 골다공증은 막지 못하나 혈관 건강은 개선되는 경우가 있다는 것이겠군.

④ 칼슘 보충제를 섭취하면 혈액 내 단백질이 칼슘과 결합하여 혈관 벽에 칼슘이 침착된다는 것이겠군.

⑤ 칼슘 보충제를 섭취해도 혈액으로 칼슘이 흡수되지 않아 골다공증 개선이 안 되는 경우가 있다는 것이겠군.

27 ㉠과 ㉡에 대한 설명으로 가장 적절한 것은?

① ㉠은 ㉡과 달리 우리 몸의 간세포에서 합성된다.

② ㉡은 ㉠과 달리 지방과 함께 섭취해야 한다.

③ ㉡은 ㉠과 달리 표적 단백질의 아미노산을 변형하지 않는다.

④ ㉠과 ㉡은 모두 표적 단백질의 활성화 이전 단계에 작용한다.

⑤ ㉠과 ㉡은 모두 일반적으로는 결핍이 발생해 문제가 되는 경우는 없다.

28 윗글을 참고할 때 〈보기〉의 (가)~(다)를 투여함에 따라 체내에서 일어나는 반응을 예상한 내용으로 적절하지 <u>않은</u> 것은? [3점]

─[보기]─

　　다음은 혈전으로 인한 질환을 예방 또는 치료하는 약물이다.

(가) 와파린: 트롬빈에는 작용하지 않고 비타민 K의 작용을 방해함.

(나) 플라스미노겐 활성제: 피브리노겐에는 작용하지 않고 피브린을 분해함.

(다) 헤파린: 비타민 K-의존성 단백질에는 작용하지 않고 트롬빈의 작용을 억제함.

① (가)의 지나친 투여는 혈관 석회화를 유발할 수 있겠군.

② (나)는 이미 뭉쳐 있던 혈전이 풀어지도록 할 수 있겠군.

③ (다)는 혈액 응고 인자와 칼슘 이온의 결합을 억제하겠군.

④ (가)와 (다)는 모두 피브리노겐이 전환되는 것을 억제하겠군.

⑤ (나)와 (다)는 모두 피브린 섬유소 그물의 형성을 억제하겠군.

———— (해설 p.142)

건강 상태를 진단하거나 범죄의 현장에서 혈흔을 조사하기 위해 검사용 키트가 널리 이용된다. 키트 제작에는 다양한 과학적 원리가 적용되는데, 적은 비용으로 쉽고 빠르고 정확하게 검사할 수 있는 키트를 제작하는 것이 요구된다. 이러한 필요에 따라 항원-항체 반응을 응용하여 시료에 존재하는 성분을 분석하는 다양한 형태의 키트가 개발되고 있다. 항원-항체 반응은 항원과 그 항원에만 특이적으로 반응하는 항체가 결합하는 면역 반응을 말한다. 항체 제조 기술이 발전하면서 휴대성이 높고 분석 시간이 짧은 측면유동면역분석법(LFIA)을 이용한 다양한 종류의 키트가 개발되고 있다.

LFIA 키트를 이용하면 키트에 나타나는 선을 통해, 액상의 시료에서 검출하고자 하는 목표 성분의 유무를 간편하게 확인할 수 있다. LFIA 키트는 가로로 긴 납작한 막대 모양인데, 시료 패드, 결합 패드, 반응막, 흡수 패드가 순서대로 나란히 배열된 구조로 되어 있다. 시료 패드로 흡수된 시료는 결합 패드에서 복합체와 함께 반응막을 지나 여분의 시료가 흡수되는 흡수 패드로 이동한다. 결합 패드에 있는 복합체는 금-나노 입자 또는 형광 비드 등의 표지 물질에 특정 물질이 붙어 이루어진다. 표지 물질은 발색 반응에 의해 색깔을 내는데, 이 표지 물질에 붙어 있는 특정 물질은 키트 방식에 따라 종류가 다르다. 일반적으로 한 가지 목표 성분을 검출하는 키트의 반응막에는 항체들이 띠 모양으로 두 가닥 고정되어 있는데, 그중 시료 패드와 가까운 쪽에 있는 가닥이 검사선이고 다른 가닥은 표준선이다. 표지 물질이 검사선이나 표준선에 놓이면 발색 반응에 의해 반응선이 나타난다. 검사선이 발색되어 나타나는 반응선을 통해서는 목표 성분의 유무를 판정할 수 있다. 표준선이 발색된 반응선이 나타나면 검사가 정상적으로 진행되었음을 알 수 있다.

LFIA 키트는 주로 ㉠직접 방식 또는 ㉡경쟁 방식으로 제작되는데, 방식에 따라 검사선의 발색 여부가 의미하는 바가 다르다. 직접 방식에서 복합체에 포함된 특정 물질은 목표 성분에 결합할 수 있는 항체이다. 시료에 목표 성분이 포함되어 있다면 목표 성분은 이 항체와 일차적으로 결합하고, 이후 검사선의 고정된 항체와 결합한다. 따라서 검사선이 발색되면 시료에서 목표 성분이 검출되었다고 판정한다. 한편 경쟁 방식에서 복합체에 포함된 특정 물질은 목표 성분에 대한 항체가 아니라 목표 성분 자체이다. 만약 시료에 목표 성분이 포함되어 있으면 시료의 목표 성분과 복합체의 목표 성분이 서로 검사선의 항체와 결합하려 경쟁한다. 이때 시료에 목표 성분이 충분히 많다면 시료의 목표 성분은 복합체의 목표 성분이 검사선의 항체와 결합하는 것을 방해하므로 검사선이 발색되지 않는다. 직접 방식은 세균이나 분자량이 큰 단백질 등을 검출할 때 이용하고, 경쟁 방식은 항생 물질처럼 목표 성분의 크기가 작은 경우에 이용한다.

한편, 검사용 키트는 휴대성과 신속성 외에 정확성도 중요하다. 키트의 정확성을 측정하기 위해서는 키트를 이용해 여러 번의 검사를 실시하고 그 결과를 분석한다. 키트가 시료에 목표 성분이 들어있다고 판정하면 이를 양성이라고 한다. 이때 시료에 목표 성분이 실제로 존재하면 진양성, 시료에 목표 성분이 없다면 위양성이라고 한다. 반대로 키트가 시료에 목표 성분이 들어 있지 않다고 판정하면 음성이라고 한다. 이 경우 실제로 목표 성분이 없다면 진음성, 목표 성분이 있다면 위음성이라고 한다. 현실에서 위양성이나 위음성을 배제할 수 있는 키트는 없다.

여러 번의 검사 결과를 통해 키트의 정확도를 구하는데, 정확도란 시료를 분석할 때 올바른 검사 결과를 얻을 확률이다. 정확도는 민감도와 특이도로 나뉜다. 민감도는 시료에 목표 성분이 존재하는 경우에 대해 키트가 이를 양성으로 판정한 비율이다. 특이도는 시료에 목표 성분이 없는 경우에 대해 키트가 이를 음성으로 판정한 비율이다. 민감도와 특이도가 모두 높아 정확도가 높은 키트가 가장 이상적이지만 현실에서는 그렇지 않은 경우가 많아서 상황에 따라 민감도나 특이도를 고려하여 키트를 선택해야 한다.

29 윗글을 읽고 알 수 있는 내용으로 적절하지 <u>않은</u> 것은?

① LFIA 키트에서 시료 패드와 흡수 패드는 모두 시료를 흡수하는 역할을 한다.

② LFIA 키트를 통해 검출하려고 하는 목표 성분은 항원-항체 반응의 항원에 해당한다.

③ LFIA 키트를 사용할 때 정상적인 키트에서 검사선이 발색되지 않으면 표준선도 발색되지 않는다.

④ LFIA 키트에 표지 물질이 없다면 시료에 목표 성분이 있더라도 이를 시각적으로 확인할 수 없다.

⑤ LFIA 키트를 이용하여 검사할 때, 시료에 목표 성분이 포함되어 있지 않더라도 검사선이 발색될 수 있다.

30 ⊙과 ⓒ에 대한 이해로 가장 적절한 것은?

① ⊙은 ⓒ과 달리, 시료에 들어 있는 목표 성분은 검사선에 도달하기 이전에 항체와 결합을 하겠군.

② ⊙은 ⓒ과 달리, 시료에서 목표 성분을 검출했다면 검사선에서 항체와 목표 성분의 결합이 존재하지 않겠군.

③ ⓒ은 ⊙과 달리, 시료가 표준선에 도달하기 이전에 검사선에 먼저 도달하겠군.

④ ⓒ은 ⊙과 달리, 정상적인 검사로 시료에서 목표 성분을 검출했다면 반응막에 아무런 반응선도 나타나지 않았겠군.

⑤ ⊙과 ⓒ은 모두 시료에 들어 있는 목표 성분이 표지 물질과 항원-항체 반응으로 결합하겠군.

31 윗글을 참고할 때, 〈보기〉의 A와 B에 들어갈 말을 올바르게 짝지은 것은?

─────[보기]─────

검사용 키트를 가지고 여러 번의 검사를 실시하여 키트의 정확성을 측정하였을 때, 검사 결과 (A)인 경우가 적을수록 민감도는 높고, (B)인 경우가 많을수록 특이도는 높다.

	A	B
①	진양성	진음성
②	진양성	위음성
③	위양성	위음성
④	위음성	진음성
⑤	위음성	위양성

32 윗글을 바탕으로 〈보기〉를 이해한 반응으로 적절하지 <u>않은</u> 것은? [3점]

─────[보기]─────

살모넬라균은 집단 식중독을 일으키는 대표적인 병원성 세균이다. 기존의 살모넬라균 분석법은 정확도는 높으나 3~5일의 시간이 소요되어 질병 발생 시 신속한 진단 및 예방에 어려움이 있었다. 살모넬라균은 감염 속도가 빠르므로 다량의 시료 중 오염이 의심되는 시료부터 신속하게 골라낸 후에 이 시료만을 대상으로 더 정확한 방법으로 분석하여 오염 여부를 확정 짓는 것이 효과적이다. 최근에 기존 방법보다 정확도는 낮으나 저렴한 비용으로 살모넬라균만을 신속하게 검출할 수 있는 ⓐLFIA 방식의 새로운 키트가 개발되었다고 한다.

① ⓐ를 개발하기 전에 살모넬라균과 결합하는 항체를 제조하는 기술이 개발되었겠군.

② ⓐ의 결합 패드에는 표지 물질에 살모넬라균이 붙어 있는 복합체가 들어 있겠군.

③ ⓐ를 이용하여 음식물의 살모넬라균 오염 여부를 검사하려면 시료를 액체 상태로 만들어야겠군.

④ ⓐ를 이용하여 현장에서 살모넬라균 오염 의심 시료를 선별하기 위해서는 특이도보다 민감도가 높은 것이 더 효과적이겠군.

⑤ ⓐ를 이용하여 살모넬라균이 검출되었다고 키트가 판정한 경우에도 기존의 분석법으로는 균이 검출되지 않을 수 있겠군.

[33~34] 다음 글을 읽고 물음에 답하시오. 2016.11B [29~30]

── (해설 p.152) ──

어떤 물체가 물이나 공기와 같은 유체 속에서 자유 낙하할 때 물체에는 중력, 부력, 항력이 작용한다. 중력은 물체의 질량에 중력 가속도를 곱한 값으로 물체가 낙하하는 동안 일정하다. 부력은 어떤 물체에 의해서 배제된 부피만큼의 유체의 무게에 해당하는 힘으로, 항상 중력의 반대 방향으로 작용한다. 빗방울에 작용하는 부력의 크기는 빗방울의 부피에 해당하는 공기의 무게이다. 공기의 밀도는 물의 밀도의 1,000분의 1 수준이므로, 빗방울이 공기 중에서 떨어질 때 부력이 빗방울의 낙하 운동에 영향을 주는 정도는 미미하다. 그러나 스티로폼 입자와 같이 밀도가 매우 작은 물체가 낙하할 경우에는 부력이 물체의 낙하 속도에 큰 영향을 미친다.

물체가 유체 내에 정지해 있을 때와는 달리, 유체 속에서 운동하는 경우에는 물체의 운동에 저항하는 힘인 항력이 발생하는데, 이 힘은 물체의 운동 방향과 반대로 작용한다. 항력은 유체 속에서 운동하는 물체의 속도가 커질수록 이에 상응하여 커진다. 항력은 마찰 항력과 압력 항력의 합이다. 마찰 항력은 유체의 점성 때문에 물체의 표면에 가해지는 항력으로, 유체의 점성이 크거나 물체의 표면적이 클수록 커진다. 압력 항력은 물체가 이동할 때 물체의 전후방에 생기는 압력 차에 의해 생기는 항력으로, 물체의 운동 방향에서 바라본 물체의 단면적이 클수록 커진다.

안개비의 빗방울이나 미세 먼지와 같이 작은 물체가 낙하하는 경우에는 물체의 전후방에 생기는 압력 차가 매우 작아 마찰 항력이 전체 항력의 대부분을 차지한다. 빗방울의 크기가 커지면 전체 항력 중 압력 항력이 차지하는 비율이 점점 커진다. 반면 스카이다이버와 같이 큰 물체가 빠른 속도로 떨어질 때에는 물체의 전후방에 생기는 압력 차에 의한 압력 항력이 매우 크므로 마찰 항력이 전체 항력에 기여하는 비중은 무시할 만하다.

빗방울이 낙하할 때 처음에는 중력 때문에 빗방울의 낙하 속도가 점점 증가하지만, 이에 따라 항력도 커지게 되어 마침내 항력과 부력의 합이 중력의 크기와 같아지게 된다. 이때 물체의 가속도가 0이 되므로 빗방울의 속도는 일정해지는데, 이렇게 일정해진 속도를 종단 속도라 한다. 유체 속에서 상승하거나 지면과 수평으로 이동하는 물체의 경우에도 종단 속도가 나타나는 것은 이동

방향으로 작용하는 힘과 반대 방향으로 작용하는 힘의 평형에 의한 것이다.

33 윗글을 통해 알 수 있는 내용으로 가장 적절한 것은?

① 스카이다이버가 낙하 운동할 때에는 마찰 항력이 전체 항력의 대부분을 차지하게 된다.

② 물체가 유체 속에서 운동할 때 물체 전후방에 생기는 압력 차는 그 물체의 속도를 증가시킨다.

③ 낙하하는 물체의 속도가 종단 속도에 이르게 되면 그 물체의 가속도는 중력 가속도와 같아진다.

④ 균일한 밀도의 액체 속에서 낙하하는 동전에 작용하는 부력은 항력의 크기에 상관없이 일정한 크기를 유지한다.

⑤ 균일한 밀도의 액체 속에 완전히 잠겨 있는 쇠 막대에 작용하는 부력은 서 있을 때보다 누워 있을 때가 더 크다.

34 윗글을 바탕으로 〈보기〉에 대해 탐구한 내용으로 가장 적절한 것은? [3점]

[보기]

크기와 모양은 같으나 밀도가 서로 다른 구 모양의 물체 A와 B를 공기 중에 고정하였다. 이때 물체 A와 B의 밀도는 공기보다 작으며, 물체 B의 밀도는 물체 A보다 더 크다. 물체 A와 B를 놓아 주었더니 두 물체 모두 속도가 증가하며 상승하다가, 각각 어느 정도 시간이 지난 후 각각 다른 일정한 속도를 유지한 채 계속 상승하였다. (단, 두 물체는 공기나 다른 기체 중에서 크기와 밀도가 유지되도록 제작되었고, 물체 운동에 영향을 줄 수 있는 기체의 흐름과 같은 외적 요인들이 모두 제거되었다고 가정함.)

---

① A와 B가 고정되어 있을 때에는 A에 작용하는 항력이 B에 작용하는 항력보다 더 작겠군.

② A와 B가 각각 일정한 속도를 유지할 때 A에 작용하고 있는 항력은 B에 작용하고 있는 항력보다 더 작겠군.

③ A에 작용하는 부력과 중력의 크기 차이는 A의 속도가 증가하고 있을 때보다 A가 고정되어 있을 때 더 크겠군.

④ A와 B 모두 일정한 속도에 도달하기 전에 속도가 증가하는 것으로 보아 A와 B에 작용하는 항력이 점점 감소하기 때문에 일정한 속도에 도달하는 것이겠군.

⑤ 공기보다 밀도가 더 큰 기체 내에서 B가 상승하여 일정한 속도를 유지할 때 B에 작용하는 항력은 공기 중에서 상승하여 일정한 속도를 유지할 때 작용하는 항력보다 더 크겠군.

───── (해설 p.160) ─────

충전과 방전을 ⓐ통해 반복적으로 사용할 수 있는 충전지는 충전기를 ⓑ통해 충전하는데, 충전기는 적절한 전류와 전압을 제어하기 위한 충전 회로를 가지고 있다. 충전지는 양극에 사용되는 금속 산화 물질에 따라 납 충전지, 니켈 충전지, 리튬 충전지로 나눌 수 있다. 충전지가 방전될 때 양극 단자와 음극 단자 간에 전위차, 즉 전압이 발생하는데, 방전이 진행되면서 전압이 감소한다. 이렇게 변화하는 단자 전압의 평균을 공칭 전압이라 한다. 충전지를 크게 만들면 충전 용량과 방전 전류 세기를 증가시킬 수 있으나 전극의 물질을 바꾸지 않는 한 공칭 전압은 변하지 않는다. 납 충전지의 공칭 전압은 2V, 니켈 충전지는 1.2V, 리튬 충전지는 3.6V이다.

충전지는 최대 용량까지 충전하는 것이 효율적이며 이러한 상태를 만충전이라 한다. 최대 용량을 넘어서 충전하는 과충전이나 방전 하한 전압 이하까지 방전시키는 과방전으로 인해 충전지의 수명이 줄어들기 때문에 충전 양을 측정·관리하는 것이 중요하다. 특히 과충전 시에는 발열로 인해 누액이나 폭발의 위험이 있다. 니켈 충전지의 일종인 니켈카드뮴 충전지는 다른 충전지와 달리 메모리 효과가 있어서 일부만 방전한 후 충전하는 것을 반복하면 충·방전할 수 있는 용량이 줄어든다.

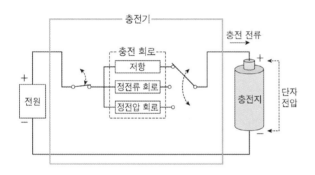

충전에 사용하는 충전기의 전원 전압은 충전지의 공칭 전압보다 높은 전압을 사용하고 충전지로 유입되는 전류를 저항으로 제한한다. 그러나 충전이 이루어지면서 충전지의 단자 전압이 상승하여 유입되는 전류의 세기가 점점 줄어들게 된다. 그러므로 이를 막기 위해 충전기에는 충전 전류의 세기가 일정하도록 하는 정전류 회로가 사용된다. 또한 정전압 회로를 사용하기도 하는데, 이는 회로에 입력되는 전압이 변해도 출력되는 전압이 일정하도록 해 준다. 리튬 충전지를 충전할 경우, 정전류 회로를 사용하여 충전하다가 만충전 전압에 이르면 정전압 회로로 전환하여 정해진 시간 동안 충전지에 공급하는 전압을 일정하게 유지함으로써 충전지 내부

에 리튬 이온이 고르게 분포될 수 있게 한다.

충전지의 ㉠만충전 상태를 추정하여 충전을 중단하는 방식에는 몇 가지가 있다. 최대 충전 시간 방식에서는, 충전이 시작된 후 완전 방전에서 만충전될 때까지 소요될 것으로 추정되는 시간이 경과하면 무조건 충전 전원을 차단한다. 전류 적산 방식에서는 일정한 시간 간격으로 충전 전류의 세기를 측정하여, 각각의 값에 측정 시간 간격을 곱한 것을 모두 더한 값이 충전지의 충전 용량에 이르면 충전 전원을 차단한다. 충전 상태 검출 방식에서는 충전지의 단자 전압과 충전지 표면의 온도를 측정하여 만충전 여부를 판정한다. 충전지에 충전 전류가 유입되면 충전이 시작되어 단자 전압과 온도가 서서히 올라간다. 충전 양이 만충전 용량의 약 80%에 이르면 발열량이 많아져 단자 전압과 온도가 급격히 올라간다. 만충전 상태에 가까워지면 단자 전압이 다소 감소하는데 일정 수준으로 감소한 시점을 만충전에 도달했다고 추정하여 충전 전원을 차단한다. 니켈카드뮴 충전지의 경우는 단자 전압의 강하를 검출할 수 있으나 다른 충전지들의 경우는 이러한 전압 강하가 검출이 가능할 만큼 크게 나타나지 않기 때문에 최대 단자 전압, 최대 온도, 온도 상승률 등의 기준을 정하고 측정된 값이 그 기준들을 넘어서지 않도록 하여 과충전을 방지한다.

35 윗글의 내용과 일치하는 것은?

① 과충전은 충전지의 수명에 영향을 끼치지 않는다.
② 방전 시 충전지의 단자 전압은 공칭 전압보다 낮을 수 있다.
③ 정전압 회로에서는 입력되는 전압이 변하면 출력되는 전압이 변한다.
④ 전극의 물질을 바꾸어도 충전지의 평균적인 단자 전압은 변하지 않는다.
⑤ 니켈카드뮴 충전지는 일부만 방전한 후 충전하기를 반복해도 방전할 수 있는 용량이 줄어들지 않는다.

36 다음은 리튬 충전지의 사용 설명서 중 일부이다. 윗글에서 근거를 찾을 수 <u>없는</u> 것은?

> **유의 사항**
>
> ○ 충전지에 표시된 전압보다 전원 전압이 높은 충전기를 사용해야 합니다. ·················· ①
>
> ○ 충전지에 표시된 충전 허용 전류보다 충전 전류의 세기가 강하면 충전지의 수명이 줄어듭니다. ·················· ②
>
> ○ 충전지의 온도가 과도하게 상승하면 충전을 중지해야 합니다. ·················· ③
>
> ○ 충전지를 사용하다가 수시로 충전해도 무방합니다. ·········· ④
>
> ○ 과도하게 방전시키면 충전지의 수명이 줄어듭니다. ·········· ⑤

37 〈보기〉는 윗글을 읽은 발명 동아리 학생들이 새로운 충전기 개발을 위해 진행한 회의의 일부이다. ㉠에 대한 의견으로 적절하지 <u>않은</u> 것은?

──────[보기]──────

부장 : 충전기에 적용할 수 있는 충전 중단 방식이 지닌 장점에 대한 의견 잘 들었습니다. 이제 각 방식을 사용할 경우 발생할 수 있는 문제점을 생각해 보시고 의견을 말씀해 주십시오.

부원 1 : 최대 충전 시간 방식을 사용할 경우, 완전 방전이 되지 않은 상태에서 충전을 시작하면 과충전 상태에 이르는 한계가 있습니다.

부원 2 : 전류 적산 방식을 사용할 경우, 충전 전류가 변할 때보다 충전 전류가 일정할 경우에, 추정한 충전 양과 실제 충전 양의 차이가 커질 수 있다는 단점이 있습니다.

부장 : 충전 상태 검출 방식에 대한 의견을 말씀해 주십시오.

부원 3 : 충전 상태 검출 방식 중 전압 강하를 검출하는 방식은 여러 종류의 충전지를 두루 충전하는 충전기에 사용하기에는 적절하지 않습니다.

부원 4 : 충전 상태 검출 방식 중 온도로 상태를 파악하는 방식에서는 주변 환경이 충전지 표면 온도에 영향을 준다면 충전 완료 시점을 정확하게 추정하기 어렵습니다.

부원 5 : 지금까지 논의한 방식은 모두 충전 전원을 차단하는 장치가 없다면 과충전을 방지할 수 없다는 한계가 있습니다.

① 부원 1의 의견   ② 부원 2의 의견

③ 부원 3의 의견   ④ 부원 4의 의견

⑤ 부원 5의 의견

38 다음은 어떤 충전지를 충전할 때의 단자 전압과 충전 전류를 나타낸 그래프이다. 윗글을 참고할 때, ㉮~㉺에 대한 이해로 적절하지 <u>않은</u> 것은? [3점]

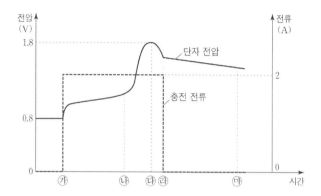

① ㉮ : 단자 전압이 공칭 전압 이하인 상태에서 충전이 시작되는군.

② ㉯ : 충전 전류에 의해 온도가 상승하고 정전류 회로가 작동하고 있군.

③ ㉰ : 단자 전압이 최대에 도달했으므로 만충전에 이르렀군.

④ ㉱ : 정전류 회로가 작동을 멈추고 전원이 차단되었군.

⑤ ㉲ : 충전 전류가 흐르지 않는 상태에서 방전이 되고 있군.

39 ⓐ, ⓑ의 의미로 쓰인 예가 바르게 짝지어진 것은?

① ⓐ : 그 사람에게 그런 식은 안 <u>통한다</u>.
    ⓑ : 전깃줄에 전류가 <u>통한다</u>.

② ⓐ : 그와 나는 서로 <u>통하는</u> 면이 있다.
    ⓑ : 청년기를 <u>통해</u> 노력의 중요성을 익혔다.

③ ⓐ : 이 길은 바다로 가는 길과 <u>통해</u> 있다.
    ⓑ : 모두 비상구를 <u>통해</u> 안전하게 빠져나갔다.

④ ⓐ : 이곳은 바람이 잘 <u>통해</u> 빨래가 잘 마른다.
    ⓑ : 그런 얄팍한 수는 나에게 <u>통하지</u> 않는다.

⑤ ⓐ : 철저한 실습을 <u>통해</u> 이론을 확실히 익힌다.
    ⓑ : 망원경을 <u>통해</u> 저 멀리까지 내다보았다.

출제되기만 하면 높은 난이도를 자랑하는 '법' 제재에 대해 다뤄보는 날입니다. 많은 생각을 요구하는 어려운 지문들로 구성되어 있으니, 긴장하고 공부해 보도록 합시다.

제재별 독해 - 법

이번엔 '법' 제재의 지문입니다. '법' 제재 역시 그 안에 있는 용어나 내용이 어려워 막연한 공포를 가지기 쉽습니다. 막연한 공포와 두려움은 언제나 체감 난이도의 상승으로 이어질 수밖에 없죠. 이러한 '법' 지문의 경우, '예시'와 '예외'라는 두 가지 포인트에 맞추어 읽으면 생각보다 내용 정리가 잘 되는 느낌을 받을 수가 있습니다.

그렇다면 왜 '예시'와 '예외'라는 포인트가 '법' 제재의 지문에서 주요하게 사용되는 것일까요? 이는 '법'이 가지고 있는 성질과 연관된다고 할 수 있습니다. 기본적으로 '법'은, 아래의 조항처럼 명시되어 있습니다.

대한민국 민법 제200조(권리의 적법의 추정) : 점유자가 점유물에 대하여 행사하는 권리는 적법하게 보유한 것으로 추정한다.

법조인처럼 법을 잘 아는 사람들이라면 어렵지 않게 이해할 수 있는 내용이겠지만, 법을 잘 모르는 우리의 입장에서는 굉장히 추상적인 내용이라고 할 수 있을 겁니다. 실제 수능의 법 지문들도 이렇게 추상적인 조항의 내용을 기반으로 쓰기 때문에, 출제자 입장에서는 더욱 친절하게 출제할 필요성이 있습니다. 이에 '예시'라는 도구를 활용하여 우리의 이해를 돕는 경우가 많은 것이죠.

실제로 법학을 공부할 때도 '판례'라고 하는 '예시'를 공부하는 것이 아주 중요하게 다뤄진다고 합니다. '추상적'인 어떤 조항이 정확히 어떤 상황에서 어떻게 적용되는지 '구체적'으로 학습하는 게 중요하다는 것이죠! '추상적 조항의 구체화'라는 원칙에 따라, 법 지문에서는 '예시'가 쓰이는 경우가 많을 수밖에 없는 것입니다. 예를 들어, 위의 조항에서는 '점유자가 점유물에 대하여 행사하는 권리에는 소유권, 임차권 등이 있다. 점유자가 자신이 점유하는 물건의 소유권을 주장하는 경우, 그 권리(소유권)는 적법하게 보유한 것으로 추정한다.'와 같은 예시를 들 수 있겠죠?

하지만 현실에서는 어떤 법조항에 딱 들어맞는 상황만 발생하는 것은 아닙니다. 실제로 토지·주택과 같은 부동산은 위의 조항이 적용되지 않지만, 특정한 상황에서는 또 적용을 받는다고 보는 경우도 있습니다. 이처럼 '부동산'과 같은 '예외 사항'이 포함되어 있는 경우에는 해당 법조항의 해석이 아주 복잡해진다고 할 수 있죠. 현실에서의 문제를 해결하기 위해 만들어진 것이 법이기 때문에, 법을 다룰 때는 이렇게 현실에서 자주 발생할 수 있는 '예외 사항'에 주목하는 것이 아주 중요하다고 할 수 있습니다. 이러한 이유로 수능의 법 지문들도 '예외'에 주목하는 형태의 지문을 쓰는 경우가 많은 것이죠. 쟁점이 쉽게 생길 뿐 아니라, 쓸 밑이 많아져 지문의 내용을 채울 수 있고 일반적인 상황과 비교시키며 학생들의 체감 난이도를 높일 수도 있으니까요.

뭐 이런저런 어려운 말을 썼지만, 핵심은 결국 '예시'와 '예외'에 주목하자는 것입니다. 물론 이 포인트들은 언제나 그렇듯 법 지문 외에도 중요하게 작용하는 부분이니, 딱히 새로운 내용은 없다고 봐도 무방하겠네요. 예시가 나온다면 어떤 추상적 원리를 설명하고자 하는 것인지 능동적으로 생각해 보고, 예외적인 내용은 지문의 핵심이 되니 집중해서 정리하는 식의 습관을 들여 주시면 됩니다.

그럼 또 예를 한 번 들어볼까요?

일반적으로 법률에서는 일정한 법률 효과와 함께 그 것을 일으키는 요건을 규율한다. 이를테면, 민법 제750조에서는 불법 행위에 따른 손해 배상 책임을 규정하는데, 그 배상 책임의 성립 요건을 다음과 같이 정한다. '고의나 과실'로 말미암은 '위법 행위'가 있어야 하고, '손해가 발생'하여야 하며, 바로 그 위법 행위 때문에 손해가 생겼다는, 이른바 '인과 관계'가 있어야 한다. 이 요건들이 모두 충족되어야, 법률 효과로서 가해자는 피해자에게 손해를 배상할 책임이 생기는 것이다.

소송에서는 이런 요건들을 입증해야 한다. 소송에서 입증은 주장하는 사실을 법관이 의심 없이 확신하도록 만드는 일이다. 어떤 사실의 존재 여부에 대해 법관이 확신을 갖지 못하면, 다시 말해 입증되지 않으면 원고와 피고 가운데 누군가는 패소의 불이익을 당하게 된다. 이런 불이익을 받게 될 당사자는 입증의 부담을 안을 수밖에 없고, 이를 입증 책임이라 부른다.

대체로 어떤 사실이 존재함을 증명하는 것이 존재하지 않음을 증명하는 것보다 쉽다. 이 둘 가운데 어느 한쪽에 부담을 지워야 한다면, 쉬운 쪽에 지우는 것이 공평할 것이다. 이런 형평성을 고려하여 특정한 사실의 발생을 주장하는 이에게 그 사실의 존재에 대한 입증 책임을 지도록 하였다. 그리하여 상대방에게 불법 행위의 책임이 있다고 주장하는 피해자는 소송에서 원고가 되어, 앞의 민법 조문에서 규정하는 요건들이 이루어졌다고 입증해야 한다.

그런데 이들 요건 가운데 인과 관계는 그 입증의 어려움 때문에 공해 사건 등에서 문제가 된다. 공해에 관하여는 현재의 과학 수준으로도 해명되지 않는 일이 많다. 그런데도 피해자에게 공해와 손해 발생 사이의 인과 관계를 하나하나의 연결 고리까지 자연 과학적으로 증명하도록 요구한다면, 사실상 사법적 구제를 거부하는 일이 될 수 있다. 더구나 관련 기업은 월등한 지식과 기술을 가지고 훨씬 더 쉽게 원인 조사를 할 수 있는 상황이기에, 피해자인 상대방에게만 엄격한 부담을 지우는 데 대한 형평성 문제도 제기된다.

공해 소송에서도 인과 관계에 대한 입증 책임은 여전히 피해자인 원고에 있다. 판례도 이 원칙을 바꾸지는 않는다. 다만 입증되었다고 보는 정도를 낮추어 인과 관계 입증의 어려움을 덜어 주려 한다. 곧 공해 소송에서는 예외적으로 인과 관계의 입증에 관하여 의심 없는 확신의 단계까지 요구하지 않고, 다소 낮은 정도의 규명으로도 입증되었다고 인정하는 판례가 등장하는 것이다. 이렇게 해서 인과 관계가 인정되면 가해자인 피고는 인과 관계의 성립을 방해하는 증거를 제출하여 책임을 면해야 한다.

먼저 여러분 스스로 '예시'와 '예외'에 주목하여 내용을 이해해 봅시다. 모든 문장이 깔끔하게 납득되는 느낌이 들었으면 좋겠어요!

일반적으로 법률에서는 일정한 법률 효과와 함께 그것을 일으키는 요건을 규율한다. 이를테면, 민법 제750조에서는 불법 행위에 따른 손해 배상 책임을 규정하는데, 그 배상 책임의 성립 요건을 다음과 같이 정한다. '고의나 과실'로 말미암은 '위법 행위'가 있어야 하고, '손해가 발생'하여야 하며, 바로 그 위법 행위 때문에 손해가 생겼다는, 이른바 '인과 관계'가 있어야 한다. 이 요건들이 모두 충족되어야, 법률 효과로서 가해자는 피해자에게 손해를 배상할 책임이 생기는 것이다.

'배상 책임의 성립 요건' 네 가지를 설명하고 있습니다. '고의나 과실', '위법 행위', '손해 발생', '인과 관계'가 그 요건이에요. 충분히 납득할 수 있는 내용이죠? 여기까지는 별 내용이 없네요.

소송에서는 이런 요건들을 입증해야 한다. 소송에서 입증은 주장하는 사실을 법관이 의심 없이 확신하도록 만드는 일이다. 어떤 사실의 존재 여부에 대해 법관이 확신을 갖지 못하면, 다시 말해 입증되지 않으면 원고와 피고 가운데 누군가는 패소의 불이익을 당하게 된다. 이런 불이익을 받게 될 당사자는 입증의 부담을 안을 수밖에 없고, 이를 입증 책임이라 부른다.

이런 요건들을 '입증'할 책임에 대한 이야기로 화제가 구체화되고 있습니다. 여기까지도 어렵지 않게 읽을 수 있을 것 같아요.

대체로 어떤 사실이 존재함을 증명하는 것이 존재하지 않음을 증명하는 것보다 쉽다. 이 둘 가운데 어느 한쪽에 부담을 지워야 한다면, 쉬운 쪽에 지우는 것이 공평할 것이다. 이런 형평성을 고려하여 특정한 사실의 발생을 주장하는 이에게 그 사실의 존재에 대한 입증 책임을 지도록 하였다. 그리하여 상대방에게 불법 행위의 책임이 있다고 주장하는 피해자는 소송에서 원고가 되어, 앞의 민법 조문에서 규정하는 요건들이 이루어졌다고 입증해야 한다.

어떤 사실이 존재함을 증명해야 하는 쪽, 즉 '사실의 발생을 주장하는 이'가 그 '입증 책임'을 진다고 합니다. 앞에서 배운 내용 잠깐만 복습해보면, 여기서의 '원고'라는 말이 '사실의 발생을 주장하는 이'와 같은 말이라는 걸 생각할 수 있어야겠죠? 이면의 내용을 추론하며 '같은 말'을 잡아낼 수 있어야 합니다. 어쨌든 일반적으로 위의 요건들은 '원고'가 '입증 책임'을 진다는 것이 지문의 흐름입니다. 뭐 어렵지 않아요.

그런데 이들 요건 가운데 인과 관계는 그 입증의 어려움 때문에 공해 사건 등에서 문제가 된다. 공해에 관하여는 현재의 과학 수준으로도 해명되지 않는 일이 많다. 그런데도 피해자에게 공해와 손해 발생 사이의 인과 관계를 하나하나의 연결 고리까지 자연 과학적으로 증명하도록 요구한다면, 사실상 사법적 구제를 거부하는 일이 될 수 있다. 더구나 관련 기업은 월등한 지식과 기술을 가지고 훨씬 더 쉽게 원인 조사를 할 수 있는 상황이기에, 피해자인 상대방에게만 엄격한 부담을 지우는 데 대한 형평성 문제도 제기된다.

그런데 여기서 '인과 관계'라는 요건은 문제가 된다고 합니다. 뒤의 내용을 읽어보니, 한 마디로 입증하는 것이 너무나 어렵다는 거죠. '공해'라는 예시를 바탕으로 쉽게 이해할 수 있겠죠? 이렇게 정말 중요한 정보는 반드시 예시를 들어서라도 이해를 시키는 모습입니다. 이 예시를 바탕으로, '인과 관계는 입증이 어려움'이라는 원리를 정확하게 이해해주셔야 합니다. 특히 법 지문에서는 더욱이요! 이걸 이해하지 못하면 문제를 못 푸는 걸 떠나 뒷 내용도 이해가 되지 않아요.

공해 소송에서도 인과 관계에 대한 입증 책임은 여전히 피해자인 원고에 있다. 판례도 이 원칙을 바꾸지는 않는다. 다만 입증되었다고 보는 정도를 낮추어 인과 관계 입증의 어려움을 덜어 주려 한다. 곧 공해 소송에서는 예외적으로 인과 관계의 입증에 관하여 의심 없는 확신의 단계까지 요구하지 않고, 다소 낮은 정도의 규명으로도 입증되었다고 인정하는 판례가 등장하는 것이다. 이렇게 해서 인과 관계가 인정되면 가해자인 피고는 인과 관계의 성립을 방해하는 증거를 제출하여 책임을 면해야 한다.

이러한 '공해 소송'에서는 '입증 책임'의 주체가 변하지는 않지만, 입증되었다고 보는 '정도'가 낮아진다고 합니다. '예외'네요! 이런 '예외'는 당연히 지문의 핵심 정보가 된다고 했습니다. 확실하게 이해해야겠죠?

그럼 문제에서도 정말 이 상황을 깊게 물어볼까요?

29 윗글을 바탕으로 〈보기〉에서 대법원의 입장을 추론한 것으로 적절하지 <u>않은</u> 것은? [3점]

[보기]

　다음은 어느 공해 소송에 대한 대법원의 판결에 관한 내용이다.

　공장의 폐수 방류 때문에 양식 중이던 김이 폐사하였다고 주장하는 어민들은, 해당 회사를 상대로 불법 행위에 따른 손해 배상을 청구하는 소를 제기하였다. 폐수의 방류 때문에 김이 폐사하였다고 하기 위해서는 다음의 세 가지가 모두 자연 과학적으로 뚜렷이 밝혀져야 할 것이다. 1)방류된 폐수가 해류를 타고 양식장에 도달하였다. 2)그 폐수 안에 김의 생육에 악영향을 미치는 오염 물질이 들어 있었다. 3)오염 물질의 농도가 안전 범위를 넘었다. 이에 대해 대법원은 폐수가 해류를 따라 양식장에 이르렀다는 것만 증명하면 인과 관계를 입증하는 데 충분하다고 인정하였다.

① 피해자인 어민들이 원고로서 겪게 되는 입증의 어려움을 완화시켜 주려 한 것이다.
② 인과 관계를 입증할 수 있는 자연 과학적 연결 고리가 존재한다는 점을 인정한 것이다.
③ 공장 폐수가 김 양식장으로 흘러들었다는 사실을 어민들 쪽에서 입증하라고 한 것이다.
④ 위법 행위와 손해 사이에 인과 관계가 존재한다는 데 대한 입증 책임이 회사 쪽에 있다고 인정한 것이다.
⑤ 공장 폐수 속에 김의 폐사에 영향을 주는 물질이 들어 있지 않다는 사실은 회사 쪽에서 입증하라고 한 것이다.

네. 그러고 있네요. 아예 '공해 소송'이라는 예외 상황을 3점짜리 〈보기〉 문제로 출제해버린 모습입니다. 마지막 문단의 예외 사항을 정확하게 이해했다면, 아주 간단하게 해결할 수 있을 거예요.

조금 감이 잡히시나요? '예시'를 바탕으로 내용을 이해하며 읽되, 만약 '예외'가 제시된다면 정말 집중해서 읽어주자! 법 지문 정복의 기본입니다.

나아가, 법이나 경제 제재의 지문을 읽을 때는 최대한 '납득'하며 읽는다는 기본 태도에 더 신경을 써 주셔야 합니다. 아무리 어려운 내용이라고 해도, 법학과 경제학은 기본적으로 '합리성'을 바탕으로 연구되는 영역이기에 '합리성'을 가지고 읽으면 충분히 '납득'할 수 있는 내용의 연속인 경우가 많습니다. 이를테면 '입증 책임'이 원고에게 있다는 것은, 어떠한 사실이 있다고 주장하는 쪽이 증명하는 것이 더 '합리적'이라는 점에 근거하면 너무나 당연하게 '납득'할 수 있는 것이죠? 이렇게 법이나 경제 제재의 지문은 은근히 '납득' 가능한 정보들의 나열인 경우가 많다는 것도 확실하게 챙겨주세요.

'법' 제재의 지문 역시 '과학 · 기술' 제재의 지문과 마찬가지로 수능에 반복되어 출제되는 기본적인 개념들이 존재합니다. 이를 미리 정리하는 것도 나쁘지는 않지만, 모른 채로 지문을 읽는 것이 여러분의 '생각의 힘'에 더 큰 도움을 줄 것이라고 판단됩니다. 따라서 여기선 그냥 넘기고, 마지막 지문의 해설지에서 총정리하는 식으로 진행해 볼게요! 그럼, 이번에도 열심히 '생각'하며 공부해봅시다!

— (해설 p.170) —

권리와 의무의 주체가 될 수 있는 자격을 권리 능력이라 한다. 사람은 태어나면서 저절로 권리 능력을 갖게 되고 생존하는 내내 보유한다. 그리하여 사람은 재산에 대한 소유권의 주체가 되며, 다른 사람에 대하여 채권을 누리기도 하고 채무를 지기도 한다. 사람들의 결합체인 단체도 일정한 요건을 ㉠갖추면 법으로써 부여되는 권리 능력인 법인격을 취득할 수 있다. 단체 중에는 사람들이 일정한 목적을 갖고 결합한 조직체로서 구성원과 구별되어 독자적 실체로서 존재하며, 운영 기구를 두어, 구성원의 가입과 탈퇴에 관계없이 존속하는 단체가 있다. 이를 사단(社團)이라 하며, 사단이 갖춘 이러한 성질을 사단성이라 한다. 사단의 구성원은 사원이라 한다. 사단은 법인(法人)으로 등기되어야 법인격이 생기는데, 법인격을 가진 사단을 사단 법인이라 부른다. 반면에 사단성을 갖추고도 법인으로 등기하지 않은 사단은 '법인이 아닌 사단'이라 한다. 사람과 법인만이 권리 능력을 가지며, 사람의 권리 능력과 법인격은 엄격히 구별된다. 그리하여 사단 법인이 자기 이름으로 진 빚은 사단이 가진 재산으로 갚아야 하는 것이지 ⓐ사원 개인에게까지 ⓑ책임이 미치지 않는다.

회사도 사단의 성격을 갖는 법인이다. 회사의 대표적인 유형이라 할 수 있는 주식회사는 주주들로 구성되며 주주들은 보유한 주식의 비율만큼 회사에 대한 지분을 갖는다. 그런데 2001년에 개정된 상법은 한 사람이 전액을 출자하여 일인 주주로 회사를 설립할 수 있도록 하였다. ⓒ사단성을 갖추지 못 했다고 할 만한 형태의 법인을 인정한 것이다. 또 여러 주주가 있던 회사가 주식의 상속, 매매, 양도 등으로 말미암아 모든 주식이 한 사람의 소유로 되는 경우가 있다. 이런 '일인 주식회사'에서는 일인 주주가 회사의 대표 이사가 되는 사례가 많다. 이처럼 일인 주주가 회사를 대표하는 기관이 되면 경영의 주체가 개인인지 회사인지 모호해진다. 법인인 회사의 운영이 독립된 주체로서의 경영이 아니라 마치 ⓓ개인 사업자의 영업처럼 보이는 것이다.

구성원인 사람의 인격과 법인으로서의 법인격이 잘 분간되지 않는 듯이 보이는 경우에는 간혹 문제가 일어난다. 상법상 회사는 이사들로 이루어진 이사회만을 업무 집행의 의결 기관으로 둔다. 또한 대표 이사는 이사 중 한 명으로, 이사회에서 선출되는 기관이다. 그리고 이사의 선임과 이사의 보수는 주주 총회에서 결정하도록 되어 있다. 그런데 주주가 한 사람뿐이면 사실상 그의 뜻대로 될 뿐, 이사회나 주주 총회의 기능은 퇴색하기 쉽다. 심한 경우에는 회사에서 발생한 이익이 대표 이사인 주주에게 귀속되고 회사 자체는 ⓔ허울만 남는 일도 일어난다. 이처럼 회사의 운영이 주주 한 사람의 개인 사업과 다름없이 이루어지고, 회사라는 이름과 형식은 장식에 지나지 않는 경우에는, 회사와 거래 관계에 있는 사람들이 재산상 피해를 입는 문제가 발생하기도 한다. 이때 그 특정한 거래 관계에 관련하여서만 예외적으로 회사의 법인격을 일시적으로 부인하고 회사와 주주를 동일시해야 한다는 ㉡'법인격 부인론'이 제기된다. 법률은 이에 대하여 명시적으로 규정하고 있지 않지만, 법원은 권리 남용의 조항을 끌어들여 이를 받아들인다. 회사가 일인 주주에게 완전히 지배되어 회사의 회계, 주주 총회나 이사회 운영이 적법하게 작동하지 못하는데도 회사에만 책임을 묻는 것은 법인 제도가 남용되는 사례라고 보는 것이다.

01 윗글을 통해 알 수 있는 내용으로 적절하지 <u>않은</u> 것은?

① 사단성을 갖춘 단체는 그 단체를 운영하기 위한 기구를 둔다.
② 주주가 여러 명인 주식회사의 주주는 사단의 사원에 해당한다.
③ 법인격을 얻은 사단은 재산에 대한 소유권의 주체가 될 수 있다.
④ 사단 법인의 법인격은 구성원의 가입과 탈퇴에 관계없이 존속한다.
⑤ 사람들이 결합한 단체에 권리와 의무를 누릴 수 있는 자격을 주는 제도가 사단이다.

02 윗글에서 설명한 주식회사에 대한 이해로 가장 적절한 것은?

① 대표 이사는 주식회사를 대표하는 기관이다.
② 일인 주식회사는 대표 이사가 법인격을 갖는다.
③ 주식회사의 이사회에서 이사의 보수를 결정한다.
④ 주식회사에서는 주주 총회가 업무 집행의 의결 기관이다.
⑤ 여러 주주들이 모여 설립된 주식회사가 일인 주식회사로 바뀔 수 없다.

03 ⓐ～ⓔ의 문맥상 의미에 대한 이해로 적절하지 <u>않은</u> 것은?

① ⓐ: 법인에 속해 있지만 법인격과는 구별되는 존재

② ⓑ: 사단이 진 빚을 갚아야 할 의무

③ ⓒ: 여러 사람이 결합한 조직체로서의 성격

④ ⓓ: 회사라는 법인격을 가진 독자적인 실체로서 운영되지 않는 경영

⑤ ⓔ: 회사의 자산이 감소하여 권리 능력을 누릴 수 없게 된 상태

04 ㉡에 관한 설명으로 가장 적절한 것은? [3점]

① 회사의 경영이 이사회에 장악되어 있는 경우에만 예외적으로 법인격 부인론을 적용할 수 있다.

② 법인격 부인론은 주식회사 제도의 허점을 악용하지 못하도록 법률의 개정을 통해 도입된 제도이다.

③ 회사가 채권자에게 손해를 입혔다는 것이 확정되면 법원은 법인격 부인론을 받아들여 그 회사의 법인격을 영구히 박탈한다.

④ 법원이 대표 이사 개인의 권리 능력을 부인함으로써 대표 이사가 회사에 대한 책임을 면하지 못하도록 하는 것이 법인격 부인론의 의의이다.

⑤ 특정한 거래 관계에 법인격 부인론을 적용하여 회사의 법인격을 부인하려는 목적은 그 거래와 관련하여 회사가 진 책임을 주주에게 부담시키기 위함이다.

05 문맥상 ㉠과 바꿔 쓰기에 가장 적절한 것은?

① 겸비(兼備)하면

② 구비(具備)하면

③ 대비(對備)하면

④ 예비(豫備)하면

⑤ 정비(整備)하면

(해설 p.179)

[A] 사무실의 방충망이 낡아서 파손되었다면 세입자와 사무실을 빌려 준 건물주 중 누가 고쳐야 할까? 이 경우, 민법전의 법조문에 의하면 임대인인 건물주가 수선할 의무를 ⓐ진다. 그러나 사무실을 빌릴 때, 간단한 파손은 세입자가 스스로 해결한다는 내용을 계약서에 포함하는 경우도 있다. 이처럼 법률의 규정과 계약의 내용이 어긋날 때 어떤 것이 우선 적용되어야 하는가, 법적 불이익은 없는가 등의 문제가 발생한다.

사법(私法)은 개인과 개인 사이의 재산, 가족 관계 등에 적용되는 법으로서 이 법의 영역에서는 '계약 자유의 원칙'이 적용된다. 계약의 구체적인 내용 결정 등은 당사자들 스스로 정할 수 있다는 것이다. 따라서 당사자들이 사법에 속하는 법률의 규정과 어긋난 내용으로 계약을 체결한 경우에 계약 내용이 우선 적용된다. 이처럼 법률상으로 규정되어 있더라도 당사자가 자유롭게 계약 내용을 정할 수 있는 법률 규정을 '임의 법규'라고 한다. 사법은 원칙적으로 임의 법규이므로, 사법으로 규정한 내용에 대해 당사자들이 계약으로 달리 정하지 않았다면 원칙적으로 법률의 규정이 적용된다. 위에서 본 임대인의 수선 의무 조항이 이에 해당한다.

그러나 법률로 정해진 내용과 어긋나게 계약을 하면 당사자들에게 벌금이나 과태료 같은 법적 불이익이 있거나 계약의 효력이 부정되는 예외적인 경우도 있다. 우선, 체결된 계약 내용이 법률에 정해진 내용과 어긋날 때 법적 불이익이 있지만 계약의 효력 자체는 그대로 두는 경우가 있다. 이에 해당하는 법조문을 '단속 법규'라고 한다. 공인 중개사가 자신이 소유한 부동산을 고객에게 직접 파는 것을 금지하는 규정은 단속 법규에 해당한다. 따라서 ㉠이 규정을 위반하여 공인 중개사와 고객이 체결한 매매 계약의 경우 공인 중개사에게 벌금은 부과되지만 계약 자체는 유효이다. 이 경우 계약 내용에 따른 행동인 급부(給付)를 할 의무가 인정되어, 공인 중개사는 매물의 소유권을 넘겨주고 고객은 대금을 지급해야 하는 것이다.

한편 체결된 계약 내용이 법률에 정해진 내용과 어긋날 때 법적 불이익이 있을 뿐 아니라 체결된 계약의 효력 자체도 인정되지 않아 급부 의무가 부정되는 경우가 있다. 이에 해당하는 법조문을 '강행 법규'라고 한다. 이 경우 계약 당사자들은 상대에게 급부를 하라고 요구할 수는 없다. 이미 급부를 이행하여 재산적 이익을 넘겨주

었다면 이 이익은 '부당 이득'에 해당하기 때문에 반환을 요구할 수 있다. 즉 '부당 이득 반환 청구권'이 인정된다. 의사와 의사 아닌 사람의 의료 기관 동업을 금지하는 법률 규정은 강행 법규이다. 따라서 ㉡의사와 의사 아닌 사람이 체결한 동업 계약은 계약의 효력이 부정된다. 다만 계약에 따라 이미 동업 자금을 건넸다면 이 돈을 반환하라고 요구하는 것은 가능하다.

그러나 강행 법규에 의해 계약의 효력이 부정되었을 때 부당 이득 반환 청구권이 인정되지 않는 경우도 있다. 급부의 내용이 위조지폐 제작처럼 비도덕적이거나 반사회적인 행동이라면, 계약의 효력이 인정되지 않을 뿐 아니라 이미 넘겨준 이익을 돌려받을 권리도 부정되는 것이 원칙이다.

국가가 개인 간의 계약에 개입하는 것은 국가 안보, 사회 질서, 공공복리 등의 정당한 입법 목적을 달성하기 위해서이다. 이 경우 계약의 자유를 제한하려면 필요한 만큼만 최소로 제한해야 한다는 '비례 원칙'이 적용된다. 이로 인해 국가가 계약 당사자들에게 미치는 영향이 다양하게 나타나는 것이다.

06 윗글에 대한 이해로 적절하지 않은 것은?

① 임의 법규에 해당하는 법률 조항과 이에 어긋난 계약 내용 가운데 계약 내용이 우선 적용된다.

② 임의 법규가 단속 법규에 비해 계약 자유의 원칙에 더 부합한다.

③ 단속 법규로 국가가 개인 간의 계약에 개입할 때에는 비례 원칙이 적용되지 않는다.

④ 단속 법규로 입법 목적을 달성할 수 있는 계약에 대해 강행 법규로 국가가 개입하는 것은 정당화될 수 없다.

⑤ 강행 법규를 위반한 계약일 때 급부의 내용에 따라 부당 이득 반환 청구권의 인정 여부가 달라진다.

07 윗글을 참고할 때, [A]에 제시된 물음에 대한 답으로 맞는 것을 〈보기〉에서 고른 것은?

[보기]

ㄱ. 계약서에 방충망 수선에 관한 내용이 없으면 건물주가 수선 의무를 지고, 수선 의무를 계약에 포함하지 않은 것에 대한 법적 불이익은 누구에게도 없다.

ㄴ. 계약서에 방충망 수선에 관한 내용이 없으면 세입자가 수선 의무를 지고, 건물주는 수선 의무를 계약에 포함하지 않은 것에 대해 법적 불이익을 받는다.

ㄷ. 계약서에 세입자가 방충망을 수선한다는 내용이 있으면 세입자가 수선 의무를 지고, 법률 내용과 다르게 계약한 것에 대한 법적 불이익은 누구에게도 없다.

ㄹ. 계약서에 세입자가 방충망을 수선한다는 내용이 있으면 세입자가 수선 의무를 지고, 건물주는 법률 내용과 다르게 계약한 것에 대해 법적 불이익을 받는다.

① ㄱ, ㄴ   ② ㄱ, ㄷ   ③ ㄱ, ㄹ
④ ㄴ, ㄷ   ⑤ ㄴ, ㄹ

08 ㉠과 ㉡의 공통점으로 가장 적절한 것은?

① 법적 불이익을 받는 계약 당사자가 있다.
② 계약 당사자들의 급부 의무가 인정되지 않는다.
③ 계약에 따라 넘어간 재산적 이익을 반환해야 한다.
④ 법률 규정을 위반하였으므로 계약의 효력이 부정된다.
⑤ 계약 당사자가 계약의 구체적인 내용을 결정할 수 없다.

09 윗글을 참고할 때, 〈보기〉에 대한 반응으로 적절한 것은?

[3점]

[보기]

농지를 빌리려는 A와 농지 주인인 B는 농지를 용도에 맞지 않게 사용하는 것에 합의하여 농지 임대차 계약을 체결하였다. 그리고 A는 B에게 농지 사용료를 지불하고 1년간 농지를 사용하였다. 농지법을 위반한 이 사안에 대해 대법원이 내린 판결은 다음과 같이 요약된다.

첫째, 법률을 위반하여 농지를 빌려 준 사람에게는 벌금이 부과된다. 둘째, 이 사건의 농지 임대차 계약은 농지법을 위반한 것이므로 무효이다. 셋째, 농지를 빌려 준 사람은 받은 사용료를 반환해야 한다. 넷째, 농지를 빌린 사람은 농지를 빌려 써서 얻은 이익을 농지를 빌려 준 사람에게 반환해야 한다.

① A와 B가 농지 임대차 계약을 체결할 때에는 사법(私法)의 적용을 받지 않겠군.
② B에게 벌금을 부과하는 것은 A와 B가 맺은 농지 임대차 계약이 효력이 있음을 인정하지 않았기 때문이겠군.
③ B에게 벌금을 부과하는 것만으로는 이 계약의 내용을 규제하는 법률의 입법 목적을 실현하기에 부족하다는 점을 고려하여 계약을 무효로 판결한 것이겠군.
④ A가 농지를 빌려 써서 얻은 이익을 B에게 반환하라고 판결한 것은 급부의 내용이 비도덕적이거나 반사회적인 행동에 해당한다고 판단했기 때문이겠군.
⑤ B가 A에게서 받은 사용료를 반환하라고 판결한 것은 사용료가 부당 이득에 해당하지 않는다고 판단했기 때문이겠군.

10 문맥상 의미가 ⓐ와 가장 가까운 것은?

① 커피를 쏟아서 옷에 얼룩이 <u>졌다</u>.
② 네게 계속 신세만 <u>지기</u>가 미안하다.
③ 우리는 그 문제로 원수를 <u>지게</u> 되었다.
④ 아이들은 배낭을 <u>진</u> 채 여행을 떠났다.
⑤ 나는 조장으로서 큰 부담을 <u>지고</u> 있다.

[11~14] 다음 글을 읽고 물음에 답하시오. 2023.09 [10~13]

──── (해설 p.186) ────

사유 재산 제도하에서는 누구나 자신의 재산을 자유롭게 처분할 수 있다. 그러나 기부와 같이 어떤 재산이 대가 없이 넘어가는 무상 처분 행위가 행해졌을 때는 그 당사자인 무상 처분자와 무상 취득자의 의사와 무관하게 그 결과가 번복될 수 있다. 무상 처분자가 사망하면 상속이 개시되고, 그의 상속인들이 유류분을 반환받을 수 있는 권리인 유류분권을 행사할 수 있기 때문이다. 이때 무상 처분자는 피상속인이 되고 그의 권리와 의무는 상속인에게 이전된다.

유류분은 피상속인의 무상 처분 행위가 없었다고 가정할 때 상속인들이 상속받을 수 있었을 이익 중 법으로 보장된 부분이다. 만약 상속인이 피상속인의 자녀 한 명뿐이면, 상속받을 수 있었을 이익의 $\frac{1}{2}$만 보장된다. 상속인들이 상속받을 수 있었을 이익은 상속 개시 당시에 피상속인이 가졌던 재산의 가치에 이미 무상 취득자에게 넘어간 재산의 가치를 더하여 산정한다. 유류분은 상속인들이 기대했던 이익을 보호하기 위한 것이기 때문이다.

피상속인이 상속 개시 당시에 가졌던 재산으로부터 상속받은 이익이 있는 상속인은 유류분에 해당하는 이익의 일부만 반환받을 수 있다. 유류분에 해당하는 이익에서 이미 상속받은 이익을 뺀 값인 유류분 부족액만 반환받을 수 있기 때문이다. 유류분 부족액의 가치는 금액으로 계산되지만 항상 돈으로 반환되는 것은 아니다. 만약 무상 처분된 재산이 돈이 아니라 물건이나 주식처럼 돈 이외의 재산이라면, 처분된 재산 자체가 반환 대상이 되는 것이 원칙이다. 다만 그 재산 자체를 반환하는 것이 불가능한 때에는 무상 취득자는 돈으로 반환해야 한다. 또한 재산 자체의 반환이 가능해도 유류분권자와 무상 취득자의 합의에 의해 돈으로 반환될 수도 있다.

무상 처분된 재산이 물건이라면 유류분 반환은 어떤 형태로 이루어질까? 무상 취득자가 반환해야 할 유류분 부족액이 무상 처분된 물건의 가치보다 적다면 유류분권자는 그 물건의 가치에 상당하는 금액에서 유류분 부족액이 차지하는 비율만큼 무상 취득자로부터 반환받을 수 있다. 이로 인해 하나의 물건에 대한 소유권이 여러 명에게 나눠지는데, 이때 각자의 몫을 지분이라고 한다.

무상 처분된 물건의 시가가 변동하면 유류분 부족액을 계산할 때는 언제의 시가를 기준으로 삼아야 할까? ㉠유류분의 취지에 비추어 상속 개시 당시의 시가를 기준으로 해야 한다. 다만 그 물건의 시가 상승이 무상 취득자의 노력에서 비롯되었으면 이때는 무상 취득 당시의 시가를 기준으로 계산해야 한다. 이렇게 정해진 유류분 부족액을 근거로 반환 대상인 지분을 계산할 때는, 시가 상승의 원인이 무엇이든 상속 개시 당시의 시가를 기준으로 해야 한다.

11 윗글의 내용과 일치하지 않는 것은?

① 유류분권은 상속인이 아닌 사람에게는 인정되지 않는다.

② 유류분권이 보장되는 범위는 유류분 부족액의 일부에 한정된다.

③ 상속인은 상속 개시 전에는 무상 취득자에게 유류분권을 행사할 수 없다.

④ 피상속인이 생전에 다른 사람에게 판 재산은 유류분권의 대상이 될 수 없다.

⑤ 무상으로 취득한 재산에 대한 권리는 무상 취득자 자신의 의사에 반하여 제한될 수 있다.

12 윗글에 대한 이해로 가장 적절한 것은?

① 무상 처분된 재산이 물건 한 개이면 유류분권자는 그 물건 전부를 반환받는다.

② 무상 처분된 물건이 반환되는 경우 유류분 부족액이 클수록 무상 취득자의 지분이 더 커진다.

③ 무상 취득자가 무상 취득한 물건을 반환할 수 없게 되면 유류분 부족액을 지분으로 반환해야 한다.

④ 유류분권자가 유류분 부족액을 물건 대신 돈으로 반환하라고 요구하더라도 무상 취득자는 무상 취득한 물건으로 반환할 수 있다.

⑤ 무상 처분된 물건의 일부가 반환되면 무상 취득자는 그 물건의 소유권을 가지고 유류분권자는 유류분 부족액만큼의 돈을 반환받게 된다.

13 윗글을 통해 알 수 있는 ㉠의 이유로 가장 적절한 것은?

① 유류분은 피상속인이 자유롭게 처분한 재산의 일부이어야 하기 때문이다.

② 유류분은 피상속인이 재산을 무상 처분하지 않은 것으로 가정하여 산정되기 때문이다.

③ 유류분은 재산의 가치를 증가시킨 무상 취득자의 노력에 대한 보상으로 인정되는 것이기 때문이다.

④ 유류분은 피상속인의 재산에 대해 소유권을 나눠 가진 사람들 각자의 몫을 반영해야 하기 때문이다.

⑤ 유류분에 해당하는 이익의 가치가 상속 개시 전후에 걸쳐 변동되는 것을 반영해야 하기 때문이다.

14 윗글을 바탕으로 〈보기〉를 이해한 내용으로 적절하지 <u>않은</u> 것은? [3점]

[보기]
> 갑의 재산으로는 A물건과 B물건이 있었으며 그 외의 재산이나 채무는 없었다. 갑은 을에게 A물건을 무상으로 넘겨주었고 그로부터 6개월 후 사망했다. 갑의 상속인으로는 갑의 자녀인 병만 있다. A물건의 시가는 을이 A물건을 소유하게 되었을 때는 300, 갑이 사망했을 때는 700이었다. 병은 갑이 사망한 날로부터 3개월 후에 을에게 유류분권을 행사했다. B물건의 시가는 병이 상속받았을 때부터 병이 을에게 유류분 반환을 요구했을 때까지 100으로 동일하다.
> (단, 세금, 이자 및 기타 비용은 고려하지 않음.)

① A물건의 시가 상승이 을의 노력과 무관한 경우 유류분 부족액은 300이다.

② A물건의 시가 상승이 을의 노력과 무관한 경우 유류분 반환의 대상은 A물건의 $\frac{3}{7}$ 지분이다.

③ A물건의 시가가 을의 노력으로 상승한 경우 유류분 부족액은 100이다.

④ A물건의 시가가 을의 노력으로 상승한 경우 유류분 반환의 대상은 A물건의 $\frac{1}{3}$ 지분이다.

⑤ A물건의 시가가 을의 노력으로 상승한 경우와 을의 노력과 무관하게 상승한 경우 모두, 갑이 상속 개시 당시 소유했던 재산으로부터 병이 취득할 수 있는 이익은 동일하다.

물건을 사용하고 있는 사람이 그 물건의 주인일까? 점유란 물건에 대한 사실상의 지배 상태를 뜻한다. 이에 비해 소유란 어떤 물건을 사용·수익·처분할 수 있는 권리를 가진 상태라고 정의된다. 따라서 점유자와 소유자가 항상 일치하지는 않는다.

[A] 　물건을 빌려 쓰거나 보관하고 있는 것을 포함하여 물건을 물리적으로 지배하는 상태를 직접점유라고 한다. 이에 비해 어떤 물건을 빌려 쓰거나 보관하는 사람에게 그 물건의 반환을 청구할 수 있는 권리를 가진 사람도 사실상의 지배를 한다고 볼 수 있다. 이와 같이 반환청구권을 가진 상태를 간접점유라고 한다. 직접점유와 간접점유는 모두 점유에 해당한다. 점유는 소유자를 공시하는 기능도 수행한다. 공시란 물건에 대해 누가 어떤 권리를 가지고 있는지를 알려 주는 것이다. 물건 중에서 피아노, 금반지, 가방 등과 같은 대부분의 동산은 점유에 의해 소유권이 공시된다.

물건의 소유권이 양도되려면, 소유자가 양도인이 되어 양수인과 유효한 양도 계약을 하고 이에 더하여 소유권 양도를 공시해야 한다. ㉠점유로 소유권이 공시되는 동산의 소유권 양도는 점유를 넘겨주는 점유 인도로 공시된다. 양수인이 간접점유를 하여 소유권 이전이 공시되는 경우로서 '점유개정'과 '반환청구권 양도'가 있다. 예를 들어 A가 B에게 피아노의 소유권을 양도하기로 계약하되 사흘간 빌려 쓰는 것으로 합의한 경우, B는 A에게 피아노를 사흘 후 돌려 달라고 요구할 수 있는 반환청구권을 가지게 된다. 이처럼 양도인이 직접점유를 유지하지만, 양수인에게 점유 인도가 이루어진 것으로 간주되는 경우를 점유개정이라고 한다. 한편 C가 자신이 소유한 가방을 D에게 맡겨 두어 이에 대한 반환 청구권을 가지게 되었는데, 이 가방의 소유권을 E에게 양도하는 계약을 체결하였다고 하자. 이때 C가 D에게 통지하여 가방 주인이 바뀌었으니 가방을 E에게 반환하라고 알려 주면 D가 보관 중인 가방에 대한 반환청구권은 C로부터 E에게로 넘어간다. 이 경우를 반환청구권 양도라고 한다.

양도인이 소유자가 아니더라도 양수인이 점유 인도를 받으면 소유권을 취득할 수 있을까? 점유로 공시되는 동산의 경우 양수인이 충분히 주의를 했는데도 양도인이 소유자가 아님을 알지 못한 채 양도인과 유효한 계약을 하고, 점유 인도로 공시를 했다면 양수인은 소유권을

취득한다. 이것을 '선의취득'이라 한다. 다만 간접점유에 의한 인도 방법 중 점유개정으로는 선의취득을 하지 못한다. 선의취득으로 양수인이 소유권을 취득하면 원래 소유자는 원하지 않아도 소유권을 상실하게 된다.

반면에 국가가 관리하는 공적 기록인 등기·등록으로 공시되어야 하는 물건은 아예 선의취득 대상이 아니다. ㉡법률이 등록 대상으로 규정한 자동차, 항공기 등의 동산은 등록으로 공시되는 물건이고, ㉢토지·건물과 같은 부동산은 등기로 공시되는 물건이다. 이러한 고가의 재산에 대해 선의취득을 허용하게 되면 원래 소유자의 의사에 반하는 소유권 박탈이 ⓐ일어나게 된다. 이것은 거래 안전에만 치중하고 원래 소유자의 권리 보호를 경시한 것이 되어 바람직하지 않다고 볼 수 있다.

15　윗글을 이해한 내용으로 적절하지 않은 것은?

① 가방을 사용하고 있는 사람은 그 가방의 점유자이다.
② 가방을 점유하고 있더라도 그 가방의 소유자가 아닐 수 있다.
③ 가방의 소유권이 유효한 계약으로 이전되려면 점유 인도가 있어야 한다.
④ 가방에 대해 누가 소유권을 가지고 있는지를 알게 해 주는 방법은 점유이다.
⑤ 가방의 소유권을 양도하는 유효한 계약을 체결하면 공시 방법이 갖춰지지 않아도 소유권은 이전된다.

16　[A]에 대한 이해로 가장 적절한 것은?

① 물리적 지배를 해야 동산의 간접점유자가 될 수 있다.
② 간접점유는 피아노 소유권에 대한 공시 방법이 아니다.
③ 하나의 동산에 직접점유자가 있으려면 간접점유자도 있어야 한다.
④ 피아노의 직접점유자가 있으면 그 피아노의 간접점유자는 소유자가 아니다.
⑤ 유효한 양도 계약으로 피아노의 소유자가 되려면 피아노에 대해 직접점유나 간접점유 중 하나를 갖춰야 한다.

17 ㉠~㉢을 비교한 내용으로 가장 적절한 것은?

① ㉠은 ㉢과 달리, 국가가 관리하는 공적 기록에 의해 소유권 양도가 공시될 수 있다.

② ㉡은 ㉠과 달리, 원래 소유자의 권리 보호가 거래 안전보다 중시되는 대상이다.

③ ㉢은 ㉠과 달리, 물리적 지배의 대상이 아니므로 점유로 공시될 수 없다.

④ ㉠과 ㉡은 모두 양도인이 소유자가 아니더라도 소유권 이전이 가능하다.

⑤ ㉠과 ㉢은 모두 점유개정으로 소유권 양도가 공시될 수 있다.

18 윗글을 바탕으로 할 때, 〈보기〉를 이해한 내용으로 적절하지 않은 것은? [3점]

┌─────────────[보기]─────────────┐

  갑과 을은, 갑이 끼고 있었던 금반지의 소유권을 을에게 양도하기로 하는 유효한 계약을 했다. 갑과 을은, 갑이 이 금반지를 보관하다가 을이 요구할 때 넘겨주기로 합의했다. 을은 소유권 양도 계약을 할 때 양도인이 소유자라고 믿었고 양도인이 소유자인지 확인하기 위해 충분히 주의했다. 을은 일주일 후 병과 유효한 소유권 양도 계약을 했고, 갑에게 통지하여 사흘 후 병에게 금반지를 넘겨주라고 알려 주었다.

└──────────────────────────────┘

① 갑이 금반지 소유자였다면, 병이 금반지의 물리적 지배를 넘겨받지 않았으나 병은 소유권을 취득한다.

② 갑이 금반지 소유자였다면, 을은 갑으로부터 물리적 지배를 넘겨받지 않았으나 점유 인도를 받은 것으로 간주된다.

③ 갑이 금반지 소유자가 아니었더라도, 병은 을로부터 을이 가진 소유권을 양도받아 취득한다.

④ 갑이 금반지 소유자가 아니었더라도, 을은 반환청구권 양도로 병에게 점유 인도를 한 것으로 간주된다.

⑤ 갑이 금반지 소유자가 아니었더라도, 병이 계약할 때 양도인이 소유자라고 믿었고 양도인이 소유자인지 확인하기 위해 충분히 주의했다면, 병은 소유권을 취득한다.

19 문맥상 의미가 ⓐ와 가장 가까운 것은?

① 작년은 우리나라에서 수많은 사건이 일어난 해였다.

② 청중 사이에서는 기쁨으로 인해 환호성이 일어났다.

③ 형님의 강한 의지력으로 집안이 다시 일어나게 되었다.

④ 나는 그 사람에 대해 경계심이 일어나지 않을 수 없었다.

⑤ 사회는 구성원들이 부조리에 맞서 일어남으로써 발전한다.

[20~24] 다음 글을 읽고 물음에 답하시오.　　2019.11 [16~20]

────── (해설 p.206) ──

　사람은 살아가는 동안 여러 약속을 한다. 계약도 하나의 약속이다. 하지만 이것은 친구와 뜻이 맞아 주말에 영화 보러 가자는 약속과는 다르다. 일반적인 다른 약속처럼 계약도 서로의 의사 표시가 합치하여 성립하지만, 이때의 의사는 일정한 법률 효과의 발생을 목적으로 한다는 점에서 차이가 있다. 한 예로 매매 계약은 '팔겠다'는 일방의 의사 표시와 '사겠다'는 상대방의 의사 표시가 합치함으로써 성립하며, 매도인은 매수인에게 매매 목적물의 소유권을 이전하여야 할 의무를 짐과 동시에 매매 대금의 지급을 청구할 권리를 갖는다. 반대로 매수인은 매도인에게 매매 대금을 지급할 의무가 있고 소유권의 이전을 청구할 권리를 갖는다. 양 당사자는 서로 권리를 행사하고 서로 의무를 이행하는 관계에 놓이는 것이다.

　이처럼 의사 표시를 필수적 요소로 하여 법률 효과를 발생시키는 행위들을 법률 행위라 한다. 계약은 법률 행위의 일종으로서, 당사자에게 일정한 청구권과 이행 의무를 발생시킨다. 청구권을 내용으로 하는 권리가 채권이고, 그에 따라 이행을 해야 할 의무가 채무이다. 따라서 채권과 채무는 발생한 법률 효과가 동전의 양면처럼 서로 다른 방향에서 파악되는 것이라 할 수 있다. 채무자가 채무의 내용대로 이행하여 채권을 소멸시키는 것을 변제라 한다.

　갑과 을은 을이 소유한 그림 A를 갑에게 매도하는 것을 내용으로 하는 매매 계약을 체결하였다. ㉠을의 채무는 그림 A의 소유권을 갑에게 이전하는 것이다. 동산인 물건의 소유권을 이전하는 방식은 그 물건을 인도하는 것이다. 갑은 그림 A가 너무나 마음에 들었기 때문에 그것을 인도받기 전에 대금 전액을 금전으로 지급하였다. 그런데 갑이 아무리 그림 A를 넘겨달라고 청구하여도 을은 인도해 주지 않았다. 이런 경우 갑이 사적으로 물리력을 행사하여 해결하는 것은 엄격히 금지된다.

　채권의 내용은 민법과 같은 실체법에서 규정하고 있고, 그것을 강제적으로 실현할 수 있도록 민사 소송법이나 민사 집행법 같은 절차법이 갖추어져 있다. 갑은 소를 제기하여 판결로써 자기가 가진 채권의 존재와 내용을 공적으로 확정받을 수 있고, 나아가 법원에 강제 집행을 신청할 수도 있다. 강제 집행은 국가가 물리적 실력을 행사하여 채무자의 의사에 구애받지 않고 채무의 내용을 실행시켜 채권이 실현되도록 하는 제도이다.

　을이 그림 A를 넘겨주지 않은 까닭은 갑으로부터 매매 대금을 받은 뒤에 을의 과실로 불이 나 그림 A가 타 없어졌기 때문이다. ㉮결국 채무는 이행 불능이 되었다. 소송을 하더라도 불능의 내용을 이행하라는 판결은 ⓐ나올 수 없다. 그림 A의 소실이 계약 체결 전이었다면, 그 계약은 실현 불가능한 내용을 담고 있기 때문에 체결할 때부터 계약 자체가 무효이다. 이행 불능이 채무자의 과실 때문에 일어난 것이라면 채무자가 채무 불이행에 대한 책임을 져야 한다.

　이때 채무 불이행은 갑이나 을의 의사 표시가 작용한 것이 아니라, 매매 목적물의 소실에 따른 이행 불능으로 말미암은 것이다. 이러한 사건을 통해서도 법률 효과가 발생한다. 채무 불이행에 대한 책임은 갑으로 하여금 계약을 해제할 수 있는 권리를 갖게 한다. 갑이 계약 해제권을 행사하면 그때까지 유효했던 계약이 처음부터 효력이 없는 것으로 된다. 이때의 계약 해제는 일방의 의사 표시만으로 성립한다. 따라서 갑이 해제권을 행사하는 데에 을의 승낙은 요건이 되지 않는다. 이러한 법률 행위를 단독 행위라 한다.

　갑은 계약을 해제하였다. 이로써 그 계약으로 발생한 채권과 채무는 없던 것이 된다. 당연히 계약의 양 당사자는 자신의 채무를 이행할 필요가 없다. 이미 이행된 것이 있다면 계약이 체결되기 전의 상태로 돌려놓아야 한다. 이를 청구할 수 있는 권리가 원상회복 청구권이다. 계약의 해제로 갑은 원상회복 청구권을 행사할 수 있으며, 이러한 ㉡갑의 채권은 결국 을에게 매매 대금을 반환해 달라고 청구할 수 있는 권리가 된다.

20 윗글의 내용과 일치하지 <u>않는</u> 것은?

① 실체법에는 청구권에 관한 규정이 있다.
② 절차법에 강제 집행 제도가 마련되어 있다.
③ 법률 행위가 없으면 법률 효과가 발생하지 않는다.
④ 법원을 통하여 물리력으로 채권을 실현할 수 있다.
⑤ 실현 불가능한 것을 내용으로 하는 계약은 무효이다.

21 ㉠, ㉡에 대한 이해로 가장 적절한 것은?

① ㉠은 매도인의 청구와 매수인의 이행으로 소멸한다.

② ㉡은 채권자와 채무자의 의사 표시가 작용하여 성립한 것이다.

③ ㉠과 ㉡은 ㉠이 이행되면 그 결과로 ㉡이 소멸하는 관계이다.

④ ㉠과 ㉡은 동일한 계약의 효과를 서로 다른 측면에서 바라본 것이다.

⑤ ㉠에는 물건을 인도할 의무가 있고, ㉡에는 금전의 지급을 청구할 권리가 있다.

22 ㉮의 상황에 대한 설명으로 적절한 것은?

① '을'의 과실로 이행 불능이 되어 '갑'의 계약 해제권이 발생한다.

② '갑'은 소를 제기하여야 매매의 목적이 된 재산권을 이전받을 수 있다.

③ '갑'은 원상회복 청구권을 행사하여야 '그림 A'의 소유권을 회복할 수 있다.

④ '갑'과 '을'은 애초부터 실현 불가능한 내용의 계약을 체결하였기 때문에 이행 불능이 되었다.

⑤ '을'이 '갑'에게 '그림 A'를 인도하는 것은 불가능해졌지만 '을'은 채무 불이행에 대한 책임을 지지 않는다.

23 윗글을 바탕으로 할 때, 〈보기〉에 대한 분석으로 적절하지 **않은** 것은? [3점]

[보기]

증여는 당사자의 일방이 자기의 재산을 무상으로 상대방에게 줄 의사를 표시하고 상대방이 이를 승낙함으로써 성립하는 계약이다. 증여자만 이행 의무를 진다는 점이 특징이다. 유언은 유언자의 사망과 동시에 일정한 법률 효과를 발생시키려는 것을 목적으로 하는데, 유언자의 의사 표시만으로 유효하게 성립하고 의사 표시의 상대방이 필요 없다는 점에서 증여와 차이가 있다.

① 증여, 유언, 매매는 모두 법률 행위로서 의사 표시를 요소로 한다.

② 증여와 유언은 법률 효과를 발생시키려는 목적이 있다는 점이 공통된다.

③ 증여는 변제의 의무를 발생시키지 않는다는 점에서 매매와 차이가 있다.

④ 증여는 당사자 일방만이 이행한다는 점에서 양 당사자가 서로 이행하는 관계를 갖는 매매와 차이가 있다.

⑤ 증여는 양 당사자의 의사 표시가 서로 합치하여 성립한다는 점에서 의사 표시의 합치가 필요 없는 유언과 차이가 있다.

24 문맥상 의미가 ⓐ와 가장 가까운 것은?

① 오랜 연구 끝에 만족할 만한 실험 결과가 <u>나왔다</u>.

② 그 사람이 부드럽게 <u>나오니</u> 내 마음이 누그러졌다.

③ 우리 마을은 라디오가 잘 안 <u>나오는</u> 산간 지역이다.

④ 이 책에 <u>나오는</u> 옛날이야기 한 편을 함께 읽어 보자.

⑤ 그동안 우리 지역에서는 걸출한 인물들이 많이 <u>나왔다</u>.

── (해설 p.215) ──

채권은 어떤 사람이 다른 사람에게 특정 행위를 요구할 수 있는 권리이다. 이 특정 행위를 급부라 하고, 특정 행위를 해 주어야 할 의무를 채무라 한다. 채무자가 채권을 ⓐ가진 이에게 급부를 이행하면 채권에 대응하는 채무는 소멸한다. 급부는 재화나 서비스 제공인 경우가 많지만 그 외의 내용일 수도 있다.

민법상의 권리는 여러 가지가 있는데 계약 없이 법률로 정해진 요건의 충족으로 발생하기도 하지만 대개 계약의 효력으로 발생한다. 계약이란 권리 발생 등에 관한 당사자의 합의로서, 계약이 성립하면 합의 내용대로 권리 발생 등의 효력이 인정되는 것이 원칙이다. 당장 필요한 재화나 서비스는 그 제공을 급부로 하는 계약을 성립시켜 확보하면 되지만 미래에 필요할 수도 있는 재화나 서비스라면 계약을 성립시킬 수 있는 권리를 확보하는 것이 유리하다. 이를 위해 '예약'이 활용된다. 일상에서 예약이라고 할 때와 법적인 관점에서의 예약은 구별된다. ㉠기차 탑승을 위해 미리 돈을 지불하고 승차권을 구입하는 것을 '기차 승차권을 예약했다'고도 하지만 이 경우는 예약에 해당하지 않는 계약이다. 법적으로 예약은 당사자들이 합의한 내용대로 권리가 발생하는 계약의 일종으로, 재화나 서비스 제공을 급부 내용으로 하는 다른 계약인 '본계약'을 성립시킬 수 있는 권리 발생을 목적으로 한다.

[A] 예약은 예약상 권리자가 가지는 권리의 법적 성질에 따라 두 가지 유형으로 나뉜다. 첫째는 채권을 발생시키는 예약이다. 이 채권의 급부 내용은 '예약상 권리자의 본계약 성립 요구에 대해 상대방이 승낙하는 것'이다. 회사의 급식 업체 공모에 따라 여러 업체가 신청한 경우 그중 한 업체가 선정되었다고 회사에서 통지하면 예약이 성립한다. 이에 따라 선정된 업체가 급식을 제공하고 대금을 ⓑ받기로 하는 본계약 체결을 요청하면 회사는 이에 응할 의무를 진다. 둘째는 예약 완결권을 발생시키는 예약이다. 이 경우 예약상 권리자가 본계약을 성립시키겠다는 의사를 표시하는 것만으로 본계약이 성립한다. 가족 행사를 위해 식당을 예약한 사람이 식당에 도착하여 예약 완결권을 행사하면 곧바로 본계약이 성립하므로 식사 제공이라는 급부에 대한 계약상의 채권이 발생한다.

예약에서 예약상의 급부나 본계약상의 급부가 이행되지 않는 문제가 ⓒ생길 수 있는데, 예약의 유형에 따라 발생 문제의 양상이 다르다. 일반적으로 급부가 이행되지 않아 채권자에게 손해가 발생한 경우 채무자는 자신의 고의나 과실에서 비롯된 것이 아님을 증명하지 못하는 한 채무 불이행 책임을 진다. 이로 인해 채무의 내용이 바뀌는데 원래의 급부 내용이 무엇이든 채권자의 손해를 돈으로 물어야 하는 손해 배상 채무로 바뀐다.

만약 타인이 고의나 과실로 예약상 권리자가 가진 권리 실현을 방해했다면 예약상 권리자는 그에게도 책임을 ⓓ물을 수 있다. 법률에 의하면 누구든 고의나 과실에 의해 타인에게 피해를 ⓔ끼치는 행위를 하고 그 행위의 위법성이 인정되면 불법행위 책임이 성립하여, 가해자는 피해자에게 손해를 돈으로 배상할 채무를 지기 때문이다. 다만 예약상 권리자에게 예약 상대방이나 방해자 중 누구라도 손해 배상을 하면 다른 한쪽의 배상 의무도 사라진다. 급부 내용이 동일하기 때문이다.

25 윗글에 대한 이해로 적절하지 <u>않은</u> 것은?

① 계약상의 채권은 계약이 성립하면 추가 합의가 없어도 발생하는 것이 원칙이다.

② 재화나 서비스 제공을 대상으로 하는 권리 외에 다른 형태의 권리도 존재한다.

③ 예약상 권리자는 본계약상 권리의 발생 여부를 결정할 수 있다.

④ 급부가 이행되면 채무자의 채권자에 대한 채무가 소멸된다.

⑤ 불법행위 책임은 계약의 당사자 사이에 국한된다.

26 ㉠에 대한 이해로 가장 적절한 것은?

① 기차 탑승은 채권에 해당하고 돈을 지불하는 행위는 그 채권의 대상인 급부에 해당한다.

② 기차를 탑승하지 않는 것은 승차권 구입으로 발생한 채권에 대응하는 의무를 포기하는 것이다.

③ 기차 승차권을 미리 구입하는 것은 계약을 성립시키면서 채권의 행사 시점을 미래로 정해 두는 것이다.

④ 승차권 구입은 계약 없이 법률로 정해진 요건을 충족하여 서비스를 제공받을 권리를 발생시키는 행위이다.

⑤ 미리 돈을 지불하는 것은 미래에 필요한 기차 탑승 서비스 이용이라는 계약을 성립시킬 수 있는 권리를 확보한 것이다.

27 다음은 [A]에 제시된 예를 활용하여, 예약의 유형에 따라 예약상 권리자가 요구할 수 있는 급부에 대해 정리한 것이다. ㄱ~ㄷ에 들어갈 내용을 올바르게 짝지은 것은?

구분	채권을 발생시키는 계약	예약 완결권을 발생시키는 계약
예약상 급부	ㄱ	ㄴ
본계약상 급부	ㄷ	식사 제공

	ㄱ	ㄴ	ㄷ
①	급식 계약 승낙	없음	급식 대금 지급
②	급식 계약 승낙	없음	급식 제공
③	급식 계약 승낙	식사 제공 계약 체결	급식 제공
④	없음	식사 제공 계약 체결	급식 제공
⑤	없음	식사 제공 계약 체결	급식 대금 지급

28 윗글을 참고할 때, 〈보기〉의 ㉮에 대한 이해로 적절하지 **않은** 것은? [3점]

[보기]

특별한 행사를 앞두고 있는 갑은 미용실을 운영하는 을과 예약을 하여 행사 당일 오전 10시에 머리 손질을 받기로 했다. 갑이 시간에 맞춰 미용실을 방문하여 머리 손질을 요구했을 때 병이 이미 을에게 머리 손질을 받고 있었다. 갑이 예약해 둔 시간에 병이 고의로 끼어들어 위법성이 있는 행위를 하여 ㉮갑은 오전 10시에 머리 손질을 받을 수 없는 손해를 입었다.

① ㉮가 발생하는 과정에서 을의 과실이 있는 경우, 을은 갑에 대해 채무 불이행 책임이 있고 병은 갑에 대해 손해 배상 채무가 있다.

② ㉮가 발생하는 과정에서 을의 고의가 있는 경우, 을과 병은 모두 갑에게 손해 배상 채무를 지고 을이 배상을 하면 병은 갑에 대한 채무가 사라진다.

③ ㉮가 발생하는 과정에서 을에게 고의나 과실이 있는지 없는지 증명되지 않은 경우, 을과 병은 모두 갑에게 채무를 지고 그에 따른 급부의 내용은 동일하다.

④ ㉮가 발생하는 과정에서 을에게 고의나 과실이 있는지 없는지 증명되지 않은 경우, 을과 병은 모두 채무 불이행 책임을 지므로 갑에게 손해 배상 채무를 진다.

⑤ ㉮가 발생하는 과정에서 을에게 고의나 과실이 없음이 증명된 경우, 을과 달리 병에게는 갑이 입은 손해에 대해 금전으로 배상할 책임이 있다.

29 문맥상 ⓐ~ⓔ의 단어와 가장 가까운 의미로 쓰인 것은?

① ⓐ: 자신의 일에 자부심을 <u>가지는</u> 것이 중요하다.

② ⓑ: 올해 생일에는 고향 친구에게서 편지를 <u>받았다</u>.

③ ⓒ: 기차역 주변에 새로 <u>생긴</u> 상가에 가 보았다.

④ ⓓ: 나는 도서관에서 책 빌리는 방법을 <u>물어</u> 보았다.

⑤ ⓔ: 바닷가의 찬바람을 쐬니 온몸에 소름이 <u>끼쳤다</u>.

[30~34] 다음 글을 읽고 물음에 답하시오.　　2021.09 [26~30]

──── (해설 p.224)

국가, 지방 자치 단체와 같은 행정 주체가 행정 목적을 ⓐ실현하기 위해 국민의 권리를 제한하거나 국민에게 의무를 부과하는 '행정 규제'는 국회가 제정한 법률에 근거해야 한다. 그러나 국회가 아니라, 대통령을 수반으로 하는 행정부나 지방 자치 단체와 같은 행정 기관이 제정한 법령인 행정입법에 의한 행정 규제의 비중이 커지고 있다. 드론과 관련된 행정 규제 사항들처럼, 첨단 기술과 관련되거나, 상황 변화에 즉각 대처해야 하거나, 개별적 상황을 ⓑ반영하여 규제를 달리해야 하는 행정 규제 사항들이 늘어나고 있기 때문이다. 행정 기관은 국회에 비해 이러한 사항들을 다루기에 적합하다.

행정입법의 유형에는 위임명령, 행정규칙, 조례 등이 있다. 헌법에 따르면, 국회는 행정 규제 사항에 관한 법률을 제정할 때 특정한 내용에 관한 입법을 행정부에 위임할 수 있다. 이에 따라 제정된 행정입법을 위임명령이라고 한다. 위임명령은 제정 주체에 따라 대통령령, 총리령, 부령으로 나누어진다. 이들은 모두 국민에게 적용되기 때문에 입법예고, 공포 등의 절차를 거쳐야 한다. 위임명령은 입법부인 국회가 자신의 권한의 일부를 행정부에 맡겼기 때문에 정당화될 수 있다. 그래서 특정한 행정 규제의 근거 법률이 위임명령으로 제정할 사항의 범위를 정하지 않은 채 위임하는 포괄적 위임은 헌법상 삼권 분립 원칙에 저촉된다. 위임된 행정 규제 사항의 대강을 위임 근거 법률의 내용으로부터 ⓒ예측할 수 있어야 한다는 것이다. 다만 행정 규제 사항의 첨단 기술 관련성이 클수록 위임 근거 법률이 위임할 수 있는 사항의 범위가 넓어진다. 한편, 위임명령이 법률로부터 위임받은 범위를 벗어나서 제정되거나, 위임 근거 법률이 사용한 어구의 의미를 확대하거나 축소하여 제정되어서는 안 된다. ㉠위임명령이 이러한 제한을 위반하여 제정되면 효력이 없다.

행정규칙은 원래 행정부의 직제나 사무 처리 절차에 관한 행정입법으로서 고시(告示), 예규 등이 여기에 속한다. 일반 국민에게는 직접 적용되지 않기 때문에, 법률로부터 위임받지 않아도 유효하게 제정될 수 있고 위임명령 제정 시와 동일한 절차를 거칠 필요가 없다. 그러나 행정 규제 사항에 관하여 행정규칙이 제정되는 예외적인 경우도 있다. 위임된 사항이 첨단 기술과의 관련성이 매우 커서 위임명령으로는 ⓓ대응하기 어려워 불가피한 경우, 위임 근거 법률이 행정입법의 제정 주체만 지정하고 행정입법의 유형을 지정하지 않았다면 위임된 사항이 고시나 예규로 제정될 수 있다. 이런 경우의 행정규칙은 위임명령과 달리, 입법예고, 공포 등을 거치지 않고 제정된다.

조례는 지방 의회가 제정하는 행정입법으로 지역의 특수성을 반영하여 제정되고 지역에서 발생하는 사안에 대해 적용된다. 제정 주체가 지방 자치 단체의 기관인 지방 의회라는 점에서 행정부에서 제정하는 위임명령, 행정규칙과 ⓔ구별된다. 조례도 행정 규제 사항을 규정하려면 법률의 위임에 근거해야 한다. 또한 법률로부터 포괄적 위임을 받을 수 있지만 위임 근거 법률이 사용한 어구의 의미를 다르게 사용할 수 없다. 조례는 입법예고, 공포 등의 절차를 거쳐 제정된다.

30 윗글의 내용과 일치하는 것은?

① 행정입법에 속하는 법령들은 제정 주체가 동일하다.
② 행정입법에 속하는 법령들은 모두 개별적 상황과 지역의 특수성을 반영한다.
③ 행정입법에 속하는 법령들은 모두 정당성을 확보하기 위하여 국회의 위임에 근거한다.
④ 행정 규제 사항에 적용되는 행정입법은 모두 포괄적 위임이 금지되어 있다.
⑤ 행정부가 국회보다 신속히 대응할 수 있는 행정 규제 사항은 행정입법의 대상으로 적합하다.

31 ㉠의 이유로 가장 적절한 것은?

① 그 위임명령이 법률의 근거 없이 행정 규제 사항을 규정했기 때문이다.
② 그 위임명령이 포괄적 위임을 받아 제정된 경우에 해당하기 때문이다.
③ 그 위임명령이 첨단 기술에 대한 내용을 정확히 반영하지 않았기 때문이다.
④ 그 위임명령이 국민의 권리를 제한하는 권한을 행정 기관에 맡겼기 때문이다.
⑤ 그 위임명령이 구체적 상황의 특성을 반영한 융통성 있는 대응을 하지 못했기 때문이다.

32 행정규칙에 관한 설명 중 적절하지 않은 것은?

① 행정부의 직제나 사무 처리 절차를 규정하는 경우, 법률의 위임이 요구되지 않는다.
② 행정부의 직제나 사무 처리 절차를 규정하는 경우, 일반 국민에게 직접 적용되지 않는다.
③ 행정 규제 사항을 규정하는 경우, 위임명령의 제정 절차를 따르지 않는다.
④ 행정 규제 사항을 규정하는 경우, 위임 근거 법률의 위임을 받은 제정 주체에 의해 제정된다.
⑤ 행정 규제 사항을 규정하는 경우, 위임 근거 법률로부터 위임받을 수 있는 사항의 범위가 위임명령과 같다.

33 윗글을 바탕으로 〈보기〉의 ㉮~㉰에 대해 이해한 내용으로 가장 적절한 것은? [3점]

[보기]

갑은 새로 개업한 자신의 가게 홍보를 위해 인근 자연 공원에 현수막을 설치하려고 한다. 현수막 설치에 관한 행정 규제의 내용을 확인하기 위해 ○○ 시청에 문의하고 아래와 같은 회신을 받았다.

문의하신 내용에 대해 다음과 같이 알려 드립니다.
㉮「옥외광고물 등의 관리와 옥외광고산업 진흥에 관한 법률」제3조(광고물 등의 허가 또는 신고)에 따른 허가 또는 신고 대상 광고물에 관한 사항은 대통령령인 ㉯「옥외광고물 등의 관리와 옥외광고산업 진흥에 관한 법률 시행령」제5조에 규정되어 있습니다. 이에 따르면 문의하신 규격의 현수막을 설치하시려면 설치 전에 신고하셔야 합니다.
또한 위 법률 제16조(광고물 실명제)에 의하면, 신고 번호, 표시 기간, 제작자명 등을 표시하도록 규정하고 있습니다. 표시하는 방법에 대해서는 ㉰○○시 지방 의회에서 제정한 법령에 따르셔야 합니다.

① ㉮의 제3조의 내용에서 ㉯의 제5조의 신고 대상 광고물에 관한 사항의 구체적 내용을 확인할 수 있겠군.
② ㉯의 제5조는 ㉮의 제16조로부터 제정할 사항의 범위가 정해져 위임을 받았겠군.
③ ㉯는 ㉰와 달리 입법예고와 공포 절차를 거쳤겠군.
④ ㉯에 나오는 '광고물'의 의미와 ㉰에 나오는 '광고물'의 의미는 일치하겠군.
⑤ ㉰를 준수해야 하는 국민 중에는 ㉯를 준수하지 않아도 되는 국민이 있겠군.

34 문맥상 ⓐ~ⓔ와 바꿔 쓰기에 가장 적절한 것은?

① ⓐ: 나타내기
② ⓑ: 드러내어
③ ⓒ: 헤아릴
④ ⓓ: 마주하기
⑤ ⓔ: 달라진다

── (해설 p.234) ──

법령의 조문은 대개 'A에 해당하면 B를 해야 한다.'처럼 요건과 효과로 구성된 조건문으로 규정된다. 하지만 그 요건이나 효과가 항상 일의적인 것은 아니다. 법조문에는 구체적 상황을 고려해야 그 상황에 ⓐ맞는 진정한 의미가 파악되는 불확정 개념이 사용될 수 있기 때문이다. 개인 간 법률관계를 규율하는 민법에서 불확정 개념이 사용된 예로 '손해 배상 예정액이 부당히 과다한 경우에는 법원은 적당히 감액할 수 있다.'라는 조문을 ⓑ들 수 있다. 이때 법원은 요건과 효과를 재량으로 판단할 수 있다. 손해 배상 예정액은 위약금의 일종이며, 계약 위반에 대한 제재인 위약벌도 위약금에 속한다. 위약금의 성격이 둘 중 무엇인지 증명되지 못하면 손해 배상 예정액으로 다루어진다.

채무자의 잘못으로 계약 내용이 실현되지 못하여 계약 위반이 발생하면, 이로 인해 손해를 입은 채권자가 손해 액수를 증명해야 그 액수만큼 손해 배상금을 받을 수 있다. 그러나 손해 배상 예정액이 정해져 있었다면 채권자는 손해 액수를 증명하지 않아도 손해 배상 예정액만큼 손해 배상금을 받을 수 있다. 이때 손해 액수가 얼마로 증명되든 손해 배상 예정액보다 더 받을 수는 없다. 한편 위약금이 위약벌임이 증명되면 채권자는 위약벌에 해당하는 위약금을 ⓒ받을 수 있고, 손해 배상 예정액과는 달리 법원이 감액할 수 없다. 이때 채권자가 손해 액수를 증명하면 손해 배상금도 받을 수 있다.

불확정 개념은 행정 법령에도 사용된다. 행정 법령은 행정청이 구체적 사실에 대해 행하는 법 집행인 행정 작용을 규율한다. 법령상 요건이 충족되면 그 효과로서 행정청이 반드시 해야 하는 특정 내용의 행정 작용은 기속 행위이다. 반면 법령상 요건이 충족되더라도 그 효과인 행정 작용의 구체적 내용을 ⓓ고를 수 있는 재량이 행정청에 주어져 있을 때, 이러한 재량을 행사하는 행정 작용은 재량 행위이다. 법령에서 불확정 개념이 사용되면 이에 근거한 행정 작용은 대개 재량 행위이다.

행정청은 재량으로 재량 행사의 기준을 명확히 정할 수 있는데 이 기준을 ㉠재량 준칙이라 한다. 재량 준칙은 법령이 아니므로 재량 준칙대로 재량을 행사하지 않아도 근거 법령 위반은 아니다. 다만 특정 요건하에 재량 준칙대로 특정한 내용의 적법한 행정 작용이 반복되어 행정 관행이 생긴 후에는, 같은 요건이 충족되면 행정청은 동일한 내용의 행정 작용을 해야 한다. 행정청은 평등 원칙을 ⓔ지켜야 하기 때문이다.

35 윗글의 내용과 일치하지 <u>않는</u> 것은?

① 법령의 요건과 효과에는 모두 불확정 개념이 사용될 수 있다.

② 법원은 불확정 개념이 사용된 법령을 적용할 때 재량을 행사할 수 있다.

③ 불확정 개념이 사용된 법령의 진정한 의미를 이해하려면 구체적 상황을 고려해야 한다.

④ 불확정 개념이 사용된 행정 법령에 근거한 행정 작용은 재량 행위인 경우보다 기속 행위인 경우가 많다.

⑤ 불확정 개념은 행정청이 행하는 법 집행 작용을 규율하는 법령과 개인 간의 계약 관계를 규율하는 법률에 모두 사용된다.

36 ㉠에 대한 이해로 가장 적절한 것은?

① 재량 준칙은 법령이 아니기 때문에 일의적이지 않은 개념으로 규정된다.

② 재량 준칙으로 정해진 내용대로 재량을 행사하는 행정 작용은 기속 행위이다.

③ 재량 준칙으로 규정된 재량 행사 기준은 반복되어 온 적법한 행정 작용의 내용대로 정해져야 한다.

④ 재량 준칙이 정해져야 행정청은 특정 요건하에 행정 작용의 구체적 내용을 선택할 수 있는 재량을 행사할 수 있다.

⑤ 재량 준칙이 특정 요건에서 적용된 선례가 없으면 행정청은 동일한 요건이 충족되어도 행정 작용을 할 때 재량 준칙을 따르지 않을 수 있다.

37 윗글을 바탕으로 〈보기〉를 이해한 내용으로 가장 적절한 것은? [3점]

> **[보기]**
>
> 갑은 을에게 물건을 팔고 그 대가로 100을 받기로 하는 매매 계약을 했다. 그 후 갑이 계약을 위반하여 을은 80의 손해를 입었다. 이와 관련하여 세 가지 상황이 있다고 하자.
>
> (가) 갑과 을 사이에 위약금 약정이 없었다.
> (나) 갑이 을에게 위약금 100을 약정했고, 위약금의 성격이 무엇인지 증명되지 못했다.
> (다) 갑이 을에게 위약금 100을 약정했고, 위약금의 성격이 위약벌임이 증명되었다.
> (단, 위의 모든 상황에서 세금, 이자 및 기타 비용은 고려하지 않음.)

① (가)에서 을의 손해가 얼마인지 증명되지 못한 경우에도, 갑이 을에게 80을 지급해야 하고 법원이 감액할 수 없다.

② (나)에서 을의 손해가 80임이 증명된 경우, 갑이 을에게 100을 지급해야 하고 법원이 감액할 수 있다.

③ (나)에서 을의 손해가 얼마인지 증명되지 못한 경우, 갑이 을에게 100을 지급해야 하고 법원이 감액할 수 없다.

④ (다)에서 을의 손해가 80임이 증명된 경우, 갑이 을에게 180을 지급해야 하고 법원이 감액할 수 있다.

⑤ (다)에서 을의 손해가 얼마인지 증명되지 못한 경우, 갑이 을에게 80을 지급해야 하고 법원이 감액할 수 없다.

38 문맥상 ⓐ ~ ⓔ의 의미와 가장 가까운 것은?

① ⓐ: 이것이 네가 찾는 자료가 맞는지 확인해 보아라.

② ⓑ: 그 부부는 노후 대책으로 적금을 들고 안심했다.

③ ⓒ: 그의 파격적인 주장은 학계의 큰 주목을 받았다.

④ ⓓ: 형은 땀 흘려 울퉁불퉁한 땅을 평평하게 골랐다.

⑤ ⓔ: 그분은 우리에게 한 약속을 반드시 지킬 것이다.

[39~41] 다음 글을 읽고 물음에 답하시오. 2014예비A [22~24]

──(해설 p.242)──

법률은 사회에서 발생하는 모든 법적 문제에 대한 해결 기준을 정하려고 한다. 하지만 다양한 사례를 모두 법률에 망라할 수는 없기에, 법조문은 그것들을 포괄할 수 있는 추상적인 용어로 구성될 수밖에 없다. 따라서 이러한 법률의 조항들이 실제 사안에 적용되려면 해석이라는 과정을 거쳐야 한다.

법조문도 언어로 이루어진 것이기에, 원칙적으로 문구가 지닌 보편적인 의미에 맞춰 해석된다. 일상의 사례로 생각해 보자. "실내에 구두를 신고 들어가지 마시오."라는 팻말이 있는 집에서는 손님들이 당연히 글자 그대로 구두를 신고 실내에 들어가지 않는다. 그런데 팻말에 명시되지 않은 '실외'에서 구두를 신고 돌아다니는 것은 어떨까? 이에 대해서는 금지의 문구로 제한하지 않았기 때문에, 금지의 효력을 부여하지 않겠다는 의미로 당연하게 받아들인다. 이처럼 문구에서 명시하지 않은 상황에 대해서는 그 효력을 부여하지 않는다고 해석하는 방식을 반대 해석이라 한다.

그런데 팻말에는 운동화나 슬리퍼에 대하여도 쓰여 있지 않다. 하지만 누군가 운동화를 신고 마루로 올라가려하면, 집주인은 팻말을 가리키며 말릴 것이다. 이 경우에 '구두'라는 낱말은 본래 가진 뜻을 넘어 일반적인 신발이라는 의미로 확대된다. 이런 식으로 어떤 표현을 본래의 의미보다 넓혀 이해하는 것을 확장 해석이라 한다.

하지만 팻말을 비웃으며 진흙이 잔뜩 묻은 맨발로 들어가는 사람을 말리려면, '구두'라는 낱말을 확장 해석하는 것으로는 어렵다. 위의 팻말이 주로 실내를 깨끗이 유지하기 위하여 마련된 규정이라면, 마루를 더럽히며 올라가는 행위도 마찬가지로 금지된다고 보아야 할 것이다. 이렇게 해석하는 방식이 유추 해석이다. 규정된 행위와 동등하다고 평가될 수 있는 일에는 규정이 없어도 같은 효력이 주어져야 한다는 논리이다.

그런데 구두를 신고 마당을 걷는 것은 괜찮다고 반대 해석하면서도, 흙 묻은 맨발로 방에 들어가도 된다는 반대 해석은 왜 받아들이기 어려운가? 이것은 보편적인 상식이나 팻말을 걸게 된 동기 등을 고려하며 판단하기 때문일 것이다. 법률의 해석에서도 마찬가지로 그 법률의 목적, 기능, 입법 배경 등을 고려한다. 한 예로 형벌권의 남용으로부터 국민의 자유와 권리를 보호하려는 죄

형법정주의라는 헌법상의 요청 때문에, 형법의 조문들에서는 유추 해석이 엄격히 배제된다.

39 윗글의 서술상 특징에 대한 설명으로 가장 적절한 것은?

① 하나의 사례를 매개로 하여 여러 가지 개념들이 비교될 수 있도록 구성하였다.

② 이론적으로 설정한 가설에 대해 현실적 사례를 들어가며 논증하였다.

③ 문제를 상정하고 그와 유사한 상황들을 분석하여 대안을 모색하였다.

④ 단계적 추론을 통해 타당한 해결책에 이르도록 논의를 전개하였다.

⑤ 다양한 원리를 제시하고 평가하여 종합적 결론을 도출하였다.

40 윗글에서 설명된 법률 해석에 대한 이해로 옳지 <u>않은</u> 것은?

① 법률은 해석을 통해 구체적 사안에 적용된다.

② 죄형법정주의 때문에 형법에서는 유추 해석을 금지한다.

③ 법률이 갖는 목적이나 성격은 그 법조문의 해석에 영향을 끼친다.

④ 법률과 현실 사이에 생길 수 있는 간극을 법률의 해석으로 메우려 한다.

⑤ 법률의 해석에서는 논리적 맥락보다 직관적 통찰을 통해 타당한 의미를 찾아낸다.

41 '반대 해석'과 관련 있는 것만을 〈보기〉에서 고른 것은?

[3점]

┌─────────────[보기]─────────────┐

ㄱ. 민섭 : '대문 앞에 자동차를 세우지 마시오.'라고
　　　쓰여 있네. 담 쪽에 주차해야겠다.

ㄴ. 유현 : 길이 좁아서 써 놓은 것 같은데 담 쪽도 곤
　　　란한 거 아냐?

ㄷ. 민섭 : 도로 폭은 충분해. 그보다는 대문을 드나드
　　　는 데 불편해서 붙였다고 봐야 돼.

ㄹ. 유현 : 그런데 대문 앞을 오토바이가 막고 있네.
　　　자동차가 아니라서 세워 두었구나.

ㅁ. 민섭 : 이 경우에는 오토바이도 자동차라고 생각
　　　해야지.

└────────────────────────────┘

① ㄱ, ㄴ　　　② ㄱ, ㄹ　　　③ ㄴ, ㄷ

④ ㄷ, ㅁ　　　⑤ ㄹ, ㅁ

— (해설 p.247) —

프랑스 혁명 이후에는 법관의 자의적 해석의 여지를 없애기 위하여 법률을 명확히 기술하여야 한다는 생각이 자리 잡았다. 이러한 근대법의 기획에서 법은 그 적용을 받는 국민 개개인이 이해할 수 있게끔 제정되어야 한다. 법이 정하고 있는 바가 무엇인지를 국민이 이해할 수 있어야 법을 통한 행위의 지도와 평가도 가능하기 때문이다. 이에 따라 형사법 분야에서는 형벌 법규의 내용을 사전에 명확히 정해야 하고, 법문이 의미하는 한계를 넘어선 해석을 금지한다. 법치국가라는 헌법 이념에서도 자의적인 법 집행을 막기 위하여 ⊙법률의 내용은 명확해야 한다는 원리가 정립되었다. 여기서 법률의 내용이 명확해야 한다는 것은 법문이 절대적으로 명확한 상태여야만 한다는 것까지 뜻하지는 않는다. 입법 당시에는 미처 예상치 못했던 사태가 언제든지 생길 수 있을 뿐 아니라, 바로 그러한 이유 때문에라도 법률은 일반적이고 추상적인 형식을 띨 수밖에 없는 탓이다. 따라서 법률의 명확성이란 일정한 해석의 필요성을 배제하지 않는 개념이다.

일반적으로 해석을 통하여 법문의 의미를 구체화할 때에는 입법자의 의사나 법률 그 자체의 객관적 목적까지 참조하기도 한다. 그러나 이러한 해석 방법은 언뜻 타당한 것처럼 보이지만, 실제로 이에 대해서는 많은 비판이 제기되고 있다. 우선 입법자의 의사나 법률 그 자체의 객관적 목적이 과연 무엇인지를 확정하는 작업부터 녹록하지 않을 것이다. 더욱 심각한 문제는 그것까지 고려해서 법이 요구하는 바가 무엇인지 파악할 것을 법의 전문가가 아닌 여느 국민에게 기대할 수는 없다는 점이다. 법률의 명확성이 말하고 있는 바는 법문의 의미를 구체화하는 작업이 국민의 이해 수준의 한계 내에서 이루어져야 한다는 것이지, 구체화한 만큼 실제로 국민이 이해할 것이라고 추정할 수 있다는 것은 아니기 때문이다. 나아가 입법자의 의사나 법률 그 자체의 객관적 목적을 고려한 해석은 법문의 의미를 구체화하는 데 머물지 않고 종종 법문의 한계를 넘어서는 방편으로 활용되며 남용의 위험에 놓이기도 한다.

한편 법의 적용을 위한 해석을 이미 주어져 있는 대상에 대한 인식에 지나지 않는 것으로 여기는 시각이 아니라, 법문의 의미를 구성해 내는 활동으로 보는 시각에서는 근본적인 문제를 제기한다. 입법자가 법률을 제정할 때 그 규율 내용이 불분명하여 다의적으로 해석될 수 있게 해서는 안 되는데, 이러한 기대와 달리 법률의 규율 내용이 실제로는 법관의 해석을 거친 이후에야 비로소 그 의미가 구성되는 것이라면 국민이 행위 당시에 그것을 알고 자신의 행동 지침으로 삼는다는 것은 원천적으로 불가능하기 때문이다. 이뿐만 아니라 법률의 제정과 그 적용은 각각 입법기관과 사법기관의 영역이라는 권력 분립 원칙 또한 처음부터 실현 불가능하다.

그렇다면 근대법의 기획은 그 자체가 허구적이거나 불가능한 것으로 포기되어야 하는가? 이 물음에 대해서는 다음과 같이 대답할 수 있다. 첫째, 법의 해석이 의미를 구성하는 기능을 갖는다는 통찰로부터 곧바로 그와 같은 구성적 활동이 해석자의 자의와 주관적 판단에 완전히 맡겨져 있다는 결론을 내릴 수는 없다. 단어의 의미는 곧 그 단어가 사용되는 방식에 따라 확정되는 것이지만, 이 경우의 언어 사용은 사적인 것이 아니라 집단적인 것이며, 따라서 언어 사용 그 자체가 사회적 규칙에 의해 지도된다는 사실과 마찬가지로 법의 해석과 관련한 다양한 방법론적 규칙들 또한 해석자의 자유를 적절히 제한하기 때문이다. 둘째, 해석의 한계나 법률의 명확성 원칙은 법의 해석을 담당하는 법관과 같은 전문가를 겨냥한 것으로 파악함으로써 문제를 감축하거나 해소할 수 있다. 다시 말해서 법률이 다소 모호하게 제정되어 평균적인 일반인이 직접 그 의미 내용을 정확히 파악할 수 없다 하더라도 법관의 보충적인 해석을 통해서 그 의미 내용을 확인할 수 있다면 크게 문제되지 않는다는 것이다.

[A] 다만 이와 같은 대답에 대하여는 여전히 의문이 생긴다. 국민 각자가 법이 요구하는 바를 이해할 수 있어야 된다는 이념은 사실 '일반인'이라는 추상화된 개념의 도입을 통해 한 차례 타협을 겪은 것이었다. 그런데 '전문가'라는 기준을 도입함으로써 입법자의 부담을 재차 줄이면 근대법의 기획이 제기한 문제의 본질로부터 너무 멀어져 버릴 수도 있는 것이다.

42 근대법의 기획 에 관한 설명으로 가장 적절한 것은?

① 사법 권력으로 입법 권력의 통제를 꾀하였다.

② 금지된 행위임을 알고도 그 행위를 했다는 점을 형사 처벌의 기본 근거로 삼는다.

③ 법관의 해석 없이도 잘 작동하는 법률을 만들고자 했던 기획은 마침내 성공하였다.

④ 이해 가능성이 없는 법률에 대한 해석의 부담을 법관이 아니라 국민에게 전가하고 있다.

⑤ 자의적 해석 가능성만 없다면 국민이 이해할 수 없는 법률로도 국민의 행위를 평가할 수 있다고 본다.

43 윗글을 바탕으로 ㉠을 비판할 때, 논거로 사용하기에 적절하지 <u>않은</u> 것은?

① 전문가인 법관에 의해 법문의 의미가 구성되지 않으면 자의적 법문 해석에서 벗어나기 어렵다.

② 법관의 해석을 통해서야 비로소 법의 의미가 구성될 경우에는 권력 분립 원칙이 훼손될 수 있다.

③ 법의 객관적 목적을 고려한 법문 해석은 법문 의미의 한계를 넘어서는 방편으로 남용되기도 한다.

④ 법관의 해석을 통해서야 비로소 법의 의미가 구성된다고 하면 법을 국민의 행동 지침으로 삼기 어렵다.

⑤ 국민이 입법자의 의사까지 일일이 확인하여 법문의 의미를 이해한다는 것은 현실적으로 기대하기 어렵다.

44 [A]로부터 추론한 내용으로 가장 적절한 것은?

① 가장 이상적인 법은 '일반인'이 이해할 수 있는 법일 것이다.

② 법치국가의 이념을 구현하기 위해서는 법률 전문가의 역할이 확대되어야 할 것이다.

③ '일반인'이 이해할 수 있는 입법은 국민 각자가 이해할 수 있는 입법보다 입법자의 부담을 경감시킬 것이다.

④ 입법 과정에서 일상적인 의미와는 다른 법률 전문 용어의 도입을 확대하여 법문의 의미를 명확히 해야 할 것이다.

⑤ 행위가 법률로 금지되는 것인지 여부를 행위 당시에 알 수 있었는지에 대하여 법관은 입법자의 입장에서 판단해야 할 것이다.

극악의 난이도를 자랑하며 많은 학생들을 힘들게 하는 '경제' 제재에 대한 대처법을 배워보는 날입니다. 미리 알고 있어야 하는 지식들도 있고, 지문들의 난이도 자체도 상당히 어려운 축에 속하니 긴장하고 들어가도록 합시다.

제재별 독해 – 경제

'경제' 제재의 지문들은 대부분의 학생들에게 공포 그 자체입니다. 아직 경제 활동을 해 본 적이 없는 학생들에게는 너무나 어려운 용어들로 이루어져 있고, 기초적인 지식이 없다면 이해가 어려운 문장들도 자주 출제되는 모습을 보여 주거든요. 그저 막연한 공포심을 가지고 있는 경우도 많구요.

하지만 평생 두려워만 할 수는 없습니다. 이제는 극복해야만 합니다. 이를 위해 우리는, 최소한의 경제 용어나 지식을 알고 있어야 할 필요가 있습니다. 실제로 평가원은 경제 제재의 지문에서 다른 제재보다 높은 수준의 배경지식을 요구합니다. 물론 이러한 지식이 아예 없어도 문제를 풀지 못하는 것은 아니겠지만, 이해의 정도나 문제풀이 소요 시간 등에서 압도적인 차이를 만드는 요소가 '기본적인 지식'이라는 점은 부정할 수가 없어요. 조금 더 강하게 말하면, 이 교재에 있는 지식 정도는 알아야 경제 지문을 이해할 '자격'이 생긴다고 할 수 있을 정도입니다. 따라서 이번 파트에서는 경제 지문에서 평가원이 자주 활용하는 다양한 '지식'들을 정리해 볼 겁니다. 여기서 하는 것 이상으로 정리하셔도 되지만, 제가 제시한 수준 정도만 확실하게 알고 있어도 경제 지문이 정말 쉬워질 것이에요. 차근차근 설명해 보겠습니다. 내용을 외우는 게 아니라, 완벽하게 '이해'하도록 하세요. 백지에 설명할 수 있을 정도가 되어야 합니다. 이런 내용을 처음 접하는 분들에게는 아주 어려운 내용일 수도 있어요. 유기성 있게 설명해두었으니, 하나하나 차분하게 이해하면서 읽어보도록 합시다.

– 자원의 효율적 배분

경제와 관련된 지식들을 이해하기 위해서는, 먼저 '자원의 효율적 배분'과 관련된 메커니즘을 이해할 필요가 있습니다. 그리고 또 이를 이해하기 위해서는 '수요'와 '공급'이라는 개념에 대해서 알아볼 필요가 있어요.

· 수요, 공급, 가격

우리가 치킨을 먹고 싶다는 생각이 들면, 치킨 가게에서 제공하는 치킨을 돈과 교환하게 됩니다. 이때 '수요'는 치킨을 먹고 싶다는 생각에서부터 나타납니다. 단순히 이 생각 자체를 수요라고 부르지는 않고, 이 생각을 현실로 만들 수 있도록 가격을 지불할 수 있을 때 비로소 '수요'가 돼요. 그리고 이러한 '수요'에 부응하기 위해 생산자가 해당 가격에 제공하는 치킨이 곧 '공급'이 되는 것이죠. 전통적인 경제학에서는 어떠한 물건을 사고자 하는 사람들의 '수요'와, 생산자가 기꺼이 내놓을 수 있는 '공급'이 일치하는 수준이 곧 그 물건의 '가격'이 된다고 이야기합니다. 이 내용은 다음과 같은 그래프로 나타낼 수 있습니다. 앞으로 배울 수많은 지식과 연결되는 중요한 그래프이니 확실하게 정리하도록 합시다. (D가 수요 곡선, S가 공급 곡선입니다. Demand와 Supply를 의미해요. 나아가 '수량'은 '수요량 · 공급량 · 거래량' 등을 포괄하는 개념으로 이해하시면 됩니다.)

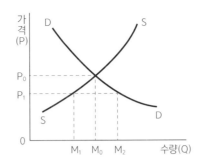

보시다시피 수요 곡선은 우하향, 공급 곡선은 우상향하기 때문에, 가격이 오를수록 수요는 감소하고 공급은 증가합니다. 너무 당연하죠? 그리고 이 수요 곡선과 공급 곡선이 만나는 지점 (P_0의 가격, M_0의 수량)이 곧 '균형 가격 · 균형 거래량'이 됩니다. 참고로 경제학에서 그래프를 볼 때는 세로축을 먼저 보는 경우가 많습니다. '수요량'이 늘어서 '가격'이 떨어진 것이 아니라, '가격'이 올라서 '수요량'이 떨어졌다는 식으로 해석해야 해요.

그런데, 현실에서는 거래가 반드시 P_0의 가격, M_0의 수량에서 이루어지지는 않습니다. 오히려 P_1의 가격과 M_1의 수량처럼 '균형 가격 · 균형 거래량'과는 거리가 먼 지점에서 거래가 이루어지는 경우가 많아요. 만약 공급량에 비해 수요량이 적다면 '초과 공급' 상태가 될 것이고, 공급량에 비해 수요량이 많다면 '초과 수요' 상태가 될 것입니다. 현실에서는 대부분의 경우 '초과 공급' 혹은 '초과 수요' 상태에서 거래가 이루어집니다. 다만 이 경우 일반적으로 '가격의 조정'이 일어나 다시 '균형 가격 · 균형 거래량' 수준으로 수렴하기는 하지만요.

이러한 내용을 쉽게 이해하려면 코로나19가 처음 유행하기 시작했을 때의 마스크 대란을 생각하시면 됩니다. 코로나19가 유행하기 전까지만 해도 마스크는 그리 비싼 가격에 거래되는 재화가 아니었기에, 공급자들이 굳이 '공급량'을 늘릴 필요가 없었습니다. 하지만 마스크 의무화와 함께 '수요량'이 폭증했고, 기존의 '공급량'으로는 그 '수요량'을 충당할 수 없었기에 자연스럽게 '가격'이 높아지는 '초과 수요' 상태가 발생했습니다. 이렇게 '가격'이 크게 오르게 되었지만, 시간이 흘러 공급량 증가 · 정부의 개입 · 수요량 감소 등의 요인이 발생했고 이는 현재와 같은 '초과 공급' 상태로 이어집니다. 이에 '가격'도 다시 떨어지게 된 것이죠. 지금은 언제 어디서나 저렴한 가격에 마스크를 구할 수 있죠?

나아가, 이렇게 '균형 가격 · 균형 거래량' 수준에서 거래되는 상태를 '자원의 효율적 배분이 이루어진 상태'라고 부릅니다. 또한 이를 '사회 전체의 효율성이 극대화된 상태'라고 부를 수도 있어요. 모든 자원이 낭비 없이, 원하는 만큼만 생산되어 공급된 이상적이고 효율적인 상태라는 것이죠. 전통적인 경제학에서는 시장이 결국 '자원의 효율적 배분' 상태로 나아간다고 생각하고, 이러한 조정 과정을 통해 자연스럽게 경제가 성장한다고 생각했어요. 이와 관련된 내용들은 2000년대 후반 ~2010년대 초반 시험에 많이 출제되었습니다.

> 정부가 볼펜에 자루당 100원의 물품세를 생산자에게 부과한다고 하자. 세금 부과 전에 자루당 1,500원에 100만 자루가 거래되고 있었다면 생산자는 총 1억 원의 세금을 납부해야 할 것이다. 이로 인해 손실을 입게 될 생산자는 1,500원이라는 가격에 불만을 갖게 되므로 가격을 100원 더 올리려고 한다. 생산자가 불만을 갖게 되면 가격이 상승하기 시작한다. 그러나 가격이 한없이 올라가는 것은 아니다. 가격 상승으로 생산자의 불만이 누그러지지만 반대로 소비자의 불만이 증가하기 때문이다. 결국 시장의 가격 조정 과정을 통해 양측의 상반된 힘이 균형을 이루는 지점에 이르게 되며, 1,500원~1,600원 사이에서 새로운 가격이 형성된다.　　　　　－2009학년도 6월 모의평가

밑줄 친 내용이 앞에서 말한 '마스크 대란'과 비슷한 메커니즘을 가지고 있죠? 가격 상승의 원인이 조금 다르기는 하지만, 핵심은 '시장의 가격 조정 과정'입니다. 경제 제재의 지문에서 배경지식이 중요한 이유는, 이러한 문장들을 아무렇지 않게 납득하기 위해서인 것이죠. 앞의 설명을 듣고 보니 모든 문장이 '당연한 문장'으로 보이죠?

경제학에서는 가격이 한계 비용과 일치할 때를 가장 이상적인 상태라고 본다. '한계 비용'이란 재화의 생산량을 한 단위 증가시킬 때 추가되는 비용을 말한다. 한계 비용 곡선과 수요 곡선이 만나는 점에서 가격이 정해지면 재화의 생산 과정에 들어가는 자원이 낭비 없이 효율적으로 배분되며, 이때 사회 전체의 만족도가 가장 커진다. 가격이 한계 비용보다 높아지면 상대적으로 높은 가격으로 인해 수요량이 줄면서 거래량이 따라 줄고, 결과적으로 생산량도 감소한다. 이는 사회 전체의 관점에서 볼 때 자원이 효율적으로 배분되지 못하는 상황이므로 사회 전체의 만족도가 떨어지는 결과를 낳는다.   -2012학년도 9월 모의평가

개인의 입장에서는 모든 의사 결정에 있어 자신의 이익을 사회 전체의 이익보다 우선시한다. 자본주의 사회에서 경쟁의 결과가 사회 전체에 다소간 기여할 수 있다면 모든 구성원이 개인의 이익을 위해 경쟁하는 것은 바람직한 현상이다. 하지만 경쟁이 과열되고 더 이상 사회 전체의 이익에 기여하지 못한다면, 개인의 이익만을 위한 과도한 투자는 자원 배분의 왜곡을 가져오는 비효율성을 야기한다. 더구나 개인 간에 위치적 외부성이 강하게 작용하면, 사회적 관점에서는 불필요한 경쟁으로 인해 초래되는 비효율성의 문제가 더욱 심각해진다.   -2008학년도 6월 모의평가

어떤 경제 주체의 행위가 자신과 거래하지 않는 제3자에게 의도하지 않게 이익이나 손해를 주는 것을 '외부성'이라 한다. 과수원의 과일 생산이 인접한 양봉업자에게 벌꿀 생산과 관련한 이익을 준다든지, 공장의 제품 생산이 강물을 오염시켜 주민들에게 피해를 주는 것 등이 대표적인 사례이다.
외부성은 사회 전체로 보면 이익이 극대화되지 않는 비효율성을 초래할 수 있다.   -2012학년도 수능

이 지문들은 모두 '자원의 효율적 배분'에 대한 이야기를 하고 있습니다. 물론 '수요-공급 곡선'과 관련된 내용만 있는 것은 아니지만, 어쨌든 '자원의 효율적 배분=사회 전체의 만족도 · 이익 · 효율성 극대화'라는 관계는 확실하게 알아두도록 합시다. 특히 '만족도 · 이익 · 효율성 극대화'라는 말을 '자원의 효율적 배분'과 바꿔 이해할 수 있어야 해요!

'자원의 효율적 배분'에 대한 이야기는 길게 하자면 끝이 없습니다. 이 이상의 내용이 만약 출제된다면 지문 속에 친절한 설명이 있을 것이니, 우리는 딱 여기까지만 알고 있는 것으로 합시다.

- 경제 제재 핵심 어휘 정리

'수요'과 '공급'은 치킨이나 마스크와 같은 '물건'에만 적용되는 개념일까요? 당연히 아닙니다. '수요'와 '공급'이라는 개념은 여러 가지 경제적 개념과 연결되어 있어요. 이에 대해 자세히 알아보도록 합시다. 먼저 이와 관련된 몇 가지 어휘를 정리해 보도록 해요. 별개의 어휘들을 정리하는 것 같지만, 최대한 유기적으로 엮어서 이해할 수 있도록 구성했으니 차분하게 읽어 보세요.

· 물가

앞으로 나올 내용들을 이해하기 위해서는, 먼저 '물가'라는 개념에 대해 파악할 필요가 있습니다. 앞에서 설명했듯이, 수요와 공급은 특정한 '시장 가격'을 형성합니다. 치킨을 먹고 싶다는 생각을 현실화하기 위해 기꺼이 지불할 수 있는 가격의 수준과, 적절한 이익을 보면서 그 치킨을 공급할 수 있는 가격의 수준이 만나는 지점이 '시장 가격'이 되는 것이죠. 그리고 이렇게 가격이 형성된 여러 가지 상품들의 평균적인 시장 가격 수준을 '물가'라고 부릅니다.

눈치가 빠른 학생들은 알아차렸겠지만, 앞에서 수요와 공급에 대해 설명할 때 수요'량'과 공급'량'이라는 표현을 계속해서 사용했습니다. 가격이 오르면 수요'량'이 줄어드는 것이지, '수요'가 줄어드는 것이 아니었어요. 이처럼 '수요/공급'과 '수요량/공급량'은 다른 말이라는 것을 알아두면 좋습니다. 수능 국어를 위해서는 '수요'와 '수요량'의 차이 정도만 이해하셔도 충분할 것 같아요. 둘은 어떻게 다르고, 이 구분이 왜 중요한 것일까요?

일단 '수요'의 경우, 앞에서도 이야기했듯이 '실제 지불 능력이 될 때' 어떠한 재화를 소비하고 싶은 '욕구'를 의미해요. 따라서 '수요'가 늘고 준다는 것은, '지불 능력'이 늘고 줄어드는 것과 관련이 있습니다. 한편 '수요량'의 경우, 그 욕구가 실제로 구현된 '양'을 의미한다고 보시면 됩니다. 즉, '수요량'이 는다는 것은 '지불 능력'은 그대로인데 '소비 욕구'가 커져 '소비하는 양'만 늘어난다는 것이에요. 앞에서 봤던 '수요 곡선'의 '곡선상의 이동'을 의미하는 것이죠. 수요 곡선 그래프는 그대로이지만, 좌표값만 달라지는 겁니다!

그런데 '수요'가 는다는 것은, '수요 곡선' 자체가 오른쪽 위로 올라간다는 것을 의미해요. 즉, '지불 능력' 자체가 올라가서 더 많은 '욕구'를 가질 수 있게 된 상태인 것이죠. 돈을 더 많이 벌수록 더 좋은 집, 더 좋은 차를 가지고 싶어지는 것과 같은 이치예요. 이렇게 '수요' 자체가 늘어 수요 곡선이 오른쪽 위로 올라가게 되면, 그리고 '공급' 자체의 증가보다 '수요' 자체의 증가가 더 많다면, '균형 가격'과 '균형 거래량'이 모두 늘어나는 결과를 낳게 됩니다. 앞의 그래프를 바탕으로 그림을 그리며 생각해 보면 어렵지 않게 이해할 수 있을 것 같아요.

아주 단순하고 과격하게 설명하자면, 이렇게 '수요' 자체의 증가로 '균형 가격'과 '균형 거래량'이 모두 증가하는 과정을 '경제 성장'이라고 부를 수 있습니다. 더 커진 '지불 능력'으로 더 많은 '생산량'을 감당할 수 있게 되는 것이죠. 그리고 '균형 가격'이 증가한다는 것은, 전반적인 '물가 수준'이 상승한다는 것을 의미합니다. 결국 '물가'가 오른다는 것은 경제가 성장하고 있다는 증거가 되는 것이었어요. 물론 그 정도가 심하면 당연히 문제가 되겠지만요.

· 통화량

말 그대로 '통화/량'입니다. 시중에 유통되고 있는 통화(돈 그 자체라고 생각해도 돼요.)의 양을 의미합니다. 뒤에서 다시 배우게 되겠지만, '통화량'은 다른 개념들과 복잡한 관계를 형성해서 나라의 경제에 큰 영향을 미칩니다.

그런데 '통화량'은 '물가'와 아주 긴밀한 관계를 맺습니다. 이는 '통화량'이 계속해서 증가하는 개념이기 때문이에요. 여러분이 가지고 있는 돈(현금)은 너덜너덜해질 때까지 없어지지 않고 여기저기 돌아다닐 것입니다. 그 와중에 조폐공사에서는 계속해서 돈을 찍어낼 것이니, '통화량'은 줄어들래야 줄어들 수가 없는 것이죠. 나아가 뒤에서 배울 '대출' 및 기타 여러 개념으로 인해, 시중의 '통화량'은 계속해서 늘어나는 개념이라고 할 수 있습니다. (물론 초단기적으로는 줄어드는 경우가 있을 수도 있지만, 장기적으로는 계속해서 상승하는 경향을 보일 수밖에 없을 것입니다.)

이처럼 '통화량'이 계속 증가하게 되면, 필연적으로 '화폐 가치'는 계속 떨어질 수밖에 없습니다. 말 그대로 돈이 흔해지는 것이니, 돈이라는 '화폐'의 '가치'는 떨어질 수밖에 없는 것이죠. 과거엔 김밥을 1,000원이면 사 먹을 수 있었으니 '1,000원'의 가치는 '김밥 한 줄'이었지만, 이제는 김밥 한 줄에 4,000원은 줘야 하니 '1,000원'의 가치가 '김밥 1/4줄'로 떨어진 것입니다. 그리고 이를 반대로 말하면, '통화량'의 증가로 인한 '화폐 가치'의 하락으로 인해 '김밥 한 줄'의 '가격'이 1,000원에서 4,000원으로 오를 수밖에 없는 것입니다. '김밥 한 줄'만 이런 현상을 겪은 것은 아닐 테니, 전반적인 '물가' 역시 계속해서 높아지는 개념이 되는 것이에요.

· 물가 상승률

이러한 이유로, '물가'는 독특하게 '물가 상승률'이라는 개념을 파생시킵니다. '물가'는 어찌 보면 장기적으로 당연히 상승하는 개념이기에, 얼마나 '상승'했는지의 비'율'인 '물가/상승률'이라는 개념이 존재하는 것이죠. 작년에 비해 '물가 상승률'이 하락했다고 해도, 그 값이 양(+)의 값이기만 하면 '물가' 자체는 올랐다고 할 수 있습니다. 단어의 의미를 살리면서, 이 개념을 확실하게 이해해야 합니다. 물가의 '상승률'이에요!

· 금리

투자/저축 등에 적용되는, '원금에 대한 이자의 비율'을 의미합니다. 흔히들 '이자 쳐서 갚을게'라고 말할 때 '이자'라고 부르는 그 개념과 관련된 것이 맞아요. 1년 간의 금리(이자율)가 3%라면, 100만 원을 저축했을 때 1년 뒤에 103만 원 (원금 100만 원+이자 100만 원×0.03=3만 원)을 받게 되는 것이죠. 반대로 3%의 금리와 1년 뒤 상환하는 조건으로 100만 원을 빌렸다면? 1년 뒤에 103만 원을 갚으면 되는 것이죠.

그렇다면 '금리(이자율)'라는 개념은 왜 존재하는 걸까요? 앞에서도 이야기했듯이, 대부분의 정상국가에서는 시간이 지남에 따라 '물가'가 자연스럽게 상승합니다. 즉, 시간이 지남에 따라 '화폐 가치'가 자연스럽게 떨어집니다. 은행에게 돈을 맡기거나 누군가에게 돈을 빌려 주는 경우에 과거와 똑같은 돈으로 돌려받게 된다면, 처음 돈을 맡기거나 빌려줄 때보다 가치가 떨어진 금액을 돌려받게 되는 것이니 손해를 본다고 할 수 있겠죠? 이 손해를 일반적인 물가상승률만큼, 혹은 그 이상 보전해 주기 위해 '금리(이자율)'라는 개념이 필요한 것입니다.

· 채권

법 지문에서 쓰이는 '채권(債權)'과는 동음이의어 관계인 단어입니다. 법 지문에서의 '채권'은 곧 '권리'를 의미했어요. 앞에서 충분히 학습했죠? 한편 경제 지문에서 쓰이는 '채권(債券)'은 정부나 기업과 같은 기관이 발행하는 일종의 '증서'로, 상대에게 돈을 빌렸고, 꼭 갚겠다는 것을 명시한 문서라고 보시면 됩니다. 국가나 기업이 사업을 벌이기 위해 당장 가지고 있는 돈보다 더 많은 돈이 필요할 때, 나중에 꼭 이자 쳐서 갚을 테니 일단 빌려달라는 것을 약속하고 그 약속의 내용을 문서화시킨 것이죠. 이때 국가가 발행한 채권을 '국채', 회사가 발행한 채권을 '회사채', 은행과 같은 금융기관이 발행한 채권을 '금융채'라고 부릅니다. 이처럼 채권에는 다양한 종류가 있어요.

어떠한 기관에서 채권을 발행하면, 그 조건(이자율, 만기 등)이 마음에 드는 누군가가 해당 기관이 필요한 만큼의 금액을 빌려주게 됩니다. 그렇다면 이 사람은 해당 채권에서 약속한 조건대로 이자를 받고, 만기일에 원금을 돌려 받는 것이죠. 이는 빌려준 금액만큼을 투자하여 이자라는 투자 수익을 얻는 것이라고 볼 수 있기 때문에, 돈을 빌려준 사람을 '채권 투자자'라고 부릅니다.

이러한 채권은 일종의 상품처럼 거래되기도 합니다. 정부가 발행한 국채에 투자한 어떤 사람이 만기일 전에 원금에 가까운 돈이 급하게 필요한 경우, 혹은 해당 채권의 가치가 떨어진다고 생각하는 경우 다른 사람 혹은 기관에게 돈을 받고 팔 수 있는 것이죠. 이 경우 그 채권을 구입한 주체 역시 '채권 투자자'라고 할 수 있습니다. 나아가 채권을 거래할 때의 가격은 해당 기업이 파산할 확률, 가진 자산 및 벌이는 사업의 규모 등에 따라 정해집니다. 예를 들어 삼성전자처럼 파산할 확률이 매우 낮은 기업이 발행한 채권이 파산할 확률이 매우 높은 기업이 발행한 채권에 비해 당연히 더 비싸겠죠? 그 권리를 제대로 누릴 수 있는 가능성이 훨씬 높으니까요.

경제 관련 어휘 하나하나를 아는 것도 중요하지만, 경제 제재의 지문에서는 '개념들 사이의 관계'가 상당히 중요하게 쓰인다는 것도 알아둡시다. 기본적인 배경지식을 갖추는 것 외에도, '관계'에 주목한다는 태도까지 갖추고 계신다면 금상첨화일 거예요. 정보들 사이의 관계를 엮어 가면서, 할 수 있는 한 최대한 '납득'해 보는 것이죠. 예를 들어볼까요?

> 광고가 특정한 상품에 대한 독점적 경쟁 시장을 넘어서 경제와 사회 전반에 영향을 주기도 한다. 개별 광고가 구매자의 내면에 잠재된 필요나 욕구를 환기하여 대상 상품에 대한 소비를 촉진하는 효과가 합쳐지면 경제 전반에 선순환을 기대할 수 있다. 경제에 광고가 없는 상황을 가정할 때와 비교하면 광고는 쓰던 상품을 새 상품으로 대체하고 싶은 소비자의 욕구를 강화하고, 신상품이 인기를 누리는 유행 주기를 단축하여 소비를 증가시킬 수 있다. 촉진된 소비는 생산 활동을 자극한다. 상품의 생산에는 근로자의 노동, 기계나 설비 같은 생산 요소가 들어가므로, 생산 활동이 증가하면 결과적으로 고용이나 투자가 증가한다. 고용 및 투자의 증가는 근로자이거나 투자자인 구매자의 소득을 증가시킬 수 있다. 경제 전반의 소득이 증가할 때 소비가 증가하는 정도를 한계 소비 성향이라고 하는데, 한계 소비 성향은 양(+)의 값이어서, 경제 전반의 소득 수준이 향상되면 소비가 증가하게 된다. -2022학년도 9월 모의평가

이 지문에서 이야기하는 '선순환'은 다음과 같습니다.

광고 → 소비 촉진 → 생산 활동 자극 → 고용 · 투자 증가 → 소득 증가 → 소비 증가 (∵한계 소비 성향=양(+)의 값) → 생산 활동 자극 → ……

이 내용은 여러 경제적 요소 간의 '관계'를 다루고 있는 것인데, 이들이 왜 이런 '관계'를 맺게 되는지 조금만 생각해 보면 어렵지 않게 납득할 수 있는 내용들로 이루어져 있습니다. 광고하면 사고 싶고, 많이 사 주니까 많이 만들고, 많이 만들어야 하니까 돈 많이 쓰고, 기업이 돈 많이 쓰니까 소득 늘고, 소득 늘었으니 더 많이 쓰고... 사실 당연한 내용들이죠?

경제란 결국 '합리적'으로 살기 위한 인간 욕망의 결정체라고도 할 수 있기에, 경제적인 현상은 대부분 합리적으로 생각하면 '당연한' 일들의 연속입니다. 따라서 지문에서 제시하는 개념 및 현상 사이의 '관계'를 납득하며 읽는 태도가 갖춰진다면, 지문을 충분히 이해할 수 있을 겁니다. 물론, 지금까지 연습했던 수많은 독해 태도는 당연히 계속 의식해 주셔야겠죠?

그렇다면 지금까지 정리한 지식들을 잘 이해했는지, 그리고 경제 제재에서 배경지식이 얼마나 큰 위력을 발휘하는지 다음 지문들을 풀어 보며 확인해 봅시다. 배경지식을 활용하는 것은 기본이고, 지금까지 배운 기본적인 독해 태도들도 모두 적극적으로 활용하면서 읽어 보세요.

— (해설 p.262) —

국제법에서 일반적으로 조약은 국가나 국제기구들이 그들 사이에 지켜야 할 구체적인 권리와 의무를 명시적으로 합의하여 창출하는 규범이며, 국제 관습법은 조약 체결과 관계없이 국제 사회 일반이 받아들여 지키고 있는 보편적인 규범이다. 반면에 경제 관련 국제기구에서 어떤 결정을 하였을 경우, 이 결정 사항 자체는 권고적 효력만 있을 뿐 법적 구속력은 없는 것이 일반적이다. 그런데 국제결제은행 산하의 바젤위원회가 결정한 BIS 비율 규제와 같은 것들이 비회원의 국가에서도 엄격히 준수되는 모습을 종종 보게 된다. 이처럼 일종의 규범적 성격이 나타나는 현실을 어떻게 이해할지에 대한 논의가 있다. 이는 위반에 대한 제재를 통해 국제법의 효력을 확보하는 데 주안점을 두는 일반적 경향을 되돌아보게 한다. 곧 신뢰가 형성하는 구속력에 주목하는 것이다.

BIS 비율은 은행의 재무 건전성을 유지하는 데 필요한 최소한의 자기자본 비율을 설정하여 궁극적으로 예금자와 금융 시스템을 보호하기 위해 바젤위원회에서 도입한 것이다. 바젤위원회에서는 BIS 비율이 적어도 규제 비율인 8%는 되어야 한다는 기준을 제시하였다. 이에 대한 식은 다음과 같다.

$$\text{BIS 비율(\%)} = \frac{\text{자기자본}}{\text{위험가중자산}} \times 100 \geq 8(\%)$$

여기서 자기자본은 은행의 기본자본, 보완자본 및 단기후순위 채무의 합으로, 위험가중자산은 보유 자산에 각 자산의 신용 위험에 대한 위험 가중치를 곱한 값들의 합으로 구하였다. 위험 가중치는 자산 유형별 신용 위험을 반영하는 것인데, OECD 국가의 국채는 0%, 회사채는 100%가 획일적으로 부여되었다. 이후 금융 자산의 가격 변동에 따른 시장 위험도 반영해야 한다는 요구가 커지자, 바젤위원회는 위험가중자산을 신용 위험에 따른 부분과 시장 위험에 따른 부분의 합으로 새로 정의하여 BIS 비율을 산출하도록 하였다. 신용 위험의 경우와 달리 시장 위험의 측정 방식은 감독 기관의 승인하에 은행의 선택에 따라 사용할 수 있게 하여 '바젤I' 협약이 1996년에 완성되었다.

금융 혁신의 진전으로 '바젤I' 협약의 한계가 드러나자 2004년에 '바젤II' 협약이 도입되었다. 여기에서 BIS 비율의 위험가중자산은 신용 위험에 대한 위험 가중치에 자산의 유형과 신용도를 모두 ⓐ고려하도록 수정되었다. 신용 위험의 측정 방식은 표준 모형이나 내부 모형 가운데 하나를 은행이 이용할 수 있게 되었다. 표준 모형에서는 OECD 국가의 국채는 0%에서 150%까지, 회사채는 20%에서 150%까지 위험 가중치를 구분하여 신용도가 높을수록 낮게 부과한다. 예를 들어 실제 보유한 회사채가 100억 원인데 신용 위험 가중치가 20%라면 위험가중자산에서 그 회사채는 20억 원으로 계산된다. 내부 모형은 은행이 선택한 위험 측정 방식을 감독 기관의 승인하에 그 은행이 사용할 수 있도록 하는 것이다. 또한 감독 기관은 필요시 위험가중자산에 대한 자기자본의 최저 비율이 ⓑ규제 비율을 초과하도록 자국 은행에 요구할 수 있게 함으로써 자기자본의 경직된 기준을 보완하고자 했다.

최근에는 '바젤III' 협약이 발표되면서 자기자본에서 단기후순위 채무가 제외되었다. 또한 위험가중자산에 대한 기본자본의 비율이 최소 6%가 되게 보완하여 자기자본의 손실 복원력을 강화하였다. 이처럼 새롭게 발표되는 바젤 협약은 이전 협약에 들어 있는 관련 기준을 개정하는 효과가 있다.

바젤 협약은 우리나라를 비롯한 수많은 국가에서 채택하여 제도화하고 있다. 현재 바젤위원회에는 28개국의 금융 당국들이 회원으로 가입되어 있으며, 우리 금융 당국은 2009년에 가입하였다. 하지만 우리나라는 가입하기 훨씬 전부터 BIS 비율을 도입하여 시행하였으며, 현행 법제에도 이것이 반영되어 있다. 바젤 기준을 따름으로써 은행이 믿을 만하다는 징표를 국제 금융 시장에 보여 주어야 했던 것이다. 재무 건전성을 의심받는 은행은 국제 금융 시장에 자리를 잡지 못하거나, 심하면 아예 ⓒ발을 들이지 못할 수도 있다.

바젤위원회에서는 은행 감독 기준을 협의하여 제정한다. 그 헌장에서는 회원들에게 바젤 기준을 자국에 도입할 의무를 부과한다. 하지만 바젤위원회가 초국가적 감독 권한이 없으며 그의 결정도 ⓓ법적 구속력이 없다는 것 또한 밝히고 있다. 바젤 기준은 100개가 넘는 국가가 채택하여 따른다. 이는 국제기구의 결정에 형식적으로 구속을 받지 않는 국가에서까지 자발적으로 받아들여 시행하고 있다는 것인데, 이런 현실을 ㉠말랑말랑한 법(soft law)의 모습이라 설명하기도 한다. 이때 조약이나 국제 관습법은 그에 대비하여 딱딱한 법(hard law)이라 부르게 된다. 바젤 기준도 장래에 ⓔ딱딱하게 응고될지 모른다.

01 윗글의 내용 전개 방식으로 가장 적절한 것은?

① 특정한 국제적 기준의 내용과 그 변화 양상을 서술하며 국제 사회에 작용하는 규범성을 설명하고 있다.

② 특정한 국제적 기준이 제정된 원인을 서술하며 국제 사회의 규범을 감독 권한의 발생 원인에 따라 분류하고 있다.

③ 특정한 국제적 기준의 필요성을 서술하며 국제 사회에 수용되는 규범의 필요성을 상반된 관점에서 논증하고 있다.

④ 특정한 국제적 기준과 관련된 국내법의 특징을 서술하며 국제 사회에 받아들여지는 규범의 장단점을 설명하고 있다.

⑤ 특정한 국제적 기준의 설정 주체가 바뀐 사례를 서술하며 국제 사회에서 규범 설정 주체가 지닌 특징을 분석하고 있다.

02 윗글에서 알 수 있는 내용으로 적절하지 <u>않은</u> 것은?

① 조약은 체결한 국가들에 대하여 권리와 의무를 부과하는 것이 원칙이다.

② 새로운 바젤 협약이 발표되면 기존 바젤 협약에서의 기준이 변경되는 경우가 있다.

③ 딱딱한 법에서는 일반적으로 제재보다는 신뢰로써 법적 구속력을 확보하는 데 주안점이 있다.

④ 국제기구의 결정을 지키지 않을 때 입게 될 불이익은 그 결정이 준수되도록 하는 역할을 한다.

⑤ 세계 각국에서 바젤 기준을 법제화하는 것은 자국 은행의 재무 건전성을 대외적으로 인정받기 위해서이다.

03 BIS 비율에 대한 이해로 가장 적절한 것은?

① 바젤 I 협약에 따르면, 보유하고 있는 회사채의 신용도가 낮아질 경우 BIS 비율은 낮아지는 경향이 있다.

② 바젤 II 협약에 따르면, 각국의 은행들이 준수해야 하는 위험가중자산 대비 자기자본의 최저 비율은 동일하다.

③ 바젤 II 협약에 따르면, 보유하고 있는 OECD 국가의 국채를 매각한 뒤 이를 회사채에 투자한다면 BIS 비율은 항상 높아진다.

④ 바젤II 협약에 따르면, 시장 위험의 경우와 마찬가지로 감독 기관의 승인하에 은행이 선택하여 사용할 수 있는 신용 위험의 측정 방식이 있다.

⑤ 바젤 III 협약에 따르면, 위험가중자산 대비 보완자본이 최소 2%는 되어야 보완된 BIS 비율 규제를 은행이 준수할 수 있다.

04 윗글을 참고할 때, 〈보기〉에 대한 반응으로 적절하지 <u>않은</u> 것은? [3점]

—[보기]—

갑 은행이 어느 해 말에 발표한 자기자본 및 위험 가중자산은 아래 표와 같다. 갑 은행은 OECD 국가의 국채와 회사채만을 자산으로 보유했으며, 바젤 II 협약의 표준 모형에 따라 BIS 비율을 산출하여 공시하였다. 이때 회사채에 반영된 위험 가중치는 50%이다. 그 이외의 자본 및 자산은 모두 무시한다.

항목	자기자본		
	기본자본	보완자본	단기후순위 채무
금액	50억 원	20억 원	40억 원

항목	위험 가중치를 반영하여 산출한 위험가중자산		
	신용 위험에 따른 위험가중자산		시장 위험에 따른 위험가중자산
	국채	회사채	
금액	300억 원	300억 원	400억 원

① 갑 은행이 공시한 BIS 비율은 바젤위원회가 제시한 규제 비율을 상회하겠군.
② 갑 은행이 보유 중인 회사채의 위험 가중치가 20 %였다면 BIS 비율은 공시된 비율보다 높았겠군.
③ 갑 은행이 보유 중인 국채의 실제 규모가 회사채의 실제 규모보다 컸다면 위험 가중치는 국채가 회사채보다 낮았겠군.
④ 갑 은행이 바젤 I 협약의 기준으로 신용 위험에 따른 위험가중자산을 산출한다면 회사채는 600억 원이 되겠군.
⑤ 갑 은행이 위험가중자산의 변동 없이 보완자본을 10억 원 증액한다면 바젤 III 협약에서 보완된 기준을 충족할 수 있겠군.

05 ㉠에 해당하는 사례로 가장 적절한 것은?

① 바젤위원회가 국제 금융 현실에 맞지 않게 된 바젤 기준을 개정한다.
② 바젤위원회가 가입 회원이 없는 국가에 바젤 기준을 준수하도록 요청한다.
③ 바젤위원회 회원의 국가가 준수 의무가 있는 바젤 기준을 실제로는 지키지 않는다.
④ 바젤위원회 회원의 국가가 강제성이 없는 바젤 기준에 대하여 준수 의무를 이행한다.
⑤ 바젤위원회 회원이 없는 국가에서 바젤 기준을 제도화하여 국내에서 효력이 발생하도록 한다.

06 문맥상 ⓐ~ⓔ와 바꿔 쓰기에 적절하지 <u>않은</u> 것은?

① ⓐ: 반영하여 산출하도록
② ⓑ: 8%가 넘도록
③ ⓒ: 바젤위원회에 가입하지
④ ⓓ: 권고적 효력이 있을 뿐이라는
⑤ ⓔ: 조약이나 국제 관습법이 될지

[7~11] 다음 글을 읽고 물음에 답하시오.　　2019.09 [21~25]

──── (해설 p.275)

　　대한민국 정부가 해외에서 발행한 채권의 CDS 프리미엄은 우리가 매체에서 자주 접하는 경제 지표의 하나이다. 이 지표를 이해하기 위해서는 채권의 '신용 위험'과 '신용 파산 스와프(CDS)'의 개념을 살펴볼 필요가 있다.

　　채권은 정부나 기업이 자금을 조달하기 위해 발행하며 그 가격은 채권이 매매되는 채권 시장에서 결정된다. 채권의 발행자는 정해진 날에 일정한 이자와 원금을 투자자에게 지급할 것을 약속한다. 채권을 매입한 투자자는 이를 다시 매도하거나 이자를 받아 수익을 얻는다. 그런데 채권 투자에는 발행자의 지급 능력 부족 등의 사유로 이자와 원금이 지급되지 않을 가능성인 신용 위험이 수반된다. 이에 따라 각국은 채권의 신용 위험을 평가해 신용 등급으로 공시하는 신용 평가 제도를 도입하여 투자자를 보호하고 있다.

　　우리나라의 신용 평가 제도에서는 원화로 이자와 원금의 지급을 약속한 채권 가운데 발행자의 지급 능력이 최상급인 채권에 AAA라는 최고 신용 등급이 부여된다. 원금과 이자가 지급되지 않아 부도가 난 채권에는 D라는 최저 신용 등급이 주어진다. 그 외의 채권은 신용 위험이 커지는 순서에 따라 AA, A, BBB, BB 등 점차 낮아지는 등급 범주로 평가된다. 이들 각 등급 범주 내에서도 신용 위험의 상대적인 크고 작음에 따라 각각 ' - '나 ' + '를 붙이거나 하여 각 범주가 세 단계의 신용 등급으로 세분되는 경우가 있다. 채권의 신용 등급은 신용 위험의 변동에 따라 조정될 수 있다. 다른 조건이 일정한 가운데 신용 위험이 커지면 채권 시장에서 해당 채권의 가격이 ⓐ떨어진다.

　　CDS는 채권 투자자들이 신용 위험을 피하려는 목적으로 활용하는 파생 금융 상품이다. CDS 거래는 '보장 매입자'와 '보장 매도자' 사이에서 이루어진다. 여기서 '보장'이란 신용 위험으로부터의 보호를 뜻한다. 보장 매도자는, 보장 매입자가 보유한 채권에서 부도가 나면 이에 따른 손실을 보상하는 역할을 한다. CDS 거래를 통해 채권의 신용 위험은 보장 매입자로부터 보장 매도자로 이전된다. CDS 거래에서 신용 위험의 이전이 일어나는 대상 자산을 '기초 자산'이라 한다.

[A]　가령 은행 ㉠갑은, 기업 ㉡을이 발행한 채권을 매입하면서 그것의 신용 위험을 피하기 위해 보험 회사 ㉢병과 CDS 계약을 체결할 수 있다. 이때 기초 자산은 을이 발행한 채권이다.

　　보장 매도자는 기초 자산의 신용 위험을 부담하는 것에 대한 보상으로 보장 매입자로부터 일종의 보험료를 받는데, 이것의 요율이 CDS 프리미엄이다. CDS 프리미엄은 기초 자산의 신용 위험이나 보장 매도자의 유사시 지급 능력과 같은 여러 요인의 영향을 받는다. 다른 요인이 동일한 경우, ㉣기초 자산의 신용 위험이 크면 CDS 프리미엄도 크다. 한편 ㉤보장 매도자의 지급 능력이 우수할수록 보장 매입자는 유사시 손실을 보다 확실히 보전받을 수 있으므로 보다 큰 CDS 프리미엄을 기꺼이 지불하는 경향이 있다. 만약 보장 매도자가 발행한 채권이 있다면, 그 신용 등급으로 보장 매도자의 지급 능력을 판단할 수 있다. 이에 따라 다른 요인이 동일한 경우, 보장 매도자가 발행한 채권의 신용 등급이 높으면 CDS 프리미엄은 크다.

07 윗글의 내용과 일치하지 <u>않는</u> 것은?

① 정부는 자금을 조달하기 위해 채권을 발행한다.
② 채권 발행자의 지급 능력이 커지면 신용 위험은 커진다.
③ 신용 평가 제도는 채권을 매입한 투자자를 보호하는 장치이다.
④ 다른 조건이 일정한 경우, 어떤 채권의 신용 등급이 낮아지면 해당 채권의 가격은 하락한다.
⑤ 채권 발행자는 일정한 이자와 원금의 지급을 약속하지만, 채권에는 그 약속이 지켜지지 않을 위험이 수반된다.

08 [A]의 ㉠~㉢에 대한 이해로 가장 적절한 것은?

① ㉠은 기초 자산을 보유하지 않는다.
② ㉠은 기초 자산에 부도가 나면 손실을 보상하는 역할을 한다.
③ ㉡은 신용 위험을 기피하는 채권 투자자이다.
④ ㉢은 신용 위험을 부담하는 보장 매도자이다.
⑤ ㉢은 기초 자산에 부도가 나야만 이득을 본다.

09 〈보기〉의 ㉮~㉲ 중 CDS 프리미엄이 두 번째로 큰 것은?

[보기]

윗글의 ㉣과 ㉤을 기준으로 서로 다른 CDS 거래 ㉮~㉲를 비교하여 CDS 프리미엄의 크기에 순서를 매길 수 있다. (단, 기초 자산의 발행자와 보장 매도자는 한국 기업이며, ㉮~㉲에서 제시된 조건 외에 다른 조건은 동일하다.)

CDS 거래	기초 자산의 신용 등급	보장 매도자 발행 채권의 신용 등급
㉮	BB+	AAA
㉯	BB+	AA-
㉰	BBB-	A-
㉱	BBB-	AA-
㉲	BBB-	A+

① ㉮ ② ㉯ ③ ㉰
④ ㉱ ⑤ ㉲

10 윗글을 바탕으로 〈보기〉를 이해한 내용으로 가장 적절한 것은? [3점]

[보기]

X가 2015년 12월 31일에 이자와 원금의 지급이 완료되는 채권 Bx를 2011년 1월 1일에 발행했다. 발행 즉시 Bx 전량을 매입한 Y는 Bx를 기초 자산으로 하는 CDS 계약을 Z와 체결하고 보장 매입자가 되었다. 계약 체결 당시 Bx의 신용 등급은 A-, Z가 발행한 채권의 신용 등급은 AAA였다. 2011년 9월 17일, X의 재무 상황 악화로 Bx의 신용 위험에 대한 우려가 발생하였다. 2012년 12월 30일, X의 지급 능력이 2011년 8월 시점보다 개선되었다. 2013년 9월에는 Z가 발행한 채권의 신용 등급이 AA+로 변경되었다. 2013년 10월 2일, Bx의 CDS 프리미엄은 100bp*였다. (단, X, Y, Z는 모두 한국 기업이며 신용 등급은 매월 말일에 변경될 수 있다. 이 CDS 계약은 2015년 12월 31일까지 매월 1일에 갱신되며 CDS 프리미엄은 매월 1일에 변경될 수 있다. 제시된 것 외에 다른 요인에는 변화가 없다.)

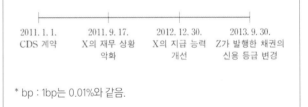

| 2011. 1. 1. CDS 계약 | 2011. 9. 17. X의 재무 상황 악화 | 2012. 12. 30. X의 지급 능력 개선 | 2013. 9. 30. Z가 발행한 채권의 신용 등급 변경 |

* bp : 1bp는 0.01%와 같음.

① 2011년 1월에는 Bx에 대한 CDS 계약으로 X가 신용 위험을 부담하게 되었겠군.
② 2011년 11월에는 Bx의 신용 등급이 A-보다 높았겠군.
③ 2013년 1월에는 Bx의 신용 위험으로 Z가 손실을 입을 가능성이 2011년 10월보다 작아졌겠군.
④ 2013년 3월에는 Bx에 대한 CDS 프리미엄이 100bp보다 작았겠군.
⑤ 2013년 4월에는 Bx의 신용 등급이 BB-보다 낮았겠군.

11 문맥상 ⓐ의 의미와 가장 가까운 의미로 쓰인 것은?

① 오늘 아침에는 기온이 영하로 떨어졌다.
② 과자 한 봉지를 팔면 내게 100원이 떨어진다.
③ 더위를 먹었는지 입맛이 떨어지고 기운이 없다.
④ 신발이 떨어져서 걸을 때마다 빗물이 스며든다.
⑤ 선생님 말씀이 떨어지자마자 모두 자리에 앉았다.

─── (해설 p.283) ───

채권은 사업에 필요한 자금을 조달하기 위해 발행하는 유가증권으로, 국채나 회사채 등 발행 주체에 따라 그 종류가 다양하다. 채권의 액면 금액, 액면 이자율, 만기일 등의 지급 조건은 채권 발행 시 정해지며, 채권 소유자는 매입 후에 정기적으로 이자액을 받고, 만기일에는 마지막 이자액과 액면 금액을 지급받는다. 이때 이자액은 액면 이자율을 액면 금액에 곱한 것으로 대개 연 단위로 지급된다. 채권은 만기일 전에 거래되기도 하는데, 이때 채권 가격은 현재 가치, 만기, 지급 불능 위험 등 여러 요인에 따라 결정된다.

채권 투자자는 정기적으로 받게 될 이자액과 액면 금액을 각각 현재 시점에서 평가한 값들의 합계인 채권의 현재 가치에서 채권의 매입 가격을 뺀 순수익의 크기를 따진다. 채권 보유로 미래에 받을 수 있는 금액을 현재 가치로 환산하여 평가할 때는 금리를 반영한다. 가령 금리가 연 10%이고, 내년에 지급받게 될 금액이 110원이라면, 110원의 현재 가치는 100원이다. 즉 금리는 현재 가치에 반대 방향으로 영향을 준다. 따라서 금리가 상승하면 채권의 현재 가치가 하락하게 되고 이에 따라 채권의 가격도 하락하게 되는 결과로 이어진다. 이처럼 수시로 변동되는 시중 금리는 현재 가치의 평가 구조상 채권 가격의 변동에 영향을 주는 요인이 된다.

채권의 매입 시점부터 만기일까지의 기간인 만기도 채권의 가격에 영향을 준다. 일반적으로 다른 지급 조건이 동일하다면 만기가 긴 채권일수록 가격은 금리 변화에 더 민감하므로 가격 변동의 위험이 크다. 채권은 발행된 이후에는 만기가 점점 짧아지므로 ㉠만기일이 다가올수록 채권 가격은 금리 변화에 덜 민감해진다. 따라서 투자자들은 만기가 긴 채권일수록 높은 순수익을 기대하므로 액면 이자율이 더 높은 채권을 선호한다.

또 액면 금액과 이자액을 약정된 일자에 지급할 수 없는 지급 불능 위험도 채권 가격에 영향을 준다. 예를 들어 채권을 발행한 기업의 경영 환경이 악화될 경우, 그 기업은 지급 능력이 떨어질 수 있다. 이런 채권에 투자하는 사람들은 위험을 감수해야 하므로 이에 대한 보상을 요구하게 되고, 이에 따라 채권 가격은 상대적으로 낮게 형성된다.

한편 채권은 서로 대체가 가능한 금융 자산의 하나이기 때문에, 다른 자산 시장의 상황에 따라 가격에 영향을 받기도 한다. 가령 주식 시장이 호황이어서 ㉡주식

투자를 통한 수익이 커지면 상대적으로 채권에 대한 수요가 줄어 채권 가격이 하락할 수도 있다.

12 윗글의 설명 방식으로 적절하지 <u>않은</u> 것은?

① 채권 가격을 결정하는 데 영향을 미치는 요인을 몇 가지로 나누어 설명하고 있다.
② 채권의 지급 불능 위험과 채권 가격 간의 관계를 설명하기 위해 예를 들고 있다.
③ 유사한 원리를 보이는 현상에 빗대어 채권의 특성을 설명하고 있다.
④ 금리가 채권 가격에 미치는 영향을 인과적으로 설명하고 있다.
⑤ 채권의 의미를 밝히고 그 종류를 들고 있다.

13 윗글로 미루어 알 수 있는 것은?

① 채권이 발행될 때 정해지는 액면 금액은 채권의 현재 가치에서 이자액을 뺀 것이다.
② 채권의 순수익은 정기적으로 지급될 이자액을 합산하여 현재 가치로 환산한 값이다.
③ 다른 지급 조건이 같다면 채권의 액면 이자율이 높을수록 채권 가격은 하락한다.
④ 지급 불능 위험이 커진 채권을 매입하려는 투자자는 높은 순수익을 기대한다.
⑤ 일반적으로 지급 불능 위험이 낮으면 상대적으로 액면 이자율이 높다.

14 〈보기〉의 A는 어떤 채권의 가격과 금리 간의 관계를 나타낸 그래프이다. 윗글의 ㉠과 ㉡에 따른 A의 변화 결과를 바르게 예측한 것은?

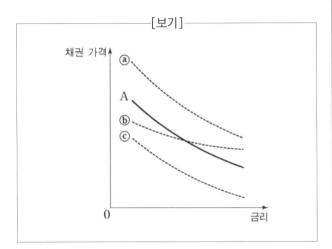

	㉠	㉡
①	ⓐ	ⓒ
②	ⓑ	ⓐ
③	ⓑ	ⓒ
④	ⓒ	ⓐ
⑤	ⓒ	ⓑ

– 돈의 흐름

지금까지 경제 제재의 지문을 읽을 때 꼭 알아야 하는 개념들을 정리하고, 관련된 지문까지 풀어봤습니다. 이제부터는 조금 더 깊게 들어갑시다. 우리가 늘 중요하게 생각하는 '돈', 이 '돈'은 도대체 어떤 흐름으로 우리의 삶을 지배하는 것일까요? 먼저 다음 지문을 보면서 시작해 봅시다. 뒤에서 다시 만날 지문이긴 한데, 해당 지문 내용에 있어 핵심적인 내용은 아니니 간단하게 확인해 봅시다.

> 예금주들이 예금을 인출하려는 요구에 대응하기 위해 은행이 예금의 일부만을 지급준비금으로 보유하는 부분준비제도는 현대 은행 시스템의 본질적 측면이다.　　　　　　　　　　　　　　　　　　　－2017학년도 LEET언어이해

'부분준비제도'라는 개념이 소개되고 있습니다. 단어의 의미 그대로, 은행이 예금을 '부분'적으로 '준비'해야 하는 '제도'를 말해요. 은행은 기본적으로 많은 사람들에게 돈을 모으고 그 돈을 바탕으로 여러 사업을 벌이는데, 이때 사람들이 은행을 믿고 맡긴 돈을 '예금'이라고 합니다. 그리고 위의 지문에서 이야기하는 것처럼, 은행은 반드시 그 '예금'의 일부를 '지급준비금'으로 보유해야 합니다. 만약 내가 은행에 100만 원을 맡겼는데, 급하게 50만 원이 필요해서 돈을 달라고 했더니 지금 은행에 돈이 한 푼도 없다고 하면 굉장히 곤란하겠죠? 이러한 상황을 방지하기 위해 '예금'의 일부는 '지급'을 '준비'하는 '금'액으로 보유해야 하는 것입니다. 모든 사람들이 한 번에 예금한 돈을 다 돌려달라고 하는 일은 거의 없으니, 모든 금액을 남길 필요는 없는 것이죠. 한편 예금 중에서 '지급준비금'의 비율을 '지급준비율'이라고 부릅니다. 참고로 우리나라의 지급준비율은 2023년 10월 기준 7%이고, 미국의 지급준비율은 무려 0%입니다. 누군가가 1억을 예금하면 우리나라는 그중에서 700만 원만 남기면 되고, 미국은 애초에 남길 필요도 없는 것이에요.

그렇다면, 은행은 '지급준비금'을 제외한 나머지 예금들을 이렇게 많이 남겨서 도대체 어디에 쓰는 것일까요? 그에 대한 답이 이미 평가원 기출문제에 제시되어 있었습니다.

> 은행의 핵심 업무는 여유 자금이 있는 사람들로부터 예금을 유치해 자금이 필요한 사람들에게 대출하는 일이다. 은행은 이 과정에서 대출과 예금의 금리 차이를 통해 수익을 얻으며, 국민 경제 차원에서 자금을 효율적으로 배분하는 사회적 역할도 수행한다.　　　　　　　　　　　　　　　　　　　－2008학년도 9월 모의평가

마지막 부분, '자금을 효율적으로 배분하는 사회적 역할'이라는 말도 보이죠? 앞에서 배웠던 내용이니 이제는 잘 보일 겁니다.

아무튼, 이 지문에 따르면 은행의 핵심 업무가 '예금'을 유치한 뒤 자금이 필요한 사람들에게 '대출'하는 일이라고 합니다. 은행은 '지급준비금'을 제외한 나머지 '예금'들을 가지고 여러 사업을 벌이는데, 그 사업 중 가장 중요한 것이 바로 '대출'이에요. 그런데 은행은 '대출과 예금의 금리 차이'를 통해 수익을 얻는다고 합니다. 이를 '예대마진'(예금 금리와 대출 금리 사이의 margin)이라고도 부르는데, '예대마진'은 은행의 입장에서 가장 중요한 수입원이라고 할 수 있습니다. 그렇다면 앞에서 배운 '금리'는 어떤 식으로 은행의 수입에 큰 영향을 미치는 것일까요? 이 역시 과거 기출문제에서 답을 주고 있습니다.

이때 '이자율'이 '금리'와 같은 말이라고 보시면 됩니다. 그런데, 저축과 대출을 통한 자본의 '공급과 수요에 의해 결정되는 값'이라는 말이 보입니다. 앞에서 배웠던 내용이네요! '공급과 수요에 의해 결정되는 값'은 바로 '가격'이었습니다. 즉, '금리'(=이자율)라는 개념은 '자본'이라는 재화에 대한 '공급과 수요'에 의해 결정되는 '가격'으로도 정의할 수 있는 것이죠. '자본' 시장에서의 수요-공급 곡선을 그렸을 때 세로축을 '가격'이라고 한다면, 가로축이 '저축량'일 때의 수요자는 은행들이고 공급자는 예금주들이 될 것입니다. 한편 가로축을 '대출량'으로 하면, 수요자는 대출을 받고자 하는 사람들일 것이고 공급자는 은행이 되겠죠. 여기서 그래프를 그려 주지 않는 건, 여러분 스스로 그려 보면서 이해하라는 의도예요. 잘 따라오고 있죠? 우리는 나중에 후자의 그래프(가로축이 '대출량')를 가지고 '금리'에 대해서 더 깊게 이해해 볼 겁니다.

은행의 '예대마진'은 결국 자본을 사 와서(예금) 다시 되파는(대출) 과정에서 발생하는 것입니다. 은행도 식당·편의점 등 일반적인 사업체와 같은 방식으로 돈을 버는 것이에요. 식자재나 물건을 싸게 사서 비싸게 파는 것처럼, 돈을 싸게 사서 비싸게 파는 사업을 벌이는 곳이 바로 은행인 것입니다. 그리고 이렇게 자본을 사 오고 되팔 때, 당연히 그에 맞는 '가격'을 치러야 하는데, 이 '가격'이 바로 '금리(이자율)'인 것입니다. 따라서 '예금 금리'는 늘 '대출 금리'보다 낮을 수밖에 없어요. 은행도 돈을 벌어야 하니까요.

나아가, 일반적으로 '지급준비율'은 10% 이하로 낮게 형성되기 때문에 예금의 90%가량이 대출 재원으로 쓰일 수 있습니다. 즉, 여러분이 은행에 100,000원을 예금하면, 누군가는 그중에서 90,000원 정도를 대출받을 수 있다는 것입니다. 그런데 재미있는 것은, 누군가가 여러분의 100,000원으로부터 만들어진 90,000원을 대출받는다고 해서 여러분의 100,000원이 사라지는 것은 아닙니다. 즉, 이때의 90,000원은 '세상에 존재하지 않던 돈'이라고 할 수 있는 거예요. 나아가 이 90,000원을 빌린 사람이 기업의 사장이라고 치면, 이로부터 창출된 이윤의 일부를 직원들에게 나눠 주는 식으로 90,000원이 나눠지고, 그중 일부는 다시 은행에 예금이 되고, 또 그중에서 '지급준비금'을 제외한 금액은 대출되는 식의 구조가 만들어집니다. 여러분의 100,000원이 세상에 존재하지 않던 어마어마한 양의 돈을 만들어내는 꼴입니다. 우리나라처럼 지급준비율이 7%인 경우, 최초 예금액의 10배 이상의 돈이 만들어지는 것으로 알려져 있어요. 지급준비율이 0%인 미국의 경우에는 상상도 할 수 없을 만큼 많은 돈이 만들어진다고 할 수 있겠죠?

이것이 바로 앞에서 이야기했던, '통화량'이 계속해서 늘고 '물가'가 오를 수밖에 없는 가장 결정적인 이유입니다. 조폐공사에서는 현금을 찍어내고, 은행에서는 대출을 통해 '통화량'을 늘리고 있으니 '통화량'과 '물가'는 떨어질 수가 없는 것이죠.

그렇다면 이러한 '금리'는 경제 전반에 어떤 영향을 미칠까요? 지금부터는 앞에서 이야기한 수많은 개념들이 등장합니다. 그와 동시에 가장 중요한 부분에 해당하니 집중하고 읽어주세요! 완벽하게 이해하고 넘어가셔야 합니다. 일단 앞에서 이야기했듯이, 은행은 '대출'이라는 상품을 많이 팔아야 살아남는 기업입니다. 이 내용을 확실하게 이해하고 계셔야 합니다. 은행과 일반 국민들의 심리에 따라 많은 것들이 변하게 되니까요. 자세히 알아볼까요?

여러 가지 이유로 '통화량'이 증가한 상황을 생각해 봅시다. '통화량'의 증가는 '금리'(=이자율)의 하락을 낳을 것입니다. 왜일까요? '통화량'이 증가하여 시중에 돈이 많다는 것은 '대출'에 대한 수요량이 줄어든 상황이라고 할 수 있습니다. 그냥 자기가 가진 돈을 쓰면 되니까요. 하지만 은행 입장에서는, '대출'을 늘려야만 돈을 벌 수 있습니다. 이를 위해 '금리=이자율'을 낮추는 방법까지 사용할 수 있겠죠. '대출 금리'는 '대출이라는 상품에 대한 가격'인데, 상품이 잘 안 팔리면 가격을 낮춰 수요량을 높이는 건 앞에서 본 '수요-공급 곡선'에 의해 당연한 일이니까요.

그런데 이렇게 '금리'가 하락한 뒤 시간이 흐르면, 대출에 대한 수요량이 점점 증가하게 됩니다. '금리', 즉 '대출이라는 상품의 가격'이 낮으니까요! 돈을 많이 빌려도 이자를 조금만 낼 수 있으니, '대출'이라는 상품이 매력적이게 되는 것이죠. 대출 증가는 곧 '신용 공급'이라고도 할 수 있는데, (빌리는 사람의 '신용'이 시장에 공급된다는 의미예요. 대출을 받기 위해 자신이 가진 '신용'을 내놓는다는 식으로 이해하시면 됩니다.) 이런 '신용 공급'의 증가는 '소비의 증가' 및 '투자 활성화'라는 결과를 낳습니다. 시중에 통화량이 증가된 상태여서 기본적으로 자기가 가진 돈도 많은데, 싼 가격에 대출도 받았으니 돈이 충분한 상태가 되는 거죠. 그럼 먹고 싶은 것, 입고 싶은 것에 많은 돈을 '소비'하게 될 것이고 나아가 남은 돈으로 주식, 부동산 등의 자산에 '투자'도 할 수 있겠네요.

이렇게 전반적으로 소비·투자가 활성화되면 물가 상승률이 오르게 됩니다. 치킨 같은 음식부터 건물 같은 부동산까지 무언가 사려는 사람들이 많아지고 그것을 살 능력이 충분하기 때문에, 즉 '수요' 자체가 증가하기 때문에 전반적인 가격이 상승하는 '경제 성장'이 일어나는 것입니다. 사람들의 활발한 경제 활동으로 인해 일어나는 이런 일들은 곧 경기가 '활성화'되는 과정으로 해석할 수 있습니다. 이를 정리하면 아래와 같아요.

통화량 ↑ → 금리 = 이자율 ↓ → 대출(신용 공급) ↑ → 소비·투자 ↑ → 물가 상승률 ↑, 경기 활성화

반대의 상황에서는 반대의 일이 일어난다고 이해하면 되겠죠? 시중에 통화량이 적으면 돈이 없는 사람들이 대출을 위해 은행을 많이 찾게 될 것이고, 많은 수요자들이 모였으니 은행은 대출의 가격, 즉 '금리'를 높일 수 있는 것이죠. 이는 대출에 대한 진입장벽을 높여 전반적인 소비와 투자를 감소시키고, 줄어든 수요는 가격 수준의 전반적인 하락을 낳으며 (물론 실제로 '하락'하는 건 아니고, 상승폭이 둔화되는 것이겠죠?) 경기를 침체기로 이끌어가는 겁니다. 충분히 납득할 수 있으리라 생각해요.

그런데 지금까지 다룬 '금리'는 '시장 금리'를 의미합니다. 단어의 의미를 살리면, '시장'에서 정해지는 '금리'라고 할 수 있겠죠? 대출을 받으려는 사람들과 은행 사이의 '시장'에서 결정되는 금리라는 뜻입니다. 한편 우리나라의 한국은행과 같은 '중앙은행'에서는 '기준 금리'(정책 금리)라는 것을 정해요. 단어의 의미 그대로, '기준'이 되는 금리이자 '정책'적으로 정한 금리라는 뜻입니다. 이는 중앙은행이 시장에 참여할 때 적용하는 금리인데, 중앙은행이 정한 '기준 금리' 수준으로 '시장 금리'도 수렴되는 것이 일반적이에요. '기준 금리'를 정하면서 시장도 그 금리에 따를 수밖에 없도록 여러 가지 조치를 취하기 때문이죠.

중앙은행은 이러한 성질을 이용해 경기의 추세를 조정하려 합니다. 경기가 지나치게 과열되어 있으면 기준 금리를 올려 시장 금리의 상승과 그에 따른 효과(경기 안정)를 기대하고, 경기가 지나치게 침체되어 있으면 기준 금리를 내려 시장 금리의 하락과 그에 따른 효과(경기 부양)를 기대하는 것이죠. 참고로 2021년 10월 기준 대한민국의 기준 금리는 0.75%, 미국의 기준 금리는 0.25%로 아주 낮은 수준을 유지하고 있었어요. 이는 코로나로 인한 경기 침체 상황을 극복하기 위한 적극적인 경기 부양책이었습니다. 하지만 시간이 흘러 2023년 10월, 단 2년만에 대한민국의 기준 금리는 3.5%, 미국의 기준 금리는 5.5%가 되었습니다. 짧은 시간 동안 급격한 기준 금리 인상이 있었던 것인데, 이는 오래도록 지속된 저금리 기조가 오히려 경기를 지나치게 과열시키고 주식·부동산 등의 자산 시장의 거품을 키웠기 때문이에요. 기준 금리를 올려 경기를 안정화시키려는 노력인 것이죠. 만약 시간이 흘러 경기가 오히려 지나치게 침체되는 결과가 나타난다면, 각국은 다시 한번 기준 금리를 낮춰 경기를 부양시키려고 할 것입니다. 실제로 2024년 11월 기준 대한민국의 기준 금리는 3.25%, 미국의 기준 금리는 4.75%로 다시 낮아지는 추세를 보이고 있어요. 이런 추세가 나타나게 된 배경에 대해서도 이제 충분히 이해하실 수 있을 겁니다.

중앙은행은 이처럼 '기준 금리'를 바탕으로 '통화량'이나 '이자율'을 조절하는 역할을 합니다. 이를 '통화 정책'이라고 불러요. 이러한 '통화 정책'의 목표는 결국 '물가 안정'입니다. 앞에서 계속 설명했듯이, '물가 안정'은 물가를 낮춘다는 개념이 아니라, '물가 상승률'을 적절하게 유지한다는 의미입니다. 물가가 낮아지는 건 오히려 경제가 쇠퇴하고 있다는 의미이기에 결코 좋은 것이 아니에요. 국민들의 삶의 질을 위해서, 나아가 경제가 꾸준하게 성장할 수 있도록 물가가 적절한 수준에서 '안정'되게 상승하게끔 하는 것이 중앙은행의 목표인 것입니다.

이러한 메커니즘은 수능 국어 경제 지문에서 상당히 많이 활용됩니다. 외우는 게 아니에요! 확실하게 '이해'하고 '납득'하도록 합시다. 스스로 찾아보고, 질문하고 하면서 말이죠. 아래 빈 공간에 '경기가 침체된 상황에서 중앙은행은 어떤 정책을 펼칠 것이고, 이는 어떤 결과를 가져올 것인가?'에 대한 답을 작성해봅시다. '기준 금리'를 어떻게 할 것인가에서 시작해서 쭉 써 보세요. 정답은 앞의 내용에 다 제시되어 있을 겁니다.

조금 정리가 되었다면, 이번에도 이와 같은 지식을 바탕으로 관련 지문들을 풀어봅시다. 앞에서 배운 기본적인 어휘들도 모두 살린 채로 읽을 수 있어야 해요. 지겹도록 강조하지만, 지금까지 배운 독해 태도들도 절대 잊어서는 안 될 것이구요!

—————— (해설 p.291)

통화 정책은 중앙은행이 물가 안정과 같은 경제적 목적의 달성을 위해 이자율이나 통화량을 조절하는 것이다. 대표적인 통화 정책 수단인 '공개 시장 운영'은 중앙은행이 민간 금융기관을 상대로 채권을 매매해 금융 시장의 이자율을 정책적으로 결정한 기준 금리 수준으로 접근시키는 것이다. 중앙은행이 채권을 매수하면 이자율은 하락하고, 채권을 매도하면 이자율은 상승한다. 이자율이 하락하면 소비와 투자가 확대되어 경기가 활성화되고 물가 상승률이 오르며, 이자율이 상승하면 경기가 위축되고 물가 상승률이 떨어진다. 이와 같이 공개 시장 운영의 영향은 경제 전반에 ⓐ파급된다.

중앙은행의 통화 정책이 의도한 효과를 얻기 위한 요건 중에는 '선제성'과 '정책 신뢰성'이 있다. 먼저 통화 정책이 선제적이라는 것은 중앙은행이 경제 변동을 예측해 이에 미리 대처한다는 것이다. 기준 금리를 결정하고 공개 시장 운영을 실시하여 그 효과가 실제로 나타날 때까지는 시차가 발생하는데 이를 '정책 외부 시차'라 하며, 이 때문에 선제성이 문제가 된다. 예를 들어 중앙은행이 경기 침체 국면에 들어서야 비로소 기준 금리를 인하한다면, 정책 외부 시차로 인해 경제가 스스로 침체 국면을 벗어난 다음에야 정책 효과가 ⓑ발현될 수도 있다. 이 경우 경기 과열과 같은 부작용이 ⓒ수반될 수 있다. 따라서 중앙은행은 통화 정책을 선제적으로 운용하는 것이 바람직하다.

또한 통화 정책은 민간의 신뢰가 없이는 성공을 거둘 수 없다. 따라서 중앙은행은 정책 신뢰성이 손상되지 않게 ⓓ유의해야 한다. 그런데 어떻게 통화 정책이 민간의 신뢰를 얻을 수 있는지에 대해서는 견해 차이가 있다. 경제학자 프리드먼은 중앙은행이 특정한 정책 목표나 운용 방식을 '준칙'으로 삼아 민간에 약속하고 어떤 상황에서도 이를 지키는 ㉠'준칙주의'를 주장한다. 가령 중앙은행이 물가 상승률 목표치를 민간에 약속했다고 하자. 민간이 이 약속을 신뢰하면 물가 불안 심리가 진정된다. 그런데 물가가 일단 안정되고 나면 중앙은행으로서는 이제 경기를 ⓔ부양하는 것도 고려해 볼 수 있다. 문제는 민간이 이 비일관성을 인지하면 중앙은행에 대한 신뢰가 훼손된다는 점이다. 준칙주의자들은 이런 경우에 중앙은행이 애초의 약속을 일관되게 지키는 편이 바람직하다고 주장한다.

그러나 민간이 사후적인 결과만으로는 중앙은행이 준칙을 지키려했는지 판단하기 어렵고, 중앙은행에 준칙

을 지킬 것을 강제할 수 없는 것도 사실이다. 준칙주의와 대비되는 ㉡'재량주의'에서는 경제 여건 변화에 따른 신축적인 정책 대응을 지지하며 준칙주의의 엄격한 실천은 현실적으로 어렵다고 본다. 아울러 준칙주의가 최선인지에 대해서도 물음을 던진다. 예상보다 큰 경제 변동이 있으면 사전에 정해 둔 준칙이 장애물이 될 수 있기 때문이다. 정책 신뢰성은 중요하지만, 이를 위해 중앙은행이 반드시 준칙에 얽매일 필요는 없다는 것이다.

15 윗글에서 사용한 설명 방식에 해당하지 <u>않는</u> 것은?

① 통화 정책의 목적을 유형별로 나누어 제시하고 있다.

② 통화 정책에서 선제적 대응의 필요성을 예를 들어 설명하고 있다.

③ 공개 시장 운영이 경제 전반에 영향을 미치는 과정을 인과적으로 설명하고 있다.

④ 관련된 주요 용어의 정의를 바탕으로 통화 정책의 대표적인 수단을 설명하고 있다.

⑤ 통화 정책의 신뢰성 확보를 위해 준칙을 지켜야 하는지에 대한 두 견해의 차이를 드러내고 있다.

16 윗글을 바탕으로 〈보기〉를 이해할 때 '경제학자 병'이 제안한 내용으로 가장 적절한 것은? [3점]

[보기]

어떤 가상의 경제에서 20○○년 1월 1일부터 9월 30일까지 3개 분기 동안 중앙은행의 기준 금리가 4%로 유지되는 가운데 다양한 물가 변동 요인의 영향으로 물가 상승률은 아래 표와 같이 나타났다. 단, 각 분기의 물가 변동 요인은 서로 관련이 없다고 한다.

기간	1/1~3/31	4/1~6/30	7/1~9/30
	1분기	2분기	3분기
물가 상승률	2%	3%	3%

경제학자 병은 1월 1일에 위 표의 내용을 예측할 수 있었고 국민들의 생활 안정을 위해 물가 상승률을 매 분기 2%로 유지해야 한다고 주장하였다. 이를 위해 다음 사항을 고려한 선제적 통화 정책을 제안했으나 받아들여지지 않았다.

[경제학자 병의 고려 사항]

기준 금리가 4%로부터 1.5%p*만큼 변하면 물가 상승률은 위 표의 각 분기 값을 기준으로 1%p만큼 달라지며, 기준 금리 조정과 공개 시장 운영은 1월 1일과 4월 1일에 수행된다. 정책 외부 시차는 1개 분기이며 기준 금리 조정에 따른 물가상승률 변동 효과는 1개 분기 동안 지속된다.

* %p는 퍼센트 간의 차이를 말한다. 예를 들어 1%에서 2%로 변화하면 이는 1%p 상승한 것이다.

① 중앙은행은 기준 금리를 1월 1일에 2.5%로 인하하고 4월 1일에도 이를 2.5%로 유지해야 한다.
② 중앙은행은 기준 금리를 1월 1일에 2.5%로 인하하고 4월 1일에는 이를 4%로 인상해야 한다.
③ 중앙은행은 기준 금리를 1월 1일에 4%로 유지하고 4월 1일에는 이를 5.5%로 인상해야 한다.
④ 중앙은행은 기준 금리를 1월 1일에 5.5%로 인상하고 4월 1일에는 이를 4%로 인하해야 한다.
⑤ 중앙은행은 기준 금리를 1월 1일에 5.5%로 인상하고 4월 1일에도 이를 5.5%로 유지해야 한다.

17 윗글의 ㉠과 ㉡에 대한 설명으로 가장 적절한 것은?

① ㉠에서는 중앙은행이 정책 운용에 관한 준칙을 지키느라 경제 변동에 신축적인 대응을 못해도 이를 바람직하다고 본다.
② ㉡에서는 중앙은행이 스스로 정한 준칙을 지키는 것은 얼마든지 가능하다고 본다.
③ ㉠에서는 ㉡과 달리, 정책 운용에 관한 준칙을 지키지 않아도 민간의 신뢰를 확보할 수 있다고 본다.
④ ㉡에서는 ㉠과 달리, 통화 정책에서 민간의 신뢰 확보를 중요하게 여기지 않는다.
⑤ ㉡에서는 ㉠과 달리, 경제 상황 변화에 대한 통화 정책의 탄력적 대응이 효과적이지 않다고 본다.

18 ⓐ~ⓔ의 문맥적 의미를 활용하여 만든 문장으로 적절하지 않은 것은?

① ⓐ: 그의 노력으로 소비자 운동이 전국적으로 파급되었다.
② ⓑ: 의병 활동은 민중의 애국 애족 의식이 발현한 것이다.
③ ⓒ: 이 질병은 구토와 두통 증상을 수반하는 경우가 많다.
④ ⓓ: 기온과 습도가 높은 요즘 건강관리에 유의해야 한다.
⑤ ⓔ: 장남인 그가 늙으신 부모와 어린 동생들을 부양하고 있다.

[19~23] 다음 글을 읽고 물음에 답하시오.   2020.06 [27~31]

———— (해설 p.297) ————

전통적인 통화 정책은 정책 금리를 활용하여 물가를 안정시키고 경제 안정을 도모하는 것을 목표로 한다. 중앙은행은 경기가 과열되었을 때 정책 금리 인상을 통해 경기를 진정시키고자 한다. 정책 금리 인상으로 시장 금리도 높아지면 가계 및 기업에 대한 대출 감소로 신용 공급이 축소된다. 신용 공급의 축소는 경제 내 수요를 줄여 물가를 안정시키고 경기를 진정시킨다. 반면 경기가 침체되었을 때는 반대의 과정을 통해 경기를 부양시키고자 한다.

금융을 통화 정책의 전달 경로로만 보는 전통적인 경제학에서는 금융감독 정책이 개별 금융 회사의 건전성 확보를 통해 금융 안정을 달성하고자 하는 ㉠미시 건전성 정책에 집중해야 한다고 보았다. 이러한 관점은 금융이 직접적인 생산 수단이 아니므로 단기적일 때와는 달리 장기적으로는 경제 성장에 영향을 미치지 못한다는 인식과, 자산 시장에서는 가격이 본질적 가치를 초과하여 폭등하는 버블이 존재하지 않는다는 효율적 시장 가설에 기인한다. 미시 건전성 정책은 개별 금융 회사의 건전성에 대한 예방적 규제 성격을 가진 정책 수단을 활용하는데, 그 예로는 향후 손실에 대비하여 금융 회사의 자기자본 하한을 설정하는 최저 자기자본 규제를 들 수 있다.

이처럼 전통적인 경제학에서는 금융감독 정책을 통해 금융 안정을, 통화 정책을 통해 물가 안정을 달성할 수 있다고 보는 이원적인 접근 방식이 지배적인 견해였다. 그러나 글로벌 금융 위기 이후 금융 시스템이 와해되어 경제 불안이 확산되면서 기존의 접근 방식에 대한 자성이 일어났다. 이 당시 경기 부양을 목적으로 한 중앙은행의 저금리 정책이 자산 가격 버블에 따른 금융 불안을 야기하여 경제 안정이 훼손될 수 있다는 데 공감대가 형성되었다. 또한 금융 회사가 대형화되면서 개별 금융 회사의 부실이 금융 시스템의 붕괴를 야기할 수 있게 됨에 따라 금융 회사 규모가 금융 안정의 새로운 위험 요인으로 등장하였다. 이에 기존의 정책으로는 금융 안정을 확보할 수 없고, 경제 안정을 위해서는 물가 안정뿐만 아니라 금융 안정도 필수적인 요건임이 밝혀졌다. 그 결과 미시 건전성 정책에 ㉡거시 건전성 정책이 추가된 금융감독 정책과 물가 안정을 위한 통화 정책 간의 상호 보완을 통해 경제 안정을 달성해야 한다는 견해가 주류를

형성하게 되었다.

거시 건전성이란 개별 금융 회사 차원이 아니라 금융 시스템 차원의 위기 가능성이 낮아 건전한 상태를 말하고, 거시 건전성 정책은 금융 시스템의 건전성을 추구하는 규제 및 감독 등을 포괄하는 활동을 의미한다. 이때, 거시 건전성 정책은 미시 건전성이 거시 건전성을 담보할 수 있는 충분조건이 되지 못한다는 '구성의 오류'에 논리적 기반을 두고 있다. 거시 건전성 정책은 금융 시스템 위험 요인에 대한 예방적 규제를 통해 금융 시스템의 건전성을 추구한다는 점에서, 미시 건전성 정책과는 차별화된다.

거시 건전성 정책의 목표를 효과적으로 달성하기 위해서는 경기 변동과 금융 시스템 위험 요인 간의 상관관계를 감안한 정책 수단의 도입이 필요하다. 금융 시스템 위험 요인은 경기 순응성을 가진다. 즉 경기가 호황일 때는 금융 회사들이 대출을 늘려 신용 공급을 팽창시킴에 따라 자산 가격이 급등하고, 이는 다시 경기를 더 과열시키는 반면 불황일 때는 그 반대의 상황이 일어난다. 이를 완화할 수 있는 정책 수단으로는 경기 대응 완충자본 제도를 ⓐ들 수 있다. 이 제도는 정책 당국이 경기 과열기에 금융 회사로 하여금 최저 자기자본에 추가적인 자기자본, 즉 완충자본을 쌓도록 하여 과도한 신용 팽창을 억제시킨다. 한편 적립된 완충자본은 경기 침체기에 대출 재원으로 쓰도록 함으로써 신용이 충분히 공급되도록 한다.

19 윗글을 통해 알 수 있는 것은?

① 글로벌 금융 위기 이전에는, 금융이 단기적으로 경제 성장에 영향을 미치지 못한다고 보았다.

② 글로벌 금융 위기 이전에는, 개별 금융 회사가 건전하다고 해서 금융 안정이 달성되는 것은 아니라고 보았다.

③ 글로벌 금융 위기 이전에는, 경기 침체기에는 통화 정책과 더불어 금융감독 정책을 통해 경기를 부양시켜야 한다고 보았다.

④ 글로벌 금융 위기 이후에는, 정책 금리 인하가 경제 안정을 훼손하는 요인이 될 수 있다고 보았다.

⑤ 글로벌 금융 위기 이후에는, 경기 변동이 자산 가격 변동을 유발하나 자산 가격 변동은 경기 변동을 유발하지 않는다고 보았다.

20 ㉠과 ㉡에 대한 설명으로 적절하지 <u>않은</u> 것은?

① ㉠에서는 물가 안정을 위한 정책 수단과는 별개의 정책 수단을 통해 금융 안정을 달성하고자 한다.

② ㉡에서는 신용 공급의 경기 순응성을 완화시키는 정책 수단이 필요하다.

③ ㉠은 ㉡과 달리 예방적 규제 성격의 정책 수단을 사용하여 금융 안정을 달성하고자 한다.

④ ㉡은 ㉠과 달리 금융 시스템 위험 요인을 감독하는 정책 수단을 사용한다.

⑤ ㉠과 ㉡은 모두 금융 안정을 달성하기 위해 금융 회사의 자기자본을 이용한 정책 수단을 사용한다.

21 윗글을 바탕으로 할 때, 〈보기〉의 A~D에 들어갈 말을 바르게 짝지은 것은?

─────[보기]─────

미시 건전성 정책과 거시 건전성 정책 간에는 정책 수단 운용에서 입장 차이가 존재한다. 경기가 (A)일 때 (B) 건전성 정책에서는 완충자본을 (C)하도록 하고, (D) 건전성 정책에서는 최소 수준 이상의 자기자본을 유지하도록 하여 개별 금융 회사의 건전성을 확보하려 한다.

	A	B	C	D
①	불황	거시	사용	미시
②	호황	거시	사용	미시
③	불황	거시	적립	미시
④	호황	미시	적립	거시
⑤	불황	미시	사용	거시

22 윗글과 〈보기〉에 대한 이해로 적절하지 <u>않은</u> 것은? [3점]

─────[보기]─────

현실에서의 통화 정책 효과는 경기에 대해 비대칭적인 것으로 알려져 있다. 통화 정책은 경기 과열을 억제하는 데는 효과적이지만 경기 침체를 벗어나는 데는 효과가 미미하기 때문이다. 경기 침체를 극복하기 위해 중앙은행의 정책 금리 인하로 은행이 대출을 늘려 신용 공급을 확대하려 해도, 가계의 소비 심리가 위축되었거나 기업이 투자할 대상이 마땅치 않을 경우 전통적인 통화 정책에서 기대되는 효과는 나타나지 않게 된다. 오히려 확대된 신용 공급이 주식이나 부동산 등 자산 시장으로 과도하게 유입되어 의도치 않은 문제를 일으킬 수 있다.

경제학자들은 경제 주체들이 경기 상황에 대해 비대칭적으로 반응하기 때문에 나타나는 이러한 현상을 '끈 밀어올리기(pushing on a string)'라고 부른다. 이는 끈을 당겨서 아래로 내리는 것은 쉽지만, 밀어서 위로 올리는 것은 어렵다는 것에 빗댄 것이다.

① '끈 밀어올리기'를 통해 경기 침체기에 자산 가격 버블이 발생하는 경우를 설명할 수 있겠군.

② 현실에서 경기가 침체되었을 경우 정책 금리 인하에 따른 경기 부양 효과는 경제 주체의 심리에 따라 달라질 수 있겠군.

③ '끈 밀어올리기'가 있을 경우 경기 침체기에 금융 안정을 달성하려면 경기 대응 완충자본 제도의 도입이 필요하겠군.

④ 통화 정책 효과가 경기에 대해 비대칭적이라면 경기 침체기에는 정책 금리 조정 이외의 방안을 도입할 필요가 있겠군.

⑤ 통화 정책 효과가 경기에 대해 비대칭적이라면 정책 금리 인상은 신용 공급을 축소시킴으로써 경기를 진정시킬 수 있겠군.

23 문맥상 의미가 ⓐ와 가장 가까운 것은?

① 나는 그 사람에게 친근감이 <u>든다</u>.

② 그는 목격자의 진술을 증거로 <u>들고</u> 있다.

③ 그분은 이미 대가의 경지에 <u>든</u> 학자이다.

④ 하반기에 <u>들자</u> 수출이 서서히 증가하기 시작했다.

⑤ 젊은 부부는 집을 마련하기 위해 적금을 <u>들기로</u> 했다.

[24~26] 다음 글을 읽고 물음에 답하시오.　2019 LEET [16~18]

──────── (해설 p.307)

경제 이론은 경제 주체들의 행동에 관한 예측을 시도하는데, 현실에서 관찰되는 사람들의 행동이 이론에서의 예측과 다르게 나타나는 경우도 적지 않다. 경제학은 이들 '이상 현상'을 분석하고 토론하는 과정에서 발전했는데, 최근 이 흐름은 사람들의 행동에 관한 ㉠전통적 경제학의 가정을 문제 삼는 ㉡행동경제학에 의해 주도되었다.

전통적 경제학과 행동경제학의 차이가 본격적으로 확인되는 대표적 영역이 저축과 소비에 관련한 분야이다. 전통적 경제학에서는 사람들이 자신에게 무엇이 최선인지를 잘 알면서 전 생애 차원에서 최적의 소비 계획을 세우고 불굴의 의지로 실행한다고 가정한다. 이들은 또한 돈에는 사용 범위를 제한하는 꼬리표 같은 것이 붙어 있지 않아 전용(轉用)이 가능하다고 가정하며, 이러한 '전용 가능성'이 자유롭고 유연한 선택을 촉진함으로써 후생을 높여 준다고도 믿는다. 전통적 경제학은 이러한 인식을 근거로 사람들이 일생 동안 소비 수준을 비교적 고르게 유지할 것이며 소득의 경우 나이가 들면서 점점 증가하다가 퇴직 후 급속히 감소하는 패턴을 보인다는 점에 착안해, 연령에 따른 소비 패턴은 연령에 따른 소득 패턴과 독립적으로 유지될 것이라고 예측했다. 그러나 사람들의 연령에 따른 실제 소비 패턴은 연령에 따른 소득 패턴과 상당히 유사하게 나타났다. 전통적 경제학에서는 이러한 이상 현상을 '유동성 제약' 개념을 통해 해명했다. 즉 금융 시장이 완전치 않아 미래 소득이나 보유 자산 등을 담보로 현재 소비에 충분한 유동성을 조달하는 데 제약이 존재하므로, 소비 수준이 이론의 예측에 비해 낮다는 것이다.

행동경제학에서는 청년 시절과 노년 시절의 소비가 예측보다 적은 것은 외부 환경의 제약에 따른 어쩔 수 없는 행동이 아니라 자발적 선택의 결과물이라며, 이를 '심적 회계'에 의해 설명한다. 사람들은 현금, 보통 예금, 저축 예금, 주택 등 각종 자산을 마음 속 별개의 계정에 배치하고 그 사용에도 상이한 원리를 적용한다는 것이다. 자산의 피라미드 중 맨 아래층에는 지출이 가장 용이한 형태인 현금이 있는데, 이는 대부분 지출에 사용된다. 많은 이들은 급전이 필요할 경우 저축 예금이 있는

데도 연리 20%가 넘는 신용카드 현금 대출 서비스를 받아 해결한다. 금융적으로 바람직한 방법은 예금을 인출해 지출을 하는 것임에도, 높은 금리로 돈을 빌리고 낮은 금리로 저축을 하는 비합리적 행동을 하는 것이다. 마음속 가장 신성한 계정에는 퇴직 연금이나 주택과 같이 노후 대비용 자산들이 놓여 있는데, 이들은 최악의 사태가 발생하지 않는 한 마지막까지 인출이 유보되는 자산들이다. 심적 회계가 이런 방식으로 작동하는 경우 자산의 전용 가능성은 현저히 떨어지며, 특정 연도에 행하는 소비는 일생 동안의 소득 총액뿐 아니라 그 소득을 낳는 자산들이 마음속 어느 계정에 있는가에 따라서도 달라진다.

행동경제학에 따르면, 사람들은 자신에게 무엇이 최선인지 잘 알고 전 생애에 걸친 최적의 소비 계획을 세우지만, 미래보다 현재를 더 선호하고 유혹에 빠지기 쉽다. 사람들은 자신과 가족의 장기적 안전을 지키기 위해 행동을 제약하기 위한 속박 장치를 마음속에 만들어 내는데, 이러한 자기 통제 기제가 바로 심적 회계이다. 심적 회계의 측면에서 본다면, 전통적 경제학이 주목했던 유동성 제약은 장기적으로 자신에게 불리한 지출 행위를 사전에 차단하기 위한 자발적 선택의 결과로 이해될 수 있다. 심적 회계가 당장의 유혹을 억누르고 현재의 지출을 미래로 미루는 행위, 곧 저축을 스스로 강제하는 기제라면, 퇴직 연금이나 국민 연금 제도는 이런 기제가 사회적 차원에서 구현된 것이다.

24 윗글의 내용과 일치하지 않는 것은?

① 이상 현상에 대한 분석은 경제학을 발전시키는 자양분으로 작용했다.

② 퇴직 연금 제도는 개인의 심적 회계가 사회적 차원으로 확장된 것이다.

③ 저축은 현재의 소비를 미룸으로써 미래의 지출 능력을 높이려는 행위이다.

④ 심적 회계는 미래보다 현재를 중시하는 본능을 억제하려는 자기 통제 기제이다.

⑤ 자산 피라미드의 하층부에 있는 자산일수록 인출을 하지 않으려는 계정에 배치된다.

25 ㉠과 ㉡을 비교한 내용으로 가장 적절한 것은?

① ㉠과 ㉡에서는 사람들이 유혹에 취약한 존재라고 여기다는 점에서 의견을 같이할 것이다.

② ㉠에서는 연령대별 소비의 특성을 자발적 선택으로 이해하고, ㉡에서는 그 특성을 외부적 제약 요인에서 찾을 것이다.

③ ㉠에서는 유동성 제약의 원인을 금융 시장의 불완전성에서 찾고, ㉡에서는 그 원인을 개인의 심리적 요인에서 찾을 것이다.

④ ㉠에서는 ㉡에서와 달리 유동성 제약이 심화되면 소비가 자유롭고 원활하게 행해진다고 볼 것이다.

⑤ ㉠과 ㉡에서는 모두 급전이 필요한 상황에서 신용카드 현금 대출 서비스를 받는 대신 저축 예금을 인출하는 선택이 금융적으로 바람직한 방법이라는 것을 부정적으로 판단할 것이다.

26 윗글을 바탕으로 〈보기〉를 설명한 내용으로 적절하지 <u>않은</u> 것은?

[보기]

A 국가에서는 1980년대 후반에 세법을 개정하여, 세금 공제 대상을 줄였다. 자동차·카드·주택 등 여러 영역에서 허용되던 공제 대상을 주택 담보 대출로 제한함으로써 주택 소유의 확대를 유도했다. 은행들은 주택가액과 기존 담보 대출액의 차액을 담보로 한 2차 대출 상품을 내놓는 방식으로 이에 대응하였다. 그 결과 다양한 대출 상품들이 생겨나고 주택 가격 거품이 부풀어 오름에 따라 주택을 최후의 보루로 삼던 사회적 규범이 결국 붕괴했고 노인 가구들도 2차 주택 담보 대출을 받는 상황이 초래되었다. 또한 주택 가격 상승에 따른 미실현 이익을 향유하며 지출을 늘리는 가구가 늘어나면서 경제의 불안정성은 커졌고 마침내 20여 년 후 금융 위기 사태가 발발했다. 그 결과 가계의 소득 감소와 소비 위축 등으로 경기 침체가 나타났다.

① 1980년대 후반의 새로운 조세 정책이 촉진한 새로운 대출 상품에 대한 A 국가 국민들의 대응으로 볼 때, 주택 자산이 전통적으로 지니던 '마음속 가장 신성한 계정'으로서의 성격이 약화되었겠군.

② 정부 정책과 금융 관행의 변화가 야기한 위기로 볼 때, 금융 위기 이후의 A 국가는 주택 소유자들이 '유동성 제약'을 완화하게끔 '심적 회계'의 작동 방식을 바꾸도록 유도하는 정책을 필요로 했겠군.

③ '자산의 전용 가능성' 제고가 경제의 불안정성 심화로 이어졌던 것으로 볼 때, A 국가에서 '자발적 선택 가능성'의 확대는 장기적으로 경제 활동을 위축시키는 부정적 결과를 낳았다고 평가할 수 있겠군.

④ 부동산 거품 현상으로 초래된 '사회적 규범'의 변화로 볼 때, 금융 위기 이전의 은행들은 주택을 저축이 아닌 소비 확대의 수단으로 바꾸도록 유도함으로써 A 국가 국민들이 장래를 대비할 여력을 약화시켰겠군.

⑤ 현재 소득이 없는 경제 주체들도 2차 주택 담보 대출 상품을 통해 추가적인 지출을 했던 것으로 볼 때, 전통적 경제학에서는 '소비 패턴은 연령에 따른 소득 패턴과 독립적으로 유지'되리라는 예측이 실현되었다고 여겼겠군.

(해설 p.315)

과거에 일어난 금융위기에 대해 많은 연구가 진행되었어도 그 원인에 대해 의견이 모아지지 않는 경우가 대부분이다. 이것은 금융위기가 여러 차원의 현상이 복잡하게 얽혀 발생하는 문제이기 때문이기도 하지만, 사람들의 행동이나 금융 시스템의 작동 방식을 이해하는 시각이 다양하기 때문이기도 하다. 은행위기를 중심으로 금융위기에 관한 주요 시각을 다음과 같은 네 가지로 분류할 수 있다. 이들이 서로 배타적인 것은 아니지만 주로 어떤 시각에 기초해서 금융위기를 이해하는가에 따라 그 원인과 대책에 대한 의견이 달라진다고 할 수 있다.

우선, 은행의 지불능력이 취약하다고 많은 예금주들이 예상하게 되면 실제로 은행의 지불능력이 취약해지는 현상, 즉 ㉠'자기 실현적 예상'이라 불리는 현상을 강조하는 시각이 있다. 예금주들이 예금을 인출하려는 요구에 대응하기 위해 은행이 예금의 일부만을 지급준비금으로 보유하는 부분준비제도는 현대 은행 시스템의 본질적 측면이다. 이 제도에서는 은행의 지불능력이 변화하지 않더라도 예금주들의 예상이 바뀌면 예금 인출이 쇄도하는 사태가 일어날 수 있다. 예금은 만기가 없고 선착순으로 지급하는 독특한 성격의 채무이기 때문에, 지불능력이 취약해져서 은행이 예금을 지급하지 못할 것이라고 예상하게 된 사람이라면 남보다 먼저 예금을 인출하는 것이 합리적이기 때문이다. 이처럼 예금 인출이 쇄도하는 상황에서 예금 인출 요구를 충족시키려면 은행들은 현금 보유량을 늘려야 한다. 이를 위해 은행들이 앞다투어 채권이나 주식, 부동산과 같은 자산을 매각하려고 하면 자산 가격이 하락하게 되므로 은행들의 지불능력이 실제로 낮아진다.

둘째, ㉡은행의 과도한 위험 추구를 강조하는 시각이 있다. 주식회사에서 주주들은 회사의 모든 부채를 상환하고 남은 자산의 가치에 대한 청구권을 갖는 존재이고 통상적으로 유한책임을 진다. 따라서 회사의 자산 가치가 부채액보다 더 커질수록 주주에게 돌아올 이익도 커지지만, 회사가 파산할 경우에 주주의 손실은 그 회사의 주식에 투자한 금액으로 제한된다. 이러한 ⓐ비대칭적인 이익 구조로 인해 수익에 대해서는 민감하지만 위험에 대해서는 둔감하게 된 주주들은 고위험 고수익 사업을 선호하게 된다. 결과적으로 주주들이 더 높은 수익을 얻기 위해 감수해야 하는 위험을 채권자에게 전가하는 것인데, 자기자본비율이 낮을수록 이러한 동기는 더욱 강해진다. 은행과 같은 금융 중개 기관들은 대부분 부채

비율이 매우 높은 주식회사 형태를 띤다.

셋째, ㉢은행가의 은행 약탈을 강조하는 시각이 있다. 전통적인 경제 이론에서는 은행의 부실을 과도한 위험 추구의 결과로 이해해왔다. 하지만 최근에는 은행가들에 의한 은행 약탈의 결과로 은행이 부실해진다는 인식도 강해지고 있다. 과도한 위험 추구는 은행의 수익률을 높이려는 목적으로 은행의 재무 상태를 악화시킬 위험이 큰 행위를 은행가가 선택하는 것이다. 이에 비해 은행 약탈은 은행가가 자신에게 돌아올 이익을 추구하여 은행에 손실을 초래하는 행위를 선택하는 것이다. 예를 들어 은행가들이 자신이 지배하는 은행으로부터 남보다 유리한 조건으로 대출을 받는다거나, 장기적으로 은행에 손실을 초래할 것을 알면서도 자신의 성과급을 높이기 위해 단기적인 성과만을 추구하는 행위 등은, 지배 주주나 고위 경영자의 지위를 가진 은행가가 은행에 대한 지배력을 사적인 이익을 위해 사용한다는 의미에서 약탈이라고 할 수 있다.

넷째, ㉣이상 과열을 강조하는 시각이 있다. 위의 세 가지 시각과 달리 이 시각은 경제 주체의 행동이 항상 합리적으로 이루어지는 것은 아니라는 관찰에 기초하고 있다. 예컨대 많은 사람들이 자산 가격이 일정 기간 상승하면 앞으로도 계속 상승할 것이라 예상하고, 일정 기간 하락하면 앞으로도 계속 하락할 것이라 예상하는 경향을 보인다. 이 경우 자산 가격 상승은 부채의 증가를 낳고 이는 다시 자산 가격의 더 큰 상승을 낳는다. 이러한 상승작용으로 인해 거품이 커지는 과정은 경제 주체들의 부채가 과도하게 늘어나 금융 시스템을 취약하게 만들게 되므로, 거품이 터져 금융 시스템이 붕괴하고 금융위기가 일어날 현실적 조건을 강화시킨다.

27 ㉠~㉣에 대한 설명으로 적절하지 <u>않은</u> 것은?

① ㉠은 은행 시스템의 제도적 취약성을 바탕으로 나타나는 예금주들의 행동에 주목하여 금융위기를 설명한다.

② ㉡은 경영자들이 예금주들의 이익보다 주주들의 이익을 우선한다는 전제 하에 금융위기를 설명한다.

③ ㉢은 은행의 일부 구성원들의 이익 추구가 은행을 부실하게 만들 가능성에 기초하여 금융위기를 이해한다.

④ ㉣은 경제 주체의 행동에 대한 귀납적 접근에 기초하여 금융위기를 이해한다.

⑤ ㉠과 ㉣은 모두 경제 주체들의 예상이 그대로 실현된 결과가 금융위기라고 본다.

28 ⓐ와 관련한 설명으로 적절하지 <u>않은</u> 것은?

① 파산한 회사의 자산 가치가 부채액에 못 미칠 경우에 주주들이 져야 할 책임은 한정되어 있다.

② 회사의 자산 가치에서 부채액을 뺀 값이 0보다 클 경우에, 그 값은 원칙적으로 주주의 몫이 된다.

③ 회사가 자산을 다 팔아도 부채를 다 갚지 못할 경우에, 얼마나 많이 못 갚는지는 주주들의 이해와 무관하다.

④ 주주들이 선호하는 고위험 고수익 사업은 성공한다면 회사가 큰 수익을 얻지만, 실패한다면 회사가 큰 손실을 입을 가능성이 높다.

⑤ 주주들이 고위험 고수익 사업을 선호하는 것은, 이런 사업이 회사의 자산 가치와 부채액 사이의 차이가 줄어들 가능성을 높이기 때문이다.

29 윗글에 제시된 네 가지 시각으로 〈보기〉의 사례를 평가할 때 가장 적절한 것은?

────[보기]────

　1980년대 후반에 A국에서 장기 주택담보 대출에 전문화한 은행인 저축대부조합들이 대량 파산하였다. 이 사태와 관련하여 다음과 같은 사실들이 주목받았다.

○ 1970년대 이후 석유 가격 상승으로 인해 부동산 가격이 많이 오른 지역에서 저축대부조합들의 파산이 가장 많았다.

○ 부동산 가격의 상승을 보고 앞으로도 자산 가격의 상승이 지속될 것을 예상하고 빚을 얻어 자산을 구입하는 경제 주체들이 늘어났다.

○ A국의 정부는 투자 상황을 낙관하여 저축대부조합이 고위험채권에 투자할 수 있도록 규제를 완화하였다.

○ 예금주들이 주인이 되는 상호회사 형태였던 저축대부조합들 중 다수가 1980년대에 주식회사 형태로 전환하였다.

○ 파산 전에 저축대부조합의 대주주와 경영자들에 대한 보상이 대폭 확대되었다.

① ㉠은 위험을 감수하고 고위험채권에 투자한 정도와 고위 경영자들에게 성과급 형태로 보상을 지급한 정도가 비례했다는 점을 들어, 은행의 고위 경영자들을 비판할 것이다.

② ㉡은 부동산 가격 상승에 대한 기대 때문에 예금주들이 책임질 수 없을 정도로 빚을 늘려 은행이 위기에 빠진 점을 들어, 예금주의 과도한 위험 추구 행태를 비판할 것이다.

③ ㉢은 저축대부조합들이 주식회사로 전환한 점을 들어, 고위험채권 투자를 감행한 결정이 궁극적으로 예금주의 이익을 더욱 증가시켰다고 은행을 옹호할 것이다.

④ ㉢은 저축대부조합이 정부의 규제 완화를 틈타 고위험채권에 투자하는 공격적인 경영을 한 점을 들어, 저축대부조합들의 행태를 용인한 예금주들을 비판할 것이다.

⑤ ㉣은 차입을 늘린 투자자들, 고위험채권에 투자한 저축대부조합들, 규제를 완화한 정부 모두 낙관적인 투자 상황이 지속될 것이라고 예상한 점을 들어, 그 경제 주체 모두를 비판할 것이다.

30 ㉠~㉣에 따른 금융위기 대책에 대한 설명으로 적절하지 <u>않은</u> 것은?

① 은행이 파산하는 경우에도 예금 지급을 보장하는 예금 보험 제도는 ㉠에 따른 대책이다.

② 일정 금액 이상의 고액 예금은 예금 보험 제도의 보장 대상에서 제외하는 정책은 ㉠에 따른 대책이다.

③ 은행들로 하여금 자기자본비율을 일정 수준 이상으로 유지하도록 하는 건전성 규제는 ㉡에 따른 대책이다.

④ 금융 감독 기관이 은행 대주주의 특수 관계인들의 금융 거래에 대해 공시 의무를 강조하는 정책은 ㉢에 따른 대책이다.

⑤ 주택 가격이 상승하여 서민들의 주택 구입이 어려워질 때 담보 가치 대비 대출 한도 비율을 줄이는 정책은 ㉣에 따른 대책이다.

– 환율과 무역

이번엔 '환율'에 대해서 알아보도록 합시다. 그리고 이 '환율'이 '무역'에 어떻게 영향을 미치는지에 대해서 알아보도록 해요.

일단, '환율'의 사전적 정의는 '자국 화폐와 외국 화폐의 교환 비율'입니다. 말이 조금 어렵죠? 이를 조금 더 쉽게 정의하면, '외국 화폐에 대한 자*국 화폐의 환율'은 '자국 화폐로 살 수 있는 외국 화폐의 가격'이라고 할 수 있습니다. 즉, '달러화에 대한 원화의 환율'이 1 : 1,300이라고 한다면, 1,300원이라는 원화(자국 화폐)를 가지고 1달러(외국 화폐)를 살 수 있는 것이죠.

다시, '환율'은 자국 화폐로 살 수 있는 외국 화폐의 '가격'입니다. 이번에도 '가격'이네요. 결국 '환율' 역시 수요-공급에 따라 결정되는 값이었던 것입니다. 물론 과거에는 '고정환율제'가 도입되어 수요-공급과 무관하게 결정되는 값이었지만, 지금은 대부분의 나라가 '변동환율제'를 택하고 있어 일반적인 재화처럼 수요-공급에 따라 결정되고 있습니다. 예를 들어, 만약 우리나라의 '기준 금리'가 높아졌다고 해 봅시다. 이는 외국인의 입장에서 우리나라에 투자하는 경우 더 큰 수익을 낼 수 있다는 의미가 됩니다. (왜 그런지는 계속 공부하시다보면 자연스럽게 알게 되실 겁니다.) 따라서 많은 외국인이 우리나라에 투자하게 되고, 이때 외국인들이 가지고 있던 달러화를 원화로 바꾸어 투자할 것이기 때문에 우리나라에 많은 달러가 '공급'되는 효과가 나타납니다. 이렇게 '공급' 자체가 증가하게 되면 '균형 가격', 여기서는 '환율'이 낮아지는 일이 발생하는 것이에요. 반대로 미국 같은 강대국의 '기준 금리'가 높아진다면 달러가 유출될 것이고, 우리나라의 달러 '공급' 자체가 적어지면서 '환율'이 높아지기도 하겠죠? 이러한 '금리' 외에도, 여러 가지 요소들이 외국 화폐에 대한 수요-공급에 영향을 주고 '환율'을 변동시키게 됩니다.

이렇게 '환율'(특수한 환율에 대해서 언급하는 경우를 제외하고는, 일반적으로 달러화에 대한 원화의 환율을 의미한다고 생각하시면 됩니다.)이 오른다는 것은, 우리나라를 기준으로 했을 때 '달러화'라는 상품의 '가격'이 오른다는 것과 같은 말입니다. 우리는 앞에서 '가격'이 오른다는 것은 '화폐 가치'가 떨어진다는 것과 같은 말임을 배웠어요. 따라서 '환율'이라는 '가격'이 오른다는 것은 달러화에 비해 '원화의 가치'가 상대적으로 떨어진 상황을 의미한다는 것도 생각할 수 있겠습니다. 반대로 원화에 비해 '달러화의 가치'는 상대적으로 오른 상황이라고도 할 수 있는 것이죠. 조금 헷갈릴 수 있지만, '환율=가격'이라는 포인트에 맞추어 천천히 이해해보시면 충분히 납득할 수 있을 것입니다. '환율'과 관련된 개념은 아무리 준비를 잘해도 현장에서 또 헷갈릴 수밖에 없으니, 여러 번 반복해서 납득해보며 익숙해지셔야 합니다.

현실에서 일어나고 있는 일을 바탕으로 예를 들어봅시다. 다음은 2023년 7월 13일부터 11월 3일까지 약 3.5개월의 기간 동안 실제로 일어났던 원화-달러화-엔화 사이의 환율 변동입니다.

원-달러 환율(달러화에 대한 원화의 환율) – 1달러 : 1,270원 → 1달러 : 1,312원
엔-달러 환율(달러화에 대한 엔화의 환율) – 1달러 : 138엔 → 1달러 : 149엔
원-엔 환율(엔화에 대한 원화의 환율) – 100엔 : 918원 → 100엔 : 877원

앞의 내용을 잘 이해하셨다면, 이러한 변화가 의미하는 바를 이해할 수 있어야 합니다. 일단 '원-달러 환율'과 '엔-달러 환율'이 상승한 모습입니다. 이는 달러화에 비해 상대적으로 원화·엔화의 화폐 가치가 하락한 상황임을 의미한다고 할 수 있습니다. 그런데 '원-엔 환율'은 하락한 모습입니다. 이는 원화와 엔화가 동시에 가치가 하락하는 가운데 엔화의 가치 하락이 훨씬 컸던 결과(='엔-달러 환율'의 상승폭이 '원-달러 환율'의 상승폭보다 훨씬 컸던 결과)라고 할 수 있겠네요. 반면에 달러화는 원화 및 엔화에 비해 가치가 크게 상승한 모습인 것이구요. 어렵지 않게 이해할 수 있겠죠? 이렇게 '환율'과 '화폐 가치'의 관계를 자유자재로 다룰 수 있어야 해요.

여기서 한 단계만 더 나아가봅시다. 아직 이 정도까지는 기출되지 않았지만, 경제 제재의 지문이 어려워지면 얼마든지 또 출제될 수 있으니 이해해보도록 해요. 지금까지 배운 내용으로 다 이해할 수 있습니다!

다시 앞의 상황을 가져오겠습니다. 원화 및 달러화에 비해 상대적으로 엔화의 가치가 크게 하락한 상황이기 때문에, 한국인이나 미국인들은 자국의 통화를 가지고 더 많은 엔화를 얻을 수 있습니다. 쉽게 생각해서, 2023년 7월에는 일본 여행을 위해 100,000엔을 준비하려면 918,000원이 필요했는데, 2023년 11월에는 877,000원만 준비해도 되는 것이죠. 이에 더 많은 한국인이나 미국인들은 엔화로 환전을 하게 되고, 이는 일본의 입장에서는 마치 통화량 증가의 효과가 생기는 것이나 마찬가지가 됩니다. 엔화로 환전하는 사람들이 많아지면(통화량이 늘어나면), 그들은 엔화를 가지고 일본 내에서 소비를 하거나 일본의 부동산 등 자산에 투자하게 됩니다. 이로 인해 일본에서는 외국인들에 의한 경기 활성화가 일어날 수 있는 것이죠. 현실에서도 엔화의 가치가 계속해서 떨어지면서, 일본 여행이 늘고 도쿄 집값이 크게 상승하는 등 전형적인 '통화량 증가'에 따른 현상이 일어났었습니다. '기준 금리'를 조절하는 것 외에, '환율'의 변동 역시 '물가 안정'이라는 중앙은행의 목표에 영향을 미칠 수 있는 거예요.

조금 어렵기는 하지만, 앞의 내용을 잘 학습한 학생들이라면 충분히 이해할 수 있을 것입니다. 이 정도를 이해할 수 있는 학생이라면 경제 상황과 관련된 뉴스를 이해하는 것도 어렵지 않을 거예요.

이처럼 '환율'은 여러 가지 방면에서 영향력을 발휘합니다. 특히 '무역'에도 큰 영향을 미쳐요. '무역'과 관련되어서 가장 중요한 개념은 '경상 수지'(수출액-수입액)라고 할 수 있는데, '환율'은 '경상 수지'에 영향을 미치거든요. '경상 수지'는 쉽게 말해서 한 나라가 무역을 통해 본 이득을 의미하는데, 당연히 얼마나 비싸게 수출하고 싸게 수입해 오는지에 영향을 받지만 오직 '환율'의 변동만으로도 영향을 받을 수 있어요.

'달러화에 대한 원화의 환율'이 상승한 경우를 생각해 보겠습니다. 이 경우, 우리나라의 수출이 증가하고 수입이 감소하여 경상 수지가 개선됩니다. 왜 그런 것일까요? 예를 들어 '달러화에 대한 원화의 환율'이 1,000원에서 2,000원으로 올랐다고 합시다. 과거에는 미국에서 1달러에 파는 젤리를 우리나라에서 사려면 1,000원만 지불하면 됐었는데, 이제는 2,000원을 내야 합니다. 그럼 우리는 당연히 더 저렴한 국내산 젤리를 사려고 하겠죠. 이렇게 상대적으로 가격이 비싸진 수입품에 대한 수요량이 줄어들게 되면서 수입액도 덩달아 줄어드는 것이죠. 나아가 '환율'이라는 '가격'의 상승으로 인해 수입을 하기 위한 '달러화'의 수요량이 줄어들게 됩니다. 즉, 수입을 하는 기업의 수입 활동이 위축될 수밖에 없기 때문에, 수입액은 더더욱 줄어드는 것이에요.

한편 원래 2달러에 팔던 2,000원짜리 우리나라 젤리는, 이제 미국에서 1달러에 팔아도 됩니다. 그럼 미국 사람들의 입장에서는 저렴해진 우리나라 젤리에 대한 수요가 증가할 것입니다. 이런 현상은 수출액 자체를 늘리는 효과를 낳게 되겠네요. 심지어 '환율'이라는 '가격'이 상승했기 때문에 '달러화'에 대한 공급량이 늘어나게 되는데, 이는 곧 수출 기업이 수출을 더 적극적으로 하려는 동기로 나타날 것입니다. 이는 수출액을 더더욱 늘어나게 하겠네요. 이처럼 '환율'의 증가로 인해 수출액은 늘고, 수입액은 줄었으니 '경상 수지'는 개선된다고 할 수 있겠습니다. '달러화에 대한 원화의 환율'이 낮아지는 상황은 이와 반대로 생각하면 어렵지 않게 이해할 수 있겠죠?

이처럼 '환율'의 상승은 일반적으로 '경상 수지'를 개선하지만, 그렇지 않은 예외적인 경우도 있습니다. 그리고 이것을 설명하고 있는 기출 지문이 아래의 지문이에요.

> 일반적으로 환율의 상승은 경상 수지를 개선하는 것으로 알려져 있다. 이를테면 국내 기업은 수출에서 벌어들인 외화를 국내로 들여와 원화로 바꾸기 때문에, 환율이 상승한 경우에는 외국에서 우리 상품의 외화 표시 가격을 다소 낮추어도 수출량이 늘어나면 수출액이 증가한다. 동시에 수입 상품의 원화 표시 가격은 상승하여 수입품을 덜 소비하므로 수입액은 감소한다. 그런데 이와 같이 환율 상승이 항상 경상 수지를 개선할 것 같지만 반드시 그런 것은 아니다.
>
> -2011학년도 9월 모의평가

물론 화제는 '경상 수지가 개선되지 않는 예외적인 상황'이기에 결국 지문의 내용을 다시 이해해야 하지만, 이 기제를 알고 있다면 첫 문단의 내용을 완벽하게 납득하면서 읽을 수가 있을 겁니다. 이것이 경제 지문에서 작용하는 배경지식의 힘이 되는 거예요!

이 외에도 더 많은 개념들이 있지만, 딱 이 정도 수준만 공부하셔도 충분할 것입니다. 우리의 목표는 경제학을 이해하는 게 아니라, 경제 지문을 이해하는 것이니까요. 여기서 배운 개념들을 바탕으로 경제 지문들을 공부해주시고, 그 속에서 새로운 개념/관계가 나온다면 항상 배경지식화하도록 합시다. 엄청난 무기가 될 것입니다.

이제 다 왔습니다. 지금까지 배운 내용을 토대로 앞에서 다음 지문들을 공부해 봅시다. 답을 맞히겠다는 생각이 아니라, 모든 문장을 이해한다는 생각으로 접근해주세요. 하루하루 머리가 깨질 듯한 고통이 느껴지겠지만, 그만큼의 효용이 있을 것이라 확신합니다. 화이팅!

(해설 p.323)

　　정부는 국민 생활에 영향을 미치는 활동의 총체인 정책의 목표를 효과적으로 달성하기 위해 정책 수단의 특성을 고려하여 정책을 수행한다. 정책 수단은 강제성, 직접성, 자동성, 가시성의 ㉮네 가지 측면에서 다양한 특성을 갖는다. 강제성은 정부가 개인이나 집단의 행위를 제한하는 정도로서, 유해 식품 판매 규제는 강제성이 높다. 직접성은 정부가 공공 활동의 수행과 재원 조달에 직접 관여하는 정도를 의미한다. 정부가 정책을 직접 수행하지 않고 민간에 위탁하여 수행하게 하는 것은 직접성이 낮다. 자동성은 정책을 수행하기 위해 별도의 행정 기구를 설립하지 않고 기존의 조직을 활용하는 정도를 말한다. 전기 자동차 보조금 제도를 기존의 시청 환경과에서 시행하는 것은 자동성이 높다. 가시성은 예산 수립 과정에서 정책을 수행하기 위한 재원이 명시적으로 드러나는 정도이다. 일반적으로 사회 규제의 정도를 조절하는 것은 예산 지출을 수반하지 않으므로 가시성이 낮다.

　　정책 수단 선택의 사례로 환율과 관련된 경제 현상을 살펴보자. 외국 통화에 대한 자국 통화의 교환 비율을 의미하는 환율은 장기적으로 한 국가의 생산성과 물가 등 기초 경제 여건을 반영하는 수준으로 수렴된다. 그러나 단기적으로 환율은 이와 ⓐ괴리되어 움직이는 경우가 있다. 만약 환율이 예상과는 다른 방향으로 움직이거나 또는 비록 예상과 같은 방향으로 움직이더라도 변동 폭이 예상보다 크게 나타날 경우 경제 주체들은 과도한 위험에 ⓑ노출될 수 있다. 환율이나 주가 등 경제 변수가 단기에 지나치게 상승 또는 하락하는 현상을 오버슈팅(overshooting)이라고 한다. 이러한 오버슈팅은 물가 경직성 또는 금융 시장 변동에 따른 불안 심리 등에 의해 촉발되는 것으로 알려져 있다. 여기서 물가 경직성은 시장에서 가격이 조정되기 어려운 정도를 의미한다.

　　물가 경직성에 따른 환율의 오버슈팅을 이해하기 위해 통화를 금융 자산의 일종으로 보고 경제 충격에 대해 장기와 단기에 환율이 어떻게 조정되는지 알아보자. 경제에 충격이 발생할 때 물가나 환율은 충격을 흡수하는 조정 과정을 거치게 된다. 물가는 단기에는 장기 계약 및 공공요금 규제 등으로 인해 경직적이지만 장기에는 신축적으로 조정된다. 반면 환율은 단기에서도 신축적인 조정이 가능하다. 이러한 물가와 환율의 조정 속도 차이가 오버슈팅을 초래한다. 물가와 환율이 모두 신축적으로 조정되는 장기에서의 환율은 구매력 평가설에 의해 설명되는데, 이에 의하면 장기의 환율은 자국 물가 수준을 외국 물가 수준으로 나눈 비율로 나타나며, 이를 균형 환율로 본다. 가령 국내 통화량이 증가하여 유지될 경우 장기에서는 자국 물가도 높아져 장기의 환율은 상승한다. 이 때 통화량을 물가로 나눈 실질 통화량은 변하지 않는다.

[가]
　　그런데 단기에는 물가의 경직성으로 인해 구매력 평가설에 기초한 환율과는 다른 움직임이 나타나면서 오버슈팅이 발생할 수 있다. 가령 국내 통화량이 증가하여 유지될 경우, 물가가 경직적이어서 ㉠실질 통화량은 증가하고 이에 따라 시장 금리는 하락한다. 국가 간 자본 이동이 자유로운 상황에서, ㉡시장 금리 하락은 투자의 기대 수익률 하락으로 이어져, 단기성 외국인 투자 자금이 해외로 빠져나가거나 신규 해외 투자 자금 유입을 위축시키는 결과를 ⓒ초래한다. 이 과정에서 자국 통화의 가치는 하락하고 ㉢환율은 상승한다. 통화량의 증가로 인한 효과는 물가가 신축적인 경우에 예상되는 환율 상승에, 금리 하락에 따른 자금의 해외 유출이 유발하는 추가적인 환율 상승이 더해진 것으로 나타난다. 이러한 추가적인 상승 현상이 환율의 오버슈팅인데, 오버슈팅의 정도 및 지속성은 물가 경직성이 클수록 더 크게 나타난다. 시간이 경과함에 따라 물가가 상승하여 실질 통화량이 원래 수준으로 돌아오고 해외로 유출되었던 자금이 시장 금리의 반등으로 국내로 ⓓ복귀하면서, 단기에 과도하게 상승했던 환율은 장기에는 구매력 평가설에 기초한 환율로 수렴된다.

　　단기의 환율이 기초 경제 여건과 괴리되어 과도하게 급등락하거나 균형 환율 수준으로부터 장기간 이탈하는 등의 문제가 심화되는 경우를 예방하고 이에 대처하기 위해 정부는 다양한 정책 수단을 동원한다. 오버슈팅의 원인인 물가 경직성을 완화하기 위한 정책 수단 중 강제성이 낮은 사례로는 외환의 수급 불균형 해소를 위해 관련 정보를 신속하고 정확하게 공개하거나, 불필요한 가격 규제를 축소하는 것을 들 수 있다. 한편 오버슈팅에 따른 부정적 파급 효과를 완화하기 위해 정부는 환율 변동으로 가격이 급등한 수입 필수 품목에 대한 세금을 조절함으로써 내수가 급격히 위축되는 것을 방지하려고 하기도 한다. 또한 환율 급등락으로 인한 피해에 대비하여 수출입 기업에 환율 변동 보험을 제공하거나, 외화 차입 시 지급 보증을 제공하기도 한다. 이러한 정책 수단은 직접성이 높은 특성을 가진다. 이와 같이 정부는 기초 경제 여건을 반영한 환율의 추세는 용인하되, 사전적 또는 사후적인 미세 조정 정책 수단 을 활용하여 환율의 단기 급등락에 따른 위험으로부터 실물 경제와 금융 시장의 안정을 ⓔ도모하는 정책을 수행한다.

31 윗글에 대한 이해로 적절하지 <u>않은</u> 것은?

① 국내 통화량이 증가하여 유지될 경우 장기에는 실질 통화량이 변하지 않으므로 장기의 환율도 변함이 없을 것이다.

② 물가가 신축적인 경우가 경직적인 경우에 비해 국내 통화량 증가에 따른 국내 시장 금리 하락 폭이 작을 것이다.

③ 물가 경직성에 따른 환율의 오버슈팅은 물가의 조정 속도보다 환율의 조정 속도가 빠르기 때문에 발생하는 것이다.

④ 환율의 오버슈팅이 발생한 상황에서 외국인 투자 자금이 국내 시장 금리에 민감하게 반응할수록 오버슈팅 정도는 커질 것이다.

⑤ 환율의 오버슈팅이 발생한 상황에서 물가 경직성이 클수록 구매력 평가설에 기초한 환율로 수렴되는 데 걸리는 기간이 길어질 것이다.

32 ㉮를 바탕으로 정책 수단의 특성을 이해한 것으로 가장 적절한 것은?

① 다자녀 가정에 출산 장려금을 지급하는 것은, 불법 주차 차량에 과태료를 부과하는 것보다 강제성이 높다.

② 전기 제품 안전 규제를 강화하는 것은, 학교 급식을 제공하기 위한 재원을 정부 예산에 편성하는 것보다 가시성이 높다.

③ 문화재를 발견하여 신고할 경우 포상금을 주는 것은, 자연 보존 지역에서 개발 행위를 금지하는 것보다 강제성이 높다.

④ 쓰레기 처리를 민간 업체에 맡겨서 수행하게 하는 것은, 정부 기관에서 주민등록 관련 행정 업무를 수행하는 것보다 직접성이 높다.

⑤ 담당 부서에서 문화 소외 계층에 제공하던 복지 카드의 혜택을 늘리는 것은, 전담 부처를 신설하여 상수원 보호 구역을 감독하는 것보다 자동성이 높다.

33 윗글을 바탕으로 할 때, 〈보기〉의 'A국' 경제 상황에 대한 '경제학자 갑'의 견해를 추론한 것으로 적절하지 <u>않은</u> 것은?

[보기]

A국 경제학자 갑은 자국의 최근 경제 상황을 다음과 같이 진단했다.

금융 시장 불안의 여파로 A국의 주식, 채권 등 금융 자산의 가격 하락에 대한 우려가 확산되면서 안전 자산으로 인식되는 B국의 채권에 대한 수요가 증가하고 있다. 이로 인해 외환 시장에서는 A국에 투자되고 있던 단기성 외국인 자금이 B국으로 유출되면서 A국의 환율이 급등하고 있다.

B국에서는 해외 자금 유입에 따른 통화량 증가로 B국의 시장 금리가 변동할 것으로 예상된다. 이에 따라 A국의 환율 급등은 향후 다소 진정될 것이다. 또한 양국 간 교역 및 금융 의존도가 높은 현실을 감안할 때, A국의 환율 상승은 수입품의 가격 상승 등에 따른 부작용을 초래할 것으로 예상되지만 한편으로는 수출이 증대되는 효과도 있다. 그러므로 정부는 시장 개입을 가능한 한 자제하고 환율이 시장 원리에 따라 자율적으로 균형 환율 수준으로 수렴되도록 두어야 한다.

① A국에 환율의 오버슈팅이 발생한 상황에서 B국의 시장 금리가 하락한다면 오버슈팅의 정도는 커질 것이다.

② A국에 환율의 오버슈팅이 발생하였다면 이는 금융 시장 변동에 따른 불안 심리에 의해 촉발된 것으로 볼 수 있다.

③ A국에 환율의 오버슈팅이 발생할지라도 시장의 조정을 통해 환율이 장기에는 균형 환율 수준에 도달할 수 있을 것이다.

④ A국의 환율 상승이 수출을 증대시키는 긍정적인 효과도 동반하므로 A국의 정책 당국은 외환 시장 개입에 신중해야 한다.

⑤ A국의 환율 상승은 B국으로부터 수입하는 상품의 가격을 인상시킴으로써 A국의 내수를 위축시키는 결과를 초래할 수 있다.

34 〈보기〉에 제시된 그래프의 세로축 a, b, c는 [가]의 ㉠~㉢과 하나씩 대응된다. 이를 바르게 짝지은 것은? [3점]

──────[보기]──────

　　다음 그래프들은 [가]에서 국내 통화량이 t시점에서 증가하여 유지된 경우 예상되는 ㉠~㉢의 시간에 따른 변화를 순서 없이 나열한 것이다.

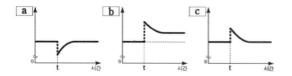

　　(단, t시점 근처에서 그래프의 형태는 개략적으로 표현하였으며, t시점 이전에는 모든 경제 변수들의 값이 일정한 수준에서 유지되어 왔다고 가정한다. 장기 균형으로 수렴되는 기간은 변수마다 상이하다.)

	㉠	㉡	㉢
①	a	c	b
②	b	a	c
③	b	c	a
④	c	a	b
⑤	c	b	a

35 미세 조정 정책 수단 의 사례로 적절하지 <u>않은</u> 것은?

① 예기치 못한 외환 손실에 대비한 환율 변동 보험을 수출 주력 중소기업에 제공한다.

② 원유와 같이 수입 의존도가 높은 상품의 경우 해당 상품에 적용하는 세율을 환율 변동에 따라 조정한다.

③ 환율의 급등락으로 금융 시장이 불안정할 경우 해외 자금 유출과 유입을 통제하여 환율의 추세를 바꾼다.

④ 환율 급등으로 수입 물가가 가파르게 상승했을 때, 수입 대금 지급을 위해 외화를 빌리는 수입 업체에 지급 보증을 제공한다.

⑤ 수출입 기업을 대상으로 국내외 금리 변동, 해외 투자 자금 동향 등 환율 변동에 영향을 주는 요인들에 대한 정보를 제공한다.

36 문맥상 ⓐ~ⓔ와 바꿔 쓰기에 적절하지 <u>않은</u> 것은?

① ⓐ: 동떨어져

② ⓑ: 드러낼

③ ⓒ: 불러온다

④ ⓓ: 되돌아오면서

⑤ ⓔ: 꾀하는

[37~40] 다음 글을 읽고 물음에 답하시오.　2022.11 [10~13]

──── (해설 p.335) ────

　　기축 통화는 국제 거래에 결제 수단으로 통용되고 환율 결정에 기준이 되는 통화이다. 1960년 트리핀 교수는 브레턴우즈 체제에서의 기축 통화인 달러화의 구조적 모순을 지적했다. 한 국가의 재화와 서비스의 수출입간 차이인 경상 수지는 수입이 수출을 초과하면 적자이고, 수출이 수입을 초과하면 흑자이다. 그는 "미국이 경상 수지 적자를 허용하지 않아 국제 유동성 공급이 중단되면 세계 경제는 크게 위축될 것"이라면서도 "반면 적자 상태가 지속돼 달러화가 과잉 공급되면 준비 자산으로서의 신뢰도가 저하되고 고정 환율 제도도 붕괴될 것"이라고 말했다.

　　이러한 트리핀 딜레마는 국제 유동성 확보와 달러화의 신뢰도 간의 문제이다. 국제 유동성이란 국제적으로 보편적인 통용력을 갖는 지불 수단을 말하는데, ㉠금 본위 체제에서는 금이 국제 유동성의 역할을 했으며, 각 국가의 통화 가치는 정해진 양의 금의 가치에 고정되었다. 이에 따라 국가 간 통화의 교환 비율인 환율은 자동적으로 결정되었다. 이후 ㉡브레턴우즈 체제에서는 국제 유동성으로 달러화가 추가되어 '금 환 본위제'가 되었다. 1944년에 성립된 이 체제는 미국의 중앙은행에 '금 태환 조항'에 따라 금 1온스와 35달러를 언제나 맞교환해 주어야 한다는 의무를 지게 했다. 다른 국가들은 달러화에 대한 자국 통화의 가치를 고정했고, 달러화로만 금을 매입할 수 있었다. 환율은 경상 수지의 구조적 불균형이 있는 예외적인 경우를 제외하면 ±1% 내에서의 변동만을 허용했다. 이에 따라 기축 통화인 달러화를 제외한 다른 통화들 간 환율인 교차 환율은 자동적으로 결정되었다.

　　1970년대 초에 미국은 경상 수지 적자가 누적되기 시작하고 달러화가 과잉 공급되어 미국의 금 준비량이 급감했다. 이에 따라 미국은 달러화의 금 태환 의무를 더 이상 감당할 수 없는 상황에 도달했다. 이를 해결할 수 있는 방법은 달러화의 가치를 내리는 평가 절하, 또는 달러화에 대한 여타국 통화의 환율을 하락시켜 그 가치를 올리는 평가 절상이었다. 하지만 브레턴우즈 체제하에서 달러화의 평가 절하는 규정상 불가능했고, 당시 대규모 대미 무역 흑자 상태였던 독일, 일본 등 주요국들은 평가 절상에 나서려고 하지 않았다. 이 상황이 유지되기

어려울 것이라는 전망으로 독일의 마르크화와 일본의 엔화에 대한 투기적 수요가 증가했고, 결국 환율의 변동 압력은 더욱 커질 수밖에 없었다. 이러한 상황에서 각국은 보유한 달러화를 대규모로 금으로 바꾸기를 원했다. 미국은 결국 1971년 달러화의 금 태환 정지를 선언한 닉슨 쇼크를 단행했고, 브레턴우즈 체제는 붕괴되었다.

　　그러나 붕괴 이후에도 달러화의 기축 통화 역할은 계속되었다. 그 이유로 규모의 경제를 생각할 수 있다. 세계의 모든 국가에서 ㉢어떠한 기축 통화도 없이 각각 다른 통화가 사용되는 경우 두 국가를 짝짓는 경우의 수만큼 환율의 가짓수가 생긴다. 그러나 하나의 기축 통화를 중심으로 외환 거래를 하면 비용을 절감하고 규모의 경제를 달성할 수 있다.

37 윗글을 통해 답을 찾을 수 없는 질문은?

　① 브레턴우즈 체제 붕괴 이후에도 달러화가 기축 통화로서 역할을 할 수 있었던 이유는 무엇인가?

　② 브레턴우즈 체제 붕괴 이후의 세계 경제 위축에 대해 트리핀은 어떤 전망을 했는가?

　③ 브레턴우즈 체제에서 미국 중앙은행은 어떤 의무를 수행해야 했는가?

　④ 브레턴우즈 체제에서 국제 유동성의 역할을 한 것은 무엇인가?

　⑤ 브레턴우즈 체제에서 달러화 신뢰도 하락의 원인은 무엇인가?

38 윗글을 바탕으로 추론한 내용으로 적절하지 <u>않은</u> 것은?

① 닉슨 쇼크가 단행된 이후 달러화의 고평가 문제를 해결할 수 있는 달러화의 평가 절하가 가능해졌다.

② 브레턴우즈 체제에서 마르크화와 엔화의 투기적 수요가 증가한 것은 이들 통화의 평가 절상을 예상했기 때문이다.

③ 금의 생산량 증가를 통한 국제 유동성 공급량의 증가는 트리핀 딜레마 상황을 완화하는 한 가지 방법이 될 수 있다.

④ 트리핀 딜레마는 달러화를 통한 국제 유동성 공급을 중단할 수도 없고 공급량을 무한정 늘릴 수도 없는 상황을 말한다.

⑤ 브레턴우즈 체제에서 마르크화가 달러화에 대해 평가 절상되면, 같은 금액의 마르크화로 구입 가능한 금의 양은 감소한다.

39 미국을 포함한 세 국가가 존재하고 각각 다른 통화를 사용할 때, ㉠~㉢에 대한 설명으로 적절한 것은?

① ㉠에서 자동적으로 결정되는 환율의 가짓수는 금에 자국 통화의 가치를 고정한 국가 수보다 하나 적다.

② ㉡이 붕괴된 이후에도 여전히 달러화가 기축 통화라면 ㉡에 비해 교차 환율의 가짓수는 적어진다.

③ ㉢에서 국가 수가 하나씩 증가할 때마다 환율의 전체 가짓수도 하나씩 증가한다.

④ ㉠에서 ㉡으로 바뀌면 자동적으로 결정되는 환율의 가짓수가 많아진다.

⑤ ㉡에서 교차 환율의 가짓수는 ㉢에서 생기는 환율의 가짓수보다 적다.

40 윗글을 참고할 때, 〈보기〉에 대한 반응으로 가장 적절한 것은? [3점]

[보기]

　　브레턴우즈 체제가 붕괴된 이후 두 차례의 석유 가격 급등을 겪으면서 기축 통화국인 A국의 금리는 인상되었고 통화 공급은 감소했다. 여기에 A국 정부의 소득세 감면과 군비 증대는 A국의 금리를 인상시켰으며, 높은 금리로 인해 대량으로 외국 자본이 유입되었다. A국은 이로 인한 상황을 해소하기 위한 국제적 합의를 주도하여, 서로 교역을 하며 각각 다른 통화를 사용하는 세 국가 A, B, C는 외환 시장에 대한 개입을 합의했다. 이로 인해 A국 통화에 대한 B국 통화와 C국 통화의 환율은 각각 50%, 30% 하락했다.

① A국의 금리 인상과 통화 공급 감소로 인해 A국 통화의 신뢰도가 낮아진 것은 외국 자본이 대량으로 유입되었기 때문이겠군.

② 국제적 합의로 인한 A국 통화에 대한 B국 통화의 환율 하락으로 국제 유동성 공급량이 증가하여 A국 통화의 가치가 상승했겠군.

③ 다른 모든 조건이 변하지 않았다면, 국제적 합의로 인해 A국 통화에 대한 B국 통화의 환율과 B국 통화에 대한 C국 통화의 환율은 모두 하락했겠군.

④ 다른 모든 조건이 변하지 않았다면, 국제적 합의로 인해 A국 통화에 대한 B국과 C국 통화의 환율이 하락하여, B국에 대한 C국의 경상 수지는 개선되었겠군.

⑤ 다른 모든 조건이 변하지 않았다면, A국의 소득세 감면과 군비 증대로 A국의 경상 수지가 악화되며, 그 완화 방안 중 하나는 A국 통화에 대한 B국 통화의 환율을 상승시키는 것이겠군.

DAY 41~42

지금까지 배운 내용들을 총정리한 뒤, 2024학년도 수능 문제를 풀어 보면서 나의 현재 실력 확인과 앞으로의 공부 방향성 설정 등을 하는 날입니다. 하루만에 풀고 분석까지 완벽하게 해 주셔도 좋지만, 힘들 테니 하루는 풀고 한 지문 정도 분석, 다음 날은 나머지 지문 분석 및 최종 정리 등으로 시간을 보내 주세요. 여기까지 했다고 국어 공부가 다 끝난 건 아닙니다! 이후 공부를 위한 '방향성 설정'에 목적을 두고 마무리해봅시다.

생각의 틀 총정리

지금까지 수능 독서의 모든 것에 대해 배웠습니다. 이제 여러분은 여기서 배운 내용을 온갖 지문에 적용해 보기만 하시면 됩니다. 처음엔 버벅거리겠지만, 점점 저와, 혹은 평가원이 요구하는 사고와 비슷해지는 여러분을 보면서 희열을 느껴보세요!

본격적으로 2024학년도 수능을 공부하기 전에, 우리가 지금까지 무엇을 배웠는지 가볍게 정리해보도록 합시다.

생각의 시작 〈Day 1~Day 4〉

교재의 사용법, 제대로 된 공부를 위한 마인드 확립으로 시작해서 '어휘', '문장', '문단' 단위의 생각으로 확장해나가던 날들이었습니다. '어휘력'을 향상시키기 위한 노력을 게을리하지 않기로 약속했고, 어떤 개념을 받아들일 때에는 그 단어의 '의미'를 살리면서 납득하는 태도를 확립했습니다. 나아가 '정의 체크', '재진술', '사례-원리 연결', '고정값' 등 문장을 처리할 때 이용할 수 있는 여러 가지 생각의 틀을 정리했어요. 일반적인 정의든 수식된 정의든 단어의 의미를 바탕으로 정확하게 납득하고, '같은 말'에 주목하며 정보량을 줄여내고, 사례가 설명하고자 하는 원리와 대응시키며 완벽하게 이해하고, 고정되고 특이한 부분에 주목하는 태도 등을 정리했어요.

나아가 '선지에서 묻는 것' 생각하기, 〈보기〉 미리 정리하기 등 '문제풀이 기본 도구'들도 잘 정리되어 있을 것이라 생각합니다. 이제는 굳이 의식하지 않아도 될 정도의 경지에 올랐을 것이라 믿을게요!

생각의 전개 〈Day 5~Day 19〉

이 교재에서 가장 중요한 부분이었습니다. 가장 먼저 '화제'의 중요성을 인식했습니다. 결국 모든 정보는 '화제'를 설명하기 위해 존재한다고 할 수 있기에, 첫 문단에서 잡아 둔 화제를 지문 끝까지 끌고 내려가는 태도가 아주 중요했어요. 나아가 체감 정보량을 줄이는 여러 가지 방법, '재진술 활용'과 '카테고리화'에 대해서도 정리했습니다. 각 정보를 특정한 '카테고리'에 맞춰 정리하면서, 그리고 '같은 말'들을 적극적으로 활용하면서 지문의 흐름을 챙기는 태도의 위력을 많이 실감하셨을 겁니다. 나아가 추상적인 정보를 이해하기 위해 구체적인 '사례'를 활용하는 방법 및 태도에 대해서도 다뤘습니다. '생각의 시작' 단계에서도 배웠던 '사례-원리 연결'을 지문 단위로 연습하면서, '사례'의 중요성을 확실하게 깨닫는 시간이었어요.

생각의 확장 〈Day 20~Day 40〉

여기에 제재별 독해 태도를 정리했습니다. 각 제재별로 알고 있으면 좋을 배경지식들, 자주 반복되어 출제되는 메커니즘들, 주목해야 할 부분 등을 바탕으로 취약한 제재에 대한 자신감을 끌어올렸어요. 앞에서 배웠던 독해의 태도와 엮어서 우리가 가진 '생각의 힘'을 미친 듯이 확장하던 시간이었습니다.

생각보다 별 내용 없었습니다. 한 페이지도 안 되는 이 적은 원칙만 가지고도 여러분은 수능 독서를 완벽하게 풀어낼 수 있습니다. 이제부터 그것을 증명할 것이구요.

오답과 정답을 가르는 시험장에서의 태도

여기에 실전에서 문제를 풀 때 중요한 태도를 정리하고 갑시다. 변명의 여지가 없이 '실력'으로 틀리는 것이 아닌, '실수'로 틀리는 억울한 일을 방지하기 위한 태도들입니다.

1. 발문 확인

→ 앞에서도 다뤘던 내용입니다. 너무 중요해서 다시 강조합니다. 발문을 보고, 그 발문이 묻고자 하는 것이 무엇인지 정확하게 잡아야 합니다. 특히 ㄱ,ㄴ,ㄷ 문제의 경우 '발문'이 아주 중요합니다.

40 〈보기〉는 진핵세포의 세포 소기관을 연구한 결과들이다. 윗글을 바탕으로 할 때, 각각의 세포 소기관이 박테리아로부터 비롯되었다고 판단할 수 있는 것만을 〈보기〉에서 고른 것은?

---[보기]---

ㄱ. 세포 소기관이 자신의 DNA를 가지고 있다는 것과 이분 분열을 한다는 것을 확인하였다.

ㄴ. 세포 소기관이 자신의 DNA를 가지고 있다는 것과 진핵세포의 리보솜을 가지고 있다는 것을 확인하였다.

ㄷ. 세포 소기관이 막으로 둘러싸여 있다는 것과 막에는 수송 단백질이 있는 것을 확인하였다.

ㄹ. 세포 소기관이 막으로 둘러싸여 있다는 것과 막에는 다량의 카디오리핀이 있는 것을 확인하였다.

① ㄱ, ㄷ   ② ㄱ, ㄹ   ③ ㄴ, ㄷ
④ ㄴ, ㄹ   ⑤ ㄷ, ㄹ

→ 앞에서 풀어본 문제죠? 해설지에서도 강조했지만, 발문을 보면 '세포 소기관이 박테리아로부터 비롯되었다고 판단할 수 있는 것'에 대해 묻고 있습니다. 이렇게 발문에서 묻는 것이 무엇인지를 꼭 생각한 채로 선지를 판단하셔야 합니다. 만약 발문을 대충 보고 나면, ㄱ을 열심히 읽은 다음 '내가 뭘 해야 하지?'라는 생각이 들며 뇌정지가 오는 본인을 발견할 수 있을 겁니다.

이 외에도, '적절한 것/적절하지 않은 것'을 잘못 보고 틀리는 불상사는 없도록 합시다. 제가 하는 것처럼 표시를 해도 좋아요.

28. 윗글에 대한 이해로 적절하지 ~~않은~~ 것은?

29. 윗글에 나타난 서양의 우주론 에 대한 설명으로 가장 적절한 것은?

정말 아무것도 아닌 태도지만, 실수로 잃을 수 있는 몇 점을 아껴주는 소중한 태도입니다. 여기에 선지 하나를 판단하는 사고 과정이 아주 길었다면, 다시 발문을 슥 보고 x표시를 했는지 o표시를 했는지 한번 더 확인해주시면 좋습니다. 긴 사고 과정 속에서, 적절한 것을 고르는 것인지 적절하지 않은 것을 고르는 것인지 까먹었을 확률이 높거든요.

2. OMR에 마킹을 하려면, 신중하게

→ 아래는 시험장에서 여러분이 겪을 수 있는 상황입니다.

① 이건 때려 죽여도 아님
② 이건 진짜 정답이다!
③ 이건 때려 죽여도 아님2
④ 이건 때려 죽여도 아님3
⑤ (이거 좀 애매하네...)

생각보다 자주 있는 상황입니다. 흔히들 '둘 중 하나가 헷갈린다'고 표현하는데, 만약 5번이 '애매해서' 5번을 답으로 한다면, 기껏 열심히 판단해 놓은 2번 선지가 쓸모 없게 되겠죠? OMR에 마킹을 할 '단 하나'의 정답은 정말 신중하게 고르셔야 합니다. 그게 답일 수밖에 없는 근거를 잡으시고, 그 근거를 바탕으로 맞는 선지라고 하셔야 합니다.

다만 5번 선지처럼, 도저히 판단하기 어려운 선지가 나오면 과감하게 넘기셔도 됩니다. 왜? 우리는 2번이라는 정답을 찾았으니까요. 해설지에서도 가끔 언급했듯이, 우리의 목표는 45개의 정답을 고르는 것입니다. 225개의 선지에 해설을 쓰는 게 아니에요!

같은 맥락에서, 아래와 같은 상황도 있겠죠.

① 아 좀 애매한데...
→ 이 상황에서, 실제 시험장이라면 정말 어렵겠지만 바로 넘어갈 수 있어야 합니다. 일단 다른 선지 먼저 판단해 보고, 답이 다른 곳에서 나오면 그 선지를 답으로 하면 됩니다. 아래와 같은 상황이죠.

② 이것도 좀 애매하네...
③ 오 이건 답이야!
④ 때려 죽여도 아님
⑤ 때려 죽여도 아님

이럴 땐 1, 2번 선지를 못 지우더라도 3번을 답으로 하시면 된다는 겁니다.

물론 1번 선지가 애매한 가운데, 이런 상황도 있을 겁니다.

② 때려 죽여도 아님
③ 때려 죽여도 아님
④ 때려 죽여도 아님
⑤ 때려 죽여도 아님

이런 경우엔, 울며 겨자먹기로 1번을 답으로 해야할 겁니다. 하지만 우리는 신중하게 답을 고른 겁니다. 2~5번 선지는 '때려 죽여도' 아니라는, 엄청난 신중함을 보였으니까요. 이해되시죠? 핵심은 모든 선지를 완벽하게 해결하려고 하지 말자는 겁니다. 그런데 만약 애매한 선지가 3~4개라면? 그 문제는 당장은 풀기 힘든 문제입니다. 일단 넘어가고, 나중에 풉시다.

기억하세요. 우리는 '시간 제한'이 있는 시험을 봅니다. 조급함에 배운 내용을 하나도 이용하지 못하는 상황을 방지하려면, 시험 내에서 '확실한 전략'이 있어야 합니다. 앞에서 언급한 내용들 외에도, 여러분이 공부를 하면서 느꼈던 '실전'에서 써먹을 수 있는 다양한 전략들을 세운 다음 뒤의 문제들을 풀어봅시다. 국어 영역 시험은 시간이 아주 부족하다는 특수성이 있기 때문에, '실력'이 충분하더라도 그것을 '점수'로 발현하는 것은 정말 다른 차원의 이야기거든요. 여러분이 가진 실력을 온전히 점수로 변환하기 위해, 시험장에서의 '행동 양식'을 만드셔야 합니다. 뭐 딱히 없다면 바로 다음 수능 문제들을 풀어 보며 깨달아도 됩니다. 중요한 건, 내가 어디에서 막히는지, 어떻게 해야 그 난관을 뚫어낼 수 있는지 등을 고민하는 것이에요.

이렇게 보니 정말 별거 없죠? 이게 다입니다. 딱 이 정도만 가지고, 가장 최근 시험에 나왔던 독서 문제들을 풀어봅시다. 시간 내에 다 맞고 기분 좋게 다음 공부를 시작하실 수 있기를 빕니다!

2025학년도 수능

가장 최근의 수능, 2025학년도 수능입니다. 이 시험지를 가지고 지금까지 배운 내용을 잘 활용할 수 있는지 확인해 보도록 합시다.

시간은 35분을 재보도록 합시다! 여러분이 실제 시험장에서 이 4지문을 해결하는 데 걸려야 하는 현실적인 마지노선입니다. 나름대로 시간 배분을 하면서 확실하게 풀어 보세요. 난이도는 굳이 언급하지 않을게요. 이미 풀어봤더라도 새로운 마음으로 해결해봅시다.

먼저 35분을 재고 풀어 주시고, (만약 시간이 오버된다면 꼭 풀이를 멈춰 주세요. 본인이 어디까지 풀 수 있는지 확인해야 합니다.) 채점을 해서 본인의 위치를 확인한 뒤 지금까지 한 것처럼 충분한 시간을 통해 분석을 해 봅시다. 직전 시험만큼 분석의 중요도가 높은 지문들은 없으니까요.

[1~3] 다음 글을 읽고 물음에 답하시오.

(해설 p.348)

밑줄 긋기는 일상적으로 유용하게 활용할 수 있는 독서 전략이다. 밑줄 긋기는 정보를 머릿속에 저장하고 기억한 내용을 떠올리는 데 도움이 된다. 독자로 하여금 표시한 부분에 주의를 기울이도록 해 정보를 머릿속에 저장하도록 돕고, 표시한 부분이 독자에게 시각적 자극을 주어 기억한 내용을 떠올리는 데 단서가 되기 때문이다. 이러한 점에서 밑줄 긋기는 일반적인 독서 상황뿐 아니라 학습 상황에서도 유용하다. 또한 밑줄 긋기는 방대한 정보들 가운데 주요한 정보를 추리는 데에도 효과적이며, 표시한 부분이 일종의 색인과 같은 역할을 하여 독자가 내용을 다시 찾아보는 데에도 용이하다.

통상적으로 독자는 글을 읽는 중에 바로바로 밑줄 긋기를 한다. 그러다 보면 밑줄이 많아지고 복잡해져 밑줄 긋기의 효과가 줄어든다. 또한 밑줄 긋기를 신중하게 하지 않으면 잘못 표시한 밑줄을 삭제하기 위해 되돌아가느라 독서의 흐름이 방해받게 되므로 효과적으로 밑줄 긋기를 하는 것이 중요하다.

밑줄 긋기의 효과를 얻기 위한 방법에는 몇 가지가 있다. 우선 글을 읽는 중에는 문장이나 문단에 나타난 정보 간의 상대적 중요도를 결정할 때까지 밑줄 긋기를 잠시 늦추었다가 주요한 정보에 밑줄 긋기를 한다. 이때 주요한 정보는 독서 목적에 따라 달라질 수 있다는 점을 고려한다. 또한 자신만의 밑줄 긋기 표시 체계를 세워 밑줄 이외에 다른 기호도 사용할 수 있다. 밑줄 긋기 표시 체계는 밑줄 긋기가 필요한 부분에 특정 기호를 사용하여 표시하기로 독자가 미리 정해 놓는 것이다. 예를 들면 하나의 기준으로 묶을 수 있는 정보들에 동일한 기호를 붙이거나 순차적인 번호를 붙이기로 하는 것 등이다. 이는 기본적인 밑줄 긋기를 확장한 방식이라 할 수 있다.

밑줄 긋기는 어떠한 수준의 독자라도 쉽게 사용할 수 있다는 점 때문에 연습 없이 능숙하게 사용할 수 있다고 오해되어 온 경향이 있다. 그러나 본질적으로 밑줄 긋기는 주요한 정보가 무엇인지에 대한 판단이 선행되어야 한다는 점에서 단순하지 않다. ㉠밑줄 긋기의 방법을 이해하고 잘 사용하는 것은 글을 능동적으로 읽어 나가는 데 도움이 될 수 있다.

01 윗글의 내용과 일치하지 <u>않는</u> 것은?

① 밑줄 긋기는 일반적인 독서 상황에서 도움이 된다.

② 밑줄 이외의 다른 기호를 밑줄 긋기에 사용하는 것이 가능하다.

③ 밑줄 긋기는 누구나 연습 없이도 능숙하게 사용할 수 있는 전략이다.

④ 밑줄 긋기로 표시한 부분은 독자가 내용을 다시 찾아보는 데 유용하다.

⑤ 밑줄 긋기로 표시한 부분이 독자에게 시각적인 자극을 주어 기억한 내용을 떠올리는 데 도움이 된다.

02 ㉠에 해당하는 내용으로 가장 적절한 것은?

① 글을 다시 읽을 때를 대비해서 되도록 많은 부분에 밑줄 긋기를 하며 읽는다.

② 글 전체에 주의를 기울일 수 있도록 글을 읽고 있을 때에는 밑줄 긋기를 하지 않는다.

③ 정보의 중요도를 판정하기 어려우면 우선 밑줄 긋기를 한 후 잘못 그은 밑줄을 삭제한다.

④ 주요한 정보를 추릴 수 있도록 자신이 만든 밑줄 긋기 표시 체계에 따라 밑줄 긋기를 한다.

⑤ 글에 반복되는 어휘나 의미가 비슷한 문장이 나올 때마다 바로바로 밑줄 긋기를 하며 글을 읽는다.

03 윗글을 바탕으로 학생이 다음과 같이 밑줄 긋기를 했다고 할 때, 이에 대한 평가로 적절하지 <u>않은</u> 것은? [3점]

[독서 목적] 고래의 외형적 특징에 대한 정보 습득

[표시 기호] ☐, I)ㅤ, 2)ㅤ, ✓, ﹏

[독서 자료]

고래는 육지 포유동물 에서 기원했지만, 수중 생활에 적응하여 새끼를 수중에서 낳는다. I)암컷들은 새끼를 낳을 때 서로 도와주며, 2)어미들은 새끼들을 정성껏 보호한다.

고래의 생김새 는 고래의 종류마다 다른데, ✓대체로 몸길이는 1.3m에서 30m에 이른다. ✓피부에는 털이 없거나 아주 짧게 나 있다. 지느러미는 배를 젓는 노와 같은 형태이고, 헤엄칠 때 수평을 유지하는 기능을 한다.

고래는 폐로 호흡하므로 물속에서 숨을 쉴 수 없다. 고래의 머리 꼭대기에는 분수공이 있다. 물속에서 참았던 숨을 분수공으로 내뿜고 다시 숨을 들이마신 뒤 잠수한다. 작은 고래들은 몇 분밖에 숨을 참지 못하지만, 큰 고래들은 1시간 정도 물속에 머물 수 있다.

① 독서 목적을 고려하면, 1문단에서 '☐'로 표시한 부분은 적절하지 않게 밑줄 긋기를 하였군.

② 독서 목적을 고려하면, 1문단에서 'I)ㅤ', '2)ㅤ'와 같이 순차적인 번호로 표시한 부분은 적절하지 않게 밑줄 긋기를 하였군.

③ 2문단에서 '☐'로 표시한 부분을 보니, 독서 목적에 관련된 주요 어구에 밑줄 긋기를 하였군.

④ 독서 목적을 고려하면, 2문단에서는 '지느러미는 배를 젓는 노와 같은 형태'에 '✓ㅤ'를 누락하였군.

⑤ 'ㅤ'로 표시한 부분을 보니, 독서 목적을 고려하여 3문단 내에서 정보 간의 상대적인 중요도를 판단해 주요한 문장에 밑줄 긋기를 하였군.

——————— (해설 p.353) ———————

(가)

서양의 과학과 기술, 천주교의 수용을 반대했던 이항로를 비롯한 척사파의 주장은 개항 이후에도 지속되었지만, 개화는 거스를 수 없는 대세로 자리 잡았다. 개물성무(開物成務)와 화민성속(化民成俗)의 앞 글자를 딴 개화는 개항 이전에는 통치자의 통치 행위로서 변화하는 세상에 대한 지식 확장과 피통치자에 대한 교화를 의미했다.

개항 이후 서양 문명에 대한 긍정적 인식이 확산되면서 서양 문명의 수용을 뜻하는 개화 개념이 자리 잡았다. 임오군란 이후, 고종은 자강 정책을 추진하면서 반(反)서양 정서의 교정을 위해 『한성순보』를 발간했다. 이 신문의 개화 개념은 서양 기술과 제도의 도입을 통한 인지의 발달과 풍속의 진보를 뜻했다. 이 개념에는 인민이 국가의 독립 주권의 소중함을 깨닫는 의식의 변화가 내포되었고, 통치자의 입장에서 수용 가능한 문명의 장점을 받아들여 국가의 진보를 달성한다는 의미도 담겼다.

개화당의 한 인사가 제시한 개화 개념은 성문화된 규정에 따른 대민 정치에서의 법적 처리 절차 실현 등 서양 근대 국가의 통치 방식으로의 변화를 내포하는 것이었다. 그는 개화 실행 주체를 여전히 왕으로 생각했고, 개화 실행 주체로서 왕의 역할이 사라진 것은 갑신정변에서였다. 풍속의 진보와 통치 방식 변화라는 의미를 내포한 갑신정변의 개화 개념은 통치권에 대한 도전으로뿐 아니라 개인의 사욕을 위한 것으로 표상되었다. 이후 개화 개념은 국가 구성원을 조직하고 동원하기 위해 부정적 이미지에서 벗어나야 했고, 유길준은 『서유견문』을 저술하며 개화 개념에 덧씌워진 부정적 이미지를 떼어 내고자 했다. 이후 간행된 『대한매일신보』 등의 개화 개념은 국가 구성원 전체를 실행 주체로 하여 근대 국가 주권을 향해 그들을 조직하고 동원하는 것을 의미했다.

을사늑약 이후, 개화 논의는 문명에 대한 본격적인 논의로 이어졌다. 대한 자강회의 주요 인사들은 서양 근대 문명을 수용하여 근대 국가를 건설하고자, 앞서 문명화를 이룬 일본의 지도를 받아야 한다고 보았다. 이들은 서양 근대 문명의 주체를 주체 인식의 준거로 삼았기 때문에 민족 주체성을 간과했다. 이러한 상황에서 박은식은 ㉠근대 국가 건설과 새로운 주체의 형성에 주목하여 문명에 대한 견해를 제시했다. 그의 기본 전략은 문명의 물질적 측면인 과학은 서양으로부터 수용하되, 문명의 정신적 측면인 철학은 유학을 혁신하여 재구성하는 것

이었다. 그는 생존과 편리 증진을 위해 과학 연구가 시급하지만, 가치관 정립과 인격 수양을 위해 철학 또한 필수적이라고 보았다. 자국 철학 전통의 정립이라는 당시 동아시아의 사상적 흐름 속에서 그가 제시한 근대 주체는 과학적·철학적 인식의 주체이자 실천적 도덕 수양의 주체로서의 성격을 띠는 것이었다.

(나)

중국이 서양의 과학과 기술에 전면적인 관심을 기울인 때는 아편 전쟁 이후였다. 전쟁 패배에 따른 위기감은 반세기에 걸쳐 근대화의 추진과 함께 의욕적인 기술 수용으로 이어졌지만, 청일 전쟁의 패배는 기술 수용만으로는 부족하다는 인식을 낳았다. 이에 따라 20세기 초반 진정한 근대를 이루기 위해 기술 배후에서 작용하는 과학 정신을 사회 전체에 이식하려는 시도가 구체화되었다.

옌푸는 국가 간에 벌어지는 약육강식의 경쟁을 부각하고, 경쟁에서 승리하려면 기술뿐 아니라 국민의 정신적 자질이 뒷받침되어야 한다고 보았다. 정신적 자질 중 과학적 사유 능력이 가장 중요하다고 파악한 그에게 과학 정신이 전제되지 않은 정치적 변혁은 뿌리내릴 수 없는 것이었다. 그는 인과 실증의 방법에 근거한 근대 학문 전체를 과학이라 파악하고, 과학을 습득하여 전통 학문의 폐단에서 벗어나야 한다고 주장했다. 그의 입장은 1910년대 후반 신문화 운동을 주도한 천두슈에게 이어졌다.

천두슈를 비롯한 신문화 운동의 지식인들은 ㉡과학의 근거 위에서만 민주 정치의 실현이 가능하다고 주장했다. 중국이 달성해야 할 신문화는 과학 및 과학의 방법에 근거한 문화라 보고, 신문화를 이루기 위해 전통문화 전반에 대해 철저한 부정과 비판을 시도했다. 사상이나 철학이 과학의 방법을 이용하지 않으면 공상(空想)에 ⓐ그칠 뿐이라고 주장한 천두슈는 사회와 인간의 삶에 대한 연구도 과학의 연구 방법을 이용해야 한다고 보았다. 그는 제1차 세계 대전의 비극은 과학을 이용해 저지른 죄악의 결과일 뿐 과학 자체의 죄악이 아니라고 주장하며 과학에 대한 자신의 생각을 지속했다.

한편, 제1차 세계 대전 이후 유럽을 시찰했던 장쥔마이는 통제되지 않은 과학이 불러온 역작용을 목도한 후, 과학이 어떻게 발달하든 그것이 인생관의 문제를 해결할 수는 없다며 서양 근대 문명을 비판했다. 근대 과학 문명에서 초래된 사상적 위기가 주체의 책임 부재에서 비롯된 것이라는 주장에 동의했던 그는 과학적 방법을

부정하지 않았지만, 인생관의 문제에는 과학적 방법이 적용될 수 없다고 지적했다. 그는 인생관을 과학과 별개로 파악했고, 과학만능주의에 기초한 신문화 운동에 의해 부정된 중국 전통 가치관의 수호를 내세웠다.

04 윗글에 대한 이해로 적절하지 <u>않은</u> 것은?

① (가): 서양 과학과 기술의 국내 유입을 반대하는 주장이 개항 이후에도 이어졌다.

② (가): 유학을 혁신하여 철학으로 재구성하는 것이 필요하다는 견해가 을사늑약 이후에 제기되었다.

③ (나): 진정한 근대를 이루려면 기술 수용의 차원을 넘어서야 한다는 인식이 등장하였다.

④ (나): 과학 정신이 사회에 자리 잡으려면 정치적 변혁이 선행되어야 한다는 주장이 제기되었다.

⑤ (나): 근대 과학 문명에 대한 비판적 인식을 바탕으로 전통 가치관에 주목하는 견해가 제시되었다.

05 개화 에 대한 이해로 적절하지 <u>않은</u> 것은?

① 개항 이전의 개화 개념은 백성을 다스리는 통치자로서의 역할과 관련 있었다.

②『한성순보』의 개화 개념은 서양 기술과 제도의 선별적 수용을 통한 국가 진보의 의미를 포함하였다.

③『한성순보』와 개화당의 한 인사의 개화 개념은 통치 권자인 왕을 개화의 실행 주체로 상정하였다.

④ 개화의 실행 주체로 왕에게 역할을 부여하지 않은 갑신정변의 개화 개념은 통치권에 대한 도전으로 이해되었다.

⑤『대한매일신보』의 발간에 이르러서야 국가의 주권과 결부한 개화 개념이 제기되었다.

06 (나)의 '천두슈'와 '장쥔마이'가 모두 동의할 수 있는 진술로 가장 적절한 것은?

① 전통 사상은 과학 및 과학 정신과 양립할 수 없는 관계에 놓여 있다.

② 전통 사상의 폐단은 과학 정신이 뿌리내리지 못한 사회 체질에서 비롯된 것이다.

③ 과학을 이용하는 과정에서 문제가 발생했다고 해도 과학적 방법을 부정할 수 없다.

④ 서양의 과학 정신을 전면적으로 도입하면 당면한 국가의 위기를 충분히 극복할 수 있다.

⑤ 국가의 위기는 과학적 방법으로 사상을 재구성할 필요가 있다는 인식이 부재한 데에서 비롯된 것이다.

07 ㉠과 ㉡에 대한 이해로 가장 적절한 것은?

① ㉠은 인격의 수양을 동반하는 근대 주체의 정립에, ㉡은 전통적 사유 방식에 기반을 둔 신문화의 달성에 동의하는 입장이다.

② ㉠은 주체 인식의 준거가 서양 근대 문명의 주체라는 인식에, ㉡은 철학이 과학의 방법에 근거할 수 없다는 생각에 반대하는 입장이다.

③ ㉠은 생존과 편리 증진을 위한 과학 연구의 시급성을, ㉡은 과학의 방법에 영향 받지 않는 사상이나 철학을 부인하는 입장이다.

④ ㉠은 앞서 근대 문명을 이룬 국가를 추종하는 태도를, ㉡은 전쟁의 폐해가 과학을 오용한 자들의 탓이라는 주장을 비판하는 입장이다.

⑤ ㉠은 과학과 철학이 문명의 두 축을 이루는 학문이라는 견해에, ㉡은 철학보다 과학이 우위임을 인정할 수 없다는 견해에 동의하는 입장이다.

08 (가), (나)를 이해한 학생이 <보기>에 대해 보인 반응으로 적절하지 <u>않은</u> 것은? [3점]

─────[보기]─────

A마을은 가난했지만 전통문화와 공동체적 삶을 중시하며 이웃 마을들과 조화롭게 살아왔다. 오래전, 정부는 마을의 경제 발전을 목표로 서양의 생산 기술을 도입하는 정책을 시행했다. 마을 사람들은 정책의 필요성에 공감하면서도 자신들이 발전을 이뤄 낼 수 있다는 확신이 부족했다. 이에 정부는 마을 사람들을 독려하기 위해 마을의 역량으로 달성할 수 있는 미래 상을 지속해서 홍보했다. 이후 마을은 물질적 풍요를 누리게 되었지만 경제적 이권을 두고 이웃 마을들과 경쟁하며 갈등하게 되었다. 격화된 경쟁에서 A마을은 새로운 기술의 수용만을 우선시했고, 과거에 중시되었던 협력과 나눔의 인생관은 낡은 관념이 되었다. 젊은이들에게 전통문화는 서양 문화에 비해 열등한 것으로 여겨졌다.

① (가)에서 『한성순보』를 간행한 취지는 서양에 대한 반감을 줄이는 데에 있다는 점에서, <보기>에서 정부가 서양의 생산 기술 도입으로 변화하게 될 마을을 홍보한 취지와 부합하겠군.

② (가)에서 개화당의 한 인사의 개화 개념에 내포된 개화의 지향점은 통치 방식의 변화와 관련 있다는 점에서, <보기>에서 정부가 서양의 생산 기술을 도입하며 내세운 목표와 다르겠군.

③ (가)에서 박은식은 과학과 구별되는 철학의 중요성을 강조했으므로, <보기>에서 젊은이들의 자문화에 대한 인식 변화는 가치관 정립을 위한 철학이 부재했기 때문이라고 보겠군.

④ (나)에서 옌푸는 경쟁에서 승리하기 위한 조건으로 기술과 정신적 자질을 강조했으므로, <보기>에서 마을이 기술의 수용만을 중시하면 마을 간 경쟁에서 승리할 수 없다고 보겠군.

⑤ (나)에서 장쥔마이는 과학적 방법의 한계를 지적했으므로, <보기>에서 마을이 과거에 중시했던 인생관이 더 이상 유효하지 않게 된 문제는 과학적 방법으로 해결할 수 없다고 보겠군.

09 ⓐ와 문맥상 의미가 가장 가까운 것은?

① 다행히 비는 그사이에 <u>그쳐</u> 있었다.
② 우리 학교는 이번에 16강에 <u>그쳤다</u>.
③ 아이 울음이 좀처럼 <u>그치지</u> 않았다.
④ 그는 만류에도 말을 <u>그치지</u> 않았다.
⑤ 저 사람들은 불평이 <u>그칠</u> 날이 없다.

── (해설 p.364) ─

　　문장이나 영상, 음성을 만들어 내는 인공 지능 생성 모델 중 확산 모델은 영상의 복원, 생성 및 변환에 뛰어난 성능을 보인다. 확산 모델의 기본 발상은, 원본 이미지에 노이즈를 점진적으로 추가하였다가 그 노이즈를 다시 제거해 나가면 원본 이미지를 복원할 수 있다는 것이다. 노이즈는 불필요하거나 원하지 않는 값을 의미한다. 원하는 값만 들어 있는 원본 이미지에 노이즈를 단계별로 더하면 노이즈가 포함된 확산 이미지가 되고, 여러 단계를 거치면 결국 원본 이미지가 어떤 이미지였는지 전혀 알아볼 수 없는 노이즈 이미지가 된다. 역으로, 단계별로 더해진 노이즈를 알 수 있다면 노이즈 이미지에서 원본 이미지를 복원할 수 있다. 확산 모델은 노이즈 생성기, 이미지 연산기, 노이즈 예측기로 구성되며, 순확산 과정과 역확산 과정 순으로 작동한다.

　　순확산 과정은 이미지에 노이즈를 추가하면서 노이즈 예측기를 학습시키는 과정이다. 첫 단계에서는, 노이즈 생성기에서 노이즈를 만든 후 이미지 연산기가 이 노이즈를 원본 이미지에 더해서 노이즈가 포함된 확산 이미지를 출력한다. 다음 단계부터는 노이즈 생성기에서 만든 노이즈를 이전 단계에서 출력된 확산 이미지에 더한다. 이러한 단계를 충분히 반복하면 최종적으로 노이즈 이미지가 출력된다. 이때 더해지는 노이즈는 크기나 분포 양상 등 그 특성이 단계별로 다르다. 따라서 노이즈 예측기는 단계별로 확산 이미지를 입력받아 이미지에 포함된 노이즈의 특성을 추출하여 수치들로 표현하고, 이 수치들을 바탕으로 노이즈를 예측한다. 노이즈 예측기 내부의 이러한 수치들을 잠재 표현이라고 한다. 노이즈 예측기는 잠재 표현을 구하고 노이즈를 예측하는 방식을 학습한다.

　　노이즈 예측기의 학습 방법은 기계 학습 중에서 지도 학습에 해당한다. 지도 학습은 학습 데이터에 정답이 주어져 출력과 정답의 차이가 작아지도록 모델을 학습시키는 방법이다. 노이즈 예측기를 학습시킬 때는 노이즈 생성기에서 만들어 넣어 준 노이즈가 정답에 해당하며 이 노이즈와 예측된 노이즈 사이의 차이가 작아지도록 학습시킨다.

　　역확산 과정은 노이즈 이미지에서 노이즈를 제거하여 원본 이미지를 복원하는 과정이다. 노이즈를 제거하려면 이미지에 단계별로 어떤 특성의 노이즈가 더해졌는지 알아야 하는데 노이즈 예측기가 이 역할을 한다. 노이즈 이미지 또는 중간 단계에서의 확산 이미지를 노이즈 예측기에 입력하면 이미지에 포함된 노이즈의 특성을 추출하여 잠재 표현을 구하고 이를 바탕으로 노이즈를 예측한다. 이미지 연산기는 입력된 확산 이미지로부터 이 노이즈를 빼서 현 단계의 노이즈를 제거한 확산 이미지를 출력한다. 확산 이미지에 이런 단계를 반복하면 결국 노이즈가 대부분 제거되어 원본 이미지에 가까운 이미지만 남게 된다.

　　한편, 많은 종류의 이미지를 학습시킨 후 학습된 이미지의 잠재 표현에 고유 번호를 붙이면 역확산 과정에서 이미지를 선택하여 생성할 수 있다. 또한 잠재 표현의 수치들을 조정하면 다른 특성의 노이즈가 생성되어 여러 이미지를 혼합하거나 실재하지 않는 이미지를 만들어 낼 수도 있다.

10 학생이 윗글을 읽은 방법으로 적절하지 <u>않은</u> 것은?

① 확산 모델이 지도 학습을 사용한다는 점에 주목하고, 지도 학습 방법이 확산 모델에 어떻게 적용되는지 확인하며 읽었다.

② 확산 모델이 두 가지 과정으로 이루어진다는 점에 주목하고, 두 과정 중 어느 과정이 선행되어야 하는지 살피며 읽었다.

③ 확산 모델에서 노이즈의 중요성을 파악하고, 사용되는 노이즈의 종류가 모델의 성능에 미치는 영향을 이해하며 읽었다.

④ 잠재 표현의 개념을 파악하고, 그 개념을 바탕으로 확산 모델이 노이즈를 예측하고 제거하는 원리를 이해하며 읽었다.

⑤ 확산 모델의 구성 요소를 파악하고, 그 구성 요소가 노이즈 처리 과정에서 어떤 기능을 하는지 확인하며 읽었다.

11 윗글을 이해한 내용으로 가장 적절한 것은?

① 노이즈 생성기는 순확산 과정에서만 작동한다.
② 확산 모델에서의 학습은 역확산 과정에서 이루어진다.
③ 이미지 연산기와 노이즈 예측기는 모두 확산 이미지를 출력한다.
④ 노이즈 예측기를 학습시킬 때는 예측된 노이즈가 정답으로 사용된다.
⑤ 역확산 과정에서 단계가 반복될수록 출력되는 확산 이미지는 원본 이미지와의 유사성이 줄어든다.

12 잠재 표현에 대한 설명으로 적절하지 않은 것은?

① 잠재 표현의 수치들을 조정하면 여러 이미지를 혼합할 수 있다.
② 역확산 과정에서 잠재 표현이 다르면 예측되는 노이즈가 다르다.
③ 확산 모델의 학습에는 잠재 표현을 구하는 방식이 포함되어 있다.
④ 잠재 표현은 이미지에 더해진 노이즈의 크기나 분포 양상에 따라 다른 값들이 얻어진다.
⑤ 잠재 표현은 노이즈 예측기가 원본 이미지를 입력받아 노이즈의 특성을 추출한 결과이다.

13 윗글을 바탕으로 〈보기〉를 이해한 내용으로 적절하지 <u>않은</u> 것은? [3점]

[보기]

A단계는 확산 모델 과정 중 한 단계이다. ㉠은 원본 이미지이고, ㉡은 확산 이미지 중의 하나이며, ㉢은 노이즈 이미지이다. (가)는 이미지가 A단계로 입력되는 부분이고, (나)는 이미지가 A단계에서 출력되는 부분이다.

(가) ⇨ A단계 ⇨ (나)

① (가)에 ㉠이 입력된다면, A단계의 이미지 연산기에서는 ㉠에 노이즈를 더하겠군.
② (나)에 ㉢이 출력된다면, A단계의 노이즈 생성기에서 생성된 노이즈가 이미지 연산기에서 확산 이미지에 더해졌겠군.
③ 순확산 과정에서 (가)에 ㉡이 입력된다면, A단계의 노이즈 예측기에서 예측한 노이즈가 이미지 연산기에 입력되겠군.
④ 역확산 과정에서 (가)에 ㉢이 입력된다면, A단계의 이미지 연산기에서는 ㉢에서 노이즈를 빼겠군.
⑤ 역확산 과정에서 (나)에 ㉡이 출력된다면, A단계의 노이즈 예측기에서 예측한 노이즈가 이미지 연산기에 입력되었겠군.

———————————————— (해설 p.371)

　리프킨은 사회적 상호 작용에서의 자기표현은 본질적으로 연극적이며, 표면 연기와 심층 연기로 ⓐ이루어진다고 언급했다. 표면 연기는 내면의 자연스러운 감정보다 의례적인 표현과 같은 형식에 집중하여 연기하는 것이고, 심층 연기는 내면의 솔직한 정서를 ⓑ불러내어 자신의 진정성을 보여 주는 것이다. 인터넷에서의 커뮤니케이션에 주목한 리프킨은 가상 공간에서 자기표현이 더욱 활발히 이루어진다고 보았다.

　가상 공간의 특성에 주목한 연구자들은 사람들과의 관계 속에서 드러나는 고유한 존재로서의 위상을 뜻하는 자기 정체성이 가상 공간에서 다양하게 ⓒ나타난다고 본다. 가상 공간에서는 익명성이 작동하므로 현실에서 위축되는 사람도 적극적으로 자기표현을 할 수 있다. 아울러 현실에서의 자기 정체성을 ⓓ감추고 다른 인격체로 활동하거나 현실에서 억압된 정서를 공격적으로 드러내기도 한다. 게임 아이디, 닉네임, 아바타 등 가상 공간에서 개별적 대상으로 인식되는 '인터넷 ID'에 대한 사이버 폭력이 ⓔ넘쳐 나는 현실도 이와 무관하지 않다.

　사이버 폭력과 관련하여, 인터넷 ID만을 알고 있는 상황에서 그에 대해 명예훼손이나 모욕 등의 공격이 있을 때 가해자에게 법적인 책임을 물을 수 있는지에 대한 논란이 있어 왔다. 이는 인터넷 ID가 사회적 평판인 명예의 주체로 인정될 수 있는가와 관련된다. 인터넷 ID의 명예 주체성을 ㉠인정하는 입장에 따르면, 자기 정체성은 일원적·고정적인 것이 아니라 현실 세계와 가상 공간에 걸쳐 존재하고 상호 작용하는 복합적인 것이다. 인터넷에서의 자기 정체성은 사용자 개인의 자기 정체성의 일부이기 때문에 자기 정체성을 가진 인터넷 ID의 명예 역시 보호되어야 한다. 반면 ㉡인정하지 않는 입장에 따르면, 생성·변경·소멸이 자유롭고 복수로 개설이 가능한 인터넷 ID는 그 사용자인 개인을 가상 공간에서 구별하는 장치에 불과하다. 인터넷 ID는 현실에서의 성명과 달리 그 사용자인 개인과 동일시될 수 없고, 인터넷 ID 자체는 사람이 아니므로 명예 주체성을 인정할 수 없다는 것이다.

　㉮대법원은 실명을 거론한 경우는 물론, 실명을 거론하지 않았더라도 주위 사정을 종합할 때 지목된 사람이 누구인지를 제3자가 알 수 있는 경우에는 명예훼손이나 모욕에 대한 가해자의 법적 책임이 성립한다고 판시해 왔다. 이를 수용한 헌법재판소에서는 인터넷 ID와 관련된 명예훼손·모욕 사건의 헌법 소원에 대한 결정을 내린 바 있다. 이 결정에서 ㉯다수 의견은 인터넷 ID만을 알 수 있을 뿐 그 사용자가 누구인지 제3자가 알 수 없다면 피해자가 특정되지 않아 명예훼손이나 모욕에 대한 가해자의 법적 책임이 성립하지 않는다고 보았다. 반면 인터넷 ID는 가상 공간에서 성명과 같은 기능을 하므로 제3자의 인식 여부가 법적 책임의 근거가 될 수 없다는 ㉰소수 의견도 제시되었다.

14 윗글의 내용과 일치하지 <u>않는</u> 것은?

① 심층 연기는 내면의 진솔한 정서를 드러내기 위해 형식에 집중하는 자기표현이다.

② 리프킨은 현실 세계보다 가상 공간에서 자기표현이 더욱 왕성하게 드러난다고 보았다.

③ 가상 공간에서 개별적인 것으로 인식되는 아바타는 사이버 폭력의 대상이 될 수 있다.

④ 익명성은 가상 공간에서 자기 정체성이 다양하게 나타나는 데 영향을 미치는 가상 공간의 특성이다.

⑤ 가상 공간에서의 자기 정체성은 현실에서의 자기 정체성과 마찬가지로 타인과의 관계 속에서 나타난다.

15 ㉠과 ㉡에 대한 이해로 가장 적절한 것은?

① ㉠은 ㉡과 달리 자기 정체성을 단일하고 고정적인 것으로 파악하겠군.

② ㉠은 ㉡과 달리 인터넷 ID에 대한 공격을 그 사용자인 개인에 대한 공격이라고 보겠군.

③ ㉡은 ㉠과 달리 인터넷에서의 자기 정체성과 현실 세계의 자기 정체성이 상호 작용을 한다고 보겠군.

④ ㉡은 ㉠과 달리 인터넷 ID는 복수 개설이 가능하므로 자기 정체성이 복합적으로 구성된다고 보겠군.

⑤ ㉠과 ㉡은 모두, 인터넷 ID마다 개인의 자기 정체성이 다르다고 보겠군.

16 윗글을 바탕으로 〈보기〉를 이해한 내용으로 적절하지 **않은** 것은? [3점]

─────[보기]─────

　　○○인터넷 카페의 이용자 A는 a, B는 b, C는 c라는 ID를 사용한다. 박사 학위 소지자인 A는 □□전시관의 해설사이고, B는 같은 전시관에서 물고기 관리를 혼자 전담한다. 이 전시관의 누리집에는 직무별로 담당자가 공개되어 있다. 어떤 사람이 □□전시관에서 A의 해설을 듣고 A의 실명을 언급한 후기를 카페 게시판에 올리자 다음과 같은 댓글이 달렸다.

┌─────────────────────┐
│　　　**A의 해설에 대한 후기**　　　│
│└ b A가 박사인지 의심스럽다. A는 #~#. │
│　　└ a □□ 전시관에서 물고기를 관리하는 b는 #~#. │
│　　　└ c 게시판 분위기를 흐리는 a는 #~#. │
└─────────────────────┘

　　(단, '#~#'는 명예를 훼손하거나 모욕을 주는 표현이고 A, B, C는 실명이다. ID로는 그 사용자의 개인 정보를 알 수 없으며, A, B, C의 법적 책임에 영향을 미치는 다른 요소는 고려하지 않는다.)

① ㉮는 B가 가해자로서의 법적 책임을 져야 하지만 C는 가해자로서의 법적 책임을 지지 않는다고 보겠군.

② ㉯는 B가 가해자로서의 법적 책임을 져야 하지만 A는 가해자로서의 법적 책임을 지지 않는다고 보겠군.

③ ㉮와 ㉰는 A가 가해자로서의 법적 책임을 져야 하는지의 여부에 대해 같게 보겠군.

④ ㉯와 ㉰는 B가 가해자로서의 법적 책임을 져야 하는지의 여부에 대해 같게 보겠군.

⑤ ㉮, ㉯, ㉰가, C가 가해자로서의 법적 책임을 져야 하는지의 여부에 대해 판단한 내용이 모두 같지는 않겠군.

17 문맥상 ⓐ~ⓔ와 바꿔 쓰기에 가장 적절한 것은?

① ⓐ: 완성(完成)된다고

② ⓑ: 요청(要請)하여

③ ⓒ: 표출(表出)된다고

④ ⓓ: 기만(欺瞞)하고

⑤ ⓔ: 확충(擴充)되는

교재를 마무리한 후

정말 고생하셨습니다. 지금까지 여러분이 넘긴 페이지들은 여러분 스스로에게 수능 국어영역을 정복할 수 있는 '기초체력'을 주었습니다. 만약 이 교재 한 권을 처음부터 끝까지 꼼꼼하게 따라오며 끝내셨다면, 스스로에게 뿌듯해하셔도 됩니다. 진짜 대단한 일을 해낸 것이니까요.

다시, '기초체력'이라고 했습니다. 이 말은, 아직 수능 국어영역을 완벽하게 정복한 것은 아니라는 뜻입니다. 여러분은 이제 이 '기초체력'을 바탕으로 다시 지겨운 기출문제 공부를 하셔야 합니다. 주요 기출문제를 꼼꼼하게 뜯어보셨으니 이제는 답도 기억나고, 풀이과정도 떠오르며 무엇을 공부해야 하는지 목적의식이 흐려지기도 하겠죠.

하지만 명심하세요. 최대한 '생각의 틀'을 간단하게 정제하고, 그것을 토대로 모든 문제에 적용되도록 한다. 끊임없이, '왜' 정답인지가 아니라 '어떻게' 하면 이 문제의 정답을 고를지를 고민한다. 이 목표를 향해 우리가 닦은 기초체력을 사용하는 겁니다.

혹시 조금 더 욕심이 있다면, 거기서 멈추지 말고 '본인만의 원칙'을 만들어 보세요. 이 책의 내용과 여러분의 경험이 합쳐진 '여러분만의 원칙'은 여러분을 수능장에서 웃게 만들어 줄 것입니다.

· 독서 공부의 세 가지 방향성

이렇게 '본인만의 원칙'을 바탕으로 독서를 정복하는 과정에서, 우리는 세 가지의 방향성을 설정할 필요가 있습니다. 어떤 것들이 있는지, 그리고 그 과정을 위한 공부 도구들은 무엇이 있는지 자세히 알아보도록 합시다.

1) 질적 학습

이 교재에서 했던 공부 그대로를 해 주시면 됩니다. 한 지문, 한 문장씩 곱씹고 이해하려 애쓰고 하는 고통스러운 공부를 해야 해요. 머리가 터질 듯이 고민하면서 공부를 해야 하고, 이 과정에서 내 두뇌의 '질적 변화'가 일어나야 합니다. 이를 위해서는 아래의 두 가지 공부 도구를 활용해야 해요.

– 평가원(6월, 9월, 수능) 기출문제 : 혹자는 '기출 무용론'을 이야기하지만, 기출문제 분석은 누가 뭐라고 해도 여전히 가장 중요한 공부입니다. 게을리 하지 말아 주세요. 이 교재를 처음부터 다 푸셨다면 어렵거나 유명한 기출문제들은 거의 다 풀어 보신 것이라고 생각하셔도 됩니다. 하지만 다시 한번, 익숙한 제 교재가 아니라 다른 교재를 가지고도 공부를 해 주세요. 현 교육과정 체제에서 출제된 2021학년도부터의 기출문제들은 거의 외우다시피 몇 번이고 봐 주셔야 하고, 이왕이면 2008학년도 정도까지 공부하시는 걸 권합니다. 참고로, 'P.I.R.A.M 국어 생각 워크북'을 활용하면 2008학년도부터 2025학년도까지의 주요 지문을 피램식 해설로 더 공부하실 수 있습니다. 핵심은 모든 기출문제를 본인만의 방법으로, '필연적으로' 해설할 수 있을 정도로 공부해 주시는 겁니다. 몇 회독 해야 하냐고는 묻지 마세요. 그냥 수능의 그날까지 최대한 반복해서 하는 겁니다!

– LEET언어이해 기출문제 : LEET언어이해는 로스쿨 입학을 위한 시험인 법학적성시험의 한 과목으로, 수능과 비슷한 형식의 출제 방식을 가지고 있습니다. 물론 논리학적 지식이나 폭넓은 배경지식 등을 요구한다는 점에서 수능보다 더 수준 높은 시험이라고 할 수 있지만, 최근의 수능이 어려워지면서 LEET언어이해를 공부하는 것이 결코 과하지 않게 된 모습이에요. 특히 '고난도 선지'라는 최근의 트렌드를 연습하기에 적절한 공부 도구라고 할 수 있으니, '평가원 기출문제'와 마찬가지로 '질적 학습'의 도구로 삼읍시다. 문제는 인터넷에 '법학적성시험'이라고 검색하시면 나오는 사이트에서 쉽게 다운받으실 수 있어요. 이 교재에서도 몇 지문 만나봤죠? 시간이 있다면 전 개년(2009학년도가 첫 시험입니다.)을 공부하시는 걸 추천하지만, 시간이 없다면 2019학년도부터 공부하시는 걸 권해요. LEET언어이해도 저 시험을 기점으로 난이도의 급상승이 일어났거든요.

2) 양적 확대

질적으로 변화된 여러분의 국어 능력을 더욱 다듬기 위한 단계입니다. 더 많은 지문들을 가지고 공부하면서 양적인 확대를 도모해야 해요. 결국 수능은 더 많은 텍스트에 노출되고 더 많은 생각을 해 본 사람이 잘 볼 수밖에 없는 시험이기 때문에, 단순히 글을 잘 읽게 되었고 똑똑해진 느낌이 든다고 해서 공부가 끝났다고 생각하시면 안 돼요. 더 많은 지문들을 가지고 공부해 보도록 합시다!

– **사설 문제집** : 최근 유명한 사설 문제집들, 특히 주간지 형태로 나오는 문제집들은 모두 수능 출제 경험이 있으신 교수님들이 참여하시는 경우가 많습니다. 수능에 비해 촉박한 출제 일정과 짧은 검토 기간으로 인해 조금씩 아쉬운 점들이 많은 것은 사실이지만, '질적 학습' 단계에서 배운 내용을 적용하고 확인해 보기에는 충분한 문제들로 구성된 경우가 많아요. 특히 EBS 연계 공부를 간접적으로 할 수 있다는 점에서, 사설 문제집들은 '양적 확대'를 위한 도구로 사용하기 적절하다고 봅니다. '질적 학습'을 할 때처럼 지나치게 분석적인 태도를 취할 필요는 없지만, 그래도 열과 성을 다해 읽고 풀어 보도록 합시다.

– **실전 모의고사** : 최근의 어려운 수능은 단순히 실력만 가지고 있다고 해서 좋은 점수를 받을 수가 없습니다. 그 실력을 온전히 점수로 출력할 수 있도록 치밀한 전략을 세우셔야 해요. 독서론 포함 4지문의 풀이 순서, 이해가 되지 않는 문장이 나올 때의 대처법, 선지 판단 과정에서의 효율적 접근 등 '제한 시간'을 100% 활용할 수 있는 전략의 확립이 중요합니다. 이는 실전 모의고사를 한두 번 풀어 본다고 얻을 수 있는 것은 아니에요. 어느 정도 '질적 학습'과 '양적 확대'가 이루어졌다고 생각되는 파이널 기간, 적절히 많은 실전 모의고사를 통해 이 '전략' 수립에 공을 들이도록 합시다. 실전 모의고사를 푸는 과정에서 맞이한 수많은 위기 상황들을 복기하고, 이에 대한 대처법을 고민하시는 방향으로 공부하시면 좋은 전략들을 수립할 수 있을 거예요.

– **교육청(3월, 4월, 7월, 10월) 기출문제 / 사관학교 기출문제들** : 분석을 하면서 공부할 정도의 가치는 크지 않습니다. 배운 내용을 활용하면서 가볍게 양치기 용도로 풀어 주세요. 기출분석을 너무나 잘했거나, 다른 지문을 풀어보며 더 연습하고 싶을 때 활용해 주세요. 평가원 기출문제의 트렌드를 따라오지 못하기도 하고, 묻는 부분이 조금 다른 게 사실이니까요. 핵심은 기출분석을 통해 정제된 원칙을 '연습'하는 용도로 사용하는 겁니다! 참고로 앞에서부터 소개해드린 '피램의 국어공작소' 카페에 오시면 사관학교 전개년 해설집을 다운받으실 수 있습니다. 피램 교재만큼 자세하지는 않아도 가볍게 참고할 정도는 될 것이니 많이 활용하세요.

3) 배경지식

앞의 '질적 학습' 및 '양적 확대' 과정과는 다르게, 반드시 거쳐야 하는 공부는 아니라고 할 수 있습니다. 배경지식이 없더라도 문제를 푸는 데에는 사실 큰 문제가 없는 게 사실이니까요. 하지만 어느 정도의 배경지식을 갖추고 있다면, 지문 독해 과정에서 압도적인 우위를 점한 채로 읽어나갈 수 있을 거예요. '생각의 확장' 파트에서 충분히 경험했죠? 다만 우리가 책을 읽고 하면서 지식을 쌓을 시간은 없기 때문에, 아래의 도구들을 이용하면서 '배경지식'을 최대한 쌓아주도록 합시다.

– **P.I.R.A.M 국어 생각의 전개** : 엥 이 교재 아니냐구요? 맞습니다. 이 교재의 후반부에 나온 '제재별 독해 태도' 파트에서는, '과학·기술' 파트와 '사회' 파트의 중요 지식들을 몇 가지 실어두었어요. 정말 엄선해서 꼭 알아야 하는 내용만을 담은 것이니, 여기 있는 것 정도는 확실하게 습득하도록 해요.

– **질적 학습의 도구들** : 교재의 초반부에서도, 그리고 해설지 중간중간에서도 많이 강조했듯이, 기출문제에 나왔던 지식들이 반복적으로 출제되는 경우가 상당히 많습니다. 나아가 LEET언어이해에 나왔던 소재들이 수능에도 출제되는 경우 역시 자주 확인할 수 있죠. 따라서 '질적 학습'의 도구로 삼았던 평가원 기출문제와 LEET언어이해 기출문제에 제시된 지문의 내용을 '지식화'하는 습관을 들이도록 합시다. 당연히 한두 번 본다고 완벽하게 기억에 남고 하지는 않아요. n회독을 할 때마다 지문의 내용을 상기시키면서 여러분의 '지식 체계'를 단단하게 만드시기 바랍니다.

– **EBS 연계교재 / 사설 문제집** : 사실 평가원이 수능에서 요구하는 다소 과한 배경지식의 출처는 EBS인 경우가 많습니다. EBS 연계교재의 문제들이 그리 좋지는 않기 때문에, 분석적으로 접근할 필요는 없지만 말 그대로 '독서'를 한다는 느낌으로 EBS 지문들을 대해주세요. 모르는 어휘는 찾아보고, 헷갈리는 부분은 인터넷에서 정확한 내용을 찾아보고 하는 방식으로 말이죠. 물론 너무 많은 시간을 들이면 안 되겠죠? 그냥 하루에 한 지문 정도씩만, 정말로 '독서'를 하듯이 꾸준히 읽어나가셔도 좋을 겁니다. 하루의 시작이나 마무리를 EBS 연계교재 '지문 읽기'로 한다면 꽤나 효과적인 공부가 될 수 있을 것 같아요. 나아가 앞에서도 언급드렸듯이 사설 문제집들은 EBS 연계교재를 바탕으로 만들어지는 경우가 많기 때문에, 비슷한 방식으로 이용할 수 있을 겁니다. 물론, 이런 '배경지식' 공부가 메인이 되는 것은 지양해야겠죠? 수능은 결국 얼마나 많이 아느냐가 아닌 얼마나 잘 읽을 수 있느냐가 핵심이니까요.

· 기출문제 n회독에 대해서

이 교재에서도 계속해서 강조하고 있고, 수많은 국어 전문가들이 이야기하듯이 평가원 기출문제는 여러 번 반복해서 공부하는 것이 좋습니다. 이 교재를 끝낸 뒤 '생각 워크북' 시리즈를 푸시면 2008~2016학년도 주요 문항, 2017~2025학년도 전문항을 공부하게 됩니다. 하지만 저는 이 과정이 끝난 후 '8개년 기출문제집' 시리즈와 '옛기출 선별집' 공부도 이어가길 권합니다. 이 두 교재를 공부하면 다시 한번 2008~2016학년도 주요 문항, 2017~2025학년도 전문항을 공부하게 됩니다. 똑같은 문제 · 똑같은 해설을 본다는 점에서 돈낭비라고 생각할 수도 있지만, 조금 다른 환경에서 기출문제를 한 번 더 공부한다는 의미가 있으니 아끼지 않으셨으면 좋겠습니다. 너무 낭비라고 생각이 든다면, 평가원 홈페이지에서 기출문제만을 출력해서 스스로 해설을 만들며 공부하는 것도 아주 좋을 것 같아요.

그런데, 이렇게 기출문제 n회독을 하는 학생들 중 대다수가 하는 질문이 있습니다. 바로 "답이 다 기억나서 뭘 해야 할지 모르겠어요."라는 질문이에요. 사실 이 교재에서 요구하는 것처럼 한 지문씩 열심히 분석하다 보면 당연히 기억이 나는 것이 정상이에요. 또 이런 상황에서 많이들 슬럼프를 겪고, 사설 문제집 등 낯선 문제만 찾게 되면서 자연스레 기출문제와 멀어지는 경우가 많습니다.

하지만 기출문제는 수능의 그날까지, 언제나 곁에 두고 봐야 하는 공부 도구입니다. 특히 국어 영역은 퀄리티 좋은 공부 도구의 수가 매우 적기 때문에 기출문제에 더 집중하는 것이 중요해요. 그렇다면 답도, 지문 구성 방식 등도 다 기억나는 상황에서 기출문제 n회독은 어떤 방식으로 진행해야 할까요? 몇 가지 팁을 드리겠습니다.

1) 스스로 해설지 만들어 보기

'P.I.R.A.M 국어' 시리즈로 기출문제를 열심히 공부하셨다면, 이제 스스로 해설지를 만들면서 공부할 수 있는 경지에 올랐을 것입니다. 이때부터는 지문의 모든 문장 / 문제의 모든 선지에 대해 스스로 해설을 만들어 보시는 것이 좋습니다. 정말로 텍스트화를 시킬 정도까지는 할 필요가 없고, 책상 옆에 가상의 과외 학생이 앉아 있다고 생각하고 한 문장씩 논리적으로 설명해 보는 것이죠. 이때 명쾌하게 이해되지 않거나, 해당 문장의 존재 이유 등이 확실하게 납득되지 않는 문장들, 시험장에서 처음 봤을 때 도저히 논리적으로 해결하기 어려울 것 같은 선지들에 주목하세요. 즉, 옆에 있는 가상의 학생을 이해시킬 자신이 없는 문장들 · 선지들에 형광펜 등으로 표시를 하는 겁니다. 그 내용들은 시험장에서 여러분의 발목을 잡을 수 있는 것들이니, 스스로 더 고민해 본 뒤 해설의 도움을 받는 방식으로 채워나가시면 됩니다. 궁극적으로 수능 전날 여러분이 완벽하게 설명할 수 없는 기출문제는 없는 상태로 만들어야 해요. 이 과정은 생각보다 고단하기 때문에, n회독의 과정을 아주 풍성하게 만들어 줄 것입니다.

2) 특정 포인트 반복 연습하기

이 교재에서 배운 내용들, 그리고 스스로 공부하면서 터득한 여러 가지 독해 · 선지 판단의 태도가 있을 것입니다. 그리고 그 태도들 중에서 유난히 잘 적용되지 않는 것들이 있을 거예요. 이런 경우에는 기출문제 n회독의 과정에서 그 특정 포인트만을 집중적으로 연습하는 것이 좋은 방법이 될 수 있습니다. 예를 들어 '진짜로' 같은 말을 이용한 독해가 잘 적용되지 않는다면,

기출문제를 공부하면서 의식적으로 '진짜로' 같은 말을 찾으려 애를 쓰는 것입니다. 그리고 그 말들이 연결되며 새로운 의미를 만들어낸다는 것을 계속 경험하시고, '진짜로' 같은 말을 찾는다는 독해 태도에 점차 익숙해지는 것이죠. 또한 이 과정에서 그 전에는 알지 못했던 해당 지문의 여러 가지 포인트들을 새롭게 발견하기도 할 겁니다. 이는 앞에서 설명한 '스스로 해설지 만들어 보기' 과정에도 큰 도움이 되겠죠.

물론, 이런 내용들은 먼저 이 교재에서 제시하는 공부법(풀기→스스로 생각→해설지와 비교→정리)으로 1~2회독 정도를 한 뒤에 해 주시는 걸 권합니다. 정말로 답도 다 기억나고 기출문제 공부가 너무 재미없다는 생각이 들 때 말이죠!

· 수능이라는 긴 레이스를 잘 치러내는 법

수능은 마라톤에 비유되는 긴 레이스입니다. 마라톤에서 시작하자마자 전력 질주를 하면 전체 레이스가 망가지듯이, 수능이라는 레이스도 아주 긴 호흡으로 달려 주시는 것이 중요합니다. 이를 잘 해내기 위해서는 각 시기별 공부의 목표를 제대로 설정하는 것이 중요해요. 물론 이를 꼭 따를 필요는 없지만, 일종의 가이드라인으로 삼는다면 힘든 수험생활에 큰 도움이 될 것 같습니다.

1) 상반기 (공부 시작~6월 모의평가)

11월 수능이 끝난 후, 다음 평가원 시험까지는 무려 7개월이라는 시간이 주어집니다. 즉, 6월 모의평가 전까지는 본인의 실력을 제대로 확인할 만한 시험을 보지 않아요. 3월 · 4월 교육청 학력평가 등은 시험의 성격 및 모집단의 성격 등을 고려했을 때 제대로 된 실력 평가용 시험이라고 할 수는 없으니까요.

따라서 이 시기에는 당장의 시험 점수보다 내 '실력의 상한선'을 최대치로 끌어 올린다는 목표를 세워야 합니다. 굳이 시간을 재며 실전 연습을 하기보다는 한 지문이라도 완벽하게 공부하고 더 많은 '생각'을 해 본다는 목표를 가지고 공부하셔야 해요. 중간중간 보는 교육청 학력평가나 사설 모의고사에서도 '점수 확인'보다는 '배운 내용의 점검'이라는 목표로 임하셔야 합니다. 최상위권 학생들은 이런저런 사설 문제집이나 상위권용 인터넷 강의 등을 수강하며 여러분을 유혹하겠지만, 흔들리지 않고 '생각의 힘 강화'라는 목표에만 집중하셔야 합니다. 따라서 이때는 오직 기출문제만으로 공부하는 것을 권하고 싶어요. 이 시기에 주요 기출문제를 3회독 정도 할 수 있다면 파이널 기간 누구보다 더 멀리 치고 나갈 수 있을 겁니다.

2) 6월 모의평가

시간이 흐르면 대망의 6월 모의평가가 다가옵니다. 처음으로 N수생 표본이 낀 시험이라는 점에서, 그리고 그해의 경향을 처음으로 보여 주는 시험이라는 점에서 많은 의미가 있는 것처럼 느껴져요. 하지만 6월 모의평가를 치르고 나도 아직 수능까지 160여일 정도가 남은 상황이기에, 이 시험의 목적을 '높은 점수 확보'에 두는 것을 별로 권하고 싶지 않아요. 슬프게도 많은 중위권 학생들에게는, 상반기의 공부만으로 1등급 이상의 성적을 받는 것이 굉장히 어려운 일일 수 있거든요.

이런 이유로, 6월 모의평가의 목표는 '배운 것을 실전에서 사용해 보는 경험'이 되어야 합니다. 시간이 모자라서 한두 지문을 못 풀고, 이로 인해 3~4등급 혹은 그 이하의 점수가 나온다고 해도, 단 한 지문이라도 배운 것을 완벽하게 활용해 보는 경험을 통해 실전에서도 배운 것을 사용할 수 있다는 자신감을 얻는 정도면 충분합니다. 아무 생각 없이 문제를 풀고 받은 4등급과, 한 지문이라도 완벽하게 풀고 시간이 모자라서 받은 4등급의 의미는 차원이 다릅니다. 6월 모의평가에서 후자의 목표를 이룰 수만 있다면 이미 반은 성공한 것이니 다름없습니다. 물론 1~2등급을 받아낼 수 있다면 더할 나위 없겠지만요 ㅎㅎ

3) 중반기 (6월 모의평가~9월 모의평가)

6월 모의평가의 완벽한 분석과 함께 중반기를 시작하셔야 합니다. 약간의 실험적 성격이 가미된 9월 모의평가와 달리 6월 모의평가는 평가원 입장에서도 표본의 수준 및 시험 전체의 방향성에 대한 반응 정도를 확인할 수 있는 중요한 시험이기 때문에, 정말 열심히 분석해 주셔야 합니다. 수능과 연계되는 정도도 9월 모의평가보다 6월 모의평가가 훨씬 높거든요.

이렇게 6월 모의평가의 분석을 열심히 한 다음에는, 상반기에 열심히 높여 둔 '실력의 상한선'을 더 끌어 올려야 합니다. 다만 이때부터는 평가원 기출문제 외에도 '양적 확대'를 도모할 수 있는 여러 공부 도구들을 활용하시길 권합니다. 자신의 '실력의 상한선'을 높일 수 있는 사실상 마지막 기회이기 때문에, 이 시기를 잘 견디셔야 합니다. 수많은 학생들이 중반기에 지쳐 버려 '실력의 상한선'을 제대로 높이지 못한 상태로 수능을 보거든요.

물론, 평가원 기출문제 n회독은 게을리하지 않으셔야 합니다. 다만 그 양을 조금 줄이고 '양적 확대'를 위한 공부 비중을 높이는 방식으로 공부해 주세요.

4) 9월 모의평가

파이널로 돌입하기 전 마지막 평가원 모의평가입니다. 앞에서도 언급했듯이, 이 시험은 약간의 실험적 문항을 통해 학생들의 반응을 확인하는 경우가 많습니다. 따라서 6월 모의평가에 비해 '수능과의 유사성'은 약간은 떨어지는 모습을 보여요. 하지만 수능 전 최대 규모의 N수생과 함께 시험을 치르게 되고, 그동안 갈고 닦은 자신의 실력을 제대로 평가할 수 있다는 점에서 너무나도 중요한 시험입니다. 6월 모의평가와 달리 이 시험의 목표는 '수단과 방법을 가리지 않고 100점 가까이 받아 오기'가 되어야 합니다. 몇 문제를 찍어서 맞히든, 이해가 안 된 채로 육감을 동원해서 제일 그럴듯한 선지를 답으로 고르든 무슨 수를 써서라도 최대한 높은 점수를 받아 올 수 있어야 해요. 이렇게 절박하게 1점이라도 따는 경험은 수능 외에는 할 수 없으니, 9월 모의평가에서 그 연습을 미리 해야 하는 것이죠.

5) 파이널 기간 (9월 모의평가~수능)

9월 모의평가 역시 6월 모의평가처럼 꼼꼼하게 분석하고 정리하는 것이 중요합니다. 또한, 이때부터는 '자기객관화'가 매우 중요합니다. 상반기와 중반기에 열심히 높여 놓은 '실력의 상한선'을 정확하게 인식하셔야 한다는 것이죠. 만약 6월 모의평가에서 한 지문도 제대로 풀지 못한 채 4등급을 받았고, 죽기 살기로 시험을 본 9월 모의평가에서도 3등급 정도의 실력을 받았다면, 냉정하게 자신이 가진 '실력의 상한선'은 높아 봐야 2등급 정도라고 생각해야 합니다. 이 학생이 수능 100점을 목표로 공부한다면, 파이널 기간 무의미한 공부로 시간을 날려버릴 수도 있는 것이에요.

이렇게 '자기객관화'를 통해 '현실적인 목표'를 세우는 것이 중요합니다. 그리고 이 '현실적인 목표'는 '범위'로 세우는 것이 좋습니다. 다시 말해 '90점'을 목표로 삼는 것이 아니라, '85점~95점'을 목표로 세우는 것이죠. 자신이 가진 실력의 '하한선~상한선'을 목표로 세우시는 겁니다. 그리고 파이널 기간 공부는 '점수의 하한선'을 높이는 데 집중해야 해요. 처음 세웠던 목표가 '85점~95점'이라면, 남은 기간 여러 공부를 통해 '88점~95점' 정도로 목표를 수정하는 것이죠. 냉정하게 파이널 기간 동안 '상한선 뚫기'를 목표로 공부하기엔 너무 시간이 부족하니, 아무리 망해도 최소 몇 점은 확보하겠다는 '하한선'을 만드는 것이 중요한 것입니다.

이를 위해, 실전에서의 여러 가지 상황에 대한 완벽한 대응책을 세우시는 것이 중요합니다. 실전 모의고사를 주기적으로 응시하면서, 80분의 시간 동안 나의 발목을 잡았던 여러 가지 상황들을 정리하시고, 그에 대한 해결책을 마련하셔야 합니다. 예를 들어 과학 지문의 한 문장이 도저히 이해되지 않아 시간을 너무 끌었다면, 어느 정도 시간이 지나면 이해를 포기해야겠다는 전략을 세우는 식이죠. 이렇게 여러분들의 맞춤 전략들이 하나씩 완성되기 시작하면, 수능장에서 아무리 흔들려도 '최소한 확보할 수 있는 점수'가 높아집니다. 이렇게 '하한선'을 확고하게 다진 상태에서 수능 시험장으로 가면 훨씬 부담감이 덜한 상태로 실력을 발휘할 수 있어요.

어쨌든, 중요한 것은 이 교재의 내용을 바탕으로 '능동적'인 공부를 이어나가셔야 한다는 것입니다. 이 교재의 진짜 교훈은 '수능 국어를 잘 보는 법'이 아니라, '생각의 힘을 키우는 법'에 있습니다. 후자를 목표로 삼고, 매일같이 '생각의 힘'을 키워나 갈 여러분을 응원합니다. 이 외에도 더 많은 이야기들 역시 오르비 사이트 및 카페 등을 통해 나누도록 하겠습니다. 이 교재 하나로 끝나는 것이 아니라, 수능 당일 아침까지 여러분의 국어 영역을 책임지겠습니다. 제 교재의 내용들에 공감하시고 도움을 얻으셨다면 꼭 가입하셔서 질문도 하고 다양한 정보들도 얻어 가시기 바랍니다.

카페 주소 : https://cafe.naver.com/piramgukeo

유튜브 주소 : https://www.youtube.com/@piramgukeo

교재 구매처 : https://atom.ac/

➜ 이 외 대다수 온오프라인 서점에서 구매 가능합니다.

피램의 국어공작소 카페 제공 자료

1. 생각의 전개 교재 복습용 지문 편집 파일
2. 생각의 발단 문학 / 생각의 전개 언어(문법)편, 생각의 전개 화법과 작문편 (파일 비밀번호 : todrkrrhdwkrth)
3. 평가원 / 교육청 / 사관학교 선별 핵심 단어장
4. EBS 연계교재 현대시 독해 연습 자료 (2024~2026)
5. 사관학교 전개년(2003~2026) 해설집
6. 수능 직전 예열 자료
7. 그 외 피램이 만드는 모든 칼럼 + 자료

고생하셨습니다. 그리고 다시 한번, 시중의 수많은 교재 중 이 교재와 함께해 주셔서 진심으로 감사합니다.
마지막까지 최선을 다합시다.

생각의 확장

Day 20~Day 23

제재별 독해 – 인문

[01~04] 2022.06 [10~13]

01	02	03	04
③	⑤	④	②

[05~09] 2017.11 [16~20]

05	06	07	08	09
②	④	⑤	⑤	②

[10~15] 2024.06 [12~17]

10	11	12	13	14	15
①	③	①	②	③	④

[16~21] 2024.11 [12~17]

16	17	18	19	20	21
③	①	④	④	⑤	④

[22~27] 2023.09 [4~9]

22	23	24	25	26	27
③	①	⑤	⑤	③	①

[28~33] 2022.11 [4~9]

28	29	30	31	32	33
①	③	④	③	②	③

[34~36] 2019LEET [19~21]

34	35	36
③	②	④

[37~39] 2023LEET [28~30]

37	38	39
⑤	⑤	③

Day 24~Day 28

제재별 독해 – 과학 · 기술

[01~03] 2014.11A [28~30]

01	02	03
④	④	⑤

[04~08] 2018.06 [30~34]

04	05	06	07	08
④	③	②	⑤	②

[09~13] 2018.11 [38~42]

09	10	11	12	13
②	②	⑤	④	④

[14~16] 2013.11 [43~45]

14	15	16
③	③	④

[17~20] 2025.06 [8~11]

17	18	19	20
④	①	③	③

[21~24] 2017.11 [33~36]

21	22	23	24
⑤	④	①	③

[25~28] 2023.06 [10~13]

25	26	27	28
①	②	④	③

[29~32] 2019.06 [35~38]

29	30	31	32
③	①	④	②

[33~34] 2016.11B [29~30]

33	34
④	⑤

[35~39] 2022예시[30~34]

35	36	37	38	39
②	②	②	③	⑤

Day 29~Day 33

제재별 독해 – 법

[01~05] 2017.09 [35~39]

01	02	03	04	05
⑤	①	⑤	⑤	②

[06~10] 2019.06 [22~26]

06	07	08	09	10
③	②	①	③	⑤

[11~14] 2023.09 [10~13]

11	12	13	14
②	④	②	④

[15~19] 2020.09 [27~31]

15	16	17	18	19
⑤	⑤	②	③	①

[20~24] 2019.11 [16~20]

20	21	22	23	24
③	⑤	①	③	①

[25~29] 2021.12 [26~30]

25	26	27	28	29
⑤	③	①	④	②

[30~34] 2021.09 [26~30]

30	31	32	33	34
⑤	①	⑤	④	③

[35~38] 2023.11 [10~13]

35	36	37	38
④	⑤	②	⑤

[39~41] 2014예비A [22~24]

39	40	41
①	⑤	②

[42~44] 2019LEET [28~30]

42	43	44
②	①	③

Day 34~Day 40

제재별 독해 – 경제

[01~06] 2020.11 [37~42]

01	02	03	04	05	06
①	③	④	⑤	⑤	③

[07~11] 2019.09 [21~25]

07	08	09	10	11
②	④	②	③	①

[12~14] 2011.11 [44~46]

12	13	14
③	④	③

[15~18] 2018.06 [22~25]

15	16	17	18
①	⑤	①	⑤

[19~23] 2020.06 [27~31]

19	20	21	22	23
④	③	①	③	②

[24~26] 2019LEET [16~18]

24	25	26
⑤	③	②

[27~30] 2017LEET [14~17]

27	28	29	30
⑤	⑤	⑤	②

[31~36] 2018.11 [27~32]

31	32	33	34	35	36
①	⑤	①	④	③	②

[37~40] 2022.11 [10~13]

37	38	39	40
②	⑤	⑤	④

Day 41~Day 42

2025학년도 수능

[01~03] 2025.11 [1~3]		
01	**02**	**03**
③	④	⑤

[04~09] 2025.11 [4~9]					
04	**05**	**06**	**07**	**08**	**09**
④	⑤	③	②	①	②

[10~13] 2025.11 [10~13]			
10	**11**	**12**	**13**
③	①	⑤	③

[14~17] 2025.11 [14~17]			
14	**15**	**16**	**17**
①	②	②	③

3. 덧셈과 뺄셈
· 9 이하 수의 모으기와 가르기
· 덧셈과 뺄셈

1-1

2. 덧셈과 뺄셈 (1)
· 받아올림이 없는 (몇십몇)+(몇)
· 받아내림이 없는 (몇십몇)-(몇)

1-2

4. 덧셈과 뺄셈 (2)
· 10이 되는 더하기, 10에서 빼기

1-2

6. 덧셈과 뺄셈 (3)
· 10을 이용한 모으기와 가르기
· 덧셈과 뺄셈

1-2

2-1

6. 곱셈
· 묶어 세기, 몇 배
· 곱셈식으로 나타내기

2-2

2. 곱셈구구
· 1단부터 9단까지 곱셈구구
· 0과 어떤 수의 곱

3-1

3. 나눗셈
· 똑같이 나누기
· 곱셈과 나눗셈의 관계
· 나눗셈의 몫 구하기

3-1

4. 곱셈
· (두 자리 수)×(한 자리 수)

1 자연수의 혼합 계산

Teaching Guide

수학적으로 소괄호 ( ), 중괄호 { }, 대괄호 [ ]에 대한 순서와 규칙은 따로 없습니다. 괄호 속에 괄호가 3가지 이상 필요한 경우에도 수학적으로는 한 가지 종류의 괄호만으로 충분합니다.

예 $100 - (99 - (98 - (97 - (96 - (95 - 5)))))$

한 가지 괄호를 5개나 써도 충분히 알아볼 수 있으며, 안에 있는 괄호부터 차례대로 계산하면 혼란도 일어나지 않습니다. 다만 초등학교 아이들의 학습 부담을 감안하여 괄호의 모양을 ( )와 { }의 두 가지로 구분하고, 이 정도 수준의 계산만을 다루도록 하고 있을 뿐입니다.